개념을 잡아 주는 **자율학습 기본서**

고등 셀파

• 생활과 윤리 •

이 책의 구성과 특징

BOOK 1 개념 잡는 알집

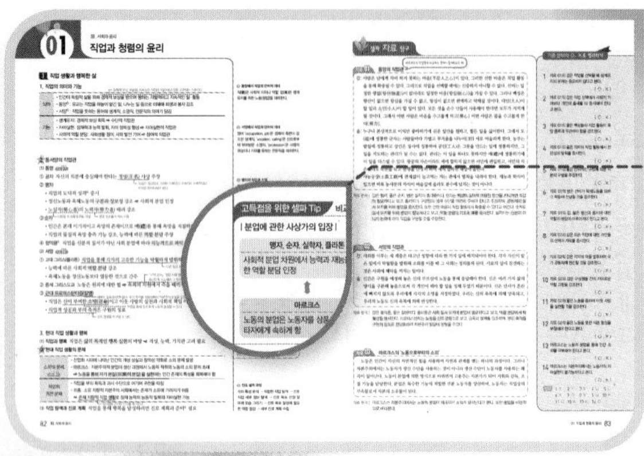

교과서 내용 정리

❶ **교과서 핵심 개념 정리** 핵심 개념을 중심으로 5종 교과서의 내용을 체계적으로 정리

❷ **고득점을 위한 셀파 Tip** 시험에 꼭 출제되는 핵심 부분을 한눈에 볼 수 있도록 정리

셀파 자료 탐구

❶ **핵심 자료 & 자료 분석** 시험에 자주 활용되는 교과서와 수능의 주요 자료를 수록하고, 상세하게 설명

❷ **기출 선택지 ○, ×로 정리하기** 수능, 평가원, 교육청 기출 선택지를 정리하면서 주요 개념을 완벽하게 숙지

개념 완성

❶ **개념 완성** 앞에서 정리한 교과서의 주요 내용을 주제별로 깔끔하게 표로 정리하고, 빈칸 채우기로 주요 개념을 다시 확인

탄탄 내신 문제

❶ **내신 문제와 서답형 문제** 내신 기출 문제와 예상 문제, 시험 비중이 높아지고 있는 서답형 문제로 집중 연습

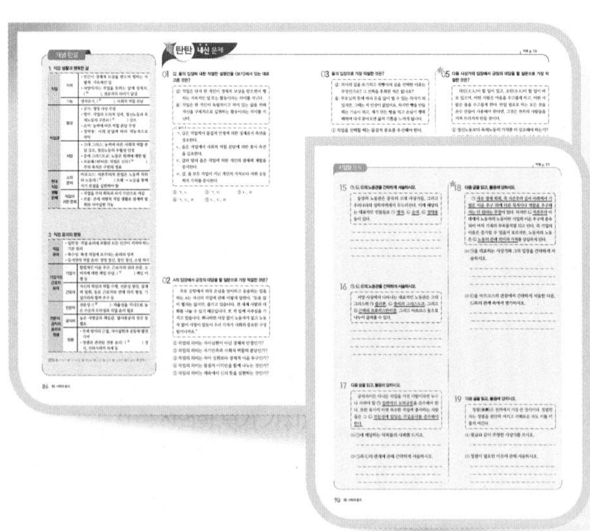

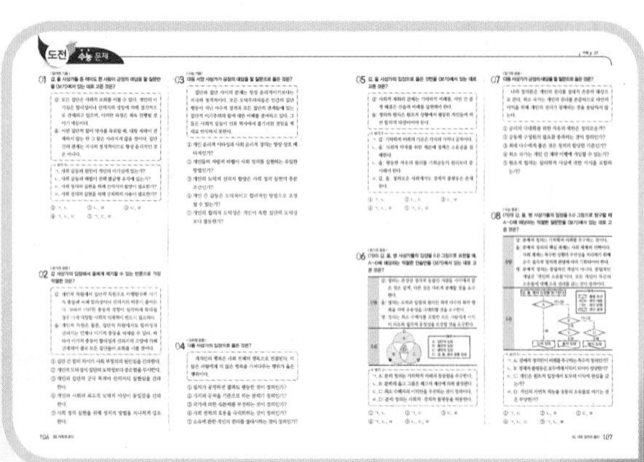

도전 수능 문제

수능, 평가원, 교육청 기출 문제로 수능 유형 연습

STRUCTURE

BOOK 2 | 딱 맞는 풀이집

딱 맞는 풀이집

모든 문제에 대한 상세한 풀이, 자료를 분석하는 셀파 -Tip, 정답을 찾아가는 셀파 -Tip, 내 것으로 만드는 셀파 -Tip 등의 코너를 통한 친절한 해설 수록

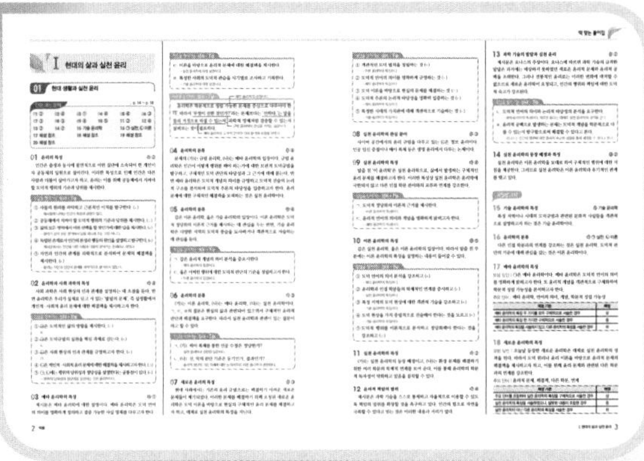

BOOK 3 | 시험 대비 문제집

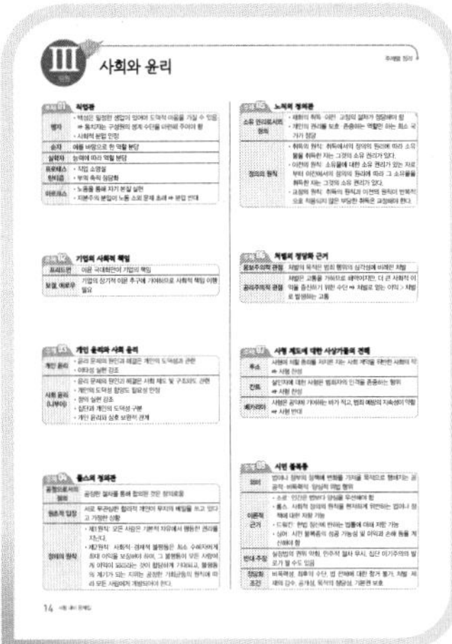

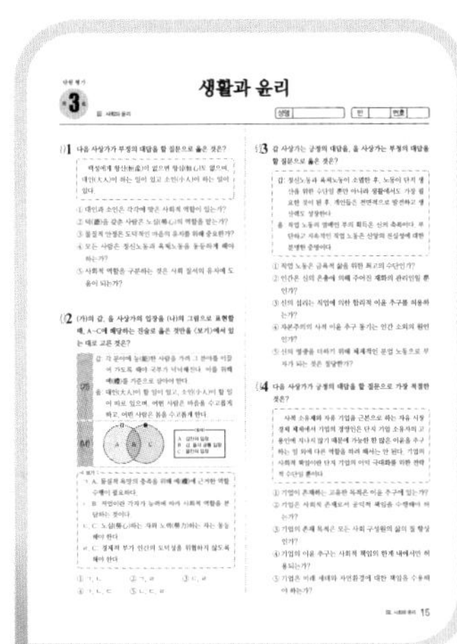

대단원 내용 정리

대단원의 주요 내용을 빠르게 복습할 수 있도록 표로 정리

단원 평가

실제 내신 시험 형태의 대단원 단원 평가 문제 수록

정답 및 해설

단원 평가에 대한 상세하고 친절한 해설 수록

I 현대의 삶과 실천 윤리

II 생명과 윤리

III 사회와 윤리

CONTENTS

Ⅳ 과학과 윤리

Ⅴ 문화와 윤리

Ⅵ 평화와 공존의 윤리

고등셀파 **생활과 윤리**

5종 교과서 단원별 페이지 찾아보기

천재교과서	금성	미래엔	비상교육	지학사
12 ~ 21	10 ~ 19	12 ~ 19	10 ~ 19	12 ~ 21
22 ~ 33	20 ~ 29	20 ~ 31	20 ~ 31	22 ~ 33
34 ~ 43	30 ~ 39	32 ~ 41	32 ~ 41	34 ~ 41
46 ~ 69	42 ~ 65	46 ~ 65	46 ~ 66	46 ~ 65
70 ~ 79	66 ~ 75	66 ~ 75	67 ~ 75	66 ~ 75
82 ~ 93	78 ~ 89	80 ~ 89	80 ~ 90	80 ~ 89
94 ~ 105	90 ~ 103	90 ~ 99	91 ~ 102	90 ~ 99
106 ~ 115	104 ~ 113	100 ~ 109	103 ~ 113	100 ~ 109
118 ~ 127	116 ~ 125	114 ~ 123	118 ~ 127	114 ~ 123
128 ~ 137	126 ~ 135	124 ~ 133	128 ~ 137	124 ~ 133
138 ~ 149	136 ~ 147	134 ~ 145	138 ~ 149	134 ~ 143
152 ~ 163	150 ~ 159	150 ~ 159	154 ~ 162	148 ~ 157
164 ~ 173	160 ~ 169	160 ~ 169	163 ~ 172	158 ~ 167
174 ~ 183	170 ~ 181	170 ~ 179	173 ~ 181	168 ~ 177
186 ~ 205	184 ~ 203	184 ~ 203	186 ~ 207	182 ~ 201
206 ~ 215	204 ~ 213	204 ~ 213	208 ~ 217	202 ~ 211

I

현대의 삶과 실천 윤리

이 단원의 핵심 포인트

중단원	핵심 포인트	학습일
01 현대 생활과 실천 윤리	• 윤리학의 구분 • 실천 윤리학의 등장 배경과 특징	월 일 ~ 월 일
02 현대 윤리 문제에 대한 접근	• 유·불·도의 윤리 • 의무론과 공리주의 • 현대 윤리학적 접근	월 일 ~ 월 일
03 윤리 문제에 대한 탐구와 성찰	• 도덕적 탐구의 방법 • 윤리적 성찰과 방법 • 토론의 필요성	월 일 ~ 월 일

셀파와 내 교과서 단원 비교

셀파	천재교과서	금성	미래엔	비상교육	지학사
01 현대 생활과 실천 윤리	01 현대 생활과 실천 윤리	01 현대 생활과 실천 윤리	01 현대 생활과 실천 윤리	1 현대 생활과 실천 윤리	01 현대 생활과 실천 윤리
02 현대 윤리 문제에 대한 접근	02 현대 윤리 문제에 대한 접근	02 현대 윤리 문제에 대한 접근	02 현대 윤리 문제에 대한 접근	2 현대 윤리 문제에 대한 접근	02 현대 윤리 문제에 대한 접근
03 윤리 문제에 대한 탐구와 성찰	03 윤리 문제에 대한 탐구와 성찰	03 윤리 문제에 대한 탐구와 성찰	03 윤리 문제에 대한 탐구와 성찰	3 윤리 문제에 대한 탐구와 성찰	03 윤리 문제에 대한 탐구와 성찰

01 현대 생활과 실천 윤리

1 윤리와 현대 사회의 윤리 문제

1. 인간의 특성과 윤리[1]

(1) 인간의 특성

① 인간의 삶은 유한하고 일회적임

② 인간은 동물과 달리 확정되지 않은 열린 존재임 ➡ 다른 사람과 함께 선하고 올바르게 살아갈 방법을 찾고, 좋은 삶을 살아가기 위해 노력함

(2) 윤리

의미[2]	• 좋은 삶을 살아가기 위해 반드시 지켜야 할 행위의 원칙들 • 사회의 승인을 통해 구속력을 지니고, 당위의 형식으로 제시되는 규범과 가치의 총체
성격	• 어떤 대상을 평가하는 성격을 지님 • 집단에서 지켜야 할 행동 양식의 성격을 지님 ➡ 규범성을 띠고 있음
필요성	• 윤리적이지 않은 좋음은 진정한 좋음이 아니기 때문에 인간은 삶에서 윤리적인 '좋음'을 추구함 • 행복[3]은 삶의 궁극적 목적이자 방향성을 설정하는 기준 ➡ 행복한 삶에 대한 윤리적 숙고 필요

2. 윤리학의 구분

(1) 윤리학 자료 01

① 윤리를 연구 대상으로 삼는 학문

② 윤리 문제를 명료하게 파악하고, 해결책을 모색하며, 윤리적 결과를 숙고할 수 있는 사실적·규범적 근거를 연구함

(2) 윤리학의 다양한 구분

① 개인 윤리와 사회 윤리

- 개인 윤리: 개인의 도덕성에 중점을 두고 개인적 차원에서 윤리 문제의 해결책을 모색함
- 사회 윤리: 사회 구조나 제도 등 사회적 차원에서 윤리 문제의 해결책을 모색함

② 절대주의 윤리와 상대주의 윤리

- 절대주의 윤리: 보편적이고 영원불변한 도덕적 진리가 존재함 ➡ 보편적인 도덕적 진리 지향
- 상대주의 윤리: 영원불변한 도덕적 진리는 존재하지 않음 ➡ 윤리의 상대성 강조

③ 탐구 방법에 따른 구분 자료 02 — 일반적으로는 탐구 방법에 따라 윤리학을 구분한다.

기술 윤리학	• 목표: 도덕적 풍습 또는 관습에 대한 묘사나 객관적 기술 • 도덕 현상과 문제를 명확하게 기술하고, 현상들 간의 인과 관계를 설명하고자 함
메타(분석) 윤리학	• 목표: 도덕 언어의 의미 분석과 도덕적 추론의 타당성 입증 • 윤리학의 학문적 성립 가능성을 모색하기 위해 도덕 언어의 의미나 도덕적 진술의 논리적 구조 등을 분석함
규범 윤리학	• 목표: 인간이 어떻게 행위를 해야 하는가에 대한 보편적 원리의 탐구 • 도덕적 행위의 근거가 되는 도덕 원리나 인간의 성품에 관해 탐구하고, 이를 바탕으로 도덕적 문제의 해결과 실천 방법을 제시함

— 관점에 따라서는 규범 윤리학을 다시 이론 규범 윤리학과 실천 규범 윤리학으로 구분하기도 한다.

(3) 이론 윤리학과 실천 윤리학 윤리 문제에 대한 해결책과 올바른 삶의 방향 제시 자료 03

이론 윤리학[4]	• 도덕 원리나 도덕적 정당화의 이론적 근거 제시 ➡ 실천 윤리학의 토대가 됨 • 도덕적 행위에 대한 이론적 분석과 정당화를 다룸 ➡ 윤리 문제 해결의 토대 제공
실천 윤리학[5]	• 도덕 원리를 근거로, 현실에 적용할 수 있는 실천적 규범과 원칙의 연구와 적용 • 삶에서 구체적으로 발생하는 윤리 문제에 대한 실제적이고 구체적인 해결책 모색에 관심

---

① 윤리의 기원에 관한 견해
- 진화 과정의 산물
- 이성적 사유의 결과
- 습관과 같은 반복된 행위
- 신의 명령이나 계시로 주어진 것

② 윤리의 어원적 의미
- 동양: 윤(倫: 무리 또는 질서)+리(理: 이치나 도리) → 사람 사이의 도리나 규범
- 서양: 고대 그리스어 에토스(ethos)에서 유래한 말로, 개인의 성품 또는 품성, 사회의 풍습 또는 관습

③ 아리스토텔레스의 행복
아리스토텔레스에 따르면 최고의 '좋음'은 행복이다. 이 행복은 다른 것을 위한 수단이 될 수 없으며, 그 자체로 완전하므로 삶의 궁극적인 목적으로 간주된다.

고득점을 위한 셀파 Tip 개념

| 윤리학의 구분 |
- 규범 윤리학: 도덕적 행위에 대한 보편적 원리의 탐구
- 기술 윤리학: 도덕적 풍습이나 관습에 대한 묘사나 객관적 기술
- 메타 윤리학: 도덕 언어의 의미 분석과 도덕적 추론의 타당성 입증

④ 이론 윤리학의 예
의무론적 윤리, 공리주의 윤리, 덕 윤리 등

⑤ 실천 윤리학의 예
생태 윤리, 생명 윤리, 정보 윤리 등

자료 01 아리스토텔레스가 말하는 윤리학의 목적

윤리학은 도덕적 행위를 정당화하는 규범적 근거에 관한 이론을 제시하는 데 만족하지 않는다. 만약 도덕규범에 근거한 도덕 판단이 도덕적 실천과 아무런 관계가 없다면, 도덕적 숙고를 통하여 도덕 판단을 내릴 이유를 찾기 어려울 것이다. 도덕규범에 토대를 둔 행위에 대한 규범적 판단은 행위의 방향성을 제시함과 동시에 도덕적 행위를 이끄는 것이어야만 한다. 즉, 도덕적 행위의 바탕이 되는 도덕적 지식은 단지 이론적인 지식으로만 머물러서는 안 되며, 반드시 도덕적 행위를 산출하는 실천적 지혜여야 한다. 그러므로 윤리학은 궁극적으로 도덕적 행위의 실천을 목적으로 삼는다고 할 수 있다.

자료 분석 | 아리스토텔레스는 도덕적 실천을 윤리학의 전제이자 목표라고 보고, 정의로운 행위를 해 봄으로써 정의로워지고, 절제 있는 행위를 해 봄으로써 절제 있게 되며, 용감한 행위를 해 봄으로써 용감하게 된다고 주장한다. 또한 아리스토텔레스는 인생의 궁극적인 목적은 행복이며, 행복은 덕과 일치하는 정신의 활동을 의미한다고 말한다.

자료 02 윤리학의 구분

(가) '거짓말은 나쁜가?'와 같은 도덕 문제에 답하려면 관련된 문제들에 답해야 한다. 어떤 학자들은 '선악을 구분하는 도덕 원리가 무엇인가?'라는 물음에 대해 유용성, 정언 명령 등의 답을 제시하였다. 다른 학자들은 "나쁘다'의 의미는 무엇인가?'라는 물음에 대해 금지, 혐오 등의 답을 제시하였다. 하지만 위와 같은 대답들은 현실에서 제기되는 도덕 문제에 대한 구체적인 행위 지침을 제시하지 못한다.

(나) 윤리학은 환경 문제나 사형 제도 등 현대인의 삶의 영역에서 제기되는 다양한 윤리 문제의 해결을 목표로 삼아야 한다. 그런데 어떤 윤리학자들은 도덕적 언어의 의미를 분석하여 도덕 추론의 타당성을 입증하는 것을 중시하고, 또 다른 윤리학자들은 특정 문화권의 풍습을 객관적으로 기술하는 것을 강조한다. 그러나 이러한 입장들은 모두 도덕규범의 현실적 적용과 구체적 대안 제시를 경시하였다고 볼 수 있다.

자료 분석 | (가)는 메타 윤리학에 대한 규범 윤리학의 비판, (나)는 메타 윤리학과 기술 윤리학에 대한 규범 윤리학의 비판이다. 메타 윤리학은 도덕적 언어의 의미 분석을, 기술 윤리학은 특정 문화권의 풍습에 대한 객관적 기술을, 규범 윤리학은 도덕적 행위에 대한 보편적 원리의 탐구를 목표로 한다. 따라서 규범 윤리학의 관점에서는 메타 윤리학과 기술 윤리학이 도덕규범의 현실적 적용을 경시하고 있다고 비판할 수 있다.

자료 03 이론 윤리학과 실천 윤리학

(가) 이론 윤리학은 도덕적 행위에 대한 이론적 분석과 정당화를 주로 다룬다. 또한 실천 윤리학은 현대에 들어와 새로운 윤리적 판단을 요구하는 많은 문제가 생겨남으로써 등장한 윤리학의 한 분야로서, 크게 분배 문제와 생명 문제, 그리고 환경 문제 등을 다룬다.

(나) 윤리학의 구분에 따르면, 실천 윤리학은 삶의 여러 영역에서 발생하는 윤리 문제에 적절한 윤리 이론을 적용하여 이를 해결하고자 한다. 또한 이론 윤리학은 선과 악, 옳고 그름 등의 가치 판단과 그러한 판단을 내릴 수 있게 해 주는 규칙이나 원리의 타당성에 대해 탐구하는 것에 중점을 둔다.

자료 분석 | 이론 윤리학은 도덕 원리를 정당화하고 체계화하는 데 관심을 두고, 실천 윤리학은 구체적인 문제 해결에 관심을 둔다. 하지만 이론 윤리학과 실천 윤리학이 서로 대립하거나 모순되는 관계에 있는 것은 아니다. 이론 윤리학과 실천 윤리학은 모두 현실의 윤리 문제에 대한 해결책을 제시하고 올바른 삶의 방향을 제시하고자 한다.

기출 선택지 O, X로 정리하기

1 기술 윤리학은 도덕 현상에 대한 당위적 서술이 필요함을 강조하고 있다. (O, X)

2 기술 윤리학은 도덕규범의 현실적 적용과 구체적 대안 제시를 경시하였다. (O, X)

3 메타 윤리학은 언어 분석을 통해 윤리적 딜레마를 해소해야 함을 강조한다. (O, X)

4 메타 윤리학은 도덕 추론의 논증 가능성과 논리적 타당성을 규명하는 것이다. (O, X)

5 기술 윤리학과 메타 윤리학은 윤리학의 성립 가능성과 가치 중립성을 간과하였다. (O, X)

6 규범 윤리학은 실천적 규범을 통한 도덕 문제 해결의 중요성을 경시한다. (O, X)

7 실천 윤리학은 도덕 현상의 객관적 서술을 윤리학의 본질로 본다. (O, X)

8 실천 윤리학은 도덕 원리를 적용해 실생활의 윤리 문제를 해결하려는 것이다. (O, X)

9 실천 윤리학은 도덕의 규범적 근거로서 객관적인 도덕 원리를 정립해야 한다. (O, X)

정답 1× 2O 3O 4O 5× 6× 7× 8O 9×

3. 현대 사회의 다양한 윤리적 쟁점

(1) 윤리의 현상과 본질

① 현실에서 윤리는 시대와 장소에 따라 다양하게 변화함 — 윤리의 구체적인 내용은 변화하더라도 본질은 변하지 않는다.

② 윤리의 본질에 근거하여 새로운 윤리 문제[6]를 정당화함

③ 기존 윤리 규범을 시대에 맞게 해석함 ➡ 다양한 문제의 검토와 해결 가능

(2) 새로운 윤리의 요청 자료 04

① 과거에는 문제가 되지 않았던 영역에서 윤리적 판단이 요구됨

② 새로운 윤리 문제를 보는 입장

- 새로운 윤리 문제에도 기존의 윤리적 사유를 적용하면 됨
- 기존의 윤리와는 다른 새로운 윤리가 필요함

➡ 어느 한쪽의 입장보다는 균형 있는 시각으로 바라보아야 함

(3) 다양한 실천 윤리 분야와 윤리 문제 — 이 밖에도 가정 윤리, 기업 윤리, 직업 윤리, 성 윤리, 과학 기술 윤리 등의 분야가 있다.

생태 윤리	환경 오염, 오존층 파괴, 기후 변화 등과 같은 환경 문제
정보 윤리	인터넷의 대중화 및 누리소통망의 발달로 발생한 문제
문화 윤리	의식주, 예술, 종교 등 인간의 문화적 행위와 관련된 문제
사회 윤리	개인과 공동체의 공존, 시민의 행복과 복지 증진을 위한 문제
생명 윤리	생명 의료 기술과 생명 공학 기술의 발달로 인한 출생과 죽음, 생명의 존엄성에 관한 문제

2 실천 윤리학의 등장 배경과 특징

1. 실천 윤리학의 등장 배경

(1) 이론 윤리학의 한계 추상적·보편적 성격 ➡ 구체적인 행위에 대한 지침을 제공하지 못함 자료 05

(2) 사회·문화적 변화

① 20세기 후반 도시화, 세계화, 정보화 진전

② 다원성과 다양성 강조 ➡ 새로운 윤리 문제 발생 ➡ 현실적이고 구체적인 해결책 요구

(3) 과학 기술의 발달

① 과학 기술의 빠른 발전 속도 기존의 윤리가 과학 기술의 발전 속도를 따라가지 못함 ➡ 윤리적 공백[7] 발생 자료 06

② 다양한 영역에 영향 과거에 없었던 새로운 문제 제기

(4) 다른 학문과의 협력 요구 삶의 다양한 영역에서 새로운 윤리 문제 제기 ➡ 윤리 문제에 대한 학제적[8] 접근의 필요성 증가

2. 실천 윤리학의 특징

(1) 구체적·실천적 성격

① 구체적이고 실천적인 도덕 판단과 행위의 지침을 강조함

② 다양한 삶의 영역에서 제기되는 문제의 구체적인 해결책을 모색함

(2) 학제적 성격 다양한 학문 분야 간의 대화를 강조함

(3) 새로운 문제를 다룸 과학 기술의 발달로 발생하는 새로운 문제를 다룸

(4) 이론 윤리학과 유기적 관계 윤리 문제에 직면하였을 때 이론 윤리학의 연구 성과들을 적극적으로 활용함

[6] 현대 사회의 새로운 윤리 문제의 특징

- 파급 효과가 광범위하다.
- 책임 소재가 불명확하다.
- 거의 모든 생활 영역에서 발생한다.
- 전통적 윤리 규범으로는 해결이 어렵다.

[7] 윤리적 공백

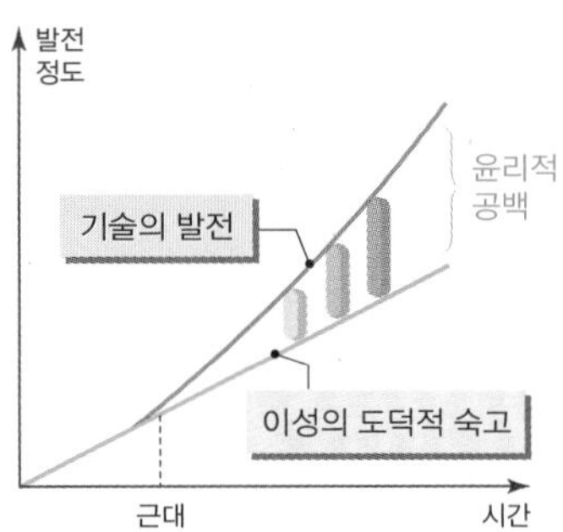

과학 기술의 발전 속도와 과학 기술의 영향에 대한 이성의 도덕적 숙고가 충분히 반영되지 못해서 생기는 간격

[8] 학제적

서로 다른 여러 학문 분야가 복합적으로 연계하여 탐구하는 것

고득점을 위한 셀파 Tip 정리

| 실천 윤리학의 등장 배경과 특징 |

- 이론 윤리학의 한계 → 구체적이고 실천적인 도덕 판단과 행위의 지침 강조
- 사회·문화적 변화 → 다양한 삶의 영역에서 제기되는 문제의 해결책 모색
- 과학 기술의 발달 → 과학 기술의 발달로 발생하는 새로운 문제를 다룸
- 다른 학문과의 협력 요구 → 다양한 학문 분야 간의 대화 강조

자료 04 새로운 윤리학의 등장

20세기 들어 '윤리학이 학문적 정체성을 확보할 수 있는가?'를 밝히기 위해 언어의 의미 분석에 몰두하는 윤리학이 등장하였다. 이 윤리학은 도덕 추론의 논증 가능성과 논리적 타당성을 규명하는 것을 주요 탐구 과제로 설정하였다. 그러나 도덕 언어의 분석이나 기존의 도덕 이론만으로 해결할 수 없는 새로운 도덕 문제들이 제기되었으며, 안락사나 인공 임신 중절 등과 같이 현실적 삶에 등장한 딜레마를 해결하기 위한 새로운 윤리학이 요구되었다.

자료 분석 | 과학 기술이 빠르게 발달하고 사회·문화적 변화가 일어나면서 지금까지 인간이 고민하지 않았던 새로운 문제가 제기되었다. 이처럼 새로운 영역에서 윤리적 판단이 필요해지면서 새로운 윤리가 요청되기 시작하였다.

자료 05 이론 윤리학의 한계와 실천 윤리학의 등장

윤리학의 근본 과제는 도덕적으로 올바른 행위를 판단하기 위한 기본 원리와 토대를 제공하고 일반화하는 데 있다. 그런데 오늘날 과학 기술의 급격한 발달은 기존의 이론 중심 윤리학만으로는 해결하기 어려운 도덕적 문제 상황들을 초래하였고, 그 결과 실제 생활과 관련하여 논쟁이 되는 윤리적 과제들이 대두되었다. 이에 따라 이러한 윤리적 과제들을 해결하기 위해 실천 윤리학이 등장하게 되었다. 실천 윤리학은 도덕규범의 현실적인 적용과 구체적인 대안의 실천을 강조한다.

자료 분석 | 이론 윤리학은 다양성과 다원성이 강조되는 현대 사회에서 구체적인 행위에 대한 지침을 제공해 주지 못한다는 한계가 있다. 이에 따라 윤리 문제에 구체적이고 실제적인 해결책을 제공해 주는 실천 윤리학이 등장하게 되었다.

자료 06 요나스의 과학 기술의 발전과 실천 윤리

이 모든 것은 상당히 변화하였다. 현대의 기술이 산출한 행위들의 규모는 너무나 새롭고, 그 대상과 결과가 너무나 새로운 것이므로 인간 사이의 관계에 한정되고 단기적인 예견에 토대를 둔 전통적인 윤리의 틀로는 이 행위들을 더는 파악할 수 없다.

전통적인 세계관의 큰 변화로서 사람들은 인간의 기술적 간섭으로 말미암은 자연에 대한 침해 가능성을 예로 든다. 이것은 인간 행위의 본성이 사실상 변화하였다는 사실을 보여 주었으며, 우리가 지구 전체 생명에 대하여 권력을 지니고 있으므로 그것에 대한 책임을 져야 한다는 사실을 보여 주었다.

자료 분석 | 요나스는 과학 기술의 발전으로 인해 인간의 힘이 점점 증대되고 있으며, 이러한 힘의 행사에 대한 이성적인 통찰이 필요하다고 주장한다. 또한 현세대는 물론 미래 세대와 인간 이외의 존재까지 고려하는 새로운 윤리학이 필요하다고 주장한다. 이렇게 등장한 새로운 윤리학은 대체로 실천 윤리학의 성격을 띤다.

기출 선택지 O, X로 정리하기

1 새로운 윤리 문제에 대처하기 위해 오늘날 윤리학은 인접 학문 영역과는 분리된 윤리학의 정체성을 확립해야 한다. (O, X)

2 새로운 윤리 문제에 대처하기 위해 오늘날 윤리학은 구체적 도덕 문제에 도덕규범을 적용하여 해결책을 찾아야 한다. (O, X)

3 이론 윤리학은 도덕 법칙의 정당화와 이론적 분석을 중시한다. (O, X)

4 이론 윤리학은 각 문화권의 도덕적 관습을 가치 중립적 입장에서 기술한다. (O, X)

5 실천 윤리학은 윤리학과 인접 학문과의 학제적 연계를 중시한다. (O, X)

6 실천 윤리학은 도덕 명제에 대한 검증 가능성과 분석적 접근을 강조한다. (O, X)

7 요나스에 따르면 기술의 발달은 인간을 윤리적 책임에서 면제시켜 준다. (O, X)

8 요나스에 따르면 기술에 대한 윤리적 성찰이 결여될 때 윤리적 공백이 발생한다. (O, X)

9 요나스의 입장에서는 기술 발전으로 생기는 문제를 기존의 윤리로 해결해야 한다. (O, X)

정답 1 × 2 ○ 3 ○ 4 × 5 ○ 6 × 7 × 8 ○ 9 ×

개념 완성

1 윤리와 현대 사회의 윤리 문제

구분		내용
윤리		• 좋은 삶을 살아가기 위해 반드시 지켜야 할 행위의 원칙들 • 사회의 승인을 통해 구속력을 지니고, (❶) 의 형식으로 제시되는 규범과 가치의 총체
윤리학		• 윤리를 연구 대상으로 삼는 학문 • 윤리 문제를 명료하게 파악하고, 해결책을 모색하며, 윤리적 결과를 숙고할 수 있는 사실적·규범적 근거를 연구함
윤리학의 구분	(❷) 윤리학	도덕적 풍습 또는 관습에 대한 묘사나 객관적 기술에 초점
	(❸) 윤리학	도덕 언어의 의미 분석과 도덕적 추론의 타당성 입증에 초점
	(❹) 윤리학	인간이 어떻게 행위를 해야 하는가에 대한 보편적 원리의 탐구에 초점
이론 윤리학과 실천 윤리학	(❺) 윤리학	• 도덕 원리나 도덕적 정당화의 이론적 근거를 제시함 • 도덕적 행위에 대한 이론적 분석과 정당화를 다룸
	(❻) 윤리학	• 윤리 문제에 대한 실제적이고 구체적인 해결책 모색 • 현실에 적용할 수 있는 실천적 규범과 원칙의 연구와 적용
	공통점	• 현실의 윤리적 문제에 대한 해결책 제시 • 궁극적으로 바람직한 도덕적 삶의 방향 제시

2 실천 윤리학의 등장 배경과 특징

구분	내용
등장 배경	• (❼)의 한계: 구체적인 행위 지침을 제공하지 못함 • 사회·문화적 변화: 도시화·세계화·정보화의 진전 → 다원성과 다양성 추구 → 새로운 윤리적 문제 발생 • 과학 기술의 발달: 현대 과학 기술의 빠른 발전 → (❽) 확대 • 다른 학문과의 협력: 삶의 다양한 영역에서 제기되는 새로운 윤리 문제에 대한 (❾) 접근의 필요성 증가
특징	• 다양한 학문 분야 간의 대화 강조 • 이론 윤리학의 연구 성과들을 적극적으로 활용함 • 과학 기술의 발달로 발생하는 새로운 문제를 다룸 • 구체적이고 (❿) 도덕 판단과 행위의 지침 강조 • 다양한 삶의 영역에서 제기되는 문제의 구체적인 (⓫) 모색

정답 ❶ 당위 ❷ 기술 ❸ 메타 ❹ 규범 ❺ 이론 ❻ 실천 ❼ 이론 윤리학 ❽ 윤리적 공백 ❾ 학제적 ❿ 실천적인 ⓫ 해결책

탄탄 내신 문제

01 다음 주장들과 관련된 윤리의 특징으로 가장 적절한 것은?

> • 사람은 상호 의존적이며 관계적인 존재이다. 그러므로 윤리적 결정을 내릴 때에는 상황의 특수성과 인간관계, 배려, 책임 등을 고려하여 판단해야 한다.
> • 우리 모두는 어느 나라의 국민이고 어느 도시의 시민이며 누군가의 딸과 아들이다. 사람은 누구나 공동체의 일원으로서 삶의 구체적인 모습을 지니고 살아간다.

① 사물의 원리를 파악하고 근본적인 이치를 탐구한다.
② 공동체에서 지켜야 할 도덕적 행위의 기준과 당위를 제시한다.
③ 삶의 모든 영역에서 어떤 선택을 할 것인가에 대한 답을 제시한다.
④ 독립된 존재로서 인간의 본성과 행동의 원인을 설명하고 탐구한다.
⑤ 자연과 인간의 관계를 과학적으로 분석하여 문제의 해결책을 제시한다.

02 ㉠, ㉡에 대한 설명으로 가장 적절한 것은?

> ㉠ 사회 과학의 핵심은 사회 현상에 대한 구체적인 분석과 설명이다. 따라서 개인의 가치 판단보다는 객관적 시각으로 사물을 관찰하려고 노력해야 한다. 이와 달리 ㉡ 윤리학은 '발밑의 문제'를 해결하고자 노력해야 한다. 즉 생명 윤리, 성 윤리, 생태 윤리, 정보 윤리 등의 문제를 파악하고 그 해결 방법을 탐구해야 한다.

① ㉠은 도덕적인 삶의 방향을 제시한다.
② ㉠은 도덕규범의 실천을 핵심 과제로 삼는다.
③ ㉡은 사회 현상의 인과 관계를 규명하고자 한다.
④ ㉡은 개인적·사회적 윤리 문제에 대한 해결책을 제시하고자 한다.
⑤ ㉠, ㉡에는 행위의 당위성과 정당성을 설명한다는 공통점이 있다.

03 다음 주장이 강조하고 있는 윤리학의 주요 탐구 과제를 〈보기〉에서 고른 것은?

> 윤리학은 학문적으로 성립 가능한 문제를 중심으로 다루어야 한다. 따라서 '무엇이 선한 것인가?'라는 문제보다는 '선하다.'는 말을 참과 거짓으로 따질 수 있는지, 과학적 명제처럼 검증할 수 있는지 살펴보는 것이 필요하다.

보기

ㄱ. 도덕적 언어의 의미와 논리적 타당성을 분석한다.
ㄴ. 도덕적 개념을 학문적으로 다룰 수 있는지 탐구한다.
ㄷ. 이론을 바탕으로 윤리적 문제에 대한 해결책을 제시한다.
ㄹ. 특정한 사회의 도덕적 관습을 시기별로 조사하고 기록한다.

① ㄱ, ㄴ ② ㄱ, ㄷ ③ ㄴ, ㄷ
④ ㄴ, ㄹ ⑤ ㄷ, ㄹ

04 그림은 서술형 평가 문제와 학생 답안이다. 학생 답안의 ㉠~㉤ 중 옳지 않은 것은?

〈서술형 평가〉

◎ **문제** (가), (나)의 입장을 비교하시오.

> (가) 윤리학은 인간이 어떻게 행동해야 하는가에 대한 보편적 원리를 탐구해야 한다.
> (나) 윤리학은 도덕 언어의 의미를 분석하고, 도덕적 추론의 타당성을 입증해야 한다.

◎ **학생 답안**

(가)는 ㉠ 공동체 내에 적용되는 보편적인 도덕규범이 있다고 보고 있으며, ㉡ 도덕적 판단의 근거에 대해 관심을 가진다. (나)는 '선함, 악함'과 같은 ㉢ 도덕적 개념에 대한 명확한 분석에 관심을 가지고, 이를 바탕으로 ㉣ 윤리 문제에 대한 구체적인 해결책을 모색한다. 하나의 윤리 문제에 대하여 ㉤ (가)와 (나)의 탐구 방법을 함께 사용할 수 있다는 점에서 양자는 보완적일 수 있다.

① ㉠ ② ㉡ ③ ㉢ ④ ㉣ ⑤ ㉤

05 갑, 을의 입장에 대한 옳은 설명을 〈보기〉에서 고른 것은?

> 갑: 윤리학은 도덕적 원리와 행위가 무엇인지 규명해야 합니다. 그러므로 '인간을 목적으로 대우하라.'와 같은 규범적 기준을 먼저 정립해야 합니다.
> 을: 아닙니다. 윤리학은 개인의 생활, 사회의 구조와 기능 속에 존재해 온 도덕적 관행들을 역사적, 문화적, 인류학적으로 접근하여 객관적으로 서술해야 합니다.

보기

ㄱ. 갑은 윤리적 개념의 의미 분석을 중요시한다.
ㄴ. 갑은 도덕적 정당화의 이론적 근거를 제시하는 데 관심을 가진다.
ㄷ. 을은 어떠한 행위에 대한 도덕적 판단의 기준을 정립하고자 한다.
ㄹ. 을은 다양한 지역의 도덕적 풍습에 대해 객관적으로 서술하는 것을 중시한다.

① ㄱ, ㄴ ② ㄱ, ㄷ ③ ㄴ, ㄷ
④ ㄴ, ㄹ ⑤ ㄷ, ㄹ

06 그림은 학생의 노트 필기이다. (가)~(다)의 윤리학과 관련된 적절한 질문만을 〈보기〉에서 있는 대로 고른 것은?

(가)	: 도덕적 정당화의 이론적 근거를 제시한다.
(나)	: 도덕적 언어의 의미와 도덕적 추론의 타당성을 따져 본다.
(다)	: 삶에서 발생하는 윤리 문제에 대한 구체적 해결책을 모색한다.

보기

ㄱ. (가): 배아 복제를 통한 인공 수정은 정당한가?
ㄴ. (나): 선, 악의 판단 기준은 동기인가, 결과인가?
ㄷ. (다): 약소국에 대한 원조는 의무인가, 자율인가?
ㄹ. (다): 뇌사의 인정과 안락사의 허용은 도덕적으로 타당한가?

① ㄱ, ㄴ ② ㄴ, ㄷ ③ ㄷ, ㄹ
④ ㄱ, ㄴ, ㄹ ⑤ ㄴ, ㄷ, ㄹ

07 (가)의 관점에서 볼 때, ㉠에 들어갈 말로 가장 적절한 것은?

(가) 현대에 들어와 새롭게 제기되는 문제들은 기존의 윤리 규범만으로는 해결하기 어렵다. 따라서 이러한 문제들을 해결하기 위한 새로운 윤리학이 필요하다.

새로운 윤리학의 탐구 과제는 무엇이어야 할까요?
___㉠___ 이어야 합니다.

① 객관적인 도덕 법칙을 정립하는 것
② 도덕적 언어의 의미를 명확하게 규명하는 것
③ 도덕 이론을 바탕으로 현실의 문제를 해결하는 것
④ 도덕적 추론의 논리적 타당성을 명확히 입증하는 것
⑤ 특정한 시대의 가치관에 대해 객관적으로 기술하는 것

08 ㉠~㉤에 대한 설명으로 적절하지 않은 것은?

㉠	온실 효과, 해수면의 상승, 사막화 등의 환경적 재앙의 예방과 위기 극복
생명 윤리	㉡
㉢	사이버 공간을 통한 개인의 사생활 침해, 온라인 사기, 악성 댓글 등 다양한 사회적 문제에 대한 도덕 판단 요청
평화 윤리	㉣
사회 윤리	㉤

① ㉠에 들어갈 수 있는 말은 환경 윤리이다.
② ㉡에는 유전자 조작과 같은 문제가 들어갈 수 있다.
③ ㉢의 핵심 논제는 인공 임신 중절, 배아 복제 등을 포함한다.
④ ㉣에서 기아와 난민 문제, 해외 원조 문제 등이 논의될 수 있다.
⑤ ㉤에서는 경제 발전과 물질적 풍요에도 개인이 행복을 느끼지 못하는 이유 등을 다룰 수 있다.

09 밑줄 친 '이 윤리학'의 특징을 〈보기〉에서 고른 것은?

과학 기술 발달로 인하여 급격한 사회 변화가 일어나면서, 과거에는 예상하지 못했던 새로운 문제들이 발생하였다. 이 윤리학은 이러한 문제들을 해결하기 위한 목적으로 등장하였다.

보기
ㄱ. 도덕적 정당화의 이론적 근거를 제시한다.
ㄴ. 다른 인접 학문과의 교류와 연계를 강조한다.
ㄷ. 윤리적 언어의 의미와 개념을 명확하게 밝히고자 한다.
ㄹ. 삶에서 구체적으로 발생하는 윤리 문제에 대한 해결책을 제시하고자 한다.

① ㄱ, ㄷ ② ㄱ, ㄹ ③ ㄴ, ㄷ
④ ㄴ, ㄹ ⑤ ㄷ, ㄹ

10 밑줄 친 부분에 들어갈 말로 가장 적절한 것은?

갑: 윤리학은 사회적 문제에 대한 해결책을 제시할 수 있어야 합니다.
을: 맞습니다. 그러나 그 전에 도덕 원리나 도덕적 정당화의 이론적 근거를 먼저 제시해야 합니다.
갑: 당신은 ________________ 있습니다. 하지만 환경 문제와 같이 현대 사회에서 제기되는 다양한 도덕 문제를 해결하기 위해서는 도덕규범을 구체적인 문제 상황에 적용하는 것이 중요합니다.

① 도덕 언어의 의미 분석을 강조하고
② 윤리학과 인접 학문들의 학제적인 연계를 중시하고
③ 특정 지역의 도덕 현상에 대한 객관적 기술을 강조하고
④ 도덕 현상을 가치 중립적으로 진술해야 한다는 것을 모르고
⑤ 도덕적 행위를 이론적으로 분석하고 정당화해야 한다는 것을 강조하고

11 (가), (나)를 통해 알 수 있는 사실로 적절하지 않은 것은?

(가)	과학 기술의 발달과 산업화의 영향으로 전 지구적 차원에서 복잡한 문제가 발생하고, 다양한 이해관계가 충돌하게 되었다. 이에 따라 여러 학문을 연계하여 문제를 해결하려는 경향이 나타났다.
(나)	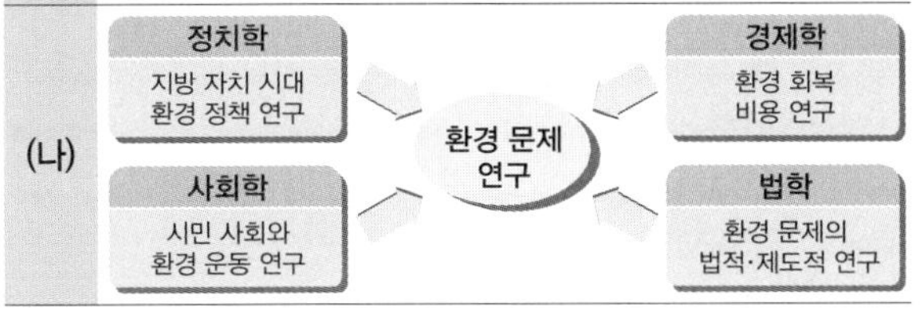

① 실천 윤리학의 필요성이 강조되었다.
② 윤리학의 전문성과 독자성이 강화되었다.
③ 윤리 문제 해결과 관련해 다양한 관점이 부각되었다.
④ 보편적 의무를 강조한 근대 윤리의 한계를 보완하고자 하였다.
⑤ 현실의 문제 해결을 위해 다양한 학문 분야의 연계가 요청되었다.

12 (가), (나)에서 주장하는 내용으로 적절하지 않은 것은?

(가) 현대의 인간은 유용한 것을 얻기 위해 과학 기술을 이용한다. 그러나 과학 기술에만 모든 것을 의존하면, 과학 기술의 횡포 앞에 무방비 상태로 놓일 수 있다.
(나) 뛰어난 사고 능력과 우월한 사고로 가능하였던 기술 문명의 힘은 인간 스스로 자신을 포함한 모든 것을 위험에 빠뜨리게 하였다. 현 세기에 들어오면서 인간은 오래전 예고되었던 지점에 도달하였고, 그로써 위험은 가시적이고 위협적인 것이 되었다.

① 과학 기술을 맹신하는 것은 위험하다.
② 과학 기술에 대한 성찰이 요구되고 있다.
③ 과학 기술에 대한 윤리적 통제가 필요하다.
④ 인간의 힘으로 자연을 극복할 수 있다고 믿어야 한다.
⑤ 과학 기술에 예속되지 말고 인간의 고유성을 지키도록 해야 한다.

13 다음 사상가의 입장을 〈보기〉에서 고른 것은?

윤리가 과학 기술의 발달을 따라가지 못할 때 윤리적 공백이 발생하고, 이것은 이성적 인간에 대한 도구적 인간의 지배를 초래할 것이다. 전통적인 윤리로는 이러한 변화에 대처하지 못하기 때문에 우리는 새로운 윤리가 필요하다.

보기
ㄱ. 인간의 행위에 대한 도덕적 숙고를 강조한다.
ㄴ. 도덕적 언어의 의미와 논리적 타당성의 분석을 요구한다.
ㄷ. 과학 기술의 발달로 인해 과거에는 예상하지 못한 새로운 윤리적 문제가 등장할 수 있다고 본다.
ㄹ. 윤리적 공백으로 발생하는 문제는 도덕적 개념을 학문적으로 다룰 수 있는지 탐구함으로써 해결할 수 있다고 본다.

① ㄱ, ㄴ ② ㄱ, ㄷ ③ ㄴ, ㄷ
④ ㄴ, ㄹ ⑤ ㄷ, ㄹ

14 그림은 서술형 평가 문제와 학생 답안이다. 학생 답안의 ㉠~㉤ 중 옳지 않은 것은?

〈서술형 평가〉

◎ **문제** 실천 윤리학의 등장 배경과 특징에 대해 서술하시오.

◎ **학생 답안**

이론 윤리학의 한계를 극복하기 위해 실천 윤리학은 ㉠ 구체적이고 실천적인 도덕 판단과 행위의 지침을 강조하며, ㉡ 이론 윤리학과 대립적인 관계를 맺고 있다. 또한 20세기 후반 사회·문화적 변화에 대응하여 ㉢ 다양한 윤리적 문제의 구체적인 해결책을 모색하고, ㉣ 과학 기술의 발달로 발생하는 새로운 문제를 다룬다. 현대 사회의 윤리적 문제들은 복잡한 성격을 지니고 있기 때문에 실천 윤리학은 ㉤ 다양한 학문 분야 간의 대화를 강조한다.

① ㉠ ② ㉡ ③ ㉢ ④ ㉣ ⑤ ㉤

딱풀 p. 2

15 밑줄 친 부분과 관련된 윤리학의 분야를 쓰시오.

> 윤리학은 사회 과학과는 달리 규범적 질문에 대한 답을 제시해야 한다. 그러나 근대 이후 다양한 문화에 대한 사회 과학적 관심이 증가함에 따라 도덕규범과 관련된 문화적 사실들을 명확하게 기술하고, 그 사실들 간의 인과 관계를 객관적으로 설명하고자 하는 윤리학이 등장하였다.

16 ㉠, ㉡에 들어갈 알맞은 말을 쓰시오.

> • [㉠] 윤리학은 기존의 윤리학이 현대에 나타난 새로운 문제를 해결하지 못하고 있다는 반성에서 출발하였다. 따라서 윤리적 문제의 해결을 위해 다른 인접 학문과의 연계를 강조한다.
> • [㉡] 윤리학은 윤리적 문제의 해결을 위해서는 먼저 도덕적 판단의 보편적 기준을 명확히 밝혀야 한다고 주장한다. 따라서 도덕적 행위의 기준이 동기인지 결과의 유용성인지에 대해 관심을 갖는다.

17 ㉠의 특징을 두 가지 서술하시오.

> 비트겐슈타인은 언어의 애매한 사용을 많은 철학적 논란의 원인으로 보고, 언어를 분석하고 명료화하는 것을 철학의 과제로 삼았다. 이러한 그의 철학은 ㉠ 도덕 언어에 주목한 윤리학이 나타나는 데 영향을 미쳤다.

18 밑줄 친 '새로운 윤리학'의 특징을 서술하시오.

> 전통적 윤리학은 인간의 삶에서 도덕이 지니는 의미와 정당성을 밝히는 데 주력하였다. 그러나 오늘날 과학 기술이 급속히 발달함에 따라 전통적 윤리학만으로는 해결할 수 없는 새로운 윤리적 쟁점들이 제기되었고, 이에 따라 생명 윤리, 정보 윤리 등 다양한 영역의 도덕 문제를 다루는 새로운 윤리학이 등장하였다.

[19~20] 다음을 읽고 물음에 답하시오.

> (가) 윤리적 판단을 할 때 우리는 그 판단에 영향을 받는 모든 사람의 이익을 고려해야 한다. 이것은 이익을 계산할 때 이익 자체만을 고려해야 하며, 누구의 이익인지 고려해서는 안 된다는 의미이다. 이러한 관점은 평등에 대한 기본적인 원칙, 즉 이익의 평등한 고려라는 원칙을 제공한다. 이 원칙의 본질은 우리의 행위에 영향을 받는 모든 사람의 이익을 동등한 비중으로 고려해야 한다는 것이다.
> (나) 남한으로 온 북한 이탈 주민이 크게 증가하였다. 그러나 취업이나 교육 정책 등이 남한 위주로 수립되기 때문에 북한 이탈 주민들이 불이익을 받기도 한다.

19 (가)와 같은 학문이 (나)의 해결에 어떠한 역할을 하는지 서술하시오.

20 (가)의 관점에서 (나)가 윤리적이지 않은 이유를 설명하시오.

딱풀 p. 4

| 교육청 기출 |

01 그림에서 학생들이 모두 옳은 대답을 했다고 할 때, A~C에 대한 설명으로 가장 적절한 것은?

각각의 윤리학이 지닌 특징에 대해 발표해 봅시다.
B는 인간이 마땅히 따라야 할 도덕규범이 무엇인지를 탐구하는 데 주된 목적이 있습니다.
〈윤리학의 구분〉
A
B
C
A는 윤리 현상을 있는 그대로 서술하는 것에 중점을 둡니다.
C의 주요 과제는 윤리학에서 사용하는 용어의 의미를 분석하고 도덕 추론의 타당성을 검토하는 것입니다.

① A는 경험적 사실 기술보다 도덕적 가치 판단을 중시한다.
② B는 도덕적 관습이 가치와 무관한 문화적 사실임을 강조한다.
③ C는 윤리학의 학문적 성립 가능성에 대한 탐구를 중시한다.
④ A는 B에 비해 보편적 도덕 원리에 대한 탐구를 중시한다.
⑤ B는 C와 달리 도덕 명제에 대한 논리적 명료화를 강조한다.

| 교육청 기출 |

02 ㉠에 들어갈 진술로 가장 적절한 것은?

> 나는 윤리학의 목적을 도덕적 논의의 의미론적, 논리적, 인식론적 구조를 분명하게 이해하는 데 두어야 한다고 본다. 그런데 어떤 이들은 윤리학의 목적을 보편적인 도덕 원리를 탐구하여 실제 삶의 다양한 윤리 문제를 해결하는 데 두어야 한다고 주장한다. 내가 보기에 이러한 입장은 윤리학이 [㉠]

① 윤리적 삶의 가치와 방향을 제시해야 함을 간과하고 있다.
② 도덕적 행위를 위한 도덕 원리를 세워야 함을 간과하고 있다.
③ 도덕 법칙을 정립하여 만인에게 적용해야 함을 간과하고 있다.
④ 도덕 언어의 분석을 핵심 과제로 삼아야 함을 간과하고 있다.
⑤ 현실 도덕 문제에 대한 해결책을 모색해야 함을 간과하고 있다.

| 평가원 기출 |

03 갑, 을의 입장으로 가장 적절한 것은?

> 갑: 윤리학은 어떻게 살아야 하는가라는 문제보다 개인의 생활, 사회의 구조와 기능 속에 존재해 온 도덕적 관행들을 역사적, 문화적, 인류학적으로 접근하여 서술해야 한다.
> 을: 윤리학은 도덕적 관행 조사와 도덕적 개념 분석에 집중하기보다 윤리적 삶을 살고자 하는 사람들이 옳고 그름을 판단할 수 있도록 도덕 규칙의 근거인 도덕 원리를 정립해야 한다.

① 갑: 도덕 현상을 기술할 때 문화적 특성을 고려하지 말아야 한다.
② 갑: 도덕적 관습 비교보다 윤리적 개념 분석을 중시해야 한다.
③ 을: 어떻게 행동해야 하는가에 대한 규범적 원리를 정립해야 한다.
④ 을: 도덕적 명제의 논리 구조와 의미 분석이 탐구 목적이어야 한다.
⑤ 갑, 을: 인간의 가치 판단을 배제하여 객관성을 확보해야 한다.

04 (가)에 비해 (나)가 갖는 상대적 특징을 그림의 ㉠~㉤ 중에서 고른 것은?

> (가) 윤리학은 윤리 이론을 바탕으로 현실의 삶에서 제기되는 도덕 문제의 해결 방안을 제시하고자 노력해야 한다. 구체적인 삶의 문제에 적용되지 않는 이론은 공허할 뿐이기 때문이다.
> (나) 윤리학은 윤리 이론들을 연구하면서 합리적이고 정당한 근거에 입각한 도덕 원칙들을 확립해야 한다. 이를 통해 인간의 당위적 의무나 책임을 밝히고 도덕적인 행위 규범을 제시해야 한다.

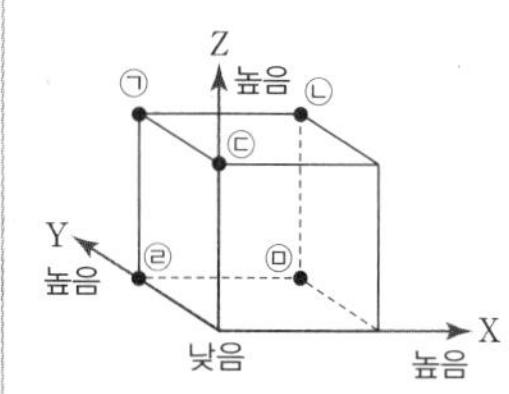

• X: 윤리 문제 해결을 위해 학문적 연계를 강조하는 정도
• Y: 윤리적 판단의 객관적 기준 정립을 강조하는 정도
• Z: 윤리 규범의 이론적 근거 정립을 강조하는 정도

① ㉠ ② ㉡ ③ ㉢ ④ ㉣ ⑤ ㉤

| 평가원 응용 |

05 그림의 토론 주제에 대한 갑, 을의 입장으로 가장 적절한 것은?

• 토론 주제: 윤리학, 그 주요 탐구 과제는 무엇인가?

저는 "이론 없는 실천은 맹목적이다."라고 생각합니다. 윤리학의 본질은 어떤 원리가 도덕적 실천을 위한 근본 원리로 성립할 수 있는지를 연구하는 데 있습니다.
갑

저는 "실천 없는 이론은 공허하다."라고 생각합니다. 윤리학은 도덕 원리를 실천적 문제에 적용하여 현대 사회의 다양한 도덕 문제를 해결하는 데 주력해야 합니다.
을

① 갑: 여러 지역의 실천적 관습을 조사해야 한다.
② 갑: 도덕 언어의 개념적 의미를 엄밀히 규명해야 한다.
③ 을: 사실의 입증은 당위의 확립으로 연결되어야 한다.
④ 을: 새로운 쟁점에 대한 윤리적 해법을 모색해야 한다.
⑤ 갑, 을: 도덕적 진리는 보편적이고 영원불변하지 않음을 인정해야 한다.

06 갑, 을이 강조하고 있는 윤리학의 주요 탐구 과제를 〈보기〉에서 골라 바르게 연결한 것은?

> 갑: 과학 기술의 발전은 환경 오염, 생명 복제, 저작권 침해 등 과거에는 생각할 수 없었던 윤리적 문제들을 발생시켰습니다. 따라서 오늘날 윤리학의 당면 과제는 이러한 문제들에 대한 해결책을 제시하는 것이라고 할 수 있습니다.
> 을: 아닙니다. 윤리를 논의할 때에는 언어적 규범이 가진 강제성을 고려해야 합니다. 언어의 개념적 규정이 불확실한 상태에서 '선하다, 그르다.' 등의 논의는 무의미합니다.

보기
ㄱ. 윤리적 이론을 구체적 삶의 도덕 문제에 적용한다.
ㄴ. 행위의 근거가 되는 객관적인 도덕 법칙을 정립한다.
ㄷ. 도덕적 언어의 의미를 객관적이고 엄밀하게 분석한다.
ㄹ. 특정 시대의 관습에 대해 조사하고 객관적으로 기술한다.

	갑	을		갑	을		갑	을
①	ㄱ	ㄴ	②	ㄱ	ㄷ	③	ㄴ	ㄷ
④	ㄴ	ㄹ	⑤	ㄷ	ㄹ			

07 (가)의 갑, 을의 입장을 (나) 그림과 같이 탐구하고자 할 때, A~C에 들어갈 질문으로 적절하지 않은 것은?

(가)
갑: 도덕적 행위에 대한 당대의 사람들의 인식을 조사하고 객관적으로 서술하는 것이 중요합니다.
을: 모든 이성적 존재는 도덕적 의무를 실천해야 합니다. 따라서 윤리 문제에 해결의 실마리를 제공할 수 있는 보편적 원리 수립이 필요합니다.

(나)
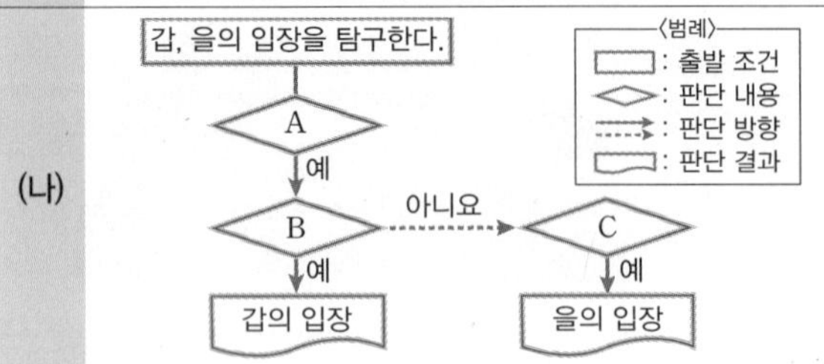

① A: 윤리를 연구 대상으로 삼는가?
② B: 윤리의 본질은 제3자적인 관점에서 서술되는 것인가?
③ B: 사회 구성원의 인식에 따라 도덕적 행위 기준이 다르게 판단될 수 있는가?
④ C: 도덕적 행위의 판단 기준을 파악해야 하는가?
⑤ C: 도덕 원리를 바탕으로 현실의 윤리 문제에 대한 구체적인 해결책을 제시해야 하는가?

| 평가원 응용 |

08 갑, 을의 입장에 대한 옳은 설명만을 〈보기〉에서 있는 대로 고른 것은?

> 갑: "낙태는 나쁘다."라는 진술은 개인의 감정 표현에 불과해. 논리적으로나 경험적으로 검증할 수 없는 진술이기 때문이야.
> 을: 너는 윤리학이 당위에 관한 학문이라는 것을 간과하고 있어. 우리는 보편적인 도덕 판단의 원리를 정립함으로써 옳고 그름의 문제를 해결할 수 있어.

보기
ㄱ. 갑은 도덕적 언어의 개념적 구체화를 강조한다.
ㄴ. 을은 도덕 판단의 준거가 되는 이론을 중시한다.
ㄷ. 을은 도덕적 행위의 기준과 정당성 확보를 강조한다.
ㄹ. 을은 윤리학과 다양한 학문 영역의 학제적 연계를 중시한다.

① ㄱ, ㄴ ② ㄴ, ㄷ ③ ㄷ, ㄹ
④ ㄱ, ㄴ, ㄷ ⑤ ㄴ, ㄷ, ㄹ

| 교육청 기출 |

09 (가)~(다)의 윤리학에 대한 설명으로 옳지 않은 것은?

(가)	도덕 문제의 해결에 초점을 두기보다는 도덕적 언어의 분석에 주력한다.
(나)	도덕 원리에 대한 이론적 분석과 정당화를 다루어 윤리적 행위의 기준을 제공한다.
(다)	다양한 도덕 이론을 환경, 생명, 정보 등의 분야에서 발생하는 도덕 문제에 적용하여 해결책을 모색한다.

① (가)는 도덕적 개념의 의미를 명료화하려 한다.
② (가)는 윤리적 논의를 명확히 하는 데 도움을 준다.
③ (나)는 현실의 윤리적 문제 해결을 위한 토대를 제공한다.
④ (다)는 의학, 과학 등 관련 학문과의 협력을 필요로 한다.
⑤ (다)는 도덕 현상의 객관적 서술을 윤리학의 본질로 본다.

| 수능 기출 |

10 ㉠에 들어갈 진술로 가장 적절한 것은?

> 윤리학의 근본 과제는 도덕적으로 올바른 행위를 판단하기 위한 기본 원리와 토대를 제공하고 일반화하는 데 있다. 그런데 오늘날 과학 기술의 급격한 발달은 기존의 이론 중심 윤리학만으로는 해결하기 어려운 도덕적 문제 상황들을 초래하였고, 그 결과 실제 생활과 관련하여 논쟁이 되는 윤리적 과제들이 대두되었다. 이에 따라 이러한 윤리적 과제들을 해결하기 위해 이 윤리학이 등장하게 되었다. 이 윤리학은 [㉠]

① 도덕 명제에 대한 검증 가능성과 분석적 접근을 강조한다.
② 도덕적 탐구가 학문적으로 정립 가능한 분야임을 부정한다.
③ 도덕규범의 현실적인 적용과 구체적인 대안의 실천을 강조한다.
④ 도덕 문제 해결을 위한 규범 윤리 이론의 응용 가능성을 부정한다.
⑤ 도덕적 관행을 가치와 무관한 문화적 사실로 볼 것을 강조한다.

| 교육청 기출 |

11 ㉠, ㉡에 대한 설명으로 가장 적절한 것은?

> 20세기 초에 등장한 ㉠ ○○ 윤리학은 도덕적 언어의 분석과 도덕적 추론의 규칙 검토에 집중하였다. 하지만 이 윤리학은 현대 사회의 다양한 윤리적 문제에 대한 해결책을 마련해야 한다는 요구를 수용하지 못하는 한계를 노출하였다. 이에 따라 환경, 생명, 정보 등 삶의 실천적인 영역에서 제기되는 도덕적 문제들의 해결책을 모색하는 ㉡ □□ 윤리학이 필요하게 되었다.

① ㉠은 삶에서 추구해야 할 규범의 제시를 목표로 삼는다.
② ㉡은 도덕적 관습에 대한 객관적 조사 및 서술에 주력한다.
③ ㉠은 ㉡의 이론을 적용하여 현실의 문제를 해결하려 한다.
④ ㉡은 이론적 타당성 검토를 위해 ㉠의 지식을 활용할 수 있다.
⑤ ㉠, ㉡은 실천적 지식보다 이론적 지식의 탐구를 중시한다.

12 그림은 현대 사회의 윤리적 문제를 나열한 것이다. (가)~(마)에 부합하는 핵심 과제로 적절하지 않은 것은?

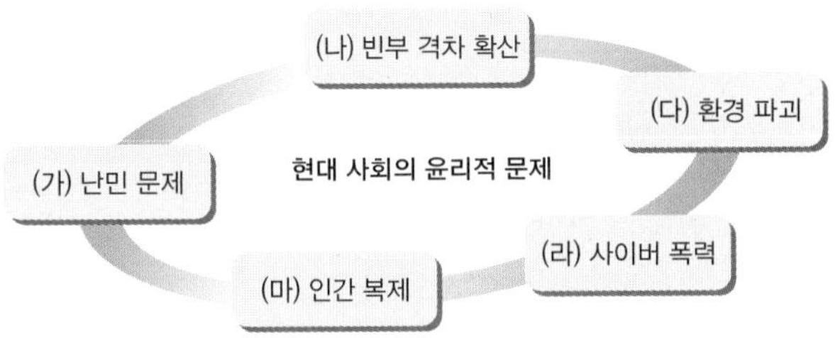

① (가): 인간과 자연의 관계는 어떻게 규정되는가?
② (나): 개인의 불행은 사회 구조와 관련이 있는가?
③ (다): 윤리적 책임의 범위를 어디까지 확장할 것인가?
④ (라): 가상 공간에 대한 윤리적 공백을 어떻게 해결할 것인가?
⑤ (마): 과학 기술 활용에 대한 윤리적 제약은 어디까지 인정될 것인가?

02 현대 윤리 문제에 대한 접근

1 동양 윤리의 접근

1. 유교의 윤리 자료 01

(1) 도덕적 세계관

① 천지 만물에 인의예지(仁義禮智)라는 도덕적 가치가 내재해 있음 ➡ 인간이 이러한 속성을 이어받음

공자가 이상 사회의 모습으로 제시한다.

② 대동 사회 개인들이 자신의 능력을 충분히 발휘하고, 누구에게나 기본적인 삶이 보장되며, 범죄가 발생하지 않는 이상 사회

③ 인간은 자연의 일부이면서 천지와 더불어 만물이 조화롭게 자라나게 하는 데 참여할 수 있음

(2) 인간의 본성[1] 사람은 누구나 선한 본성을 지니고 있음

맹자는 사단(四端): 측은지심, 수오지심, 사양지심, 시비지심을 근거로 본성의 선함을 주장한다.

(3) 인(仁)[2] 타고난 내면적 도덕성이자 일상의 인간관계에서 실현해야 할 최상의 가치

(4) 수양 방법 수양을 쌓아 선한 본성을 보존하고 확충하며 예(禮)를 회복하고자 함〔克己復禮〕

① 경(敬) 홀로 있을 때도 도리에 어긋나지 않도록 마음과 몸가짐을 바르게 함〔愼獨〕

② 성(誠) 진실한 자세로 쉬지 않고 부단히 노력함

③ 수신 인의예지의 사덕(四德)을 드러내고 실천하여 인격을 수양하는 것

(5) 이상적 인간상

① 성인(聖人), 군자(君子) 등

② 자신의 몸과 마음을 수양하고 나서 천하를 편안하게 하는 수기안인(修己安人)을 실천함

2. 불교의 윤리 자료 02

(1) 연기[3]**적 세계관**

① 만물은 독립적으로 존재할 수 없고 서로 연결되어 상호 의존함

② 공(空) 사상 모든 존재는 인연에 의해 생멸(生滅)함 ➡ 스스로 존재하는 고정된 실체가 없음

③ 자비(慈悲)의 실천 강조

- 나와 다른 존재는 분리되어 있지 않음
- 살아 있는 모든 존재는 불성(佛性)을 지니므로 깨달음을 얻으면 누구나 부처가 될 수 있음

➡ 모든 생명을 차별하지 않는 사랑의 실천 강조

(2) 수양 방법 연기성과 진리에 대한 깨달음을 얻어 해탈과 열반[4]에 이를 수 있음

① 내면의 성찰 집착과 번뇌에서 벗어나 불성을 깨닫기 위한 수행 방법

② 바라밀 욕망과 고통으로 가득 찬 현실에서 해탈하기 위한 보살의 수행 방법으로, 대표적으로 보시, 지계, 인욕, 정진, 선정, 지혜의 육바라밀이 있음

불교에서는 탐욕, 분노, 어리석음의 삼독(三毒)과 집착을 고통의 원인으로 본다.

(3) 이상적 인간상

① 부처 진리를 깨달은 사람

② 보살 위로는 진리를 구하고 아래로는 중생을 구제하는 사람

대승 불교에서 제시한 이상적 인간상이다.

3. 도교의 윤리 자료 03

(1) 상대적·평등적 세계관

크고 작음, 아름답고 추함, 천하고 귀함 등은 그와 대비되는 것에 의해 그렇게 느껴지는 것이다.

① 세계는 상대적인 것으로 이루어짐 ➡ 세상 만물은 평등한 가치를 지님

② 도(道) '스스로 그러함〔自然〕'을 의미하며, 우주 또는 사물 자체의 궁극적 속성에 따라 운동하고 변화하는 상태를 가리킴 ➡ 도에 의해 만물의 균형, 조화, 변화가 이루어짐

③ 무위자연(無爲自然)의 추구 인위가 아니라 자연 그대로의 질서를 따를 것을 강조함

④ 소국 과민(小國 寡民) 영토가 작고 인구가 적은 나라로, 무위의 다스림이 이루어지는 이상 사회

---

[1] **본성**
유교 전통에서는 선한 본성에 반대하는 성악설도 있지만, 성선설·성악설 모두 교육을 통해 인간이 선하게 될 수 있다는 점에 동의한다.

[2] **인을 실천하는 덕목**
- 효제충신(孝悌忠信)
- 오륜(五倫): 기본적인 인간관계에 따른 도덕규범으로, 부자유친(父子有親), 군신유의(君臣有義), 부부유별(夫婦有別), 장유유서(長幼有序), 붕우유신(朋友有信)을 이른다.

[3] **연기(緣起)**
모든 존재와 현상은 다양한 원인〔因〕과 조건〔緣〕, 즉 인연에 의해 생겨난다는 뜻

[4] **해탈과 열반**
불교에서 바라보는 이상적 경지로, 진리를 깨달아 고통에서 벗어난 상태를 말한다. 불교에서는 깨달음과 열반으로 이끄는 여덟 가지 방법으로 정견, 정사유, 정어, 정업, 정명, 정정진, 정념, 정정의 팔정도(八正道)를 제시한다.

고득점을 위한 셀파 Tip 비교

유·불·도의 윤리	
유교	• 도덕적 세계관 • 인(仁)의 강조 • 경(敬), 성(誠)
불교	• 연기적 세계관 • 인연과 공 사상 강조 • 내면의 성찰, 바라밀
도교	• 상대적 세계관 • 무위자연의 추구 • 심재, 좌망

셀파 자료 탐구

자료 01 인(仁)의 실천 방법

(가) 안연이 인(仁)에 대하여 묻자, 공자께서 말씀하셨다.
"이기심을 극복해서 예(禮)로 돌아가는 것을 인이라 할 수 있다. 하루 동안이라도 이기심을 이겨 예를 회복한다면 천하가 인으로 돌아갈 것이다. 인을 실천하는 것은 자기 몸에 달린 것이지, 남에게 달린 것이겠는가?"
안연이 "청컨대 그 실천 항목을 묻겠습니다." 하자, 공자가 말씀하셨다.
"예가 아니면 보지를 말고, 예가 아니면 듣지를 말고, 예가 아니면 말하지를 말고, 예가 아니면 행동하지를 말아라."

(나) 인(仁)은 사람의 마음이요, 의(義)는 사람의 길이다. 그 길을 버리고 가지 않으며, 그 마음을 놓아 버리고 찾지 않으니 슬프구나. 사람들은 기르던 개나 닭을 잃어버리면 찾으면서도 마음을 잃어버리면 찾으려 들지 않는다. 학문의 길이란 다른 것이 아니다. 그 잃어버린 마음을 찾는 것일 뿐이다.

자료 분석 | (가)는 『논어』, (나)는 『맹자』에 담긴 내용이다. 유교에서는 인(仁)의 실천 방법으로 경(敬)과 성(誠)을 제시한다. 일상생활에서 사단을 확충하고, 홀로 있을 때에도 마음과 몸가짐을 바르게 함으로써〔愼獨〕 지나친 욕구를 조절하고 예를 회복하여〔克己復禮〕 인을 실천할 수 있다고 본 것이다.

자료 02 불교의 윤리

(가) 인드라망은 끝없이 큰 그물로서 이음새마다 보석처럼 투명하게 빛나는 구슬이 자리 잡고 있다. 구슬들은 혼자 빛날 수 없으며 반드시 다른 구슬의 빛을 받아야만 세상을 밝힐 수 있다.

(나) 이것이 생기기 때문에 그것이 생기고, 이것이 멸(滅)하기 때문에 그것이 멸한다. 무명(無明)으로 인해 온통 괴로움뿐인 덩어리가 생기고, 무명이 멸하기 때문에 온통 괴로움뿐인 덩어리가 멸한다.

(다) 온갖 욕망에 집착함은 성스럽지 못하고 무익하다. 스스로 고행을 일삼는 것 역시 성스럽지 못하고 무익하다. 이 두 가지 극단을 버리고 중도(中道)를 깨달으면 눈을 뜨게 하고 지혜를 생기게 한다.

자료 분석 | 불교에서는 만물이 원인과 조건에 의해 생멸한다고 본다. 따라서 욕망과 고통에서 벗어나 열반에 도달하기 위해서는 고정된 실체로서 자아가 존재하지 않는다는 것을 깨달아야 한다고 본다. 또한 인격 수양을 위해 탐욕·성냄(분노)·어리석음의 삼독을 제거하여 자비를 베풀고, 공(空)을 깨달아 바라밀을 실천하며, 불성을 깨달아 청정심을 회복해야 한다고 본다.

자료 03 도교의 무위자연

(가) 최고의 선은 물과 같다. 물처럼 살아가면서 만족할 줄 아는 사람은 부끄러움을 당하지 않는다. 무엇이든 지나치게 좋아하면 그만큼 낭비가 크고, 너무 많이 쌓아 두면 그만큼 잃게 된다.

(나) 세상 사람 모두가 아름답다고 알고 있는 것 속에는 추함이 있고, 모두가 선하다고 알고 있는 것 속에는 불선함이 있다. 유(有)와 무(無), 어려움과 쉬움, 길고 짧음은 서로의 관계에서 생겨난 것들이다. 성인(聖人)은 행함이 없이 일을 하고, 말함이 없이 가르침을 행한다.

자료 분석 | 도교 사상가인 노자의 주장이다. 노자는 최고의 선은 물과 같다고〔上善若水〕 보고, 자연의 소박함 속에서 진정한 아름다움을 찾을 것을 강조한다. 또한 선과 악, 아름다움과 추함, 크고 작음 등의 구분은 우리의 마음이 지어낸 허상이기 때문에 무위에 따라 순수한 본래 모습대로 살아갈 것을 중시한다.

기출 선택지 O, X로 정리하기

1 유교는 홀로 있을 때도 삼가는 태도〔愼獨〕을 강조한다. (O, X)

2 유교에서는 본성을 선하게 바꾸기 위해 극기복례(克己復禮)에 힘쓴다. (O, X)

3 유교는 나와 남을 구분하지 않는 사랑〔慈悲〕을 실천하는 삶을 추구한다. (O, X)

4 불교는 해탈에 이르기 위한 바라밀의 실천을 중시한다. (O, X)

5 불교는 고정불변하는 절대적 실체를 깨닫도록 노력해야 한다고 본다. (O, X)

6 불교에서는 만물이 원인과 조건에 의해 생멸(生滅)한다고 주장한다. (O, X)

7 도교는 자연을 목적이 없는 무위(無爲)의 체계로 파악한다. (O, X)

8 도교는 집착에서 벗어나 무욕에 이르는 소박한 삶을 추구한다. (O, X)

9 도교는 선천적 본성을 회복하기 위하여 예(禮)에 따르는 삶을 추구한다. (O, X)

정답 1O 2× 3× 4O 5× 6O 7O 8O 9×

(2) **수양 방법** 심재(心齋)와 좌망(坐忘) ➡ 소요유[5]의 정신 실현
① 심재 마음을 가지런히 함
② 좌망 조용히 앉아 시비의 분별을 잊음
③ 허심(虛心) 마음을 정화하여 본래의 마음을 되찾는 것
(3) **이상적 인간상**
① 지인(至人), 진인(眞人), 신인(神人) 등
② 마음을 비우고 도를 체득하여 만물과 나 사이의 구별 없이 하나가 되는 경지에 이름
③ 만물을 평등하게 바라보는 제물(齊物)을 실천함

4. 동양 윤리의 의의
(1) **사회 문제 해결** 현대 사회의 다양한 문제에 대한 해결책 모색에 도움을 줌
① 욕망 조절의 가르침 제시
② 유기체적 세계관[6] ➡ 생명 존중 · 자연과의 조화 중시
└ 불교의 불살생(不殺生)과 명상, 도교의 자연친화적 삶, 유교의 검소한 생활 방식 등에서 확인할 수 있다.
(2) **공동체 구성원의 삶의 질 향상 모색**
① 수양과 수행을 통한 개인의 인격 완성 강조
② 이상적 인간상과 이상 사회 제시

2 서양 윤리의 접근
1. 의무론적 접근
(1) **특징**
① 보편타당한 도덕적 의무의 존재 인정 ➡ 행위 자체의 도덕성에 주목하면서 도덕적 의무 강조
② 도덕적 행동을 해야 하는 이유는 그것이 도덕적 의무이기 때문
(2) **자연법[7] 윤리와 칸트의 의무론적 윤리**

구분	내용
자연법 윤리 (자료 04)	• 이성이나 직관을 통해 영원하고 절대적인 자연법 원리를 발견할 수 있음 • 자연법 원리에서 도출되는 도덕적 의무를 준수해야 함
의무론적 윤리 (자료 05)	• 행위의 동기 중시: 의무 의식과 선의지에서 나온 행위만이 도덕적 가치를 지님 • 이성적이고 자율적인 인간은 보편적인 도덕 법칙을 인식할 수 있음 • 도덕 법칙: 그 자체로 선(善) ➡ 정언 명령[8]의 형식으로 제시

└ 감정이나 욕구(경향성)가 동기가 된 행위는 도덕적 가치를 지니지 않는다고 본다.

2. 공리주의적 접근
(1) **특징**
① 행위의 결과에 초점 ➡ 쾌락과 행복을 가져다주는 행위를 옳은 행위로 간주
② 유용성(공리)의 원리[9]에 따라 윤리적 규칙 도출
③ 최대 다수의 최대 행복을 도덕과 입법의 원리로 제시
(2) **고전적 공리주의** 자료 06

구분	내용
양적 공리주의 (벤담)	• 모든 쾌락은 질적으로 동일함 ➡ 쾌락의 양을 계산해 유용성을 측정할 수 있음 • 도덕적 행위: 유용성의 원리에 일치하는 행위
질적 공리주의 (밀)	• 모든 쾌락은 질적으로 동일하지 않음 ➡ 쾌락의 양뿐만 아니라 질적인 차이도 중요 • 정상적인 인간은 누구나 질적으로 높고 고상한 쾌락 추구

[5] **소요유(逍遙遊)**
도덕적 가치와 사회 제도에 얽매이지 않고 바라는 것 없이 노닐 듯이 자유롭게 살아가는 것

[6] **유기체적 세계관**
이 세계를 하나의 생명체로 이해하는 세계관으로, 개개의 생명이 서로 긴밀한 관계를 맺고 있다고 본다.

[7] **자연법**
보편타당하고 영구불변하며, 인간의 이성으로 인식 가능한 법

[8] **정언 명령**
마땅히 해야 할 행위를 지시하는 명령으로, 명령 그 자체가 목적이 된다.

구분	내용
보편 법칙의 정식	네 의지의 준칙이 항상 동시에 보편적인 입법의 원리가 될 수 있도록 행위를 하여라.
목적의 정식	너 자신의 인격에서나 다른 모든 사람의 인격에서 인간을 단지 수단으로만 대우하지 말고 항상 동시에 목적으로 대우하도록 행위를 하여라.

[9] **유용성(공리)의 원리**
이익 당사자들의 행복(쾌락)을 증가하느냐 또는 감소시키느냐에 따라서 어떤 행위를 승인하거나 거부하는 원리

고득점을 위한 셀파 Tip 비교

| 고전적 공리주의 |

	양적 공리주의	질적 공리주의
대표 학자	벤담	밀
쾌락의 질적 동일성	쾌락은 질적으로 동일함 → 쾌락의 총량 계산 가능	쾌락은 질적으로 차이가 있음 → 질적으로 높은 쾌락 추구
삶의 궁극적 목적	행복	

셀파 자료 탐구

자료 04 아퀴나스의 자연법 윤리

- 도덕은 인간에게 주어진 항구 불변하고 보편적인 법에 근거해야 한다. 신과 자연에 대한 직관적 통찰이 없는 행위는 도덕적 행위라고 할 수 없다.
- 영원한 법칙으로부터 생겨난 규칙들은 인간의 자연적 성향들과 일치한다. 인간의 자연적 성향들은 선을 향하게 하고 신이 우리에게 규정한 목적들을 향하게 한다.

▲ 아퀴나스

자료 분석 | 아퀴나스는 그리스도 신학자이며 자연법 사상가이다. 그는 인간 이성의 명령인 자연법은 "선을 추구하고 악을 피하라."라는 규범을 기본 원리로 삼고, 자기 보존, 종족 보존, 신과 사회에 대한 진리 파악 등과 같은 자연적 성향으로 구성되며, 궁극적으로 신의 섭리이자 신의 의지인 영원법에 근거해야 한다고 주장한다. 이에 따라 아퀴나스는 자연법을 인식하고 그것을 따를 것을 강조하고, 자연의 질서에 어긋나는 행위는 비도덕적인 행위로 간주한다.

자료 05 칸트의 의무론

▲ 칸트

- 도덕은 누구나 따라야 하는 무조건적인 도덕 법칙에 근거해야 한다. 의무 의식에서 비롯되지 않은 행위는 도덕적 행위라고 할 수 없다.
- 자연의 사물은 모두 자연법칙에 따라 작용하지만, 이성적 존재인 인간은 객관적인 법칙에 맞게 자신의 의지를 강요해야 한다. 이것은 곧 자기 강제이며 언제 어디서나 무조건적으로 타당한 명령이어야 한다.

자료 분석 | 칸트는 행위의 옳고 그름은 결과와 관계없이 그 행위가 도덕적 의무에 부합하는지에 따라 결정된다고 보고, 행위 자체의 도덕성을 중시한다. 또한 이성적이고 자율적인 인간은 보편적인 도덕 법칙을 인식할 수 있으며, 이것은 정언 명령의 형식으로 제시된다고 본다.

자료 05 공리주의

- 자연은 인류를 고통과 쾌락의 두 주인에게 지배받게 하였다. 우리가 무엇을 선택하고 행할지는 오직 이 두 주인에 의해 결정된다.
- 강하다, 길다, 확실하다, 빠르다, 효과적이다, 순수하다 ……(중략)…… 쾌락과 고통 속에서 이런 특징들을 지속시켜라. 만약 사적인 쾌락이 너의 목적이라면, 그런 쾌락을 추구하라. 만약 공적인 쾌락이 너의 목적이라면, 그런 쾌락을 확대하라.

▲ 벤담

자료 분석 | 공리주의는 어떤 행위가 쾌락과 행복을 가져다주는 것이라면 그 행위는 도덕적으로 옳은 행위라는 관점을 바탕으로, 쾌락의 증진과 고통의 감소를 기준으로 윤리적 규칙을 도출한다. 따라서 공리주의는 최대 다수의 최대 행복이라는 원리에서 유용성과 쾌락을 증진시키는 것을 선(善)이라고 보고, 어떤 행위의 옳고 그름을 판단할 때에는 그 행위가 공리를 극대화하는지 아닌지를 분석한다.

기출 선택지 O, X로 정리하기

1 아퀴나스의 관점에서는 선택적 출산이 생명 과학 발전에 기여함을 알아야 한다고 주장할 수 있다. (O , X)

2 칸트는 유용성의 증대를 도덕 판단을 위한 일반 원리로 본다. (O , X)

3 의무론적 윤리에서 행위에 대한 도덕적 판단은 행위의 결과와 무관해야 한다. (O , X)

4 의무론적 윤리는 정언 명령에 따르는 행위의 실천을 중시해야 한다고 주장한다. (O , X)

5 공리주의는 쾌락을 증진시키는 행위를 옳은 행위로 본다. (O , X)

6 벤담은 쾌락의 추구와 고통의 감내를 행위의 동기로 삼는다. (O , X)

7 공리주의에 따르면 행위를 결정하는 주요 동기는 효용성이 되어야 한다. (O , X)

8 칸트는 벤담과 달리 결과보다 행위 자체의 도덕성에 주목한다. (O , X)

9 벤담은 칸트와 달리 도덕 판단에서 행복 추구의 경향성을 중시한다. (O , X)

정답 1 × 2 × 3 ○ 4 ○ 5 ○ 6 × 7 ○ 8 ○ 9 ○

유용성의 원리를 어디에 적용하느냐에 따라 구분된다.

(3) **행위 공리주의자와 규칙 공리주의** 자료 07

① 행위 공리주의 개별 행위에 유용성의 원리 적용
- "어떤 행위가 최대의 유용성을 가져오는가?"를 중시
- 더 많은 공리를 가져오는 행위를 옳은 행위로 간주 ➡ 최대 행복을 가져오기만 하면 정당화됨
- 한계: 행위의 옳고 그름을 판단하기 위해 상황마다 행위의 결과를 판단하는 것이 어려움

② 규칙 공리주의 행위의 규칙에 유용성의 원리 적용
- "어떤 규칙이 최대의 유용성을 가져오는가?"를 중시
- 일반적으로 최대의 행복을 가져오는 행위의 규칙을 따라야 한다고 주장함
- 한계: 행위 규칙들이 충돌할 경우 어떤 규칙을 따라야 하는지에 대한 기준이 불분명하고, 상황에 따라 규칙에 대한 예외가 쉽게 정당화될 수 있음

고득점을 위한 셀파 Tip 비교

| 윤리 문제에 대한 근대 윤리학적 접근 |

	행위 목표	행위 판단 기준
의무론적 접근	도덕 법칙을 존중하려는 의무 또는 이성의 명령에 따르는 것	그 자체가 선이기 때문에 무조건 따라야 하는 정언 명령
공리주의적 접근	개인과 사회의 행복	행위의 결과로부터 판단되는 행위의 개인적·사회적 유용성
계약론적 접근	계약을 통해 보장되는 공동체	사회 계약

3. 계약론적 접근

(1) **사회 계약**

① 인간들이 생존을 유지하고 만족스러운 삶에 도달하기 위해 상호 간에 맺은 계약

② 상호성에 입각한 계약 당사자 간 이성적 합의의 산물 ➡ 사회 계약에서 도덕적 의무 도출

└ 자발적 계약이나 묵시적인 계약도 해당된다. └ 따라서 사회 계약이 도덕적 행위의 근거가 된다.

(2) **홉스와 현대의 계약론**

홉스의 계약론	• 자연 상태: 인간의 이기적 본성과 재화의 희소성 ➡ 만인의 만인에 대한 투쟁 상태 • 개인들이 생명 보호와 안전 도모를 위해 사회 계약에 동의 ➡ 규칙과 통치력 발생 • 정의: 계약의 의무를 성실히 수행하는 것
현대의 계약론	• 타고난 불평등한 사회적 여건 해소에 관심 • 계약의 공정성 확보 중시

4. 현대 윤리학적 접근

(1) **덕 윤리[10]적 접근** 자료 08

① 선한 행위의 실천을 위해서는 행위보다 행위자에게 초점을 맞추어야 함

② 행위자의 성품과 바람직한 인간관계의 맥락에 관심을 둠 ➡ 공동체 구성원의 삶 강조

③ 매킨타이어 개인의 자유와 선택보다 공동체의 전통과 역사를 중시함

(2) **책임 윤리[11]적 접근**

① 다양한 유형의 책임 강조 ➡ 책임의 범위와 대상을 시공간적으로 확장함

② 예견할 수 있는 행위의 결과에 대해 엄중한 책임을 물음

③ 요나스 윤리적 고려의 대상을 현세대에서 미래 세대, 자연으로까지 확대함

(3) **배려 윤리적 접근** 자료 09

① 남성 중심적 정의 윤리를 비판하며 모성적 배려와 공동체적 관계에 주목 ➡ 상대방이 처한 상황과 구체적 요구를 살핌

└ 공감, 맥락적 사고, 서로 간의 관계성 등을 중시한다.

② 길리건 여성과 남성의 도덕적인 지향점은 동일하지 않는다고 간주함

③ 나딩스 배려, 보살핌, 타인에 대한 유대감, 타인과의 관계 등을 중시함

(4) **담론[12] 윤리적 접근**

① 도덕 이성적 존재들 사이의 상호 작용에 관한 규범의 체계

② 윤리 문제의 해결을 위해 자유로운 의견 주장과 상호 존중과 이해가 바탕이 된 대화와 합의 강조

③ 하버마스 의사소통의 합리성 실현 ➡ 합의에 도달 가능, 참여자 모두 합의의 결과 수용 가능

(5) **도덕 과학적 접근[13]**

행동 과학, 신경 윤리학, 진화 윤리학 등이 있다.

① 도덕과 관련된 다양한 현상을 과학적 방법으로 설명하고자 함 ➡ 도덕성의 형성 요인에 초점

② 인간의 행동을 과학적 법칙에 적용함 ➡ 인간의 자율성과 존엄성이 배제될 수 있음

⑩ 아리스토텔레스의 덕 윤리

덕이 있는 사람은 선한 행위를 자발적으로 실천한다. → 행위자의 성품, 인간관계의 맥락에 관심을 둔다.

⑪ 요나스의 책임 윤리

- 너의 행위의 결과가 인간 삶의 미래의 가능성을 파괴하지 않도록 행위를 하라.
- 인간은 책임질 수 있는 유일한 존재이다. 책임을 질 수 있기 때문에 책임을 갖는다. 책임질 수 있는 능력은 책임져야 한다는 당위로 연결된다.

⑫ 담론

갈등 해결을 위한 의사소통 행위로, 주로 논증과 토론으로 이루어진다.

⑬ 도덕 과학적 접근 방법

신경 윤리학	감정과 이성이 도덕의 근원으로 어떤 기능을 하는지 설명함
진화 윤리학	도덕성을 진화의 산물로 보고, 유전자의 측면에서 이기적·이타적 행동을 해석함
행동 과학	인간을 환경에 의해서 통제될 수 있는 존재로 보고, 인간의 모든 행동을 예측하려 함

셀파 자료 탐구

자료 07 행위 공리주의와 규칙 공리주의

(가) 어떤 행위가 옳은 것은 그 행위가 문제 상황에서 선택 가능한 다른 행위를 할 때보다 더 큰 효용을 산출하기 때문이다.

(나) 어떤 행위가 옳은 것은 그 행위가 하나의 규칙 아래 놓여 있으면서 그 규칙을 따른 행위가 다른 규칙을 따를 때보다 더 큰 효용을 산출하기 때문이다.

자료 분석 | (가)는 행위 공리주의로, 행위 그 자체의 결과를 중시하고 유용성의 원리를 행위에 직접 적용해야 한다고 본다. (나)는 규칙 공리주의로, 행위가 따르고 있는 규칙의 결과를 중시하고 유용성의 원리를 행위의 규칙에 적용해야 한다고 본다.

자료 08 덕 윤리적 접근

- 나의 모든 실천은 역사를 가지고 있다. 개인이 실천하고자 하는 선(善)은 전통에 의해 정의된 문맥(文脈) 안에서 이루어진다. 실천에 내재된 선을 성취하고 역사적 문맥을 제공하는 전통을 보존하는 것이 덕의 목적이다.
- 덕 교육이 우리에게 가르치는 것은 인간으로서의 나의 선이 내가 속한 공동체 속에 결합되어 있는 다른 모든 사람의 선과 동일하다는 사실이다. 내가 나의 선을 추구하는 방식과 당신이 당신의 선을 추구하는 방식은 결코 대립하지 않는다. 그것은 선이 특별히 나에게만 속한 것도 아니고 당신에게만 속한 것도 아니기 때문이다. 선한 것들은 사적인 것이 아니다.

▲ 매킨타이어

자료 분석 | 자료는 덕 윤리학자 매킨타이어의 주장이다. 아리스토텔레스의 덕 이론에 바탕을 두고 있는 덕 윤리는 의무론이나 공리주의와 같은 윤리 이론이 도덕 원리만 강조한다고 비판하면서 도덕적 행동이 행위자의 덕에 따라 정해진다고 본다. 또한 개인의 도덕적 행동, 즉 개인선의 추구는 곧 공동선을 지향한다고 보고 양자의 양립 가능성을 인정한다.

자료 09 배려 윤리

여성이 지닌 도덕적 관심의 본질은 남성과 다르다. 여성은 인간관계에서 자신의 목소리를 내야 한다. 여성이 자신의 목소리를 내지 않고 이타적으로만 행동하는 것은 인간관계에서 지녀야 할 책임을 회피하는 것이다.

▲ 길리건

여성은 스스로를 가능한 한 특수한 상황에 두고 도덕 문제에 접근하며, 자신을 배려라는 용어로 정의하고 배려자의 입장에서 행동한다. 배려의 감정은 우리가 타인을 배려해 주고 타인으로부터 배려받았던 기억들에 의해 촉진된다. 배려에 바탕을 둔 윤리는 독립적 자아관에서 벗어나 상호 연관적 자아관을 지닌다.

▲ 나딩스

자료 분석 | 길리건과 나딩스가 주장한 배려 윤리는 맥락적 사고를 바탕으로 도덕 규칙을 파악하고자 하며, 서로 간의 관계성을 중시한다. 또한 남성과 여성의 도덕적 성향은 선천적으로 다르다고 전제하고, 기존의 남성 중심적인 윤리를 보완하기 위해 구체적 상황 속에서 공감과 인간관계를 중시한다.

기출 선택지 O, X로 정리하기

1 행위 공리주의는 공리의 원리를 개별 행위가 아니라 규칙에 적용한다. (O , X)

2 규칙 공리주의는 옳은 행위의 판단 기준으로 결과보다 동기를 중시한다. (O , X)

3 행위 공리주의와 규칙 공리주의 모두 매 행위마다 유용성을 산출할 결과를 계산해야 한다. (O , X)

4 덕 윤리적 접근에서는 옳은 행동의 습관화보다는 도구적 이성의 발휘가 중요하다. (O , X)

5 매킨타이어는 개인의 선과 공동체의 선이 양립할 수 있음을 깨달아야 한다고 본다. (O , X)

6 배려 윤리적 관점은 맥락적 사고를 바탕으로 서로 간의 관계성을 중시한다. (O , X)

7 배려 윤리적 관점은 도덕적 갈등 상황에서 공감과 맥락적 사고를 중요시한다. (O , X)

8 배려 윤리적 접근에서는 남성과 여성의 도덕적 지향성은 선천적으로 동일하다고 본다. (O , X)

정답 1 × 2 × 3 × 4 × 5 ○ 6 ○ 7 ○ 8 ×

개념 완성

1 동양 윤리적 접근

유교의 윤리	• 천지 만물에 (❶)라는 도덕적 가치가 내재 → 인간이 이러한 속성을 이어받음 • 사람은 누구나 선한 본성을 지니고 있음 • (❷): 타고난 내면적 도덕성이자 일상의 인간관계에서 실현해야 할 최상의 가치 • 경(敬)과 성(誠)을 통한 수행 → 선한 본성을 확충하고 예(禮)를 회복함
불교의 윤리	• (❸)적 세계관: 만물은 독립적으로 존재할 수 없고 서로 연결되어 상호 의존함 • 모든 존재는 (❹)에 의해 생멸함 → 고정된 실체가 없음 • 내면의 성찰과 바라밀로 연기성과 진리에 대한 깨달음을 얻음 → 해탈과 열반에 이를 수 있음
도교의 윤리	• 세계는 상대적인 것으로 이루어져 있으므로 세상 만물은 평등한 가치를 지님 • 도(道): 사물 자체가 가진 속성에 따라 변화하는 상태 • (❺)의 추구: 자연 그대로의 질서를 따를 것을 강조함 • 심재와 좌망 → (❻)의 정신 실현

2 서양 윤리적 접근

의무론	• 행위 자체의 도덕성에 주목 → (❼) 강조 • 자연법 윤리: 자연법에서 도출되는 도덕적 의무를 준수할 것을 강조 • 칸트: 행위의 동기 중시 → 의무 의식과 (❽)에서 나온 행동만이 도덕적 가치를 지님	
공리주의	(❾)에 따라 윤리적 규칙 도출 → 쾌락과 행복을 가져다주는 행위를 도덕적 행위로 간주	
	고전적 공리주의	• 양적 공리주의: 쾌락은 질적으로 동일함 → 쾌락의 총량 계산 • 질적 공리주의: 쾌락은 질적으로 동일하지 않음 → 쾌락의 (❿) 차이도 중요
	행위 공리주의와 규칙 공리주의	• 행위 공리주의: 더 많은 공리를 가져오는 행위를 옳은 행위로 간주 • (⓫) 공리주의: 최대의 행복을 가져오는 행위의 규칙을 따라야 함
계약론	개인들이 생존을 위해 상호 간에 맺은 사회 계약에서 도덕적 의무 도출	
현대 윤리학적 접근	• 덕 윤리: (⓬)의 성품에 초점 • 책임 윤리: 다양한 유형의 책임 강조 • 배려 윤리: 사랑, 모성적 배려, 공동체적 관계에 주목 • 담론 윤리: 자유로운 의견 주장과 상호 존중과 이해가 바탕이 된 대화와 합의 강조 • 도덕 과학적 접근: 도덕성과 관련된 다양한 현상을 (⓭)적인 방법으로 설명	

정답 ❶ 인의예지 ❷ 인(仁) ❸ 연기 ❹ 인연 ❺ 무위자연 ❻ 소요유 ❼ 도덕적 의무 ❽ 선의지 ❾ 유용성(공리)의 원리 ❿ 질적인 ⓫ 규칙 ⓬ 행위자 ⓭ 과학

탄탄 내신 문제

01 (가) 사상의 관점에서 본 (나)의 세로 낱말 (B)의 의미로 가장 적절한 것은?

(가) 성실함 그 자체는 하늘의 도(道)이고, 성실하고자 하는 것은 사람의 도이다. 자신의 마음을 보존하고 본성을 함양하는 것이 곧 하늘을 섬기는 방법이다.

(나)

	(A)			(B)		
				(C)		

[가로 열쇠]
(A): 노자의 가르침 중 하나. 으뜸이 되는 선(善)은 물과 같음
(C): 인(仁)의 실천 방법으로, 홀로 있을 때에도 스스로 행동을 삼가고 조심하는 태도
[세로 열쇠]
(B): …… 개념

① 허심으로 물아일체의 경지에 이르는 것
② 해탈에 이르기 위해 팔정도를 실천하는 것
③ 사덕을 드러내고 실천하여 인격을 수양하는 것
④ 수양을 통해 선행을 지속하고 사단을 형성하는 것
⑤ 무위의 덕을 실천하여 도(道)의 원리를 체득하는 것

02 다음 사상에서 강조하는 수양 방법을 〈보기〉에서 고른 것은?

• 수행의 궁극적인 목표는 생로병사의 과정이 반복되는 고통을 극복하고 해탈하는 것이다.
• 모든 것이 서로 인드라망으로 이어져 있음을 깨달으면 독립적으로 존재할 수 있는 존재는 없다는 것을 알게 된다.

보기
ㄱ. 연기성(緣起性)을 깨닫고 자비를 베푼다.
ㄴ. 고통의 원인인 삼독과 집착에서 벗어난다.
ㄷ. 좌망과 심재를 통해 자연의 원리를 습득한다.
ㄹ. 경(敬)과 성(誠)을 통해 사욕을 이기고 예(禮)를 회복한다.

① ㄱ, ㄴ　② ㄱ, ㄷ　③ ㄴ, ㄷ
④ ㄴ, ㄹ　⑤ ㄷ, ㄹ

03 (가), (나) 사상에 대한 설명으로 적절하지 않은 것은?

> (가) 여러 인(因)과 연(緣)으로 생겨나는 것이 법(法)이다. 무명(無明)을 연(緣)하여 행(行)이 있고 큰 고(苦)가 쌓이며, 무명이 멸(滅)하므로 행이 멸하고 큰 고가 멸한다.
>
> (나) 새벽에 잠에서 깨면 마음을 고요히 하여 정돈한다. 마음이 세워졌으면 일어나 세수를 하고 단정히 앉아 몸을 단속한다. 이와 같은 수양을 통해 인의(仁義)를 실천하고 확충한다.

① (가)는 사물이 영원할 수 없다는 것을 강조한다.
② (가)는 중생 구제를 수양의 궁극적인 목적으로 본다.
③ (나)는 홀로 있어도 도리에 어긋나지 않는 태도를 강조한다.
④ (가)는 삼독의 제거를, (나)는 수기안인을 강조한다.
⑤ (가), (나) 모두 욕망의 절제를 통해 이상적인 인간이 될 수 있다고 한다.

04 다음 그림의 A, B에 들어갈 질문으로 가장 적절한 것은?

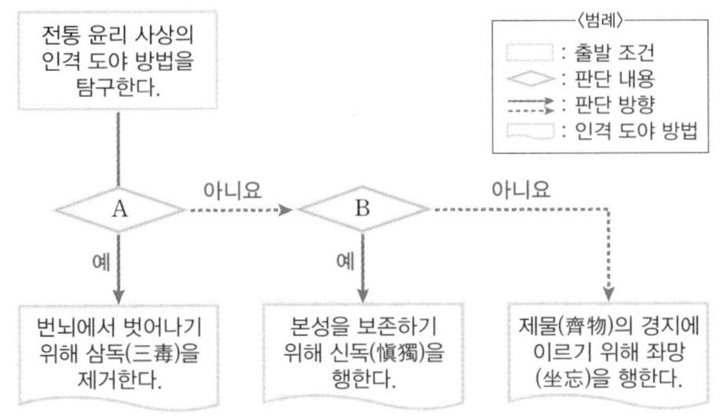

① A: 보편타당한 도덕적 의무를 준수해야 하는가?
② A: 인간의 선한 도덕적 본성을 확충해야 하는가?
③ A: 연기(緣起)를 깨달으면 고정된 실체가 없음을 알게 되는가?
④ B: 자연과 인간을 하나의 유기체로 인식하는가?
⑤ B: 물과 같은 겸허(謙虛)와 부쟁(不爭)의 삶을 지향하는가?

05 다음 사상가의 관점에서 〈문제 상황〉 속 갑에게 해 줄 수 있는 조언으로 가장 적절한 것은?

> 행위에 대한 도덕적 판단은 행위의 결과와 무관하게 스스로 자신에게 부과하는 도덕적 의무와 원칙에 따라 이루어져야 한다.

> **〈문제 상황〉**
>
> 말기 암 환자인 갑은 연명 치료를 받고 있다. 하지만 자신의 고통과 가족들의 경제적 부담으로 인해 담당 의사에게 진지하게 안락사를 요구하고 있다.

① 개인이 처한 개별적 상황의 맥락을 고려해야 한다.
② 행위의 유용성을 양적으로 계산하여 판단해야 한다.
③ 자신의 종교적 계율을 바탕으로 행동을 결정해야 한다.
④ 자신의 생명을 고통 회피의 수단으로 이용해서는 안 된다.
⑤ 생명을 보존하라는 자연법 원리에서 도출되는 의무를 따라야 한다.

06 (가)의 갑, 을 사상가의 입장을 (나)의 그림으로 표현할 때, A~C에 해당하는 옳은 진술을 〈보기〉에서 고른 것은?

(가)
갑: 쾌락의 지속성, 강도 등을 고려하여 모두 합한 뒤 쾌락의 크기와 정도가 큰 쪽을 선택해야 한다.
을: 쾌락의 양만을 따지는 것은 설득력이 없다. 양이 많고 적음을 초월할 정도로 질적으로 우월한 쾌락이 존재한다.

(나)

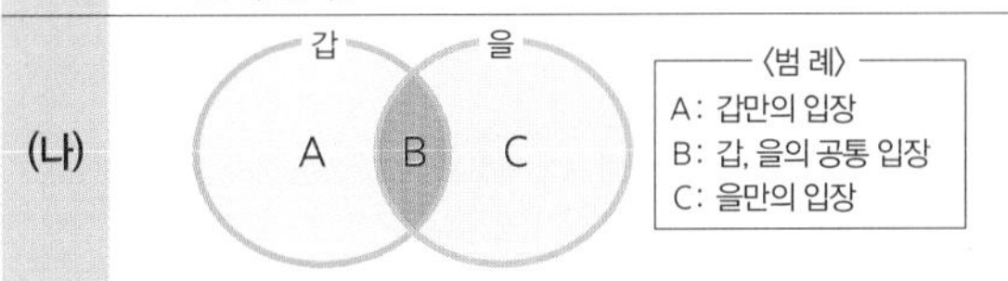

보기
ㄱ. A: 쾌락은 질적으로 동일하다고 전제한다.
ㄴ. B: 행위 결과의 유용성이 도덕적 판단의 기준이 된다.
ㄷ. B: 사회적 쾌락의 극대화를 위해 개인적 쾌락을 배제한다.
ㄹ. C: 감각적 쾌락이 정신적 쾌락보다 질적으로 우월한 쾌락이다.

① ㄱ, ㄴ　② ㄱ, ㄷ　③ ㄴ, ㄷ
④ ㄴ, ㄹ　⑤ ㄷ, ㄹ

07 갑, 을의 도덕적 판단의 기준을 바르게 연결한 것은?

> 갑: 너 자신에게나 다른 사람에게 있어서 인격을 언제나 동시에 목적으로 대하고 수단으로 대하지 말라.
> 을: 행위의 도덕적 가치는 그 행위의 결과에 있다. 어떤 행위가 좋은 결과를 도출하여 보다 많은 사람에게 더 많은 쾌락을 가져다준다면 그 행위는 선한 것이다.

	갑	을
①	효율성	도덕적 의무
②	쾌락의 감정	직관적 이성
③	행위의 동기	정언 명령
④	행위의 동기	결과의 유용성
⑤	결과의 유용성	결과의 유용성

08 갑, 을, 병이 서로에게 제기할 수 있는 비판으로 가장 적절한 것은?

> 갑: 최대 다수의 최대 만족을 가져다주는 규칙을 따르는 행위가 옳은 행위이다.
> 을: 도덕적 행위의 판단과 법률 제정의 유일한 기준은 그로 말미암아 생겨날 수 있는 쾌락과 고통의 합이다.
> 병: 모든 사람의 인격을 단지 수단으로만 대하지 않고 항상 동시에 목적으로 대하는 행위만이 도덕적 행위로 평가될 수 있다.

① 갑이 병에게: 행위의 유용성을 계산하는 것이 불가능하다는 것을 간과하고 있다.
② 을이 갑에게: 유용성의 원리에 부합하는 행위는 정당하다는 것을 간과하고 있다.
③ 병이 을에게: 쾌락과 고통이 선악의 판단 기준이 된다는 것을 간과하고 있다.
④ 을이 갑, 병에게: 질적으로 우월한 쾌락이 존재한다는 사실을 간과하고 있다.
⑤ 병이 갑, 을에게: 보편적인 도덕 법칙을 준수하고자 하는 동기가 판단의 기준임을 간과하고 있다.

09 다음 사상가의 주장을 바탕으로 추론한 내용으로 옳은 것은?

> 자연 상태에서는 인간들 사이에 불신과 투쟁만이 존재할 뿐, 보편타당한 도덕 원리는 존재할 수 없다. 이런 상태에서 인간은 '죽음에 대한 공포'에서 벗어나고자 정부를 세우고 법과 규범을 제정하였다. 전쟁 상태를 종식시키고 평화를 가져오기 위해서는 자연법을 지킬 것을 약속해야만 한다. 그 약속을 지키는 것이 곧 정의이며 단지 말로만 하는 약속으로는 정의를 실현할 수 없다.

① 자연 상태에서 인간의 본성은 선하다.
② 도덕적 의무는 인간들 사이의 투쟁에서 도출된다.
③ 자연법을 준수함으로써 자연 상태를 유지할 수 있다.
④ 묵시적인 사회 계약에서는 도덕적 의무가 나오지 않는다.
⑤ 국가는 자연 상태에서 벗어나기 위해 만들어진 계약의 산물이다.

10 밑줄 친 '이 윤리 사상'의 입장으로 가장 적절한 것은?

> 현대에 등장한 <u>이 윤리 사상</u>은 근대 윤리 사상이 '어떤 행위가 옳은가?'의 문제에 집착하여 '어떤 사람이 되어야 하는가?'에 대한 문제를 소홀히 하였다고 비판한다. <u>이 윤리 사상</u>은 무엇보다도 덕 있는 성품을 기르는 것이 중요하다고 강조하면서, 도덕적 행위의 법칙이나 원리보다는 행위자의 성품과 선을 지향하는 습관, 바람직한 인간관계의 맥락 등에 관심을 둔다.

① 결과의 유용성을 판단하여 행동해야 한다.
② 보편적인 도덕 원리를 자율적으로 준수해야 한다.
③ 자연에 내재하는 보편적 이성에 따라 행동해야 한다.
④ 다른 사람과의 관계에 근거한 책임을 고려하여 행동해야 한다.
⑤ 훌륭한 성품을 바탕으로 선한 행위를 자발적으로 실천해야 한다.

11 다음 사상가의 입장에서 〈문제 상황〉 속 A에게 해 줄 수 있는 조언으로 가장 적절한 것은?

> 과학 기술과 물질적 풍요는 인간의 욕망을 끝없이 자극한다. 이러한 상황에서 인간과 여타 생명체들을 보존해야 하는 것은 인간에게 요청되는 긴박한 책임일 수밖에 없다.

> 〈문제 상황〉
> A는 자신이 운영하고 있는 우유 농장에서 우유 생산을 늘리기 위하여 소에게 성장 호르몬을 투입하고 있다. 그런데 이렇게 생산된 우유로 만든 유제품은 인류에게 심각한 질병을 일으킬 가능성이 높다고 한다.

① 타인을 돕는 것은 도덕적 의무이다.
② 언제, 어디서든 도덕적 탁월성을 발휘해야 한다.
③ 다수의 쾌락을 증진할 수 있는 방법을 고려해야 한다.
④ 주변의 사람의 이익을 먼저 책임지는 것이 바람직하다.
⑤ 윤리적 고려의 대상을 확장시키려는 발상의 전환이 필요하다.

12 다음 사상에서 강조하는 내용을 〈보기〉에서 고른 것은?

> 배려 윤리는 자연적 배려에 근거를 두고, 자연적 배려에 의존한다. 자연적 배려의 관계는 배려하는 사람뿐만 아니라 배려를 받는 사람에게도 힘을 주므로, 훨씬 더 효과적이기 때문이다.

> 보기
> ㄱ. 타인과의 공감, 배려, 관계성 등을 중시한다.
> ㄴ. 자연법사상을 바탕으로 자율적 선의지를 강조한다.
> ㄷ. 이성, 정의, 공정성만이 도덕성의 근거라고 판단한다.
> ㄹ. 맥락적인 사고를 바탕으로 도덕 규칙을 파악하고자 한다.

① ㄱ, ㄴ ② ㄱ, ㄹ ③ ㄴ, ㄷ
④ ㄴ, ㄹ ⑤ ㄷ, ㄹ

13 다음 사상가의 입장으로 적절하지 않은 것은?

> 담론적 방법은 세 가지 윤리학적 전제 위에 서 있다. 우선, 갈등은 폭력이 아닌 모든 관련된 당사자나 그들의 대변자들 간의 협의로 해결해야 한다. 둘째, 그러한 협의에 참여한 사람은 누구나 자신의 이해 관심을 방해받지 않고 주장할 수 있어야 한다. 끝으로, 협의에 참여한 사람은 누구나 자신의 고유한 이해 관심을 기꺼이 수정하려고 해야 한다.

① 폭력으로 갈등을 해결하려고 해서는 안 된다.
② 의사소통의 합리성을 전제로 협의에 참여해야 한다.
③ 상호 존중과 이해가 바탕이 된 대화가 이루어져야 한다.
④ 담론의 참여자들은 자유롭게 자신의 의견을 주장할 수 있어야 한다.
⑤ 갈등의 당사자들은 자신의 고정된 선호가 변화하지 않도록 해야 한다.

14 밑줄 친 '이 접근법'에 대한 비판으로 가장 적절한 것은?

> 자연 과학과 사회 과학의 융합이 확산되면서 윤리적 현상에 대해 과학적 방법으로 접근하려는 시도가 나타나고 있다. 이 접근법은 인간이 처해 있는 환경의 분석과 통제를 통해 인간의 행위를 예측할 수 있다고 본다. 또한 신경 과학 분야의 방법론을 윤리학에 접목하여 도덕적 딜레마 상황에서 인간의 뇌가 어떻게 변화하는지 관찰하고, 약물을 통해 도덕성을 향상시킬 수 있다고 주장한다.

① 인간은 자율적 의지를 지닌 존재라는 것을 간과하였다.
② 인간은 언제나 효율적인 선택을 한다는 것을 강조하였다.
③ 생물학적 요소와 윤리적 판단 능력의 관계를 소홀히 여겼다.
④ 인간은 환경에 영향을 받을 수 있는 존재라는 것을 간과하였다.
⑤ 인위적인 방법을 배제하고 자율적인 방법을 통해 해결하고자 하였다.

15 (가)~(다) 사상에서 강조하는 수양 방법을 각각 쓰시오.

(가) 도(道)는 늘 아무 일도 하지 않으나 하지 못하는 일이 없다. 제후나 국왕이 이 도를 지킬 수 있다면 천지 만물이 장차 저절로 변화될 것이다.
(나) 여러 인(因)과 연(緣)에 의해 생겨나는 것이 법(法)이다. 단 하나의 법도 인과 연을 따라 생겨나지 않은 것이 없다. 이것을 공(空)이라고 말한다.
(다) 사람은 누구나 측은히 여기는 마음, 부끄러워하고 미워하는 마음, 사양하는 마음, 시비를 가리는 마음을 지니고 있다. 인의예지는 밖으로부터 오는 것이 아니라 본래 나에게 있는 것이다.

16 다음 사상에서 강조하는 덕목을 세 가지 쓰시오.

여성은 스스로를 가능한 한 특수한 상황에 두고 도덕 문제에 접근하며, 자신을 배려라는 용어로 정의하고 배려자의 입장에서 행동한다. 배려의 감정은 우리가 타인을 배려해 주고 타인으로부터 배려받았던 기억들에 의해 촉진된다. 배려에 바탕을 둔 윤리는 독립적 자아관에서 벗어나 상호 연관적 자아관을 지닌다.

17 다음 글을 읽고 물음에 답하시오.

이것이 생기기 때문에 그것이 생기고, 이것이 멸(滅)하기 때문에 그것이 멸한다. 무명(無明)으로 인해 온통 괴로움뿐인 덩어리가 생기고, 무명이 멸하기 때문에 온통 괴로움뿐인 덩어리가 멸한다.

(1) 윗글에서 설명하는 개념이 무엇인지 쓰시오.

(2) 윗글의 사상에서 제시할 수 있는 수양 방법에 대해 간략히 설명하시오.

18 ㉠, ㉡에 들어갈 내용을 서술하시오.

갑: 유용성의 원리에 근거하여 행위의 옳고 그름을 판단해야 합니다.
을: 아닙니다. 행위의 동기나 도덕적 의무로 행위의 옳고 그름을 판단해야 합니다. 행위의 결과를 중시하는 그런 관점은 ______㉠______ 한계가 있기 때문입니다.
갑: 그러나 행위의 동기나 도덕적 의무만을 강조해서는 안 됩니다. 그런 관점은 ______㉡______ 한계가 있기 때문입니다.

19 (가) 사상이 (나)의 문제 해결에 어떠한 역할을 하는지 서술하시오.

(가)	담론적 방법은 세 가지 윤리학적 전제 위에 서 있다. 우선, 갈등은 폭력이 아닌 모든 관련된 당사자나 그들의 대변자들 간의 협의로 해결해야 한다. 둘째, 그러한 협의에 참여한 사람은 누구나 자신의 이해 관심을 방해받지 않고 주장할 수 있어야 한다. 끝으로, 협의의 참여자들은 누구나 자신의 고유한 이해 관심을 기꺼이 수정하려고 해야 한다. 따라서 공동의 토론 과정에서 형성된 객관적 결론들은 그것을 준수해야 한다는 구속력이 인정되는 규범이다.
(나)	**○○신문** 최근 □□ 지역의 노후 원자로가 문제가 되고 있다. A 시민 단체는 환경과 안전 문제를 고려하여 노후 원자로의 폐쇄를 주장하고 있고, B 시민 단체는 경제성을 고려하여 노후 원자로의 교체를 요구하고 있다.

딱풀 p. 8

01 (가) 사상의 입장에서 볼 때, (나)의 세로 낱말 (A)에 대한 설명으로 가장 적절한 것은?

(가)	인(仁)이란 사회적 존재로 완성된 인격체의 인간다움이다. 이를 실천하기 위해 효제충신, 서(恕), 추기급인(推己及人) 등의 자세가 필요하다.
(나)	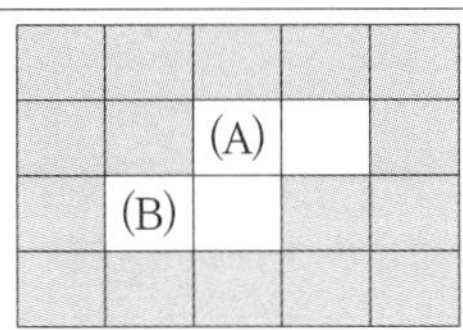 [가로 열쇠] (A): 인간이 본래 가지고 있는 욕구와 욕망. 생존 ○○ (B): 어떤 일에 알맞은 성질이나 성격. □□ 검사 [세로 열쇠] (A): …… 개념

① 누구나 지니고 있는 선함이다.
② 소박하고 무지한 자연적 성품이다.
③ 해탈에 이를 수 있는 자비로움의 시작이다.
④ 자연적 원리에 충실하게 살면서 형성되는 욕구이다.
⑤ 개인의 욕구에 따라 변화될 수 있는 개별적 성향이다.

| 교육청 응용 |

02 다음 사상에서 제시할 수 있는 수양 방법으로 옳은 것에만 모두 '✓' 표시를 한 학생은?

> 이것이 있으므로 저것이 있고, 이것이 생(生)하므로 저것이 생한다. 무명(無明)을 연(緣)하여 행(行)이 있고 큰 고(苦)가 쌓이며, 무명이 멸(滅)하므로 행이 멸하고 큰 고가 멸한다.

수양 방법 \ 학생	갑	을	병	정	무
고통의 원인이 삼독이라는 것을 깨닫는다.	✓	✓		✓	
윤회를 반복하고자 현세에서 덕을 쌓으려 노력한다.	✓		✓		✓
위로는 진리를 구하고 아래로는 중생을 구제하는 데 힘쓴다.		✓		✓	✓
모든 존재는 인연에 따라 형성되는 고정된 실체임을 파악한다.			✓	✓	✓

① 갑 ② 을 ③ 병 ④ 정 ⑤ 무

03 그림은 어느 사상가의 저서 중 일부이다. ㉠에 들어갈 진술로 가장 적절한 것은?

> 나는 긴 것은 긴 대로, 짧은 것은 짧은 대로 두어야 한다고 생각한다. 그런데 옛날 노나라의 어느 임금은 귀한 새가 궁궐로 날아들자 아름다운 음악을 연주하고 맛있는 음식을 대접하였다. 그러자 그 새는 눈이 어지럽고 마음이 슬퍼져서 사흘 만에 죽고 말았다. 내가 보기에 그 임금은 [㉠] 간과하였다.

① 천지 만물에 인의예지가 내재되어 있다는 것을
② 도(道)의 관점에서 인간과 사물은 하나라는 점을
③ 주관적 인식에 사로잡혀 만물은 상대적이라는 점을
④ 모든 현상은 원인과 조건에 따라 생겨난다는 진리를
⑤ 경(敬)과 성(誠)의 원리에 따라 사물을 탐구해야 함을

04 그림의 A~D에 들어갈 옳은 질문만을 〈보기〉에서 있는 대로 고른 것은?

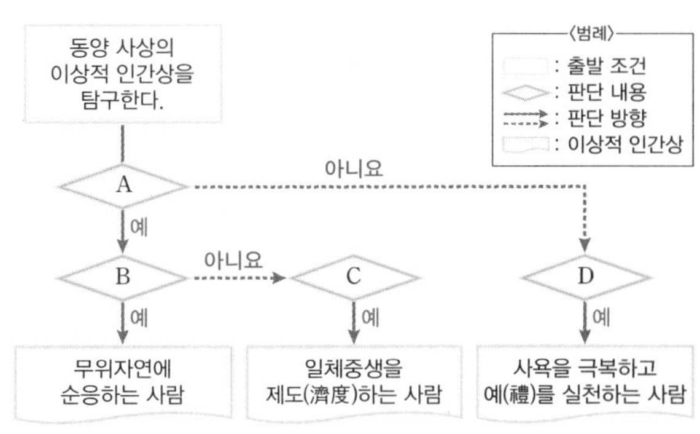

보기
ㄱ. A: 사단을 확충하여 사덕을 드러내야 하는가?
ㄴ. B: 상선약수의 원리를 알고 심재와 좌망을 실천해야 하는가?
ㄷ. C: 삼독을 제거하고 만물이 상호 의존적이라는 것을 깨달아야 하는가?
ㄹ. D: 불성을 깨닫고 수기안인을 실천해야 하는가?

① ㄱ, ㄴ ② ㄴ, ㄷ ③ ㄷ, ㄹ
④ ㄱ, ㄴ, ㄷ ⑤ ㄴ, ㄷ, ㄹ

05 갑, 을 사상가에 대한 타당한 진술만을 〈보기〉에서 있는 대로 고른 것은?

> 갑: 네가 너 자신의 인격에서나 다른 모든 사람의 인격에서 인간을 항상 목적으로 대하고, 한낱 수단으로 대하지 않도록 행위를 하여라.
> 을: 행복은 이성에 따르는 삶에 있다. 이를 위해서는 자연법의 명령에 따라 덕을 실천해야 한다. 그러나 이것은 현세의 행복일 뿐이다. 영원한 행복은 신을 보고 신과 하나가 되는 것을 통해서만 가능하다.

보기
ㄱ. 갑은 온전한 행복은 절대적 존재를 전제한다고 본다.
ㄴ. 을은 갑과 달리 선험적으로 존재하는 정의를 강조한다.
ㄷ. 갑, 을 모두 보편적인 도덕적 의무가 존재하고 있다고 본다.
ㄹ. 갑, 을 모두 이성을 통해 어떻게 행동해야 할지 알 수 있다고 본다.

① ㄱ, ㄴ ② ㄴ, ㄷ ③ ㄷ, ㄹ
④ ㄱ, ㄷ, ㄹ ⑤ ㄴ, ㄷ, ㄹ

| 평가원 응용 |

06 (가) 사상가의 입장에서 (나)의 갑에게 할 수 있는 조언으로 가장 적절한 것은?

(가)	우리는 실천 이성을 통하여 "네 의지의 준칙이 항상 동시에 보편적인 입법의 원리가 될 수 있도록 행위를 하여라."라는 정언 명령에 이르게 되고, 이에 따라 무엇이 도덕적 의무가 되는지를 알 수 있다.
(나)	갑은 귀금속 상인이고 을은 반지를 구입하고자 온 손님이다. 갑에게 선택 가능한 행위는 진실을 말하는 것과 거짓말을 하는 것밖에는 없다고 하자. 을에게 거짓말을 하면 더 비싸게 팔 수 있음을 알기에 갑은 고민 중이다.

① 보편적인 선의지에 따라 도덕적으로 행동하세요.
② 선을 추구하고 악을 피하라는 자연법에 따르세요.
③ 모두에게 이익을 가져다줄 수 있는 행위를 하세요.
④ 유용성을 극대화할 수 있는 도덕 규칙을 설정하세요.
⑤ 유덕한 행위를 오랫동안 반복하려는 의지를 기르세요.

| 평가원 기출 |

07 갑, 을 사상가들의 입장에 대한 설명으로 가장 적절한 것은?

> 갑: '해야 하기 때문에 할 수 있다.'는 것은 의무를 의식하기 때문에 정언 명령을 따라 행위 할 수 있음을 의미한다. 이러한 정언 명령은 보편화 정식으로 표현된다.
> 을: '할 수 있기 때문에 해야만 한다.'는 것은 책임질 수 있는 능력을 지녔다는 것, 그 자체로 책임져야 한다는 의미이다. 이는 인간이 미래의 위험을 예견하고 책임져야 한다는 명령으로 표현된다.

① 갑은 자연적 경향성에 근거한 행위를 도덕적 행위로 본다.
② 갑은 도덕 법칙의 형식으로 행위를 판단해서는 안 된다고 본다.
③ 을은 책임의 주체와 대상은 이성을 가진 존재로 한정된다고 본다.
④ 을은 의도하지 않은 결과까지 책임져야 하는 것은 아니라고 본다.
⑤ 갑, 을은 인간이 준수해야 할 무조건적인 도덕적 의무가 있다고 본다.

| 교육청 기출 |

08 서양 사상 (가), (나)의 입장으로 가장 적절한 것은?

> (가) 옳은 행위란 다른 어떠한 규칙에 따를 때보다 더 많은 행복을 가져오거나 혹은 더 적은 불행을 일으키게 하는 규칙을 따르는 것이다.
> (나) 어떤 상황에서 특정 행위가 다른 행위보다 더 큰 효용을 가져올 때, 그리고 오직 그럴 때에만 그 행위를 옳은 행위로 볼 수 있다.

① (가): 공리의 원리를 개별 행위가 아니라 규칙에 적용해야 한다.
② (가): 보편적인 도덕 법칙에 따르려는 의무를 중시해야 한다.
③ (나): 옳은 행위의 판단 기준으로 결과보다 동기를 중시해야 한다.
④ (나): 혜택과 비용을 계산할 때 도덕적 직관에 의존해야 한다.
⑤ (가), (나): 매 행위마다 유용성을 산출할 결과를 계산해야 한다.

09 그림은 서술형 평가 문제와 학생 답안이다. ㉠~㉤ 중 옳지 않은 것은?

〈서술형 평가〉

◎ **문제** 밑줄 친 'A 사상'의 특징에 대해 서술하시오.

A 사상은 근대 철학이 행위자의 감정이나 인간관계와 같은 요소는 간과하였다고 비판하면서, 선한 행위를 위해서는 유덕한 성품을 기르는 것이 중요하고 덕의 습관화가 필요하다고 하였다.

◎ **학생 답안**

A 사상은 ㉠ 행위자의 성품에 주목하는 윤리 사상으로, ㉡ 아리스토텔레스의 사상을 바탕으로 한다. ㉢ 도덕적 행동은 행위자의 덕에 따라 정해진다고 보고, ㉣ 바람직한 인간관계의 맥락에 관심을 둔다. 또한 ㉤ 개인의 선택과 자유를 공동체의 전통과 역사보다 중시한다.

① ㉠ ② ㉡ ③ ㉢ ④ ㉣ ⑤ ㉤

| 수능 기출 |

10 서양 사상가 갑, 을의 입장으로 옳은 것은?

갑: 심정 윤리는 소명을 받들어 희생하는 신앙인들처럼 내면의 신념을 견지하는 것을 의미한다. 그에 비해 책임 윤리는 국가의 안위를 좌우하는 지도자들처럼 행위의 결과에 대해 책임지는 것을 의미한다.
을: 현대 문명이 초래한 위기를 책임질 수 있는 유일한 존재는 인간이며, 인간은 책임질 수 있는 능력을 지녔다는 것 자체만으로 책임을 갖는다. 이에 우리는 책임지는 행동을 통해 '윤리적 공백'을 극복해야 한다.

① 갑: 정치 영역에서는 책임 윤리보다 심정 윤리를 우선해야 한다.
② 갑: 심정 윤리에서는 행위의 선한 의도가 아닌 결과를 중시한다.
③ 을: 인류가 존속해야 한다는 것은 무조건 따라야 할 정언 명령이다.
④ 을: 자연에 대한 인류의 책임은 예방이 아닌 보상을 위한 것이다.
⑤ 갑, 을: 행위의 의도가 선하다면 결과가 나쁘더라도 책임질 필요가 없다.

| 수능 기출 |

11 다음 사상의 입장에서 〈문제 상황〉 속 A에게 제시할 조언으로 가장 적절한 것은?

윤리는 도덕적 추론이 아니라 도덕적 태도나 선에 대한 열망에서 시작되어야 한다. 남성 중심적 윤리의 문제점을 파악해야 하고, 인간관계, 책임, 헌신 등의 여성적 특성을 지닌 윤리에 주목해야 한다.

〈문제 상황〉

① 도와주었을 때 당신이 얻을 수 있는 이익을 고려하여 행동하세요.
② 상대방의 어려움을 공감하여 무엇이 필요한지 살펴 행동하세요.
③ 동정심이 아닌 누구나 동의 가능한 합리적 판단에 따라 행동하세요.
④ 어떤 선택이 더 많은 사회적 효용을 낳을지 고려하여 행동하세요.
⑤ 타인을 배려하는 마음보다 도덕적 의무 의식에 따라 행동하세요.

12 갑, 을 사상가의 입장으로 가장 적절한 것은?

갑: 도덕적 문제에 대한 여성의 '다른 목소리'를 차단해서는 안 된다. 이제 공정함과 보살핌 사이의 대화를 통해 양성 간의 더 나은 이해를 도모할 필요가 있다.
을: 어떤 행위 규범은 자유롭고 평등한 담론을 통해 관련된 모든 당사자가 동의할 수 있어야 정당화될 수 있다. 실천적 담론은 의사소통의 일반적 전제 조건들에 근거해야 한다.

① 갑은 공정함이 보살핌보다 중요하다고 본다.
② 을은 담론을 통해 옳고 그름에 대한 판단의 정당성을 확보하고자 한다.
③ 갑과 달리 을은 공감 능력의 필요성을 강조한다.
④ 갑은 이성, 을은 감정을 윤리적 공감의 척도로 본다.
⑤ 갑, 을 모두 공감과 의사소통을 통해 보편타당한 도덕적 의무를 산출할 수 있다고 본다.

03 윤리 문제에 대한 탐구와 성찰

1 도덕적 탐구의 방법

1. 윤리 문제와 도덕적 탐구

(1) 도덕적 탐구의 특징과 필요성

의미	• 윤리적 사고를 통해 도덕적 의미를 새롭게 구성하는 지적 활동 • 도덕적 사고를 통해 윤리 문제 해결을 위한 최선의 대안을 끌어내는 과정
특징	• 현실의 윤리 문제를 해결할 때 당위적 차원에 주목함 • 대체로 윤리적 딜레마❶를 활용한 도덕적 추론으로 이어짐 • 이성적 사고❷의 과정을 중시함과 동시에 정서적 측면도 고려함
필요성	도덕 판단의 근거가 부적절한 경우, 주관적인 주장에 머무르게 됨

(2) 도덕적 탐구의 과정 자료 01

마지막 단계에 반성적 성찰의 과정을 추가하기도 한다.

윤리적 문제 확인 및 명료화	윤리 문제에 대한 쟁점 혹은 가치 갈등이 무엇인지 확인하고 명료화함
⬇	
관련 자료 수집 및 분석	윤리 문제에 대한 쟁점이나 가치 갈등과 관련된 정보를 수집하고 분석함
⬇	
잠정적 대안 설정 및 검토	정당한 근거를 바탕으로 자신의 입장이나 대안을 설정함
⬇	
최종 입장 확정	의사소통 및 토론의 과정을 거쳐 최선의 대안이나 최종 입장을 결정함

토론을 통해 최초 자신의 입장이나 대안이 수정·변경될 수도 있다.

2. 도덕적 탐구 모형

(1) 가치 분석 탐구 모형

① 윤리 문제 확인 및 명료화 윤리적 쟁점이나 문제 상황, 갈등하는 가치를 확인함
② 사실의 진위 및 타당성 탐색 평가 대상에 관한 사실을 수집하고 진위와 타당성을 검토함
③ 잠정적 도덕 판단 윤리적 쟁점에 대한 잠정적인 도덕 판단을 도출함
④ 도덕 원리 검사 잠정적인 도덕 판단의 바탕이 되는 도덕 원리의 타당성을 검사함
⑤ 최종적인 도덕 판단 최종적인 가치를 선택하고 그 가치에 근거하여 도덕 판단을 내림

(2) 가치 갈등 해결 탐구 모형

① 윤리적 쟁점 및 딜레마 확인 윤리적 쟁점이나 딜레마 상황을 확인함
② 자료 수집 및 분석 관련된 자료를 수집하고 분석함
③ 입장 채택 및 정당화 근거 제시 자신의 입장을 채택하거나 대안을 설정하고, 그에 대한 근거를 제시함
④ 최선의 대안 도출 타인의 의견을 구하거나 토론의 과정을 거쳐 최선의 대안을 도출함

3. 도덕적 추론과 도덕 판단

사실, 개념, 도덕 원리를 구분하고, 관계를 명료하게 해야 한다.

(1) 도덕적 추론❸ 이유나 근거를 제시하면서 도덕 판단을 끌어내는 과정

(2) 도덕적 추론을 통한 도덕 판단 삼단 논법과 유사함 자료 02

대전제		소전제		결론
도덕 원리	➡	사실 판단	➡	도덕 판단

❶ **딜레마**
선택해야 할 길은 두 가지 가운데 하나로 정해져 있는데, 그 어느 쪽을 선택하여도 바람직하지 못한 결과가 나오게 되는 곤란한 상황

❷ **이성적 사고의 종류**

비판적 사고	주장의 근거와 그 적절성을 따져 보는 것
논리적 사고	전제로부터 결론 혹은 주장을 타당하게 도출하는지 사고하는 것
합리적 사고	자신의 사고와 행위가 참된 근거와 원칙에 따르고 있는지 사고하는 것

고득점을 위한 셀파 Tip 비교

| 경험적 탐구와 도덕적 탐구의 목표 |

경험적 탐구
관찰과 실험을 통한 현상의 원인과 결과의 설명

도덕적 탐구
도덕적 가치와 규범을 토대로 한 도덕 판단이나 행위의 정당화

고득점을 위한 셀파 Tip 정리

| 도덕적 탐구의 과정 |

윤리적 문제 확인 및 명료화
⬇
관련 자료 수집 및 분석
⬇
잠정적 대안 설정 및 검토
⬇
최종 입장 확정

❸ **도덕적 추론의 구성 요소**

사실	실험, 관찰, 연구 등에 의해 그 진위를 알 수 있는 사건의 기술(記述)
개념	사물과 현상에 대한 일반적인 진술 혹은 규정
도덕 원리	윤리 문제에 대해 '좋거나 나쁨' 혹은 '옳거나 그름'을 진술하는 가치 기준

셀파 자료 탐구

자료 01 도덕적 탐구의 과정에서 고려해야 할 사항

- 상대방의 입장을 고려하고, 자신의 선택이 보편화 가능성을 지닐 수 있는지 검토한다.
- 다양한 이론적 관점을 통해 윤리 문제를 명확하게 하고, 여러 가지 해결 방안을 제시한다.
- 어떤 선택이 가져오는 단기적인 결과뿐만 아니라 장기적인 결과까지도 고려한다.
- 도덕적 책임과 배려의 범위를 인간에서 동물, 식물 등으로 확대한다.

자료 분석 | 우리는 도덕적 탐구의 과정을 통해 도덕적 가치와 규범을 토대로 자신의 도덕 판단이나 행위를 정당화할 수 있으며, 자신의 입장을 수정하거나 변경할 수도 있다. 윤리적 논쟁 문제에 대해 최선의 대안을 도출하기 위해서는 상대방의 입장과 장·단기적 결과를 고려해야 하고, 다양한 해결 방안을 검토하여 최종적인 대안을 도출해야 한다.

자료 02 도덕적 추론을 통한 도덕 판단의 예

도덕적 추론의 소전제를 비워 두고, 소전제에 대한 반론의 근거를 찾는 문제가 자주 출제되고는 해.

(가)

인체 실험은 인간의 존엄성을 훼손하므로 바람직하지 않아.
너의 주장을 삼단 논법으로 정리하면 칠판의 내용과 같겠군.
• 대전제: 인간의 존엄성을 훼손하는 실험은 바람직하지 않다.
• 소전제: 인체 실험은 인간의 존엄성을 훼손한다.
• 결론: 인체 실험은 바람직하지 않다.

(나) 생물학적 출발 조건인 출생을 조작하거나 통제하는 인간 복제는 인간만이 갖는 존재의 자유를 본질적으로 불가능하게 한다. 따라서 출생을 조작하거나 통제하는 인간 복제는 허용되어서는 안 된다.

⬇

전제 1 (대전제)	인간만이 갖는 존재의 자유를 본질적으로 불가능하게 하는 것은 허용되어서는 안 된다.
전제 2 (소전제)	출생을 조작하거나 통제하는 인간 복제는 인간만이 갖는 존재의 자유를 본질적으로 불가능하게 한다.
결론	출생을 조작하거나 통제하는 인간 복제는 허용되어서는 안 된다.

자료 분석 | 우리는 다양한 윤리 문제에 대해 도덕 원리를 바탕으로 사실 판단을 거쳐 도덕 판단을 내릴 수 있다. 또한 제시된 도덕 원리나 사실 판단에 반론을 제기할 수도 있다. 예를 들어 (가)의 소전제에 대해서는 "절차적 정당성을 갖는 인체 실험은 인격 가치를 침해하지 않는다."라는 주장을 반론의 근거로 제시할 수 있다. 그리고 (나)의 전제 2에 대해서는 "복제 인간은 자연 발생적 인간과 동등한 존재의 자유를 갖는다."를 근거로 반론을 제시할 수 있다.

기출 선택지 O, X로 정리하기

1 대전제가 "인간을 죽이는 것은 옳지 않다."이고, 결론이 "자발적 안락사는 옳지 않다."라는 도덕적 추론의 소전제에 대한 반론은 "자발적 안락사는 환자가 스스로 요구한다는 점에서 사람을 죽이는 것과 다르다."이다. (O , X)

2 "인류 공동의 지적 산물은 독점되어서는 안 된다."라는 대전제에서 "모든 정보는 공유되어야 한다."라는 결론을 도출한 도덕적 추론의 소전제에 대한 반론의 근거는 "정보에 대한 소유권 인정이 정보의 공공적 가치를 훼손시킨다."이다. (O , X)

3 전제 1이 "객관적 지식의 활용은 그 목적 설정을 위해 가치 판단을 배제해야 한다."이고, 결론이 "과학 기술에는 주관적 가치가 개입되어서는 안 된다."일 때, 이 도덕적 추론의 전제 2에 대한 반론의 근거는 "과학 기술은 객관적인 지식과 그 지식의 활용 과정이다."이다. (O , X)

정답 1 O 2 X 3 X

(3) **올바른 도덕 판단을 위해 필요한 능력**

① **도덕적 상상력** 각종 딜레마 상황에서 윤리 문제를 자각하고, 그 문제 상황이 어떻게 전개될 것인지 고려하는 능력

② **비판적 사고** 사실 판단과 도덕 원리에 대해 주장의 근거와 그 적절성을 따져 보는 것
- 사실 판단의 진위 검토: 경험적 탐구 방법을 통해 확인함
- 도덕 원리에 대한 검토[4]: 문제의 도덕 원리가 정당화될 수 있는지 비판적으로 검토함

③ **배려적 사고** 도덕적 민감성[5]과 공감 능력에 근거하여 타인의 욕구나 필요에 관심을 두고 그의 처지에서 생각하며 필요를 충족하고자 하는 태도

2 윤리적 성찰과 실천

1. 성찰의 중요성과 방법

(1) **윤리적 성찰[6]의 의미** 자신의 도덕적 경험을 바탕으로 반성적 사고를 하고, 도덕적 삶의 실천 방향을 결정하는 활동

(2) **윤리적 성찰의 중요성** 자신의 삶에 대한 도덕적 자각과 인격의 함양에 도움을 줌 ➡ 개인의 도덕성과 올바른 자아 정체성 형성

(3) **윤리적 성찰의 방법**

① 동양 자료 03
- 거경(居敬): 마음을 한 곳으로 모아 흐트러짐이 없게 하는 것 (거경의 대표적인 예로 신독을 들 수 있다.)
- 일일삼성[7]: 매일 하루의 삶을 성찰할 수 있는 세 가지 물음

(거경, 일일삼성 — 유교에서 제시한 성찰 방법이다.)
- 참선: 인간의 참된 삶과 맑은 본성을 깨닫기 위한 수행법 (불교에서 특히 강조하는 성찰 방법이다.)

② 서양
- 산파술: 끊임없는 질문을 통해 자신의 무지를 자각하게 돕는 방법 (소크라테스가 강조한다.)
- 중용: 마땅한 때에, 마땅한 일에 대하여, 마땅한 사람에게, 마땅한 동기로 느끼거나 행함 (아리스토텔레스가 강조한다.)

2. 토론을 통한 성찰

(1) **토론의 의미** 상대방을 설득하거나 이해하고, 이를 바탕으로 문제에 대한 최선의 해결책을 모색하는 활동

(2) **토론의 과정**

주장하기	➡	반론(반박)하기	➡	재반론(방어)하기	➡	정리하기
주장과 근거 발표		상대방 주장 반박		반론에 대한 반박 및 근거 추가		반론을 참고해 자신의 최종 입장 발표

(3) **토론의 필요성** 자료 04

① 인식과 판단에서의 오류 가능성을 줄임

② 당면한 윤리 문제에 대해 바람직한 해결 방안을 찾을 수 있음 ➡ 원만한 갈등 해결

③ 주관적인 의견이 토론을 통해 보편적인 앎의 형태로 나아갈 수 있음

3. 윤리적 실천의 조건

(1) **도덕적 탐구** 윤리적 문제 상황에서 올바른 도덕 판단을 내릴 수 있음

(2) **도덕적 상상력과 배려적 사고** 윤리 문제를 파악하고, 타인의 욕구나 필요에 대처할 수 있음

(3) **선의지[8]** 선의지를 지닌 사람은 이익보다는 옳음을 추구함

(4) **도덕적 습관** 도덕적 습관이 몸에 배면 어떤 상황에서도 도덕적으로 행동할 수 있음 자료 05

---

4 도덕 원리의 검토 방법

반증 사례 검사	문제의 도덕 원리가 적용되지 않는 사례는 없는지 검토함
보편화 결과 검사	문제의 도덕 원리를 규범적 차원에서 보편화할 수 있는지 검토함
역할 교환 검사	문제의 도덕 원리를 다른 사람들의 처지에서도 받아들일 수 있는지 검토함

5 도덕적 민감성의 의미
- 해당 상황이 도덕적 문제 상황인 것을 알아차리는 능력
- 자신의 행동이 다른 사람에게 어떤 영향을 미칠지 생각해 볼 수 있는 능력

6 윤리적 성찰과 도덕적 탐구

구분	윤리적 성찰	도덕적 탐구
공통점	도덕적 행위의 실천 추구	
차이점	도덕적 주체의 도덕성에 중점을 둠	사회의 각종 윤리 문제에 대한 이해 및 분석에 중점을 둠

7 일일삼성(一日三省)의 세 가지 물음
- 스승에게 배운 것을 잘 익혔는가?
- 남을 돕는 데 정성스럽게 하였는가?
- 친구와 교제하는 데 신의를 다하였는가?

고득점을 위한 셀파 Tip 개념

| 토론의 의미와 중요성 |

의미	상대방을 설득하거나 이해하고, 이를 바탕으로 문제의 해결책을 모색하는 활동
필요성	• 인식과 판단에서의 오류 가능성 감소 • 당면한 윤리 문제에 대한 바람직한 해결 방안 모색 • 주관적 의견을 보편적인 앎의 형태로 만듦

8 선의지
선(善)을 행하고자 하는 순수한 동기에서 나온 의지로, 경향성을 따르지 않고 도덕 법칙에 의하여 규정된 의지를 말한다.

셀파 자료 탐구

자료 03 거경의 예

보이지 않는 데에서도 언제나 조심해야 하고, 들리지 않는 데에서도 항상 두려워해야 한다. 숨은 것처럼 잘 드러나는 것이 없으며, 미세한 것처럼 잘 나타나는 것이 없다. 그러므로 홀로 있을 때에도 항상 조심하고 삼가는 것〔愼獨〕이다.

자료 분석 | 유교에서는 윤리적 성찰의 방법으로 거경의 수양 방법을 중시하는데, 거경의 주된 예로 신독을 들 수 있다. 신독은 홀로 있을 때에도 도리에 어긋나지 않도록 몸과 마음을 바르게 하고, 언행을 신중하게 하는 것을 의미한다.

자료 04 밀이 말하는 토론의 필요성

인간 사이에 합리적 의견과 합리적 행동이 중시되는 이유는 무엇인가? 만일 그것이 중시된다고 하면 그것은 인간 정신의 특성, 즉 하나의 지적 또는 도덕적 존재로서의 인간에 내재하는 존경할 만한 모든 것의 근원, 말하자면 인간의 잘못은 고칠 수 있다는 점에 근거한다. 인간은 자신의 잘못을 토론과 경험을 통해 고칠 수 있다. 단순히 경험에 의해서만이 아니다. 경험이 어떻게 해석되어야 하는가를 밝히려면 반드시 토론이 필요하다. 잘못된 의견과 관행은 점차 사실과 논의에 복종하게 되지만, 사실과 논증이 인간 정신에 어떤 영향을 미치려면 먼저 그것이 인간 정신 앞에 제시되어 판단되어야 한다. 그 자체의 의미를 드러낼 평가 없이 그 자체를 드러낼 수 있는 사실이란 거의 없다.

자료 분석 | 자료는 공리주의 사상가인 밀이 『자유론』에서 토론이 필요한 이유에 대해 말한 것이다. 인간은 불완전한 존재이므로 인식과 판단에서 오류를 범할 수 있다. 밀은 인간은 토론을 통해 자신의 판단을 검증하고 타인의 생각을 받아들여 인식과 판단의 오류 가능성을 줄일 수 있다고 보고, 생각과 표현의 자유와 토론의 가치를 강조한다.

자료 05 아리스토텔레스가 말하는 습관

한 마리의 제비가 왔다고 봄이 오는 것은 아니다. 누군가 어쩌다가 선한 행위를 했다고 해서 그를 선한 사람이라고 단정할 수 없다. 선한 행위가 습관화되어 성품이 될 때 선한 사람이 되는 것이다. 우리는 정의로운 일들을 행함으로써 정의로운 사람이 되며, 절제 있는 일들을 행함으로써 절제 있는 사람이 되고, 용감한 일을 행함으로써 용감한 사람이 되는 것이다. 그러므로 우리가 어린 시절부터 어떠한 습관을 가졌는가 하는 것은 결코 사소한 차이를 가져오는 것이 아니다. 그것은 아주 큰 차이를 가져오는 것이다. 아니 모든 차이가 거기서 비롯된다고 할 수 있다.

자료 분석 | 아리스토텔레스는 습관은 제2의 천성이라고 하면서, 도덕적 습관을 들이면 선한 성품을 지닐 수 있게 된다고 주장한다. 아리스토텔레스에 따르면 습관은 선한 행위를 하고자 하는 의지를 강화할 수 있는 구체적인 방법이고, 우리가 어떤 습관을 지닐 것인가 하는 것은 곧 내가 어떤 성품을 지닌 사람이 될 것인가의 문제와 직결된다.

기출 선택지 O, X로 정리하기

1 자유로운 토론을 통해 모두가 합의해야 진리가 된다. (O, ×)

2 소수의 의견이 진리이고 다수의 의견이 오류일 수 있다. (O, ×)

3 자유 토론의 과정에서 진리의 가치를 재확인할 수 있다. (O, ×)

4 자유로운 논박을 통해 진리에 대한 참된 이해가 가능하다. (O, ×)

5 토론은 다수의 의견이 오류가 없음을 입증하는 숙고의 과정이다. (O, ×)

6 토론은 인간의 무오류성을 전제로 정확한 판단을 내리는 과정이다. (O, ×)

7 토론은 기존의 진리에 대해 복종해야 할 필요성을 확인하는 과정이다. (O, ×)

8 토론은 오류를 최대한으로 줄이고 진리를 찾기 위한 논의의 과정이다. (O, ×)

9 토론은 자신의 주장 관철을 유일한 목표로 상대방과 논쟁을 벌이는 과정이다. (O, ×)

정답 1 × 2 O 3 O 4 O 5 × 6 × 7 × 8 O 9 ×

개념 완성

1 도덕적 탐구의 방법

<table>
<tr><td rowspan="4">도덕적 탐구의 방법</td><td>의미</td><td>(❶)를 통해 윤리 문제 해결을 위한 최선의 대안을 끌어 내는 과정</td></tr>
<tr><td>특징</td><td>• 윤리 문제를 해결할 때 (❷)적 차원에 주목함
• 윤리적 딜레마를 활용한 (❸)으로 이어짐
• 이성적 사고의 과정을 중시하면서 정서적 측면도 고려함</td></tr>
<tr><td>필요성</td><td>도덕 판단의 (❹)가 부적절한 경우, 주관적인 주장에 머무르게 됨</td></tr>
<tr><td>과정</td><td>윤리적 문제 확인 및 명료화 → 관련 (❺) 수집 및 분석 → 잠정적 대안 설정 및 검토 → 최종 입장 확정</td></tr>
<tr><td rowspan="2">도덕적 추론</td><td>의미</td><td>이유나 근거를 제시하면서 (❻)을 끌어 내는 과정</td></tr>
<tr><td>과정</td><td>(❼)과 유사함
대전제 (❽) → 소전제 사실 판단 → 결론 도덕 판단</td></tr>
</table>

2 윤리적 성찰과 실천

<table>
<tr><td rowspan="2">윤리적 성찰</td><td>의미</td><td>자신의 도덕적 경험을 바탕으로 (❾)를 하고, 도덕적 삶의 실천 방향을 결정하는 활동</td></tr>
<tr><td>방법</td><td>• 동양: 거경, (❿), 참선
• 서양: 산파술, 중용</td></tr>
<tr><td rowspan="2">(⓫)</td><td>의미</td><td>상대방을 설득하거나 이해하고, 이를 바탕으로 문제에 대한 최선의 해결책을 모색하는 것</td></tr>
<tr><td>필요성</td><td>• 인식과 판단에서의 (⓬)을 줄임
• 당면한 윤리 문제에 대해 바람직한 해결 방안을 찾을 수 있음
• 주관적인 의견이 토론을 통해 보편적인 앎의 형태로 나아갈 수 있음</td></tr>
<tr><td>윤리적 실천의 조건</td><td colspan="2">• 도덕적 탐구: 윤리적 문제 상황에서 올바른 도덕 판단을 할 수 있음
• 도덕적 상상력과 배려적 사고: 윤리 문제를 파악하고, 타인의 욕구나 필요에 대처할 수 있음
• (⓭): 이익보다 옳음을 추구할 수 있음
• 도덕적 습관: 도덕적 습관이 몸에 배면 어떤 상황에서도 도덕적으로 행동할 수 있음</td></tr>
</table>

정답 ❶ 도덕적 사고 ❷ 당위 ❸ 도덕적 추론 ❹ 근거 ❺ 자료 ❻ 도덕 판단 ❼ 삼단 논법 ❽ 도덕 원리 ❾ 반성적 사고 ❿ 일일삼성 ⓫ 토론 ⓬ 오류 가능성 ⓭ 선의지

탄탄 내신 문제

01 다음은 도덕적 탐구 과정이다. 이에 대한 옳은 설명을 〈보기〉에서 고른 것은?

(가) 윤리 문제와 관련된 정보를 수집하고 분석함
(나) 윤리 문제에 대한 쟁점을 확인하고 명료화함
(다) 의사소통 및 토론의 과정을 거쳐 최종 입장이나 대안을 결정함
(라) 정당한 근거를 바탕으로 자신의 입장이나 잠정적 대안을 설정함

보기
ㄱ. (가)에서는 윤리 문제에 대한 반성적 성찰이 요구된다.
ㄴ. (나)에서는 자신의 주장에 대한 정당화의 근거를 제시한다.
ㄷ. (다)에서 결정한 대안은 (라)에서 설정한 대안과 다를 수 있다.
ㄹ. 도덕적 탐구 과정의 순서는 (나) → (가) → (라) → (다)이다.

① ㄱ, ㄴ ② ㄱ, ㄷ ③ ㄴ, ㄷ
④ ㄴ, ㄹ ⑤ ㄷ, ㄹ

02 갑, 을의 대화에서 추론한 내용으로 타당한 것을 〈보기〉에서 고른 것은?

갑: 어제 ○○ 회사가 식품 제조 과정에서 위의 기능을 저하시키고 소화 장애를 일으키는 물질을 사용하였다는 뉴스가 보도되었어.
을: 그렇다면 ○○ 회사가 만드는 식품은 건강에 해롭겠다. 나는 이제 그 회사의 식품을 구매하지 않을 거야.

보기
ㄱ. 갑의 말에 대한 검증은 다수결로 이루어진다.
ㄴ. 갑의 말을 검토하는 과정에서 자료 수집이 요구된다.
ㄷ. 을의 말은 뉴스 보도를 근거로 하고 있으므로 사실 판단의 문제이다.
ㄹ. 갑의 말이 사실로 입증될 때 을의 말도 타당성을 얻을 수 있다.

① ㄱ, ㄴ ② ㄱ, ㄷ ③ ㄴ, ㄷ
④ ㄴ, ㄹ ⑤ ㄷ, ㄹ

03 다음은 어느 학생이 필기한 내용이다. ㉠~㉢에 대한 설명 중 옳지 않은 것은?

[학습 주제] 도덕적 추론
1. 의미: 이유나 근거를 제시하면서 도덕 판단을 끌어 내는 과정
2. 구조와 예시

대전제	㉠ 도덕 원리	인류 공동의 지적 산물은 복제되어서는 안 된다.
소전제	㉡ 사실 판단	정보는 인류 공동의 지적 산물이다.
결론	㉢ 도덕 판단	모든 정보는 복제되어서는 안 된다.

① ㉠은 역할 교환 검사를 사용하여 정당화할 수 있다.
② ㉡은 진위 여부를 확인할 수 있다.
③ ㉡에서는 개념이나 용어의 확인이 필요하다.
④ ㉢은 옳고 그름을 분별하기 위한 판단이다.
⑤ ㉡, ㉢은 모두 보편적 가치를 내포하고 있다.

04 그림은 수업 장면이다. 이에 대한 설명으로 적절하지 않은 것은?

① 결론에서는 당위적 판단이 도출된다.
② 대전제에는 윤리적 가치 판단이 개입되어 있다.
③ 대전제는 보편적이고 일반적인 도덕 원리로 구성된다.
④ ㉠에 대한 반론의 근거는 '태아는 완전한 인간 존재이다.'이다.
⑤ 소전제는 개별적이고 구체적인 사실을 대전제에 대입시키는 것이다.

05 (가)의 관점에서 〈문제 상황〉 속 갑에게 제시할 수 있는 조언으로 가장 적절한 것은?

(가) 올바른 도덕 판단을 내리기 위해서는 배려적 사고가 필요하다. 이것은 도덕적 민감성과 공감 능력에 근거하여 타인의 욕구나 필요에 관심을 두고 그의 처지에서 생각하려는 태도이다.

〈문제 상황〉

갑은 같은 반 친구 몇 명이 복도를 걸어가던 을에게 시비를 걸고 욕을 하는 장면을 목격하였다. 갑은 다른 학생들과 마찬가지로 그 모습을 지켜보기만 하였다.

① 다수에게 이익이 되도록 이해관계를 조정해야 해.
② 다툼의 원인이 무엇인지 사실 관계를 명확하게 밝혀내야 해.
③ 주변 상황과 맥락을 고려해서 다수 학생들의 행동에 따라야 해.
④ 보편적 도덕 원리와 선의지에 따라 선생님께 도움을 요청해야 해.
⑤ 학교 폭력을 당한 을의 기분을 이해하고 적극적으로 도와주려고 해야 해.

06 다음 사상과 관련된 윤리적 성찰의 방법을 〈보기〉에서 고른 것은?

새벽에 잠에서 깨면 마음을 고요히 하여 정돈한다. 마음이 세워졌으면 일어나 세수하고 단정히 앉아 몸을 단속한다. 이와 같은 수양으로 덕을 닦아 인의(仁義)를 지켜 나가야 한다.

보기
ㄱ. 참선을 통해 불변의 자아를 인식한다.
ㄴ. 마음을 한 곳에 모아 흐트러짐이 없게 한다.
ㄷ. 끊임없는 질문을 통해 자신의 무지를 자각한다.
ㄹ. 일일삼성(一日三省)을 통해 매일 하루의 삶을 성찰한다.

① ㄱ, ㄴ ② ㄱ, ㄷ ③ ㄴ, ㄷ
④ ㄴ, ㄹ ⑤ ㄷ, ㄹ

07 다음 사상가의 입장으로 옳지 <u>않은</u> 것은?

> 모든 토론을 침묵하게 하는 것은 인간의 무오류성을 가정하는 것이다. 하지만 인간은 끊임없이 잘못 판단하고, 잘못 행동하면서 살아간다. 따라서 누구도 전 인류를 대신해서 문제에 대한 결론을 내리고, 다른 사람의 판단을 빼앗을 수 없다.

① 인간은 불완전한 존재이므로 오류를 범할 수 있다.
② 인간은 토론을 통해 자신의 판단을 검증할 수 있다.
③ 토론 과정에서 참여자 개인의 가치관은 변화하지 않아야 한다.
④ 인간은 토론을 통해 인식과 판단에서 오류 가능성을 줄일 수 있다.
⑤ 토론의 참여자들은 다수 의견이 오류일 수 있음을 염두에 두어야 한다.

08 다음을 주장하는 사람이 동의할 견해를 <보기>에서 고른 것은?

> 우리는 모든 사람이 어떤 의견에 대해서 반박하거나 반증할 수 있음을 인정해야 한다. 왜냐하면 그것을 인정하지 않는다면 전능한 신이 아닌 인간이 자신의 의견이 정당하다는 것을 확인할 방법은 없기 때문이다.

보기
ㄱ. 집단 내 권위 있는 사람의 의견은 언제나 정당하다.
ㄴ. 개인은 토론을 통해 자신의 의견을 정당화할 수 있다.
ㄷ. 자신의 의견에 대한 반론에 개방적인 자세를 취해야 한다.
ㄹ. 사회적 관습과 규칙은 토론을 통해 검증된 것이므로 오류가 있을 수 없다.

① ㄱ, ㄴ ② ㄱ, ㄷ ③ ㄴ, ㄷ
④ ㄴ, ㄹ ⑤ ㄷ, ㄹ

09 ㉠에 들어갈 내용으로 가장 적절한 것은?

> 갑: 합리적 의사 결정을 위해서는 토론 과정에서 다수의 상식에 부합하지 않는 주장을 배제해야 합니다.
> 을: 아닙니다. 합리적 대안 도출을 위해서는 토론에 참여한 당사자 모두가 자유롭고 평등한 상태에서 의견을 말할 수 있어야 합니다.
> 갑: 바람직한 의사 결정은 객관적인 이성이 발휘되어야 하는 것입니다. 소수의 의견은 오류일 가능성이 높아 이러한 이성의 발휘에 방해만 될 뿐입니다.
> 을: 그렇다면 제가 보기에 당신은 [㉠] 있습니다.

① 다수가 찬성할 때 진리가 형성된다는 것을 모르고
② 토론을 통해 주관적 의견이 강화된다는 것을 모르고
③ 정치·사회 제도의 개선이 필요하다는 것을 강조하고
④ 토론의 과정에서 공동체적 성찰이 이루어진다는 것을 강조하고
⑤ 소수 의견이 옳을 수 있고 토론을 통해 오류를 시정할 수 있음을 간과하고

10 서양 사상가 갑의 입장에서 <문제 상황> 속 A에게 해 줄 수 있는 조언을 <보기>에서 고른 것은?

> 갑: 윤리적 실천은 유덕한 품성으로부터 나온다. 즉, 선한 행위는 먼저 선한 사람이 되도록 노력하는 것에서 비롯된다.
>
> **<문제 상황>**
>
> A는 자기중심적이라는 말을 종종 듣곤 한다. 자신이 하고 싶은 얘기만 일방적으로 하거나, 관심 없는 주제에 대해서는 시큰둥한 태도를 보이기 때문이다.

보기
ㄱ. 인간 존중이라는 도덕적 의무를 준수해야 합니다.
ㄴ. 타인에 대한 배려를 습관화하려는 의지가 필요합니다.
ㄷ. 타인과 소통이 이루어지지 않을 때의 손익을 따져야 합니다.
ㄹ. 중용을 기준으로 자신의 행위와 태도를 성찰해 보아야 합니다.

① ㄱ, ㄴ ② ㄱ, ㄷ ③ ㄴ, ㄷ
④ ㄴ, ㄹ ⑤ ㄷ, ㄹ

서답형 문제

딱풀 p. 9

11 **다음 글을 읽고 물음에 답하시오.**

(가)	[㉠]은/는 윤리 문제에 대한 쟁점 혹은 가치 갈등이 무엇인지를 확인하고, 그와 관련된 자료를 탐색하며, 정당한 근거를 바탕으로 자신의 입장이나 대안을 설정하고, 의사소통 및 토론의 과정을 거쳐 최선의 대안을 끌어내는 과정이다.
(나)	배아 복제가 불치병과 난치병, 불임 등의 근본적인 해결책이 된다는 주장이 있다. 반면 배아 복제는 인간의 존엄성을 훼손하고 생명 경시 풍조를 불러일으킨다는 주장도 있다.

(1) (가)의 ㉠에 들어갈 말을 쓰시오.

(2) (가)의 ㉠ 과정에 따라 (나)의 문제를 해결하는 과정을 서술하시오.

12 **다음 주장을 참고하여 도덕적 추론을 완성하시오.**

소극적 안락사는 치유 가능성이 없는 환자의 생명 연장 장치를 제거하여 사망에 이르도록 하는 것이다. 이는 '인간의 죽을 권리'를 보장한다는 데에 의의가 있다. 그러나 소극적 안락사도 결국 타인에 의한 살인이나 마찬가지이다. 타인이 한 사람의 생명을 결정하는 것은 살인이고, 소극적 안락사는 환자의 생명을 타인인 의사가 결정하는 것이기 때문이다.

대전제 (일반적 도덕 원리)	
소전제 (구체적인 사실 판단)	
결론 (추론된 도덕적 판단)	

13 **다음 사상가가 성찰에서 강조한 덕목에 대해 서술하시오.**

우리는 다른 사람과 어울리며 하는 행위들에 의해 올바른 사람이 되거나 옳지 못한 사람이 된다. 또한 위험에 당면해 무서워하거나 태연한 마음을 지니는 태도에 따라 비겁한 사람이나 용감한 사람이 된다. 결국 도덕적 덕은 본성적으로 타고나는 것이 아니라 지속된 습관의 결과로 생기는 것이다.

14 **다음 글을 읽고 물음에 답하시오.**

[㉠]은/는 자신의 의견에 오류가 있음을 완전히 배제하고 자신의 주장을 관철하거나 상대방의 주장을 비판하는 활동이 아니다. [㉠]은/는 상대방을 설득하거나 이해하고, 이를 바탕으로 문제에 대한 최선의 해결책을 모색하는 활동이다. 우리는 이러한 활동을 통해 윤리적 쟁점이나 윤리적 딜레마를 해결할 수 있는 최선의 대안을 찾아낼 수 있다.

(1) ㉠에 들어갈 말을 쓰시오.

(2) ㉠이 필요한 이유를 두 가지 서술하시오.

| 교육청 기출 |

01 (가)의 주장을 (나) 그림으로 나타낼 때, ㉠에 대한 반론의 근거로 가장 적절한 것은?

(가)	자연에 대한 객관적 사실을 관찰하고 탐구하는 과학 연구는 가치 중립적이기 때문에 윤리가 개입해서는 안 된다.
(나)	전제 1 가치 중립적인 것에는 윤리가 개입해서는 안 된다. + 전제 2 ㉠ ⬇ 결론 과학 연구는 윤리가 개입해서는 안 된다.

① 윤리의 개입으로 과학 연구의 객관성이 위협받을 수 있다.
② 과학 연구는 사실 그 자체에 대한 기술과 설명이 되어야 한다.
③ 과학은 객관적 사실이므로 관련 연구에는 가치가 개입될 수 없다.
④ 과학 연구가 윤리적 평가 대상일 때 과학적 진리를 왜곡될 수 있다.
⑤ 과학 연구는 상황과 맥락을 반영하여 사회적 필요에 의해 이루어진다.

| 평가원 기출 |

02 그림은 수업 장면이다. 소전제 ㉠에 대한 반론의 근거로 가장 적절한 것은?

인간 배아 복제 실험은 인간을 대상으로 하는 것이므로 바람직하지 않아.
너의 주장을 삼단 논법으로 정리하면 칠판의 내용과 같겠군.
• 대전제: 인간을 대상으로 하는 실험은 바람직하지 않다.
• 소전제: ㉠
• 결론: 인간 배아 복제 실험은 바람직하지 않다.

① 인간 배아는 성인과 동등한 도덕적 지위를 지닌다.
② 출생하기 이전의 어떤 존재도 인간으로 볼 수 없다.
③ 인간을 대상으로 하는 실험은 인간 존엄성을 침해한다.
④ 인간 배아는 잠재적인 인간이므로 인간의 범주에 포함된다.
⑤ 인간 배아 복제는 인간을 대상으로 하는 임상 연구에 속한다.

| 평가원 응용 |

03 (가)의 주장을 (나) 그림으로 나타낼 때, 이에 대한 설명으로 적절하지 않은 것은?

(가) 생물학적 출발 조건인 출생을 조작하거나 통제하는 인간 복제는 인간만이 갖는 존재의 자유를 본질적으로 불가능하게 한다. 따라서 출생을 조작하거나 통제하는 인간 복제는 허용되어서는 안 된다.

(나)
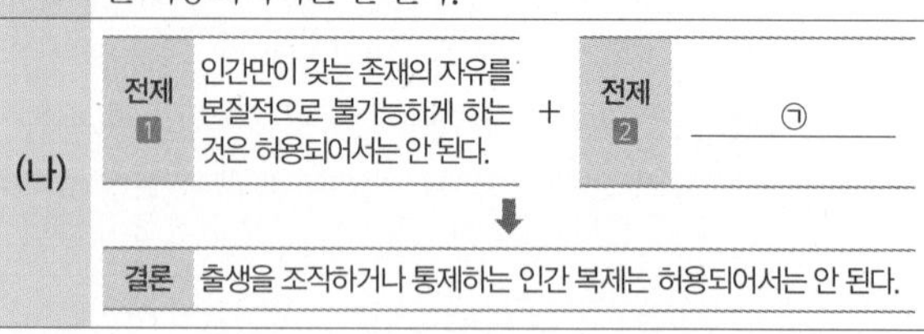

① '출생은 생물학적 출발 조건이다.'는 개념의 진술이다.
② (나)의 전제 1은 대전제로서 일반적인 도덕 원리의 진술에 해당한다.
③ ㉠에 대해 '인간 복제는 자율성을 훼손하지 않는다.'라고 반론할 수 있다.
④ '인간 복제는 출생을 조작하거나 통제하는 것이다.'는 사실 판단에 해당한다.
⑤ (나)는 사실 판단을 바탕으로 도덕 판단을 거쳐 도덕 원리를 추론해 내는 과정이다.

04 ㉠에 들어갈 적절한 말을 〈보기〉에서 고른 것은?

갑: 저의 삶을 돌아봐야 하는 이유는 무엇입니까?
을: 올바른 행위와 삶의 방향을 정립할 수 있기 때문이지.
갑: 그 방법은 무엇입니까?
을: 하루라도 자기를 이겨 예(禮)를 행하면 천하가 인(仁)으로 돌아올 것이니, 인의 실현은 자기에게서 비롯되는 것일세. 그러므로 [㉠]

보기
ㄱ. 경(敬)의 자세로 사물의 이치를 탐구해야 하네.
ㄴ. 홀로 있을 때에도 도리에 어긋나지 않도록 해야 하네.
ㄷ. 타고난 악한 본성을 선하게 만들기 위해 노력해야 하네.
ㄹ. 참선을 통해 인간의 참된 삶과 맑은 본성을 깨달아야 하네.

① ㄱ, ㄴ ② ㄱ, ㄷ ③ ㄴ, ㄷ
④ ㄴ, ㄹ ⑤ ㄷ, ㄹ

| 평가원 기출 |

05 (가)를 주장한 사상가의 입장에서 (나)의 주장을 반박할 경우 그 논거로 적절하지 않은 것은?

(가)	의견 발표를 억압하는 것은 그 의견을 지지하거나 반대하는 사람 모두에게 손해를 끼친다. 한 사람 이외의 모든 인류가 동일한 의견이고, 한 사람만이 반대 의견을 갖는다 해도, 인류에게는 그 한 사람에게 침묵을 강요할 권리가 없다.
(나)	소수의 다양한 의견은 진리에 대한 의심을 불러일으켜 진리의 가치를 훼손시킬 수 있다. 따라서 진리를 지키기 위해서는 소수의 발언 기회가 제한되어야 한다.

① 자유로운 토론을 통해 모두가 합의해야 진리가 된다.
② 소수의 의견이 진리이고 다수의 의견이 오류일 수 있다.
③ 자유 토론의 과정에서 진리의 가치를 재확인할 수 있다.
④ 자유로운 논박을 통해 진리에 대한 참된 이해가 가능하다.
⑤ 소수 의견이 오류라고 해도 부분적으로는 진리일 수 있다.

| 교육청 응용 |

06 (가)를 주장한 사상가의 관점에서 볼 때, 퍼즐 (나)의 세로 낱말 (A)에 대한 설명으로 가장 적절한 것은?

(가)	인간 사이에 합리적 의견과 합리적 행동이 중시되는 이유는 무엇인가? 만일 그것이 중시된다고 하면 그것은 인간 정신의 특성, 말하자면 인간의 잘못은 고칠 수 있다는 점에 근거한다.
(나)	(A) (B) [가로 열쇠] (A): 어떤 문제에 대하여 함께 검토하고 협의함. 경제 위기 극복 방안에 대한 ○○ (B): 일반 대중이 공통으로 제시하는 의견. □□조사 [세로 열쇠] (A): …… 개념

① 다수의 의견이 오류가 없음을 입증하는 과정이다.
② 인간의 무오류성을 전제로 판단을 내리는 과정이다.
③ 기존 진리에 복종해야 할 필요성을 확인하는 과정이다.
④ 오류를 최대한으로 줄이고 진리를 찾기 위한 논의의 과정이다.
⑤ 자신의 주장 관철을 유일한 목표로 상대방과 논쟁을 벌이는 과정이다.

07 (가) 사상가의 입장에서 볼 때 (나)와 같은 문제를 해결하기 위한 적절한 자세를 〈보기〉에서 고른 것은?

(가) 도덕적 원리의 정당화는 담론의 참여자 간에 의사소통이 합리적으로 전개될 때 가능하다. 의사소통의 합리성은 논증적 토론을 통해 이해와 보편적 합의에 도달하는 것이고, 이것은 함께 의사소통에 참여하면서 서로를 인정하는 가운데 성립할 수 있다.

(나)
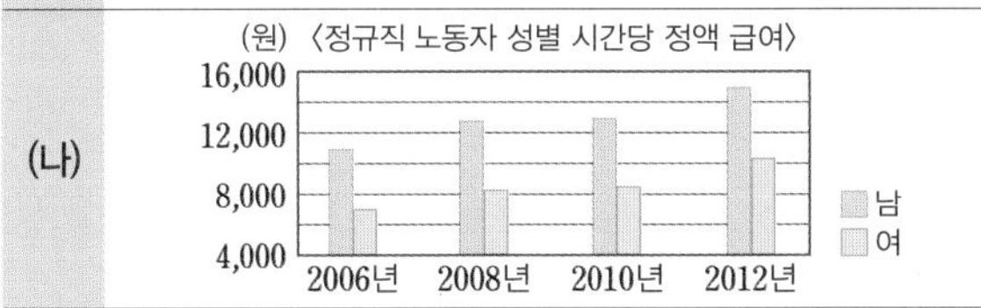

보기
ㄱ. 공동체의 전통에 근거하여 해결책을 모색한다.
ㄴ. 자신의 주장에 오류가 있을 수 있음을 인정한다.
ㄷ. 의견을 하나로 통일하기 위해 다른 사람을 포섭한다.
ㄹ. 대화를 통해 주관적 관점에서 벗어나 상호 이해를 제고한다.

① ㄱ, ㄴ ② ㄱ, ㄷ ③ ㄴ, ㄷ
④ ㄴ, ㄹ ⑤ ㄷ, ㄹ

| 평가원 응용 |

08 다음 가상 대담 속 ㉠에 들어갈 말로 가장 적절한 것은?

공리의 관점으로 표현의 자유와 관련하여 설명하셨는데요. 진리에 대해 이의를 제기하는 소수 의견도 존중해야 한다는 주장은 어떻게 생각하십니까?

당연히 존중해야 합니다. 그 소수 의견이 옳을 경우 인류는 오류를 수정할 기회를 잃게 되기 때문입니다.

하지만 그 소수 의견이 옳지 않다면 불필요한 일이 아닐까요?

그 의견이 옳지 않다고 할지라도 논쟁을 펼치는 과정에서, 인류는 ㉠

① 다수의 의견에 대한 복종의 필요성을 알게 됩니다.
② 기존의 진리가 지닌 가치와 의의를 재확인하게 됩니다.
③ 다수뿐만 아니라 소수마저 동의해야 진리가 됨을 알게 됩니다.
④ 사회적 유용성의 차원에서 표현의 자유를 제한해야 함을 알게 됩니다.
⑤ 다수에 의해 확립된 의견만이 진리의 표준이 될 수 있음을 확인하게 됩니다.

I 단원 필기 노트

01. 현대 생활과 실천 윤리

① 윤리와 현대 사회의 윤리 문제

• **탐구 방법에 따른 윤리학의 구분**

→ 도덕 현상, 사실, 기술, 객관적 등의 표현이 자주 사용됨

기술 윤리학	도덕 현상과 문제를 명확하게 기술하고, 현상들 간의 인간 관계를 설명하려 함
메타 윤리학	윤리학의 학문적 성립 가능성을 모색하기 위해 도덕 언어의 의미나 도덕적 진술의 논리적 구조 분석, 도덕적 추론의 타당성을 입증하려 함 → 학문적 성립 가능성, 도덕 언어, 윤리적 개념, 명확화, 명료화, 분석 등의 표현이 자주 사용됨
규범 윤리학	도덕적 행위의 근거가 되는 도덕 원리나 인간의 성품에 관해 탐구하고, 이를 바탕으로 도덕적 문제의 해결과 실천 방법을 제시함

→ 규범적 근거, 도덕 원리, 도덕 규범 정립 등의 표현이 자주 사용됨

• **이론 윤리학과 실천 윤리학:** 현실의 윤리 문제에 대한 해결책과 올바른 삶의 방향 제시

이론 윤리학	도덕적 행위에 대한 이론적 분석과 정당화를 다룸 → 윤리 문제 해결의 토대 제공
실천 윤리학	삶에서 구체적으로 발생하는 윤리 문제에 대해 도덕 원리를 근거로 실제적이고 구체적인 해결책을 모색함

• **새로운 윤리의 요청:** 생명 윤리, 생태 윤리, 정보 윤리 등과 같이 과거에는 문제가 되지 않았던 새로운 영역에서 윤리적 판단이 요구됨

→ 대체로 실천 윤리학과 성격이 비슷함

② 실천 윤리의 등장 배경과 특징

• 이론 윤리학의 한계 → 구체적이고 실천적인 도덕 판단과 행위의 지침 강조

• 사회 · 문화적 변화 → 다양한 삶의 영역에서 제기되는 문제의 구체적인 해결책 모색

• 과학 기술의 발달 → 과학 기술의 발달로 발생하는 새로운 문제를 다룸

• 다른 학문과의 협력 요구 → 다양한 학문 분야 간의 대화 강조

• 이론 윤리학과 유기적 관계 → 이론 윤리학의 연구 성과들을 적극적으로 활용함

→ 실천 윤리학은 이론 윤리학을 보완하기 위해 등장한 것으로, 이론 윤리학과 대립되는 관계는 아님

02. 현대 윤리 문제에 대한 접근

① 동양 윤리의 접근

유교 윤리	• 천지 만물에 인의예지가 내재해 있음 → 인간은 이러한 속성을 이어받음 • 인(仁): 인간의 타고난 내면적 도덕성이자 인간관계에서 실현해야 할 최상의 가치 • 경(敬)과 성(誠)을 통해 선한 본성을 보존하고 확충하며 예(禮)를 회복하고자 함
불교 윤리	• 연기설: 모든 존재와 현상은 인연에 의해 생멸함 → 만물은 상호 의존하고, 고정된 실체가 없음 • 모든 존재는 불성을 지니므로 깨달음을 얻으면 누구나 부처가 될 수 있음 • 내면의 성찰과 바라밀 → 진리와 깨달음을 얻어 해탈과 열반에 이를 수 있음
도교 윤리	• 세계는 상대적인 것으로 이루어지므로, 세상 만물은 평등한 가치를 지님 • 도(道): 스스로 그러함을 의미함. 도에 의해 만물의 균형, 조화, 변화가 이루어짐 • 무위자연 추구: 자연 그대로의 질서를 따를 것을 강조함 → 최고의 선(善)은 물 • 좌망과 심재 → 소요유의 정신 실현 → 상선약수(上善若水)

② 서양 윤리의 접근

• **의무론적 접근:** 행위 자체의 도덕성에 주목함 → 도덕적 의무 강조

자연법 윤리	• 이성이나 직관을 통해 영원하고 절대적인 자연법 원리 발견 • 자연법 원리에서 도출되는 도덕적 의무를 준수할 것을 강조
칸트의 의무론	• 이성적이고 자율적인 인간은 정언 명령의 형식으로 제시되는 보편적인 도덕 법칙을 인식할 수 있음 • 행위의 동기 중시: 의무 의식과 선의지에서 나온 행위만이 도덕적 가치를 지님

→ 자율적으로 도덕적 의무에 따른 행동이 아니라면 도덕적 행동으로 보지 않음

• **공리주의적 접근:** 행위의 결과에 주목 → 유용성(공리)의 원리에 따라 윤리적 규칙 도출

고전적 공리주의	양적 공리주의(벤담)	• 쾌락은 질적으로 동일함 → 쾌락의 양을 계산해 유용성 측정 가능 • 최대 다수의 최대 행복을 도덕과 입법의 원리로 제시함
	질적 공리주의(밀)	쾌락은 질적으로 동일하지 않음 → 질적으로 높고 고상한 쾌락 추구
행위 공리주의와 규칙 공리주의	행위 공리주의	더 많은 공리를 가져오는 행위를 옳은 행위로 간주
	규칙 공리주의	최대의 행복을 가져오는 행위 규칙을 따라야 한다고 주장

• **현대 윤리학적 접근**

덕 윤리	• 행위자에게 초점을 맞춤 → 행위자의 성품과 바람직한 인간관계의 맥락에 주목함 • 매킨타이어: 개인의 자유와 선택보다 공동체의 전통과 역사 중시
책임 윤리	• 다양한 유형의 책임 강조 → 당면한 윤리 문제를 책임의 관점에서 규명하고 해결하고자 함 • 요나스: 윤리적 고려의 대상을 현세대에서 미래 세대와 자연으로까지 확대함
배려 윤리	• 남성 중심적 정의 윤리를 비판하며 사랑과 모성적 배려, 공동체적 관계에 주목함 • 길리건: 여성과 남성의 도덕적인 지향점은 다름 • 나딩스: 배려, 보살핌, 타인에 대한 유대감과 관계 중시
담론 윤리	• 윤리 문제의 해결을 위한 자유로운 의견 주장과 대화와 합의 강조 • 하버마스: 의사소통의 합리성 실현 → 참여자 모두 합의의 결과 수용 가능
도덕 과학	도덕과 관련된 현상을 과학적 방법으로 설명하고자 함 → 도덕성 형성에 영향을 주는 요인에 초점

03. 윤리 문제에 대한 탐구와 성찰

① 도덕적 탐구의 방법

• **도덕적 탐구의 과정:** 윤리적 문제 확인 및 명료화 → 관련 자료 수집 및 분석 → 잠정적 대안 설정 및 검토 → 최종 대안 확인

• **도덕적 추론의 의미와 과정**

의미	이유나 근거를 제시하면서 도덕 판단을 끌어내는 과정
과정	• 삼단 논법의 과정으로 이루어짐 • 도덕 원리(대전제) → 사실 판단(소전제) → 도덕 판단(결론)

② 윤리적 성찰과 실천

• **동서양의 윤리적 성찰의 방법**

동양	• 거경: 마음을 한 곳으로 모아 흐트러짐이 없게 하는 것 • 일일삼성: 매일 하루의 삶을 성찰하는 세 가지 물음 → 유교 • 참선: 인간의 참된 삶과 맑은 본성을 깨닫기 위한 수행법 → 불교
서양	• 산파술: 끊임없는 질문으로 자신의 무지를 자각하게 돕는 방법 → 소크라테스 • 중용: 마땅한 때에, 마땅한 일에 대하여, 마땅한 사람에게, 마땅한 동기로 느끼거나 행하는 것 → 아리스토텔레스

• **토론을 통한 성찰**

토론의 의미	상대방을 설득하거나 이해하고, 이를 바탕으로 문제에 대한 최선의 해결책을 모색하는 것
토론의 필요성	• 인식과 판단에서의 오류 가능성을 줄임 • 당면한 윤리 문제에 대해 바람직한 해결 방안을 찾아 원만한 갈등 해결을 모색함 • 토론을 통해 주관적인 의견이 보편적인 앎의 형태로 나아갈 수 있음

→ 밀은 공리주의적 관점에서 표현의 자유와 토론의 필요성을 강조함

• **윤리적 실천의 조건:** 도덕적 탐구, 도덕적 상상력과 배려적 사고, 선의지, 도덕적 습관 등

Ⅱ 생명과 윤리

이 단원의 핵심 포인트

중단원	핵심 포인트	학습일
01 삶과 죽음의 윤리 ~ 생명 윤리	• 출생과 죽음의 윤리적 의미 • 동서양의 죽음관 • 출생과 죽음에 관한 윤리적 쟁점 • 생명 윤리의 의미와 필요성 • 생명 복제와 유전자 치료 문제 • 동물 실험과 동물 권리의 문제	월 일 ~ 월 일
02 사랑과 성 윤리	• 사랑과 성의 관계 • 결혼과 가족의 윤리	월 일 ~ 월 일

셀파와 내 교과서 단원 비교

셀파	천재교과서	금성	미래엔	비상교육	지학사
01 삶과 죽음의 윤리 ~ 생명 윤리	01 삶과 죽음의 윤리	01 삶과 죽음의 윤리	01 삶과 죽음의 윤리	1 삶과 죽음의 윤리	01 삶과 죽음의 윤리
	02 생명 윤리	02 생명 윤리	02 생명 윤리	2 생명 윤리	02 생명 윤리
02 사랑과 성 윤리	03 사랑과 성 윤리	03 사랑과 성 윤리	03 사랑과 성 윤리	3 사랑과 성 윤리	03 사랑과 성 윤리

삶과 죽음의 윤리 ~ 생명 윤리

1 출생과 죽음의 의미

1. 출생과 생명의 윤리적 의미

(1) 출생❶의 윤리적 의미

① 유교 도덕적 주체로서 삶의 출발점 ➡ 삶은 하늘이 부여한 도덕적 본성을 실현하는 과정

② 자연법 윤리 자신의 생명을 유지하고 종족을 번식하려는 인간의 자연적 성향을 실현하는 과정

③ 가족과 사회 구성원으로서 사는 삶의 시작

(2) **생명의 윤리적 의미** 일회적이고 고유하며 유한함 ➡ 대체 불가능한 본래적 가치를 지님

2. 죽음❷에 대한 철학적 견해

(1) 동양의 죽음관 자료 01

공자	죽음에 관심을 가지기보다는 현세의 도덕적인 삶에 충실할 것을 강조함
장자	• 삶과 죽음은 기(氣)가 모였다가 흩어지는 것 ➡ 자연스럽고 필연적인 과정 • 삶에 집착하거나 죽음을 걱정하고 두려워할 필요가 없음
불교	• 삶과 죽음은 하나이며, 죽음은 생(生)·노(老)·병(病)과 더불어 고통임 • 죽음은 윤회❸의 과정으로, 현세의 업보(業)가 죽은 이후의 삶을 결정함

(2) 서양의 죽음관 자료 02

이데아: 감각적인 경험을 초월하여 참으로 존재하는 것(참된 존재)이다.

플라톤	죽음은 육체에 갇혀 있던 영혼이 해방되어 이데아의 세계로 돌아가는 것
에피쿠로스	• 죽음은 인간을 구성하던 원자가 흩어져 개별 원자로 돌아가는 것 • 살아서는 죽음을 경험할 수 없고, 죽은 이후에는 감각할 수 없음 → 죽음을 두려워할 필요 없음
하이데거	현존재는 죽음을 직시할 때 진정한 삶을 살 수 있음

(3) 죽음의 윤리적 의미

① 삶의 소중함을 깨닫는 계기

② 인간관계의 소중함을 깨닫게 하는 계기

③ 어떻게 살아가야 하는지를 깨닫는 계기

2 출생과 죽음에 관한 윤리적 쟁점

1. 출생과 관련된 윤리적 쟁점

(1) 인공 임신 중절❹의 윤리적 쟁점 자료 03

허용론(선택 옹호주의)	반대론(생명 옹호주의)
• 여성의 선택권>태아의 생명권 • 태아는 완전한 인간으로 볼 수 없음 • 소유권 근거: 태아는 여성 몸의 일부이므로 여성은 태아에 대한 권리를 지님 • 자율 근거: 인간은 자신의 신체에 대해 자율적으로 선택할 권리가 있음 • 정당방위 근거: 여성은 자기방어와 정당방위의 권리를 지님	• 여성의 선택권<태아의 생명권 • 태아는 인간과 동일한 도덕적 지위를 지님 • 잠재성 근거: 태아는 성숙한 인간으로 발달할 가능성을 지님 • 존엄성 근거: 모든 인간의 생명은 존엄하므로 태아의 생명도 존엄함 • 무고한 인간의 신성불가침 근거: 태아는 무고한 인간이고, 무고한 인간을 해치는 행위는 옳지 않음

❶ **출생의 생물학적 의미**
태아가 모체로부터 나와 독립적인 생명체를 이루는 현상

❷ **죽음의 특성**
• 평등성: 모든 사람은 죽게 됨
• 수동성: 죽음은 원치 않아도 찾아옴
• 불확실성: 죽음은 언제 닥칠지 모름
• 불가피성: 사람은 죽음을 피할 수 없음
• 일회성: 한 번 죽으면 다시 살아날 수 없음

❸ **윤회(輪廻)**
생명이 있는 것은 번뇌와 업에 따라 죽은 뒤 다시 태어나고 생(生)이 반복된다고 하는 불교의 사상

고득점을 위한 셀파 Tip 개념

| 동서양의 죽음관 |
• 공자: 현세의 도덕적인 삶이 더 중요함
• 장자: 삶과 죽음은 자연스럽고 필연적인 과정
• 불교: 죽음은 고통 중 하나로, 다음 세상으로 윤회하는 과정
• 플라톤: 죽음은 육체에 갇혀 있던 영혼이 해방되는 것
• 에피쿠로스: 죽음을 경험할 수 없으므로 죽음을 두려워할 필요 없음
• 하이데거: 죽음의 자각은 진정한 삶의 시작

❹ **인공 임신 중절**
분만 전에 산모의 신체에서 태아를 인공적으로 분리하는 것

고득점을 위한 셀파 Tip 비교

| 인공 임신 중절에 대한 논쟁 |

허용론
• 여성의 선택권 중시
• 소유권 근거
• 자율 근거
• 정당방위 근거

반대론
• 태아의 생명권 중시
• 잠재성 근거
• 존엄성 근거
• 무고한 인간의 신성불가침 근거

셀파 자료 탐구

자료 01 공자와 장자가 바라본 죽음

(가) 삶을 모르는데 어찌 죽음을 알겠는가? 새가 죽을 때는 울음소리가 애처롭고, 사람이 죽을 때는 하는 말이 착한 법이라네. 지사(志士)는 삶을 영위하되 인(仁)을 해침이 없고, 자신을 희생함으로써 인을 이룬다네.

(나) 장자의 친구 혜자(惠子)가 장자의 부인이 죽었다는 소식을 듣고 조문(弔問)을 갔는데, 장자는 동이를 두드리며 노래를 부르고 있었다. 혜자는 장자에게 부인이 죽었는데 슬퍼하지 않고 노래를 부르는 건 지나치다고 말하였다. 장자는 "아내의 죽음에 금방은 슬펐지만 인간은 본래 생명이 없었고 형체도 기(氣)도 없었으며, 나중에 기가 생기고 기가 유형으로 변하고 형체가 생명을 갖추었다가 죽음으로 바뀌게 되었으니 사계절의 변화와 같은 것이다. 아내가 죽은 뒤 천지 사이에서 편히 쉴 테니 통곡하면 천명에 이르지 못하므로 울음을 그쳤네."라고 하였다.

자료 분석 | (가)는 공자, (나)는 장자의 죽음관이 나타난 글이다. 공자는 죽음보다 삶을 아는 것이 중요하다고 보고, 도덕적으로 충실한 삶을 살 것을 강조한다. 반면 장자는 삶과 죽음은 기(氣)가 모이고 흩어지는 것이므로 구별할 수 없다고 본다. 그리고 이러한 관점에서 죽음은 사계절의 변화처럼 자연적이고 필연적인 현상이며 두려워해야 할 대상이 아니라고 주장한다.

자료 02 하이데거의 죽음관

죽음의 불안 앞에서 도피하지 않고 그것을 용기 있게 받아들이는 것을 '죽음으로의 선구(先驅)', 즉 죽음으로 앞서 달려감이라고 한다. 죽음으로의 선구는 죽음의 확실성을 인식함으로써 오히려 삶에서 그 어느 것에 의해서도 대체될 수 없는 각자의 고유성을 깨닫는 것이다. 따라서 현존재는 죽음을 자각함으로써 자신의 본래적인 존재 가능성을 회복해야 한다.

자료 분석 | 하이데거는 현존재인 인간은 죽음에 이를 수밖에 없는 존재임을 스스로 인식해야 하고, 이를 위해 죽음의 불안 앞에서 도피하지 않고 죽음이 인간이 가진 가장 확실한 가능성임을 깨달아야 한다고 주장한다. 이처럼 하이데거는 죽음을 자각함으로써 인간은 진정한 실존을 파악하고, 삶을 의미 있고 가치 있게 살 수 있다고 본다.

자료 03 낙태에 관한 논쟁

갑: 태아는 인격체가 아니므로 인격체와 같은 생명의 권리를 갖지 못한다. 또한 태아는 임신부의 신체 중 일부이므로 낙태의 허용 여부는 임신부의 자유로운 결정에 맡겨야 한다.

을: 태아는 수정과 동시에 생명을 갖는 인간으로 여겨야 한다. 태아는 수정된 순간부터 인간과 동일한 지위를 지닌 존재이므로 낙태를 전적으로 임신부의 결정에 맡겨서는 안 된다.

자료 분석 | 갑은 태아를 인격체가 아닌 임신부의 신체 일부분으로 보아, 임신부가 낙태를 자유롭게 선택할 권리를 지닌다고 주장한다. 즉 갑은 소유권 근거를 바탕으로 인공 임신 중절을 허용하자고 주장하는 것이다. 반면 을은 태아를 수정된 순간부터 인간과 동일한 지위를 지닌 존재라고 보아, 임신부에게 낙태를 자유롭게 선택할 권리가 없다고 주장한다. 즉 을은 태아의 생명권을 여성의 선택권보다 중시하여 인공 임신 중절을 반대하는 것이다.

기출 선택지 O, X로 정리하기

1 유교에서는 도덕적인 가치를 위해서 자신의 생명을 희생할 수도 있다고 본다. (O , X)

2 장자는 죽음은 기가 모이고 흩어지는 과정의 일부임을 강조한다. (O , X)

3 장자는 사후의 평온보다 현세에서 인(仁)의 실천이 중요하다고 본다. (O , X)

4 불교는 죽음을 다른 존재로 윤회하는 고리가 단절된 상태라고 본다. (O , X)

5 플라톤의 입장에서 삶과 죽음은 반복적으로 순환하는 고통의 과정이다. (O , X)

6 에피쿠로스는 죽음을 감각적으로 경험할 수 없는 무(無)의 상태로 본다. (O , X)

7 하이데거는 죽음을 직시하여 주체적 삶을 살아야 한다고 본다. (O , X)

8 선택 옹호주의는 여성의 자기 결정권을 전제로 낙태를 찬성한다. (O , X)

9 생명 옹호주의를 지지하는 논거로 태아는 출생 이후에 비로소 인간의 본질적 특성을 갖게 되어 생명권을 획득한다는 주장이 있다. (O , X)

정답 1 O 2 O 3 X 4 X 5 X 6 O 7 O 8 O 9 X

불임 부부가 자녀를 임신할 수 있게 돕는 의료 시술이다.

(2) **생식 보조술[5]의 도입과 윤리적 쟁점**

① 긍정적인 면 불임 부부의 고통을 덜어 주고 출생률을 높여 줌

② 부정적인 면

- 생명체의 탄생에 인위적으로 개입하는 것은 자연의 섭리에 어긋남
- 여러 가지 윤리적 문제 발생 예 비배우자 인공 수정이나 대리모 출산과 관련한 아기의 친권 문제, 대리모의 기형아 출산에 따른 친권 포기 문제, 정자와 난자 판매 문제, 대리 임신을 위한 금전적 거래 문제, 여분의 수정란과 배아 처리 문제 등

2. 죽음과 관련된 윤리적 쟁점

(1) **뇌사[6]의 윤리적 쟁점** 자료 04

우리나라는 장기 기증을 전제로 한 경우에만 뇌사를 죽음으로 인정한다.

뇌사 인정	뇌사 불인정
• 죽음의 기준: 뇌 기능 정지 • 뇌 기능이 정지하면 인간으로서 고유한 활동이 불가능함 • 뇌사자의 장기로 다른 생명을 구할 수 있음 • 뇌사자의 존엄하게 죽을 권리를 존중해야 함	• 죽음의 기준: 심폐 기능 정지 • 뇌 기능이 정지하더라도 생명을 유지할 수 있음 • 뇌사의 인정은 인간 생명을 수단으로 여기는 것 • 뇌사 판정 과정에서 오류가 발생할 수 있음 • 실용주의 관점은 인간의 가치를 위협할 수 있음

(2) **안락사[7]의 윤리적 쟁점**

① 안락사의 구분

환자의 동의 여부	자발적 안락사	환자 본인이 직접 동의한 경우
	반자발적 안락사	환자가 반대하는 상황에서 이루어지는 경우 ➡ 대체로 살인으로 간주
	비자발적 안락사	환자가 판단 능력을 상실했거나 의식이 없을 때 이루어지는 경우
시술 행위의 적극성	적극적 안락사	약물 투여와 같은 구체적 행위로 환자의 생명을 단축하는 것
	소극적 안락사	무의미한 연명 치료를 중단하고 죽음을 받아들이게 하는 것

소극적 안락사: 인간으로서 최소한의 품위를 유지하며 죽을 수 있게 한다는 뜻에서 존엄사와 연결 짓기도 한다.

② 안락사에 대한 찬반 논쟁 자료 05

찬성	반대
• 인간은 죽음을 선택하고 인간답게 죽을 권리를 지님 • 환자는 치료를 거부할 권리를 지님 • 환자와 환자 가족의 경제적·정신적·심리적 고통을 덜어 줄 수 있고, 의료 자원의 효율적인 사용이 가능함 ➡ 공리주의 관점	• 인간은 죽음을 선택할 권리를 가지고 있지 않음 • 죽음을 앞당기는 것은 자연의 질서에 부합하지 않고 생명의 존엄성을 훼손하는 일임 ➡ 유교, 도교, 자연법 윤리, 의무론 관점 • 의료진의 기본 의무는 생명을 살리는 것임 • 생명 경시 풍조가 확산될 수 있음

(3) **자살[8]의 윤리적 문제** 자료 06

① 자살의 문제점

- 자기 생명이라도 자살은 엄연한 인위적인 죽임임 ➡ 인간 존중의 원칙에 위배
- 자신의 생명과 인격을 훼손하고 자아실현의 가능성을 차단함
- 고통을 모면하기 위한 자살은 자신을 수단으로 삼는 것(칸트) ➡ 자기 보전의 의무에 위배
- 순간적인 고통의 원인이 사라지면 자살할 필요가 없어짐
- 주변 사람들에게 큰 슬픔과 상실감을 주고, 사회적 문제로 발전할 수 있음

② 자살 방지 노력

- 개인적 노력: 타인에 대한 이해와 존중의 자세
- 사회적 노력: 사회 안전망 확보, 자살 예방 교육 강화, 상담 제도 활성화 등

⑤ 생식 보조술의 종류

- 인공 수정: 모체 내에 정자를 주입하여 수정 및 임신을 유도하는 방법
- 시험관 아기 시술: 정자와 난자를 체외에서 수정시킨 후 시험관에서 수정란을 배양하고 이를 모체의 자궁에 이식하여 임신을 유도하는 방법

⑥ 뇌사 상태

뇌간과 연수를 포함한 뇌 기능이 완전히 정지된 상태이다. 연명 장치를 제거하면 일정 시간 후 심장이 멈추어 사망한다.

고득점을 위한 셀파 Tip 비교

| 뇌사의 윤리적 쟁점 |

뇌사 인정

- 뇌 기능 정지 시 인간으로서 고유한 활동 불가능
- 뇌사자의 장기로 다른 생명을 구할 수 있음
- 뇌사자의 존엄하게 죽을 권리 보장

뇌사 불인정

- 뇌 기능이 정지하더라도 생명 유지 가능
- 뇌사 판정 과정에서 오류 발생 가능
- 실용주의 관점은 인간의 가치를 위협함

⑦ 안락사 허용의 요건

- 반드시 의사가 시행해야 한다.
- 경제적 비용 등 다른 이유로 안락사를 선택해서는 안 된다.
- 환자의 고통을 최대한 줄여 주기 위한 동기에서 시행해야 한다.
- 충분한 의료 정보를 토대로 한 자율적 판단에 따라 환자가 동의해야 한다.

⑧ 자살 반대의 근거

유교	자신의 신체를 훼손하지 않는 것이 효의 시작 → 불감훼상
불교	불살생의 계율에 근거해 생명을 해치는 것을 금함
그리스도교	신으로부터 받은 생명을 스스로 끊어서는 안 됨
아퀴나스	자살은 자연법 원리에 어긋나는 행위
칸트	자살은 고통에서 벗어나기 위해 자신을 수단으로 이용하는 것
쇼펜하우어	자살은 문제를 회피하고, 자신의 능력 발휘 가능성을 파괴하는 것

자료 04 뇌사에 대한 윤리적 논쟁

갑: 오늘날 장기 이식 기술이 발달함에 따라, 뇌사를 죽음으로 인정하면 많은 생명을 살릴 수 있게 되었습니다. 그러므로 뇌사를 죽음으로 보아야 합니다. 저는 사람의 인격은 심장이 아니라 뇌에서 비롯된다고 생각합니다.

을: 아닙니다. 뇌의 명령 없이도 유지될 수 있는 사람의 생명 그 자체가 존엄한 것입니다. 또한 장기 이식을 위해 뇌사 판정이 악용될 가능성에도 유의할 필요가 있습니다. 사람의 생명은 실용적 가치로 평가할 수 없는 존엄성을 지니고 있기 때문에 심폐사를 죽음으로 보는 것이 옳습니다.

자료 분석 | 갑은 뇌사자의 장기를 이식해 다른 생명을 살릴 수 있고, 인격은 심장이 아닌 뇌에서 비롯되기 때문에 뇌사를 죽음으로 인정해야 한다고 주장한다. 반면 을은 인간의 생명은 실용적인 가치로 따질 수 없는 존엄한 것이고, 뇌사 판정이 악용될 가능성이 있기 때문에 심폐사를 죽음으로 인정해야 한다고 주장한다.

자료 05 안락사에 대한 찬반 논쟁

갑: 회생 불가능한 환자의 불필요한 고통을 없애는 방법에는 인위적 개입으로 죽음을 앞당기는 것과 연명 치료를 중단하여 죽음에 이르게 두는 것이 있다. 전자는 비도덕적인 살인이기에 금지되지만, 후자는 자연의 과정을 따르는 것이므로 허용될 수 있다.

을: 인간의 생명은 절대적인 가치를 지닌다. 인간의 생명이 가지는 존엄성은 불필요한 고통을 없앤다는 명분으로도 절대 훼손되어서는 안 된다. 인위적으로 죽음을 앞당기거나 연명 치료를 중단하는 것은 모두 인간 생명의 존엄성을 경시하는 행동이므로 허용될 수 없다.

자료 분석 | 갑은 인위적으로 환자의 생명을 단축하는 적극적 안락사는 허용될 수 없지만, 연명 치료 중단과 같은 소극적 안락사는 허용될 수 있다고 본다. 이와 달리 을은 생명은 절대적 가치를 지니고 있으므로 적극적 안락사와 소극적 안락사 모두 허용될 수 없다고 본다.

자료 06 아퀴나스가 말한 자살 반대의 근거

자살은 불행한 삶 또는 수치스러운 죄를 피하는 방법으로 보인다. 그러나 아무리 불행하다고 해도 혹은 수치스러운 죄를 지었다고 해도 자살은 올바르지 않다. 왜냐하면 현실에서 가장 끔찍한 악은 죽음이기 때문이다. 자살해서는 안 되는 이유는 다음과 같다.

첫째, 만물은 본래 자신을 사랑하고 자신의 생명을 유지하고자 하는 자연적 성향을 지니고 있는데, 자살은 이러한 자연적 성향을 거스르기 때문이다. 둘째, 모든 사람은 공동체의 부분이므로 자살을 하는 것은 자신이 속한 공동체를 훼손하기 때문이다. 셋째, 생명을 주관하는 것은 신의 권능에 속하므로 자살은 신을 거스르는 행위이기 때문이다.

자료 분석 | 자료는 아퀴나스가 그의 저서 『신학대전』에서 자살에 관해 언급한 내용이다. 아퀴나스는 자연법의 측면에서 자살은 자기 보전이라는 자연적 성향을 거스르고, 공동체를 훼손하며, 신을 거스르는 행위이므로, 이 세 가지 근거에서 자살을 금지해야 한다고 주장한다.

기출 선택지 O, ×로 정리하기

1 뇌사 찬성론은 심폐사보다 뇌사가 죽음의 기준으로 적절하다고 본다. (O , ×)

2 뇌사 반대론은 뇌사 인정이 인간 생명의 존엄성을 침해할 수 있다고 본다. (O , ×)

3 뇌사 찬성론은 인간의 인격은 뇌가 아니라 심장에 의존한다고 본다. (O , ×)

4 안락사 찬성론은 개인은 자기 생명에 대해 배타적 권리가 있음을 주장한다. (O , ×)

5 안락사 찬성론은 안락사 허용은 결과적 이익을 고려한 결정임을 주장한다. (O , ×)

6 안락사 반대론은 생명의 종식 여부는 자율적 선택의 문제가 아님을 주장한다. (O , ×)

7 안락사 반대론은 안락사는 인간의 존엄성을 보호하는 도덕적인 행위임을 주장한다. (O , ×)

8 안락사 찬성론은 자발적 안락사는 환자가 스스로 요구한다는 점에서 사람을 죽이는 것과 다르다고 본다. (O , ×)

정답 1 O 2 O 3 × 4 O 5 O 6 O 7 × 8 O

3 생명 복제와 유전자 치료 문제

1. 생명⑨ 과학 기술과 생명 윤리

(1) **생명 윤리** 생명을 책임 있게 다루는 것과 관련된 모든 경우에 대한 윤리적 고려 자료 07

(2) **생명 윤리의 필요성**

① 생명 과학 기술은 생명을 다룸

② 생명 과학 기술은 생명체에 직접적으로 영향을 끼침

③ 생명 과학 기술을 잘못 이용하면 막대한 피해가 발생하고, 결과를 돌이킬 수 없음

(3) **생명 의료 윤리의 기본 원칙** 자료 08

① 비첨과 칠드레스 자율성 존중의 원칙, 해악 금지의 원칙, 선행의 원칙, 정의의 원칙

② 우리나라 「생명 윤리 및 안전에 관한 법률」에서 배아, 유전자 등에 관한 연구가 인간의 존엄과 가치를 침해해서는 안 되고, 인체에 위해를 끼쳐서는 안 된다고 규정함

③ 인간 존엄성, 자율성, 안전과 복지를 고려하여 궁극적으로 생명의 존엄성을 존중하고 실천하려는 자세를 담고 있음

⑨ **동서양의 생명관**

유교	부모로부터 물려받은 생명을 존엄하게 여겨야 함
불교	• 불살생: 생명의 보존 주장 • 연기설: 생명의 상호 의존 관계 강조
도교	자연스러운 것을 인위적으로 조작하는 것은 바람직하지 않음
그리스도교	신의 피조물인 생명은 존엄하면서도 일정한 위계를 가짐 → 아퀴나스와 슈바이처로 계승
의무론	생명은 그 자체로 존엄하므로 함부로 조작하거나 훼손해서는 안 됨
공리주의	생명을 대상으로 하는 과학 기술과 의료 행위가 개인과 사회에 행복과 이익을 가져다준다면 정당화할 수 있음

2. 생명 복제의 윤리적 쟁점

(1) **인간 배아⑩ 복제의 윤리적 쟁점** "배아가 인간으로서의 도덕적 지위를 지니는가?"의 논쟁

찬성론	• 복제 배아는 인간 개체가 될 가능성이 확정되지 않은 세포임 ➡ 인간으로 볼 수 없음 • 줄기 세포 추출을 통한 난치병 치료에 도움을 줄 수 있음
중도적 입장	• 복제 배아는 착상되면 인간으로 태어날 수 있다는 점에서 인간으로서 잠재성을 지니지만, 이미 태어난 인간과는 정도의 차이가 있음 • 배아 연구를 통한 의료적 성과와 배아의 도덕적 지위 함께 고려 ➡ 일정한 기준 마련 후 제한적으로 허용
반대론	• 복제 배아는 인간과 동일한 유전자를 가지고 있고, 태아로 자라 아이로 태어나는 연속적인 과정에 있음 ➡ 인간으로 보아야 함 • 배아 연구를 위해 복제 배아를 파괴하는 것은 인간을 수단화하는 것이고 살인과 같음

⑩ **인간 배아의 도덕적 지위를 주장하는 논거**
- 잠재성 논거: 배아는 인간이 될 수 있는 잠재성을 가진다.
- 종의 구성원 논거: 배아는 인간 종(種)에 속하며 도덕적 주체가 될 수 있다.
- 연속성 논거: 배아는 선명한 경계선이 없는 연속적인 인간 발달의 과정에 있다.
- 동일성 논거: 배아는 도덕적 존중의 기초가 되는 속성을 인간과 동일하게 가진다.

(2) **인간 개체 복제의 윤리적 쟁점**

찬성론	• 생식 방법을 다양화할 수 있음 ➡ 불임 부부가 유전적 연관이 있는 자녀를 가질 수 있음 • 복제 기술이 안정화되어 부작용이 거의 없음 • 복제 인간도 독자적인 삶을 살아갈 수 있음
반대론	• 복제 기술의 부작용이 나타날 수 있음 • 특정한 의도와 목적에 따라 태어난 복제 인간은 정체성의 혼란을 느낄 수 있음 • 인간의 생명이 수단화되어 인간의 존엄성이 훼손될 수 있음 • 자연스러운 출산 과정에 어긋남 └ 자연법 윤리에서는 생명의 탄생 과정에 인위적으로 개입하는 것은 옳지 않다고 본다. • 인간의 고유성을 위협함 • 가족 관계에 혼란을 줌

고득점을 위한 셀파 Tip 비교

| 인간 배아 복제의 윤리적 쟁점 |

배아 복제 찬성
- 복제 배아는 인간으로서의 도덕적 지위를 갖지 못함
- 난치병 치료에 도움을 줄 수 있음

배아 복제 반대
- 복제 배아는 인간과 동일한 유전자를 지니므로 인간으로 보아야 함
- 배아 연구는 인간 존엄성을 훼손함

3. 유전자 치료의 윤리적 쟁점

(1) **생식 세포 치료에 대한 논쟁** 자료 09

찬성론	• 후세대가 가지게 될 유전적 질병으로 인한 고통을 줄일 수 있음 • 난자의 세포질 유전으로 인한 질병의 유일한 치료 방법일 수 있음
반대론	• 생식 세포 치료로 문제가 생길 경우 후세대에 지속적으로 고통을 줄 수 있음 • 치료가 일반화될 경우 인간의 유전적 다양성이 상실될 수 있음 • 새로운 우생학⑪적 시도로 변형될 수 있음

⑪ **우생학**
인류를 유전학적으로 개량하기 위해 여러 가지 조건과 인자 등을 연구하는 학문

셀파 자료 탐구

자료 07 뉘른베르크 강령과 헬싱키 선언

〈뉘른베르크 강령〉	〈헬싱키 선언〉
• 의학 실험에서 그 대상자는 동의할 수 있는 법적 능력이 있어야 한다. • 실험 대상자에게 실험의 성격, 기간, 목적, 방법 등에 관해 알려 주어야 한다.	• 사람을 대상으로 하는 연구는 연구 대상이 되는 사람의 안녕을 우선적으로 고려해야 한다. • 실험 대상자는 반드시 지원자이어야 하며, 관련 설명을 듣고 참여해야 한다.

자료 분석 | 뉘른베르크 강령은 제2차 세계 대전 이후 나치가 저지른 생체 실험에 대한 재판을 위해 만든 과학자의 연구 윤리 기준으로, 국제 사회에서 채택된 최초의 의학 실험 연구 윤리 강령이다. 이 뉘른베르크 강령을 수정·보완한 것이 헬싱키 선언이다. 뉘른베르크 강령과 헬싱키 선언은 모두 사람을 대상으로 하는 실험에서 반드시 지켜야 할 기본 원칙을 제시하고, 주된 내용은 인간 존중의 원리를 바탕으로 실험과 관련된 충분한 정보를 제공하여 대상자의 자발적 선택을 보장해야 한다는 것이다.

자료 08 공통 자료 생명 의료 윤리의 네 가지 원칙

- 자율성 존중의 원칙: 인간은 기본적으로 자유로운 존재이다. 따라서 생명 과학 연구는 인간의 자율성을 최대한 존중해야 한다.
- 해악 금지의 원칙: 의학 및 생명 과학 연구는 환자 또는 피험자에게 해악을 입히거나 악화시키는 행위를 해서는 안 된다.
- 선행의 원칙: 의학 및 생명 과학 연구자는 환자 또는 피험자의 유익을 도모하기 위하여 환자의 질병을 치료하고 건강을 증진하도록 노력해야 한다.
- 정의의 원칙: 의료 자원 및 서비스의 분배적 정의를 준수하여, 의학 및 생명 과학 연구의 성과는 공정하게 분배되어야 한다.

자료 분석 | 자료는 미국의 생명 의료 윤리학자인 비첨과 칠드레스가 제시한 생명 의료 윤리의 네 가지 원칙으로, 생명을 함부로 조작하거나 훼손하지 않으면서 생명의 존엄성을 실현하는 것을 전제한다. 이처럼 생명 윤리는 여러 가지 생명 공학 기술의 윤리적 정당성과 그 한계를 제시함으로써 생명 과학 기술의 연구 방향을 제시해 줄 수 있다.

자료 09 유전자 치료와 관련된 윤리적 쟁점

갑: 유전적 질병을 치료하기 위한 유전자 치료는 크게 체세포 치료와 생식선 치료로 구분됩니다. 이러한 유전자 치료만이 유전적 질병에 대한 근본적인 해결책입니다.

을: 동의합니다. 다만 체세포 치료는 환자 개인의 신체 세포에 영향을 주므로 허용되지만, 생식선 치료는 개인은 물론 후세대에게까지 영향을 주므로 금지되어야 합니다.

갑: 아닙니다. 그러한 체세포 치료뿐만 아니라 생식선 치료까지 허용해야 합니다. 왜냐하면 유전자 치료의 효과가 후세대로 이어져 인류 전체의 행복에 기여할 수 있기 때문입니다.

을: 그렇지 않습니다. 생식선 치료는 변경되지 않은 유전자를 가질 후세대의 권리를 침해하며, 유전적 다양성을 감소시켜 인류의 생존마저 위협할 수 있습니다.

자료 분석 | 갑과 을은 유전적 질병에 대한 근본적인 해결책이 유전자 치료라는 것에는 동의하지만, 유전자 치료 가운데 생식선 치료에 대해서는 입장을 달리한다. 갑은 유전자 치료의 효과가 후세대로 이어진다는 긍정적 영향을 주기 때문에 생식선 치료까지 허용해야 한다고 본 반면, 을은 생식선 치료는 후세대의 권리를 침해하고 유전적 다양성을 감소시켜 인류의 생존마저 위협하는 부정적 영향을 주기 때문에 허용해서는 안 된다고 본다.

기출 선택지 O, X로 정리하기

1 헬싱키 선언은 연구자의 편의성의 관점에서 동의 절차를 간소화할 것을 강조한다. (O , ×)

2 인체 실험 대상자가 입을 수 있는 피해를 예방하기 위해서는 적절한 자격을 갖춘 사람이 실험을 수행해야 한다. (O , ×)

3 개인 식별이 가능한 인간 시료나 데이터를 이용해 의학 연구를 할 때에는 피험자에게 연구 목적과 방법 등을 자세하게 설명한다. (O , ×)

4 배아 복제 반대론자는 인간 배아와 인간은 똑같은 도덕적 지위를 갖는다고 본다. (O , ×)

5 배아 복제 찬성론자는 인간 배아의 손실을 유아의 죽음과 동일시해서는 안 된다고 본다. (O , ×)

6 인간 배아 세포 실험을 반대하는 입장에서는 배아 세포 실험을 경제적 효용성의 측면에서 평가하는 것에 반대한다. (O , ×)

7 인간 배아 세포 실험을 찬성하는 입장에서는 배아의 생명권이 난치병 환자의 행복 추구권보다 우선한다고 주장한다. (O , ×)

정답 1× 2○ 3○ 4○ 5○ 6○ 7×

(2) **유전 형질 개량에 대한 논쟁** 자료 10

적극적 우생학[12] 찬성	적극적 우생학 반대
• 개인의 자율성에 근거함 • 개인의 선호와 자율적 선택에 의한 유전적 개량은 존중해야 함 • 인간의 생식적 선택의 범위를 넓혀 줌 • 유전적 개량을 통해 개인의 만족과 사회적 향상이 함께 이루어짐	• 현세대에 의해 유전 형질 개량이 결정됨 • 미래 세대의 자율적인 삶을 제약할 수 있음 • 경제적 차이에 따른 유전적 격차와 차별 발생 가능 • 개인적·사회적 문제의 원인과 해결을 유전적 차원에서만 찾으려 함

4 동물 실험과 동물 권리의 문제

1. 동물의 권리[13]에 관한 논쟁

(1) **인간 중심주의 관점** 동물은 도덕적으로 고려받을 권리를 가지지 않는다는 입장

① 데카르트 동물 실험 옹호의 입장으로 볼 수 있음

- 동물은 고통과 쾌락을 경험할 수 없음
- 동물이 고통을 느낄 때 몸부림치거나 고통스러운 소리를 내는 것은 자동인형이 움직이거나 시계가 째깍거리는 소리와 같음

② 아퀴나스, 칸트 동물을 대하는 감정과 행동이 인간을 대하는 데에도 영향을 미침 ➡ 동물이 도덕적으로 고려받을 권리를 갖지는 않지만, 동물을 함부로 다루어서도 안 됨

(2) **동물 중심주의 관점** 동물은 도덕적으로 고려받을 권리를 가진다는 입장

① 벤담, 싱어[14] 공리주의적인 시각에서 동물의 권리를 주장함 (싱어: 동물 해방론을 주장한다.)

- 벤담: 동물도 쾌락과 고통을 느낌 ➡ 도덕적으로 고려받을 권리를 지님
- 싱어: 동물도 쾌고 감수 능력을 지님 ➡ 동물의 이익도 동등하게 고려해야 함

② 레건

- 한 살 정도의 포유류는 삶의 주체가 될 수 있음 ➡ 인간처럼 내재적 가치를 지님 (삶의 주체: 삶에 대하여 욕구, 목표, 희망, 선호 등과 같은 다양한 긍정적인 이해 관심을 갖는 존재를 의미한다.)
- 삶의 주체가 될 수 있는 동물은 그 자체로 목적으로 대우해야 함

2. 동물 실험 논쟁 자료 11

동물 실험 옹호	동물 실험 반대
• 인간과 동물은 생물학적으로 유사함 ➡ 동물 실험의 결과는 인간에게도 유효함 • 동물 실험을 통해 인체 실험으로 인한 위험성을 줄일 수 있음 • 대안적 실험으로는 유기체에 미치는 영향을 파악하기 어려움 • 다양한 치료 약이나 치료법을 개발해 인간의 건강 증진에 이바지할 수 있음	• 인간과 동물이 공유하는 질병이 적고, 동물 실험의 결과를 인간에게 적용하면서 인간이 해를 입거나 의학적 발전이 지체될 수 있음 • 긍정적 이해 관심(이익 관심)을 가진 동물을 도구로 활용함 • 목적이 불분명하고 필수적이지 않은 실험으로 동물이 불필요하게 고통을 당함 • 동물 실험자에게 정서적인 문제가 생길 수 있음

3. 동물의 복지 향상과 생명 존중을 위한 노력

(1) **개인적 차원**

① 동물의 5대 자유 보장과 3R 원칙[15] 준수

② 동물의 복지와 권리를 고려한 소비 생활

(2) **사회적 차원** 법적·제도적 장치 마련 자료 12

[12] **적극적 우생학과 소극적 우생학**

적극적 우생학	원하는 유전 형질이 나타나도록 유전적 처치를 하는 것
소극적 우생학	유전자 치료와 관련하여 문제가 되는 유전 형질이 나타나지 않도록 유전적 처치를 하는 것

[13] **동물의 권리에 관한 문제들**

- 인간의 즐거움을 위해 동물의 생명과 고통을 경시하는 것이 정당한가?
- 인간의 멋과 심리적 만족을 위해 동물을 수단으로만 여기는 것이 정당한가?
- 인간의 미각적 즐거움을 위해 동물의 생명을 빼앗고 고통을 주는 것이 정당한가?
- 사람에게 위해를 준다고 해서 유해 야생동물로 지정하여 죽일 수 있도록 허용하는 것은 정당한가?
- 애완동물을 소유물이나 즐거움을 주는 대상으로 여기거나 야생 동물을 애완동물처럼 기르는 것은 정당한가?

[14] **싱어의 동물 해방론 핵심 개념**

쾌고 감수 능력	즐거움과 고통을 느낄 수 있는 능력
이익 관심	이익에 대한 관심
종 차별주의	종이 다르다는 이유로 차별하는 태도

고득점을 위한 셀파 Tip 비교

| 동물 실험 논쟁 |

동물 실험 옹호
- 동물 실험의 결과가 인간에게도 유효함
- 인체 실험의 위험 감소
- 대안적 실험의 한계 존재
- 인간의 건강 증진에 기여

동물 실험 반대
- 인간과 동물이 공유하는 질병 적음
- 실험 결과의 적용으로 인간에게 부작용 발생
- 동물의 긍정적 이해 관심 무시
- 목적 불명의 불필요한 실험 시행
- 동물 실험자의 정서적 부작용 발생

[15] **3R 원칙**

동물의 희생과 고통을 최소화하기 위해 만든 동물 실험의 세 가지 원칙

- 대체(Replacement): 가능한 한 다른 실험 방법이나 실험 대상으로 대체한다.
- 감소(Reduction): 실험에 활용되는 동물의 수를 줄인다.
- 정교화(Refinement): 동물의 고통과 피해를 최소화하기 위해 실험 방법이나 기술을 정교화한다.

셀파 자료 탐구

자료 10 유전자 조작에 관한 하버마스의 견해

유전자 조작의 허용에 대한 논쟁에서 그동안 간과한 것은 치료 목적이 아닌 의도적인 유전자 개입이 인간을 도구화할 뿐만 아니라 자율적 삶의 가능성을 원천적으로 제약한다는 점이다. 기계를 마음대로 조작하듯이 인간의 유전자를 조작하게 되면, 그렇게 통제되어 태어날 인격체는 다른 자율적 인격체와 달리 원초적으로 동등하지 못한 채로 공론장에 참여할 수밖에 없다. 이런 적극적 우생학이 지닌 문제점을 해결하기 위해 담론 과정에서 사회적 합의를 도출해야만 한다.

자료 분석 | 하버마스는 치료 목적 외의 유전자 개입은 인간을 도구화하고 자율적인 삶의 가능성을 원천적으로 제약한다고 비판한다. 또한 적극적 우생학을 위한 연구는 인간의 존엄과 자유를 침해하므로 사회적인 합의를 통해 유전자 조작의 문제점을 해결해야 한다고 주장한다.

자료 11 동물 실험에 대한 토론

갑: 인간의 생명과 건강을 위해 동물 실험은 꼭 필요합니다. 인간과 동물은 생물학적으로 유사하며, 동물 실험의 확실한 대안은 없습니다. 따라서 동물 실험은 정당합니다.

을: 저는 당신이 제시한 논증의 모든 전제에 대해 찬성하지만 결론에는 반대합니다. 논증에 등장하는 '동물'을 모두 '인간'으로 바꿔 보세요. 당신이 제시한 논증을 이용하면 인간 실험마저 정당화할 수 있습니다.

갑: 인간 실험은 부당합니다. 하지만 인간과 달리 동물은 기본적 권리를 갖지 않습니다. 당신의 비판은 동물도 기본적 권리를 갖는다는 선결 문제를 해결해야 합니다.

을: 인간은 물론 동물도 삶의 주체이므로 기본적 권리를 갖습니다. 인간 실험과 마찬가지로 동물 실험도 부당합니다. 당신이야말로 동물의 기본적 권리를 단적으로 부정하고 있습니다.

자료 분석 | 갑과 을은 모두 인간과 동물은 생물학적으로 유사하고, 동물 실험의 확실한 대안이 존재하지 않으므로 인간의 생명과 건강을 위해 동물 실험이 필요하다는 것에는 동의한다. 그러나 갑은 인간과 달리 동물이 기본적 권리를 갖지 않기 때문에 동물 실험은 정당하다고 보는 반면, 을은 동물도 인간과 마찬가지로 기본적 권리를 갖고 있을 뿐만 아니라 동물 실험은 인간 실험을 정당화할 수 있으므로 부당하다고 본다.

자료 12 동물 보호법

제3조(동물 보호의 기본 원칙) 누구든지 동물을 사육·관리 또는 보호할 때에는 다음 각 호의 원칙을 준수하여야 한다.

① 동물이 본래의 습성과 신체의 원형을 유지하면서 정상적으로 살 수 있도록 할 것
② 동물이 갈증 및 굶주림을 겪거나 영양이 결핍되지 아니하도록 할 것
③ 동물이 정상적인 행동을 표현할 수 있고 불편함을 겪지 아니하도록 할 것
④ 동물이 고통·상해 및 질병으로부터 자유롭도록 할 것
⑤ 동물이 공포와 스트레스를 받지 아니하도록 할 것

자료 분석 | 우리나라는 「동물 보호법」을 제정하여 동물에 대한 학대 행위의 방지 등 동물을 적정하게 보호하고 관리하기 위해 필요한 사항을 규정하고, 동물의 복지 향상과 생명 존중을 위해 노력하고 있다. 이 법은 동물의 생명 보호, 안전 보장 및 복지 증진을 꾀하고, 동물의 생명 존중 등 국민의 정서를 함양하는 데에 이바지함을 목적으로 하며, 동물 보호의 기본 원칙 외에도 동물 실험의 원칙과 동물 실험의 금지에 관한 조항, 동물 실험 윤리 위원회의 설치 등을 명시하고 있다.

기출 선택지 O, X로 정리하기

1 하버마스는 적극적 우생학은 인간관계를 기계적 인과 관계로 왜곡시킨다고 본다. (O, X)

2 하버마스가 볼 때 적극적 우생학을 위한 연구는 인간의 존엄과 자유를 침해한다. (O, X)

3 하버마스의 관점에서 유전자 조작의 문제점은 사회적인 합의를 통해 해결해야 한다. (O, X)

4 하버마스는 치료 목적 외의 유전자 개입을 위한 도구적 합리성을 추구해야 한다고 본다. (O, X)

5 자료 11의 핵심 쟁점은 '인간 실험과 달리 동물 실험은 정당한가?'이다. (O, X)

6 자료 11의 핵심 쟁점은 '인간과 달리 동물은 기본적 권리를 갖는가?'이다. (O, X)

7 자료 11의 핵심 쟁점은 '동물 실험의 대안 중 확실한 것이 존재하는가?'이다. (O, X)

8 동물 복제 반대론자는 "동물 복제는 멸종 위기의 동물을 보전하는 방법을 제공한다."를 근거로 제시한다. (O, X)

정답 1 O 2 O 3 O 4 X 5 O 6 X 7 X 8 X

개념 완성

1 출생과 죽음의 의미

출생의 윤리적 의미	• 유교: (❶)로서 삶의 출발점 • 자연법 윤리: 인간의 자연적 성향을 실현하는 과정 • 가족과 사회 구성원으로서 사는 삶의 시작
동서양의 죽음관	• 공자: 현세의 도덕적 삶에 충실할 것을 강조 • 장자: 삶과 죽음은 (❷)가 모였다가 흩어지는 자연스러운 과정 → 죽음을 걱정할 필요 없음 • 불교: (❸)의 과정 • 플라톤: 영혼이 (❹)의 세계로 돌아가는 것 • 에피쿠로스: 죽음은 (❺)할 수 없고, 죽은 후에는 감각할 수 없음 → 죽음을 두려워할 필요 없음 • 하이데거: 죽음을 직시할 때 진정한 삶을 살 수 있음

2 출생과 죽음에 관한 윤리적 쟁점

인공 임신 중절	허용론	• 여성의 (❻) 옹호 → 선택 옹호주의 • 태아는 완전한 인간으로 볼 수 없음
	반대론	• 태아의 (❼) 옹호 → 생명 옹호주의 • 태아는 인간과 동일한 도덕적 지위를 지님
뇌사	찬성론	• 뇌 기능 정지 시 인간의 고유한 활동 불가능 • 뇌사자의 장기로 다른 생명을 구할 수 있음
	반대론	• 뇌 기능이 정지해도 생명을 유지할 수 있음 • (❽) 관점은 인간의 가치를 위협할 수 있음

3 생명 복제와 유전자 치료 문제

생명 복제	찬성론	• 복제 배아는 인간으로 볼 수 없음 • 난치병 치료에 도움을 줄 수 있음
	반대론	• 복제 배아도 인간으로 보아야 함 • 인간의 생명 수단화 → (❾) 훼손
유전자 치료	찬성론	• 유전적 질병으로 인한 고통 감소 가능 • 인간의 생식적 선택의 범위가 확장됨
	반대론	• 인간의 유전적 다양성이 상실될 수 있음 • 새로운 (❿)적 시도로 변형될 수 있음

4 동물 실험과 동물 권리의 문제

동물의 권리 논쟁		• 데카르트: 동물은 고통과 쾌락을 느낄 수 없음 • 아퀴나스, 칸트: 동물을 대하는 감정과 행동이 인간을 대하는 데에도 영향을 줌 → 동물을 함부로 대하면 안 됨 • 벤담, 싱어: 동물도 쾌락과 고통을 느낌 → 동물의 이익도 동등하게 고려해야 함 • 레건: 삶의 주체가 되는 동물은 목적으로 대해야 함
동물 실험 논쟁	찬성론	• 동물 실험의 결과는 (⓫)에게도 유효함 • 대안적 실험의 한계 존재
	반대론	• 인간과 동물이 공유하는 질병이 적음 • 목적 불명의 불필요한 실험 시행

정답 ❶ 도덕적 주체 ❷ 기(氣) ❸ 윤회 ❹ 이데아 ❺ 경험 ❻ 선택권 ❼ 생명권 ❽ 실용주의 ❾ 인간 존엄성 ❿ 우생학 ⓫ 인간

탄탄 내신 문제

01 동양 사상가 갑, 을의 입장으로 가장 적절한 것은?

> 갑: 나는 이 세상이나 내세를 바라지 않고, 욕구가 없어서 얽매이지 않는 사람을 바라문이라고 부른다. 이 세상 화복의 어느 것에도 집착하지 않아 근심과 더러움이 없고 깨끗한 사람을 바라문이라고 부른다.
> 을: 착한 일을 행하여 명성을 가까이하지 말고, 악한 짓을 행하여 형벌을 가까이하지 말아야 한다. 중간의 자연스러움을 따르는 것을 법도로 삼는다면 몸을 보존할 수 있게 되고, 삶을 온전히 누릴 수 있을 것이다.

① 갑: 윤회의 과정에서 벗어나는 것은 불가능하다.
② 갑: 영혼이 육체를 떠나야 진리를 인식할 수 있다.
③ 을: 죽음은 기(氣)가 흩어지는 과정으로 보아야 한다.
④ 을: 죽은 사람에게 예(禮)를 갖추어 애도를 표현해야 한다.
⑤ 갑, 을: 도덕적 가치가 삶과 죽음의 선택 기준이 될 수 있다.

02 갑, 을 사상가의 죽음관에 대한 설명으로 옳은 것은?

> 갑: 인간은 본시 생명이 없었다. 생명은 고사하고 형체도 없었고, 기(氣)조차 없었다. 그저 망막하고 혼돈한 대도(大道) 속에 섞여 있던 것이 변해서 기가 되고, 기가 변해서 형체가 되고, 형체가 변해서 생명이 되었다.
> 을: 인간은 언제나 죽음과 함께하고 있다. 인간에게 죽음은 고유한 것이고, 결코 남과 바꿀 수 없는, 반드시 찾아오는, 그리고 그것을 초월해서 살 수 없는 가능성이다. 인간은 죽음을 외면하지 말고 항상 죽음은 자신의 것이라는 사실을 인지하면서 살아가야 한다.

① 갑은 죽음을 생, 노, 병과 같이 고통의 하나라고 본다.
② 갑은 죽음을 흩어져 있던 기가 모이는 자연스런 현상으로 본다.
③ 을은 죽음을 육체의 굴레에서 영혼이 해방되는 것으로 본다.
④ 을은 죽음에 대한 자각이 삶을 더욱 가치 있게 만든다고 본다.
⑤ 갑, 을은 죽음에 대한 두려움을 통해 삶을 성찰할 수 있다고 본다.

03 다음 사상가의 입장으로 가장 적절한 것은?

> 사유(思惟)는 청각이나 시각이, 또 고통이나 쾌락이 정신을 괴롭히는 일이 전혀 없을 때 가장 잘되는 것이다. 다시 말하면 영혼이 육체를 떠나 될 수 있는 대로 그것과 상관하지 않을 때, 영혼이 육체적 감각이나 욕망을 전혀 갖지 않고 참으로 존재하는 것을 추구할 때 가장 잘 사유하게 된다. 그러므로 철학자는 육체를 신통치 않게 여기며 그 영혼은 육체에서 피하여 홀로 있으려 하는 것이다.

① 인간은 죽음을 통해 신과 합일할 수 있다.
② 삶과 죽음은 차별할 수 없는 순환의 과정이다.
③ 죽음 이후에 인간은 그 어떤 것도 인식하지 못한다.
④ 죽음의 고통에서 벗어나기 위해서는 깨달음을 얻어야 한다.
⑤ 죽음으로써 영혼이 육체에서 해방되어 참된 지혜를 얻을 수 있다.

04 다음 사상가의 입장으로 가장 적절한 것은?

> 죽음은 현존재에게 던져진 끝으로서, 현존재의 가장 자기적이고 다른 사람이 대신할 수 없는 것이다. 그리고 결코 넘어설 수 없는 확실한 것이며, 언제 있을지 모르는 불안한 것이다. 이와 같은 죽음의 불안에 의해서 현존재는 비본래적이고 퇴폐적이고 속된 삶으로부터 벗어나 참된 자신을 자각하고 본래의 자신으로 귀환할 수 있다.

① 죽음은 또 다른 세계로 윤회하는 출발점이다.
② 현존재는 죽음을 극복할 수 있는 무한한 존재이다.
③ 인간은 죽음을 통해 이데아의 세계로 돌아갈 수 있다.
④ 죽음에 대한 자각은 삶의 가치를 깊이 성찰할 수 있게 한다.
⑤ 죽음 이후에는 아무것도 감각할 수 없으므로 죽음을 두려워할 필요가 없다.

05 그림은 서술형 평가 문제와 학생 답안이다. 학생 답안의 ㉠~㉤ 중 옳지 않은 것은?

〈서술형 평가〉

◎ **문제** 낙태에 관한 갑, 을의 입장을 서술하시오.

> 갑: 태아는 수정된 순간부터 인간과 동일한 존재로 간주되므로 태아의 생명권이 우선되어야 한다.
> 을: 여성은 자신의 몸에 대해 스스로 결정할 수 있는 권리가 있으므로 임신의 지속 여부는 여성의 선택에 따라 결정되어야 한다.

◎ **학생 답안**

㉠ 갑은 태아의 권리를 강조하며 낙태를 반대하는 반면, ㉡ 을은 여성의 권리를 강조하며 낙태를 찬성한다. ㉢ 갑의 입장을 지지하는 논거로 태아는 여성 몸의 일부이고 여성은 자기 몸에 대한 소유권을 지닌다는 주장이 있으며, ㉣ 을의 입장을 지지하는 논거로 여성은 자기 방어와 정당방위의 권리를 지닌다는 주장이 있다. 이와 같이 ㉤ 을은 갑에 비해 여성에게 자신의 삶에 대한 자기 결정권이 있음을 강조한다.

① ㉠ ② ㉡ ③ ㉢ ④ ㉣ ⑤ ㉤

06 갑, 을의 입장을 그림으로 표현할 때, A~C에 해당하는 적절한 진술만을 〈보기〉에서 있는 대로 고른 것은?

> 갑: 아무런 잘못이 없는 인간 존재를 죽이는 것은 그릇된 일이고, 태아는 아무런 잘못이 없는 인간 존재이다. 따라서 낙태는 그릇된 일이다.
> 을: 태아와 인간을 동일한 존재로 생각해서는 안 된다. 태아가 어머니의 자궁 밖에서 생존이 가능한 시기에 이르기 전까지, 임신한 여성은 어떤 이유로든 스스로 임신 상태에서 벗어나는 결정을 내릴 권리가 있다.

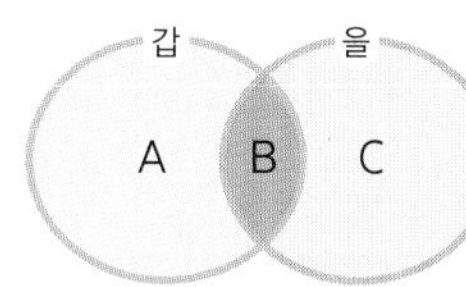

〈범례〉
A: 갑만의 입장
B: 갑, 을의 공통 입장
C: 을만의 입장

보기
ㄱ. A: 태아를 해치는 행위를 해서는 안 된다.
ㄴ. B: 태아는 인간 존재로서의 지위를 지닌다.
ㄷ. C: 여성은 낙태를 할 수 있는 권리를 지닌다.
ㄹ. C: 생명은 존엄하므로 태아의 생명권이 우선되어야 한다.

① ㄱ, ㄷ ② ㄱ, ㄹ ③ ㄴ, ㄹ
④ ㄱ, ㄴ, ㄷ ⑤ ㄴ, ㄷ, ㄹ

07 (가)의 관점에서 〈문제 상황〉 속 A에게 제시할 조언으로 가장 적절한 것은?

> (가) 인간이 공유하는 본성을 따르는 것이 옳다. 예컨대 인간은 생명을 보존하려는 본성이 있는데, 그러한 본성을 거스르는 행위는 옳지 않다. 따라서 살인이나 자살을 하는 것은 바람직하지 않은 행동이다.
>
> **〈문제 상황〉**
>
> A는 아이를 절실하게 원하였지만, 자연적으로 임신이 되지 않았다. 그래서 A는 임신하기 위한 마지막 방법으로 생식 보조술인 인공 수정 시술을 받을지 말지 고민하고 있다.

① 당신이 처한 구체적인 상황을 고려해야 합니다.
② 당신에게 경제적으로 유용한 것인지를 고려해야 합니다.
③ 당신과 가족에게 즐거움을 주는 것인지를 고려해야 합니다.
④ 인간을 수단이 아닌 목적으로 대하는 것인지를 고려해야 합니다.
⑤ 생명의 탄생 과정에 인위적으로 개입하는 것이 옳은지를 고려해야 합니다.

★08 그림은 어느 학생의 서술형 평가지이다. 답안의 ㉠~㉤ 중 그 내용이 옳지 않은 것은?

> [문제] 뇌사에 대한 찬성과 반대 입장의 근거를 각각 서술하시오.
> [답안] 뇌사에 찬성하는 입장에서는 ㉠ 인간다움은 뇌에서 시작하므로 뇌사는 곧 인간다움을 상실하는 것이라고 주장한다. 또한 ㉡ 뇌사자의 장기를 이식함으로써 많은 생명을 살릴 수 있다고 본다. 반면 뇌사에 반대하는 입장에서는 ㉢ 뇌사 판정에 오류가 발생할 수 있고, ㉣ 환자와 가족의 경제적 고통을 줄여 주어야 한다고 주장한다. 또한 ㉤ 인간의 생명은 존엄한 것이므로 장기 이식과 같은 실용적 관점으로 죽음을 바라보는 것은 잘못되었다고 본다.

① ㉠ ② ㉡ ③ ㉢ ④ ㉣ ⑤ ㉤

09 다음 토론의 핵심 쟁점으로 가장 적절한 것은?

> 갑: 뇌사자는 얼마 지나지 않아 심장이 멈추어 사망하게 됩니다. 뇌사를 죽음으로 인정하면 뇌사자의 장기를 이식하여 더 많은 사람의 생명을 살릴 수 있습니다.
> 을: 뇌사를 죽음으로 인정하면 장기 기증을 유도하기 위해 뇌사 판정을 남용할 가능성이 있습니다. 또한 뇌사 판정에 오류가 있을 수 있다는 점도 고려해야 합니다.

① 뇌사를 죽음으로 인정해야 하는가?
② 뇌사를 수용해야 하는 준거는 무엇인가?
③ 심폐사를 판단하는 절대적인 기준이 있는가?
④ 죽음에 대한 다양한 기준을 수용해야 하는가?
⑤ 장기 기증을 활성화할 수 있는 방안은 무엇인가?

10 다음 원칙에 어긋나는 실험의 사례만을 〈보기〉에서 있는 대로 고른 것은?

> 인체 실험에서 자발적 동의는 필수적인 조건이다. 자발적 동의는 다음과 같이 규정된다. 동의자에게는 동의할 수 있는 법적인 능력과 자유롭게 선택할 수 있는 능력이 있어야 한다. 또한 어떤 강제나 협박의 요소 혹은 숨겨진 강요나 억압뿐 아니라 금전적 유혹이나 회유를 통한 간섭도 없어야 하며, 실험과 관련된 위험성과 같은 정보가 충분히 제공되어야 한다.

보기

ㄱ. 중고생을 대상으로 한 임상 실험
ㄴ. 바이러스 백신을 감기약이라고 속여 환자에게 투여한 실험
ㄷ. 실험 대상자의 건강이 실험 결과의 효용성보다 우선되는 실험
ㄹ. 실험 대상자의 안정을 위해 실험이 끝난 후에 위험을 알리는 실험

① ㄱ, ㄴ ② ㄱ, ㄷ ③ ㄷ, ㄹ
④ ㄱ, ㄴ, ㄹ ⑤ ㄴ, ㄷ, ㄹ

11 (가)의 입장에서 (나)의 주장에 대해 제기할 수 있는 비판으로 가장 적절한 것은?

(가) 미끄러운 경사길 위에 자동차를 세워 두고 돌로 막아 두었다가 차를 옮기려고 그 돌을 제거하였다고 하자. 이 경우 자동차는 원하는 만큼만 움직이는 것이 아니라 경사길 아래까지 떠밀려 내려갈 수밖에 없다.
(나) 배아 복제는 허용되어야 한다. 배아로부터 획득한 줄기세포를 활용하여 난치병을 치료함으로써 인류의 행복에 기여할 수 있기 때문이다.

① 배아는 단순한 세포에 불과하다.
② 배아 복제는 난치병 치료에 도움을 준다.
③ 배아는 인간과 상이한 도덕적 지위를 지닌다.
④ 배아 복제 허용은 개체 복제 허용까지 초래한다.
⑤ 배아 복제를 통해 불임 부부의 고통을 해소할 수 있다.

12 (가) 사상가의 입장에서 (나)의 갑에게 제시할 조언으로 가장 적절한 것은?

(가) 자신의 인격과 다른 사람의 인격에 있어서 인간성을 언제나 동시에 목적으로 간주하여야 하며, 결코 한갓 수단으로 사용해서는 안 된다.
(나) 과학자인 갑은 배아 복제를 연구하던 중 우연히 인간 개체를 복제할 수 있는 기술을 얻었다. 갑은 복제 인간을 만드는 것이 옳은 일인가에 대해 고민하고 있다.

① 현행법을 위반하는 행위를 해서는 안 된다는 것을 명심해야 합니다.
② 복제 기술이 사회에 유용한 결과를 가져다줄 수 있는지를 따져 보아야 합니다.
③ 사회적 관습과 전통에 어긋나는 행위를 해서는 안 된다는 것을 명심해야 합니다.
④ 복제 기술이 우리에게 얼마만큼의 행복을 가져다줄 수 있는지를 따져 보아야 합니다.
⑤ 생명은 그 자체로 존엄한 것이므로 생명을 조작하는 행위를 해서는 안 된다는 점을 명심해야 합니다.

13 밑줄 친 부분에 들어갈 적절한 진술만을 〈보기〉에서 있는 대로 고른 것은?

갑: 불임 부부의 고통을 덜어 주기 위해 인간의 개체 복제를 허용해야 합니다.
을: 아닙니다. 인간 개체 복제는 많은 문제점을 낳을 수 있습니다. 국제 연합도 '인간 복제 금지 선언문'을 채택하였고, 우리나라도 법률로 인간 개체 복제를 금지하고 있습니다. 인간 개체 복제를 허용하게 되면 ______________________

보기
ㄱ. 인간의 고유성을 위협할 수 있습니다.
ㄴ. 인간관계에 혼란을 가져올 수 있습니다.
ㄷ. 복제 인간도 존엄성을 보장받을 수 있습니다.
ㄹ. 인간의 생명을 도구로 취급하게 될 수 있습니다.

① ㄱ, ㄴ ② ㄱ, ㄷ ③ ㄷ, ㄹ
④ ㄱ, ㄴ, ㄹ ⑤ ㄴ, ㄷ, ㄹ

14 다음 사상가의 입장으로 가장 적절한 것은?

지각, 욕구, 기억과 미래에 대한 생각, 그리고 목표를 추구하기 위해 행동할 수 있는 능력 등을 가진 존재들은 삶의 주체로서 내재적 가치를 지닌다.

① 동물을 단지 인간의 목적을 위한 수단으로 이용하는 것은 옳지 않다.
② 생명이 있는 모든 존재는 내재적 가치를 지니기 때문에 도덕적으로 배려해야 한다.
③ 동물이 고통을 느낀다는 사실은 동물이 도덕적 고려를 받을 수 있는 필요충분조건이다.
④ 동물이 도덕적으로 고려받을 권리를 지니지는 않지만 동물을 함부로 다루어서는 안 된다.
⑤ 동물을 잔혹하게 다루어서는 안 되는 유일한 이유는 그것이 인간에 대한 잔혹한 행위를 조장할 수 있기 때문이다.

딱풀 p. 12

15 **다음 글을 읽고 물음에 답하시오.**

> 갑: 사람을 섬길 줄도 모르면서 어떻게 귀신을 섬길 수 있으며, 삶을 아직 모르겠는데 어찌 죽음을 알겠는가?
> 을: 저 사람은 본래 생명도 형체도 심지어는 기(氣)조차 없었다네. 언제부터인가 무엇인지 알 수 없는 어떤 것이 점차 한데 섞여 기가 되고 형체가 되고 생명이 되어 생겨난 것이지. 지금 이 상황은 그저 생명이 죽음으로 변한 것뿐이라네.

(1) 동양 사상가 갑, 을이 누구인지 쓰시오.

(2) 동양 사상가 갑, 을이 죽음을 대하는 태도를 비교하시오.

16 **다음 주장에 대한 반론을 두 가지 서술하시오.**

> 뇌사란 임상적으로 뇌 활동이 회복할 수 없게 뇌의 기능이 정지된 상태를 의미한다. 뇌 기능이 정지하면 곧 심장과 폐의 기능도 정지하기 때문에 죽음의 단계에 들어선 것으로 보아야 한다. 또한 뇌사를 죽음으로 인정할 경우, 의료 자원을 효율적으로 이용할 수 있으며, 뇌사자의 장기를 장기 이식에 활용할 수도 있다.

17 **밑줄 친 '이것'이 무엇인지 쓰고, 이에 대해 반대하는 주장의 근거를 두 가지 서술하시오.**

> 이것은 어원상 그리스어 'eu'와 'thanatos'의 합성어로서, '좋은 죽음' 또는 '편안한 죽음'이라는 의미를 가지고 있다. 오늘날에는 치유할 수 없는 질병으로 죽음을 앞둔 사람의 고통을 덜어 주기 위해 그를 죽음에 이르게 하는 것을 뜻한다.

18 **선생님의 질문에 대해 을이 할 수 있는 대답을 세 가지 서술하시오.**

> 선생님: 인간 개체 복제는 복제 배아를 자궁에 착상시켜 완전한 인간 개체로 태어나게 하는 것입니다. 개체 복제 찬성론의 근거는 무엇일까요?
> 갑: 불임 부부의 고통을 덜어 줄 수 있습니다.
> 선생님: 그렇다면 반대론의 근거는 무엇일까요?
> 을: ______________________

19 **(가)의 사상가 갑, 을의 입장을 (나) 그림으로 표현할 때 A, B, C에 들어갈 말을 각각 서술하시오.**

(가)	갑: 동물도 쾌고 감수 능력을 지니고 있으므로 동물의 이익도 동등하게 고려해야 한다. 을: 어떤 동물은 삶의 주체가 될 수 있고, 이러한 동물은 그 자체로 목적으로 대우해야 한다.
(나)	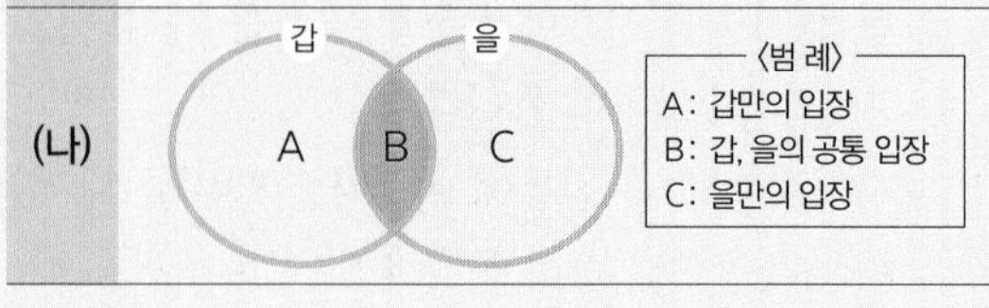

도전 수능 문제

딱풀 p. 14

| 평가원 기출 |

01 동양 사상 (가), (나)의 입장으로 가장 적절한 것은?

> (가) 삶도 내가 원하고 의로움 또한 내가 원한다. 이 둘을 함께 얻을 수 없다면, 의로움을 취하지 어찌 구차하게 살겠는가. 죽음도 내가 싫어하는 것이지만 죽음보다 더 싫어하는 것이 있다. 그래서 죽음조차 피하지 않는 경우가 있다.
> (나) 사랑하는 이의 죽음이 슬픈 일인가? 생명이란 본래 자연에서 빌린 것이니 마치 티끌과 같고, 삶과 죽음의 이치는 밤낮의 변화와 같다. 이제 우리는 그 자연스런 변화를 바라보노니, 그것이 내게 왔다고 해서 어찌 싫어하겠는가.

① (가): 생(生) 그 자체가 어떤 가치보다도 더 소중하다.
② (가): 도덕적 가치가 삶과 죽음의 선택 기준이 될 수 있다.
③ (나): 삶과 죽음은 자연의 과정이 아니라 응보의 과정이다.
④ (나): 삶과 죽음의 악순환을 끊는 것이 이상적 인간의 경지이다.
⑤ (가), (나): 죽음 이후를 대비하여 도덕적 이치를 탐구해야 한다.

02 다음 사상가의 입장을 〈보기〉에서 고른 것은?

> 진인(眞人)은 생(生)을 즐거워하지 않고, 사(死)를 싫어하지도 않는다. 세상에 태어나 살아가는 것을 기뻐하지 않고, 죽음에 들어서는 것을 거부하지도 않는다. 그저 자신도 모르는 사이에 왔다가 또 자신도 모르는 사이에 갈 따름이다. 그리하여 그는 생명이 시작하는 바를 잊지 않고, 또 끝나는 바를 알려고 하지 않는다. 단지 생명을 받으면 그것으로 기뻐하고, 생명이 다하면 다시 돌아갈 뿐이다.

보기
ㄱ. 삶과 죽음은 기(氣)가 움직여 나타나는 것이다.
ㄴ. 죽음은 사계절의 운행과 같이 자연스러운 현상이다.
ㄷ. 죽음을 애도하는 것은 천명(天命)에 따르는 순리이다.
ㄹ. 지속적인 선행의 실천으로 죽음에 올바르게 임할 수 있다.

① ㄱ, ㄴ ② ㄱ, ㄷ ③ ㄴ, ㄷ
④ ㄴ, ㄹ ⑤ ㄷ, ㄹ

03 갑에 비해 을이 강조하는 입장으로 가장 적절한 것은?

> 갑: 죽음은 사실 우리에게 아무것도 아니다. 우리가 살아 있을 때 죽음은 우리에게 아직 다가오지 않아 경험할 수 없으며, 죽음이 왔을 때 우리의 감각은 이미 존재하지 않는다는 점을 알기만 하면 된다.
> 을: 현존재는 자신의 고유한 죽음으로 미리 달려가 보는 순간에만 자유로울 수 있다. 이 자유는 현존재에게 주어지는 가장 준엄한 과제이며, 현존재의 자유는 이 과제를 스스로 떠맡는 자기 해방의 순간에만 존재한다.

① 죽음에 대해 자각할 때 참된 실존을 찾을 수 있다.
② 모든 사람은 삶과 죽음의 윤회에서 벗어날 수 없다.
③ 육체의 죽음 이후에 참다운 진리를 획득할 수 있다.
④ 죽음의 고통에서 벗어나기 위해 탐욕을 제거해야 한다.
⑤ 죽음은 자연스러운 과정으로 두려움의 대상이 아니다.

| 교육청 기출 |

04 갑, 을, 병 사상가들의 입장에 대한 설명으로 옳은 것은?

> 갑: 죽음은 영혼이 육체의 속박으로부터 벗어나는 것이다. 영혼은 육체를 떠나 될 수 있는 대로 그것과 상관하지 않을 때 가장 잘 사유하게 된다.
> 을: 죽음은 우리에게 아무것도 아니라는 것에 익숙해져야 한다. 좋고 나쁨은 감각에 달려 있는데 죽음은 바로 모든 감각의 상실을 의미하기 때문이다.
> 병: 죽음은 현존재에게 던져진 끝으로서 반드시 찾아오는 것이며 타인이 대신할 수 없는 것이다. 죽음으로 미리 달려가 봄으로써 참된 실존을 깨달을 수 있다.

① 갑은 현실 세계와 죽음 이후의 세계를 구분할 수 없다고 본다.
② 을은 죽음 이후의 삶을 위해 선행을 습관화해야 한다고 본다.
③ 병은 현존재의 유한성 때문에 죽음을 자각할 수 없다고 본다.
④ 갑은 을과 달리 죽음 이후에 참된 진리에 이를 수 있다고 본다.
⑤ 을은 병과 달리 죽음을 인간이 회피해야 할 고통이라고 본다.

| 교육청 응용 |

05 갑은 긍정, 을은 부정의 대답을 할 질문만을 〈보기〉에서 있는 대로 고른 것은?

> 갑: 어떤 차별도 정당화되지 않듯이 발달 과정에서의 차별 역시 정당화되지 않는다. 우리는 태아를 인간과 동일한 존재로 보아야 한다.
> 을: 모든 참나무가 한때는 도토리였지만, 도토리와 참나무가 같지는 않다. 도토리와 참나무가 같은 가치를 지닐 수 없듯이, 태아와 인간의 관계도 마찬가지이다.

보기
ㄱ. 태아는 인간으로서 지위를 갖는가?
ㄴ. 태아는 인간이 될 수 있는 존재인가?
ㄷ. 낙태는 인간의 생명을 제거하는 것인가?
ㄹ. 무고한 인간을 죽이는 행위는 옳지 않은가?

① ㄱ, ㄴ ② ㄱ, ㄷ ③ ㄴ, ㄹ
④ ㄱ, ㄷ, ㄹ ⑤ ㄴ, ㄷ, ㄹ

| 평가원 기출 |

06 갑의 입장에서 을의 주장에 대해 제시할 적절한 견해만을 〈보기〉에서 있는 대로 고른 것은?

> 갑: 회생 불가능한 환자의 불필요한 고통을 없애는 방법에는 인위적 개입으로 죽음을 앞당기는 것과 연명 치료 중단으로 죽음에 이르게 두는 것이 있다. 전자는 비도덕적인 살인이기에 금지되지만, 후자는 자연의 과정을 따르는 것이므로 허용될 수 있다.
> 을: 인간의 생명은 절대적인 가치를 지닌다. 인간 생명의 존엄성은 불필요한 고통을 없앤다는 명분으로도 절대 훼손되어서는 안 된다. 인위적으로 죽음을 앞당기거나 연명 치료를 중단하는 것은 모두 인간 생명의 존엄성을 경시하므로 허용될 수 없다.

보기
ㄱ. 적극적 안락사는 환자의 뜻에 따라 허용되어야 한다.
ㄴ. 안락사가 허용되면 인간 생명의 존엄성을 지킬 수 없다.
ㄷ. 환자가 회생할 가망이 없을 경우 연명 치료 중단이 가능하다.
ㄹ. 자연의 과정을 거스르지 않는 안락사 방법은 허용될 수 있다.

① ㄱ, ㄴ ② ㄴ, ㄷ ③ ㄷ, ㄹ
④ ㄱ, ㄴ, ㄹ ⑤ ㄱ, ㄷ, ㄹ

07 서양 사상가 갑, 을의 입장에서 자살이 비도덕적인 이유를 설명한 것으로 가장 적절한 것은?

> 갑: 네 자신의 인격에서나 다른 모든 사람의 인격에서 인간성을 단지 수단으로만 대하지 말고 항상 동시에 목적으로 대하라.
> 을: 인간은 다른 모든 실체와 함께 자신의 존재를 보존하려는 경향을 가지고 있다. 그러므로 인간의 생명을 보존하고 죽음을 피하려는 행위는 자연법에 속한다.

① 갑: 사회적 유용성 증진에 장애가 되기 때문이다.
② 갑: 자율적 인간으로서 갖는 의무에 위반되기 때문이다.
③ 을: 신에 대한 생명의 의무를 이행한 것이기 때문이다.
④ 을: 자신을 사랑하고자 하는 자연적 성향에 따른 것이기 때문이다.
⑤ 갑, 을: 자신에 대한 의무만을 이행하려는 이기적인 행동이기 때문이다.

| 교육청 기출 |

08 그림은 서술형 평가 문제와 학생 답안이다. 학생 답안의 ㉠~㉤ 중 옳지 <u>않은</u> 것은?

〈서술형 평가〉

◎ **문제** 갑, 을의 입장을 비교하여 서술하시오.

> 갑: 인간 배아는 인간의 신체 기관이 형성되지 않은 상태이므로 단순한 세포에 불과합니다. 따라서 불치병 치료 등을 통해 많은 사람들에게 이익을 주는 경우라면 인간 배아 복제 연구는 자유롭게 허용되어야 합니다.
> 을: 인간 배아는 난자와 정자가 결합된 형성체로 잠재적 인간으로 보아야 합니다. 단, 온전한 인간은 아니기 때문에 더 많은 사람들에게 더 많은 행복을 주는 경우에 한하여 인간 배아 복제 연구는 허용될 수 있습니다.

◎ **학생 답안**

갑은 ㉠ <u>인간 배아가 온전한 인격체로 존중받을 수 없다고 보며</u>, ㉡ <u>사회에 유용성을 가져다준다면 인간 배아 복제 연구는 허용될 수 있다고 주장한다.</u> 을은 ㉢ <u>인간 배아가 성인과 동등한 대우를 받을 만한 존재는 아니라고 보며</u>, ㉣ <u>제한된 범위 내에서 인간 배아 복제 연구가 허용될 수 있다고 주장한다.</u> 한편 갑, 을은 ㉤ <u>의무론의 측면에서 인간 배아 복제 연구의 허용 여부를 논해야 한다고 본다.</u>

① ㉠ ② ㉡ ③ ㉢ ④ ㉣ ⑤ ㉤

| 교육청 기출 |

09 (가)를 주장한 사상가의 입장에서 (나)의 내용에 대해 제기할 수 있는 비판적 견해로 가장 적절한 것은?

(가)	유전자를 조작해 종(種)의 개선을 시도하는 것은 인간 현존재의 '무지에 대한 권리'를 박탈하는 것이다. 인간은 자신의 미래에 대해 '모를 권리'를 존중받아야 하며 그럼으로써 자기 고유의 길을 찾아가고 자기 자신에 대해 놀라워할 수 있는 인간적 삶의 권리를 갖게 된다.
(나)	유전자 조작을 통해 유전 형질이 사회적으로 적합한 자를 키우고 부적합한 자를 줄여 사회 발전을 도모해야 한다. 이를 위해 인간은 필요에 맞게 맞춤 제작되어야 하며, 체격, 성격과 같은 자연적 운명만이 아니라 직업, 취미와 같은 사회적 운명까지 인위적으로 결정되어야 한다.

① 사회 발전을 위해 인간 삶에서의 우연성을 통제해야 한다.
② 인간의 유전적 완벽함을 위해 인간의 권리를 제한해야 한다.
③ 인간은 자율적이며 자기 목적적 존재로서의 삶을 살아야 한다.
④ 인간 생명의 도구적 사용이 가치 있는 행위임을 깨달아야 한다.
⑤ 인간의 유전자를 획일화시키는 데 생명 공학의 목표를 두어야 한다.

10 갑, 을 사상가의 입장을 그림으로 표현할 때, A~C에 해당하는 적절한 진술만을 〈보기〉에서 있는 대로 고른 것은?

갑: 유전자 조작은 자연 질서에 위배되며, 유전자 조작 과정과 결과의 안정성도 확실하게 보장할 수 없다. 따라서 모든 유전자 조작은 허용되어서는 안 된다.
을: 유전자 조작으로 인간을 개량하려는 시도는 인간을 도구화하는 것이므로 금지되어야 한다. 다만 생명 보존을 위한 유전자 조작은 자연 질서에 부합하므로 허용 가능하다.

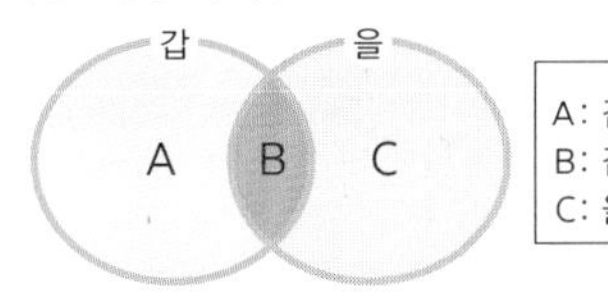

〈범례〉
A: 갑만의 입장
B: 갑, 을의 공통 입장
C: 을만의 입장

보기
ㄱ. A: 모든 유전자 조작은 자연 질서에 어긋난다.
ㄴ. B: 질병 치료를 위한 유전자 조작도 금지해야 한다.
ㄷ. B: 생명 연장을 위한 유전자 조작은 허용될 수 있다.
ㄹ. C: 자연 질서에 부합하는 유전자 조작은 허용될 수 있다.

① ㄱ, ㄷ ② ㄱ, ㄹ ③ ㄴ, ㄷ
④ ㄱ, ㄴ, ㄹ ⑤ ㄴ, ㄷ, ㄹ

11 갑, 을 사상가들의 입장을 그림으로 탐구하고자 할 때, A~C에 들어갈 옳은 질문만을 〈보기〉에서 있는 대로 고른 것은?

갑: 고통을 느낄 줄 아는 동물들이 우리의 종에 속하지 않는다는 이유로 동물의 이해관계를 무시하는 것은 종 차별주의에 해당한다.
을: 도덕적 행위자나 도덕적 무능력자가 고유한 가치를 갖는 것은 그들이 모두 삶의 주체이기 때문이다. 그러므로 동물도 삶의 주체로 간주해야 한다.

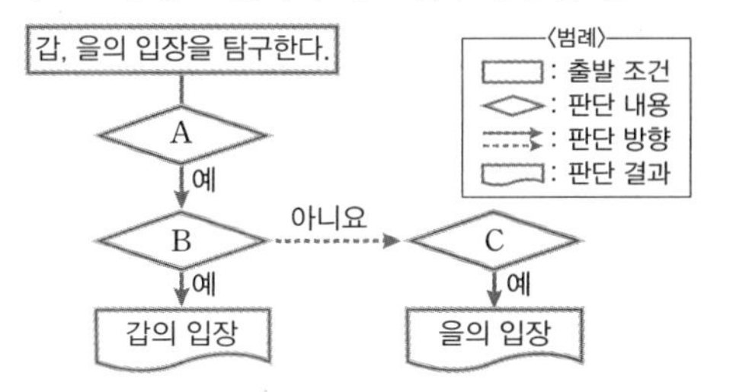

보기
ㄱ. A: 모든 동물의 이익을 동등하게 고려해야 하는가?
ㄴ. A: 동물도 도덕적으로 고려받을 권리를 지니는가?
ㄷ. B: 쾌고 감수 능력은 어떤 존재의 이익에 관심을 갖기 위한 충분조건인가?
ㄹ. C: 삶의 주체인 존재들은 그 자체로 목적으로 대우해야 하는가?

① ㄱ, ㄴ ② ㄴ, ㄷ ③ ㄷ, ㄹ
④ ㄱ, ㄴ, ㄹ ⑤ ㄴ, ㄷ, ㄹ

12 ㉠에 들어갈 내용으로 가장 적절한 것은?

인체 실험의 대안으로 동물을 실험 대상으로 삼아야 한다는 주장이 있다. 만약 실험자들이 동물에게 고통을 주는 것을 정당화할 만큼 그 실험이 중요하다면, 동일한 지적 수준에 있는 인간에게 고통을 주는 실험에도 동일한 주장을 제기할 수 있어야 한다. 나는 인간 대신 동물을 실험 대상으로 삼아야 한다고 주장하는 사람들은 (㉠) 사실을 간과하고 있다고 본다.

① 인간과 동물의 이익을 동등하게 고려해야 한다는
② 동물 실험의 결과를 인간에게 그대로 적용할 수 있다는
③ 인간을 위해 고통을 느끼는 동물을 희생시킬 수 있다는
④ 어떤 경우에도 인간을 실험 대상으로 삼으면 안 된다는
⑤ 인체 실험이 생명 과학의 발전에 중요한 역할을 하고 있다는

02 사랑과 성 윤리

1 사랑과 성의 관계

1. 사랑과 성의 바람직한 관계

(1) 사랑[1] 자료 01

① 사랑의 의미 인간의 근원적인 정서로, 어떤 사람이나 존재를 아끼고 소중히 여기는 마음

② 프롬[2]의 사랑 책임, 존경, 이해, 보호 등과 같은 인격적 가치가 내포되어야 함

- 상대방을 있는 그대로 보고 그의 특성을 인정하는 것
- 상대방을 소생시키며 상대방의 생동감을 증대하는 활동
- 상대방의 요구에 대해 성실하게 응답할 준비를 갖추고 적극적으로 반응하는 것
- 상대방의 생명과 성장에 적극적인 관심을 갖고 상대방이 자신의 능력을 최대한 발휘할 수 있도록 도와주는 것

(2) 성의 가치와 도덕적 덕목

생식적 가치	새로운 생명의 탄생을 통한 종족의 보존 ➡ 책임 요구
쾌락적 가치	인간의 감각적인 욕망의 충족 ➡ 절제 요구
인격적 가치	상호 간의 존중과 배려를 실현하고, 자아실현과 인격 완성에 기여 ➡ 인격 존중 요구

└ 사랑과 성의 밀접한 관계를 보여 준다.

(3) 사랑과 성을 바라보는 관점 자료 02

보수주의	결혼 제도 내에서 출산과 양육에 대한 책임을 질 수 있는 성만이 도덕적으로 정당함
(급진적) 자유주의	성숙한 사람들이 상호 동의하에 타인에게 해를 주지 않으면 성적 호감과 관심만으로도 성이 가능함
온건한 자유주의 (중도주의)	사랑과 결합한 성만이 인간의 고유한 품격을 유지해 줄 수 있음 ➡ 사랑이 있는 성 추구

2. 성과 관련된 윤리적 문제

(1) 성차별 자료 03

의미	남성 혹은 여성이라는 이유로 사회적·문화적·경제적으로 부당한 대우를 하는 것
문제점	• 자유와 평등, 인간 존엄성을 훼손함 ➡ 윤리적 문제 야기 • 성별을 이유로 개인의 능력이 제한됨 ➡ 개인의 자아실현 방해, 사회적 손실로 이어짐

(2) 성적 자기 결정권[4]

의미	자신의 의지에 따라 자율적으로 성적 행위를 결정할 수 있고, 원치 않는 성적 행위를 분명하게 거부할 수 있는 권리
유의점	• 자신의 성적 자기 결정권만큼 타인의 성적 자기 결정권도 동등하게 존중해야 함 • 자신의 성적 욕망과 성적 활동에 대해 책임을 짐 • 타인에게 해가 되지 않는 성적 자기 결정권의 행사라고 해도 성의 인격적 가치를 훼손하는 행위는 도덕적으로 정당화할 수 없음

(3) 성 상품화[5]

찬성	반대
• 자본주의 가치에 부합하는 이윤 추구 행위임 • 자신의 성적 매력을 표현하여 상품화하는 것은 성적 자기 결정권의 행사에 해당함	• 인간의 성을 돈을 벌기 위한 수단으로 전락시켜 물질적 가치로 환산하려 함 • 인간의 존엄성을 훼손하고 불평등을 야기함

① 사랑의 가치
- 인간을 도덕적인 생활로 이끌어 줌
- 인격적 교감을 이루게 하여 인간이 서로를 인격적인 존재로 바라보게 함
- 인간관계의 형성과 사회적 존재로서의 인간 본성 실현의 바탕이 됨

② 프롬(Fromm, E.)
독일의 정신 분석학자이나 인문주의 철학자이다. 저서로 『소유냐 존재냐』, 『사랑의 기술』 등이 있다.

③ 성의 정의

생물학적 성	태어남과 동시에 주어지는 생물학적 성차
사회·문화적 성	사회·문화적으로 형성되고 구성된 성
욕망으로서의 성	성 본능과 만족에 관계되는 일련의 현상, 즉 포괄적인 성적 욕망

고득점을 위한 셀파 Tip 비교

| 사랑과 성을 바라보는 관점 |

보수주의
결혼 제도 안에서 이루어지는 성 추구

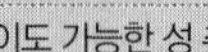

급진적 자유주의
사랑 없이도 가능한 성 추구

온건한 자유주의
사랑이 있는 성 추구

④ 자기 결정권
다른 사람의 권리를 침해하지 않는 한 자신에 관한 일을 스스로 결정하고 행동할 권리

⑤ 성 상품화
광고, 영화, 공연 등에서 성적 이미지를 직간접적으로 이용하여 이윤을 추구하는 것

자료 01 프롬이 말한 사랑

삶이 일종의 기술인 것처럼 사랑도 기술이라는 것을 깨달아야 한다. 사랑은 상대에게 응답할 수 있고 응답할 준비가 갖추어져 있다는 뜻이다. 사랑은 인간 존재를 타인과 결합시키는 능동적인 능력으로, 인간의 고립감을 극복하게 하면서도 각자 자신의 통합성을 유지시킨다. 따라서 사랑에 있어서 두 존재는 하나로 되면서도 둘로 남아 있다.

자료 분석 | 프롬은 사랑의 네 가지 요소로 보호, 책임, 존경, 이해를 제시한다. 보호는 사랑하는 사람을 보살피고 돌보는 것, 책임은 사랑하는 사람의 요구를 배려하면서 자신의 행동에 책임을 지는 것, 존경은 사랑하는 사람을 있는 그대로 받아들이며 존경하는 것, 이해는 사랑하는 사람의 입장에서 그 사람을 제대로 이해하는 것을 의미한다.

자료 02 성(性)을 바라보는 관점

(가) 성욕은 본능적인 욕구이면서 동시에 인간의 존엄과 관련된 욕구이다. 따라서 반드시 사랑을 바탕으로 해야 한다.

(나) 모든 동물에게 성적 욕망이 존재하는 중요한 이유는 종족 보존이다. 성의 목적은 2세를 낳아 가계를 이어 가는 것이므로 결혼이 전제되어야만 한다.

(다) 성욕은 인간의 본능적인 욕구일 뿐이다. 자발적 동의에 따르고 타인에게 피해를 주지 않는 한, 개인의 감각적인 욕구 충족을 성의 유일한 목적으로 보아야 한다.

자료 분석 | (가)는 온건한 자유주의의 관점으로, 사랑을 전제로 한 인격적 교감을 강조한다. (나)는 보수주의의 관점으로, 결혼을 전제로 종족을 보존하기 위한 성을 강조한다. (다)는 급진적 자유주의의 관점으로, 자발적 동의를 바탕으로 한 성을 강조한다.

자료 03 성차별에 관한 밀의 견해

지금까지 남성은 순종이 여성의 본성이라고 여성에게 가르쳐 왔지만 누구도 남녀의 본성을 알 수는 없다. 남성과 여성 간 지성의 차이는 사회 환경 요인에 의해 설명될 수 있다. 남성에 의한 여성의 법적 예속은 본질적으로 옳지 않을 뿐 아니라 인류의 발전을 저해하는 것이다. 여성으로 태어난 것이 사회적 지위를 결정하고 다양한 직업으로의 진출을 방해하는 이유가 되어서는 안 된다. 재능 활용 기회를 막는 것은 개인적으로는 불공평하고 사회적으로는 손실이기 때문이다. 다른 사람의 권리를 침해하지 않는 한, 여성이든 남성이든 개인의 선택은 전적으로 그 자신에게 맡겨야 한다.

자료 분석 | 밀은 성차별은 본질적으로 옳지 않을 뿐만 아니라 인류의 발전을 저해하는 것으로 간주한다. 밀은 공리주의적 관점에서 양성평등을 이루어야 하고, 성차별은 완전한 평등의 원리로 대체되어야 마땅하다고 주장한다.

기출 선택지 O, X로 정리하기

1 프롬의 입장에서 사랑은 자신을 희생하여 상대방이 원하는 것을 들어주는 것이다. (O, ×)

2 프롬의 관점에서 사랑은 상대방의 요청에 성실하게 응답할 준비를 갖추는 것이다. (O, ×)

3 보수주의자는 자유 의지를 전제로 한 성을 중시한다. (O, ×)

4 보수주의자는 성은 종족 보존이라는 생식적 가치를 중시해야 한다고 본다. (O, ×)

5 급진적 자유주의자는 사랑을 전제로 한 성욕의 충족만을 중시한다. (O, ×)

6 급진적 자유주의자는 성은 개인의 자발적 의지와 선택이 전제되어야만 한다고 본다. (O, ×)

7 온건한 자유주의자는 성적 관계에서 서로의 인격적 가치를 존중해야 한다고 본다. (O, ×)

8 온건한 자유주의자는 자발적인 동의에 근거한 성적 관계는 항상 정당하다고 본다. (O, ×)

9 밀은 사회적 역할은 남녀의 본성에 따라 적합하게 부여되어야 한다고 보았다. (O, ×)

정답 1 × 2 O 3 × 4 O 5 × 6 O 7 O 8 × 9 ×

2 결혼과 가족의 윤리

1. 결혼의 윤리적 의미와 부부간의 윤리

(1) 결혼의 윤리적 의미

① 서로를 영원히 지키며 사랑하겠다는 약속

② 신뢰의 기반, 고난과 역경을 극복할 수 있는 강력한 내적 동기

③ 서로의 차이를 존중하겠다는 의지의 표현 ➡ 부부 상호 간의 존중과 배려 및 관용 요구

(2) 부부간의 윤리 자료 04

음양론은 남녀의 역할에 우위를 두어 차별하는 것이 아니다.

동양	• 음양론⑥: 부부는 상호 보완적이고 대등한 관계로 서로 공경해야 함 • 상경여빈⑦: 부부간의 공경을 중요한 덕목으로 강조함
서양	• 개인의 자유와 주체성 강조 ➡ 부부간에 균형과 조화의 태도 지향 • 보부아르: 부부는 각 주체로서 평등한 관계를 유지해야 함 • 길리건: 부부는 서로 보살핌을 주고받는 관계가 되어야 함
현대적인 부부 윤리	• 부부간의 윤리는 양성평등의 관점에서 바라보아야 함 • 서로를 동등한 주체로 존중하고 평등한 관계를 유지해야 함 • 각자의 역할에 최선을 다하고 서로의 다름과 역할을 존중함

2. 가족 해체의 문제점과 가족 윤리

(1) 가족의 의미와 기능 자료 05

① 가족의 의미 사회를 이루는 가장 기본적인 공동체로, 혼인이나 혈연, 입양 등으로 구성됨

② 가족의 기능

사회 유지	출산을 통해 새로운 사회 구성원을 재생산함
보호 및 양육	개인을 안전하게 보호하고 양육하며, 정서적 안정을 제공함
사회화	바람직한 인격을 형성하고 기본적인 사회 규범과 예절을 전수함
생계유지	재화를 생산·소비함으로써 생계를 유지하고 더 나은 삶을 추구함

(2) 가족의 변화와 가족 해체

① 가족의 변화

가족 기능 약화	자녀 양육, 교육 등 전문 기관의 대행 증가
가족 형태 변화	• 홀로 사는 노인층과 젊은 층 증가 ➡ 핵가족의 보편화, 1인 가구의 증가 • 한 부모 가족, 조손 가족, 다문화 가족 등 다양한 가족의 형태 등장

② 가족 해체

의미	가족의 형태가 축소되고, 가족의 기본적인 기능이 약화하는 현상
영향	• 개인의 삶을 불안하게 만듦 • 사회의 근본적인 변화를 가져옴 • 가족 공동체 와해⑧ ➡ 사회 전체에 부정적인 영향을 줌

(3) 가족 해체 극복 방안으로서의 가족 윤리 자료 06

① 동양의 전통 『사기』의 오전⑨, 오륜 등에서 찾을 수 있음

중국 전한(前漢) 시대에 사마천이 집필한 역사서이다.

• 부부간: 부부유별, 상경여빈, 부부상경(夫婦相敬) 등

• 부모 자식 간: 효(孝), 자애(慈愛), 부의, 모자, 자효, 부자유친 등

유교에서는 효를 모든 덕행의 근본으로 보고 특히 강조한다.

• 형제자매 간: 형우, 제공, 효제(孝悌), 우애(友愛) 등

한 가문에서 태어났다는 뜻에서 동기간(同氣間)이라고도 한다.

② 오늘날의 가족 윤리 가족 구성원들이 서로 사랑하고 존경하는 마음을 가져야 함

⑥ 음양론(陰陽論)
음양론에 따르면 음과 양은 홀로 독립하여 존재할 수 없고, 서로를 필요로 하며, 서로를 존립 가능하게 하는 상호 의존 관계에 있다.

⑦ 상경여빈(相敬如賓)
부부는 가장 친밀한 사이지만, 부부가 서로 공경하기를 손님같이 대한다는 의미

고득점을 위한 셀파 Tip 개념

| 가족의 기능 |
• 사회 구성원 재생산
• 정서적 안정 제공
• 사회 규범 획득
• 바람직한 인격 형성

고득점을 위한 셀파 Tip 인과 관계

| 가족의 변화와 가족 해체 |

사회 구조 변화와 의학 기술의 발전
⬇
혼인율과 출생률의 급격한 감소, 홀로 사는 노인층과 젊은 층 증가
⬇
가족의 기능 약화 및 가족의 형태 축소
⬇
가족 해체

⑧ 와해
조직이나 계획 따위가 산산이 무너지고 흩어짐

⑨ 『사기』의 오전(五典)
사람이 지켜야 하는 다섯 가지의 도리

부의(父義)	아버지는 의로워야 함
모자(母慈)	어머니는 자애로워야 함
형우(兄友)	형은 우애가 있어야 함
제공(弟恭)	동생은 부모와 형을 공경해야 함
자효(子孝)	자식은 효를 다해야 함

셀파 자료 탐구

자료 04 음양론(陰陽論)

양(陽)이란 말은 원래 '햇볕', 음(陰)이란 말은 '그늘'을 뜻하였으나 후에 점점 발전되어 음양은 우주의 두 원리 또는 원동력으로 간주되었다. 즉, 양은 남성적인 것, 능동성, 더위, 밝음, 건조, 굳음 등을 나타내고 음은 여성적인 것, 수동성, 추위, 어둠, 습기, 부드러움 등을 뜻하게 되었다. 이 양대 원동력의 상호 작용으로 우주의 삼라만상이 발생하였다.

『주역』의 「계사전」에 보면 다음과 같은 말이 있다. "음양이 서로 합일하여 만물이 화육되고 번영되며, 남녀의 정기가 결합하여 만물이 화생한다." 양은 만물을 생산하는 원리요, 음은 만물을 완성시키는 원리이다. 남녀의 결합을 통해 자녀를 얻게 되는 것처럼 음양의 상호 보완을 통해 만물이 생성되는 것이다.

자료 분석 | 음양론에서는 음과 양은 대립되지만 서로가 없으면 존재할 수 없기 때문에 조화와 균형을 이루어야 하는 상호 의존적 관계에 있다고 보고, 남녀 역시 서로 존중해야 할 상호 보완적이고 대등한 관계로 여긴다.

자료 05 헤겔의 가족관

결혼은 당사자 간의 애착과 계약에서 출발한다. 가족은 하나의 인격이며 인륜적 정신이다. 부부는 사랑의 감정으로 실체적 통일을 이루고 자녀를 통해 객관성을 지닌 결합의 전체를 이룬다. 부모는 자녀를 통해 자신들의 사랑을 느끼게 된다. 한편 자녀가 법적 인격과 자신의 재산을 갖추어 가정을 꾸릴 자격이 생길 때 가족의 해체가 시작된다.

자료 분석 | 헤겔은 결혼을 두 사람 사이의 자연적이고 개별적인 인격성의 지양을 위한 동의로 이해하고, 가족은 인간이 자립적인 정신적 주체로서 성장하기 위해 반드시 필요한 조건이자 인격적 공동체라고 간주한다.

자료 06 유교의 가족 윤리

(가) 우리의 몸은 부모로부터 물려받은 것이다. 감히 상하게 하거나 훼손하지 않는 것이 효의 시작이다. 몸을 세워서 도리를 행하고 이름을 후세에 떨쳐 부모를 빛나게 하는 것이 효의 마지막이다.

(나) 형과 아우는 부모가 남겨 준 몸을 함께 받았으니, 한 몸과 같은 것이다. 한 몸의 사지(四肢) 중에서 어느 한 편이 병든다면 어찌 편안함을 얻겠는가? 형제끼리 사랑하지 않는 것은 자기 부모를 사랑하지 않기 때문이다.

자료 분석 | (가)는 『효경』의 내용으로, 효는 불감훼상(不敢毁傷)에서 입신양명(立身揚名)으로 나아가야 한다고 설명한다. (나)는 형제간에 사랑하는 것은 부모를 사랑하는 것과 같다고 하며 우애의 실천을 강조한다. 형제자매는 부모의 사랑과 관심을 받으려고 서로 경쟁하는 사이이자, 서로 사랑하며 놀이를 함께하는 친구이며, 문제를 함께 해결하는 협력자이다. 유교에서는 형제자매 간에 지켜야 할 규범으로 형우제공과 효제를 제시한다. 형우제공은 형은 동생을 사랑하고 보살피며 동생은 형을 윗사람을 대하듯 공경해야 한다는 의미이고, 효제는 부모에게 효도하고 형제자매 간에 서로 공경해야 한다는 의미이다. 이처럼 유교에서는 효와 우애를 중시하며, 특히 효가 모든 덕행의 근본이 된다고 주장한다.

기출 선택지 O, ×로 정리하기

1 음양론은 남자와 달리 여자를 불완전한 존재로 규정하였다. (O, ×)

2 음양론은 남녀의 다름을 바탕으로 차별적 구조를 형성하였다. (O, ×)

3 음양론의 관점에서 부부는 각자의 덕목을 실천함으로써 서로를 보완해 주어야 한다. (O, ×)

4 헤겔의 입장에서 가족은 부모와 자식이 결합된 인격적 공동체이다. (O, ×)

5 헤겔의 입장에서 어린 자녀는 부모가 간섭할 수 없는 개별적 존재이다. (O, ×)

6 효는 양지(養志)의 마음으로 상황에 따라 적절히 실천하는 것이다. (O, ×)

7 효는 수평적 관계에서 구휼(救恤)의 의무를 부과하고 실천하는 것이다. (O, ×)

8 우애는 동기간(同氣間)에 지켜야 하는 상호 호혜적인 덕이다. (O, ×)

9 우애는 생명을 주고받은 수직 관계에서 연장자가 베푸는 덕이다. (O, ×)

정답 1× 2× 3O 4O 5× 6O 7× 8O 9×

개념 완성

1 사랑과 성의 관계

사랑	사랑의 의미	인간의 근원적인 정서로, 어떤 사람이나 존재를 아끼고 소중히 여기는 마음
	프롬의 사랑	책임, 존경, 이해, 보호 등과 같은 (❶) 가치가 내포되어야 함
성의 가치와 도덕적 덕목	생식적 가치	새로운 생명의 탄생을 통한 종족 보존 → (❷) 요구
	쾌락적 가치	인간의 감각적인 욕망의 충족 → 절제 요구
	인격적 가치	상호 간 존중과 배려 실현, 자아실현과 인격 완성에 기여 → 인격 존중 요구
사랑과 성을 바라보는 관점	보수주의	결혼 제도 내에서 출산과 양육에 대해 책임질 수 있는 성만이 정당함
	급진적 자유주의	성숙한 사람들이 (❸)하에 타인에게 해를 주지 않는다면 성적 호감과 관심만으로도 성이 가능함
	온건한 자유주의	(❹)과 결합한 성만이 인간의 고유한 품격을 유지해 줄 수 있음
성과 관련된 윤리적 문제	(❺)	남성 혹은 여성이라는 이유로 사회적·문화적·경제적으로 부당한 대우를 하는 것
	성적 자기 결정권	자신의 의지에 따라 자율적으로 성적 행위를 결정할 수 있고, 원치 않는 성적 행위를 분명하게 (❻)할 수 있는 권리
	성 상품화	성적 이미지를 직간접적으로 이용하여 (❼)을 추구하는 것

2 결혼과 가족의 윤리

가족	사회를 이루는 가장 기본적인 (❽)	
가족의 변화	기능 약화	전문 기관의 대행 증가
	형태 변화	• (❾) 보편화, 1인 가구 증가 • 다양한 가족의 형태 등장
(⓬)	의미	가족의 형태가 (❿)되고, 가족의 기본적인 기능이 (⓫)하는 현상
	영향	• 개인의 삶을 불안하게 만듦 • 사회의 근본적인 변화를 가져옴 • 사회 전체에 부정적인 영향을 줌
가족 윤리	동양의 전통	• 부부간: 부부유별, 상경여빈, 부부상경 등 • 부모 자식 간: (⓭), 자애, 부의, 모자, 자효, 부자유친 등 • 형제자매 간: 형우, 제공, 효제, 우애 등
	오늘날	가족 구성원들이 서로 사랑하고 존경하는 마음을 가져야 함

정답 ❶ 인격적 ❷ 책임 ❸ 상호 동의 ❹ 사랑 ❺ 성차별 ❻ 거부 ❼ 이윤 ❽ 공동체 ❾ 핵가족 ❿ 축소 ⓫ 약화 ⓬ 가족 해체 ⓭ 효

탄탄 내신 문제

01 밑줄 친 부분에 들어갈 적절한 말만을 〈보기〉에서 있는 대로 고른 것은?

> 상호 공동체의 사랑으로 충만한 사회를 이루기 위해서는 사랑의 활동성 또는 능동성이 요구된다. 사랑은 자발적 자유에 의해 행사되어야 할 하나의 활동이며 단순한 수동적 감정에 머물러서는 안 된다. 자발적 활동으로서 능동적 사랑의 네 가지 요소는 보호, 책임, 존경, 이해이다. 이렇게 볼 때 사랑은 ______________

보기
ㄱ. 상대방을 항구적인 소유의 대상으로 인정하는 것이다.
ㄴ. 사랑하는 사람의 요구에 대해 적극적으로 반응하는 것이다.
ㄷ. 상대방을 소생시키며 상대방의 생동감을 증대하는 활동이다.
ㄹ. 사랑하는 사람의 생명과 성장에 적극적인 관심을 갖는 것이다.

① ㄱ, ㄴ ② ㄱ, ㄷ ③ ㄷ, ㄹ
④ ㄱ, ㄴ, ㄹ ⑤ ㄴ, ㄷ, ㄹ

02 다음 글에서 강조하는 사랑의 구성 요소에 대한 설명으로 가장 적절한 것은?

> 만약 내가 어떤 사람을 사랑한다는 것은 있는 그대로의 그와 하나인 것을 느끼는 것이지, 나에게 필요한 그와 하나가 되는 것은 아니다. 존경이라는 것은 오직 내가 독립을 성취했을 때에만, 또한 내가 똑바로 서서 부축의 도움 없이 걸을 수 있을 때에만, 또 어떤 사람을 지배하거나 착취하지 않을 때에만 가능하다.

① 상대방의 모든 것을 소유하려는 것이다.
② 상대방을 있는 그대로 보고 존중하는 것이다.
③ 상대방을 돌보며 관계를 책임지고 유지하는 것이다.
④ 상대방에게 호감을 느끼고 상대방과 함께하고 싶은 것이다.
⑤ 상대방의 생명과 성장에 관심을 가지고 적극적으로 보호하는 것이다.

03 갑, 을의 주장을 그림으로 탐구하고자 할 때, A~C에 들어갈 질문으로 가장 적절한 것은?

> 갑: 사랑은 성적 행위와 달리 쾌락을 추구하지 않는다. 사랑은 어떤 형태의 정신적·신체적 애착 속에서 성(性)을 상승시키고 행복감을 불러일으킬 수 있다. 이런 행복감은 사랑 없이는 생기지 않는다.
> 을: 성의 매력은 순간적으로 합일의 환상을 일으키지만 이런 합일은 사랑이 없는 한 낯선 사람들을 이전과 마찬가지로 멀리 떨어져 있게 한다. 왜냐하면 사랑은 성적 만족의 결과가 아니며, 오히려 성적 행복이 사랑의 결과이기 때문이다.

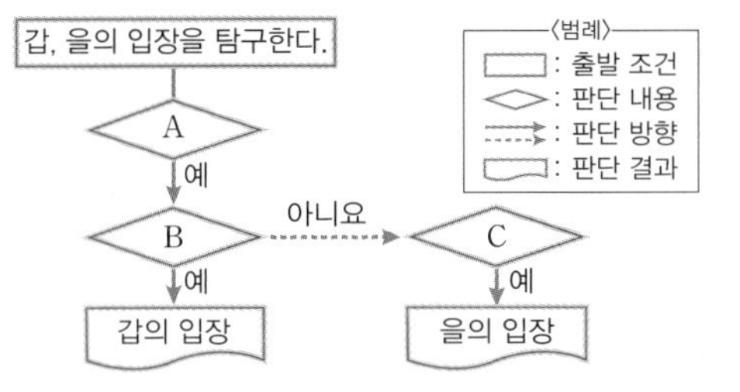

① A: 사랑이 없는 성은 행복을 보장하지 못하는가?
② B: 성은 자신과 상대방의 행복 증진을 위한 도구인가?
③ B: 성적 쾌락을 동반하지 않는 사랑은 의미 없는 행위인가?
④ C: 성적으로 만족하면 사랑은 자연스럽게 형성되는가?
⑤ C: 당사자들이 합의한 성적 행동은 사랑이 전제되지 않아도 정당한가?

04 다음 글의 입장에서 지지할 내용으로 가장 적절한 것은?

> 성(性)은 그 자체로 고유한 가치를 가지는 것이 아니라 단지 출산 또는 생식을 위한 도구적 가치만을 가진다. 성의 자연적 목적은 결혼을 통한 출산이며, 출산에 기여하는 성만이 진정한 가치를 지닌다. 오직 생식과 직간접적으로 관련되는 성만이 도덕적이고, 성 그 자체를 위한 성은 수단이 목적으로 뒤바뀐 것이기 때문에 비도덕적이다.

① 상호 동의에 의한 성적 활동은 허용되어야 한다.
② 결혼은 성의 사회적 책임을 위한 제도적 장치이다.
③ 성의 본질적 가치는 쾌락적 가치에서 찾아야 한다.
④ 사랑이 동반된 모든 성적 관계는 도덕적으로 정당화할 수 있다.
⑤ 상호 동의하에 성적 쾌락을 추구하는 행위는 도덕적으로 정당화할 수 있다.

05 (가), (나)에 대한 설명으로 옳은 것은?

> (가) 성적 관계는 결혼을 하여 부부 관계를 이룬 남녀가 자녀 출산을 목적으로 하는 경우에만 허용되어야 한다.
> (나) 성적 관계는 성인들이 상호 간에 합의한 경우에는 자유롭게 허용되어야 한다. 물론 타인에게 해악을 끼치는 경우에는 허용될 수 없다.

① (가)는 성의 생식적 가치를 중시한다.
② (가)는 사랑이 전제된 성적 관계는 모두 허용한다.
③ (나)는 성적 관계에서 무제한적인 자유를 허용한다.
④ (나)는 성의 쾌락적 가치보다 인격적 가치를 중시한다.
⑤ (가), (나)는 개인 간의 합의를 성적 관계의 충분조건으로 간주한다.

06 다음 사상가가 지지할 주장을 〈보기〉에서 고른 것은?

> 여성은 태어나는 것이 아니라 만들어지는 것이다. '여자답다.'라는 관념은 습관이나 유행에 따라 인위적으로 규정된 것으로, 여성 한 사람 한 사람에게 강요된다. 우월성은 결코 처음부터 정해진 것이 아니다. 여성과 남성은 자신들의 자유로부터 똑같은 영광을 이끌어 낼 수 있어야 한다.

보기

ㄱ. 여성과 남성의 본질은 서로 대립되는 것임을 이해해야 한다.
ㄴ. 여성과 남성은 모두 자유롭고 주체적인 존재라는 것을 깨달아야 한다.
ㄷ. 여성은 남성보다 열등한 존재로서 종족 보존을 위한 역할에만 충실해야 한다.
ㄹ. 여성다움은 선천적으로 주어지는 것이 아니라 사회적으로 만들어지는 것임을 이해해야 한다.

① ㄱ, ㄴ　② ㄱ, ㄷ　③ ㄴ, ㄷ
④ ㄴ, ㄹ　⑤ ㄷ, ㄹ

07 (가)의 관점에서 (나)의 주장에 대해 제기할 수 있는 반론을 〈보기〉에서 고른 것은?

> (가) 인간의 존엄성은 도덕 법칙을 스스로 따르는 자율성에 근거를 둔다. 인간은 사물처럼 취급되어서는 안 되며, 항상 목적적 존재로 대우받아야 한다.
> (나) 비록 질이 낮은 표현물이라고 해도 혼자서 음란물을 보는 것은 타인에게 직접적인 피해를 주지 않기 때문에 비난의 대상이 아니다.

보기

ㄱ. 사적 영역에서 일어나는 일에는 간섭할 수 없다.
ㄴ. 음란물과 성적 일탈 행위 사이의 인과 관계를 확증할 수 없다.
ㄷ. 음란물은 인간을 도구적 존재로 여겨 인간의 존엄성을 훼손한다.
ㄹ. 음란물을 보는 행위는 타인에게 직접적인 피해를 주지 않지만 도덕 법칙에 위배된다.

① ㄱ, ㄴ ② ㄱ, ㄷ ③ ㄴ, ㄷ
④ ㄴ, ㄹ ⑤ ㄷ, ㄹ

08 (가) 사상의 관점에서 (나)의 세로 낱말 (A)에 대한 설명으로 옳은 것은?

구분	내용
(가)	만물의 도리가 모두 나에게 갖추어져 있다. 자신을 반성하며 정성을 다하여 도리를 지키면 즐거움은 이보다 더 클 수가 없을 것이다. 힘써 남을 먼저 생각하며 행동하면 인(仁)을 추구하는 가장 가까운 길이 될 것이다.
(나)	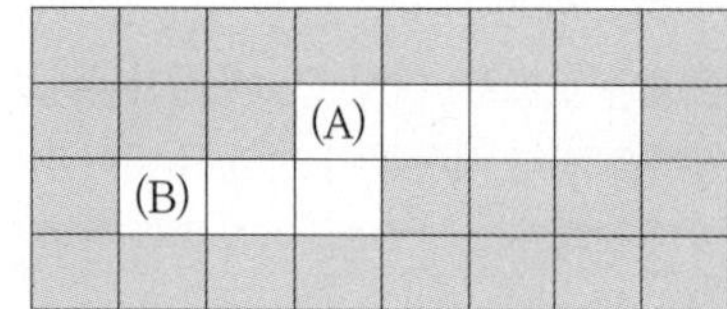 [가로 열쇠] (A): 오륜의 하나로, 아버지와 아들 사이의 도리는 친애에 있음을 이름 (B): 사(士)와 대부(大夫)의 합성어로, 문무 양반을 일반 평민층에 상대하여 이르는 말 [세로 열쇠] (A): …… 개념

① 상대방에게 의존하는 위계적 관계
② 음양(陰陽)의 조화로 맺어진 종적 관계
③ 예(禮)로써 서로를 공경해야 하는 보완적 관계
④ 서로 대등하게 고정불변의 역할을 수행하는 관계
⑤ 연령의 차이를 바탕으로 장유유서를 실천하는 관계

09 ㉠, ㉡에 대한 설명으로 적절하지 않은 것은?

> • [㉠]은/는 가정 속 인간관계 중 가장 먼저 형성된다. 인륜의 시작이므로 지극히 친밀한 사이지만 지극히 조심해야 할 관계이다.
> • [㉡]은/는 인(仁)의 근본이다. 어버이를 사랑하는 사람은 남을 미워하지 아니하고, 어버이를 공경하는 사람은 남을 업신여기지 않는다.

① ㉠은 상경여빈을 실천해야 한다.
② ㉠은 수평적인 관계에서 서로를 보완한다.
③ ㉡은 부모에 대해 간언(諫言)하는 것도 포함한다.
④ ㉡은 호혜적이고 상호적인 윤리 규범의 일부이다.
⑤ ㉡은 부모가 모두 돌아가신 후에야 비로소 종료된다.

10 다음 사상의 관점에서 동의할 주장을 〈보기〉에서 고른 것은?

> • 그 사람됨이 효(孝)와 제(悌)를 실천하면서도 윗사람에게 덤비는 경우는 드물다. 군자는 근본에 힘쓰니, 근본이 세워짐에 도(道)가 생겨난다.
> • 군자의 효는 자신의 집에서만 드러나는 것이 아니다. 집안에서의 효가 온 세상의 어버이를 공경하는 것으로 드러나고, 집안에서의 아우 사랑이 온 세상의 형을 공경하는 것으로 드러난다.

보기

ㄱ. 이웃 어른에 대한 공경이 효도에 앞서야 한다.
ㄴ. 나의 부모와 남의 부모를 동등하게 사랑해야 한다.
ㄷ. 부모에 대한 사랑과 형제자매 간의 우애를 수신의 근본으로 삼아야 한다.
ㄹ. 자신의 부모를 먼저 공경함으로써 이웃 어른에 대한 공경도 실천할 수 있다.

① ㄱ, ㄴ ② ㄱ, ㄷ ③ ㄴ, ㄷ
④ ㄴ, ㄹ ⑤ ㄷ, ㄹ

11 다음 사상에 대한 옳은 설명만을 〈보기〉에서 있는 대로 고른 것은?

> 젊은이는 집에 들어와서는 효도하고 밖에 나가서는 공손하여야 하며, 근신하고 신의를 지키며 널리 사람들을 사랑하되 어진 이를 가까이할 것이다. 이렇게 행하고 남는 힘이 있다면 곧 학문을 할 것이다.

보기

ㄱ. 효가 덕 있는 행실의 근본이라고 본다.
ㄴ. 효의 실천과 우애의 실천은 별개라고 본다.
ㄷ. 효의 궁극적인 목적은 물질적 봉양이라고 본다.
ㄹ. 효의 시작은 자신을 상하게 하지 않는 것이라고 본다.

① ㄱ, ㄴ ② ㄱ, ㄹ ③ ㄴ, ㄷ
④ ㄱ, ㄷ, ㄹ ⑤ ㄴ, ㄷ, ㄹ

12 다음 사상의 입장으로 옳지 않은 것은?

> 효자가 부모를 섬길 때에는 그 마음을 기쁘게 하며, 부모의 뜻을 어기지 않으며, 부모가 듣고 보는 것을 즐겁게 하며, 부모의 잠자리와 거처를 편안케 해 드리며, 맛있는 음식을 드려서 성의껏 모신다. 이런 까닭에 부모가 사랑하시던 것을 사랑하고, 부모가 공경하던 이를 공경한다.

① 부모와 자식은 서로 친밀한 관계를 유지해야 한다.
② 자식은 보은의 마음을 바탕으로 효를 실천해야 한다.
③ 부모와 자식은 수평적 관계이므로 상호 공경해야 한다.
④ 자녀는 양지(養志)와 함께 물질적 봉양에도 힘써야 한다.
⑤ 간언을 할 때에는 친애(親愛)의 마음을 신중하게 표현해야 한다.

13 다음 사상의 입장으로 가장 적절한 것은?

> 임금이 명령하면 신하는 공손하게 받들며, 아버지는 자애하고 아들은 효도하며, 형은 사랑하고 아우는 공경하며, 남편은 온화하고 아내는 유순하며, 시어머니는 자애하고 며느리는 순종하는 것이 예법이다. 예(禮)가 아니면 보지 말고 예가 아니면 듣지 말고 예가 아니면 말하지 말고 예가 아니면 움직이지도 말아야 한다.

① 형은 부모와 같은 마음으로 동생을 보살펴야 한다.
② 가족과 이웃을 구별하지 말고 똑같이 사랑해야 한다.
③ 부모와 자식은 수평적 관계에서 사랑을 나누어야 한다.
④ 부부는 음양의 관계처럼 수직적 질서를 유지해야 한다.
⑤ 출세하여 이름을 떨치는 것을 효의 시작으로 여겨야 한다.

14 전통 사회의 인간관계 A, B에 대한 옳은 설명만을 〈보기〉에서 있는 대로 고른 것은?

> • [A]은/는 백성을 낳게 하는 시초이고 만복의 근원이다. 혼인을 의논하며, 폐백을 드리고 친히 맞이함은 그 분별을 두텁게 하는 것이다.
> • [B]은/는 비록 뼈와 살은 나누어져 있으나 본래 하나의 기운에서 난 것이며, 비록 형태나 몸체는 다르나 본래 부모님의 한 핏줄을 이어받은 것이다.

보기

ㄱ. A는 신체적 차이를 인정하면서 서로 도움을 주고받는 관계이다.
ㄴ. B는 서로 우애 있게 지냄으로써 효(孝)를 실천할 수 있는 관계이다.
ㄷ. B는 항렬(行列)이 다르기 때문에 서로에게 예(禮)를 갖추어야 하는 관계이다.
ㄹ. A, B는 상대방에게 서(恕)의 덕목을 베풀어야 하는 혈연관계이다.

① ㄱ, ㄴ ② ㄱ, ㄹ ③ ㄷ, ㄹ
④ ㄱ, ㄴ, ㄷ ⑤ ㄴ, ㄷ, ㄹ

딱풀 p. 16

15 다음 사상가의 관점에서 본 사랑의 의미를 세 가지 서술하시오.

> 사랑은 상대방의 생명과 성장에 적극적으로 관여하는 것이다. 사랑의 기본적인 요소들은 보호와 책임, 존경, 지식이며, 이들은 서로 의존하고 있다. 이러한 요소들은 성숙한 인간, 즉 내재적인 힘에 바탕을 둔 겸손한 사람에게서만 찾아볼 수 있다.

16 ㉠의 질문에 대한 답을 세 가지 서술하시오.

> 성은 태어나면서부터 주어지는 생물학적 성차를 말하는 생물학적 성을 의미하기도 하고, 사회·문화적으로 형성되고 구성되는 사회·문화적 성을 의미하기도 한다. 또한 포괄적인 성적 욕망인 욕망으로서의 성을 의미하는 말로 사용되기도 한다. 그렇다면 ㉠ 성이 지니는 가치는 무엇이며, 이러한 가치를 실현하기 위해 필요한 덕목은 무엇일까?

17 (가) 사상가의 입장에서 (나)에 대한 반론을 서술하시오.

> (가) 너 자신의 인격에서나 다른 모든 사람의 인격에서 인간을 항상 동시에 목적으로 대하고, 결코 한낱 수단으로 대하지 않도록 행위 하라.
> (나) 성 상품화는 성적 자기 결정권과 표현의 자유, 자본주의의 논리에 근거하여 정당화할 수 있다. 인간은 누구나 성적 자기 결정권을 행사하여 자신의 성을 상품화하고 성적 매력을 표현할 수 있으며, 이를 통해 이윤을 극대화할 수 있다.

18 다음 글을 읽고 물음에 답하시오.

> 뼈와 살은 비록 나누어졌으나 ㉠ 본래 한 기운에서 태어났으며, 형체는 비록 다르나 본래 한 핏줄을 받았다. 나무에 비유하면 뿌리는 같으나 가지가 다른 것과 같고, 물에 비유하면 근원은 같으나 흐름이 다른 것과 같다. 그러므로 [㉡]은/는 서로 화합하여 길을 갈 때는 기러기 떼처럼 나란히 가야 한다.

(1) ㉠을 의미하는 한자어를 쓰시오(3글자).

(2) ㉡의 인간관계에서 실천해야 하는 규범에 대해 서술하시오.

19 다음 글을 읽고 물음에 답하시오.

> • 사람이 있고 난 뒤 부부(夫婦)가 있고, 부부가 있고 난 뒤 부자(父子)가 있으며, 부자가 있고 난 뒤에 [㉠]이/가 있다.
> • [㉠]은/는 비록 몸이 나뉘어 있지만 같은 기운을 타고난 존재이므로 행실이 도리에 어긋나더라도 서로 사랑하지 않을 수 없다.

(1) ㉠에 들어갈 알맞은 말을 쓰시오.

(2) ㉠ 관계의 두 가지 측면을 서술하시오.

딱풀 p. 18

| 수능 기출 |

01 다음 사상가의 입장으로 옳지 않은 것은?

> 사랑은 본래 '주는 것'이다. 시장형 성격의 사람은 사랑을 받는 것에 대한 교환의 의미로만 주어야 한다고 본다. 비생산적인 성격의 사람은 주는 것을 가난해지는 것으로 생각해서 대부분은 주려고 하지 않는다. 다만 어떤 사람은 환희의 경험보다 고통을 감수하는 희생이라는 의미에서 사랑을 주는 것을 덕으로 삼는다. 그들은 모두 사랑에 대해 오해하고 있다. 생산적인 성격의 사람은 사랑을 주는 것이 잠재적인 능력의 최고 표현이며 생산적인 활동이라고 본다. 이것은 상대방의 생명과 성장에 적극적인 관심을 가지는 것이고, 자발적으로 책임지는 것이며, 착취 없이 존경하는 것이다.

① 사랑은 자신을 희생하여 상대방이 원하는 것을 들어주는 것이다.
② 사랑은 상대방의 요청에 성실하게 응답할 준비를 갖추는 것이다.
③ 사랑은 상대방이 자기 능력을 최대한 발휘하도록 돌보는 것이다.
④ 사랑은 상대방을 지배하는 것이 아니라 있는 그대로 보는 것이다.
⑤ 사랑은 능동적으로 활동하여 자신의 생동감을 고양하는 것이다.

| 교육청 기출 |

02 그림의 강연자가 지지할 수 있는 주장만을 〈보기〉에서 있는 대로 고른 것은?

> 사랑이란 누군가를 배려하고 알고자 하며, 그에게 몰입하고 그를 보고 즐거워하는 모든 것을 내포합니다. 또한 사랑은 상대방을 소생시키며 그의 생동감을 증대시켜 서로의 생장을 낳는 과정입니다. 하지만 소유하려는 사랑은 사랑하는 대상을 구속하고 지배함을 의미합니다. 사랑을 소유하려는 그릇된 기대가 결국 사랑을 멈추게 만듭니다.

보기

ㄱ. 사랑은 서로의 모습을 존중하고 인정하는 것이다.
ㄴ. 사랑은 서로가 온전히 성장할 수 있도록 돕는 것이다.
ㄷ. 사랑은 상대의 모든 것을 소유할 때 실현되는 것이다.
ㄹ. 사랑은 상대를 알아가면서 이해하려고 노력하는 것이다.

① ㄱ, ㄴ　② ㄴ, ㄷ　③ ㄷ, ㄹ
④ ㄱ, ㄴ, ㄹ　⑤ ㄱ, ㄷ, ㄹ

03 (가)의 입장들을 (나) 그림과 같이 탐구하고자 할 때, A~D에 해당하는 질문만을 〈보기〉에서 있는 대로 고른 것은?

(가)
갑: 결혼 제도 내에서 출산과 관련하여 이루어지는 성적 활동만이 정당하다.
을: 당사자들 간의 자유의사에 따라 이루어지고, 타인에게 해를 끼치지 않는 성적 활동은 정당하다.
병: 사랑이 있는 성은 우리의 자아실현과 인격 완성에 중요한 역할을 한다. 따라서 결혼과 관계없이 사랑을 바탕으로 한 성은 정당하다.

(나)
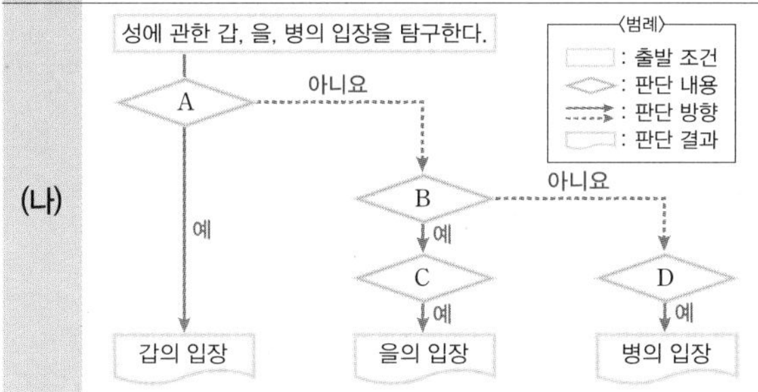

보기

ㄱ. A: 부부 사이에서 이루어지는 성만이 정당한가?
ㄴ. B: 당사자들이 동의한 사랑 없는 성적 활동은 허용될 수 있는가?
ㄷ. C: 쾌락을 주는 성적 활동은 모두 도덕적으로 정당한 것인가?
ㄹ. D: 사랑은 인간의 성에 특별한 가치와 존엄성을 부여하는가?

① ㄱ, ㄷ　② ㄱ, ㄹ　③ ㄴ, ㄷ
④ ㄱ, ㄴ, ㄹ　⑤ ㄴ, ㄷ, ㄹ

04 다음 입장에 대한 옳은 설명을 〈보기〉에서 고른 것은?

> 사랑이 있는 성은 다른 인격과 하나가 되는 경험을 제공함으로써 인간의 자아실현과 인격 완성에 중요한 역할을 한다. 반면 사랑이 없는 성은 인간을 짐승 또는 그 이하의 존재로 전락시키고, 인격을 파편화하여 인격의 통합성을 파괴한다. 그러므로 사랑은 인간의 성이 도덕적이기 위한 필요충분조건이다.

보기

ㄱ. 성의 본래적 가치는 생식적 가치에 있다고 본다.
ㄴ. 사랑만이 인간의 성을 존엄하게 만들어 준다고 본다.
ㄷ. 성적 쾌락은 그 자체로 순수한 가치를 지닌다고 본다.
ㄹ. 결혼이나 출산과 관련된 성도 도덕적이지 않을 수 있다고 본다.

① ㄱ, ㄴ　② ㄱ, ㄹ　③ ㄴ, ㄷ
④ ㄴ, ㄹ　⑤ ㄷ, ㄹ

05 갑, 을의 입장을 그림으로 표현할 때, A~C에 해당하는 옳은 진술만을 〈보기〉에서 있는 대로 고른 것은?

갑: 인격은 하나의 절대적 통일체이므로 신체의 일부를 취하는 것은 동시에 전체 인격을 취하는 것이다. 한 인격이 다른 인격과 자신의 인격을 상실하지 않고 성적 관계를 맺는 것은 혼인하에서만 가능하다.
을: 인간의 성욕에는 타인과 신체적·정서적·정신적으로 합일하고자 하는 욕구, 하나의 삶을 공유하려는 욕구가 자리하고 있다. 이러한 욕구는 사랑을 지향한다. 그러므로 사랑은 인간의 성을 도덕적으로 만든다.

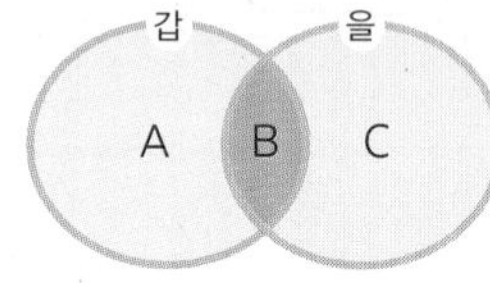

〈범 례〉
A: 갑만의 입장
B: 갑, 을의 공통 입장
C: 을만의 입장

보기
ㄱ. A: 성행위의 필요충분조건은 자발적 동의이다.
ㄴ. A: 부부간 성행위만이 도덕적으로 허용될 수 있다.
ㄷ. B: 성행위에는 타인의 인격 존중이 전제되어야 한다.
ㄹ. C: 상대에 대한 사랑을 전제한 성행위는 도덕적이다.

① ㄱ, ㄴ ② ㄱ, ㄷ ③ ㄷ, ㄹ
④ ㄱ, ㄴ, ㄹ ⑤ ㄴ, ㄷ, ㄹ

06 갑이 을에게 제기할 수 있는 비판으로 가장 적절한 것은?

갑: 여성은 태어나는 것이 아니라 그렇게 만들어지는 것이다. 여성성과 남성성은 불평등한 사회화 과정에 의해 형성되는 것이지 원래부터 다른 것이 아니다.
을: 여성과 남성이 생각하고 지각하고 느끼는 방식은 근본적으로 다르다. 예를 들어 남성은 목표 지향적이지만, 여성은 관계 지향적이다.

① 여성과 남성의 생물학적 차이를 무시하고 있다.
② 여성과 남성의 성향 차이는 후천적인 것임을 간과하고 있다.
③ 여성과 남성 사이에 능력적인 우열이 있음을 간과하고 있다.
④ 여성과 남성의 성향에 자연적인 차이가 있음을 모르고 있다.
⑤ 여성과 남성 각자에게 고정불변의 역할이 있음을 모르고 있다.

| 교육청 응용 |

07 다음 사상가가 〈문제 상황〉의 A에게 제시할 수 있는 조언으로 가장 적절한 것은?

인격을 지닌 인간은 목적적 존재이며 소유할 수 있는 사물이 아니므로 자신의 의지대로 처분할 수 없다. 신체는 절대적 통일체인 인격의 일부이다.

〈문제 상황〉

A는 금전적 보상을 대가로 사람들에게 성적 쾌락을 주는 일에 참여할 것인지 진지하게 고민하고 있다.

① 사람들의 다양한 성적 취향을 존중하렴.
② 자신을 인격체가 아닌 사물처럼 취급하지 않도록 하렴.
③ 어떤 경우에도 성적 욕망을 채우려 해서는 안 된다는 것을 생각하렴.
④ 성적 자기 결정권에 따라 어떤 성적 행동도 정당화된다는 것을 생각하렴.
⑤ 상호 동의하에 이루어진 모든 성적 활동은 정당화할 수 있다는 것을 고려하렴.

08 갑의 주장에 대해 을이 제기할 수 있는 적절한 비판만을 〈보기〉에서 있는 대로 고른 것은?

갑: 인간은 자신의 성적 매력을 발휘할지 결정할 수 있는 권리와 성적 매력을 표현할 수 있는 자유를 가지고 있습니다. 그러므로 상품의 판매를 위해 성적 매력을 이용하는 것도 가능합니다.
을: 인간의 성은 상품처럼 사고팔거나, 다른 상품을 팔기 위한 수단이 될 수 없습니다. 성 상품화는 그 자체로 소중한 성의 가치와 의미를 변질시킬 뿐만 아니라 외부의 강요 없이 스스로 자신의 성적 행동을 결정할 수 있는 권리를 침해합니다.

보기
ㄱ. 성이 지닌 인격적 가치를 훼손해서는 안 된다.
ㄴ. 성을 이용한 자유로운 이윤 추구를 허용해야 한다.
ㄷ. 성적 자기 결정권을 올바르게 행사할 수 있어야 한다.
ㄹ. 성적 이미지나 상징을 상품 판매의 도구로 사용해서는 안 된다.

① ㄱ, ㄴ ② ㄱ, ㄹ ③ ㄴ, ㄷ
④ ㄱ, ㄷ, ㄹ ⑤ ㄴ, ㄷ, ㄹ

| 평가원 기출 |

09 다음 사상의 입장으로 가장 적절한 것은?

> 천지가 화합해야 만물이 생성된다. 이와 마찬가지로 남녀가 결혼해야 자손이 태어나고 번영해서 만세에까지 이어진다. ……(중략)…… 남자가 친히 아내를 맞이할 때 선물을 가지고 상견(相見)하는 것은 공경을 통해 부부유별을 밝히려는 것이다. 이처럼 남녀가 유별한 뒤라야 부자가 친하게 되고, 그런 다음에야 도의가 성립되며, 도의에 의해 예의가 제정되고, 그런 다음에야 만사가 안정된다. 만일 남녀의 구별이 분명하지 않고 도의가 성립하지 않는다면, 그것은 금수(禽獸)의 도(道)이다.

① 부부의 예절은 성 역할의 차이를 해소하는 데서 시작한다.
② 금수에게도 사람의 남녀에게 볼 수 있는 분별적 도리가 있다.
③ 남녀가 부부의 연을 맺을 때 일정한 절차가 필요한 것은 아니다.
④ 부부의 도리는 두 사람의 관계보다 각자의 개별성을 중시해야 한다.
⑤ 부부간에도 공경하는 마음을 담아 예절의 형식을 따라야 한다.

10 (가) 사상의 관점에서 (나)의 세로 낱말 (A)에 대한 설명으로 옳은 것은?

(가)	태극이 동(動)하면 양(陽)을 낳고 동이 극에 이르면 정(靜)하고, 정하면 음(陰)을 낳는다. 정이 극에 이르면 다시 동한다. 한 번 움직이고 한 번 멈춤에 있어 서로 뿌리가 되어 음과 양이 두 표준으로 선다.
(나)	(A), (B) 낱말 퍼즐 [가로 열쇠] (A): 오전(五典)의 하나로, 아버지는 의로워야 함을 이름 (B): 맹자가 제시한 이상적 인간상으로, 인(仁), 의(義), 예(禮)를 항상 실천하는 사람 [세로 열쇠] (A): …… 개념

① 신뢰와 믿음을 바탕으로 하는 위계적 관계이다.
② 항렬과 촌수를 고려하여 정성을 다하는 관계이다.
③ 효와 자애를 주고받으며 사랑을 실천하는 관계이다.
④ 동등한 입장에서 서로를 보완하고 존중하는 관계이다.
⑤ 각자 삶의 영역을 구축해 상호 간섭하지 않는 관계이다.

11 다음 내용을 바르게 이해한 학생만을 〈보기〉에서 있는 대로 고른 것은?

> 효의 실천은 부모의 뜻을 단순히 받드는 것만 아니라 부모가 올바른 선택을 하고 바른길을 갈 수 있도록 간언하여 안내하는 것이다. 따라서 부모가 올바르지 않다면 자식은 공손한 태도로 간언하여 부모가 잘못을 저지르지 않도록 최선을 다해야 한다. 다만 한 가지 고려할 점은 부모와 자식 간에 혈육의 정이 있고 또한 부모가 자식에게 무한한 아량을 베풀고 있기에, 비록 올바름을 부모에게 간언하더라도 여러 상황을 고려하고 심사숙고하며 부모의 안색과 조짐을 살펴야 한다는 것이다.

보기
ㄱ. 갑: 효는 호혜적이며 쌍방적인 성격을 지닌다.
ㄴ. 을: 참된 효는 예(禮)와 의(義)를 바탕으로 한다.
ㄷ. 병: 효자는 부모의 잘못에 대해 간언을 해서는 안 된다.
ㄹ. 정: 가정 내에서 자기 역할을 온전히 수행할 때 바람직한 부모 자식 관계가 정립된다.

① ㄱ, ㄷ ② ㄴ, ㄷ ③ ㄷ, ㄹ
④ ㄱ, ㄴ, ㄹ ⑤ ㄴ, ㄷ, ㄹ

12 (가) 사상의 입장에서 (나)의 ㉠, ㉡에 대한 옳은 설명만을 〈보기〉에서 있는 대로 고른 것은?

(가)	포대기에 싸인 채 마냥 웃는 어린아이도 그 어버이를 사랑할 줄 모르지 않고, 장성하여서는 그 형을 존경할 줄 모르지 않는다. 육친을 친애함이 인(仁)이요, 연장자를 공경함이 의(義)이다.
(나)	• ㉠ 은/는 동기간이고 뼈와 살을 나눈 지극히 가까운 친족이니, 서로 미워하거나 원망하여 하늘의 바른 뜻을 무너뜨려서는 안 된다. • 우리의 몸은 사지를 비롯하여 머리카락과 피부에 이르기까지 모두 ㉡ (으)로부터 받은 것이니, 효의 시작은 이를 결코 상하지 않게 하는 것이다.

보기
ㄱ. ㉠의 관계를 통해 장유유서의 도리를 배울 수 있다.
ㄴ. ㉡은 자애를 베풀어 자녀가 건강하게 성장할 수 있도록 도와야 한다.
ㄷ. ㉠과 ㉡ 사이에는 상호 평등한 횡적 관계가 성립된다.
ㄹ. ㉠이 우애 있게 지내는 것은 ㉡의 은혜에 보답하는 것이다.

① ㄱ, ㄷ ② ㄴ, ㄷ ③ ㄷ, ㄹ
④ ㄱ, ㄴ, ㄹ ⑤ ㄴ, ㄷ, ㄹ

01. 삶과 죽음의 윤리~생명 윤리

① 출생과 죽음의 의미

• 출생과 생명의 윤리적 의미

출생의 윤리적 의미	• 유교: 도덕적 주체로서 삶의 출발점 • 자연법 윤리: 인간의 자연적 성향을 실현하는 과정 • 가족과 사회 구성원으로서 사는 삶의 시작
생명의 윤리적 의미	일회적이고 고유하며 유한함 → 대체 불가능한 본래적 가치를 지님

• 죽음에 대한 철학적 견해

동양의 죽음관	• 공자: 죽음보다 현세의 도덕적 삶에 충실할 것을 강조함 • 장자: 삶과 죽음은 자연스럽고 필연적인 과정 → 삶에 집착하거나 죽음을 두려워할 필요 없음 • 불교: 죽음은 고통의 하나이자, 다음 세상으로 윤회하는 과정
서양의 죽음관	• 플라톤: 죽음은 영혼이 해방되어 이데아의 세계로 돌아가는 것 • 에피쿠로스: 죽음을 경험할 수 없고, 죽은 이후에 감각할 수 없음 → 죽음을 두려워할 필요 없음 (두 사상의 공통점) • 하이데거: 현존재인 인간은 죽음을 직시할 때 진정한 삶을 살 수 있음
죽음의 윤리적 의미	• 삶의 소중함을 깨닫는 계기 • 인간관계의 소중함을 깨닫게 하는 계기 • 어떻게 살아가야 하는지를 깨닫는 계기

② 출생과 죽음에 관한 윤리적 쟁점

• 인공 임신 중절의 윤리적 쟁점 → 핵심 쟁점은 태아의 도덕적 지위를 인간과 동일하게 볼 것이냐 하는 것임

허용	• 선택 옹호주의: 여성의 선택권 존중 • 태아의 지위: 태아는 완전한 인간으로 볼 수 없음
반대	• 생명 옹호주의: 태아의 생명권 존중 • 태아의 지위: 태아는 인간과 동일한 도덕적 지위를 지님

• 생식 보조술의 윤리적 쟁점

찬성	불임 부부의 고통을 덜어 주고 출생률을 높여 줌
반대	• 생명체의 탄생에 인위적으로 개입하는 것은 자연의 섭리에 어긋남 → 자연법 윤리의 측면 • 여러 가지 윤리적 문제 발생: 아기의 친권 문제, 정자와 난자 판매 문제, 대리 임신을 위한 금전 거래 문제, 여분의 수정란과 배아 처리 문제

• 뇌사의 윤리적 쟁점

뇌사 인정	• 뇌 기능 정지 시 인간의 고유한 활동 불가 → 죽음 = 뇌사 • 뇌사자의 장기로 다른 생명을 구할 수 있음
뇌사 불인정	• 뇌 기능이 정지하더라도 생명을 유지할 수 있음 → 죽음 = 심폐사 • 실용주의 관점은 인간의 가치를 위협할 수 있음

• 안락사에 대한 찬반 논쟁

찬성론	• 인간은 죽음을 선택하고 인간답게 죽을 권리가 있음 • 환자는 치료를 거부할 권리가 있고, 환자와 환자 가족의 고통을 덜어 줄 수 있음
반대론	• 인간은 죽음을 선택할 권리를 가지고 있지 않음 → 안락사는 생명의 존엄성을 훼손함 • 안락사를 허용할 경우 생명 경시 풍조가 확산될 수 있음

• **자살의 윤리적 문제점:** 자신의 생명과 인격을 훼손하고 자아실현의 가능성을 차단함. 고통을 모면하기 위한 자살은 자신을 수단으로 삼는 것임(칸트)

③ 생명 복제와 유전자 치료 문제

- **생명 복제의 윤리적 쟁점:** 인간 배아 복제에 관한 논쟁, 인간 개체 복제에 관한 논쟁
- **유전자 치료의 윤리적 쟁점:** 생식 세포 치료에 관한 논쟁, 유전 형질 개량에 대한 논쟁

④ 동물 실험과 동물 권리의 문제

- **동물의 권리 논쟁**

→ 동물은 도덕적으로 고려받을 권리가 없다고 봄

구분	내용
인간 중심주의	• 데카르트: 동물은 고통과 쾌락을 느낄 수 없음 → 동물 실험 옹호의 입장 • 아퀴나스, 칸트: 동물을 대하는 태도가 인간을 대할 때도 영향을 줌 → 동물을 함부로 다루면 안 됨
동물 중심주의	• 벤담, 싱어: 동물도 고통과 쾌락을 느낌(쾌고 감수 능력 보유) → 동물의 이익도 동등하게 고려해야 함 • 레건: 삶의 주체가 될 수 있는 일부 동물은 그 자체로 목적이 되어야 함

→ 동물도 도덕적으로 고려받을 권리가 있다고 봄

- **동물 실험 논쟁**

구분	내용
옹호론	• 동물 실험의 결과가 인간에게도 유효함 • 동물 실험의 완벽한 대안이 없음
반대론	• 동물과 인간이 공유하는 질병이 적음 → 동물 실험의 결과는 인간에게 유효하지 않음 • 목적이 불분명하고 필수적이지 않은 실험이 시행됨

02. 사랑과 성 윤리

① 사랑과 성의 관계

- **프롬의 사랑:** 책임, 존경, 이해, 보호 등과 같은 인격적 가치가 내포되어야 함
- **성의 가치:** 생식적 가치, 쾌락적 가치, 인격적 가치
- **사랑과 성을 바라보는 관점**

보수주의	결혼 제도 내에서 출산과 양육에 대한 책임을 질 수 있는 성만이 도덕적으로 정당함
급진적 자유주의	상호 동의하에 타인에게 해를 주지 않으면 성적 호감과 관심만으로도 성이 가능함
온건한 자유주의	사랑과 결합한 성만이 인간의 고유한 품격을 유지하게 함 → 사랑이 있는 성 추구

- **성과 관련된 윤리적 문제:** 성차별, 성적 자기 결정권의 행사, 성 상품화 논쟁

② 결혼과 가족의 윤리

- **부부간의 윤리**

구분	내용
동양	음양론(陰陽論) 기반 → 부부는 상호 보완적이고 대등한 관계로 서로 공경해야 함(부부유별, 상경여빈)
서양	개인의 자유와 주체성 강조 → 부부간의 균형과 조화의 태도 지향

- **가족 해체:** 가족의 형태가 축소되고, 가족의 기본적인 기능이 약화하는 현상

구분	내용
원인	사회 구조 변화와 의학 기술의 발전 → 혼인율과 출생률의 급격한 감소
영향	• 개인의 삶을 불안하게 만듦 • 사회의 근본적인 변화를 가져옴 • 가족 공동체 와해 → 사회 전체에 부정적인 영향

- **가족 해체 극복 방안으로서의 가족 윤리:** 『사기』의 오전, 오륜 등에서 찾아볼 수 있음

구분	내용
부부간	부부유별, 상경여빈, 부부상경 등
부모 자식 간	효, 자애, 부의, 모자, 자효, 부자유친 등
형제자매 간	형우, 제공, 효제, 우애 등

III

사회와 윤리

이 단원의 핵심 포인트

중단원	핵심 포인트	학습일
01 직업과 청렴의 윤리	• 동서양의 직업관 • 기업의 사회적 책임과 기업가 윤리 • 공직자 윤리와 청렴	월 일 ~ 월 일
02 사회 정의와 윤리	• 사회 윤리의 특징 • 분배적 정의에 대한 다양한 입장 • 사형 제도에 대한 다양한 입장	월 일 ~ 월 일
03 국가와 시민의 윤리	• 국가 권위의 정당화 근거 • 시민 불복종	월 일 ~ 월 일

셀파와 내 교과서 단원 비교

셀파	천재교과서	금성	미래엔	비상교육	지학사
01 직업과 청렴의 윤리	01 직업과 청렴의 윤리	01 직업과 청렴의 윤리	01 직업과 청렴의 윤리	1 직업과 청렴의 윤리	01 직업과 청렴의 윤리
02 사회 정의와 윤리	02 사회 정의와 윤리	02 사회 정의와 윤리	02 사회 정의와 윤리	2 사회 정의와 윤리	02 사회 정의와 윤리
03 국가와 시민의 윤리	03 국가와 시민의 윤리	03 국가와 시민의 윤리	03 국가와 시민의 윤리	3 국가와 시민의 윤리	03 국가와 시민의 윤리

01

직업과 청렴의 윤리

1 직업 생활과 행복한 삶

1. 직업의 의미와 기능

경제적 보상, 자발성, 지속성은 직업과 직업 아닌 것을 구분하는 기준이다.

구분	내용
의미	• 인간이 독립적 삶을 위해 경제적 보상을 받으며 행하는 자발적이고 지속적인 일·활동 • 동양[1]: 유교는 직업을 하늘이 맡긴 일, 나누는 일 등으로 이해해 희생과 봉사 강조 • 서양[2]: 직업을 뜻하는 용어에 생계직, 소명직, 전문직의 의미가 담김
기능	• 생계유지: 경제적 보상 획득 ➡ 수단적 직업관 • 자아실현: 잠재력과 능력 발휘, 자아 정체성 형성 ➡ 자아실현적 직업관 • 사회적 역할 분담: 사회생활 참여, 사회 발전 기여 ➡ 참여적 직업관

2. 동서양의 직업관

(1) 동양 자료 01

① 공자 자신의 직분에 충실해야 한다는 정명(正名) 사상 주장

└ 임금은 임금답고, 신하는 신하답고, 아버지는 아버지답고, 자식은 자식다워야 한다.

② 맹자

- 직업의 도덕적 성격[3] 중시
- 정신노동과 육체노동의 구분과 상보성 강조 ➡ 사회적 분업 인정
- 노심자(勞心者)의 노력자(勞力者) 배려 강조

└ 마음을 수고롭게 하는 사람 └ 몸을 수고롭게 하는 사람

③ 순자

- 인간은 본래 이기적이고 욕망의 존재이므로 예(禮)를 통해 욕망을 적절하게 절제해야 함
- 직업의 물질적 욕망 충족 기능 강조, 능력에 따른 역할 분담 주장

④ 정약용[4] 직업을 신분적 질서가 아닌 사회 분업에 따라 직능적으로 파악

(2) 서양 자료 02

① 고대 그리스(플라톤) 직업을 통해 각자의 고유한 기능을 탁월하게 발휘하여 덕 실현 가능

└ 다른 일에 관여해서는 안 된다.

- 능력에 따른 사회적 역할 분담 강조
- 육체노동을 정신노동보다 열등한 것으로 간주

「구약 성서」: 땅은 너로 말미암아 저주를 받고, 너는 종신토록 수고해야 그 생산물을 먹으리라.

② 중세 그리스도교 노동은 원죄에 대한 벌 ➡ 속죄의 차원에서 죽을 때까지 노동해야 함

③ 근대 프로테스탄티즘(칼뱅)

— 베버는 프로테스탄티즘이 부의 축적을 정당화하여 자본주의 발달을 도왔다고 본다.

- 직업은 신이 부여한 소명(召命)이고 이웃 사랑의 실천과 사회적 책임 이행 수단

— 직업을 통해 창조주의 노동에 동참할 수 있다.

- 직업적 성공과 부의 축적은 구원의 징표

└ 신의 영광을 드러낼 수 있다.

3. 현대 직업 생활과 행복

(1) **직업과 행복** 직업은 삶의 목적인 행복 실현의 바탕 ➡ 적성, 능력, 가치관 고려 필요

(2) **현대 직업 생활의 문제**

구분	내용
소외의 문제 자료 03	• 산업화 시대에 나타난 인간의 개성 상실과 창의성 약화로 소외 문제 발생 • 마르크스: 자본주의적 분업이 생산 과정에서 노동력 착취와 노동의 소외 문제 초래 ➡ 노동을 통해 자기 본질[유(類)적 본질]을 실현하는 인간 존재의 특성을 회복해야 함
직업의 귀천 문제	• 직업을 부의 획득과 과시 수단으로 여기며 귀천을 따짐 • 프롬: 소유 지향적 자본주의 사회에서는 존재가 소유에 가려지기 쉬움 ➡ 존재 지향적 직업 생활로 잠재 능력의 능동적 발휘와 자아실현 가능

└ 이타심에 근거한 연대를 추구한다.

(3) **직업 탐색과 진로 계획** 직업을 통해 행복을 달성하려면 진로 계획과 준비[5] 필요

---

1 동양에서 직업의 단어적 의미
직(職)은 사회적 지위나 역할, 업(業)은 생계 유지를 위한 노동(생업)을 의미한다.

2 서양에서 직업의 단어적 의미
영어 'occupation, job'은 경제적 측면이 강조된 생계직, 'vocation, calling'은 신으로부터 부여받은 소명직, 'profession'은 사회적 위상이나 지위를 뜻하는 전문직을 의미한다.

3 맹자의 직업과 도덕
맹자는 생업(직업)의 수행은 윤리적 인격과 정서적 안정의 조건이고, 생업은 검약과 절제를 배우는 계기라고 본다.

4 실학자의 직업관
조선의 실학자는 생업 활동에 따른 물질적 풍요를 백성의 교양과 도덕적 인격의 기초로 보고, 인간의 능력이 선천적으로 정해진 것이 아니라고 보아 능력에 맞게 선발해 관직을 줄 것을 주장한다. 특히 정약용은 공동체의 필요에 따라 신분과 직능의 구분을 국가가 배정해야 한다고 본다.

고득점을 위한 셀파 Tip 비교

| 분업에 관한 사상가의 입장 |

맹자, 순자, 실학자, 플라톤
사회적 분업 차원에서 능력과 재능을 고려한 역할 분담 인정

마르크스
노동의 분업은 노동자를 상품으로 만들고 타자에게 속하게 함

5 진로 설계 과정
자아 특성 분석 → 적합한 직업 탐색 → 선호 직업 세부 정보 탐색 → 진로 목표 선정 및 미래 모습 그리기 → 진로 목표 달성에 필요한 역량 점검 → 세부 진로 계획 수립

셀파 자료 탐구

마르크스의 직업관과 비교하는 문제가 출제되고는 해.

자료 01 동양의 직업관

갑: 사람은 남에게 차마 하지 못하는 마음[不忍人之心]이 있다. 그러한 선한 마음은 직업 활동을 통해 확충될 수 있다. 그러므로 직업을 선택할 때에는 신중하지 아니할 수 없다. 선비는 일정한 생업[항산(恒産)]이 없더라도 일정한 마음[항심(恒心)]을 가질 수 있다. 그러나 백성은 항산이 없으면 항심을 가질 수 없고, 항심이 없으면 편벽하고 악해질 것이다. 대인(大人)이 할 일과 소인(小人)이 할 일이 있다. 모든 것을 손수 만들어 사용해야 한다면 모두가 지치게 될 것이다. 그래서 어떤 사람은 마음을 수고롭게 하고[勞心] 어떤 사람은 몸을 수고롭게 한다[勞力].

을: 누구나 본성적으로 이익만 좋아하기에 쉬운 일만을 원하고, 힘든 일을 싫어한다. 그래서 도(道)에 정통한 군자는 사람들마다 가볍고 무거움을 나누어[別] 서로 어울리게 한다. 농부는 밭일에 정통하고 상인은 장사에 정통하며 공인(工人)은 그릇을 만드는 일에 정통하지만, 그 일을 지도하는 관리가 될 수는 없다. 관리는 이 일을 하나도 못하지만 예(禮)에 정통하기에 이 일을 다스릴 수 있다. 왕공의 자손이라도 예에 합하지 않으면 서민에 편입하고, 서민의 자손이라도 학문을 닦고 품행을 단정히 하여 예에 합하면 재상에 올린다.

병: 사농공상(士農工商)에 관계없이 놀고먹는 자는 관에서 벌칙을 내려야 한다. 재능과 학식이 있으면 비록 농사꾼의 자식이 벼슬길에 올라도 분수에 넘치는 것이 아니다.

자료 분석 | 갑은 맹자, 을은 순자, 병은 실학자 홍대용이다. 맹자는 백성이 도덕적 마음인 항산을 지니려면 직업이 필요하다고 보고, 통치자가 구성원의 생계 수단을 마련해 주어야 한다고 주장하며, 공동체의 질서 유지를 위해 분업을 중시한다. 또한 선한 마음이 직업 활동에서 확충될 수 있다고 여긴다. 순자도 질서 유지를 위해 분업이 필요하다고 보고, 역할 분담의 기초로 예를 중시한다. 실학자는 신분이 아니라 능력에 따라 직업을 구분할 것을 주장한다.

자료 02 서양의 직업관

갑: 사회를 이루는 세 계층은 타고난 성향에 따라 한 가지 일에 배치되어야 한다. 각자 자신이 맡은 일에서 탁월함을 발휘해 조화를 이룰 때 그 사회는 정의롭게 된다. 서로의 일에 참견하는 것은 사회에 해악을 끼치는 일이다.

을: 인간은 구원을 예정해 놓은 신의 부르심에 노동을 통해 응답해야 한다. 신은 여러 가지 삶의 양식을 구분해 놓음으로써 각 개인이 해야 할 일을 정해 두었기 때문이다. 신은 만사가 혼란에 빠지지 않도록 우리에게 각각의 소명을 지정하였다. 우리는 신의 축복에 의해 양육되고, 우리의 노동도 신의 축복에 의해 번성한다.

자료 분석 | 갑은 플라톤, 을은 칼뱅이다. 플라톤은 사회 질서 유지에 분업이 필요하다고 보고, 역할 분담에서 탁월성을 중시한다. 프로테스탄트는 노동을 신의 명령으로 보고, 금욕과 절제를 강조하며, 부의 축적을 구원의 징표로 정당화하여 자본주의 발달에 영향을 주었다.

자료 03 마르크스의 '노동으로부터의 소외'

노동은 인간이 자신의 자연적인 힘을 사용하여 자연과 관계를 맺는 하나의 과정이다. 그러나 자본주의에서는 노동자가 생산 수단을 사용하는 것이 아니라 생산 수단이 노동자를 사용하는 왜곡이 일어난다. 노동이 분업에 의한 방식으로 바뀌면서 고용주는 자본가가 되어 지휘와 감독, 조절 기능을 담당한다. 분업은 특수한 기능에 적합한 부분 노동자를 양산하며, 노동자는 작업장의 부속물로서 자본의 소유물이 된다.

자료 분석 | 마르크스는 자본주의에서는 노동의 본질이 왜곡되어 소외가 일어난다고 본다. 또한 분업을 비판적으로 바라본다.

기출 선택지 O, X로 정리하기

1 자료 01의 갑은 직업을 선택할 때 생계유지의 문제는 중요하지 않다고 본다. (O, X)

2 자료 01의 갑은 직업 선택에서 사회적 기여보다 개인의 출세를 더 중시해야 한다고 본다. (O, X)

3 자료 01의 을은 백성들의 직업 활동이 욕망 충족과 무관해야 함을 강조한다. (O, X)

4 자료 01의 을은 각자의 직업 활동에서 전문성의 발휘를 중시한다. (O, X)

5 자료 01의 을은 인위적인 규범에 따른 직분의 구별을 주장한다. (O, X)

6 자료 01의 병은 선비가 육체노동을 피하고 학문에 전념할 것을 강조한다. (O, X)

7 자료 01의 갑, 을은 생산과 통치에 대한 역할의 분담이 이루어져야 한다고 본다. (O, X)

8 자료 02의 갑은 모든 직업에 대한 개인들의 선택의 자유를 중시한다. (O, X)

9 자료 02의 갑은 각자의 덕을 발휘하여 국가 공동체에 헌신할 것을 강조한다. (O, X)

10 자료 02의 갑은 구성원들 간의 자유로운 역할 교환을 강조한다. (O, X)

11 자료 02의 을은 노동을 통하여 이웃 사랑을 실천할 것을 강조한다. (O, X)

12 자료 02의 을은 노동을 통한 자본 형성을 부정해야 한다고 본다. (O, X)

13 마르크스는 노동의 분업을 통해 인간 소외를 극복해야 한다고 본다. (O, X)

14 마르크스는 자본주의에서는 노동자의 자아실현이 불가능하다고 본다. (O, X)

정답 1 × 2 × 3 × 4 ○ 5 ○ 6 × 7 ○ 8 × 9 ○ 10 × 11 ○ 12 × 13 × 14 ○

2 직업 윤리와 청렴

1. 직업 윤리의 의미와 특성

(1) **의미** 직업인이 직업 생활에서 지켜야 할 마땅한 도리

(2) **직업 윤리의 일반성과 특수성**

① 일반성(일반 직업 윤리) 직업 윤리에 포함된 모든 인간이 지켜야 하는 기본 윤리 (정직, 성실, 신의, 책임, 의무 등)

② 특수성(특수 직업 윤리) 특정 직업에 요구되는 윤리의 성격으로, 일반성 위에 정립

왜? 직업 윤리의 특수성만 강조하면 윤리 상대주의에 빠질 수 있기 때문이다.

(3) **동서양의 직업 윤리** 정명 정신, 장인 정신[6](동양), 소명 의식(서양)

2. 기업가와 근로자[7] 윤리

(1) **기업가 윤리** 합법적인 이윤 추구, 근로자의 권리[8] 존중, 소비자에 대한 책임 부담, 사회적 책임 이행 자료 04

(2) **근로자 윤리** 자신의 책임과 역할 수행, 전문성 향상, 잠재력 발휘, 동료 근로자와 연대 의식 형성, 기업가와의 협력 추구

(3) **건전한 노사 관계를 위한 노력**

① 개인 윤리적 관점 노사 양측이 관련 법률[9]을 준수해 신뢰 관계를 지속적으로 정착

② 사회 윤리적 관점 정부가 적절한 관련 정책과 제도를 마련·집행하며 노사 간 대립 조정

3. 전문직과 공직자 윤리 및 부패와 청렴

(1) **전문직과 공직자 윤리**

① 전문직

- 의미: 고도의 전문적 교육과 훈련을 거쳐 자격·면허를 취득해야 종사할 수 있는 직업
- 사회 공익적 성격을 띠고 사회적 영향력이 크며 전문 지식과 정보를 이용해 부당 이익을 취하기 쉬우므로 높은 수준의 도덕성과 직업 윤리가 필요

② 공직자 자료 05

- 의미: 국가 기관이나 정부의 예산을 통해 운영되는 공공 단체의 일을 맡아보는 사람
- 높은 사명감과 책임감, 멸사봉공(滅私奉公)의 정신, 시민의 뜻을 수용하여 문제를 적극적으로 해결하려는 자세, 민주성과 효율성의 균형을 유지한 업무 수행 등이 필요

(2) **부패[10]와 청렴**

① 부패

- 의미: 개인의 이익을 위해 자신의 직위를 이용하는 위법 행위
- 문제점: 시민 의식 발달과 사회 발전을 저해하고 국가 신인도 하락을 초래할 수 있음

② 청렴 자료 06

- 의미: 뜻과 행동이 맑고 염치를 알아 탐욕을 부리지 않는 상태
  ➡ 반부패, 투명성, 책임성과 연결
- 필요성: 부패를 방지·근절하고 도덕적 인격을 형성해 자아실현과 공동체 발전에 기여
- 청렴과 관련된 전통 윤리: 청렴하게 살아가고 국가의 일에 충실하려는 청백리(淸白吏) 정신, 이익보다 옳음을 중시하는 견리사의(見利思義)의 자세 등
- 청렴을 위한 사회적·제도적 노력[11] 필요

---

⑥ **장인 정신**
자기 직업에 긍지를 가지고 사회적 책임을 이행하려는 직업의식

⑦ **기업가와 근로자의 관계**
이해관계의 측면에서는 대립적이나 서로에게 의지하여 이익을 얻고 도움을 받는 상보적(상생적) 관계

⑧ **근로자의 권리, 노동 삼권**
단결권, 단체 교섭권, 단체 행동권

⑨ **노사 관계 관련 법률**
근로 기준법, 노동조합 및 노동관계 조정법 등

고득점을 위한 셀파 Tip 개념

| 전문직의 특성 |
- 전문성: 고도의 전문적 훈련을 통해 전문 지식 습득
- 독점성: 일정한 자격을 갖추어야 직무 수행 가능
- 자율성: 자율적·독자적으로 직무 수행

⑩ **부패 발생의 기본 원리**
- 기대 비용 모델
  부패의 기대 비용 = 적발 확률 × 처벌 확률 × 벌칙의 강도 ➡ 부패가 적발될 확률이 높을수록, 적발된 부패의 처벌 가능성이 클수록, 벌칙이 강할수록 기대 비용이 올라가 부패가 적어진다.
- 주인 – 대리인 모델
  부패의 수준 = (대리인의 독점권 + 재량권) – 책임성 – 투명성 ➡ 대리인의 독점적 권한이 많을수록, 재량권이 광범위할수록, 책임이 가볍고 작을수록, 대리 행위가 불투명할수록 부패가 많아진다.

⑪ **청렴을 위한 사회적·제도적 노력**
내부 공익 신고 제도, 청렴도 측정 제도, 청렴 계약제, 시민 단체의 감시 활동, 청탁 금지법 등

자료 04 기업의 사회적 책임의 범위에 관한 입장

(가) 기업의 사회적 책임은 속임수나 기만행위 없이 공개된 자유 경쟁에 참여하라는 게임의 규칙 안에서 기업 이윤을 늘리는 활동을 하는 것이다. 주주의 이익에 봉사하는 것을 넘어서는 사회적 책임이 있다는 견해는 자유 경제의 본질을 오해하는 것이다.

(나) 기업은 이윤을 추구하는 것뿐만 아니라 도덕적 의무를 다해야 한다. 기업은 공익을 위한 활동에도 최선을 다해야 한다. 기업은 앞으로 더 책임 있게 행동하게 될 것이다. 책임 있게 경영하는 기업은 그렇지 못한 경쟁자들에 비해 비즈니스 위험에 덜 노출될 것이다.

자료 분석 | (가)는 기업의 사회적 책임을 합법적인 이윤 추구에 한정해야 한다는 프리드먼의 입장, (나)는 기업의 사회적 책임을 강조하는 입장이다. 기업의 사회적 책임을 강조하는 보겔, 애로우 등은 사회적 책임의 적극적 이행이 장기적으로는 기업에게도 이익이 된다고 주장한다.

자료 05 공직자의 윤리

갑: 화려한 비단옷을 입으며 윗사람에게 바치는 뇌물은 수만 냥이 넘으니 어려운 사람을 위해 베풀 여유가 어디 있겠는가? 절용(節用)이야말로 즐겁게 베푸는 근본이다. 무릇 관부(官府) 안은 마땅히 엄숙하고 맑아야 한다. 친척이나 친구들이 관내에 많이 살면 거듭 엄중하게 단속하여 의심과 비방을 끊고 서로의 친한 정[情誼]을 보전해야 한다. 수령 노릇을 잘하는 자는 반드시 자애로워야 하고, 자애로우려면 반드시 청렴해야 하고, 청렴하고자 하는 자는 반드시 절약해야 한다.

을: 통치자는 사유 재산을 가져서는 안 되며 군인처럼 공동으로 생활해야만 한다. 또한 세상의 금은을 탐해서도 호화로운 집에 기거해서도 안 된다. 왜냐하면 통치자는 오직 자신과 나를 정의롭게 하는 데 힘써야 하기 때문이다.

자료 분석 | 갑은 정약용, 을은 플라톤이다. 정약용과 플라톤은 모두 공직자가 공과 사를 구분하고 엄격하게 자신을 절제할 것을 강조한다. 특히 플라톤은 통치자 계층이 사유 재산을 지녀서는 안 된다고 주장한다.

자료 06 정약용의 '청렴'

청렴은 목민관이 마땅히 지켜야 할 임무이며 모든 덕의 원천이다. 청렴은 천하에서 큰 장사[賈]이다. 그래서 포부가 큰 사람은 반드시 청렴하고자 한다. 청렴하지 못함은 지혜가 모자라기 때문이다. 청렴한 자는 청렴을 편안히 여기고 지혜로운 자는 이를 이롭게 여긴다. 그러므로 지혜로운 선비는 청렴을 몸과 마음의 보배로 삼는다. 청렴하지 않고서 수령 노릇을 제대로 한 사람은 지금까지 한 명도 없었다. 수령이 청렴하지 않으면 백성들이 그를 도적이라 욕하며 원성이 드높을 것이니, 부끄러운 일이다.

자료 분석 | 정약용은 관리가 백성을 사랑하고 공익을 위해 힘쓰려면 청렴의 자세가 필요하다고 강조한다.

기출 선택지 O, X로 정리하기

1 자료 04의 (가)는 기업의 사회적 책임 수행이 장기적인 이익을 위하여 필요하다고 본다. (O, X)

2 자료 04의 (나)는 기업은 기업의 이윤 극대화 이외의 책임을 가지고 있다고 본다. (O, X)

3 자료 04의 (나)는 기업은 이윤 증대를 위해서라도 공익 활동을 수행해야 한다고 본다. (O, X)

4 자료 04의 (가), (나)는 기업 활동의 본질은 정당한 이윤 추구의 극대화에 있다고 본다. (O, X)

5 자료 04의 (가)의 입장에서 볼 때 (나)는 공동선의 추구는 기업의 사회적 책임이 아님을 간과하고 있다. (O, X)

6 자료 05의 갑은 공직자는 곤궁한 사람을 돕는 애민의 자세를 지녀야 한다고 본다. (O, X)

7 자료 05의 갑은 공직자가 청탁의 대가를 받을 경우 이를 백성 구제에 써야 한다고 본다. (O, X)

8 자료 05의 갑은 공직자의 검약은 백성의 충성에 상응하는 조건적 의무여야 한다고 본다 (O, X)

9 자료 05의 을은 공직자의 직무 수행에서 공사(公私)의 구별을 강조한다. (O, X)

10 목민관의 청렴은 애민(愛民)과 봉공(奉公)을 위해 필요한 덕목이다. (O, X)

11 청렴은 목민관의 어떤 과오도 면책시켜 주는 지혜로운 덕목이다. (O, X)

정답 1 × 2 ○ 3 ○ 4 ○ 5 ○ 6 ○ 7 × 8 × 9 ○ 10 ○ 11 ×

개념 완성

1 직업 생활과 행복한 삶

직업	의미	• 인간이 경제적 보상을 받으며 행하는 자발적·지속적인 일 • 서양에서는 직업을 뜻하는 말에 생계직, (❶), 전문직의 의미가 담김
	기능	생계유지, (❷), 사회적 역할 분담
직업관	동양	• 공자: 정명 사상 주장 • 맹자: 직업의 도덕적 성격, 정신노동과 육체노동의 구분과 (❸) 강조 • 순자: 능력에 따른 역할 분담 주장 • 정약용: 사회 분업에 따라 직능적으로 파악
	서양	• 고대 그리스: 능력에 따른 사회적 역할 분담 강조, 정신노동의 우월성 인정 • 중세 그리스도교: 노동은 원죄에 대한 벌 • 프로테스탄티즘: 직업은 신의 (❹), 부의 축적은 구원의 징표
현대 직업 생활 문제	소외 문제	마르크스: 자본주의적 분업은 노동력 착취와 노동의 (❺) 초래 → 노동을 통해 자기 본질을 실현해야 함
	직업의 귀천 문제	• 직업을 부의 획득과 과시 수단으로 여김 • 프롬: 존재 지향적 직업 생활로 잠재력 발휘와 자아실현 가능

2 직업 윤리와 청렴

직업 윤리		• 일반성: 직업 윤리에 포함된 모든 인간이 지켜야 하는 기본 원리 • 특수성: 특정 직업에 요구되는 윤리의 성격 • 동서양의 직업 윤리: 정명 정신, 장인 정신, 소명 의식
기업가와 근로자 윤리	기업가	합법적인 이윤 추구, 근로자의 권리 존중, 소비자에 대한 책임 부담, (❻) 책임 이행 등
	근로자	자신의 책임과 역할 수행, 전문성 향상, 잠재력 발휘, 동료 근로자와 연대 의식 형성, 기업가와의 협력 추구 등
전문직·공직자 윤리와 청렴	전문직	전문성·(❼)·자율성을 지니므로 높은 수준의 도덕성과 직업 윤리 필요
	공직자	높은 사명감과 책임감, 멸사봉공의 정신 등 필요
	청렴	• 부패 방지와 근절, 자아실현과 공동체 발전 기여 • 청렴과 관련된 전통 윤리: (❽) 정신, 견리사의의 자세 등

정답 ❶ 소명직 ❷ 자아실현 ❸ 상보성 ❹ 소명 ❺ 소외 ❻ 사회적 ❼ 독점성 ❽ 청백리

탄탄 내신 문제

01 갑, 을의 입장에 대한 적절한 설명만을 〈보기〉에서 있는 대로 고른 것은?

> 갑: 직업은 단지 한 개인이 경제적 보상을 받으면서 행하는 지속적인 일 또는 활동이라는 의미를 지닌다.
> 을: 직업은 한 개인이 독립적이고 의미 있는 삶을 위해 자신을 구체적으로 실현하는 활동이라는 의미를 지닌다.

보기
ㄱ. 갑은 직업에서 물질적 안정에 의한 생계유지 측면을 강조한다.
ㄴ. 을은 직업에서 사회적 역할 분담에 의한 봉사 측면을 강조한다.
ㄷ. 갑과 달리 을은 직업에 의한 개인의 잠재력 계발을 중시한다.
ㄹ. 갑, 을 모두 직업이 지닌 개인적 가치보다 사회 공동체적 가치를 중시한다.

① ㄱ, ㄴ ② ㄱ, ㄷ ③ ㄴ, ㄹ
④ ㄱ, ㄷ, ㄹ ⑤ ㄴ, ㄷ, ㄹ

02 A의 입장에서 긍정의 대답을 할 질문으로 가장 적절한 것은?

> 주로 공항에서 외국 손님을 맞이하고 운송하는 일을 하는 A는 자신의 직업에 관해 이렇게 말한다. "돈을 많이 벌지는 않지만, 즐기고 있습니다. 전 세계 사람과 대화를 나눌 수 있기 때문입니다. 또 제 일에 자부심을 가지고 있습니다. 왜냐하면 사장 없이 노동자가 없고 노동자 없이 사장이 없듯이 우리 각자가 사회의 중요한 구성원이니까요."

① 직업의 의미는 자아실현이 아닌 경제적 안정인가?
② 직업의 의미는 자기만족과 사회적 역할의 분담인가?
③ 직업의 의미는 자아 성취보다 경제적 이윤 추구인가?
④ 직업의 의미는 물질적 이익만을 함께 나누는 것인가?
⑤ 직업의 의미는 세속에서 신의 뜻을 실현하는 것인가?

03 을의 입장으로 가장 적절한 것은?

> 갑: 의사의 길을 포기하고 제빵사의 길을 선택한 이유는 무엇인가요? 그 선택을 후회한 적은 없나요?
> 을: 부모님의 뜻에 따라 돈을 많이 벌 수 있는 의사가 되었지만, 그때는 제 인생이 없었어요. 하지만 빵을 만들 때는 가슴이 뛰고, 제가 만든 빵을 먹고 손님이 행복해하며 다시 찾아오면 삶의 기쁨을 느끼게 됩니다.

① 직업을 선택할 때는 물질적 풍요를 우선해야 한다.
② 직업을 선택할 때는 부모님의 뜻을 항상 따라야 한다.
③ 직업을 선택할 때는 자신이 행복할 수 있는지를 우선 고려해야 한다.
④ 직업을 선택할 때는 자아 성취보다 사회에 대한 봉사를 우선 고려해야 한다.
⑤ 직업을 선택할 때는 사회 구성원으로서의 역할보다 경제적 안정을 우선해야 한다.

04 (가)의 입장에 비해 (나)의 입장이 갖는 상대적 특징을 그림의 ㉠~㉤ 중에서 고른 것은?

> (가) 직업을 자기만족이라는 이상적 관점으로만 보아서는 안 됩니다. 가장 현실적인 물질적 욕구의 충족 없이 다른 정신적 가치를 중시하는 것은 비현실적입니다.
> (나) 직업을 돈을 벌기 위한 수단만으로 생각해서는 안 됩니다. 왜냐하면 잠재력의 계발이나 사회 구성원으로서의 삶을 소홀히 하면 자신의 직업에서 보람을 느끼기 어렵기 때문입니다.

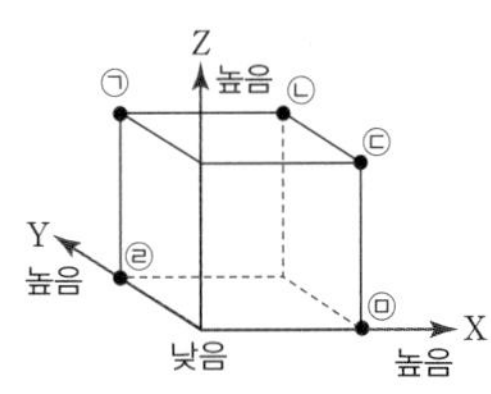

- X: 직업에서 자아실현을 강조하는 정도
- Y: 직업에서 경제적 안정을 강조하는 정도
- Z: 직업에서 사회적 역할 분담을 강조하는 정도

① ㉠ ② ㉡ ③ ㉢ ④ ㉣ ⑤ ㉤

05 다음 사상가의 입장에서 긍정의 대답을 할 질문으로 가장 적절한 것은?

> 대인(大人)이 할 일이 있고, 소인(小人)이 할 일이 따로 있으며, 어떤 사람은 마음을 수고롭게 하고, 어떤 사람은 몸을 수고롭게 한다. 만일 필요로 하는 모든 것을 손수 만들어 사용해야 한다면, 그것은 천하의 사람들을 지쳐 쓰러지게 만들 것이다.

① 정신노동보다 육체노동의 가치를 더 강조해야 하는가?
② 공동체적 삶을 위해서는 각자가 필요한 것을 각자가 만들어야 하는가?
③ 직업의 사회적 의미는 각자에게 선택의 자유가 보장될 때 실현되는가?
④ 각자가 사회적 역할을 충실히 수행할 때 사회가 안정적으로 유지되는가?
⑤ 직업을 통한 사회적 역할 분담은 국가가 아닌 개인이 결정해야 할 문제인가?

06 고대 동양 사상가 갑, 을의 적절한 입장만을 〈보기〉에서 있는 대로 고른 것은?

> 갑: 예(禮)란 귀천의 등급을 가리는 기준이다. 각 등급에 맞는 덕(德)은 반드시 그들의 지위에 알맞아야 하며, 그들의 지위는 그들이 받는 처우에 어울려야 한다.
> 을: 안정된 생업[항산(恒産)]이 없으면 안정된 마음[항심(恒心)]도 없다. 현명한 군주는 반드시 백성들을 여유롭게 하여 가족을 부양하게 한다.

보기

ㄱ. 갑: 타고난 신분에 따라 사회적 지위를 부여해야 한다.
ㄴ. 을: 국가는 구성원에게 경제적 안정의 기반을 마련해 주어야 한다.
ㄷ. 을: 국가는 구성원 모두에게 직업 선택의 자유를 보장해 주어야 한다.
ㄹ. 갑, 을: 자신이 맡은 일을 통해 사회적 역할을 분담해야 한다.

① ㄱ, ㄴ ② ㄱ, ㄷ ③ ㄴ, ㄹ
④ ㄱ, ㄷ, ㄹ ⑤ ㄴ, ㄷ, ㄹ

07 갑, 을 사상가가 공통적으로 강조하는 내용으로 옳은 것은?

> 갑: 공동체의 필요에 따라 능력을 기준으로 신분과 직능의 구분을 국가가 배정해야 한다.
> 을: 큰 능력이 없으면서 큰일을 맡는 것은 도리에 맞지 않으므로 사회적 직분이나 지위는 덕(德)과 능력을 헤아려 맡겨야 한다.

① 사회적 직위는 하늘의 뜻에 따라 맡게 해야 한다.
② 국가는 선천적 도덕 능력을 기준으로 직위를 맡겨야 한다.
③ 사회적 직위는 신분이 아닌 개인의 능력을 기준으로 맡게 해야 한다.
④ 국가는 사회적 분업과 신분 질서를 함께 고려해 직위를 맡겨야 한다.
⑤ 국가는 생득적 신분을 바탕으로 정신노동과 육체노동을 배분해야 한다.

08 다음 사상가의 입장에만 모두 '✓'를 표시한 학생은?

> 국가를 수호하는 계층이 사유 재산을 갖지 않도록 해야 한다. 이들은 공동생활을 해야 하며, 자신의 영혼이 공동체만을 위해 쓰이도록 해야 한다.

입장 \ 학생	갑	을	병	정	무
각 계층은 타고난 성향에 따른 고유한 역할을 수행해야 한다.	✓			✓	✓
각 계층은 공동체의 선을 위해 사유 재산을 지녀서는 안 된다.		✓	✓		✓
각 계층은 다른 계층의 일에 대해 서로 간섭을 해서는 안 된다.	✓	✓		✓	
각 계층은 공동체에 필요한 재화의 생산을 위해 육체노동을 해야 한다.			✓	✓	✓

① 갑 ② 을 ③ 병 ④ 정 ⑤ 무

09 (가)의 갑, 을의 입장을 (나)의 그림으로 표현할 때, A~C에 들어갈 적절한 내용만을 〈보기〉에서 있는 대로 고른 것은?

(가)
갑: 땅은 너로 말미암아 저주를 받고, 너는 종신토록 수고해야 그 생산물을 먹으리라.
을: 직업적 의무의 행사로서 부의 추구는 도덕적으로 허용될 뿐 아니라 명령된 것이기까지 하다.

(나)
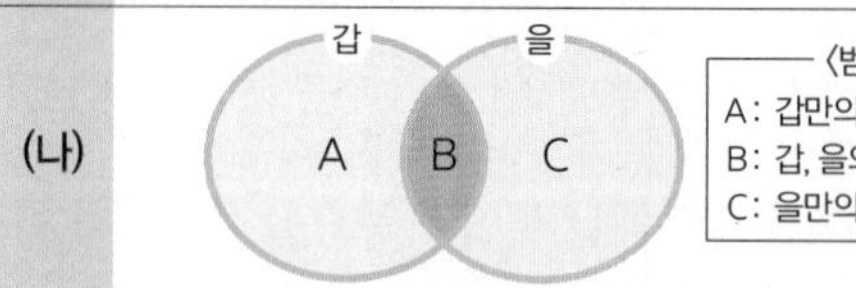

〈범례〉
A: 갑만의 입장
B: 갑, 을의 공통 입장
C: 을만의 입장

보기
ㄱ. A: 노동의 의미는 인간의 원죄에 따른 속죄이다.
ㄴ. B: 청교도적 노동 윤리는 자본주의의 토대이다.
ㄷ. B: 노동은 신이 명령한 것을 수행하는 활동이다.
ㄹ. C: 노동에 의한 부의 축적은 신의 소명에 부합한다.

① ㄱ, ㄴ ② ㄱ, ㄷ ③ ㄴ, ㄹ
④ ㄱ, ㄷ, ㄹ ⑤ ㄴ, ㄷ, ㄹ

10 다음 사상가의 입장으로 적절한 것만을 〈보기〉에서 있는 대로 고른 것은?

> • 신(神)은 우리에게 각자의 소명(召命)이 무엇인지에 관심을 갖고 이를 존중할 것을 요구하신다.
> • 물질적 번영은 신의 축복이지만, 그것은 자신만을 위한 것이 아니라 가난한 자와 함께 나누라는 의미이다.

보기
ㄱ. 노동을 통해 이웃 사랑을 실천해야 한다.
ㄴ. 노동에 의한 부의 축적은 신의 영광을 표현하는 유익한 수단이다.
ㄷ. 직업적 노동에 의한 금욕적 삶은 신이 부여한 신성한 소명에 어긋나는 것이다.
ㄹ. 직업은 신의 뜻이 아니라 각자의 자아실현을 목적으로 삼는 주체적 선택의 문제이다.

① ㄱ, ㄴ ② ㄱ, ㄷ ③ ㄴ, ㄹ
④ ㄱ, ㄷ, ㄹ ⑤ ㄴ, ㄷ, ㄹ

11 **(가)의 갑, 을의 입장을 (나) 그림으로 탐구할 때, A~C에 들어 갈 적절한 질문만을 〈보기〉에서 있는 대로 고른 것은?**

(가)
갑: 자본주의에서 노동은 상품만을 생산하는 것이 아니라, 그러한 생산을 통해 노동자를 하나의 상품으로 생산해 낸다.
을: 우리는 현재 자신의 위치를 신(神)이 정해 주신 초소라고 생각해야 한다. 신은 우리가 해야 할 일을 순서대로 정해 놓았다.

(나)

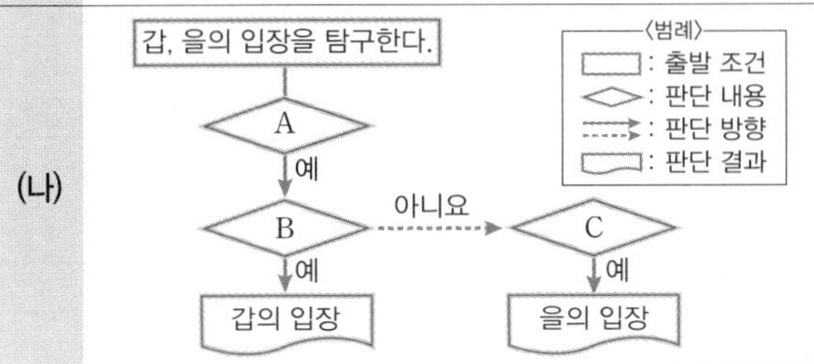

보기
ㄱ. A: 인간의 노동은 사적 소유를 목적으로 하는가?
ㄴ. A: 노동자의 노동은 거래되는 하나의 상품이어야 하는가?
ㄷ. B: 노동은 인간에게 고유한 자아실현의 활동인가?
ㄹ. C: 인간의 노동은 신의 영광을 구현하는 활동인가?

① ㄱ, ㄴ ② ㄱ, ㄷ ③ ㄷ, ㄹ
④ ㄱ, ㄴ, ㄹ ⑤ ㄴ, ㄷ, ㄹ

12 **㉠, ㉡에 대한 설명으로 옳지 않은 것은?**

직업 윤리에는 ㉠ 인간으로서 지녀야 할 기본 윤리를 포함하는 직업 윤리의 일반성과 ㉡ 직종의 전문화에 따른 직업 윤리의 특수성이 있다.

① ㉠은 직업을 가진 사람들에게 공통으로 적용된다.
② ㉠에는 정직·성실·책임·의무 등의 보편 윤리가 포함된다.
③ ㉡은 서로 다른 직업에서 요구되는 특수한 행동 규범이다.
④ ㉡은 ㉠의 토대 위에서 정립되는 것이 바람직하다.
⑤ ㉠, ㉡은 독립된 성격을 지니므로 상호 배타적 관계에 있다.

13 **(가)의 갑, 을의 입장을 (나) 그림으로 탐구할 때, A~C에 들어 갈 적절한 질문만을 〈보기〉에서 있는 대로 고른 것은?**

(가)
갑: 기업은 게임의 규칙을 준수하면서 이윤을 극대화하는 것이 목적이므로 이것을 넘어서는 사회적 요구는 기업의 소유주나 주주의 권익을 침해하는 것이다.
을: 기업의 이윤 추구는 게임의 규칙 이외에 다른 방식으로도 가능하다. 왜냐하면 사회적 약자에 대한 경제적 지원은 기업의 이미지를 제고해 더 많은 이윤 창출에 기여하기 때문이다.

(나)

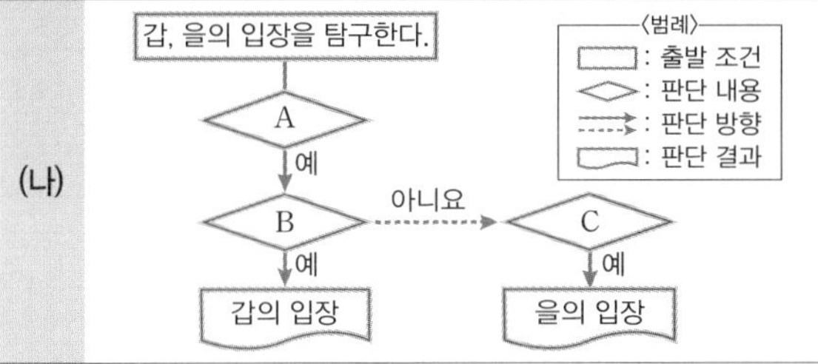

보기
ㄱ. A: 기업은 경제적 이윤을 추구하기 위한 집단인가?
ㄴ. B: 기업은 시장의 공정한 규칙을 준수해야 하는가?
ㄷ. B: 기업은 기업의 사익보다 공익을 우선해야 하는가?
ㄹ. C: 기업의 사회적 책임은 기업의 장기적 이익에 기여하는가?

① ㄱ, ㄴ ② ㄱ, ㄹ ③ ㄷ, ㄹ
④ ㄱ, ㄴ, ㄷ ⑤ ㄴ, ㄷ, ㄹ

14 **다음 한국 사상가의 주장으로 옳지 않은 것은?**

백성이 목민관을 위해 있는 것이 아니라 목민관이 백성을 위해 있는 것이다. 따라서 백성이 곡식과 옷감을 생산해 목민관을 섬기고, 수레와 수레꾼을 보내 목민관을 전송하고 환영하는 것은 백성이 목민관을 위해 있다는 잘못된 생각에서 비롯된 것이다.

① 공직자는 국민을 위해 봉사해야 한다.
② 공직자는 청렴 의식을 실천해야 한다.
③ 공직자는 공익 실현을 위해 노력해야 한다.
④ 공직자는 애민과 자애의 정신을 실천해야 한다.
⑤ 공직자는 사익과 공익을 동등하게 추구해야 한다.

딱풀 p. 19

15 ㉠, ㉡, ㉢의 노동관을 간략하게 서술하시오.

> 동양의 노동관은 중국의 고대 사상가들, 그리고 우리나라의 실학자에게서 두드러진다. 이에 해당하는 대표적인 인물들로 ㉠ 맹자, ㉡ 순자, ㉢ 정약용 등이 있다.

16 ㉠, ㉡, ㉢의 노동관을 간략하게 서술하시오.

> 서양 사상에서 나타나는 대표적인 노동관은 고대 그리스의 ㉠ 플라톤, ㉡ 중세의 그리스도교, 그리고 ㉢ 근대의 프로테스탄티즘, 그리고 마르크스 등으로 나누어 살펴볼 수 있다.

17 다음 글을 읽고, 물음에 답하시오.

> 공직자이든 아니든 직업을 가진 사람이라면 누구나 지켜야 할 ㉠ 일반적인 도덕규범을 준수해야 한다. 또한 동시에 어떤 특수한 직업에 종사하는 사람들은 그 ㉡ 전문성에 알맞은 직업윤리를 준수해야 한다.

(1) ㉠에 해당하는 덕목들의 사례를 드시오.

(2) ㉠과 ㉡의 관계에 관해 간략하게 서술하시오.

18 다음 글을 읽고, 물음에 답하시오.

> ㉠ 자유 경제 체제, 즉 자본주의 질서 아래에서 기업은 이윤 추구 외에 다른 목적이나 역할을 추구해서는 안 된다는 주장이 있다. 하지만 ㉡ 자본주의 아래에서 노동자의 노동이란 기업의 이윤 추구에 종속되어 마치 기계의 부속품처럼 되고 만다. 즉 기업의 이윤은 증가할 수 있을지 모르지만, 노동자의 노동은 ㉢ 노동의 본래 의미와 가치를 상실하게 된다.

(1) ㉠을 대표하는 사상가와 그의 입장을 간략하게 서술하시오.

(2) ㉢을 마르크스의 관점에서 간략하게 서술한 다음, ㉡과의 관계 속에서 평가하시오.

19 다음 글을 읽고, 물음에 답하시오.

> 청렴(淸廉)은 천하에서 가장 큰 장사이다. 청렴한 자는 청렴을 편안히 여기고 지혜로운 자도 이를 이롭게 여긴다.

(1) 윗글과 같이 주장한 사상가를 쓰시오.

(2) 청렴이 필요한 이유에 관해 서술하시오.

딱풀 p. 22

| 평가원 기출 |

01 다음 동양 사상가의 입장으로 가장 적절한 것은?

> • 만약 백성에게 살아갈 수 있는 일정한 재산이나 생업〔恒産〕이 없으면 순수하고 변함없는 마음〔恒心〕을 유지하기 어려우며, 그러한 마음이 없으면 편벽되고 악해질 것이다.
> • 사람은 남에게 차마 하지 못하는 마음〔不忍人之心〕이 있다. 그러한 선한 마음은 직업 활동을 통해 확충될 수 있다. 예를 들어 갑옷을 만드는 사람은 날마다 자신이 만든 갑옷으로 사람 살리는 일에 관심을 갖게 되니 선한 마음을 지켜 나갈 수 있다. 그러므로 직업을 선택할 때에는 신중하지 아니할 수 없다.

① 직업을 선택할 때 생계유지의 문제는 중요하지 않다.
② 직업의 역할 분담은 공동체의 발전을 위해 없어져야 한다.
③ 직업 선택의 기준에서 경제적 보상을 가장 중시해야 한다.
④ 직업을 선택할 때에는 인격에 미치는 영향을 고려해야 한다.
⑤ 직업 선택에서 사회적 기여보다 개인의 출세를 더 중시해야 한다.

| 교육청 응용 |

02 동양 사상가 갑, 을의 입장으로 적절한 것만을 〈보기〉에서 있는 대로 고른 것은?

> 갑: 선비와 달리 백성은 일정한 생업〔항산(恒産)〕이 없으면, 일정한 마음〔항심(恒心)〕을 가질 수 없다.
> 을: 농부는 밭일에, 상인은 장사에, 목수는 그릇 만드는 일에 능통하나 수장(首長)은 될 수 없다. 오직 예(禮)에 정통한 사람만이 수장이 될 수 있다.

보기
ㄱ. 갑: 직업인에게 항산보다 항심을 강조해서는 안 된다.
ㄴ. 갑: 노심(勞心)하는 이는 노력(勞力)하는 이를 배려해야 한다.
ㄷ. 을: 예(禮)를 통해 욕망을 절제하는 것이 중요하다.
ㄹ. 갑, 을: 노동은 각자의 능력에 따라 사회적 역할을 분담하는 활동이다.

① ㄱ, ㄴ ② ㄱ, ㄹ ③ ㄷ, ㄹ
④ ㄱ, ㄴ, ㄷ ⑤ ㄴ, ㄷ, ㄹ

03 (가)의 갑, 을 사상가의 입장을 (나)의 그림으로 표현할 때, A~C에 해당하는 진술로 옳은 것은?

(가)	갑: 사물에 정통한 사람은 사물을 사물대로 잘 처리하고, 도(道)에 정통한 사람은 예(禮)에 근거해 사물을 사물대로 아울러 잘 이해한다. 그래서 그는 지도하는 관리가 될 수 있다. 을: 각자가 지닌 고유한 덕(德)을 발휘하도록 각자는 타고난 성향이나 기질에 따라 가장 적합한 일에 배치되어야 한다.
(나)	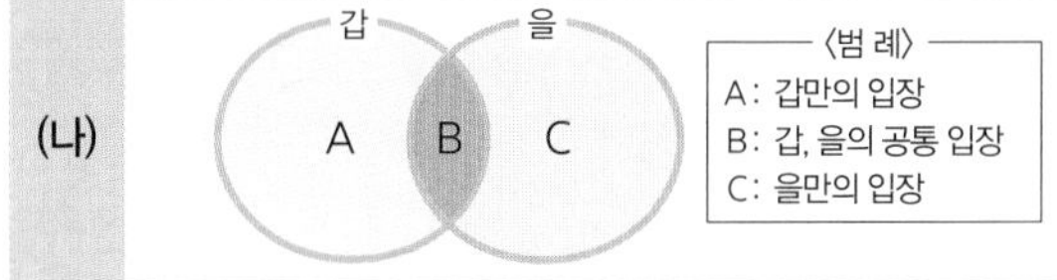

① A: 직업 노동은 원죄에 대한 벌로서 주어진 것이다.
② A: 노심(勞心)하는 자가 노력(勞力)하는 자를 통치해야 한다.
③ B: 사회적 역할의 분담은 각자의 능력을 기준으로 해야 한다.
④ C: 예를 통해 욕망을 적절하게 절제해야 한다.
⑤ C: 한 가지 일에 대한 계층 간 협업이 신분의 구분보다 중요하다.

| 교육청 응용 |

04 (가)를 주장한 사상가의 입장에서 볼 때, (나)의 ㉠에 대한 적절한 설명만을 〈보기〉에서 있는 대로 고른 것은?

(가)	신은 각 사람이 해야 할 일의 순서를 정하고, 소명(召命)으로 주셨으므로 각자는 자신의 위치를 신의 초소로 여겨야 한다.
(나)	㉠ 은/는 생계유지와 자아실현을 위한 노동 활동일 뿐만 아니라 사회에 이바지하는 수단이 될 수 있다.

보기
ㄱ. 노동을 통해 신의 영광을 드러내기 위한 수단이다.
ㄴ. 금욕과 절제를 통해 수행해야 할 신성한 활동이다.
ㄷ. 신으로부터 부여받은 자기의 몫에 해당하는 일이다.
ㄹ. 부의 축적을 삶의 궁극적인 목적으로 추구하는 활동이다.

① ㄱ, ㄴ ② ㄱ, ㄹ ③ ㄷ, ㄹ
④ ㄱ, ㄴ, ㄷ ⑤ ㄴ, ㄷ, ㄹ

| 평가원 응용 |

05 갑, 을의 입장으로 옳은 것은?

> 갑: 프로테스탄트의 금욕은 향락과 낭비를 막는다. 금욕을 바탕으로 한 영리 활동이 근대 기업가의 소명이라면, 노동은 근대 노동자의 소명이다.
> 을: 임금은 임금답고 신하는 신하다워야 한다. 임금은 백성들을 사랑해야 한다. 신하는 먼저 맡은 직분을 경건히 수행하고 녹봉은 그 다음에 생각해야 한다.

① 갑: 금욕에 의한 재화의 획득은 타락의 징표이다.
② 갑: 프로테스탄트의 금욕적 태도는 자본주의 정신의 뿌리가 될 수 있다.
③ 을: 직업을 통해 최대한의 이익을 추구해야 한다.
④ 을: 경제적으로 부유한 자에게는 노동이 필요 없다.
⑤ 갑, 을: 금욕은 부의 축적을 궁극적으로 정당화하는 근거이다.

| 수능 응용 |

06 그림은 서술형 평가 문제와 학생 답안이다. 학생 답안의 ㉠~㉤ 중 옳지 않은 것은?

〈서술형 평가〉

◎ **문제** 갑, 을 사상가의 직업 노동에 대한 입장을 비교하여 서술하시오.

> 갑: 어떤 사람은 마음을 수고롭게 하고[勞心], 어떤 사람은 몸을 수고롭게 한다[勞力]. 백성은 항산이 없으면 항심도 없게 된다.
> 을: 분업화에 따른 노동으로 고용주는 자본가가 되어 감독과 지휘를 하게 되지만, 노동자는 작업장의 부속물로서 자본의 소유물로 전락한다.

◎ **학생 답안**

㉠ 갑은 대인과 소인을 구분하여 각자의 역할에 충실한 직업관을 중시하며, ㉡ 직업을 통해 백성의 생활 기반이 마련되어야 한다고 본다. ㉢ 을은 생산 수단이 없는 노동자가 자본가에게 예속되는 현상을 비판하며, ㉣ 노동자는 노동을 통해 자아실현의 행복을 누려야 한다고 본다. ㉤ 갑, 을 모두 인간이 노동 분업에 참여함으로써 인간다움을 실현해야 한다고 본다.

① ㉠ ② ㉡ ③ ㉢ ④ ㉣ ⑤ ㉤

| 평가원 기출 |

07 갑, 을 사상가들의 입장에 대한 설명으로 적절하지 않은 것은?

> 갑: 노동을 '신이 규정한 삶의 최고 목적'으로 보는 입장에서, 청교도는 소명을 인식하고 소명에 따라 노동하였다. 이러한 노동이 영리 추구와 결합하고 금욕적 절약을 통해 자본을 형성하여 자본주의 정신의 토대가 되었다.
> 을: 노동은 인간이 자신의 자연적인 힘을 사용하여 자연과 관계를 맺는 하나의 과정이다. 하지만 자본주의에서는 노동자가 생산 수단을 사용하는 것이 아니라 생산 수단이 노동자를 사용하는 왜곡이 일어난다.

① 갑은 청교도가 노동을 신의 명령으로 간주했다고 본다.
② 갑은 청교도가 부의 축적을 구원의 수단으로 간주했다고 본다.
③ 을은 자본주의의 노동 분업이 노동 소외의 원인이라고 본다.
④ 을은 자본주의에서는 노동자의 자아실현이 불가능하다고 본다.
⑤ 갑은 소명 정신, 을은 노동 착취를 자본 축적의 원천으로 본다.

| 교육청 기출 |

08 갑, 을의 입장으로 옳은 것은?

> 갑: 신은 사람들에게 각자 해야 할 일들을 정해 주셨다. 사람은 충실한 직업 생활을 통해 신에게 영광을 돌려야 하며, 자신의 부를 가난한 사람들과 나눌 수 있어야 한다.
> 을: 자본주의 사회에서 노동자는 생계를 위해 임금을 받고 일을 해야 하기 때문에 소외가 발생한다. 기술적 분업의 확대는 노동자의 능력을 온전히 발휘하지 못하게 만든다.

① 갑: 노동을 통한 부의 축적이 구원의 조건이 된다.
② 갑: 신의 영광을 위해 세속의 직업에서 떠나야 한다.
③ 을: 기술적 분업을 통해 생산성 향상을 추구해야 한다.
④ 을: 생산 수단의 공유를 통해 인간의 본질을 회복해야 한다.
⑤ 갑, 을: 노동은 신이 인간에게 내린 형벌일 뿐이다.

| 교육청 기출 |

09 ㉠에 들어갈 내용으로 가장 적절한 것은?

> 기업 경영자들과 노동조합 지도자들이 주주와 노동조합원들의 이익에 봉사하는 것을 넘어서서, 이제는 사회적 책임을 져야 한다는 견해가 확산되고 있다. 그러나 나는 이러한 견해가 [㉠] 고 생각한다. 시장 경제에서 기업이 지는 사회적 책임은 오로지 한 가지뿐이다. 그것은 게임의 규칙을 준수하는 한에서 기업 이익의 극대화를 위해 자원을 활용하고 이를 위한 활동에 매진하는 것이다.

① 기업의 목적을 이윤 추구로 지나치게 제한한다
② 자유 시장 경제의 본질을 근본적으로 오해한다
③ 공정한 분배 실현과 기업의 공공적 성격을 경시한다
④ 기업의 영리 추구와 윤리 경영의 상관성을 무시한다
⑤ 기업의 이윤이 사회에 환원되어야 한다는 점을 간과한다

| 평가원 응용 |

10 그림의 강연자가 부정의 대답을 할 질문으로 가장 적절한 것은?

기업이 자유 시장에서 이윤 극대화만을 추구해야 한다는 주장은 환경 오염 같은 외부 효과, 즉 시장 실패로 그 부당성이 입증되었습니다. 환경 오염의 처리 비용을 당사자인 기업이 아닌 시민이나 미래 세대가 부담해야 한다는 것은 부당합니다. 설령 이윤이 감소하더라도 기업은 사회적 문제에 대해 적극적 책임을 지는 것이 마땅합니다.

① 기업의 이윤 추구는 공동선에 의해 제약을 받아야 하는가?
② 기업은 미래 세대의 삶의 질 문제에 관심을 가져야 하는가?
③ 기업의 시장 실패는 지역 사회에 불이익을 초래하게 되는가?
④ 기업은 외부 효과의 증대를 위해 이윤 추구에 충실해야 하는가?
⑤ 기업은 맑은 공기와 같은 공공재에 대한 책무를 수용해야 하는가?

| 교육청 응용 |

11 (가), (나)의 입장에서 모두 부정의 대답을 할 질문으로 적절한 것은?

> (가) 기업의 사회적 책임이란 오직 공정한 게임의 규칙 안에서 시장에서의 자유 경쟁에 참여함으로써 기업 이익을 증대하는 활동 이외에 어떤 것도 아니다.
> (나) 기업은 이윤 추구는 물론, 공익을 위한 활동에도 최선을 다해야 한다. 그와 같은 기업들은 그렇지 않은 기업들에 비해 훨씬 더 위험에 덜 노출될 것이다.

① 기업의 이익 극대화만이 기업의 사회적 책임인가?
② 기업의 사회적 책임은 장기적인 이익을 위하여 필요한가?
③ 기업의 근본 목적은 사회 복지와 공동선의 실현에 있는가?
④ 기업의 존재 이유는 정당한 이윤 추구의 극대화에 있는가?
⑤ 시장에서의 기업 간 자유 경쟁은 사회 발전의 원동력인가?

| 수능 응용 |

12 다음 한국 사상가의 입장으로 가장 적절한 것은?

> 청렴하지 않고서 수령 노릇을 제대로 한 사람은 지금까지 한 명도 없었다. 수령이 청렴하지 않으면 백성들이 그를 도적이라 욕하며 원성이 드높을 것이니, 부끄러운 일이다. 청렴은 큰 장사[賈]이다. 그래서 포부가 큰 사람은 반드시 청렴하고자 한다. 청렴하지 못한 것은 지혜가 모자라기 때문이다. 선물이 아무리 하찮은 것이라도 신세지는 정[恩情]이 맺어지면 이미 사사로움[私]이 행해진 것이다.

① 포부가 크고 지혜로운 목민관에게 부패는 불가피하다.
② 청렴은 목민관의 모든 과오를 면책시켜 주는 덕목이다.
③ 청렴한 목민관에게 청백리 칭호는 관직 상승의 수단이다.
④ 백성들이 알지 못하는 사사로운 청탁은 문제되지 않는다.
⑤ 목민관의 청렴은 애민과 봉공을 위한 필수적인 덕목이다.

02 사회 정의와 윤리

1 사회 윤리와 사회 정의

1. 개인 윤리와 사회 윤리 자료 01

(1) 개인 윤리

① 윤리 문제의 원인 개인의 그릇된 이기심, 비양심

② 윤리 문제의 해결 개인의 양심·합리성 등의 회복

③ 한계 계층 간 갈등, 빈부 격차, 인종 차별, 부패 등은 개인의 도덕성 함양만으로 해결 어려움 ➡ 사회 윤리의 등장

(2) 사회 윤리

① 윤리 문제의 원인 부도덕한 사회 구조와 제도

② 윤리 문제의 해결 개인의 도덕성 함양 + 사회 구조·제도 개선

③ 니부어[1]

- 사회 집단은 자연적 충동을 억제할 합리적 능력이 부족 ➡ 개인보다 비도덕적
- 집단에 속한 개인은 이기적으로 행동하기 쉬움 ➡ 도덕적 개인으로 구성된 집단 ≠ 도덕적 집단 ➡ 개인의 도덕성과 집단(사회)의 도덕성 구분 필요
- 개인 윤리의 도덕적 이상은 이타성의 실현, 사회 윤리의 도덕적 이상은 정의
- 문제 해결: 도덕적이고 합리적인 조정·설득 + 정치적 강제력에 의한 방법

(3) 현대 사회의 윤리 문제 해결 개인 윤리적 관점과 사회 윤리적 관점 모두 필요

└ 상호 보완적

2. 사회 정의

(1) 의미

① 동양[2] 천리(天理)에 부합하는 '올바름' 또는 올바른 도리, 의로움

② 서양[3]

- '올바름' 또는 '공정함'
- 아리스토텔레스[4]: 각자가 자기의 것을 취하며 법이 정하는 대로 따르는 것

└ 사회적 재화의 분배와 관련

(2) 종류

┌ 1인 1표와 같이 분배의 형식과 관련되는 정의는 형식적 정의, 분배의 내용 또는 결과와 관련되는 정의는 실질적 정의이다.

분배적 정의	각자가 자신의 몫을 누리도록 하는 것 ➡ 사회적 이익과 부담의 공정한 분배
교정적 정의	잘못에 대한 처벌을 공정하게 하는 것 ➡ 법 집행으로 불법 행위·부정의 교정

(3) 분배적 정의의 기준 자료 02

① 절대적 평등 장점은 기회·혜택의 균등, 한계는 공헌에 대한 고려 결여와 생산 의욕·책임 의식 약화

② 능력 장점은 능력에 대한 합당한 보상, 한계는 평가 기준 모호와 선천적 영향 개입

③ 노력 장점은 성실성·책임 의식 향상, 한계는 측정 기준 애매

④ 업적 장점은 생산성 증가와 객관적 평가 가능, 한계는 과열 경쟁과 약자 배려 부족

⑤ 필요(마르크스) 장점은 인간다운 삶 보장과 경제적 불평등 완화, 한계는 재화의 양 한정과 효율성 저하

⑥ 공리주의 장점은 사회 전체가 얻게 될 이익의 총량 극대화, 한계는 경제적 불평등과 약자 고려 결여

(4) 절차적 정의

① 등장 배경 기준에 대한 합의 곤란

② 분배의 결과 아닌 공정한 절차 강조(롤스, 노직)

고득점을 위한 셀파 Tip 비교

| 개인 윤리 vs 사회 윤리 |

개인 윤리

윤리 문제의 원인과 해결책을 개인의 도덕성 부족과 함양에서 찾는다.

사회 윤리

윤리 문제의 원인과 해결책을 사회 구조와 제도의 부도덕함과 개선을 중심으로 파악한다.

[1] **니부어**
미국의 사회 윤리학자로, 정의 추구를 위해서는 이기심, 반항, 강제력, 원한 등 도덕성이 높은 개인이 승인하기 어려운 방법도 사용할 수 있다고 주장한다.

[2] **동양의 정의**
- 공자: 이익을 보면 의리를 생각하는 견리사의(見利思義)의 자세를 강조한다.
- 맹자는 옳고 그름을 분별하는 판단 기준으로 의로움을 제시한다. 의로움은 자신의 잘못을 부끄러워하고 타인의 악행을 미워하며 부정의한 현실에 저항하는 마음이다.

[3] **서양의 정의**
- 소크라테스: 질서가 잘 잡힌 영혼이 추구하는 본성이다.
- 플라톤: 지혜, 용기, 절제가 완전한 조화를 이룰 때 나타나는 최고 덕목이다.

[4] **아리스토텔레스의 정의**
- 일반적 정의: 법을 준수하고 이웃과의 관계에서 탁월성을 구현하는 것
- 특수적 정의: 시정적 정의와 분배적 정의로 분류된다. 시정적 정의는 해를 끼치면 그만큼 보상하고 이익을 주면 그만큼 되돌려 받는 것(산술적 비례의 균등 추구), 분배적 정의는 권력·지위·명예·재화 등을 각자의 가치(공적)에 비례하여 분배받는 것(기하학적 비례의 균등 추구)이다.

자료 01 개인 윤리와 사회 윤리

갑: 아무런 제한 없이 선하다고 생각할 수 있는 것은 오직 선의지뿐이다. 지성, 용기, 결단성 등은 많은 의도에서 선하고 바람직하지만, 이런 천부적인 자질들을 이용하는 의지가 선하지 않다면 극도로 악하고 해가 될 수 있다.

을: 자연은 인류를 고통과 쾌락이라는 두 주인에게 지배받도록 만들었다. 공리의 원칙은 이러한 복종 관계를 인식시켜 주고, 이성과 법률의 손길로 행복의 틀을 짜는 목적을 지닌 체계의 기초이다.

병: 자연의 질서에 속하면서도 이성의 지배를 받지 않는 요소를 파악해야 한다. 집단의 도덕은 자연적 충동에 버금갈 만한 사회 세력을 형성하기 어렵기 때문에 개인의 도덕에 비해 열등하다. 집단과 집단 사이의 관계는 항상 윤리적이기보다는 지극히 정치적이다. 모든 도덕주의자는 인간의 집단행동이 지닌 야수적 성격과 모든 집단적 관계들에 있는 집단적 이기주의의 힘에 대한 이해를 결여하고 있다. 그들은 사회적 갈등이 인류 역사에서 불가피한 것임을 제대로 인식하지 못한다. 사회의 필요와 양심의 명령 사이에는 융화되기 어려운 갈등이 있다. 사회의 관점에서 볼 때 최고의 도덕적 이상은 정의이고, 개인의 최고의 도덕적 이상은 이타성이다. 개인의 도덕적 상상력이 동료 인간의 요구와 이익을 이해하지 못한다면 진정한 정의는 달성될 수 없다. 또한 정의 달성을 위한 비합리적 수단이 도덕적 선의지의 통제를 받지 않는다면 사회에 엄청난 위험을 초래할 수 있다.

자료 분석 | 갑은 칸트, 을은 벤담, 병은 니부어이다. 칸트와 벤담은 개인 윤리적 입장이고, 니부어는 사회 윤리적 입장이다. 니부어는 사회보다 개인이 도덕성에서 우월하고, 개인과 사회의 도덕적 이상이 다르지만 상호 배타적이지는 않다고 본다. 또한 사회 문제 해결을 위해 개인의 도덕적 선의지 함양뿐만 아니라 강제력이 필요하다고 주장한다. 한편 벤담은 최대 다수의 최대 행복을 실현하기 위해 법률적 제재가 필요하다는 것을 인정한다는 점에서 니부어와 공통적이라고 할 수 있다.

자료 02 아리스토텔레스, 공리주의, 마르크스의 분배적 정의

절차적 정의 사이에 끼워서 출제되고는 해.

갑: 정의는 합법적이며 공정한 것을 의미한다. 특수한 정의의 한 종류는 명예, 금전 등의 분배에 관련되는 것이고, 다른 종류는 사람들 간의 거래에 관련되는 것이다. 사회적 재화의 분배는 기하학적 비례에, 시민들 간의 분쟁 해결은 산술적 비례에 합치해야 한다. 정의는 본성상 정치적 동물인 사람들 사이에서 같은 것은 같게, 다른 것은 다르게 분배할 것을 요구한다. 분배적 정의는 가령 사람 a와 b가 각각 물건 c와 d를 얻기 전과 후의 비율이 동등할 때 성립한다는 점에서 기하학적 비례를 추구한다.

을: 정의는 도덕과 입법의 원리인 최대 다수의 최대 행복을 위해 유용성을 극대화할 것을 요구한다.

병: 개인의 타고난 능력이 불평등하다는 점, 따라서 생산 능력도 타고난 특권임을 승인하는 것은 부당하다. 분배는 필요에 따라, 노동은 능력에 따라 이루어지는 사회가 필연적으로 도래할 것이다. 그러면 노동은 더 이상 소외되지 않을 것이다. 능력에 따라 일하고 필요에 따라 분배받는 사회에서 인간 각자는 진정으로 노동의 긍정적 모습에 따라 자아가 실현되는 상황에 이르게 된다.

자료 분석 | 갑은 아리스토텔레스, 을은 벤담, 병은 마르크스이다. 아리스토텔레스는 분배적 정의는 특수적 정의에 속하고, 기하학적 비례를 추구한다고 본다. 벤담은 최대 다수의 최대 행복이 분배 기준이 되어야 한다고 본다. 마르크스는 능력에 따라 일하고 필요에 따라 분배받아야 한다고 주장한다.

기출 선택지 O, X로 정리하기

1 자료 01의 갑은 병과 달리 사회 구조가 개인 행위의 도덕성을 좌우할 수 있다고 본다. (O , X)

2 자료 01의 병은 진정한 정의는 선의지만으로 충분히 달성될 수 있다고 본다. (O , X)

3 자료 01의 병은 개인들의 자발적 타협이 사회 정의를 실현하는 유일한 방법이라고 본다. (O , X)

4 자료 01의 병은 개인 간 갈등은 도덕적이고 합리적인 방법으로 조정될 수 있다고 본다. (O , X)

5 자료 01의 병은 사회 집단 간의 관계는 윤리적이라기보다 정치적이라고 본다. (O , X)

6 자료 01의 갑, 병은 모두 개인의 선의지가 사회생활에서 반드시 필요하다고 본다. (O , X)

7 자료 01의 을, 병은 사회 문제를 해결하기 위해 강제력이 필요하다고 본다. (O , X)

8 자료 02의 갑은 분배적 정의만이 비례를 추구하는 특수적 정의라고 본다. (O , X)

9 자료 02의 갑은 분배 정의는 기하학적 비례의 동등함을 추구하는 것이라고 본다. (O , X)

10 자료 02의 을은 분배의 옳고 그름은 쾌락과 고통의 총합에 의해 결정된다고 본다. (O , X)

11 자료 02의 병은 재화의 분배는 개인의 자유로운 선택에 맡겨야 한다고 본다. (O , X)

12 자료 02의 병은 자본주의의 노동은 자발적인 것이 아니라 강제된 것이라고 본다. (O , X)

정답 1 × 2 × 3 × 4 ○ 5 ○ 6 ○ 7 ○ 8 × 9 ○ 10 ○ 11 × 12 ○

2 분배적 정의와 윤리적 쟁점

1. 현대 사회의 다양한 정의관

(1) 롤스 사회 제도의 제1 덕목은 정의 (좋음에 대한 옳음의 우선성) 자료 03

① 공정으로서의 정의 공정한 절차를 통해 합의된 것이라면 정의롭다고 봄, 순수 절차적 정의[5]

② 원초적 입장

- 정의의 원칙을 도출하기 위한 최초의 가상적 상황
- 사람들은 타인의 이해관계에 무관심하고, 자신의 이익을 합리적으로 추구 (타인에게 시기심과 동정심을 갖지 않는다.)
- 무지의 베일[6]을 씀 ➡ 자신이 불리한 상황에 놓일 가능성을 고려해 정의의 원칙 도출

③ 정의의 원칙

- 제1원칙: 모든 사람은 기본적 자유에서 평등한 권리를 지닌다(평등한 자유의 원칙).
- 제2원칙: 사회적·경제적 불평등은 최소 수혜자에게 최대 이익을 보장해야 하며, 그 불평등이 모든 사람에게 이익이 되리라는 것이 합당하게 기대되고(차등의 원칙), 불평등의 계기가 되는 지위는 공정한 기회균등의 원칙에 따라 모든 사람에게 개방되어야 한다[(공정한) 기회균등의 원칙]. (형식적 기회균등뿐만 아니라 실질적 기회균등까지 포함한다.)
- 제1원칙은 제2원칙보다 선행 ➡ 복지를 위한 기본적 자유 침해 불가(자유의 우선성)
- 제2원칙은 효율성과 복지보다 정의의 우선성 추구 ➡ (공정한) 기회균등의 원칙이 차등의 원칙보다 우선

(2) 노직 자료 04

① 소유 권리로서의 정의

- 모든 사람이 자신의 소유물에 대해 소유 권리를 가질 때가 정의로운 분배 ➡ 재화의 취득·이전·교정의 절차가 정당해야 함
- 개인의 권리를 보호·존중하는 것이 정의 ➡ 국가에 의한 재분배는 개인의 소유권을 침해하므로 부당(근로 소득에 대한 과세는 강제 노동과 같음) (교정(권리 보호)을 위한 재분배는 정당)
- 개인의 소유 권리를 강도, 절도, 사기 등에서 보호하는 최소 국가가 정당 (노직은 무정부주의에 반대한다.)

② 정의의 원칙 (역사적 원리)

- 취득의 원칙: 취득에서의 정의의 원리에 따라 소유물을 취득한 자는 그것의 소유 권리가 있다. (로크처럼 타인의 처지를 악화하지 않는 한에서 노동을 통해 소유주가 없는 물건을 사유화할 수 있다고 본다.)
- 이전의 원칙: 소유물에 대한 소유 권리가 있는 자로부터 이전에서의 정의의 원리에 따라 그 소유물을 취득한 자는 그것의 소유 권리가 있다.
- 교정의 원칙: 취득의 원칙과 이전의 원칙이 반복적으로 적용되지 않은 부당한 취득은 교정해야 한다.

(3) 왈처

① 다원적 평등(복합 평등)으로서의 정의 다양한 삶의 영역에서 각기 다른 정의의 기준에 따라 사회적 가치가 분배되어야 함 (다원적 정의) ➡ 한 영역의 가치 소유가 다른 영역의 가치 소유 이유가 되어서는 안 됨

② 정의의 원칙 어떤 사회적 가치 x도 x의 의미와 상관없이 단지 누군가가 다른 가치 y를 가지고 있다는 이유만으로 y를 소유한 사람에게 분배되어서는 안 된다.

2. 분배적 정의와 관련된 윤리적 쟁점

(1) 우대 정책[7] 과거의 차별과 관련된 보상 대상과 주체의 부당성(보상 대상과 주체가 차별받고 차별한 사람이 아니다.), 부당한 차별을 시정하기 위한 조치가 상대편을 차별하는 역차별 발생, 노력과 성취에 따른 업적주의 원칙 위배

(2) 부유세[8] 재산권의 과도한 침해, 부자들에 대한 또 다른 차별

---

[5] 롤스의 절차적 정의
- 완전한 절차적 정의: 공정한 분배 결과의 기준과 결과를 산출할 절차가 존재하는 경우이다.
- 불완전한 절차적 정의: 공정한 분배 결과의 기준은 존재하나 결과 보장 절차가 불완전하기 때문에 불공정한 결과를 산출할 수 있는 경우이다.
- 순수 절차적 정의: 분배 결과의 기준이 없고 공정한 절차만 존재하는 경우로, 공정한 절차로 도출된 결과는 공정하다고 판단한다.

[6] 무지(無知)의 베일(veil)
이해관계에 영향을 미칠 수 있는 자신의 사회적 지위나 능력, 재능, 소속된 세대, 가치관 등을 모르는 상태이다. 하지만 무지의 베일을 써도 경제학, 심리학 등 일반적 사실은 안다고 가정한다.

고득점을 위한 셀파 Tip 개념

| 롤스와 노직의 공통점 |
- 절차적 정의 주장
- 사회 복지를 위해 개인의 기본적 자유가 침해되는 것을 인정하지 않음(자유주의)
- 정의로운 사회에서의 불평등 인정
- 정의 실현을 위한 국가의 역할 인정

[7] 우대 정책
과거의 오류(차별)를 바로잡아 사회적 격차를 줄이고, 자연적·사회적 운으로 발생한 불평등을 시정해 공정한 기회균등을 실현하고자 차별을 받아 온 사회적 약자에게 다양한 영역에서 혜택을 주고 우대하는 조치로, '소수자 우대 정책'이라고도 한다. 우대 정책은 사회적 다양성을 실현하고 공동선을 증진할 수 있다고 여겨진다.

[8] 부유세(富裕稅)
부의 재분배로 불평등을 해소하고, 사회 통합에 기여하고자 일정액 이상의 자산을 보유하고 있는 사람에게 비례적 또는 누진적으로 과세하는 것

자료 03 롤스의 정의관

분배적 정의의 핵심 과제는 사회 체제의 선택이다. 사회 체제는 특수한 상황의 우연성을 처리하기 위해 순수 절차적 정의의 관념에 따라 기획되어야 한다. 정의는 최소 수혜자를 포함한 모든 사람에게 이익이 되도록 절차적 공정성을 보장할 것을 요구한다. 정의는 권리와 의무를 할당하고 사회적 이익을 적절하게 분배하는 원칙들의 역할에 의해 규정된다. 공리주의는 개인의 선택 원칙을 사회로 확대하지만, 나의 정의론은 정의의 원칙을 원초적 합의 대상으로 본다. 이 원칙은 자유롭고 합리적인 사람들이 평등한 최초 입장에서 공동체의 기본 조건을 규정한 것이다. 사회는 상호 이익을 위한 협동체이므로 소수의 권리가 침해되는 것을 용납하지 않는다. 개인의 타고난 재능은 응분의 것이 아닌 사회 공동의 자산으로 간주해야 한다. 더 불운한 자들의 선에 도움이 되는 한에서만 그 행운으로부터 이익을 취할 수 있다. 정의의 원칙은 권리 할당과 이익 배분의 근거 원리이다. 개인이 어떤 여건에서 태어나는 것은 정의롭지도 부정의하지도 않은 임의적 사실이다. 이 사실을 다루는 제도가 정의로운지의 여부는 합리적 개인들이 유불리를 배제한 채 도출한 원칙에 의거하였는지에 달려 있다.

자료 분석 | 롤스는 "모든 사람은 전체 사회의 복지라는 명목으로도 유린될 수 없는 정의에 입각한 불가침성을 갖는다."라며 최대 다수의 최대 행복을 개인의 자유나 권리보다 중시하는 공리주의에 반대하고, 절차적 정의를 주장한다. 또한 롤스는 사회적·경제적 불평등을 최소 수혜자에게 이익이 되는 한에서 허용해야 한다고 본다. 그러나 롤스는 부와 자본을 사후적으로 재분배하는 복지 국가에서는 소수의 자본가가 간접적으로 정치적 삶을 통제할 수 있다고 비판하며 처음부터 부와 자본의 광범위한 소유를 보장하는 사회를 더 정의로운 사회로 제시한다.

자료 04 노직의 정의관

분배적 정의는 중립적인 개념이 아니다. 중립적인 개념은 '개인의 소유물'이다. 모든 개인이 자신의 소유물에 대해 소유 권리를 갖는 것이 정의이다. 정의의 원리에 따르면 과거의 상황이나 행위는 사물에 대한 응분의 자격을 창조한다. 최초의 정당한 취득 행위에 이어 자발적인 교환 행위로 재산의 정당한 이전(移轉)이 잇따르게 된다면, 사람들이 정확히 자신의 것만을 소유하게 되는 정당한 결과가 나온다. 하지만 현실의 역사는 강자가 약자의 소유물을 빼앗아 온 역사이기도 하다. 따라서 그간 부당하게 발생한 이전들을 보상함으로써 교정이 이루어지게 해야 한다. 이상의 내용을 하나의 원칙으로 표현하면 '각자는 자신이 선택한 대로 주고, 각자는 자신이 선택받은 대로 받는다.'가 된다. 공리주의는 개인의 권리를 부차적 위치에 두지만, 나의 정의론은 개인의 권리를 절대적 존중의 대상으로 본다. 최소 국가는 개인의 권리를 존중하므로 타인의 이익을 위해 개인의 권리가 침해되는 것을 용납하지 않는다. 개인의 타고난 자산이 도덕적 관점에서 볼 때 임의적이건 아니건 간에, 개인은 그 자산에 대한 소유 권리를 지닌다. 또한 이로부터 나오는 것에 대해서도 그러하다. 차등의 원칙은 '그의 ~에 따라서 각자에게'라는 구절을 완성하려는 정형(定型)적인 정의의 원칙이다. 그런데 고정된 정형적 원칙은 개인의 선택의 자유를 침해할 수밖에 없다. 따라서 비정형적인 정의의 원칙에 입각한 소유 권리론만이 개인의 자유를 침해하지 않는다. 정부가 시민의 근로 소득에 세금을 부과하는 것은 그 사람에게서 시간을 강탈하고 그에게 다양한 활동을 명령하는 것이나 마찬가지이다. 정의의 원칙은 개인이 무엇을 소유할 수 있는 정당한 자격을 유일한 근거로 한다. 정당한 자격을 가진 이들이 자유롭게 선택하고 교환하는 절차의 규칙을 위반하지만 않는다면, 어떤 사람은 부유하고 어떤 사람은 가난하다는 사실이 불행일 수는 있으나 불공정하지는 않다.

자료 분석 | 노직도 롤스와 같이 공리주의에 반대하고 절차적 정의를 주장하나, 정당한 소유 권리가 유지된다면 사회적·경제적 불평등이 문제라고 보지 않는다. 또한 노직은 강압, 절도, 사기, 강제 계약의 발생을 막는 일 이상의 역할을 하지 않는 최소 국가를 정당하다고 본다.

기출 선택지 O, X로 정리하기

1 롤스는 최소 수혜자를 위한 재분배 정책을 정당화할 수 있다고 본다. (O, X)

2 롤스는 원초적 입장에서 개인은 모두의 이익에 관심을 갖는다고 본다. (O, X)

3 롤스는 사회적·경제적 불평등을 허용해도 분배 정의는 실현 가능하다고 본다. (O, X)

4 롤스는 원초적 합의는 심리학적 사실에 대한 지식을 배제할 필요가 없다고 본다. (O, X)

5 롤스는 기본 제도가 공정해야 사회 구성원의 자발적 협동이 가능하다고 본다. (O, X)

6 노직은 롤스에게 개인들의 소유 권리가 역사적인 과정을 거쳐 형성됨을 간과하고 있다고 비판할 수 있다. (O, X)

7 노직은 최소 국가에서 분배적 정의가 실현될 수 있다고 본다. (O, X)

8 노직은 최소 국가보다 기능이 확대된 국가의 도덕적 정당화는 불가능하다고 본다. (O, X)

9 노직은 모든 우연성이 배제된 상태에서 계약이 이루어져야 한다고 본다. (O, X)

정답 1 O 2 × 3 O 4 O 5 O 6 O 7 O 8 O 9 ×

3 교정적 정의와 윤리적 쟁점

1. 교정적 정의와 처벌

(1) **교정적 정의**[9] 사람 사이의 동등하지 않은 관계를 바로잡거나 위반 혹은 침해를 일으킨 사람에 대해 형벌을 가함으로써 공정함을 확보하는 것 ➡ 법적 정의와 관련

(법 집행을 통한 처벌 / 공정한 재판, 엄중한 처벌로 구현)

(2) **처벌의 정당화 근거** 자료 05

① 응보주의적 관점[10]
- 처벌의 목적은 범죄 행위의 심각성에 비례한 응분의 처벌
- 처벌을 통해 도덕적 형평성이 회복

② 공리주의적 관점[11]
- 처벌은 고통을 가하므로 해악이지만 더 큰 사회적 이익을 증진(해악 제거)하면 정당
- 처벌의 목적은 범죄자의 행동 통제와 교화, 잠재적 범죄자의 범죄 예방[12]

(벤담은 위법 행위의 이득보다 더 큰 고통을 주는 형벌이 범죄를 예방할 수 있다고 본다.)

(3) **공정한 처벌의 조건**

유죄 조건 충족	• 죄형 법정주의[13]에 근거한 유죄 조건에 부합할 때 처벌 • 유죄 조건: 법이 존재, 법이 공정, 피의자가 해당 범죄를 저지름
비례성(과잉 금지)의 원칙 충족	• 처벌의 목적 정당, 처벌의 수단 적합, 처벌로 인한 기본권의 제한이나 침해 최소화 • 처벌이 그것으로부터 예상되는 공익성의 효과를 능가해서는 안 됨

2. 사형 제도와 교정적 정의

(1) **사형** 국가가 범죄자의 생명을 인위적으로 박탈하는 형벌

(2) **사형 제도의 찬반 입장**

찬성 입장	반대 입장
• 범죄 억제 효과 큼 • 국민의 자유와 권리를 지키는 사회 방어 수단 • 처벌의 목적은 인과응보적 응징 • 흉악 범죄자의 생명 박탈은 사회적 정의 • 사회 일반의 법 감정은 사형 지지 • 종신형은 비용 부담 크고 오히려 비인간적	• 범죄 억제 효과 없음 • 처벌의 본질은 교육과 교화 • 생명권 부정 ➡ 인도적 이유에서 존속 불가 • 오판 가능성 존재 • 정치적 악용 가능성 존재

(3) **사형 제도에 대한 사상가들의 견해** 자료 06

① 루소
- 사회 계약은 계약자의 생명 보존이 목적 ➡ 타인의 희생으로 자신의 생명을 보존하려고 하는 사람은 필요하다면 타인을 위해 자신의 생명을 희생하는 데 동의함
- 사형에 처할 중죄를 범한 자는 사회 계약을 위반하였으므로 스스로 사회 구성원이기를 포기한 것이고, 사회의 적으로 간주해야 함

(형벌의 목적은 사회 안전과 질서 유지(사회 방위)이다.)

② 칸트
- 동등성의 원리에서 누군가를 때리거나 살해하는 것은 자기 자신을 때리거나 살해하는 것과 동등 ➡ 사형을 규정한 형벌의 법칙은 일종의 정언 명령
- 사형은 자신의 자율적인 행위에 대한 응분의 책임 ➡ 살인한 범죄자의 인격 존중

③ 베카리아
- 사형은 공익에 대한 기여가 적고, 비효율적이므로 부당 ➡ 종신 노역형 추천
- 생명 위임은 사회 계약의 내용이 아님
- 공공의 의사를 반영해 살인 금지를 규정한 법에 근거해 살인하는 것은 부당

(형벌의 목적은 범죄 예방(사회 방위)이다.)

---

⑨ **교정적 정의의 종류**
- 배상적 정의: 손해를 동등한 가치로 회복해 주는 것
- 형벌적 정의: 범죄 행위를 공정하게 처벌하는 것

⑩ **응보주의적 관점의 한계**
범죄 예방과 범죄자 교화를 간과한다.

⑪ **공리주의적 관점의 한계**
처벌을 각오한 범죄를 설명하기 어렵고, 처벌의 범죄 예방 효과를 입증하기 곤란하다. 또한 인간을 사회적 이익 증진을 위한 수단으로 보아 인간 존엄성을 훼손할 수 있다.

⑫ **처벌의 예방 효과**
- 일반 예방: 범죄자가 받는 처벌을 보고 일반인이 범죄를 저지르지 않게 되는 효과
- 특수 예방: 범죄를 저지른 범죄자가 처벌을 받은 후 다시 범죄를 저지르지 않게 되는 효과

⑬ **죄형 법정주의**
어떤 행위를 범죄로 처벌하려면 범죄와 형법이 반드시 법률로 정해져 있어야 한다는, 형법의 기본 원리

고득점을 위한 셀파 Tip 비교

| 사형 제도에 관한 사상가의 입장 |

루소, 칸트
- 루소: 사회 계약설적 관점에서 사형 동의
- 칸트: 응보주의적 관점에서 사형 제도 찬성

베카리아
사회 계약설적·공리주의적 관점에서 사형 제도 반대

셀파 자료 탐구

자료 05 처벌에 대한 응보주의적 관점과 공리주의적 관점

갑: 형벌은 단지 범죄자가 범죄를 저질렀기 때문에 부과되어야 한다. 인간의 생득적 인격성은 그가 시민적 인격성을 상실할 선고를 받아도 물건으로 취급되지 않도록 보호한다. 형벌은 범죄자 자신이나 시민 사회를 위해서 어떤 다른 선을 촉진하기 위한 수단으로서가 아니라 범죄자가 범죄를 저질렀기 때문에 가해지지 않으면 안 된다.

을: 형벌의 주목적은 범죄자와 그 밖의 사람들의 행위를 통제하는 것이다. 공리의 원리에 따라 범죄자에 대한 형벌은 목적 달성에 필요한 정도 이상으로 가해져서는 안 된다. 모든 법이 공통으로 가져야 하는 일반적 목적은 공동체의 전체 행복을 증가시키는 것이다. 그러므로 우선 행복을 감소시키는 해악을 제거해야 한다. 형벌은 오직 그것이 더 큰 악을 제거할 것이라고 보장하는 한에서만 허용되어야 한다. 범죄에 대한 형벌은 사회의 최대 행복을 저해하는 경향에 비례하여 가해져야 한다. 형벌의 목적은 범죄의 예방과 일반인에 대한 경고에 있다. 사형은 그 범죄자가 살아 있는 것이 나라 전체를 중대한 위험에 처하게 할 경우에나 적합한 형벌이다.

자료 분석 | 갑은 응보주의 입장의 칸트, 을은 공리주의 입장의 벤담이다. 응보주의는 자신의 행위에 책임을 질 수 있는 자율적 주체를 전제하고, 자율적 행위자가 자신이 저지른 범죄에 합당한 책임을 지게 하는 것을 처벌의 목적으로 본다. 공리주의는 사회 전체의 효용 증진을 처벌의 목적으로 보므로 최대 다수의 최대 행복을 위해 죄가 없는 사람도 처벌할 수 있다.

자료 06 사형 제도에 대한 사상가들의 견해

루소와 칸트 둘 다 사형에 찬성하지만 루소는 칸트와 달리 사형을 인격 존중으로 보지 않아.

갑: 시민의 생명 보존이 사회 계약의 목적이다. 우리의 신체와 모든 능력은 공동의 것이며, 이것은 일반 의지의 최고 감독하에 있는 것이다. 시민 사회에서 타인의 생명을 희생시킨 사람은 자신의 생명도 포기해야 한다. 법은 공공의 이익을 지향하는 일반 의지를 반영해야 한다. 누구든지 자신의 생명을 지키기 위해 생명의 위협을 무릅쓸 권리를 갖는다. 사회 계약을 파괴한 살인범은 도덕적 인격이 아닌 공중의 적으로 사형에 처해져야 한다. 살인범에게 법적으로 집행되는 사형 외에는 범죄와 보복의 동등성은 없다.

을: 시민 사회가 모든 구성원의 동의로 해체될 경우라도 감옥에 있는 마지막 살인자는 먼저 처형되어야 한다. 이것은 사법권의 이념으로서 정의가 보편적인 도덕 법칙에 따라 의욕하는 것이다. 공적 정의 앞에서 최상의 균형자는 사형이다. 누구든지 그가 형벌을 의욕했기 때문이 아니라, 형벌을 받아야 할 행위를 의욕했기 때문에 형벌을 받는 것이다. 사형은 살인범의 인간성을 훼손할 수 있는 모든 가혹 행위로부터 살인범의 인격을 존중하는 것이다.

병: 범죄에 대한 형벌은 오직 법을 통해서만 가능하며, 이러한 권한은 사회 계약으로부터 나온다. 형벌은 강도보다 지속성을 중시해야 한다. 법은 특수 의사의 총합인 일반 의사를 대표한다. 인간은 자신을 죽일 권리가 없는 이상, 그 권리를 사회에 양도할 수 없다. 사형은 한 시민의 존재를 파괴하는 부적절한 전쟁 행위이므로 종신 노역형으로 대체되어야 한다. 필요 이상의 잔혹한 형벌은 사회 계약의 본질과 상반된다. 사회에 끼친 손해를 노동으로 속죄하는 것을 오래 보여 주는 형벌이 사형보다 효과적인 범죄 억제책이다.

자료 분석 | 갑은 루소, 을은 칸트, 병은 베카리아이다. 루소는 사회 계약의 계약자가 자신의 생명을 보존하고자 사형에 동의했다고 보고, 칸트는 사형이 살인자의 인격을 수단으로 대하는 것이 아니라 존중하는 것이라고 보며 사형에 찬성한다. 베카리아는 아무도 자신의 생명을 빼앗을 권리를 양도할 수 없으므로 사형은 사회 계약에 포함되지 않는다고 주장한다.

기출 선택지 O, X로 정리하기

1 자료 05의 갑은 범죄자의 교화와 개선이 형벌의 궁극적인 목표라고 본다. (O , X)

2 자료 05의 을은 형벌의 유용성이 전혀 없는 경우 형벌을 부과하지 말아야 한다고 본다. (O , X)

3 자료 05의 갑과 을은 형벌로 인한 고통이 위법 행위의 이득보다 커야 한다고 본다. (O , X)

4 자료 06의 갑은 사회 계약을 위반한 살인범을 국가 구성원에서 배제해야 한다고 본다. (O , X)

5 자료 06의 갑은 사형은 사회 계약에 부합하지 않는 부당한 형벌이라고 본다. (O , X)

6 자료 06의 을은 범죄자는 응분의 보복을 의욕했기 때문에 처벌받아야 한다고 본다. (O , X)

7 자료 06의 을은 사형제는 인간 존엄성의 이념에 위배되는 것이므로 부당한 제도라고 본다. (O , X)

8 자료 06의 병은 사형 제도 존치 여부의 판단 기준은 사회적 유용성이라고 본다. (O , X)

9 자료 06의 병은 사형은 종신 노역형에 비해 범죄 억제력이 열등하다고 본다. (O , X)

10 자료 06의 갑과 을은 살인범을 사형하지 않는 것은 공적으로 정의를 침해하는 것이라고 본다. (O , X)

정답 1 × 2 ○ 3 × 4 ○ 5 × 6 × 7 × 8 ○ 9 ○ 10 ○

개념 완성

1 사회 윤리와 사회 정의

개인 윤리와 사회 윤리	개인 윤리	개인의 (❶) 부족과 함양에서 윤리 문제의 원인과 해결책을 찾음
	사회 윤리	(❷)와 제도의 부도덕함과 개선을 중심으로 윤리 문제의 원인과 해결책을 파악
사회 정의	종류	• 분배적 정의: 각자 자신의 몫을 누리도록 하는 것 • 교정적 정의: 잘못의 처벌을 공정하게 하는 것
	분배적 정의의 기준	• 절대적 평등: 기회와 혜택의 균등 • 능력: 능력에 대한 합당한 보상 • 노력: 성실성과 책임 의식 향상 • 업적: 생산성 증가, 객관적 평가 가능 • 필요: 인간다운 삶 보장, 경제적 불평등 완화 • 공리주의: 사회 전체가 얻게 될 이익 총량 극대화

2 분배적 정의와 윤리적 쟁점

현대 사회의 정의관	롤스	• (❸)으로서의 정의 • 무지의 베일을 쓴 상호 무관심한 사람을 가정한 (❹) 입장에서 정의의 원칙 도출 • 정의의 원칙: 제1원칙은 평등한 자유의 원칙, 제2원칙은 차등의 원칙과 기회균등의 원칙
	노직	• (❺)로서의 정의 • 재화의 취득, 이전, 교정의 절차가 정당해야 함 • 개인의 권리를 보호, 존중하는 (❻) 국가가 정당
	왈처	• (❼)으로서의 정의 • 다양한 삶의 영역에서 각기 다른 정의의 기준에 따라 사회적 가치가 분배되어야 함
윤리적 쟁점	우대 정책	보상 대상과 주체의 부당성, 역차별, 업적주의 원칙 위배
	부유세	재산권의 과도한 침해, 부자들에 대한 또 다른 차별

3 교정적 정의와 윤리적 쟁점

처벌의 목적	응보주의	처벌의 목적은 범죄 행위의 심각성에 비례한 처벌
	공리주의	처벌의 목적은 범죄자 교화와 범죄 예방(사회적 이익 증진)
사형제에 대한 견해	루소	(❽) 관점에서 사형 동의
	칸트	응보주의적 관점에서 사형 찬성
	베카리아	사회 계약설적, (❾) 관점에서 사형 반대

정답 ❶ 도덕성 ❷ 사회 구조 ❸ 공정 ❹ 원초적 ❺ 소유 권리 ❻ 최소 ❼ 다원적 평등 ❽ 사회 계약설적 ❾ 공리주의적

탄탄 내신 문제

01 다음 사상가가 부정의 대답을 할 질문으로 가장 적절한 것은?

> 사회는 불가피하게 이기심, 반항, 강제력, 원한처럼 도덕성이 높은 사람들로부터는 결코 도덕적 승인을 얻어 낼 수 없는 방법을 사용해서라도 종국적으로는 정의를 추구해야 한다. 반면, 개인은 자신보다 뛰어난 것을 보고서 자신감을 잃기도 하고 찾기도 하면서 스스로의 삶을 실현해 가도록 노력해야 한다. 이 두 도덕적인 감정은 상호 배타적이지 않으며 이 둘 사이의 모순이 절대적인 것도 아니지만, 그렇다고 쉽게 조화되지도 않는다.

① 도덕적 개인도 자기 집단의 이익을 위해 비도덕적 행동을 하기 쉬운가?
② 사회적 도덕 문제의 해결을 위해서는 정치적 강제력의 행사도 필요한가?
③ 집단 내 개인 간 도덕 문제는 설득이나 선의지의 함양으로 해결할 수 있는가?
④ 사회적 도덕 문제는 개인의 도덕성 함양과 사회 구조의 개선을 통해 해결해야 하는가?
⑤ 사회적 도덕 문제의 해결을 위한 비합리적 수단은 도덕적 견제로부터 자유로워야 하는가?

02 다음 사상가의 입장으로 옳지 않은 것은?

> 사회 정의가 진전되기 위해서는 어느 정도 이성의 계발이 있어야 하는 것은 사실이다. 그러나 이성의 한계로 인해 순수한 도덕적 행위, 특히 복잡하고 집단적인 관계들 속에서의 그러한 행위는 어쩔 수 없이 불가능한 목표가 되고 만다.

① 개인의 도덕성과 집단의 도덕성은 구분할 필요가 있다.
② 개인의 선의지 함양은 사회의 도덕성 실현에 기여할 수 있다.
③ 집단의 도덕성은 도덕적인 개인의 노력만으로 실현할 수 있다.
④ 사회 집단의 비도덕성은 개인의 도덕성만으로 견제하기 어렵다.
⑤ 사회 정의의 실현에서 개인의 도덕성 함양을 배제해서는 안 된다.

03 ㉠을 주장하는 입장은 긍정, ㉡을 주장하는 입장은 부정의 대답을 할 질문으로 가장 적절한 것은?

> 분배와 관련해 다양한 기준들을 고려할 수 있다. 예를 들어 ㉠ 필요에 의한 분배, ㉡ 업적에 의한 분배, 절대적 평등에 의한 분배 등이다.

① 분배는 경제적 효율성 개선에 기여해야 하는가?
② 분배는 기회와 혜택을 균등하게 보장해야 하는가?
③ 분배는 사회적 약자를 배려하는 데 유용해야 하는가?
④ 분배는 생산 의욕과 동기를 제고하는 데 기여해야 하는가?
⑤ 분배는 능력 있는 사람에게 적절한 보상을 보장해야 하는가?

04 (가), (나)의 '정의' 개념에 대한 적절한 설명만을 〈보기〉에서 있는 대로 고른 것은?

> 아리스토텔레스에 따르면, 특수한 정의는 두 종류로 나눌 수 있다. (가) 한 종류의 정의는 국가 공동체의 구성원들 사이에 분배되어야 할 것, 즉 명예나 금전, 재화와 관련된 것이다. 그리고 (나) 다른 한 종류의 정의는 사람과 사람 사이의 상호 관계 속에서 잘못을 바로잡는 역할을 하는 것이다.

보기

ㄱ. (가): 공적과 가치에 따라 분배하며 기하학적 비례 관계가 중시된다.
ㄴ. (나): 가해자의 이익을 빼앗아 피해자에게 돌려주는 산술적 비례 관계가 중시된다.
ㄷ. (가), (나): 지혜, 용기, 절제의 덕이 조화를 이룰 때 실현되는 정의이다.
ㄹ. (가), (나): 공동체 전체의 행복을 산출하는 일반적 정의의 성격을 지닌다.

① ㄱ, ㄴ　② ㄱ, ㄷ　③ ㄴ, ㄹ
④ ㄱ, ㄷ, ㄹ　⑤ ㄴ, ㄷ, ㄹ

[05~06] 다음을 읽고 물음에 답하시오.

> • 제1원칙: 각자는 모든 사람의 유사한 자유 체계와 양립할 수 있는 평등한 기본적 자유의 가장 광범위한 전체 체계에 대해 평등한 권리를 가져야 한다.
> • 제2원칙: 사회·경제적 불평등은 그것이 최소 수혜자에게 최대 이익이 되고, 공정한 기회균등의 조건 아래 모든 사람들에게 개방된 직책과 직위가 결부되도록 편성되어야 한다.

05 위 사상가의 입장으로 옳은 것은?

① 사회적 약자에 대한 배려는 양심과 사상의 자유에 우선해야 한다.
② 평등한 기본적 자유가 최소 수혜자의 이익에 우선해서는 안 된다.
③ 최소 수혜자의 이익은 공정한 기회균등보다 중요하게 다루어야 한다.
④ 제1원칙과 제2원칙은 순수한 가상적 상황에서 도출되는 정의의 원칙이다.
⑤ 각자에게 공정한 기회를 보장하기 위해 형식적 기회의 평등만을 제공해야 한다.

06 위 사상가가 부정의 대답을 할 질문으로 옳은 것은?

① 기회균등의 원칙은 차등의 원칙에 우선하는가?
② 사회 제도가 추구해야 할 제1 덕목은 정의인가?
③ 최대 다수에게 최대 이익을 제공하는 것이 정의인가?
④ 제1원칙은 제2원칙보다 축차적 서열에서 우선하는가?
⑤ 개인의 기본적 자유와 권리는 차등의 원칙보다 중요한가?

07 다음 사상가의 입장으로 옳지 않은 것은?

> 원초적 입장의 개인은 동등한 힘과 권리를 가지며, 서로 대등한 상황에서 합의 과정에 참여한다. 그들은 자신의 사회적 지위를 모르며, 자신의 천부적 재능이나 능력의 분배와 관련해 자신의 위치에 대해서도 모른다.

① 각자는 다른 각자에 대해 독립된 하나의 인격이다.
② 각자는 다른 각자의 이해관계에 대해 서로 무관심하다.
③ 각자는 자신의 구체적인 이해관계에 대해 알지 못한다.
④ 각자는 자신에게 가장 유리하다고 판단하는 원칙에 동의한다.
⑤ 각자는 최소 수혜자의 처지를 개선하자는 원칙에 동의하지 않는다.

08 다음 사상가가 긍정의 대답을 할 질문에만 모두 '✓'를 표시한 학생은?

> 국가에 의한 소득 재분배는 개인의 권리를 심각하게 위협하는 문제이다. 한 노동자로부터 N 시간 분의 소득을 세금으로 취하는 것은 노동자로부터 N 시간을 빼앗는 것과 같다.

질문 \ 학생	갑	을	병	정	무
근로 소득에 대한 과세는 강제 노동의 부과와 같은 의미인가?	✓			✓	✓
공동체 전체의 선은 개인의 절대적 소유권보다 중시되어야 하는가?		✓	✓		✓
사회적 약자의 처지를 개선하기 위한 과세는 소유권에 대한 침해인가?	✓	✓		✓	
개인의 노력에 의해 취득한 모든 재화의 소유권은 바로 그에게 있는가?			✓	✓	✓

① 갑 ② 을 ③ 병 ④ 정 ⑤ 무

09 갑은 긍정, 을은 부정의 대답을 할 질문으로 옳은 것은?

> 갑: 분배 문제와 관련해 가장 바람직한 방식은 능력에 따라 일하고, 필요에 따라 분배받는 것이다.
> 을: 소득을 얻는 과정이 공정하다면, 국가는 결과로서 소득에 간섭해서는 안 되며, 절대적 소유권을 인정해야 한다.

① 사회적 다수의 선을 극대화하는 것이 정의인가?
② 소유로 말미암은 경제적 불평등의 해소가 정의인가?
③ 소유에 관한 배타적 권리를 보장하는 것이 정의인가?
④ 국가는 정의를 실현하기 위해 시장에 개입해야 하는가?
⑤ 무지의 베일에서 도출된 결론이 정의의 올바른 기준인가?

10 갑, 을 모두 긍정의 대답을 할 질문으로 옳은 것은?

> 갑: 재능이나 지위 같은 도덕적으로 임의적인 요소들의 작용으로 최대 수혜자가 된 사람은 그렇지 못한 최소 수혜자의 처지를 개선하기 위해 일정한 희생을 감내해야 한다.
> 을: 임금에 대해 과세를 하는 것은 당사자인 노동자의 노동 결과에 대해 점유를 하는 행위이다. 즉 그의 시간을 점유한 다음, 일정한 활동을 하도록 지시하는 것과 같다.

① 복지를 위한 재분배 정책을 시행하는 것은 정의에 부합하는가?
② 공정한 절차에 의한 결과로서 경제적 불평등은 정의에 부합하는가?
③ 정당한 최초의 소유 과정은 이후의 모든 소유 방식을 정의롭게 하는가?
④ 공정한 기회균등의 실현을 위해 사회적 약자를 우선 배려하는 것이 정의인가?
⑤ 각자가 가지고 태어나는 천부적 재능을 각자의 소유물로 보는 것이 정의인가?

11 (가)의 갑, 을의 입장을 (나) 그림으로 탐구할 때, A~C에 들어갈 옳은 질문만을 〈보기〉에서 있는 대로 고른 것은?

(가)	갑: 제1원칙 – 각자는 기본적 자유에서 평등한 권리를 가져야 한다. 을: 각자는 자신의 노동에 의한 결과는 물론, 자유로이 양도된 것에 대해서도 정당하게 소유한다.
(나)	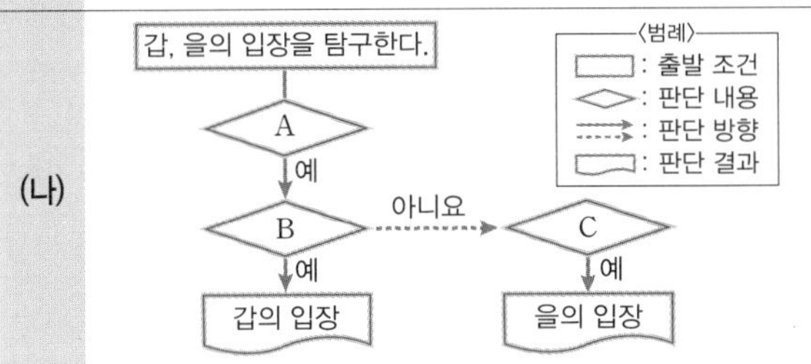

보기
ㄱ. A: 정의 실현을 위한 국가의 필요성을 인정하는가?
ㄴ. B: 절차의 공정성은 결과의 공정성을 보장하는가?
ㄷ. B: 각자에게 분포된 천부적 재능은 사회적 자산으로 간주해야 하는가?
ㄹ. C: 고정된 정형적인 정의의 원칙은 개인의 자유를 침해하는가?

① ㄱ, ㄴ ② ㄱ, ㄷ ③ ㄷ, ㄹ
④ ㄱ, ㄷ, ㄹ ⑤ ㄴ, ㄷ, ㄹ

12 갑 사상가의 입장에서 〈사례〉의 주장에 대해 제기할 견해로 가장 적절한 것은?

갑: 우리는 노동을 통해 어떤 것을 갖게 될 때, 그것이 타인의 처지를 악화시키지 않는 한 그 소유물을 취득할 응분의 권한을 갖는다.

〈사례〉

일정액 이상의 자산을 보유한 사람에게 부유세를 부과하여 부의 재분배가 이루어지도록 해야 한다.

① 사회 전체의 효용을 높이는 정책이므로 옳다.
② 경제적 불평등을 완화하려는 정책이므로 옳다.
③ 개인의 소유권을 침해하는 정책이므로 옳지 않다.
④ 개인의 사회적 책임을 중시하는 정책이므로 옳다.
⑤ 최소 수혜자의 처지를 악화하는 정책이므로 옳지 않다.

13 ㉠에 들어갈 적절한 진술만을 〈보기〉에서 있는 대로 고른 것은?

각자가 지닌 능력과 성과에 근거해 임용과 승진의 기회를 주는 것이 공정하다는 주장이 있습니다. 하지만 이를 절대적 원칙으로 채택한다면, 그동안 차별받아 온 소수자의 처지를 개선하기란 실질적으로 쉽지 않습니다. 따라서 우대 정책을 통해 [㉠]

보기
ㄱ. 사회적 다양성을 실현하고, 공동선을 증진해야 합니다.
ㄴ. 모든 사회 구성원의 수준을 똑같게 향상시켜야 합니다.
ㄷ. 과거의 차별을 시정하고 사회적 격차를 줄여야 합니다.
ㄹ. 개인의 능력이 아닌 성(性)과 인종에 근거해 우대받도록 해야 합니다.

① ㄱ, ㄴ ② ㄱ, ㄷ ③ ㄷ, ㄹ
④ ㄱ, ㄴ, ㄹ ⑤ ㄴ, ㄷ, ㄹ

14 갑에 대해 을이 제기할 반론으로 가장 적절한 것은?

자연적·사회적 운으로 발생하는 불평등의 시정을 위해 소수자에 대한 우대 정책이 필요해.
그렇지 않아. 우대 정책은 ㉠
우대 정책의 윤리적 쟁점
갑
을

① 사회적 약자의 보상받을 권리를 부정하는 것이야.
② 사회적 소수자들이 받았던 차별을 무시하는 것이야.
③ 사회적 소수자들의 자아실현 기회를 빼앗는 것이야.
④ 사회의 인종적·지역적 다양성을 인정하지 않는 것이야.
⑤ 특정 집단에 속한다는 이유만으로 부당한 특혜를 주는 것이야.

15 그림은 서술형 평가의 문제와 학생 답안이다. 학생 답안의 ㉠~㉤ 중 옳지 않은 것은?

서술형 평가

◎ **문제** 갑, 을의 형벌관을 서술하고, 평가하시오.

> 갑: 형벌은 일종의 정언 명령으로 동등성의 원리를 실현해야 한다.
> 을: 형벌은 공리의 원리에 따라 효용성을 실현해야 한다.

◎ **학생 답안**

㉠ 갑은 형벌의 목적을 범죄 행위에 상응하는 해악을 가하는 것에 두는 반면, ㉡ 을은 범죄 예방에 의해 사회 전체의 행복을 증진하는 것에 둔다. ㉢ 갑은 범죄 행위에 대한 응분의 처벌을 중시하는 반면, ㉣ 을은 형벌을 통해 범죄 의지를 꺾어 교화하는 것을 중시한다. ㉤ 갑, 을 모두 형벌이 지속적인 본보기 효과를 거두어야 한다고 주장한다.

① ㉠ ② ㉡ ③ ㉢ ④ ㉣ ⑤ ㉤

16 (가)의 갑, 을의 입장을 (나) 그림으로 탐구할 때, A~C에 들어갈 질문으로 옳은 것만을 〈보기〉에서 있는 대로 고른 것은?

(가)
갑: 형벌은 오직 범죄를 저질렀다는 이유만으로 가해져야 한다.
을: 형벌의 목적은 사회 전체의 효용을 증진하는 것이기 때문에 강조와 지속성, 보편성에 기초해야 한다.

(나)
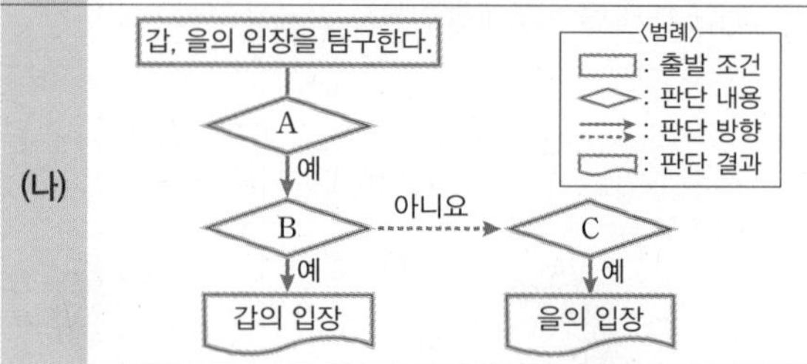

┃ 보기 ┃
ㄱ. A: 사형에 의한 해악이 사형을 하지 않음으로써 발생하는 해악보다 커야 하는가?
ㄴ. B: 사형은 공리의 원리보다 동등성의 원리에 따라야 하는 형벌인가?
ㄷ. C: 사형은 사회 계약 위배에 합당한 형벌인가?
ㄹ. C: 사형은 공동체의 선을 고려해 집행해야 하는가?

① ㄱ, ㄴ ② ㄴ, ㄹ ③ ㄷ, ㄹ
④ ㄱ, ㄴ, ㄷ ⑤ ㄴ, ㄷ, ㄹ

17 갑, 을 사상가의 입장에 대한 설명으로 옳은 것은?

> 갑: 형벌의 고통은 위법 행위를 통해 획득한 이익의 가치를 능가할 수 있어야 한다.
> 을: 형벌은 이미 저지른 범죄를 원래 상태로 되돌리려는 것이 아니라 오직 새로운 해악을 입을 가능성을 방지하려고 해야 한다.

① 갑은 형벌의 목적을 인과응보에 의한 정의 실현에 둔다.
② 을은 형벌의 목적을 범죄 행위와 동등한 처벌에 둔다.
③ 갑은 을과 달리 형벌의 목적을 범죄 예방에 둔다.
④ 갑은 을과 달리 형벌이 지닌 지속적 효과를 강조한다.
⑤ 갑, 을은 형벌이 사회 전체의 이익을 증진해야 한다고 본다.

18 (가)의 갑, 을 사상가의 입장을 (나)의 그림으로 표현할 때, A~C에 해당하는 진술로 옳은 것만을 〈보기〉에서 있는 대로 고른 것은?

(가)
갑: 사회 계약에 의하면, 타인의 희생으로 자신의 생명을 보존하려는 사람은 타인을 위해 자신의 생명을 희생해야 한다.
을: 법은 개개인의 의사를 대변하는 일반 의사를 대표한다. 그런데 자신의 생명을 빼앗을 권능을 타인에게 양도할 사람이 이 세상에 누가 있겠는가?

(나)
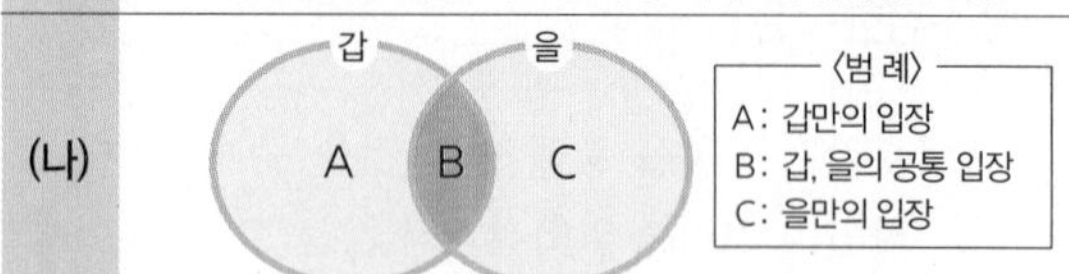

┃ 보기 ┃
ㄱ. A: 사형은 범죄자의 인격을 존중하는 최선의 방식이다.
ㄴ. B: 형벌은 사회 방위적 기능을 수행해야 한다.
ㄷ. B: 사형제는 일반 의지에 의해 규정된 법의 위반이다.
ㄹ. C: 사형은 지속적인 범죄 예방 효과를 기대할 수 없으므로 부당하다.

① ㄱ, ㄴ ② ㄱ, ㄷ ③ ㄴ, ㄹ
④ ㄱ, ㄴ, ㄹ ⑤ ㄴ, ㄷ, ㄹ

딱풀 p. 23

19 다음 글을 읽고 물음에 답하시오.

> ((가))이/가 주장하는 정의의 원칙에 의하면, 제1원칙이란 ((나))의 원칙으로 이는 각자는 모든 기본적 자유에서 평등한 권리를 지닌다는 것이다. 그리고 제2원칙은 사회·경제적 불평등은 ((다))에게 최대의 이익을 보장하며, 공정한 기회균등의 원칙에 따라 사회적 지위는 모두에게 개방되어야 한다는 것이다.

(1) (가)~(다)에 들어갈 적절한 말을 쓰시오.

(2) (가)의 사상가가 주장하는 우선성의 원리(규칙)를 두 가지 서술하시오.

20 ㉠을 지지하는 논거를 세 가지 서술하시오.

> 정당하지 못한 자의적 기준을 가지고 사람들을 불리하게 또는 유리하게 대우하는 것을 차별이라고 한다. 취약 계층에 대한 차별, 성(性) 또는 인종, 지역 차별을 생각해 볼 수 있다. 이 때문에 각종 차별 문제를 해소하고, 부당한 차별을 바로 잡기 위한 정책이 도입되고 있는데, 이를 ㉠ 소수자 우대 정책이라고 한다.

21 ㉠을 지지하는 논거를 세 가지 서술하시오.

> 국가가 범죄자의 생명을 인위적으로 박탈하는 사형은 극형에 해당한다. 이 때문에 사형을 폐지해야 한다는 주장도 있지만, ㉠ 존치해야 한다는 주장 또한 여전히 강력하다.

22 (가)~(바)에 들어갈 적절한 말을 쓰시오.

> ((가))에 의하면, 사회 계약은 계약자의 ((나))을/를 목적으로 하기 때문에 타인의 희생으로 자신의 생명을 보존하려고 하는 사람은 필요하다면 타인을 위해 마땅히 자신의 생명을 희생하겠다는 것에 동의해야 한다. 한편, 형벌을 일종의 정언 명령으로 이해하는 ((다))은/는 시민 사회가 모든 구성원의 ((라))에 따라 해체될 때조차도 감옥에 있는 마지막 살인자는 반드시 처형해야 한다고 주장한다. 이와는 반대로, ((마))은/는 계약론과 공리주의적 관점에서 형벌을 이해하는데, 그는 형벌의 목적을 ((바))에 두고, 이를 실현하기 위해 사형이 아닌 종신형이 효과적이라고 주장한다.

도전 수능 문제

| 평가원 기출 |

01 갑, 을 사상가들 중 적어도 한 사람이 긍정의 대답을 할 질문만을 〈보기〉에서 있는 대로 고른 것은?

> 갑: 모든 집단은 사회적 조화를 이룰 수 있다. 개인의 이기심은 합리성이나 선의지의 성장에 의해 점진적으로 견제되고 있으며, 이러한 과정은 계속 진행될 것이기 때문이다.
> 을: 어떤 집단적 힘이 약자를 착취할 때, 대항 세력이 견제하지 않는 한 그 힘은 사라지지 않을 것이다. 집단 간의 관계는 지극히 정치적이므로 항상 윤리적인 것은 아니다.

보기

ㄱ. 사회 갈등의 원인이 개인의 이기심에 있는가?
ㄴ. 사회 갈등의 해법이 권력 불균형 유지에 있는가?
ㄷ. 사회 정의의 실현을 위해 선의지의 함양이 필요한가?
ㄹ. 사회 정의의 실현을 위해 강제력의 사용이 필요한가?

① ㄱ, ㄴ ② ㄴ, ㄹ ③ ㄷ, ㄹ
④ ㄱ, ㄴ, ㄷ ⑤ ㄱ, ㄷ, ㄹ

| 평가원 응용 |

02 갑 사상가의 입장에서 을에게 제기할 수 있는 반론으로 가장 적절한 것은?

> 갑: 개인적 차원에서 집단적 차원으로 이행할수록 이기적 충동에 비해 합리성이나 선의지의 비중이 줄어든다. 따라서 이러한 충동적 경향이 심각하게 확대될 경우 이에 대항할 사회적 억제력이 반드시 필요하다.
> 을: 개인적 차원은 물론, 집단적 차원에서도 합리성과 선의지는 언제나 이기적 충동을 억제할 수 있다. 따라서 이기적 충동이 합리성과 선의지의 고양에 의해 견제되어 결국 모든 집단들이 조화를 이룰 것이다.

① 집단 간 힘의 차이가 사회 부정의의 원인임을 간과한다.
② 개인의 도덕성이 집단의 도덕성보다 중요함을 무시한다.
③ 개인과 집단의 궁극 목적이 선의지의 실현임을 간과한다.
④ 개인과 사회의 최고의 도덕적 이상이 동일함을 간과한다.
⑤ 사회 정의 실현을 위해 정치적 방법을 지나치게 강조한다.

| 수능 기출 |

03 다음 서양 사상가가 긍정의 대답을 할 질문으로 옳은 것은?

> 집단과 집단 사이의 관계는 항상 윤리적이기보다는 지극히 정치적이다. 모든 도덕주의자들은 인간의 집단 행동이 지닌 야수적 성격과 모든 집단적 관계들에 있는 집단적 이기주의의 힘에 대한 이해를 결여하고 있다. 그들은 사회적 갈등이 인류 역사에서 불가피한 것임을 제대로 인식하지 못한다.

① 개인 윤리적 이타성과 사회 윤리적 정의는 항상 상호 배타적인가?
② 개인들의 자발적 타협이 사회 정의를 실현하는 유일한 방법인가?
③ 개인의 도덕적 선의지 함양은 사회 정의 실현의 충분조건인가?
④ 개인 간 갈등은 도덕적이고 합리적인 방법으로 조정될 수 있는가?
⑤ 개인의 합리적 도덕성은 개인이 속한 집단의 도덕성보다 열등한가?

| 교육청 응용 |

04 다음 사상가의 입장으로 옳은 것은?

> 개개인의 행복은 사회 전체의 행복으로 연결된다. 더 많은 사람에게 더 많은 행복을 가져다주는 행위가 옳은 행위이다.

① 절차가 공정하면 결과도 평등한 것이 정의인가?
② 가치와 공적을 기준으로 하는 분배가 정의인가?
③ 국가에 의한 재분배를 부정하는 것이 정의인가?
④ 사회 전체의 효용을 극대화하는 것이 정의인가?
⑤ 소유에 관한 개인의 권리를 절대시하는 것이 정의인가?

05 갑, 을 사상가의 입장으로 옳은 것만을 〈보기〉에서 있는 대로 고른 것은?

> 갑: 사회적 재화의 분배는 기하학적 비례를, 시민 간 분쟁 해결은 산술적 비례를 실현해야 한다.
> 을: 정의의 원칙은 원초적 상황에서 평등한 개인들에 의한 합의의 대상이어야 한다.

보기
ㄱ. 갑: 기하학적 비례의 기준은 각자의 가치나 공적이다.
ㄴ. 을: 사회적 약자를 위한 재분배 정책은 소유권을 침해한다.
ㄷ. 을: 평등한 자유의 원리를 기회균등의 원리보다 중시해야 한다.
ㄹ. 갑, 을: 정의로운 사회에서도 경제적 불평등은 존재한다.

① ㄱ, ㄴ ② ㄴ, ㄷ ③ ㄷ, ㄹ
④ ㄱ, ㄴ, ㄹ ⑤ ㄱ, ㄷ, ㄹ

| 평가원 응용 |

06 (가)의 갑, 을, 병 사상가들의 입장을 (나) 그림으로 표현할 때, A~D에 해당하는 적절한 진술만을 〈보기〉에서 있는 대로 고른 것은?

(가)
갑: 정의는 본성상 정치적 동물인 사람들 사이에서 같은 것은 같게, 다른 것은 다르게 분배할 것을 요구한다.
을: 정의는 도덕과 입법의 원리인 최대 다수의 최대 행복을 위해 유용성을 극대화할 것을 요구한다.
병: 정의는 최소 수혜자를 포함한 모든 사람에게 이익이 되도록 절차적 공정성을 보장할 것을 요구한다.

(나)
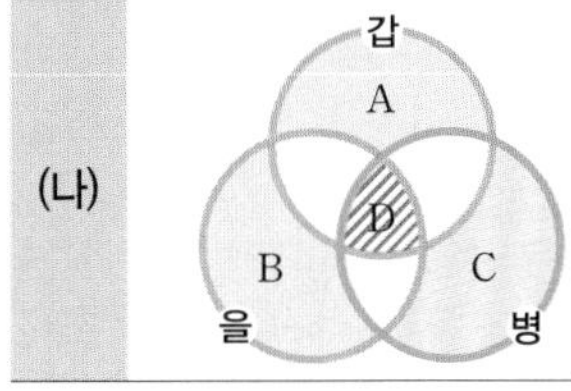

〈범례〉
A: 갑만의 입장
B: 을만의 입장
C: 병만의 입장
D: 갑, 을, 병의 공통 입장

보기
ㄱ. A: 분배 정의는 기하학적 비례의 동등함을 추구한다.
ㄴ. B: 분배의 옳고 그름은 쾌고의 계산에 의해 결정된다.
ㄷ. C: 최소 수혜자의 이익만을 우선하는 것이 정의이다.
ㄹ. D: 분배 정의는 사회적·경제적 불평등을 허용한다.

① ㄱ, ㄴ ② ㄱ, ㄷ ③ ㄷ, ㄹ
④ ㄱ, ㄴ, ㄹ ⑤ ㄴ, ㄷ, ㄹ

| 평가원 응용 |

07 다음 사상가가 긍정의 대답을 할 질문으로 옳은 것은?

> 나의 정의론은 개인의 권리를 절대적 존중의 대상으로 본다. 최소 국가는 개인의 권리를 존중하므로 타인의 이익을 위해 개인의 권리가 침해되는 것을 용납하지 않는다.

① 공리의 극대화를 위한 자유의 제한은 정의로운가?
② 공동체 구성원의 필요를 충족하는 것이 정의인가?
③ 최대 다수에게 좋은 것은 정의의 합당한 기준인가?
④ 최소 국가는 개인 간 계약 이행에 개입할 수 있는가?
⑤ 원초적 합의는 심리학적 사실에 대한 지식을 포함하는가?

| 수능 응용 |

08 (가)의 갑, 을, 병 사상가들의 입장을 (나) 그림으로 탐구할 때 A~D에 해당하는 적절한 질문만을 〈보기〉에서 있는 대로 고른 것은?

(가)
갑: 분배적 정의는 기하학적 비례를 추구하는 것이다.
을: 분배적 정의의 핵심 과제는 사회 체제의 선택이다. 사회 체제는 특수한 상황의 우연성을 처리하기 위해 순수 절차적 정의의 관념에 따라 기획되어야 한다.
병: 분배적 정의는 중립적인 개념이 아니다. 중립적인 개념은 '개인의 소유물'이다. 모든 개인이 자신의 소유물에 대해 소유 권리를 갖는 것이 정의이다.

(나)
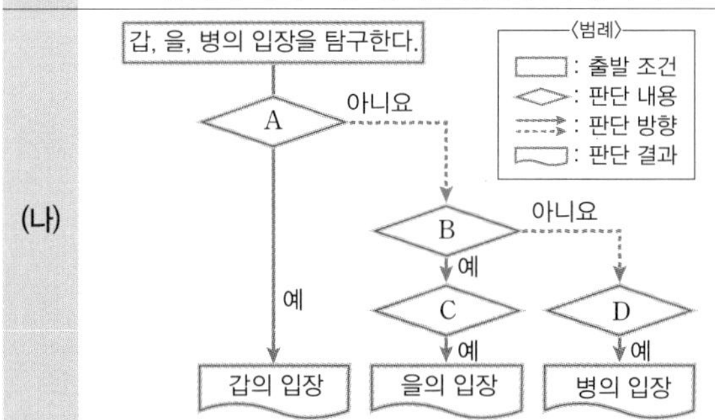

보기
ㄱ. A: 분배적 정의만이 비례를 추구하는 특수적 정의인가?
ㄴ. B: 경제적 불평등은 모두에게 이익이 되어야 정당한가?
ㄷ. C: 개인은 원초적 입장에서 모두의 이익에 관심을 갖는가?
ㄹ. D: 개인의 자연적 재능을 공동의 소유물로 여기는 것은 부당한가?

① ㄱ, ㄷ ② ㄴ, ㄹ ③ ㄷ, ㄹ
④ ㄱ, ㄴ, ㄷ ⑤ ㄱ, ㄴ, ㄹ

| 평가원 기출 |

09 갑, 을, 병 사상가들의 입장으로 가장 적절한 것은?

갑: 개인의 타고난 자산이 도덕적 관점에서 볼 때 임의적이건 아니건 간에, 개인은 그 자산에 대한 소유 권리를 지닌다. 또한 이로부터 나오는 것에 대해서도 그러하다.
을: 개인의 타고난 능력이 불평등하다는 점, 따라서 생산 능력도 타고난 특권임을 승인하는 것은 부당하다. 생산은 각자의 능력에 따라, 분배는 각자의 필요에 따라 이루어져야 한다.
병: 개인의 타고난 재능은 응분의 것이 아닌 사회 공동의 자산으로 간주해야 한다. 더 불운한 자들의 선에 도움이 되는 한에서만 그 행운으로부터 이익을 취할 수 있다.

① 갑: 부의 소유와 거래 및 교정에 대한 국가의 개입은 배제된다.
② 을: 노동 분업은 소외된 노동을 해방시켜 필요에 따른 분배를 실현한다.
③ 병: 공정으로서의 정의관에서 사회는 상호 이익을 위한 협동 체제이다.
④ 갑, 병: 선천적 유불리의 영향을 줄여야 정의로운 분배가 가능하다.
⑤ 을, 병: 사적 소유권은 인간의 기본적인 권리로 승인될 수 없다.

| 교육청 응용 |

10 갑, 을 사상가 모두 긍정의 대답을 할 질문으로 옳은 것만을 〈보기〉에서 있는 대로 고른 것은?

갑: 사회의 기본 구조에 대한 정의의 원칙들이 원초적 합의의 대상이다.
을: 각 개인은 자기 소유물을 합법적 수단으로 취득할 경우 그에 대한 소유 권리를 갖는다.

보기
ㄱ. 천부적 자질은 개인의 소유이면서 공동 자산인가?
ㄴ. 전체의 선을 위한 기본적 자유의 제한은 부당한가?
ㄷ. 최소 국가만이 개인의 권리를 가장 잘 보호하는가?
ㄹ. 정의 실현을 위한 절차가 공정하면 그 결과는 정당성을 갖는가?

① ㄱ, ㄴ ② ㄱ, ㄷ ③ ㄴ, ㄹ
④ ㄱ, ㄷ, ㄹ ⑤ ㄴ, ㄷ, ㄹ

| 평가원 응용 |

11 갑, 을이 소수자 우대 입학 전형에 대해 취할 입장으로 적절하지 않은 것은?

갑: 소수 집단 우대 정책은 소수자들이 받은 과거의 차별을 보상함으로써 실질적인 정의를 구현하고, 사회의 다양성 실현에 기여하는 정책이다.
을: 소수 집단 우대 정책은 노력이나 업적과는 무관하게 소수자에게 과도한 혜택을 주는 것으로, 일반인의 기본권을 침해하고 기회를 박탈하는 차별 정책이다.

① 갑: 실질적 평등을 실현하는 옳은 정책이다.
② 갑: 소수자에게 정당한 몫을 할당하는 옳은 정책이다.
③ 을: 사회 구성원들 간 공정 경쟁을 해치는 잘못된 정책이다.
④ 을: 소수자의 입학을 위해 일반인의 희생을 요구하는 잘못된 정책이다.
⑤ 갑, 을: 소수자에 대한 새로운 역차별을 초래하는 잘못된 정책이다.

| 교육청 기출 |

12 다음 토론의 핵심 쟁점으로 가장 적절한 것은?

갑: 우리 사회의 차별을 종식시키기 위해서는 과거의 차별로 인해 고통받는 사람들을 우대해야 합니다.
을: 우리 사회의 차별은 사라져야 합니다. 그러나 과거의 차별을 근거로 특정 집단을 우대하는 것은 역차별입니다.
갑: 과거의 차별에 대한 보상은 역차별이 아니라 출발선을 같게 하려는 것입니다. 차별받아 온 집단에 대한 배려 없이는 공정한 사회를 기대할 수 없습니다.
을: 과거의 차별에 대해 잘못이 없는 현세대에게 부담을 주는 것은 부당합니다. 이것은 잘못이 없는 사람에게 벌을 주는 것과 같습니다.

① 업적과 성과를 기준으로 한 사회적 차별은 정당한가?
② 소수자 집단을 사회적으로 차별하는 것은 불공정한가?
③ 과거의 차별 때문에 고통받는 집단을 우대해야 하는가?
④ 사회적 차별을 철폐해야 공정한 사회를 이룰 수 있는가?
⑤ 특정 집단에 대한 보상은 능력을 기준으로 해야 하는가?

| 평가원 응용 |

13 (가)의 갑, 을 사상가들의 입장을 (나) 그림으로 표현할 때, A~C에 해당하는 적절한 진술만을 〈보기〉에서 있는 대로 고른 것은?

(가)

갑: 사회 계약의 목적은 계약자의 생명 보존에 있다. 살인을 저질러 계약을 위반한 자는 공공의 적으로 간주되어야 한다.

을: 쾌락과 고통은 계산할 수 있고, 법의 일반적 목적은 해악을 방지하는 것이다. 형벌이 허용될 수 있는 경우는 그것을 통해 더 큰 악을 제거하는 것이 보장될 때뿐이다.

(나)

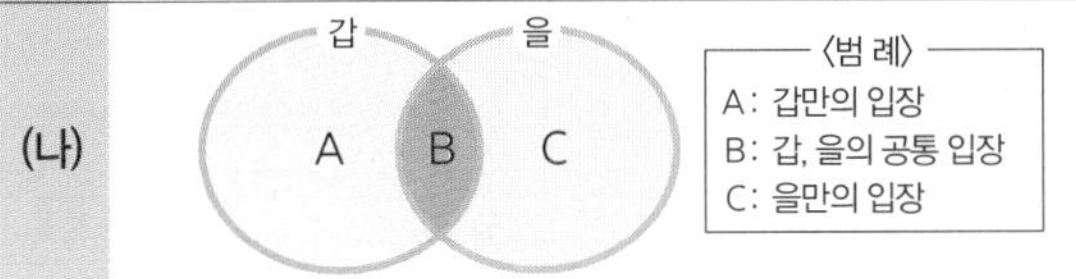

보기

ㄱ. A: 사형은 사회 계약의 목적 달성을 위한 수단이다.
ㄴ. B: 살인범에 대한 응당한 보복이 사형의 목적이다.
ㄷ. C: 형벌은 공리의 원리에 따라 시행되어야 한다.
ㄹ. C: 살인을 저지른 자는 반드시 사형에 처해져야 한다.

① ㄱ, ㄴ ② ㄱ, ㄷ ③ ㄴ, ㄷ
④ ㄱ, ㄷ, ㄹ ⑤ ㄴ, ㄷ, ㄹ

14 갑, 을, 병 사상가들의 입장으로 가장 적절한 것은?

갑: 타인에게 해를 입힌 사람을 처벌하여 그것이 결과적으로 이끌어 내는 것이 없다고 하더라도 그 자체로 옳다.

을: 사회적 권리를 공격하는 악당이 국가의 법을 침해한 것은 그 구성원이기를 포기한 것이고, 국가와 전쟁을 한 것이다.

병: 최대 다수에게 최대의 이익이 되는 사회 계약을 준수하는 것은 모든 사람에게도 이익이 된다.

① 갑: 형벌은 고통을 초래하므로 그 자체로서는 악이다.
② 을: 처벌의 해악이 처벌이 방지할 해악보다 커야 한다.
③ 병: 생명권은 양도의 대상이 아니므로 사형제에 반대해야 한다.
④ 갑, 을: 형벌은 사회의 안전을 위협하는 일종의 폭력이다.
⑤ 갑, 병: 형벌의 목적은 범죄에 의한 사회적 해악의 방지이다.

| 평가원 응용 |

15 갑, 을 사상가들의 입장으로 옳은 것은?

갑: 형벌은 오직 법을 통해서만, 그리고 사회 계약으로부터 나온다. 형벌은 강도보다 지속성을 중시해야 한다.

을: 형벌은 사회의 최대 행복을 저해하는 경향에 비례하여 가해져야 한다. 형벌의 목적은 범죄의 예방이다.

① 갑: 사형보다 우월한 범죄 억제력을 지닌 형벌은 없다.
② 을: 형벌이 예방할 해악과 초래할 해악은 동등해야 한다.
③ 을: 사형 그 자체는 악이지만 동해보복(同害報復)을 위한 필요악이다.
④ 갑, 을: 사형은 한 시민에 대해 국가가 벌이는 전쟁이다.
⑤ 갑, 을: 형벌은 공동체 전체의 선을 위해 집행되어야 한다.

| 평가원 응용 |

16 갑은 부정, 을은 긍정의 대답을 할 질문으로 옳은 것은?

형벌의 선한 결과가 형벌 자체의 악보다 크다면 형벌을 부과해야 합니다. 사형과 같은 형벌의 남용은 인간을 개선시키지 못합니다. 사형보다는 종신 노역형이 범죄 억제력이 큽니다.

형벌은 범죄자가 처벌받아야 할 행위를 의욕했기 때문에 가해져야 합니다. 사형은 살인에 상응하는 보복을 위한 것으로서, 인간성을 해치는 죄책감으로부터 사형수를 해방시켜 줍니다.

갑 을

① 형벌의 목적은 응분의 보복이 아닌 범죄 예방인가?
② 범죄자는 응분의 보복을 바랐기 때문에 처벌받는가?
③ 사형은 사회 계약의 일반 의지에 위배되는 형벌인가?
④ 사형은 동등성의 원리에 따른 공적 정의의 실현인가?
⑤ 사형은 유용성의 이념과 인간 존중의 이념에 위배되는가?

03 국가와 시민의 윤리

1 국가의 권위와 시민에 대한 의무

1. 국가의 권위
시민의 삶 전체 영역에서 복종과 헌신을 요구하고, 다른 집단에 대한 의무보다 우선하며, 국가의 명령이라는 이유만으로 강한 구속력을 보유한다.

(1) 의미 시민에게 권리를 규정하고 의무를 부과하는 힘

(2) 정당화 근거[1] 자료 01

① **동의론** 시민이 국가에 복종하기로 동의하였으므로 국가에 복종

② **혜택론(흄)** 국가가 시민에게 여러 가지 혜택을 제공하므로 국가에 복종해야 함

③ **본성론(아리스토텔레스)** 국가는 인간 본성에 따라 성립되는 최고선이므로 권위를 지님

④ **계약론(홉스, 로크)** 자연 상태에서 제대로 보장받기 어려운 생명·재산·자유 등을 보장받고자 계약을 통해 국가를 수립 ➡ 동의론과 혜택론의 관점을 모두 포함[2]

⑤ **자연적 의무(롤스)** 국가는 시민의 권리를 보호하고 행복을 증진하며 도덕적 선 실현에 기여 ➡ 시민이 국가에 복종하는 것은 인간이 마땅히 지켜야 할 자연적 의무

⑥ **정의의 관점**
- 국가의 명령과 법이 정의롭다면 그것을 따르는 것이 정당
- 플라톤: 선의 이데아를 통찰한 통치자에 대한 복종은 정의로움
- 유교: 군주가 덕을 갖추고 백성을 다스리면, 충(忠)의 자세를 백성에게 요구해도 정당
  └ 군주의 통치권은 백성의 뜻에 바탕을 둔 천명(天命)에 의해 주어진 것

2. 시민에 대한 국가의 의무

(1) 동양

유교	• 위민[3], 민본주의[4] 강조 자료 02 • 군주는 인격 수양으로 덕을 쌓아 백성을 교화해야 함 • 대동 사회: 노인에게 편안한 여생, 젊은이에게 적절한 일자리 제공, 의지할 곳 없는 이들에게 보호를 제공하는 것을 군주의 의무로 봄 • 맹자: 생업이 보장되어야 백성들이 도덕적 삶 영위, 역성혁명(易姓革命) 인정 (군주가 백성을 위하는 정치를 하지 않을 경우 가능하다.)
묵자	무차별적 사랑〔兼愛〕과 상호 이익〔交利〕이라는 하늘의 뜻을 따라야 함
한비자	엄격한 법에 따라 상벌을 적절하게 제공하여 사회 질서 유지
정약용	백성들의 건강한 삶을 위한 통치자의 헌신과 백성에 대한 배려 강조

└ 정약용은 백성들의 편익을 위해 분쟁 시 공정한 판결을 내린 사람을 통치자로 추대한 것에서 권위의 정당성을 찾는다.

(2) 서양[5]

소극적 국가관	시장에 대한 개입 최소화, 질서 유지의 역할만 강조 ➡ 빈부 격차 심화, 최소한의 인간다운 삶을 보장받지 못하는 시민 발생
적극적 국가관	시민의 기본 욕구 충족, 의료·주택·교육 등의 복지 제공 ➡ 국가 기능 비대화와 비효율성 초래, 복지 과잉으로 인한 도덕적 해이 현상 유발

(3) 현대 국가와 인권 현대 국가는 시민의 인간다운 삶 보장을 추구

① **인권** 인간이면 누구나 당연하게 가지는 권리이자 모든 사람이 누려야 하는 권리 자료 03

② **인권의 변화** ― 1~3세대 인권은 바사크의 인권 이론에 따른 분류이다.
- 1세대 인권: 자유권적 기본권 예 신체의 자유와 사상의 자유 등
- 2세대 인권: 사회권적 기본권 예 사회 보장에 대한 권리, 일할 수 있는 권리 등
- 3세대 인권: 연대와 단결의 권리 예 사회적 소수자의 권리, 평화의 권리, 환경에 대한 권리 등
- 4세대 인권: 정보화 시대의 인권 예 정보 접근권

---

[1] **국가 권위의 정당화 근거의 한계**
- 동의론: 동의 여부의 불명확
- 혜택론: 혜택과 의무의 비례 불성립
- 본성론: 본성의 명확한 정의가 어려움
- 계약론: 자연 상태는 비역사적이고 가상적
- 자연적 의무: 추상적
- 정의: 정의로운 국가는 현실적 존재 가능성 희박

[2] **소크라테스의 국가 권위의 정당성**
계약론은 아니지만 소크라테스 역시 준법을 약속했고 국가로부터 혜택을 받았기 때문이라는 동의론과 혜택론의 두 근거를 제시한다.

[3] **위민(爲民)**
백성을 위한다는 뜻

[4] **민본주의(民本主義)**
백성이 나라의 근본이고, 백성이 튼튼해야 나라가 평안하다는 사상으로, 공자는 정치에서 중요한 경제, 군사, 백성의 신뢰 중 백성의 신뢰를 가장 중시한다.

[5] **서양에서 국가의 역할**
- 사회 계약설(홉스, 로크, 루소): 자연 상태에서 안전하게 보장받기 어려운 생명, 재산, 자유 등을 보호
- 밀: 시민이 타인에게 해악을 끼칠 경우를 제외하고 기본권을 보장
- 롤스: 정의의 원칙에 따르는 질서 정연한 사회 구현

고득점을 위한 셀파 Tip 비교

| 홉스 vs 로크, 루소의 본성과 자연 상태 |

홉스
- 본성: 이기적
- 자연 상태: 만인의 만인에 대한 투쟁

로크, 루소
- 본성: 이성이 있으나 오류 존재 가능(로크), 선함(루소)
- 자연 상태: 비교적 평화로우나 분쟁 해결 곤란(로크), 평화로움(루소)

셀파 자료 탐구

자료 01 국가의 권위에 대한 사상가들의 견해

갑: 인간은 자연스럽게 가족과 마을을 형성하고, 마지막으로 최종적이고 완전한 결사체에 도달하게 되는데, 그것이 바로 국가이다. 그러므로 인간은 본성적으로 국가에 속하도록 되어 있다. 국가에 속하지 않은 고립된 자는 동물이거나 아니면 신일 것이다.

을: 국가에 대한 복종의 의무는 우리가 오직 국가로부터 얻는 이득에서 유래한다. 이 이득 때문에 우리는 자신이 국가에 저항하는 경우에도 반감을 느끼며 다른 사람이 국가에 대해 저항하는 경우에도 불쾌감을 느낀다.

병: 국가는 자유롭고 평등한 개인들 간의 계약에 의해 성립된다. 개인들은 자연권을 확실히 보장받기 위해 자연권의 일부를 국가에 양도하는 계약에 동의한다. 이 자발적 동의에 의한 계약이 국가에 복종할 의무와 저항할 권리의 근거가 된다.

자료 분석 | 갑은 아리스토텔레스, 을은 흄, 병은 로크이다. 아리스토텔레스는 본성론의 입장이고, 흄은 혜택론의 입장이다. 로크는 흄과 같이 국민의 평화와 안전 보장을 국가의 임무로 중시하면서도 계약에 대한 동의(묵시적 동의도 포함)를 국가에 대한 복종의 이유로 여긴다. 또한 그는 인간에게 생명, 자유, 재산 등 자연법이 부여하는 천부적 자연권이 있다고 본다.

자료 02 『서경』에 나타난 민본주의

하늘이 보시는 것은 우리 백성을 통해서 보시고, 하늘이 들으시는 것은 우리 백성을 통해서 들으신다. 이처럼 하늘과 백성은 통하는 것이니 땅을 다스리는 자는 백성을 공경해야 한다.

자료 분석 | 『서경』에서 엿볼 수 있는 민본주의의 입장에서는 군주의 정당성을 백성의 뜻에서 찾을 수 있고, 국가는 거대한 가족이므로 국가가 부모처럼 백성을 아끼고 돌보아야 하며, 군주가 도덕성을 바탕으로 정치를 펼쳐야 한다고 본다.

자료 03 인권에 대한 다양한 입장

갑: 인권은 개인이 국가나 타인으로부터 간섭이나 침해를 받지 않을 권리와 정치에 참여할 평등할 기회를 가질 권리로 국한되어야 한다. 국가가 사회적·경제적 평등을 실현하기 위해 개인의 자유와 권리를 침해하는 것은 부당하다.

을: 인권은 인간이 최소한의 인간다운 삶을 누리며 살 권리이다. 인권을 소극적 권리로 한정해서는 사회적 약자들의 인간다운 삶을 보장할 수 없다. 국가는 구성원 모두의 인권 보장을 위해 사회적·경제적 평등을 실현해야 한다.

자료 분석 | 갑은 인권을 자유권과 참정권에 한정하고, 을은 인권에 복지권을 포함시킨다. 그러나 인권을 모든 인간이 누려야 할 권리로 보는 점은 공통적이다.

기출 선택지 O, X로 정리하기

1 자료 01의 갑은 정치적 의무를 개인의 자발적 선택에서 비롯된 것으로 본다. (O, X)

2 자료 01의 을은 국가에 대한 복종을 결과와 무관하게 지켜야 할 의무로 본다. (O, X)

3 자료 01의 병은 국가에 의한 기본권 침해를 저항권의 근거로 본다. (O, X)

4 자료 01의 병은 묵시적 동의로도 개인에게 정치적 의무가 발생할 수 있다고 본다. (O, X)

5 자료 01의 갑, 병은 정치적 의무를 인간이 가지는 자연적 의무의 하나로 본다. (O, X)

6 자료 01의 을, 병은 국가가 국민의 평화와 안전을 보장해야 한다고 본다. (O, X)

7 민본주의는 피치자가 통치자를 정기적으로 교체할 수 있는 권리를 지닌다고 본다. (O, X)

8 민본주의는 가족 사랑의 원리〔親親〕를 정치에도 적용해야 한다고 본다. (O, X)

9 자료 03의 갑은 인권은 자유권과 함께 복지권을 포함하는 권리라고 본다. (O, X)

10 자료 03의 을은 인권은 자유권과 참정권으로 국한되어야 한다고 본다. (O, X)

정답 1 × 2 × 3 ○ 4 ○ 5 × 6 ○ 7 × 8 ○ 9 × 10 ×

2 민주 시민의 참여와 시민 불복종

1. 민주 시민의 권리와 의무

민주 시민	국가의 주권자
권리	평등권, 자유권, 사회권, 청구권, 참정권 등
의무⑥	납세, 국방, 교육, 근로 등

2. 정치 참여(시민 참여)⑦ 자료 04

역할		• 공공 문제에 영향력 행사(부정의한 법과 정책에 대한 저항도 포함) • 사회 구성원으로서 정체성 획득 ➡ 자아실현 기여, 대의 민주주의 보완 • 국가 권력의 개인 권리 침해 방지: 군주가 일반 의지⑧를 거슬러 권력을 남용할 경우 저항 가능(루소) • 개인의 정치적 견해·선호를 공공 정책에 반영: 시민의 다양한 정치적 선호를 결집해 공공 정책에 효과적으로 반영하는 정치 참여는 적극적으로 선을 달성하는 도구(공리주의)
방법	제도적 노력⑨	선거, 투표, 주민 소환제, 주민 발의제, 주민 참여 예산제 등
	비제도적 노력	여론 형성, 시민 단체 활동 등

3. 시민 불복종 자료 05

(1) 의미 법이나 정부의 정책에 변화를 가져올 목적으로 행해지는 공공적·비폭력적·양심적 위법 행위 (└ 롤스의 입장)

(2) 이론적 근거

① 소로 국민으로서 법에 대한 존경심보다 인간으로서 양심을 우선해야 함

② 롤스 평등한 자유의 원칙이나 공정한 기회균등의 원칙 등 정의의 원칙에 어긋나는 법이나 정책에 대한 저항 가능 ➡ 사회적 다수의 정의관에 주목 (└ 차등의 원칙은 제외된다.)

③ 드워킨 헌법 정신에 반하는 법률에 대해 시민이 저항 가능, 시민 불복종의 유형을 양심 기반·정의 기반·정책 기반으로 구분 (└ 싱어는 공유된 정의관이 있기 어렵고, 공유된 정의관에도 문제가 있을 수 있다고 비판한다.)

④ 싱어 시민 불복종이 산출할 이익과 손해, 불복종 행위의 성공 가능성을 고려해야 함 (└ 공리주의적 관점)

(3) 기원과 사례

① 기원 자연법에 근거하여 국민의 생명·재산·자유를 침해하는 통치자에 대한 저항권을 인정한 로크의 저항권 사상

② 사례 소로의 납세 거부 운동(노예제와 멕시코 전쟁에 반대), 간디의 소금법 거부 운동(영국의 식민 통치에 저항), 킹 목사의 흑인 차별 철폐 운동(인간 존엄성을 훼손하는 법에 불복종)

(4) 반대 주장

① 양심·정의관을 근거로 법에 대한 저항 정당화 ➡ 실정법의 권위, 법에 대한 존중심 약화

② 합법적 저항 절차를 넘어섬 ➡ 민주주의와 민주적 절차를 무시하여 사회 질서 붕괴

③ 정의나 양심 등과 같은 표면적 이유와 달리 집단 이기주의의 발로가 될 수 있음

(5) 정당화 조건(롤스)

① 비폭력성 폭력 사용 불가

② 최후의 수단 합법적인 방식으로 법을 고치고자 노력한 후 선택하는 최후의 수단

③ 법 전체에 대한 항거 불가 부정의한 법이 있어도 법이나 제도 전체에 대한 항거는 불가

④ 처벌·제재의 감수 불복종 행위에 따르는 법적인 처벌이나 제재를 감수

⑤ 공개성 다수의 공개적인 활동으로 수행

⑥ 목적의 정당성 공동선, 정의와 같은 정당한 목적 추구

⑦ 기본권 보호 타인의 기본권 침해 불가

⑥ 동서양의 시민의 의무
동양의 유교 윤리는 부모에 대한 효도처럼 국가에 대한 백성의 충성을 의무로 보고, 서양의 사회 계약설은 타인의 자유와 권리를 침해하지 않고 정치 공동체의 구성원으로 공동선을 추구하는 것을 의무로 본다.

⑦ 동서양의 정치 참여의 모습
동양의 상소문 제도, 서양 고대 그리스의 공적 의무 강조

⑧ 일반 의지
공적인 영역에서 공익을 지향하는 시민의 도덕적 의지로, 루소는 주권을 일반 의지라고 부르고, 국가의 의지는 일반 의지에서 나온다고 본다.

⑨ 정치 참여 보장 제도
- 주민 소환제: 지방 자치 단체의 행정 처분을 통제할 수 있도록 지방 자치 단체장, 지방 의회 의원 등을 주민 투표를 통해 해직할 수 있는 제도
- 주민 발의제: 지역 주민이 생활과 관련된 조례를 제정하는 제도
- 주민 참여 예산제: 주민이 지방 자치 단체의 예산 편성에 직접 참여하는 제도
- 주민 감사 청구제: 지역 행정이 공익을 현저히 침해할 때 주민이 감사를 청구할 수 있는 제도

고득점을 위한 셀파 Tip 개념

| 시민 불복종의 정당화 조건 |
- 비폭력성
- 최후의 수단
- 법 전체에 대한 항거 불가
- 처벌·제재의 감수
- 공개성
- 목적의 정당성
- 기본권 보호

셀파 자료 탐구

자료 04 민본주의의 백성과 민주 시민의 차이

(가) 모든 시민은 최고 권력을 가지며 자유롭고 평등하다. 시민 전체의 이익을 추구해야 하며, 다수에 의해 결정하는 것이 정당하다. 인민 주권이 인정되는 나라에서는 모든 개인이 권력을 평등하게 나누고 나랏일에 참여한다. 보통 선거로 뽑힌 주민 대표들이, 주민의 이름으로, 주민의 직접 감독 아래 업무를 수행한다.

(나) 군주가 백성의 기쁨을 자신의 기쁨으로 삼으면 백성도 그의 기쁨을 기뻐하게 된다. 백성과 함께 기뻐하면서 천하의 왕 노릇 하지 못한 경우는 아직 없었다. 하나라 걸왕과 은나라 주왕이 천하를 잃은 것은 그 백성을 잃었기 때문이다. 백성을 잃은 것은 그들의 마음을 잃었기 때문이다. 천하를 얻는 방법이 있으니, 그 백성을 얻는 것이 곧 천하를 얻는 것이다.

자료 분석 | (가)는 민주주의, (나)는 민본주의의 입장이다. 민주주의와 민본주의는 국민의 뜻을 존중해야 하고, 국민을 위한 정치를 펼쳐야 한다는 점에서 공통점이 있으나 민주주의에서는 시민들을 정치에 직접적으로 참여할 수 있는 주권자로 보는 반면, 민본주의에서는 백성들이 정책 결정이나 민주적 절차를 통한 통치자 선출 등에 참여할 권리를 인정하지 않는다.

롤스는 부정의한 모든 법을 시민 불복종의 대상으로 보지는 않는다는 점에 주목해야 해!

자료 05 소로와 롤스의 시민 불복종

갑: 법에 대한 존경심 때문에 선량한 사람이 불의의 하수인이 되어서는 안 된다. 내가 떠맡아야 할 유일한 책무는 내가 옳다고 생각하는 일을 행하는 것이다. 시민은 한순간이라도 자신의 양심을 입법자에게 맡겨야 하는가? 우리는 먼저 인간이어야 하고 그다음에 국민이어야 한다. 단 한 명의 사람이라도 부당하게 가두는 정부 밑에서 의로운 사람이 진정 있을 곳은 감옥이다. 법에 대한 존경심보다는 먼저 정의에 대한 존경심을 길러야 한다. 법에 대한 존경심 때문에 선량한 사람조차도 불의의 하수인이 될 상황이라면 그 법을 어겨라. 양심에 따라 그 법에 저항하라.

을: 거의 정의롭지만 정의에 대한 심각한 위반이 발생하기도 하는 사회에서 시민 불복종이 성립한다. 시민 불복종은 신중하고 양심적인 정치적 신념의 표현인 청원의 한 형태이므로 공개석상에서 이루어지며, 어떤 개인적 도덕 원칙이나 종교적 교설이 아닌 공유된 정의관에 의거해야 한다. 정당한 시민 불복종이 시민 화합을 해치는 것으로 보이면, 그 책임은 불복종하는 자들이 아니라 권위와 권력을 남용한 자들에게 있는 것이다. 시민 불복종은 법이나 정부의 정책에 변혁을 가져올 목적으로 행해지는, 공공적이고 비폭력적이며 양심적이긴 하지만 법에 반하는 정치적 행위이다. 이러한 행위를 통해서 우리는 공동 사회의 다수자가 갖고 있는 정의감을 드러내고, 자유롭고 평등한 개인들 사이에서 정의의 원칙이 존중되고 있지 않음을 보여 준다. 시민 불복종은 '법에 대한 충실성'의 한계 내에서 법에 대한 불복종을 표현한다. 법에 대한 충실성은 양심적이고 진지하며 다수의 정의감에 호소하는 불복종의 의도를 보여 준다. 시민들의 부정의한 법에 대한 불복종은 공유된 정의관에 의해 정당화된다. 이러한 불복종은 거의 정의로운 국가에서 체제의 합법성을 인정하는 시민들에 의해서만 생긴다. 특히 평등한 기본적 자유 원칙의 침해는 굴종이 아니면 반항을 부른다.

자료 분석 | 갑은 소로, 을은 롤스이다. 소로는 시민 불복종에서 양심을 중시하고, 롤스와 달리 시민 불복종의 정당화 조건으로 최후 수단성을 요구하지 않는다. 롤스는 시민 불복종은 거의 정의로운 사회에서 공유된 정의관에 의거해서 이루어져야 한다고 주장한다. 그래서 그는 정의의 원칙 중 제1원칙인 평등한 자유의 원칙이나 제2원칙 가운데 공정한 기회균등의 원칙을 현저하게 위반하는 법과 정책에 대해 시민 불복종이 이루어질 수 있다고 본다. 또한 그는 시민 불복종은 국가 체제의 변혁이 아니라 정부 정책의 변혁을 목적으로 삼아야 한다고 여긴다.

기출 선택지 O, X로 정리하기

1 자료 04의 (나)는 통치자를 선택하는 민주적 절차를 강조한다. (O , ×)

2 자료 04의 (나)는 위정자가 피치자의 신뢰를 얻으려고 노력해야 한다고 본다. (O , ×)

3 자료 04의 (가), (나)는 정책 결정자인 국민의 참여를 강조한다. (O , ×)

4 자료 04의 (가), (나)는 통치 권력의 정당성을 피치자의 의사(意思)에서 찾아야 한다고 본다. (O , ×)

5 자료 04의 (가)는 (나)보다 법률에 근거한 통치자의 임기 제한과 정기적 교체를 강조하는 정도가 높다. (O , ×)

6 자료 05의 갑은 개인이 법에 우선하여 양심과 정의에 따라 행동해야 한다고 본다. (O , ×)

7 자료 05의 을은 시민 불복종이 개인의 종교적 신념을 추구하는 행위를 포함해야 한다고 본다. (O , ×)

8 자료 05의 을은 시민 불복종의 주체는 체제의 합법성을 인정하는 시민이라고 본다. (O , ×)

9 자료 05의 을은 시민 불복종의 의도는 동료 시민들에게 공표되어야 한다고 본다. (O , ×)

10 자료 05의 을은 시민 불복종은 다수자의 정의감을 거부하는 행위라고 본다. (O , ×)

11 자료 05의 을은 시민 불복종이 신중하고 양심적인 신념의 표현이라고 본다. (O , ×)

정답 1 × 2 O 3 × 4 O 5 O 6 O 7 × 8 O 9 O 10 × 11 O

개념 완성

1 국가의 권위와 시민에 대한 의무

국가 권위의 정당화 근거	동의론	시민의 (❶)가 국가에 대한 복종의 근거
	혜택론	국가가 시민에게 주는 혜택이 국가에 대한 복종의 근거
	본성론	국가는 인간 본성에 따라 성립되므로 자연스럽게 권위 보유
	계약론	생명·재산·자유 등을 보장받고자 (❷)을 통해 국가 수립 → 동의론 + 혜택론
	자연적 의무	국가에 대한 복종은 인간이 마땅히 지켜야 할 자연적 의무
	정의의 관점	국가의 명령과 법이 정의롭다면 그것을 따르는 것이 정당
시민에 대한 국가의 의무	동양	• 유교: 위민, 민본주의 강조 • 묵자: 무차별적 사랑과 (❸)이라는 하늘의 뜻에 따라야 함 • 한비자: 법에 따른 상벌 제공으로 질서 유지
	서양	• 소극적 국가관: 시장 개입 최소화, 질서 유지 역할 강조 • (❹) 국가관: 시민의 기본 욕구 충족, 복지 제공 강조
인권	• 현대 국가는 시민의 인간다운 삶 보장을 위해 인권 보장 • 인권의 내용은 변화·확대되어 가고 있음	

2 민주 시민의 참여와 시민 불복종

민주 시민	국가의 (❺)로서 평등권·자유권·사회권·청구권·참정권 등의 권리와 납세·국방·교육·근로 등의 의무를 지님	
정치 참여	역할	• 공공 문제에 영향력 행사 • 사회 구성원으로서 정체성 획득 • 국가 권력의 개인 권리 침해 방지 • 개인의 정치적 견해·선호를 공공 정책에 반영
	방법	다양한 제도적, 비제도적 노력이 이루어짐
시민 불복종	의미	법이나 정부의 (❻)에 변화를 가져올 목적으로 행해지는 공공적·비폭력적·양심적 (❼) 행위
	정당화 조건	• 비폭력성 • 최후의 수단 • 법 (❽)에 대한 항거 불가 • 처벌·제재의 감수 • 공개성 • 목적의 정당성 • 기본권 보호

정답 ❶ 동의 ❷ 계약 ❸ 상호 이익 ❹ 적극적 ❺ 주권자 ❻ 정책 ❼ 위법 ❽ 전체

탄탄 내신 문제

01 다음 사상가가 긍정의 대답을 할 질문으로 옳은 것은?

> 인간은 태어나면서부터 완전한 자유를 누리고 자연법이 부여하는 모든 권리와 혜택을 무제한으로 향유할 자격을 갖고 있다. 인간은 자신의 소유물, 즉 생명, 자유, 재산을 다른 사람의 공격으로부터 보호할 천부적 권력을 가지며, 이를 위해 자연 상태의 이러한 권리를 입법부가 처리하도록 양도한다.

① 시민의 정치적 의무는 무조건적 의무인가?
② 시민의 정치적 의무는 신(神)의 영원법에 근거하는가?
③ 시민의 정치적 의무는 자발적 동의로부터 비롯되는가?
④ 시민의 정치적 의무는 공공재와 관행의 혜택 때문인가?
⑤ 시민의 정치적 의무는 인간의 본성으로부터 비롯되는가?

02 그림은 서술형 평가 문제와 학생 답안이다. 학생 답안의 ㉠~㉤ 중 옳지 않은 것은?

서술형 평가

◎ 문제 갑, 을 사상가의 입장을 설명하고 비교하시오.

> 갑: 인간은 태어나면서부터 자유로우므로 자신의 동의 없이는 어떤 것에 의해서도 세속의 권력에 종속되지 않는다.
> 을: 은혜를 입으면 갚는 것이 도리인 것처럼, 국가로부터 이익과 혜택을 입었다면 국가의 법령을 지켜야 할 의무를 진다.

◎ 학생 답안

시민의 정치적 의무의 발생 근거를 ㉠ 갑은 국가의 구성원이 되겠다는 동의에 두고, ㉡ 을은 국가로부터 얻는 이득이나 혜택에 두고 있다. ㉢ 갑은 국가가 개인의 자유와 권리를 최대한 보장해야 한다고 주장하며, ㉣ 을은 국가가 국방이나 치안 같은 공공재를 제공해야 한다고 주장한다. ㉤ 갑과 달리 을은 국가를 인간의 자연적 본성으로부터 비롯된 자족적 정치 공동체로 본다.

① ㉠ ② ㉡ ③ ㉢ ④ ㉣ ⑤ ㉤

03 다음 사상가가 긍정의 대답을 할 질문만을 〈보기〉에서 있는 대로 고른 것은?

> 국가의 목적은 시민의 선(善)한 생활에 있다. 우리는 국가를 통해 행복하고 명예로운 생활을 할 수 있다. 국가는 단지 범죄 예방이나 교역을 위해 설립된 사회와는 다르다. 최고선으로서 국가는 완전하고 자급자족적인 생활을 위해 가족과 촌락들이 결합함으로써 성립했다.

보기

ㄱ. 국가는 인간의 자연적 본성으로부터 발생하는가?
ㄴ. 국가는 자연의 창조물이며 자족적인 공동체인가?
ㄷ. 인간은 국가 안에서 행복한 삶을 실현할 수 있는가?
ㄹ. 인간은 국가로부터 얻는 혜택과 이익이 있을 때에만 복종해야 하는가?

① ㄱ, ㄴ ② ㄱ, ㄹ ③ ㄴ, ㄹ
④ ㄱ, ㄴ, ㄷ ⑤ ㄴ, ㄷ, ㄹ

04 다음 사상가가 긍정의 대답을 할 질문에만 모두 '✓' 표시를 한 학생은?

> 군주는 백성의 생업을 마련해 주는데, 반드시 위로는 부모를 섬기기에 충분하게 하고, 아래로는 처자를 먹여 살리기에 부족함이 없게 하여, 풍년에는 언제나 배부르고 흉년에는 죽음을 면하게 해야 한다. 그렇게 한 후에야 선(善)한 데로 이끌 수 있기 때문에 백성들이 따르게 된다.

질문 \ 학생	갑	을	병	정	무
군주는 백성을 정치의 근본으로 삼아야 하는가?	✓	✓		✓	
군주는 백성을 경제적으로 안정시켜 주어야 하는가?	✓			✓	✓
국가는 백성의 생명과 재산을 기본권으로 보장해야 하는가?		✓	✓		✓
국가에 대해 백성이 갖는 의무는 군주의 권력으로부터 유래하는가?			✓	✓	✓

① 갑 ② 을 ③ 병 ④ 정 ⑤ 무

05 (가)의 동양 사상가 갑, 을의 입장을 (나)의 그림으로 표현할 때, A~C에 해당하는 진술로 옳은 것만을 〈보기〉에서 있는 대로 고른 것은?

(가)
갑: 정치란 경제, 군사, 그리고 백성들의 신뢰에 기초한다. 이 중에서 두 가지를 버려야 한다면, 그것은 군사와 경제이다. 백성들의 신뢰를 얻지 못하면 나라가 설 수 없기 때문이다.
을: 정치란 천하의 해악은 제거하고, 천하에 이익을 주는 것이다. 아울러 정치란 모두를 이롭게 하고, 모두를 사랑하는 것이다.

(나)
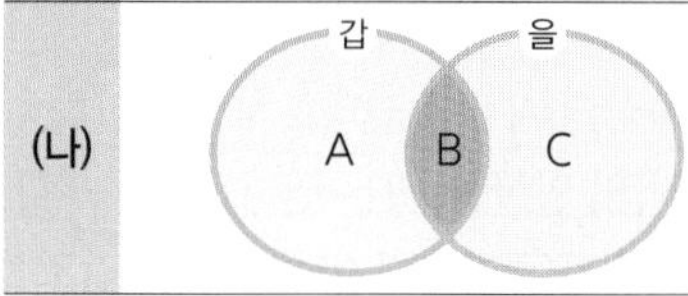

〈범례〉
A: 갑만의 입장
B: 갑, 을의 공통 입장
C: 을만의 입장

보기

ㄱ. A: 백성의 이기심을 상벌로 엄격히 조종해야 한다.
ㄴ. B: 정치란 백성을 사랑하고 위하는 것이다.
ㄷ. C: 도덕적 군주가 덕(德)으로써 정치를 펼쳐야 한다.
ㄹ. C: 정치란 하늘의 뜻에 따라 백성을 무차별적으로 사랑하는 것이다.

① ㄱ, ㄴ ② ㄱ, ㄷ ③ ㄴ, ㄹ
④ ㄱ, ㄷ, ㄹ ⑤ ㄴ, ㄷ, ㄹ

06 다음 글의 입장에 대한 설명으로 가장 적절한 것은?

> 기본 소득 법안은 기본 생존권을 보장해 소득 불평등을 완화하고, 행정의 효율성을 향상하며, 복지 사각지대를 해소할 수 있다는 취지를 갖고 있다. '관대하지만 유토피아적인 방안'이라 불리는 이 법안은 국가가 시민을 위해 어떤 역할을 해야 하는지를 일깨운다.

① 국가는 시장에 대한 개입을 최소화해야 한다.
② 국가는 시민의 기본 욕구를 충족시켜 주어야 한다.
③ 국가의 역할은 개인의 재산권 보호에 한정되어야 한다.
④ 국가는 안보나 치안 같은 질서 유지 역할만을 해야 한다.
⑤ 국가는 소유에 대한 개인의 자유와 권리를 최대한 보장해야 한다.

07 다음 도표의 ㉠~㉣에 대한 적절한 진술만을 〈보기〉에서 있는 대로 고른 것은?

㉠ 1세대 인권	시민적·정치적 권리
㉡ 2세대 인권	경제적·사회적·문화적 권리
㉢ 3세대 인권	연대와 단결의 권리
㉣ 4세대 인권	정보화 시대의 권리

보기

ㄱ. ㉠: 신체와 사상의 자유를 권리로서 강조한다.
ㄴ. ㉡: 사회 보장 및 일할 수 있는 권리를 중시한다.
ㄷ. ㉢: 사회적 소수자와 환경에 대한 권리를 강조한다.
ㄹ. ㉣: 국가의 불간섭과 정부 접근권을 우선한다.

① ㄱ, ㄴ ② ㄱ, ㄹ ③ ㄷ, ㄹ
④ ㄱ, ㄴ, ㄷ ⑤ ㄴ, ㄷ, ㄹ

08 (가), (나) 사상의 입장에 대한 적절한 설명을 〈보기〉에서 고른 것은?

(가) 전체의 의지는 사사로운 이익을 생각해 개별적인 의지들을 합친 것에 불과하지만, 일반 의지는 공동 이익밖에는 생각하지 않는다.
(나) 쾌락과 행복을 가져다주는 행위는 옳은 행위이고 고통과 불행을 가져다주는 행위는 그릇된 행위이다. 유용성의 원리에 일치하는 행위가 도덕적이다.

보기

ㄱ. (가)는 시민들의 사적인 이익을 추구하는 의지를 합친 것에서 국가의 의지가 나온다고 본다.
ㄴ. (가)는 군주가 일반 의지에 어긋나게 권력을 남용하면 국민이 그 권력에 복종하지 않을 수 있다고 본다.
ㄷ. (나)는 정치 참여가 시민의 정치적 선호를 결집하고 정책에 반영하여 선을 달성할 수 있다고 본다.
ㄹ. (가), (나)는 정치 참여가 대리인인 공직자나 정치인이 국민의 선호와 무관하게 자기 이익에만 탐닉하는 문제를 낳을 수 있다고 본다.

① ㄱ, ㄴ ② ㄱ, ㄷ ③ ㄴ, ㄷ
④ ㄴ, ㄹ ⑤ ㄷ, ㄹ

09 (가)의 갑, 을 사상가의 입장을 (나)의 그림으로 탐구할 때, A~C에 해당하는 질문으로 적절하지 않은 것은?

(가)
갑: 시민 불복종은 법이나 정부 정책에 변화를 가져올 목적으로 행해지는 공공적·비폭력적·양심적·위법적인 정치적 행위다.
을: 우리는 국민 이전에 인간이어야 한다. 정의에 대한 존경심이 법에 대한 존경심보다 우선해야 한다.

(나)
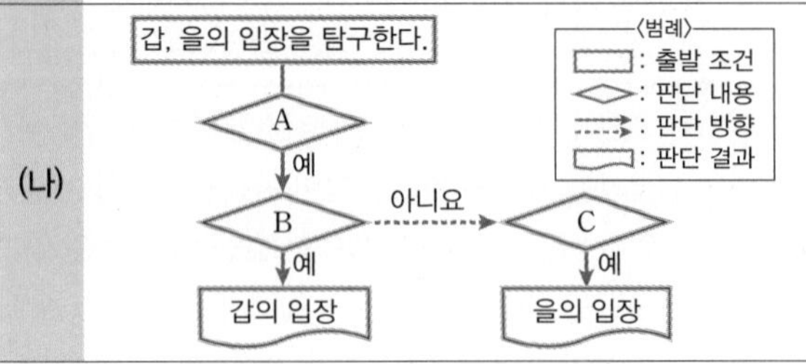

① A: 시민 불복종에 참여할 때는 처벌을 감수해야 하는가?
② B: 시민 불복종은 공유된 정의관에 의해 정당화되는가?
③ B: 차등의 원칙에 대한 지속적 위반이 시민 불복종의 전제 조건인가?
④ C: 정의롭지 못한 법은 양심에 따라 불복종해야 하는가?
⑤ C: 인간을 정의롭게 만드는 것은 법이 아니라 양심인가?

10 (가)의 갑, 을 사상가의 입장을 (나)의 그림으로 표현할 때, A~C에 해당하는 진술로 옳은 것은?

(가)
갑: 헌법은 정치·도덕의 근본을 형성하기 때문에 이를 어기는 법이 있다면, 그 법은 헌법 정신에 비추어 그 정당성을 의심받아야 한다.
을: 시민 불복종은 법에 대한 충실성의 한계 내에서 법에 대한 불복종을 표현한다.

(나)
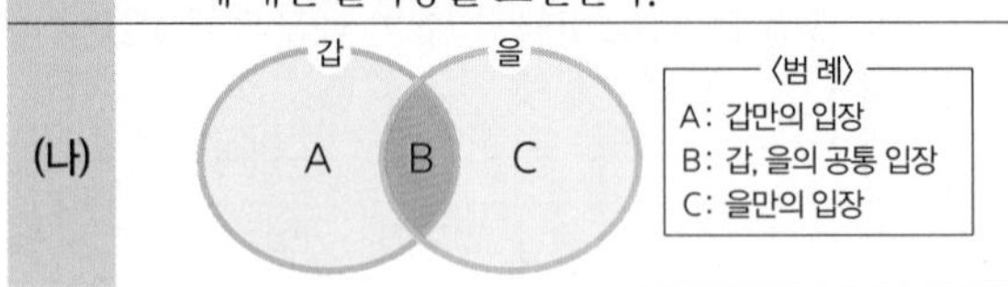

① A: 시민 불복종은 거의 정의로운 민주 체제에서만 가능하다.
② B: 시민 불복종은 부정의한 법에 대한 즉각적 거부이다.
③ B: 시민 불복종은 양심과 정의에 기초해 이루어질 수 있다.
④ C: 시민 불복종은 처벌에 대한 저항을 포함한다.
⑤ C: 시민 불복종은 공개적이 아니라 비밀리에 이루어져야 한다.

딱풀 p. 28

11 ㉠, ㉡을 대표하는 사상가와 그 입장에 대해 각각 간략하게 서술하시오.

> 국가의 통치 권력이 정당하게 행사되지 않거나 시민들의 지지와 동의를 바탕으로 하지 않는다면, 국가 권위의 정당성은 보장되기 어렵다. 일반적으로 국가의 권위를 정당화하는 근거로 다음 세 가지가 제시된다. 그것은 동의론, ㉠ 혜택론, ㉡ 본성론이다.

12 다음 글을 읽고 물음에 답하시오.

> ㉠ "생업이 없어도 항심(恒心)을 유지할 수 있는 사람은 오직 선비밖에 없다. 백성에게는 항산(恒産)이 있어야 항심(恒心)이 있다."라고 주장한 동양의 유교에서는 전통적으로 이를 국가가 어떤 역할을 해야 하는지를 가늠하는 기준으로 삼아 왔다. 이와 달리 서양에서는 산업 혁명 이후 ㉡ 국가의 소극적 역할을 강조하는 흐름이 지배적 지위를 차지했다. 하지만 소극적 국가의 역할이 초래한 문제를 극복하기 위해 20세기 초중반에는 ㉢ 국가의 적극적 역할을 강조하는 입장이 대두되었다.

(1) ㉠, ㉡, ㉢의 입장에서 적절한 국가의 역할을 서술하시오.

(2) ㉡이 초래한 문제점을 간략하게 서술하시오.

13 ㉠에 제시된 각 단계별 인권 개념의 특성을 간략하게 서술하시오.

> 오늘날 국가는 시민의 인간다운 삶의 보장이라는 목표를 추구하며, 이를 위해 다양한 영역들에서 제기되는 인권과 관련된 과제들을 수행하고 있다. 일반적으로 인권은 다음 네 단계, 즉 ㉠ 1세대 인권, 2세대 인권, 3세대 인권, 4세대 인권 개념으로 전개되어 왔다.

14 ㉠~㉣에 들어갈 옳은 용어를 쓰시오.

> 시민 불복종은 법이나 정부의 정책에 변화를 가져오기 위해 부정의한 법과 정책에 저항하는 것이므로 개인의 양심이나 사회 정의와 긴밀한 관련이 있다. 시민 불복종과 관련해 소로는 (㉠)을/를, 롤스는 (㉡)을/를, 드워킨은 (㉢)을/를, 싱어는 (㉣)을/를 핵심 기준으로 삼았다.

도전 수능 문제

01 갑은 긍정, 을은 부정의 대답을 할 질문으로 옳은 것은?

> 갑: 정부의 권위에 대한 복종의 동기는 이익 이외에 어떤 원리도 아니다. 이익이 현저히 중단될 때 복종의 책임도 중단된다.
> 을: 정부의 권위에 대한 복종의 동기는 명시적 또는 묵시적 동의이다.

① 국가에 대한 정치적 의무는 중단될 수 있는가?
② 국가에 대한 정치적 의무는 관습적 혜택에 의해 발생하는가?
③ 국가에 대한 정치적 의무는 자발적 계약에 의해 발생하는가?
④ 국가에 대한 정치적 의무는 자연적 본성에 의해 발생하는가?
⑤ 국가에 대한 정치적 의무는 인간의 선한 본성에 의해 발생하는가?

02 (가)의 갑, 을 사상가의 입장을 (나)의 그림으로 탐구할 때, A~C에 해당하는 질문으로 옳은 것은?

(가)	갑: 만인이 만인과 상호 신의 계약을 체결함으로써 모든 인간이 하나의 동일한 인격으로 결합하게 되는데, 이것이 리바이어던이다. 을: 오직 자유인들의 동의만이 그들을 그 정부의 구성원으로 만든다. 동의 이외에 지상의 권력에 그를 복종시킬 어떤 것도 없다.
(나)	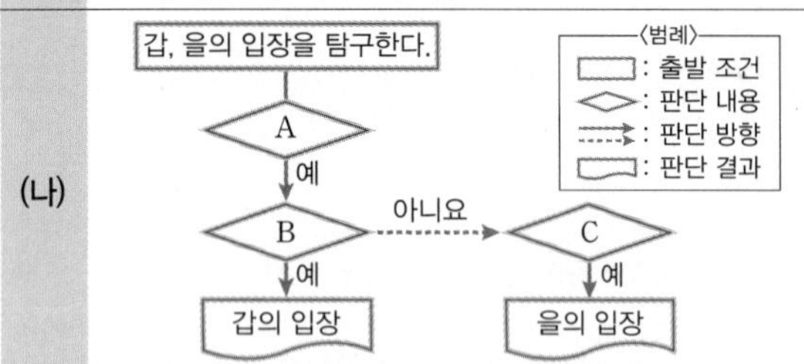

① A: 국가의 역할은 개인의 생명과 재산 보호인가?
② B: 국가의 권위에 대한 복종의 근거는 계약에 있는가?
③ B: 국가는 정의의 원칙에 따르는 질서 정연한 사회를 구현할 책무가 있는가?
④ C: 국가는 타고난 선한 본성의 실현을 위해 필요한가?
⑤ C: 국가는 자연 상태에서 필연적인 전쟁을 피하기 위한 수단인가?

| 교육청 응용 |

03 그림은 서술형 평가 문제와 학생 답안이다. 학생 답안의 ㉠~㉤ 중 옳지 않은 것은?

서술형 평가

◎ **문제** 갑, 을의 입장을 비교하여 서술하시오.

> 갑: 법에 대한 존경심 때문에 선량한 사람이 불의의 하수인이 되어서는 안 된다. 내가 떠맡아야 할 유일한 책무는 내가 옳다고 생각하는 일을 행하는 것이다.
> 을: 시민 불복종은 정의로운 사회에서 공유되고 있는 정의관에 의거하여 이루어지는 것이다.

◎ **학생 답안**

갑은 ㉠ 법보다는 정의에 대해 존경심을 가져야 한다고 보고, 을은 ㉡ 법에 대한 충실성의 한계 내에서 불복종을 할 수 있다고 본다. 또한 을은 ㉢ 시민 불복종의 근거를 다수의 정의관에서 찾는다. 한편 갑, 을 모두 ㉣ 시민 불복종을 정의롭지 못한 법을 의도적으로 위반하는 위법 행위로 보며, ㉤ 양심에 어긋나는 모든 법에 대해 시민 불복종을 해야 한다고 본다.

① ㉠ ② ㉡ ③ ㉢ ④ ㉣ ⑤ ㉤

| 수능 응용 |

04 갑, 을 사상가들의 입장으로 옳은 것을 〈보기〉에서 고른 것은?

> 갑: 시민은 한순간이라도 자신의 양심을 입법자에게 맡겨야 하는가? 우리는 먼저 인간이어야 하고 그다음에 국민이어야 한다.
> 을: 시민들의 부정의한 법에 대한 불복종은 거의 정의로운 국가에서 체제의 합법성을 인정하는 시민들에 의해서만 생긴다. 특히 평등한 기본적 자유 원칙의 침해는 굴종이 아니면 반항을 부른다.

보기

ㄱ. 갑: 개인은 법에 우선하여 양심과 정의에 따라 행동해야 한다.
ㄴ. 을: 시민 불복종은 법에 대한 충실성을 거부하는 정치 행위이다.
ㄷ. 을: 시민 불복종의 대상은 일부의 부정의한 법이나 정책들에 한정된다.
ㄹ. 갑, 을: 정의감에 호소하는 시민 불복종이 비폭력적일 필요는 없다.

① ㄱ, ㄷ ② ㄱ, ㄹ ③ ㄴ, ㄷ
④ ㄴ, ㄹ ⑤ ㄷ, ㄹ

| 수능 기출 |

05 다음 서양 사상가가 부정의 대답을 할 질문으로 가장 적절한 것은?

> 거의 정의롭지만 정의에 대한 심각한 위반이 발생하기도 하는 사회에서 시민 불복종이 성립한다. 시민 불복종은 신중하고 양심적인 정치적 신념의 표현인 청원의 한 형태이므로 공개 석상에서 이루어지며, 어떤 개인적 도덕 원칙이나 종교적 교설이 아닌 공유된 정의관에 의거해야 한다. 정당한 시민 불복종이 시민 화합을 해치는 것으로 보이면, 그 책임은 불복종하는 자들이 아니라 권위와 권력을 남용한 자들에게 있는 것이다.

① 시민 불복종의 주체는 체제의 합법성을 인정하는 시민인가?
② 시민 불복종의 의도는 동료 시민들에게 공표되어야 하는가?
③ 시민 불복종은 공동체의 정의감에 호소하는 정치 행위인가?
④ 시민 불복종의 목적에서 정부 정책의 개혁은 제외되어야 하는가?
⑤ 시민 불복종은 어떠한 합법적 방법도 효과가 없을 때 행해져야 하는가?

| 평가원 기출 |

06 다음 사상가가 긍정의 대답을 할 질문으로 옳은 것은?

> 시민 불복종은 법이나 정부의 정책에 변혁을 가져올 목적으로 행해지는, 공공적이고 비폭력적이며 양심적이긴 하지만 법에 반하는 정치적 행위이다. 이러한 행위를 통해서 우리는 공동 사회의 다수자가 갖고 있는 정의감을 드러내고, 자유롭고 평등한 개인들 사이에서 정의의 원칙이 존중되고 있지 않음을 보여 준다.

① 시민 불복종은 정치 체제를 변혁하기 위한 폭력 행위인가?
② 시민 불복종은 공개적으로 주목받아야 할 위법 행위인가?
③ 시민 불복종은 처벌을 피하고자 하는 정치적 행위인가?
④ 시민 불복종은 다수자의 정의감을 거부하는 행위인가?
⑤ 시민 불복종은 정의의 원칙을 위반하는 행위인가?

| 교육청 기출 |

07 다음은 어느 사상가의 주장이다. ㉠에 대한 이 사상가의 입장으로 가장 적절한 것은?

> 정의로운 사회는 자유롭고 평등한 사람들 사이에서 사회 협동체의 원칙이 존중되는 사회이다. [㉠] 은/는 이러한 원칙을 심각하게 위반한 법이나 정책을 변화시킬 목적으로 행해지는 것이다. 이는 법에 대한 충실성의 한계 내에서 이루어지는 공공적이고 양심적이기는 하지만 법에 반하는 정치적 행위이다.

① 불합리한 모든 법률과 정책을 대상으로 삼아야 한다.
② 불의한 국가 체제의 변혁을 목적으로 행해져야 한다.
③ 사회의 다수자가 갖는 정의관에 근거를 두어야 한다.
④ 비폭력적이고 비공개적인 방식으로 전개되어야 한다.
⑤ 개인의 종교적 신념을 추구하는 행위를 포함해야 한다.

08 다음 사상가가 긍정의 대답을 할 질문으로 옳은 것은?

> 시민 불복종을 하고자 할 때, 우리는 우리가 중단시키려고 하는 악의 크기와 우리의 행위가 가져올 법과 민주주의에 대한 존중심의 감소 정도를 계산해 보아야 한다. 시민 불복종은 민주주의적인 의사 결정을 좌절시킨다기보다 복원하려는 시도이기 때문이다.

① 시민 불복종은 양심에 근거한 즉각적인 불복종인가?
② 시민 불복종은 항상 다수의 정의관에 근거해야 하는가?
③ 시민 불복종의 정당화를 위해서는 결과론적 접근이 필요한가?
④ 시민 불복종은 헌법 정신에 위배되는 모든 법에 대한 불복종인가?
⑤ 시민 불복종은 차등의 원칙에 위배되는 행위를 대상으로 하는가?

III 단원 필기 노트

01. 직업과 청렴의 윤리

① 직업

기준 / 종류

- 경제적 보상, 자발성, 지속성이 있는 일이나 활동으로 생계직, 소명직, 전문직이 있음
- **기능:** 생계유지, 자아실현, 사회적 역할 분담

② 직업관 분업 인정

동양	• 공자: 정명 사상 〔君君臣臣父父子子〕 • 맹자: 일정한 생업 〔항산(恒産)〕 → 도덕적 마음 〔항심(恒心)〕 • 순자: 예(禮)를 바탕으로 한 역할 분담 • 실학자: 능력에 따라 역할 분담
서양	• 플라톤: 능력에 따른 역할 분담 강조 • 중세 그리스도교: 노동은 원죄에 대한 벌 • 근대 프로테스탄티즘: 직업은 소명, 부의 축적 정당화 • 마르크스: 노동을 통해 자기 본질 실현, 자본주의 분업이 노동 소외 문제 초래, 분업 반대

③ 기업의 사회적 책임

프리드먼	이윤 극대화만이 기업의 책임
보겔, 애로우	기업의 장기적 이윤 추구에 기여하므로 사회적 책임 이행 필요 → 기업의 목적으로 이윤 추구 부정 ×

④ 전문직과 공직자 윤리

- **전문직:** 전문성(전문 지식), 독점성(자격 있는 사람만 독점 수행), 자율성(자율적 수행)
- **공직자:** 사명감과 책임감, 공과 사 구분, 청렴한 자세 필요

02. 사회 정의와 윤리

① 개인 윤리와 사회 윤리

- **개인 윤리:** 윤리 문제의 원인과 해결은 개인의 도덕성과 관련, 이타성 실현
- **사회 윤리:** 윤리 문제의 원인과 해결은 사회 제도와 구조와도 관련(개인의 도덕성 함양도 해결책으로 인정), 정의 실현, 집단과 개인의 도덕성 구분, 개인 윤리와 상호 보완적 관계

② 분배적 정의 → 아리스토텔레스의 관점에서는 특수적 정의, 기하학적 비례 추구

- **의미:** 각자가 자신의 몫을 누리도록 하는 것 → 사회적 이익과 부담의 분배와 관련
- 평등, 능력, 노력, 업적, 필요(마르크스) 등 분배적 정의의 기준 합의 곤란 → 절차적 정의

③ 현대 사회의 다양한 정의관 → 롤스와 노직은 절차적 정의

롤스	공정으로서의 정의	공정한 절차를 통해 합의된 것이라면 정의로움
	원초적 입장	서로 무관심한 합리적(이기적 ×) 개인이 무지의 베일을 쓰고 있다고 가정한 상황
	제2원칙보다 우선 (자유가 우선) ← 정의의 원칙	• 제1원칙: 모든 사람은 기본적 자유에서 평등한 권리를 지닌다. • 제2원칙: 사회적·경제적 불평등은 최소 수혜자에게 최대 이익을 보장해야 하며, 그 불평등이 모든 사람에게 이익이 되리라는 것이 합당하게 기대되고, 불평등의 계기가 되는 지위는 공정한 기회균등의 원칙에 따라 모든 사람에게 개방되어야 한다. (차등의 원칙보다 우선)
노직	• 소유 권리로서의 정의: 모든 사람이 자신의 소유물에 대해 소유 권리를 가질 때가 정의로운 분배 → 재화의 취득·이전·교정의 절차가 정당해야 함 중간에 정당하지 않은 절차가 끼어 있으면 정의롭지 않음 • 개인의 권리를 보호·존중하는 역할만 하는 최소 국가가 정당	

왈처	다원적 평등으로서의 정의: 다양한 삶의 영역에서 각기 다른 정의의 기준에 따라 사회적 가치가 분배되어야 함

④ 처벌과 사형 제도

• 처벌의 정당화 근거

응보주의적 관점	처벌의 목적은 범죄 행위의 심각성에 비례한 처벌
공리주의적 관점	처벌은 고통을 가하는 해악이나 더 큰 사회적 이익을 증진하기 위한 수단 → 처벌로 얻는 사회적 이익 > 처벌로 발생하는 고통

• 사형 제도에 대한 사상가들의 견해

루소	사형에 처할 중죄를 저지른 자는 사회 계약을 위반한 사회의 적 → 사형 찬성
칸트	살인자에 대한 사형은 범죄자의 인격을 존중하는 행위 → 사형 찬성
베카리아	사형은 공익에 기여하는 바가 적고, 지속성이 약함 → 사형 반대

모두 형벌과 범죄의 비례 인정

03. 국가와 시민의 윤리

① 국가 권위의 정당화 근거

동의론	시민이 국가에 복종하기로 동의 비판: 난 동의한 적 없어!
혜택론	시민은 국가로부터 혜택을 받음 비판: 내가 받는 혜택에 비해 의무가 많아!
본성론	국가를 만드는 것이 인간의 본성 비판: 인간 본성은 정치적이라고만 할 수 없어!
계약론	시민은 자연 상태에서 보호받기 어려운 권리를 보장받고자 계약을 통해 국가 수립 비판: 자연 상태는 존재하지 않아!
자연적 의무	시민이 국가에 복종하는 것은 자연적 의무 비판: 난 국가에 복종하는 게 편하니까 복종해!
정의의 관점	국가의 명령과 법이 정의롭다면 따르는 것이 정당 비판: 내가 사는 국가는 정의롭다고 보기 어려워!

② 민본주의

• 백성을 국가의 근본으로 여김 → 군주가 백성을 위하지 않으면 역성혁명 가능

• 민주주의와 달리 통치자를 주기적으로 선출할 권한, 정책 결정권 등을 인정하지 않음

③ 인권

의미	인간이라면 누구나 당연하게 가지는 권리로서 모든 사람이 누려야 하는 권리
범위 확대	1세대 인권 → 2세대 인권 → 3세대 인권 → 4세대 인권 어디까지 인정하는지는 입장이 다양

④ 시민 불복종

거의 정의로운 사회에서 가능, 제1원칙과 제2원칙 중 공정한 기회균등의 원칙에 대한 현저한 위반 시 가능

의미	법이나 정부의 정책에 변화를 가져올 목적으로 행해지는 공공적·비폭력적·양심적 위법 행위
이론적 근거	• 소로: 인간은 법보다 양심을 우선해야 함 • 롤스: 사회적 정의의 원칙을 현저하게 위반하는 법이나 정책에 대한 저항 가능 • 드워킨: 헌법 정신에 반하는 법률에 대해 저항 가능 • 싱어: 시민 불복종의 성공 가능성 및 이익과 손해 등을 계산해야 함
반대 주장	실정법의 권위 약화, 민주적 절차 무시, 집단 이기주의의 발로가 될 수도 있음
정당화 조건	비폭력성, 최후의 수단, 법 전체에 대한 항거 불가, 처벌·제재의 감수, 공개성, 목적의 정당성, 기본권 보호

Ⅳ

과학과 윤리

이 단원의 핵심 포인트

중단원	핵심 포인트	학습일
01 과학 기술과 윤리	• 과학 기술 지상주의와 혐오주의 • 과학 기술의 가치 중립성에 대한 입장 • 과학자의 책임	월 일 ~ 월 일
02 정보 사회와 윤리	• 저작권 문제 • 사생활 침해 문제 • 현대인에게 필요한 매체 윤리	월 일 ~ 월 일
03 자연과 윤리	• 인간, 동물, 생명, 생태 중심주의 윤리 • 동양의 자연관 • 책임 윤리	월 일 ~ 월 일

셀파와 내 교과서 단원 비교

셀파	천재교과서	금성	미래엔	비상교육	지학사
01 과학 기술과 윤리	01 과학 기술과 윤리	01 과학 기술과 윤리	01 과학 기술과 윤리	1 과학 기술과 윤리	01 과학 기술과 윤리
02 정보 사회와 윤리	02 정보 사회와 윤리	02 정보 사회와 윤리	02 정보 사회와 윤리	2 정보 사회와 윤리	02 정보 사회와 윤리
03 자연과 윤리	03 자연과 윤리	03 자연과 윤리	03 자연과 윤리	3 자연과 윤리	03 자연과 윤리

01

Ⅳ. 과학과 윤리

과학 기술과 윤리

1 과학 기술 가치 중립성 논쟁

1. 과학 기술의 성과와 한계

① 성과 물질적 풍요와 편리한 삶, 건강 증진과 생명 연장, 환경적·시공간적 제약 극복 등

② 한계[1]

- 과학 기술 의존에 따른 주체성 약화와 비인간화 현상
- 생명체 실험 증가에 따른 인간 존엄성 약화
- 정보 통신 기술 발달에 따른 인권과 사생활 침해
- 대량 생산과 소비에 따른 환경 문제

2. 과학 기술을 바라보는 관점

① 과학 기술 지상주의

- 과학 기술을 이용하여 사회의 모든 문제를 해결하고 무한한 부와 행복을 누릴 수 있다고 보는 입장
- 문제점: 과학 기술의 부정적 측면 간과, 반성적 사고 능력 훼손

② 과학 기술 혐오주의

- 과학 기술의 비인간적·비윤리적 측면을 부각하고 과학의 합리성 자체를 문제 삼는 입장
- 문제점: 과학 기술의 가치 불인정, 과학 기술의 혜택과 성과 부정 ➡ 현실을 반영하지 못함

③ 바람직한 관점 긍정적 측면과 부정적 측면을 모두 고려하여 과학 기술을 성찰하는 비판적 자세를 지녀야 함

3. 과학 기술의 가치 중립성

(1) **의미** 과학 기술을 연구·검증할 때 특정 가치나 신념이 개입하지 않아야 함

(2) **과학 기술의 가치 중립성에 관한 입장** 자료 01 자료 02

① 가치 중립성 강조[2]

- 과학 기술은 가치 중립적이므로 연구의 자유를 보장해야 함
- 과학 기술 연구는 객관적인 진리를 탐구하는 학문적 목적에서 이루어짐
- 과학 기술의 사실성 여부를 판단할 때 특정 가치가 개입해서는 안 됨
- 연구 결과를 미리 판단할 수 없으므로 윤리적 평가와 비판을 유보해야 함
- 윤리적 규제는 과학 기술의 발달을 저해하고, 왜곡된 결과를 초래

② 가치 중립성 부정[3]

- 과학 기술도 가치 판단의 대상이므로 윤리적 검토나 통제 필요
- 과학 기술은 정치·경제 등 사회적 요인과 결합하여 발전하고 내용적 제약을 받음
- 과학 기술의 연구·발견·발명 주체는 인간이므로 과학 기술과 도덕적 가치는 분리 불가능
- 과학 기술이 사회에 영향을 끼치고, 인간에 대한 이해와 가치관도 과학 체계·지식·기술에 따라 형성되고 변화됨
- 과학 기술은 인간의 삶과 불가분의 관계이므로 과학 기술을 연구·활용하는 모든 과정은 독립적이지 않음

(3) **과학 기술 발전을 위한 올바른 태도** 이론적 정당화[4] 맥락에서는 가치 중립적이어야 하나, 연구 목적 설정 및 활용의 맥락에서는 윤리적 가치 평가로 지도되고 규제받아야 함

❶ 과학 기술이 가져온 사유 방식의 변화
최소한의 비용으로 목적에 이르러 최대한의 효율성을 달성하고자 하는 도구적 합리성이 일반화되었다.

❷ 가치 중립성을 강조한 대표 사상가
야스퍼스는 과학 기술을 가치 중립적으로 보고 가치 판단이 과학 기술에 개입하는 데 반대한다.

❸ 가치 중립성을 부정한 대표 사상가
하이데거는 과학 기술을 가치 중립적인 것으로 보아 무방비 상태가 되면 인간이 과학 기술에 조종당할 수 있다며 과학 기술에 대한 가치 판단이 필요하다고 한다.

고득점을 위한 셀파 Tip 비교

| 가치 중립성 강조 vs 가치 중립성 부정 |

가치 중립성 강조
과학 기술은 가치 판단에서 자유로운 사실의 영역 → 윤리적 가치 개입 ×

가치 중립성 부정
과학 기술은 가치 판단에서 자유로울 수 없음 → 윤리적 가치 개입 ○

❹ 이론적 정당화
과학 기술이 객관적 타당성을 갖춘 지식이나 원리로 인정받는 과정

셀파 자료 탐구

자료 01 과학 기술의 가치 중립성에 대한 야스퍼스와 하이데거의 입장

갑: 기술은 기술을 실현시키는 존재와는 독립된 것으로서 단지 도구에 불과한 것이며, 그 자체는 선도 아니고 악도 아니다. 기술이 스스로 인간에게 광기를 부릴 수 있다든가, 기술에 의해 인간이 부품화될 수 있다는 말은 터무니없는 주장이다. 중요한 것은 인간이 기술을 어떻게 사용하고, 인간이 기술을 어떤 조건 아래 놓는가 하는 것이다.

을: 과학 기술은 좀처럼 상상하지 못하는 방식으로 우리들의 존재를 철저하게 지배하고 있다. 오늘날 우리는 어디서나 과학 기술에 붙들려 있다. 따라서 최악의 경우는 기술을 중립적인 것으로 고찰하여 우리와 무관한 것으로 보게 되는 것이다. 이 경우, 우리는 무방비 상태로 기술에 내맡겨진다. 현대의 기술은 자연스럽게 얻을 수 있는 에너지를 자연스럽지 않은 방식으로 무리하게 얻으려고 한다. 과거의 풍차는 바람의 힘으로 돌아가며 바람에 전적으로 자신을 내맡겼지만 수력 발전소는 강물의 흐름을 발전소에 맞추어 버렸다. 즉, 수력 발전소가 세워진 그 강은 발전소의 요구에 맞추어 수압 공급자로서 존재하게 되었다.

자료 분석 | 갑은 야스퍼스, 을은 하이데거이다. 야스퍼스는 기술을 가치 중립적인 것으로 보아 그 자체를 선이나 악으로 판단할 수 없다고 주장한다. 하이데거는 과학 기술이 인간의 삶과 깊이 관련을 맺고 있다는 점을 강조하며 과학 기술을 중립적인 것으로 보아서는 안 된다고 주장한다. 또한 하이데거는 기술이 자연의 고유한 존재 방식을 바꾸어 놓는다고 본다.

자료 02 과학 기술의 가치 중립성에 대한 입장 비교

두 입장 모두 과학 기술의 모든 과정에서 적용되기는 어려워.

(가) 과학 기술 자체에 선악의 잣대를 적용할 수 없으며, 연구 성과의 활용과 초래되는 결과에 대해 과학자에게 어떠한 책임도 물어서는 안 된다. 외부 간섭에서 벗어나 연구에만 전념할 때 과학 기술은 발전 가능하며, 그 결과 인류는 지속적으로 번영하게 된다. 과학은 과학적 진리의 발견을 목적으로 한다. 그 연구 결과를 활용할 때 발생하는 해악은 기술 개발자와 이용자의 책임이다. 따라서 과학 연구 활동은 윤리적 평가 대상이 아니다.

(나) 과학 기술을 가치 중립적인 것으로 간주해서는 안 된다. 과학 기술 연구 및 그 결과 활용에 대한 과학자의 공적인 책임 의식과 외부 규제가 없다면, 인류는 과학 기술에 종속당하여 제어할 수도 없고 돌이킬 수도 없는 불행한 미래에 봉착하게 된다. 과학은 사회적 적용을 전제로 한다. 과학은 연구 활동 및 그 결과의 활용 과정에서 인간과 사회에 해악을 줄 가능성이 있다. 따라서 과학은 윤리적 평가 대상이 된다. 과학은 사회·문화적 맥락에서 이해되어야 한다. 과학에는 사회 집단의 정치적 관계, 가치관 등이 반영될 수밖에 없다. 과학이 스스로 발전하는 것이 아니라 사회의 요구나 가치를 반영하여 발전하는 것이다. 따라서 과학이 올바른 방향으로 나아가도록 하기 위해서는 사회적 관심이 요구된다. 특히 위험과 불확실성이 증대될수록 과학자와 일반 대중이 함께하는 '확장된 동료 공동체'가 절실히 요구된다.

자료 분석 | (가)는 과학 기술의 가치 중립성을 강조하는 입장, (나)는 부정하는 입장이다. 따라서 (나)는 과학 기술 연구 및 그 결과 활용에서 과학자의 공적인 책임 의식과 외부 규제를 강조하는 반면, (가)는 연구에 대한 외부의 간섭과 과학자의 책임을 부정한다.

기출 선택지 O, X로 정리하기

1 자료 01의 갑은 기술 자체를 도덕 판단의 대상으로 보아서는 안 된다고 본다. (O, X)

2 자료 01의 갑은 인간은 기술로부터 어떠한 좋은 것도 만들어 낼 수 없다고 본다. (O, X)

3 자료 01의 을은 과학 기술 연구는 경제성을 목적으로 해야 한다고 본다. (O, X)

4 자료 01의 을은 과학 기술에 대한 반성적 성찰이 이루어져야 한다고 본다. (O, X)

5 자료 01의 을은 현대의 기술이 자연의 고유한 존재 방식을 변질시킨다고 본다. (O, X)

6 자료 01의 갑, 을은 기술이 과학적 사고를 불가능하게 한다고 본다. (O, X)

7 자료 02의 (가)는 (나)보다 과학 기술 연구의 독립성이 인류 진보에 공헌함을 강조하는 정도가 높다. (O, X)

8 자료 02의 (가), (나)는 과학 연구 활동이 그 결과의 활용과 분리되어 평가될 수 없다고 본다. (O, X)

9 자료 02의 (나)는 과학이 도덕적 가치와 연관된다고 보며, (가)는 과학 연구 결과의 활용이 도덕적 가치와 연결된다고 본다. (O, X)

정답 1 O 2 X 3 X 4 O 5 O 6 X 7 O 8 X 9 O

2 과학 기술의 사회적 책임

1. 과학 기술 발전에서 윤리적 책임이 커지는 이유

① 결과의 모호성
- 순수한 학문적 동기의 과학적 발견도 부정적 영향을 미칠 수 있음
- 선한 목적으로 사용되는 과학 기술도 장기간 영향력을 행사하는 위협적 요소를 포함

② 적용의 강제성
- 개발된 과학 기술을 적용하라는 요구가 커지고, 과학 기술의 사용은 지속적 욕구가 됨
- 비윤리적 과학 기술에 대한 개발과 적용 방지 곤란

③ 시공간적 광역성
- 결과가 장기간 동안 광범위한 영향력을 행사함 + 적용이 사회적 차원에서 이루어짐
- 지구 전체에 영향을 미치고 누적된 결과가 미래 세대에게까지 영향을 미침

2. 요나스의 책임 윤리 자료 03

(1) 윤리적 책임의 범위 확대

① 책임의 범위를 현세대에서 자연과 미래 세대[5] 등까지 확대

② 과거 지향적인 사후 책임 부과에서 더 나아가 행위되어야 할 것에 대한 책임 제시

(2) 과학 기술자의 책임 윤리

① 과학 기술의 발전이 사회에 미칠 결과를 예측하고 윤리적 책임을 져야 함 (예견할 수 있는 모든 결과에 대한 책임)

② 자연환경과 미래 세대가 존속할 수 있는 범위 내에서 과학 기술의 발전을 추구해야 함

③ 과학 기술의 부정적 결과에 대한 예측은 어렵지만 중요하므로 연구의 한계를 알려 줌

3. 과학 기술에 대한 책임

(1) 과학 기술자의 책임 자료 04

① 내적 책임 (과학 기술 연구자에게 주어진 독점적 지위와 연구비 때문에 중요성이 부각된다.)
- 연구 자체에 대한 책임(과학 기술 연구 윤리)
- 자신의 연구 정보나 자료에 관해 표절[6], 변조[7], 날조[8], 부당한 저자 표기 등을 해서는 안 됨
- 실험 대상을 윤리적으로 대하고, 연구 윤리를 준수하면서 자기 연구의 참·거짓을 밝히며, 다른 연구자가 신뢰할 수 있는 검증 과정을 거쳐야 함
- 연구를 통해 발견한 진리를 공표하고, 공표 후에도 지속해서 검토하며, 실질적 기여 정도에 따라 연구 공로를 배분해야 함

② 외적 책임
- 연구 결과가 사회에 미칠 영향에 대한 책임
- 사회적 책임 의식을 지니고 연구 활동의 결과와 목적을 성찰해야 함

(2) 사회 제도적 차원의 노력

① 과학 기술의 연구 개발 과정과 결과를 평가·감시·통제할 수 있는 기관 또는 국가의 각종 윤리 위원회 활동 강화

② 기술 영향 평가 제도[9] 시행

(3) 시민의 노력 자료 05

① 과학 기술의 연구·개발에 관련된 사회적 토론과 합의 과정에 적극적·민주적으로 참여
➡ 과학 기술이 인권·생명을 존중하고 환경친화적으로 발전하도록 노력

② 동양의 순천절물(順天節物)[10] 정신과 서양의 책임 윤리로 윤리 의식 함양

---

⑤ 미래 세대에 대한 책임 윤리의 입장
인류의 생존을 방해하는 행동을 해서는 안 되며, 행동의 결과가 미래 세대에 미칠 영향을 고려해야 한다.

⑥ 표절
다른 사람의 생각과 연구 결과 등을 자신의 것으로 속이는 행위

⑦ 변조
연구 재료나 과정 등을 조작하거나 연구 자료 등을 임의로 변형·삭제함으로써 연구 내용 또는 결과를 왜곡하는 행위

⑧ 날조(위조)
존재하지 않는 연구 자료나 결과 등을 허위로 만들거나 기록 또는 보고하는 행위

⑨ 기술 영향 평가 제도
과학 기술이 사회 전반에 미치는 영향을 파악하여 과학 기술의 바람직한 발전 방향을 모색하고 그 부정적 영향을 최소화하려는 제도로, 전문가 중심의 평가와 시민 참여적 평가 등이 있다.

고득점을 위한 셀파 Tip 개념

| 과학 기술자의 책임 |
- 내적 책임: 연구 과정 자체에 한정된 책임
- 외적 책임: 연구 결과의 사회적 활용에 대한 책임

⑩ 순천절물
자연에 순응하고 절도에 맞게 행동하는 것으로, 절제의 덕목이 담겨 기술, 인간, 자연의 공존에 시사점을 준다.

자료 03 요나스의 책임 윤리

새로운 윤리학은 공포를 논의 대상으로 삼아야 하고, 미리 사유된 위험 그 자체가 나침반이 되어야 한다. 미래에 있을 수 있는 심상치 않은 상황의 변화, 전 지구적 차원의 위험, 인류 몰락의 징조 등을 통해 비로소 윤리적 원리들이 발견될 수 있다. 이것을 '공포의 발견술'이라고 부른다. 인간 행위의 새로운 유형에 적합하고 새로운 유형의 행위 주체를 지향하는 명법은 다음과 같다. "네 행위의 효과가 지상에서의 진정한 인간적 삶의 지속과 조화될 수 있도록 행위하라." 현대 문명이 초래한 위기를 책임질 수 있는 유일한 존재는 인간이며, 인간은 책임질 수 있는 능력을 지녔다는 것 자체만으로 책임을 갖는다. 이에 책임지는 행동을 통해 '윤리적 공백'을 극복해야 한다. 프로메테우스는 과학을 통해 이제까지 알려지지 않았던 힘을 부여받아 마침내 사슬로부터 풀려났지만, 자신의 힘이 불행을 자초하지 않도록 스스로를 제어해야 한다.

자료 분석 | 요나스는 인간만이 책임질 수 있는 존재라고 보고 기술 발달에 따른 '윤리적 공백'을 극복해야 한다고 주장하며, 새로운 윤리학은 극단적 공포에서 시작할 필요가 있다고 한다. 또한 사유된 위험을 바탕으로 자연과 미래 세대에 대한 책임을 강조한다.

자료 04 과학 기술자의 책임에 대한 다양한 입장

과학자의 윤리적 책임은 내적 책임과 외적 책임으로 구분할 수 있다. 따라서 논리적으로 다음과 같은 네 명의 입장이 가능하다.

	내적 책임	외적 책임
갑	있음	있음
을	있음	없음
병	없음	있음
정	없음	없음

자료 분석 | 내적 책임은 연구 윤리를 지킬 책임, 외적 책임은 결과 활용에 대한 사회적 책임으로 대표된다.

자료 05 기술에 대한 시민의 참여 범위

갑: 기술 정책 결정과 관련해 시민에게 기술 시민권을 보장해야 합니다. 기술 정보에 대한 접근권만으로는 기술 정책의 정당성을 확보할 수 없습니다. 많은 비용이 발생하더라도 기술 정책 결정 과정에 시민이 직접 참여할 권리를 보장해야 합니다.

을: 시민이 기술 정책 결정 과정에 직접 참여하는 것은 많은 비용이 발생하므로 기술 시민권은 기술 정보에 대한 접근권으로 한정되어야 합니다. 기술 정책 결정은 고도의 전문성을 요구합니다. 따라서 전문가의 참여만으로도 기술 정책의 정당성은 충분히 확보될 수 있습니다.

자료 분석 | 기술 시민권의 범위에 대해서는 기술 정보에 대한 접근권에 한정하는 입장, 정책 결정 참여권까지 보장하는 입장 등 다양한 입장이 있다.

기출 선택지 O, X로 정리하기

1 요나스는 사후적 책임뿐만 아니라 사전적 책임도 중시해야 한다고 본다. (O, X)

2 요나스는 과학 기술자가 현재가 아니라 미래의 위험만을 고려해야 한다고 본다. (O, X)

3 요나스는 연구의 위험이 확실할 때만 예방 조치를 취해야 한다고 본다. (O, X)

4 자료 04의 갑은 과학자는 연구 자체뿐만 아니라 사회적 부작용도 책임져야 한다고 본다. (O, X)

5 자료 04의 을은 과학자는 모든 책임에서 면제되어 자유롭게 연구해야 한다고 본다. (O, X)

6 자료 04의 병은 자료를 위조해서라도 사회적 책임을 다해야 한다고 본다. (O, X)

7 자료 04의 정은 과학자는 연구 과정에서의 연구 윤리를 지켜야 한다고 본다. (O, X)

8 자료 05의 갑, 을은 기술 시민권이 보장되어야 한다고 본다. (O, X)

9 자료 05의 갑, 을은 기술 정책의 정당성은 전문가의 참여만으로 충분히 확보된다고 본다. (O, X)

정답 1 O 2 X 3 X 4 O 5 X 6 O 7 X 8 O 9 X

개념 완성

1 과학 기술 가치 중립성 논쟁

과학 기술	성과	물질적 풍요, 편리한 삶, 건강 증진, 생명 연장, 환경적·시공간적 제약 극복 등
	한계	• 과학 기술 의존 → (❶) 약화, 비인간화 현상 • 생명체 실험 증가 → 인간 존엄성 약화 • 정보 통신 기술 발달 → 인권·사생활 침해 • 대량 생산·소비 → 환경 문제
과학 기술에 대한 관점	과학 기술 지상주의	• 과학 기술을 이용하여 모든 문제 해결 가능 • 문제점: 과학 기술의 부정적 측면 간과, 반성적 (❷) 훼손
	과학 기술 혐오주의	• 과학 기술의 비인간적·비윤리적 측면 부각, 과학의 합리성 자체에 대한 회의 • 문제점: 과학 기술이 영향을 미치는 현실을 반영 못함
가치 중립성에 대한 입장	강조	• 과학 기술 연구의 자유 보장 • 과학 기술의 사실성 판단 시 가치 개입 안 됨 • 윤리적 규제는 과학 기술 발달 (❸)
	부정	• 과학 기술에 대한 윤리적 검토나 통제 필요 • 과학 기술과 (❹) 가치의 분리 불가능

2 과학 기술의 사회적 책임

과학 기술과 윤리적 책임		• 과학 기술 발전에서 윤리적 책임이 커지는 이유: 결과의 모호성, 적용의 강제성, 시공간적 (❺) • 요나스의 책임 윤리: 윤리적 책임의 범위 확대 → 자연·미래 세대 등까지 확대, (❻) 지향적인 사후 책임 부과에서 행위되어야 할 것에 대한 책임 제시
과학 기술에 대한 책임	과학 기술자	• (❼) 책임: 연구 자체에 대한 책임 → 연구 윤리 준수 • 외적 책임: 연구 결과의 사회적 영향에 대한 책임
	사회 제도	• 과학 기술의 연구 개발 과정과 결과를 평가·감시·통제할 기관이나 윤리 위원회 등의 활동 강화 • 기술 영향 평가 제도 시행
	시민	• 과학 기술의 연구 개발 과정에 적극적·민주적으로 참여 • 윤리 의식 함양: 동양의 (❽) 정신, 서양의 책임 윤리

정답 ❶ 주체성 ❷ 사고 능력 ❸ 저해 ❹ 도덕적 ❺ 광역성 ❻ 과거 ❼ 내적 ❽ 순천절물

탄탄 내신 문제

01 ㉠의 의미로 가장 적절한 것은?

> '판옵티콘(panopticon)'은 죄수를 교화할 목적으로 설계된 원형 감옥이다. 판옵티콘 바깥쪽은 죄수의 밝은 방이고 어두운 중앙은 간수의 감시 공간이다. 죄수는 간수에게 자신의 일상을 공개할 수밖에 없지만, 간수는 보이지 않는 곳에서 죄수를 감시할 수 있다. 몇몇 학자들은 과학 기술의 발달로 인한 문제점을 지적하며 이로 인해 ㉠ 새로운 판옵티콘이 나타날 수 있다고 경고하였다.

① 첨단 무기의 개발은 인류를 위험에 빠뜨릴 수 있다.
② 과학 기술의 발달은 자연환경의 파괴를 초래할 수 있다.
③ 생명 과학 기술의 발달로 생명의 존엄성이 훼손될 수 있다.
④ 과학 기술 활용 정도에 따라 빈부 격차가 발생할 수 있다.
⑤ 과학 기술의 발달로 개인의 인권과 사생활이 침해될 수 있다.

02 갑, 을의 입장에 대한 설명으로 가장 적절한 것은?

과학 기술은 인류에게 무한한 행복을 가져다줄 수 있어. 과학 기술을 더욱 발전시켜야 해.
아니야. 과학 기술로 인해 인류는 오히려 많은 문제에 직면하게 됐어. 과학 기술은 비인간화를 초래해.
과학 기술의 발전을 어떻게 보아야 할까?
갑
을

① 갑은 과학 기술의 가치를 인정하지 않는다.
② 갑은 과학 기술의 비윤리적 측면을 강조한다.
③ 을은 과학 기술로 사회 문제를 해결할 수 있다고 본다.
④ 을은 과학 기술이 인간성 훼손과 무관하지 않다고 본다.
⑤ 갑, 을은 모두 과학 기술의 사회적 유용성을 강조한다.

03 다음과 같은 관점을 가진 사람이 지지할 주장으로 가장 적절한 것은?

과학 기술을 연구하거나 검증할 때는 특정한 가치나 신념이 개입하지 않아야 한다. 과학 기술에 대한 연구는 참이나 거짓의 사실 판단을 통해 접근해야 객관적인 결과를 도출할 수 있기 때문이다.

① 과학 기술 그 자체는 선도 악도 아니다.
② 과학 기술은 사회와 독립적 영역이 아니다.
③ 과학 기술은 가치 판단에서 자유로울 수 없다.
④ 과학 기술은 도덕적 가치와 분리해 생각할 수 없다.
⑤ 과학 기술에는 일정한 목적과 의도가 개입되어 있다.

04 갑이 을에게 할 수 있는 비판으로 가장 적절한 것은?

갑: 과학 기술의 연구는 진리 탐구 등의 학문적 목적에서 이루어지므로 과학 기술 이론은 가치 중립적이어야 한다.
을: 과학 기술은 인간의 삶 전반에 막대한 영향을 미치므로 과학 기술을 연구하고 활용하는 모든 과정에 대해 가치 판단이 이루어져야 한다.

① 과학 기술의 이론적 정당화 맥락과 활용 맥락을 구분하고 있다.
② 과학 기술에 대한 윤리적 성찰이 필요하다는 것을 간과하고 있다.
③ 과학 기술과 사회가 밀접하게 관련되어 있다는 것을 알지 못하고 있다.
④ 과학 기술이 사회에 미치는 영향을 평가하려면 많은 인력이 필요하다는 점을 경시하고 있다.
⑤ 과학 기술에 가치가 개입하면 과학 기술 연구자의 자율성을 보장하기 어렵다는 점을 간과하고 있다.

05 ㉠에 들어갈 내용으로 가장 적절한 것은?

원자 폭탄을 만든 사람은 응분의 책임을 져야 한다. 과학 기술은 인간 공동체에 엄청난 파급력을 가지고 있다. 따라서 과학자는 한 개인의 차원에서뿐만 아니라 인간 공동체의 가치를 구현하기 위해 행동해야 한다. 왜냐하면 과학 기술은 [㉠]

① 연구의 자율성을 확보해야 하기 때문이다.
② 사회와 무관한 독립적인 영역이기 때문이다.
③ 윤리적 규제에서 벗어나 탐구해야 하기 때문이다.
④ 윤리적 가치와 서로 불가분의 관계에 있기 때문이다.
⑤ 객관적인 사실 탐구를 주된 활동으로 하기 때문이다.

06 다음 서양 사상가의 입장으로 가장 적절한 것은?

기존의 전통적 윤리관으로는 과학 기술 시대에 발생하는 문제를 해결하는 데 한계가 있다. 새롭게 요구되는 윤리는 과학 기술로 인한 상황을 적극적으로 반성하는 책임 윤리로서 두려움, 겸손, 검소, 절제, 성스러운 것에 대한 외경심 등의 덕목들이다.

① 결과를 고려한 미래적 책임이 인간에게 요구된다.
② 행위의 책임은 과거 행위에 대한 책임으로 충분하다.
③ 인간이 가지는 책임의 범위는 현재의 인류에 한정된다.
④ 기술의 결과에 대한 고려는 과학 기술 발전을 제한한다.
⑤ 과학 기술의 목적은 미래 세대의 이익과는 관련이 없다.

07 을이 갑에게 할 수 있는 비판으로 가장 적절한 것은?

> 갑: 행위자가 선한 의도를 가지고 한 행위라면 결과에 대해 아무런 책임을 질 필요가 없다. 결과에 대한 책임은 그러한 행위를 의도한 타인이나 세계에 있다.
> 을: 아무리 선한 의도로 한 행위라 할지라도 결과에 대한 책임은 행위자와 무관하지 않다. 행위자는 예견할 수 있는 모든 결과를 고려하여 행위에 대한 책임 의식을 가져야 한다.

① 결과에 대한 우려는 행위자의 선한 의도를 훼손한다.
② 의도하지 않은 결과는 행위자의 책임 범위를 벗어난다.
③ 행위의 선한 의도가 결과의 정당성을 보장하지 않는다.
④ 좋은 결과만 낳으면 된다는 생각은 성과주의를 초래한다.
⑤ 행위자가 행위의 모든 결과를 예측하는 것은 불가능하다.

08 ㉠, ㉡에 들어갈 설명으로 옳은 것을 〈보기〉에서 골라 바르게 연결한 것은?

과학 기술자의 책임에 대해 알아봅시다.
〈과학 기술자의 책임〉
내적 책임 ㉠
외적 책임 ㉡

보기
ㄱ. 과학자의 연구 윤리를 준수해야 한다.
ㄴ. 표절, 조작 등 연구 부정행위를 해서는 안 된다.
ㄷ. 연구 결과가 미칠 사회적 영향력을 인식해야 한다.
ㄹ. 과학 기술 활용에 대한 사회적 책임을 다해야 한다.

	㉠	㉡
①	ㄱ, ㄴ	ㄷ, ㄹ
②	ㄱ, ㄷ	ㄴ, ㄹ
③	ㄴ, ㄷ	ㄱ, ㄹ
④	ㄴ, ㄹ	ㄱ, ㄷ
⑤	ㄷ, ㄹ	ㄱ, ㄴ

09 다음 입장에서 부정의 대답을 할 질문으로 적절한 것을 〈보기〉에서 고른 것은?

> 우리는 과학 기술을 이용하여 많은 것들을 할 수 있고, 많은 것들을 만들 수 있다. 하지만 과학자는 기술 연구 과정에서 내적 책임을 다할 뿐 그 기술이 가지는 힘을 어떻게 사용해야 할 것인가에 대한 지시는 전혀 하지 않는다. 과학 기술은 사용하는 사람이 어떻게 사용하느냐에 따라 천국의 문도, 지옥의 문도 될 수 있다.

보기
ㄱ. 과학 기술의 활용은 과학자의 의도와는 무관한가?
ㄴ. 과학자의 책임은 연구 과정 내에서만 물을 수 있는가?
ㄷ. 과학자의 연구 결과는 인간의 존엄성을 구현해야 하는가?
ㄹ. 과학자는 연구의 사회적 영향력에 대해 숙고해야 하는가?

① ㄱ, ㄴ ② ㄱ, ㄷ ③ ㄴ, ㄷ
④ ㄴ, ㄹ ⑤ ㄷ, ㄹ

10 다음과 같은 제도를 시행하는 이유로 가장 적절한 것은?

〈기술 영향 평가 제도〉

대상 기술 신청 및 분석	기술 선정 위원회에서 파급 효과가 큰 기술을 선정
⬇	
전문가 평가 및 의견 수렴	기술 영향 평가 회의를 실시하고, 시민의 의견 수렴
⬇	
평가 결과 도출	평가 결과에 대해 관계 부처의 의견을 수렴하고 공개 토론회를 거쳐 최종 평가

① 과학자의 연구의 자율성을 높이기 위해서이다.
② 과학 기술 연구의 성과를 극대화하기 위해서이다.
③ 과학 기술의 부정적 영향을 최소화하기 위해서이다.
④ 과학 기술 전문가의 전문성을 확보하기 위해서이다.
⑤ 정부 주도의 과학 기술 정책을 추진하기 위해서이다.

딱풀 p. 31

11 과학 기술의 가치 중립성을 강조하는 입장에서 지지할 주장을 〈보기〉에서 모두 고르시오.

보기

ㄱ. 과학 기술은 특정한 발전 방향을 가지고 발전한다.
ㄴ. 과학 기술은 사실을 탐구하고 발견하는 활동일 뿐이다.
ㄷ. 과학 기술 연구 과정에서 윤리적 평가를 배제해야 한다.
ㄹ. 과학 기술의 성과를 위해 과학 기술 연구는 독립적으로 이루어져야 한다.
ㅁ. 과학 기술의 결과는 예측이 어렵기 때문에 미래의 위험에 대해 숙고해야 한다.

12 ㉠, ㉡을 과학 기술의 가치 중립성을 대하는 올바른 태도와 관련하여 서술하시오.

과학 기술에 관한 가치의 문제를 탐구하려면 과학 기술의 두 가지 과정을 나누어 이해해야 한다. 하나는 과학 기술이 객관적 타당성을 갖춘 지식이나 원리로 인정받는 ㉠ 과학 기술의 이론적 정당화 과정이고, 다른 하나는 ㉡ 연구 대상의 선정 및 연구 결과의 활용 과정이다.

13 ㉠에 들어갈 적절한 말을 쓰시오.

요나스의 책임 윤리에서 강조하는 윤리적 감정의 요소는 두려움이다. 요나스는 악의 인식이 선의 인식보다 무한히 쉽다는 점에서 "실제로 무엇을 보호해야 하는가를 알아내기 위해서 도덕 철학은 희망보다 공포를 논의의 상대로 삼아야 한다."라며 공포를 통해 윤리적 원리를 발견하는 (㉠) 을/를 주장한다. 이는 우리 가까이에 있는 결과가 아니라 후세대의 미래에 대한 장기 진단을 지향하는 사유이다.

14 ㉠, ㉡에 들어갈 적절한 개념을 쓰시오.

과학 기술을 개발하는 과학자에게는 다음과 같은 책임이 요구된다. (㉠) 은/는 과학적·윤리적 절차와 방법에 따라 학문을 연구하며 위조, 변조, 표절 등의 연구 부정행위를 해서는 안 된다는 책임이다. (㉡) 은/는 자신의 연구나 개발 활동이 사회에 미칠 영향력을 인식하여 연구와 개발, 그 활용에 관해 지속적인 성찰을 해야 하는 책임이다.

15 다음에서 설명하는 개념이 무엇인지 쓰시오.

새로운 과학 기술의 발전이 경제, 문화 등 사회 전반에 미치는 영향을 사전에 평가하여 긍정적인 영향을 극대화하고 부작용을 방지하여 과학 기술의 바람직한 발전 방향을 모색하는 제도이다.

| 평가원 응용 |

01 ㉠에 들어갈 진술로 가장 적절한 것은?

> 나는 과학 기술이 인류에게 풍요를 가져다주었다고 본다. 과학 기술의 발전으로 많은 문제가 해결되었듯, 이로 말미암은 부작용은 또 다른 과학 기술의 개발로 해결될 수 있다. 그런데 어떤 사람들은 과학 기술을 비관적으로 바라보며, 과학 기술의 가치를 무시하고 과학 기술을 비윤리적인 것으로 인식한다. 나는 이러한 사람들이 [㉠]고 생각한다.

① 과학 기술 지배 현상의 위험성을 간과하였다
② 과학 기술이 가져다준 혜택과 성과를 간과하였다
③ 과학 기술에 대해 비판적 시각을 가져야 함을 간과하였다
④ 과학 기술의 부작용으로 인한 부정적 영향을 간과하였다
⑤ 과학 기술의 합리성에 대한 검토가 필요함을 간과하였다

02 다음 사상가가 지지할 입장만을 〈보기〉에서 있는 대로 고른 것은?

> 기술은 기술을 실현시키는 존재와는 독립된 것으로서 단지 도구에 불과한 것이며, 그 자체는 선도 아니고 악도 아닙니다. 기술이 스스로 인간에게 광기를 부릴 수 있다든가, 기술에 의해 인간이 부품화될 수 있다는 말은 터무니없는 주장입니다. 중요한 것은 인간이 기술을 어떻게 사용하고, 인간이 기술을 어떤 조건 아래 놓는가 하는 것입니다.

보기
ㄱ. 기술의 부정적 결과는 인간에 의해 생겨날 수 있다.
ㄴ. 기술은 인간과 사회를 지배하려는 속성을 지닌 악이다.
ㄷ. 기술 자체를 도덕 판단의 대상으로 보아서는 안 된다.
ㄹ. 인간은 기술로부터 어떠한 좋은 것도 만들어 낼 수 없다.

① ㄱ, ㄷ ② ㄱ, ㄹ ③ ㄴ, ㄷ
④ ㄱ, ㄴ, ㄹ ⑤ ㄴ, ㄷ, ㄹ

| 수능 응용 |

03 그림의 강연자가 긍정의 대답을 할 질문으로 가장 적절한 것은?

과학 기술은 좀처럼 상상하지 못하는 방식으로 우리들의 존재를 철저하게 지배하고 있습니다. 기술을 중립적인 것으로 고찰하여 우리와 무관한 것으로 보게 된다면 우리는 무방비 상태로 기술에 내맡겨집니다.

① 과학 기술의 영향은 과학자의 책임 밖의 일인가?
② 과학 기술에 대한 사회적 책임은 불가피한 것인가?
③ 과학 기술과 윤리는 별개의 영역이라 볼 수 있는가?
④ 과학 기술은 도덕적 평가로부터 자유로워야 하는가?
⑤ 과학 기술의 목적과 과정은 가치 중립적인 것으로 평가해야 하는가?

| 수능 기출 |

04 (가)의 입장에 비해 (나)의 입장이 갖는 상대적 특징을 그림의 ㉠~㉤ 중에서 고른 것은?

> (가) 과학 기술을 가치 중립적인 것으로 간주해서는 안 된다. 과학 기술 연구 및 그 결과 활용에 대한 과학자의 공적인 책임 의식과 외부 규제가 없다면, 인류는 과학 기술에 종속당하여 제어할 수도 없고 돌이킬 수도 없는 불행한 미래에 봉착하게 된다.
>
> (나) 과학 기술 자체에 선악의 잣대를 적용할 수 없으며, 연구 성과의 활용과 초래되는 결과에 대해 과학자에게 어떠한 책임도 물어서는 안 된다. 외부 간섭에서 벗어나 연구에만 전념할 때 과학 기술은 발전 가능하며, 그 결과 인류는 지속적으로 번영하게 된다.

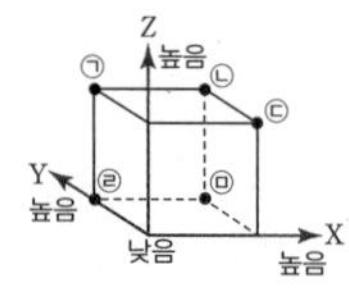

• X: 과학 기술 연구의 독립성이 인류 진보에 공헌함을 강조하는 정도
• Y: 과학 기술 자체에 대한 윤리적 판단을 배제해야 함을 강조하는 정도
• Z: 과학 기술 연구 결과의 활용에 대한 과학자의 사회적 책임을 강조하는 정도

① ㉠ ② ㉡ ③ ㉢ ④ ㉣ ⑤ ㉤

| 평가원 기출 |

05 (가)의 주장을 (나) 그림으로 나타낼 때, ㉠에 대한 반론의 근거로 가장 적절한 것은?

(가)	과학 기술은 객관적 지식, 즉 객관적인 방법으로 발견한 자연 현상에 대한 체계적인 지식과 그 지식을 활용하여 무엇인가를 만들어 내는 과정입니다. 따라서 과학 기술에는 주관적 가치가 개입되어서는 안 됩니다.
(나)	전제 1: 과학 기술은 객관적인 지식과 그 활용 과정이다. + 전제 2: ㉠ ⬇ 결론: 과학 기술에는 주관적 가치가 개입되어서는 안 된다.

① 과학 기술은 객관적인 기준에 의해서만 평가되어야 한다.
② 모든 지식은 활용의 맥락에서 주관적 도덕 판단을 요구한다.
③ 과학적 사실과 주관적 가치는 별개의 독립된 영역에 속한다.
④ 모든 지식은 객관적 진위를 판별할 수 있는 인식론적 대상이다.
⑤ 객관적 지식의 활용은 그 목적 설정을 위해 가치 판단을 배제해야 한다.

| 교육청 응용 |

06 다음 토론의 핵심 쟁점으로 적절한 것은?

> 갑: 과학 기술은 가치 중립적이어야 합니다. 과학 기술과 도덕은 무관한 영역입니다.
> 을: 과학 기술의 모든 과정이 가치 중립적이어야 하는 것은 아닙니다. 과학 기술은 사회에 많은 영향을 미치므로 그 활용에 대한 윤리적 검토가 필요합니다.
> 갑: 과학 기술의 모든 결과를 예측하는 것은 불가능하며, 과학 기술 발전을 방해할 수 있습니다.
> 을: 과학 기술의 발전도 중요하지만 과학 기술에 대한 사회적 책임 의식이 우선되어야 합니다.

① 과학 기술에 대한 도덕적 평가는 필요한가?
② 과학 기술은 사회에 많은 영향을 미치는가?
③ 사회 발전을 위해 과학 기술의 발전이 필요한가?
④ 과학 기술은 객관적 지식의 발견을 목적으로 하는가?
⑤ 인간의 삶을 위해 과학 기술 연구는 중단되어야 하는가?

| 평가원 기출 |

07 (가)를 주장한 사상가의 입장에서 (나)의 물음에 대해 제시할 답변으로 가장 적절한 것은?

(가)	전통 윤리학과 달리 새로운 윤리학은 미리 사유된 위험 그 자체가 나침반이 되어야 한다. 미래에 있을 수 있는 심상치 않은 상황의 변화, 전 지구적 차원의 위험, 인류 몰락의 징조 등을 통해 비로소 윤리적 원리들이 발견될 수 있다. 이것을 '공포의 발견술'이라고 부른다.
(나)	현대 사회에서 윤리적 책임과 관련하여 과학 기술자가 지녀야 할 바람직한 태도는 무엇인가?

① 현재가 아니라 미래의 위험만을 고려해야 한다.
② 생태계 전체를 예방적 책임 대상에 포함시켜야 한다.
③ 연구의 위험이 확실할 때에만 예방 조치를 취해야 한다.
④ 세대 간 호혜성의 원칙에 따라 미래 세대를 책임져야 한다.
⑤ 사회에 대한 책임보다 과학적 연구 성과를 더 중시해야 한다.

08 다음 사상가의 입장에서 〈문제 상황〉 속 A 학생에게 제시할 조언으로 가장 적절한 것은?

> 새로운 유형의 행위 주체를 지향하는 명법은 다음과 같다. "너의 행위의 효과가 지상에서의 진정한 인간적 삶의 지속과 조화될 수 있도록 행위하라." 부정적 형태로 표현하면 다음과 같다. "너의 행위의 효과가 인간 생명의 미래의 가능성에 대해 파괴적이지 않도록 행위하라."
>
> 〈문제 상황〉
>
> 환경 문제 해결에 대한 수업 발표를 맡았는데 어떤 입장을 취해야 할까?
>
> A 학생

① 환경 문제 해결보다 경제적 성장을 강조하세요.
② 미래 세대의 인간은 환경 문제와 무관함을 강조하세요.
③ 과학 기술로 환경 문제를 해결할 수 있음을 강조하세요.
④ 환경에 대한 책임보다 과학 기술 발전을 더 강조하세요.
⑤ 환경과 미래 세대에 미칠 영향을 고려한 책임을 강조하세요.

Ⅳ. 과학과 윤리

02 정보 사회와 윤리

1 정보 기술 발달과 정보 윤리

1. 정보 사회의 장단점과 윤리 문제

(1) 정보 사회의 장단점

① 장점 시공간적 제약 극복, 삶의 편리성 증대, 수평적·다원적 사회 변화

② 단점 감시와 통제 가능성 증가, 기술 의존성 증가, 다양한 윤리적 문제 발생

왜? 정보 통신 기술을 활용하면 감시자를 드러내지 않고 피감시자의 일상을 감시할 수 있는 감시 체계인 판옵티콘을 구현할 수 있기 때문이다.

(2) 정보 사회의 윤리 문제

① 저작권 문제 자료 01

저작권 보호 입장 (copyright)	• 정보는 사유재이므로 창작자에게 경제적 이익을 보장해야 함 ➡ 창작 의욕 상승, 더 나은 정보와 지적 산물 생산 • 정보 생산에 필요한 시간·노력·비용에 대한 보상 필요 • 비판: 창작자에게 배타적 독점권 부여 ➡ 정보의 자유로운 교류 방해
정보 공유 입장 (copyleft)	• 지적 창작물은 공공재이므로 공동체의 이익을 위해 사용해야 함 • 특정한 개인이나 집단의 정보 독점은 정보의 지속적 발전을 어렵게 함 • 비판: 창작자의 노력 고려 부족, 창작물의 질적 수준 저하

② 사생활 침해

• 사적인 정보의 유출로 개인 사생활이 침해당하거나 개인 정보가 범죄에 악용되는 문제 발생

• 개인 정보 보호, 정보 자기 결정권[1]과 잊힐 권리[2]가 강조됨 자료 02

③ 사이버 폭력[3] 악성 댓글, 허위 사실 유포, 사이버 스토킹, 사이버 따돌림(불링) 등은 현실 세계의 폭력처럼 타인에게 고통을 주고 사회 혼란을 유발

④ 표현의 자유 익명성에 바탕을 둔 표현의 자유에 요구되는 한계에 대한 논쟁 발생

다른 사람의 인권을 침해하지 않는 범위, 사회 질서를 훼손하지 않는 범위 등

2. 정보 사회의 정보 윤리

(1) 정보 분석 능력 함양 허위 정보를 비판 없이 수용하면 진실 파악이 어렵고 타인에게 피해를 줄 수 있음 ➡ 비판적 사고를 바탕으로 정보를 분석할 수 있는 능력 필요

다수에게 유포·재생산되면 파급 효과와 해악성이 크다.

(2) 윤리 원칙[4] 준수

인간성 존중, 자유, 평등, 책임, 정의 등과 같은 전통적 가치와 관련된다.

① 자율성의 원리

• 스스로 도덕 원칙을 수립하여 행동하고 타인의 자기 결정 능력을 존중해야 함

• 가상 공간에서 만나는 모든 사람의 인권과 자유를 동등하게 존중해야 함

② 해악 금지의 원리

• 남에게 해악을 끼치거나 상해를 입히는 일을 피해야 함

• 타인에게 해를 끼치는 행동을 해서는 안 됨

③ 선행의 원리

• 타인의 복지를 증진하는 방향으로 행동해야 함

• 익명성에 기대어 자신의 잘못을 회피하는 등의 무책임한 언행을 해서는 안 됨

④ 정의의 원리

• 공정한 기준에 따라 혜택이나 부담을 공정하게 배분해야 함

• 정보로 말미암아 발생하는 부담이나 혜택을 공정하게 배분해야 함

(3) 윤리적 태도 함양 인간 존중의 태도, 사회적 책임, 공동체 의식 등 필요

고득점을 위한 셀파 Tip 비교

| 저작권 보호 vs 정보 공유 |

저작권 보호
• 정보는 사유재
• 창작자 권리 보호 → 저작물 발전

정보 공유
• 정보는 공유재
• 정보의 자유 이용 → 저작물 발전

[1] 정보 자기 결정권
개인이 자기 정보의 유통 과정 전체를 결정하고 통제하는 권한

[2] 잊힐 권리
온라인상에서 자신과 관련된 모든 정보에 대한 삭제 및 확산 방지를 요구할 수 있는 정보 주체의 자기 결정권 및 통제 권리로, 국민의 알 권리와 충돌하는 경우가 많다.

[3] 사이버 폭력
가상 공간에서 글, 영상 등을 이용하여 타인에게 정신적·심리적 피해를 주는 것으로, 시공간의 제약을 받지 않고 발생할 수 있고, 정보의 복제와 유포가 쉬우므로 광범위하고 빠르게 확산되며, 유포된 정보의 수정이나 회수가 거의 불가능하므로 피해자의 고통이 지속되고, 가해자들은 폭력의 심각성을 인식하지 못할 수 있다는 특징이 있다.

[4] 정보 윤리의 기본 원칙에 대한 다양한 입장
정보 윤리의 기본 원칙으로 제시되는 것들은 매우 다양하다. 어떤 학자는 지적 재산권 존중, 사생활 존중, 공정한 표시, 해악 금지를 제시하기도 하고, 또 다른 학자는 인간 존중, 책임, 해악 금지, 정의를 제시하기도 한다.

셀파 자료 탐구

자료 01 저작권 보호와 정보 공유

(가) 정보 창작자가 산출한 정보는 독창성과 노력의 산물이다. 이러한 산물에 대해서는 보호 조치를 취함으로써 정당한 보상을 해야 하며 새로운 정보 창출의 터전이 되는 지식의 샘물이 고갈되지 않도록 창작자의 의욕을 북돋아야 한다.

(나) 촛불을 여러 사람에게 붙여 세상이 밝아지는 것은 처음 불씨를 일으킨 사람이 있기 때문이야. 따라서 그의 노력에 정당한 대가를 지불해야 그 불빛이 더욱 의미가 있어. 이처럼 정보는 소유권을 인정해야 할 개인의 재산이야.

(다) "대지에서 자연적으로 산출되는 모든 열매와 거기에서 자라는 짐승들은 인류에게 공동으로 속한다. 그러나 한 개인이 모두에게 공동으로 주어진 것에 자신의 노동을 투입하면 그것은 그의 소유가 되며 타인의 권리는 배제된다."라는 재산권 이론은 노동의 형태가 어떤 것이든 간에 인간의 노동을 통해 산출된 모든 산물에 적용될 수 있다.

(라) 정보 창작자의 소유권을 인정하는 것은 공적 영역에 남아 있어야 할 지적 창작물을 배타적 영역에 머물도록 한다. 또한 새로운 정보 창출의 터전이 되는 지식의 샘물을 사유화하여 정보 격차를 심화시키므로 정보는 공유되어야 한다.

(마) 소프트웨어의 발전은 진화 과정과 유사하다. 특정 프로그램을 이용한 어떤 사람이 그 일부를 손질하여 새로운 기능을 부여하고, 그 후 또 다른 사람이 다른 부분을 손질하여 또 다른 특성을 부여하기 때문이다. 소유권의 존재는 이러한 진화를 방해한다.

(바) 내 촛불을 여러 사람에게 붙여 주더라도 나에게는 아무런 손해가 없으면서 세상은 더욱 밝아질 거야. 정보도 이와 같아서 어느 한 사람만의 것이 아니라 모두가 나누어야 할 공공의 소중한 자산이야.

자료 분석 | (가), (나)는 저작권 보호를 강조하는 입장, (다)는 창작자의 저작권 보호를 뒷받침할 수 있는 로크의 소유권 이론에 대한 설명, (라), (마), (바)는 정보 공유를 강조하는 입장이다. 저작권 보호 입장과 정보 공유 입장은 모두 새로운 정보 창출이나 저작물의 발전을 중시한다.

자료 02 잊힐 권리와 알 권리

잊힐 권리와 알 권리 중 하나만 무조건 강조하는 것은 바람직하지 않아.

갑: 우리는 개인을 존중하듯이 개인의 정보를 자아의 연장으로 간주하고 그것을 존중하는 법을 배워야 한다. 각 개인은 자신의 민감한 정보에 대해 공개를 원하지 않을 경우 포털 사이트 운영자에게 그 정보의 삭제를 요구할 수 있어야 한다. 또한 포털 사이트 운영자에게 데이터베이스에 있는 자신의 정보가 어떤 목적으로 사용되고 있는지 확인을 요청할 수 있어야 한다.

을: 장 발장은 전과자 신분을 숨기고 시장이 되었어. 하지만 정보 사회에서는 사람들이 잊거나 지우고 싶은 정보가 인터넷에 남아 있어서 타인이 볼 수 있지. 따라서 자신이 원하지 않는 정보를 삭제할 수 있는 '잊힐 권리'를 보장해야 해.

병: 장 발장이 아무리 시민을 위해 봉사했다 하더라도 그를 시장으로 뽑을 때 사람들이 그의 과거를 알아야만 했다고 봐. 정보 사회에서는 누구나 그러한 정보에 접근할 수 있어야 하지. 사람들이 알아야 할 정보라면 삭제를 금지해야 해.

자료 분석 | 갑과 을은 잊힐 권리 보장을 강조하는 입장, 병은 국민의 알 권리를 강조하는 입장이다. 잊힐 권리와 알 권리가 충돌하는 경우에는 사생활 침해 여부, 공익 증진 여부 등을 면밀히 검토하여 사회적 논의를 통해 해결해 나가야 한다.

기출 선택지 O, X로 정리하기

1 자료 01의 (가)는 (라)보다 정보 접근의 불평등 해소를 중시하는 정도가 낮다. (O , X)

2 자료 01의 (가)는 (라)보다 정보 창작자의 권리 보장을 강조하는 정도가 높다. (O , X)

3 자료 01의 (나), (바)는 정보를 삶의 질 향상에 이바지할 수 있는 자산으로 본다. (O , X)

4 자료 01의 (다)는 지적 재산은 자연 발생적 산물이므로 공유의 대상임을 강조해야 한다고 본다. (O , X)

5 자료 01의 (마)의 입장에서 정보는 누구나 자유롭게 사용하게 되면 진화에 방해를 받는 개체이다. (O , X)

6 자료 01의 (마)의 입장에서 정보는 모두가 접근하고 공유해야 할 상호 협력의 산물이다. (O , X)

7 자료 02의 갑은 알 권리 보장을 위해 개인의 사생활을 일부 제한해야 한다고 본다. (O , X)

8 자료 02의 갑은 정보에 대한 자기 결정권과 잊힐 권리가 보장되어야 한다고 본다. (O , X)

9 자료 02의 을은 잊힐 권리 보장이 알 권리 침해로 이어짐을 강조한다. (O , X)

10 자료 02의 병은 사생활 보호가 공익을 위해 제한될 수 있음을 주장한다. (O , X)

11 자료 02의 을, 병은 자기 정보에 대한 배타적 관리권이 절대적임을 강조한다. (O , X)

정답 1 O 2 O 3 O 4 × 5 × 6 O 7 × 8 O 9 × 10 O 11 ×

2 정보 사회에서의 매체 윤리

1. 뉴 미디어 시대의 매체

(1) 대중 매체의 기능[5]

① 정보 제공

② 정보의 의미 해석 및 평가

③ 한 사회의 전통·가치·규범 등을 다음 세대에 전달

④ 사회 구성원에게 휴식과 오락 제공

(2) 뉴 미디어 정보를 인터넷을 통해 가공·전달·소비하는 포괄적 융합 매체[6]

(3) 뉴 미디어의 특징[7]

① 정보 생산 주체와 소비 주체의 쌍방향적인 의사소통이 이루어짐 (상호 작용화)

② 시공간적 제약에서 벗어나 광범위한 사회적 연결망이 형성됨

③ 정보를 수집·전달하는 속도가 신속함 ➡ 정보 발견과 동시에 취합·공개할 수 있고, 다양한 의견을 반영하여 즉각적으로 정보를 수정할 수 있음

④ 다수의 정보 이용자가 정보의 제공과 감시의 역할까지 하며 능동적으로 활동함 (능동화)

⑤ 정보 교환 시 수신자가 원하는 시간에 정보를 얻을 수 있음 (비동시화)

⑥ 대규모 집단이 아닌 특정 대상과 특정 정보를 서로 교환할 수 있음 (탈대중화)

(4) 뉴 미디어의 문제점 객관성과 신뢰성 부족 ➡ 허위 정보나 음란 정보 및 각종 유해 정보 전달 ➡ 사회적 책임 필요

왜? 객관성을 점검할 감시 장치가 기존 매체에 비해 부족하기 때문이다.

2. 현대인에게 요구되는 매체 윤리

(1) 정보 생산과 유통 과정에서 필요한 윤리

① 진실한 태도

- 정보의 자의적 해석과 왜곡 금지 (진실 보도)
- 의견 표명 시 객관성과 공정성 유지 (공정한 편집과 편성)

② 개인의 인격권 보호 국민의 알 권리를 충족하는 과정에서 개인의 인격권을 침해하지 않도록 유의 (타인의 인격 존중) ➡ 개인 정보를 신중하게 처리해야 함 자료 03

③ 배려 가상 공간에서 간접적으로 만나는 상대를 배려하는 자세 필요

④ 표현의 자유의 한계[8]를 인식함 자료 04

⑤ 표절(예 타 매체의 기사를 베껴서 게재)을 하지 말아야 함

⑥ 매체는 다양한 주제와 관련되므로 이해관계를 조정하는 사회 제도적 장치 필요

(2) 정보의 소비 과정에서 필요한 윤리

① 미디어 리터러시[9] 함양

- 매체를 이해하고 활용하는 능력
- 정보의 가치를 제대로 평가하는 비판적 사고 능력과 기존의 정보를 새로운 정보로 조합하는 능력도 포함 자료 05

② 사용자 상호 간의 소통 및 시민 의식

- 정보를 바탕으로 대화하고 교류하여 공동으로 체험하고 협력할 수 있는 능력과 자세 필요
- 매체 이용자에게 규범의 준수와 함께 사회적 참여, 시민 의식 확보 등의 윤리적 자세를 요구하기도 함

③ 정보의 비판적·능동적 수용

- 매체가 제공하는 정보의 진위와 진실성을 판단하여 수용
- 매체가 공정하고 객관적인 정보를 제공하는지 적극적으로 감시

---

5 대중 매체의 역기능
심리적 긴장이나 공포 유발, 공정성을 상실한 정보 제공, 사회의 다양성과 창의성 저해, 사회적·정치적 문제에 대한 무관심 초래

6 매체
다양한 정보를 신속하고 정확하게 전달하기 위한 매개체로, 인쇄 매체, 방송 매체, 디지털 매체에 이르기까지 여러 매체가 개발·이용되고 있다. 권력의 남용을 감시·비판하고 사회의 부정부패를 고발하는 공적인 역할을 수행하기도 한다.

7 뉴 미디어의 또 다른 특징
뉴 미디어의 특징으로 종합화, 디지털화, 멀티미디어화, 영상화 등을 들기도 한다.

고득점을 위한 셀파 Tip 비교

| 국민의 알 권리 vs 개인의 인격권 |

국민의 알 권리
국민이 사회적 현실에 관한 정보를 자유롭게 알 수 있는 권리

⬍

개인의 인격권
인격적 이익을 보호하여 개인의 존엄성과 사적 권리를 보호하기 위한 권리로, 사생활권, 성명권, 초상권, 저작 인격권 등이 있음

8 뉴 미디어상에서의 표현의 자유
뉴 미디어는 개인의 생각을 소통하는 곳이지만 다수의 사람에게 영향을 미칠 수 있는 공적인 영역이다. 따라서 다른 사람의 권리, 사회 질서 및 공공복리를 침해하지 않는 범위 내에서 표현의 자유가 허용된다.

9 미디어 리터러시(media literacy)
정보 사회에서 매체를 사용하고 이해하는 데 필요한 기본적인 읽기, 쓰기 능력으로, 포괄적으로는 다양한 형태의 커뮤니케이션에 접근하고 분석하고 평가하고 발신하는 능력을 의미한다. '매체 이해력'이라고도 하며, 관련된 개념으로는 '정보 리터러시'가 있다.

셀파 자료 탐구

자료 03 알 권리와 인격권의 보호

(가) 어느 종군 기자가 찍은 사진이 전쟁의 참상을 생생하게 전달하였다. 그 사진은 폭격을 맞아 불타고 있는 마을에서 공포에 질려 벌거벗은 채 뛰어나오는 소녀의 모습을 담고 있다. 하지만 그 사진이 널리 퍼짐으로써 소녀가 느낄 수치심을 고려하지 않았다는 점에서 문제가 있다.

(나) 언론에 의해 명예가 훼손되었다고 언론사를 상대로 법원에 소송을 제기하는 사람들이 증가하고 있다. 특이한 점은 보도 내용이 허위 사실은 아니지만 정신적·물질적 피해를 당했다고 주장하는 사례가 증가하고 있다는 점이다. 시민의 알 권리는 존중되어야 하지만 그렇다고 언론이 이를 명분으로 모든 것을 정당화할 수는 없다. 이제 우리는 언론을 '자유'라는 측면과 더불어 '책임'이라는 측면에서도 바라볼 것을 제안한다.

자료 분석 | 개인의 인격권 보호는 언론뿐만 아니라 정보 사회의 정보 생산자 모두가 지켜야 하는 규범이다. 따라서 인간의 존엄성을 위해 사소한 개인 정보라도 철저히 보호하고, 알 권리는 공익 추구의 목적으로 바르게 행사되어야 한다는 점을 유의해야 한다.

자료 04 표현의 자유에 대한 다양한 입장

갑: 가상 공간에서 '표현의 자유'는 그것이 지켜야 할 품격의 한계를 넘어서고 있다. 특히 인터넷에서 무분별하게 생산되는 가십(gossip)* 중에서 당사자에게 심각한 고통을 주는 유포물이 있다면, 이를 규제하기 위한 법률적 노력이 필요하다.

을: 가상 공간에서 사람들이 자유롭게 발언하도록 내버려 두면 진실하고 건전한 표현은 살아남고, 그릇되고 불건전한 표현은 소멸하게 된다. 자유로운 표현의 장(場)에서 진실을 판단하는 것은 제도적 권위에 기대지 않아도 가능하다.

병: 디지털 익명성은 사람들이 자유롭게 자신의 삶을 계획하고 실현하는 데 매우 중요하기 때문에 일종의 선이라 할 수 있어. 사이버 공간에서 표현의 자유가 정당하게 행사되려면 익명성이 보장되어야 해.

정: 디지털 익명성은 사회에 해악을 끼치기 때문에 일종의 악이라 할 수 있어. 사이버 공간에서 익명의 표현은 범죄에 이용되거나 사회적 신뢰와 질서를 해치는 무책임한 행동을 일으키므로 금지되어야 해.

*가십(gossip) 신문, 잡지 등에서 개인의 사생활에 대하여 소문이나 험담 따위를 흥미 본위로 다룬 기사

자료 분석 | 갑은 한계를 넘어선 표현의 자유에 대해서는 법률과 같은 제도적 규제가 필요하다는 입장이고, 을은 표현의 자유를 제도적으로 규제하지 않아도 자유로운 표현의 장에서 그릇되고 불건전한 표현은 소멸할 것이라는 입장이다. 또한 디지털 익명성과 관련하여 병은 표현의 자유를 지키기 위해 필요하다고 보는 반면, 정은 표현의 자유의 한계를 넘어서는 행동을 불러오므로 금지되어야 한다고 본다.

자료 05 정보 리터러시

갑: '정보 리터러시'는 정보 접근 능력과 정보 수용 능력을 가리킨다. 정보 격차는 주로 그러한 능력들의 차이로 인해 발생하므로, 이를 해결하기 위해 정보 약자에게 정보 접근 및 수용 능력을 제공하는 정보 복지가 보장되어야 한다.

을: '정보 리터러시'는 정보 매체의 쌍방향성이 강화됨에 따라 접근 및 수용 능력 이외에 정보 생산 능력까지도 포함해야 한다. 정보 격차는 주로 정보 생산 능력의 차이에 기인하므로 정보 생산 능력을 제공하는 정보 복지가 제공되어야 한다.

자료 분석 | 미디어 리터러시가 매체가 형성하는 현실을 비판적으로 독해하면서 매체를 제대로 사용하고 바람직하게 표현하는 능력이라면, 정보 리터러시는 매체가 제공하는 정보와 관련하여 가상 공간에서 각종 정보를 제대로 이해하고 적절히 표현하며 이용할 수 있는 능력이다. 갑은 정보 리터러시를 정보 접근 능력과 수용 능력으로 한정 짓는 반면, 을은 정보 리터러시에 정보 생산 능력까지 포함해야 한다고 주장한다.

기출 선택지 O, X로 정리하기

1 언론은 개인의 인격권을 존중해야 한다. (O, X)

2 자료 04의 갑은 개인의 자정 노력만으로 인권이 보장될 수 있다고 본다. (O, X)

3 자료 04의 을은 인격을 보호하기 위한 제도적 강제력이 필요하다고 본다. (O, X)

4 자료 04의 병은 정에게 익명성은 그 자체로 가치 중립적 성격을 지님을 간과하고 있다고 반론할 수 있다. (O, X)

5 자료 04의 병은 정에게 사이버 폭력의 증가가 디지털 익명성에 기인함을 간과하고 있다고 반론할 수 있다. (O, X)

6 표현의 자유와 관련하여 공리의 관점으로 설명하는 입장에서는 진리에 대해 이의를 제기하는 소수의 의견이 옳지 않더라도 논쟁을 펼치는 과정에서 인류가 기존의 진리가 지닌 가치와 의의를 재확인하게 된다면 소수 의견을 존중해야 한다고 본다. (O, X)

7 자료 05의 갑은 정보 약자가 정보 생산에서 소외되지 않도록 해야 한다고 본다. (O, X)

8 자료 05의 을은 정보 격차의 주된 원인은 정보 생산력의 차이에 있다고 본다. (O, X)

9 자료 05의 을은 정보 약자에게는 정보 접근 능력만을 제공해야 한다고 본다. (O, X)

10 자료 05의 갑과 을은 정보 리터러시는 접근 및 수용 능력에 국한되어야 한다고 본다. (O, X)

정답 1 O 2 X 3 X 4 X 5 X 6 O 7 X 8 O 9 X 10 X

개념 완성

1 정보 기술 발달과 정보 윤리

정보 사회	장점	(❶) 제약 극복, 삶의 편리성 증대, 수평적·다원적 사회 변화
	단점	감시와 통제 가능성 증가, 기술 (❷) 증가, 다양한 윤리적 문제 발생
윤리 문제	저작권 문제	• 저작권 보호 입장: 정보는 사유재, 창작자의 권리를 보호해야 저작물 발전 • 정보 공유 입장: 정보는 (❸), 정보를 자유롭게 이용해야 저작물 발전
	사생활 침해	개인 정보 유출로 사생활 침해 발생 → 개인 정보 보호, 정보 자기 결정권과 잊힐 권리 강조
	사이버 폭력	현실 세계의 폭력처럼 타인에게 고통을 주고 사회 혼란을 유발
	표현의 자유	표현의 자유에 요구되는 한계에 대한 논쟁 발생
정보 윤리		• 허위 정보를 구별할 수 있도록 정보 분석 능력 함양 • 자율성의 원리, (❹) 의 원리, 선행의 원리, 정의의 원리 등 정보 윤리의 기본 원칙 준수 • 인간 존중의 태도, 사회적 책임, 공동체 의식 등 윤리적 태도 함양

2 정보 사회에서의 매체 윤리

뉴 미디어 시대의 매체	대중 매체의 기능	정보 제공, 정보의 의미 해석 및 평가, 한 사회의 전통·가치·규범 등을 다음 세대에 전달, 사회 구성원에게 휴식과 오락 제공
	뉴 미디어	• 의미: 정보를 인터넷을 통해 가공·전달·소비하는 포괄적 융합 매체 • 특징: 정보 생산과 소비 주체의 (❺) 작용화, 광범위한 사회적 연결망, 신속한 정보 수집·전달 속도, 다수의 정보 이용자의 능동화, 정보 교환의 (❻), 탈대중화 등 • 문제점: 객관성과 신뢰성 부족
매체 윤리	정보 생산·유통 윤리	• 진실한 태도: 정보의 자의적 해석과 왜곡 금지, 의견 표명 시 (❼)과 공정성 유지 • 개인의 인격권 보호 • 배려 • 표현의 자유의 한계 인식 • 표절 금지 • 이해관계 조정 제도
	정보 소비 윤리	• 미디어 (❽) 함양 • 사용자 상호 간의 소통 및 (❾) • 정보의 비판적·능동적 수용

정답 ❶ 시공간적 ❷ 의존성 ❸ 공공재 ❹ 해악 금지 ❺ 상호 ❻ 비동시화 ❼ 객관성 ❽ 리터러시 ❾ 시민 의식

탄탄 내신 문제

01 (가)의 갑, 을의 입장을 (나) 그림으로 표현할 때, A~C에 해당하는 옳은 진술만을 〈보기〉에서 있는 대로 고른 것은?

(가)
갑: 창작자의 노력에 대한 경제적 이익을 보장함으로써 창작 의욕을 높여 정보의 질적 수준을 향상하고 지적 창작물 생산을 확대해야 한다.
을: 지적 창작물은 공공재이므로 공동체의 이익을 위해 사용되어야 한다. 이를 통해 질 높은 지적 창작물의 생산이 확대될 수 있다.

(나)
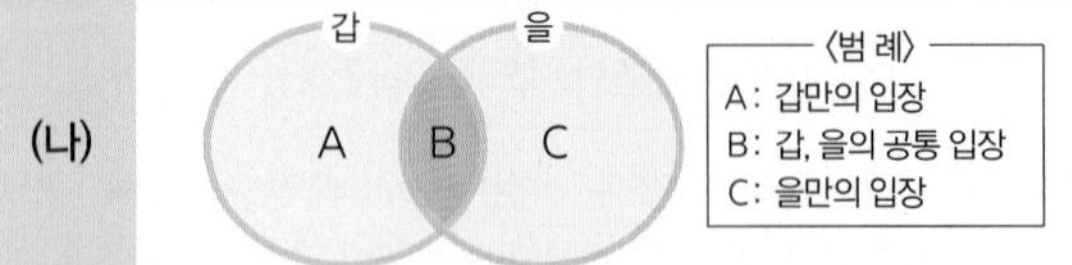

보기
ㄱ. A: 모든 창작물은 기존의 정보를 활용한 결과이다.
ㄴ. A: 정보 생산 노력에 대한 경제적 대가를 지불해야 한다.
ㄷ. B: 질 높은 정보를 생산하여 사회를 발전시켜야 한다.
ㄹ. C: 저작권 보호는 정보 독점 현상을 초래할 수 있다.

① ㄱ, ㄴ ② ㄱ, ㄹ ③ ㄴ, ㄷ
④ ㄱ, ㄷ, ㄹ ⑤ ㄴ, ㄷ, ㄹ

02 갑, 을의 입장에 대한 설명으로 가장 적절한 것은?

갑: 정신적 창작물은 정당하게 자신의 것이다. 그가 자연이 제공하여 준 상태로부터 무엇을 변화시키든지 노동을 투여하여 자신의 것인 어떤 것을 첨가한다면 그것은 자신의 소유가 된다.
을: 생각은 개인이 혼자 간직하는 한 자신의 배타적 소유지만, 밖으로 내뱉는 순간 모든 사람의 소유가 되고 누구도 그것을 벗어날 수 없다. 이것은 자연이 준 특별하며 자비로운 선물이다.

① 갑은 저작권을 공익을 위해 공유해야 하는 권리라 인식한다.
② 을은 정신적 창작물에 대한 정당한 대가 보장을 주장한다.
③ 갑은 을보다 정보 격차에 따른 사회적 불평등을 우려한다.
④ 을은 갑보다 저작물이 인류 공동의 문화적 자산임을 강조한다.
⑤ 갑, 을은 모두 지적 창조물을 개인의 배타적 소유물이라고 인식한다.

03 다음 상황을 해결할 수 있는 방안으로 가장 적절한 것은?

> 몇몇 병원이 매출에 부정적 영향을 준다는 이유로 의료 사고 관련 글을 삭제해 달라며 '잊힐 권리'를 주장하였다. 그러나 병원의 잊힐 권리를 존중할 경우 소비자의 '알 권리'는 침해될 수 있다.

① 국민의 사생활 보호를 공익보다 항상 우선해야 한다.
② 정보 자기 결정권은 기본권이므로 반드시 존중해야 한다.
③ 잊힐 권리와 알 권리에 대한 사회적 논의를 진행해야 한다.
④ 국민의 알 권리 보장을 위해 모든 잊힐 권리를 제한해야 한다.
⑤ 국가가 개인의 모든 정보를 관리하는 제도와 정책을 마련해야 한다.

04 ㉠에 대한 설명으로 가장 적절한 것은?

> (㉠)은/는 인터넷, 휴대 전화 등 정보 통신 기기를 이용해 특정인과 관련된 개인 정보 또는 허위 사실을 유포해 지속적·반복적으로 공격을 가하는 행위를 뜻한다. 온라인 그룹에서 고의로 특정인을 배제하여 상대방이 고통을 느끼도록 하는 행위도 여기에 속한다.

① 시공간의 제약을 많이 받는 행위이다.
② 유포된 정보의 수정이나 회수가 쉽다.
③ 정보의 유포가 어려워 확산 속도가 느리다.
④ 가해자들이 폭력의 심각성을 자각하기 어렵다.
⑤ 직접적, 물리적인 경험이 아니므로 큰 피해를 입지 않는다.

05 갑의 입장에서 〈문제 상황〉의 A의 행위를 평가한 것으로 가장 적절한 것은?

> 갑: 어떤 의견의 표현을 억압하는 것은 그 의견을 주장하는 사람뿐만 아니라 반대하는 사람에게도 많은 것을 잃게 한다. 그러나 이러한 표현은 다른 사람의 자유를 훼손하거나 다른 사람에게 해를 끼치지 않는 범위 내에서 가능한 것이다.
>
> **〈문제 상황〉**
>
> A는 사회적으로 물의를 빚은 연예인의 잘못을 비판하기 위해 연예인의 얼굴과 동물의 몸을 합성하여 연예인을 비하하고 인격적으로 모욕하는 전단지를 만들어 게시했다.

① 개인의 인권을 침해한 표현이므로 부당한 행위이다.
② 다양한 방법으로 의견을 표출했으므로 정당한 행위이다.
③ 사회적으로 긍정적 영향을 주었으므로 정당한 행위이다.
④ 개인의 주장을 사회적으로 확대했으므로 부당한 행위이다.
⑤ 자신의 주장을 강조하기 위한 표현이므로 정당한 행위이다.

06 그림은 신문 칼럼의 일부이다. ㉠에 들어갈 말로 가장 적절한 것은?

> **칼럼**
>
> 정보화가 진행되면서 사회는 큰 변화를 겪고 있다. 따라서 일상생활에서 기존의 윤리 이론을 적용하기 어려운 새로운 문제 상황이 계속 만들어지고 있다. 이러한 윤리 문제는 기술의 보완이나 법의 강제력만으로는 해결하기 힘든 부분이 많기 때문에 개개인의 노력이 뒤따라야 한다. 따라서 우리는 (㉠)

① 정보화로 인한 문제에 관한 윤리 의식을 높여야 한다.
② 정보화 윤리 문제에 관한 법과 처벌을 강화해야 한다.
③ 정보화로 인한 문제 해결을 위한 정책을 수립해야 한다.
④ 정보화 문제 해결을 위해 관련 위원회를 조직해야 한다.
⑤ 정보화로 인한 문제 해결을 위해 기술을 개발해야 한다.

07 ㉠에 대한 설명으로 적절하지 않은 것은?

> 정보를 생산하고 소비하는 각 개인은 ㉠ 정보화 사회와 관련한 윤리 원칙을 준수해야 한다. 현실과 가상 공간의 행위 주체는 결국 인간이므로 이러한 원칙은 현실에서 지켜야 할 바람직한 삶의 자세와 크게 구분되지 않는다.

① 자율적으로 도덕 원칙을 수립하여 행동해야 한다.
② 타인의 복지를 증진하는 방향으로 행동해야 한다.
③ 타인에게 경제적·정신적 해악을 끼쳐서는 안 된다.
④ 공정한 기준에 따라 혜택을 공정하게 배분해야 한다.
⑤ 현실의 윤리와 무관한 새로운 내용을 제시해야 한다.

08 ㉠에 대한 적절한 설명만을 〈보기〉에서 있는 대로 고른 것은?

> 대중 매체는 대량의 정보를 일시에 전달할 수 있기 때문에 사회 전반에 미치는 영향력이 매우 크다. 이러한 대중 매체의 영향력은 순기능으로 작용하기도 하지만 동시에 윤리 문제를 발생시키는 ㉠ 역기능으로 작용하기도 한다.

보기
ㄱ. 사회 문제에 무관심한 대중을 낳는다.
ㄴ. 편견이 개입된 정보를 불공정하게 보도한다.
ㄷ. 대중에게 심리적 긴장감이나 공포를 유발한다.
ㄹ. 부정부패를 고발하는 공적인 역할을 수행한다.
ㅁ. 정보를 생산, 처리, 분배해 주는 영향력을 발휘한다.

① ㄱ, ㄷ　② ㄱ, ㄹ　③ ㄴ, ㅁ
④ ㄱ, ㄴ, ㄷ　⑤ ㄴ, ㄹ, ㅁ

09 ㉠에 대한 옳은 설명만을 〈보기〉에서 있는 대로 고른 것은?

> 정보 통신 기술의 혁신적 발전은 기존 매체에 큰 영향을 미쳤다. 인터넷은 폭발적인 발전을 거듭했고, 신문이나 라디오 등 기존의 미디어와는 다른 ㉠ 새로운 미디어가 등장하게 되었다.

보기
ㄱ. 누구나 정보를 생산, 소비, 유통할 수 있다.
ㄴ. 소수가 다수에게 정보를 일방적으로 전달한다.
ㄷ. 정보 제공자가 정보 수신자와 달리 자발성을 갖추게 된다.
ㄹ. 모든 정보를 디지털화하여 신속한 정보 처리가 가능하다.
ㅁ. 시공간의 제약에서 벗어나 광범위한 사회적 연결망을 형성한다.

① ㄱ, ㄷ　② ㄱ, ㄹ　③ ㄴ, ㄷ
④ ㄱ, ㄹ, ㅁ　⑤ ㄴ, ㄷ, ㅁ

10 다음 글에 반대하는 입장에서 지지할 주장으로 가장 적절한 것은?

> 게이트 키핑이란 신문이나 방송 매체에서 뉴스 결정권자가 뉴스를 취사선택하는 과정을 말한다. 게이트 키핑은 공정하고 객관적인 뉴스를 보도하기 위해 필수적인 과정이며 미디어의 방향이 한쪽으로 치우치지 않게 하기 위해서 반드시 필요한 과정이다.

① 선별된 뉴스만이 대중에게 전달되어야 한다.
② 객관적으로 선택된 뉴스는 왜곡될 가능성이 낮다.
③ 모든 뉴스를 전달하는 것은 부작용을 낳을 수 있다.
④ 뉴스 선택에는 사회적 압력과 외부적 요인이 작용할 수 있다.
⑤ 언론인의 자유 실현을 위해 뉴스의 선택권을 보장해야 한다.

11 (가)의 입장에서 볼 때, (나)의 A에 들어갈 내용으로 가장 적절한 것은?

(가)	언론사의 경영진은 기업의 아픈 구석을 건드리는 기사를 달가워하지 않는다. 국민들은 진실을 원하지만 언론은 그러한 요구에 귀 기울이지 않는다. 언론이 광고주의 지배 아래 있다는 것, 이것은 언론의 위기이자 민주주의의 위기이다.
(나)	

① 휴식과 오락을 제공해야 합니다.
② 생활에 필요한 다양한 정보를 제공해야 합니다.
③ 사회의 전통과 가치관 및 규범을 전달해야 합니다.
④ 위기에 대응하고 안전한 생활을 하도록 지원해야 합니다.
⑤ 알 권리 실현을 위해 외부적 영향에서 자유로워야 합니다.

12 갑 사상가의 입장에서 〈문제 상황〉의 A의 행위를 평가한 것으로 가장 적절한 것은?

> 갑: 행위를 결정할 수 있는 것은 객관적으로 보면 법칙뿐이며 주관적으로 보면 도덕 법칙에 대한 순수한 존경, 즉 모든 경향성을 포기하고서라도 그 법칙을 따르겠다는 의무 의식뿐이다.
>
> 〈문제 상황〉
>
> A는 특종을 보도해야 한다는 생각으로 피해자를 속여 사건과 관련된 가장 중요한 정보를 알아냈다. A는 피해자의 신분을 숨겨 주겠다고 약속했으나 사건은 피해자의 신분을 드러낸 채 특종 기사로 그 날 저녁 보도되었다.

① 피해자에게 고통을 주었으므로 부당한 행위이다.
② 결과적으로 알 권리를 충족했으므로 정당한 행위이다.
③ 선을 행하라는 자연법을 어겼으므로 부당한 행위이다.
④ 자신을 위해 타인을 수단으로 대우한 부당한 행위이다.
⑤ 사회적으로 긍정적 결과를 낳았으므로 정당한 행위이다.

13 갑, 을의 입장으로 가장 적절한 것은?

① 갑: 취재의 자유는 정의로운 방법을 통해 실현된다.
② 갑: 개인 사생활의 자유는 국민의 알 권리에 우선한다.
③ 을: 공익 실현을 위해 개인의 권리 침해는 불가피하다.
④ 을: 방법이 옳지 않다면 불공정한 보도가 될 수밖에 없다.
⑤ 갑, 을: 효과적인 취재를 위해서 모든 방법을 동원할 수 있다.

14 ㉠에 들어갈 내용으로 적절하지 않은 것은?

> 언론의 자유란 출판에 대한 사전적 억압이 없는 상태를 말한다. 모든 자유인은 대중 앞에서 자신의 감정을 표출할 절대적인 권리를 갖는다. 따라서 이를 억압하는 것은 언론의 자유를 파괴하는 것이다. 그러나 언론의 자유를 발휘할 때, 우리는 다음과 같은 바람직한 자세를 갖춰야 한다. [㉠]

① 공정성 확보를 위해 외부적 요인을 배제해야 한다.
② 사건에 관한 견해를 동등하고 균형 있게 취급해야 한다.
③ 언론의 영향력과 사회적 책임을 고려하여 보도해야 한다.
④ 사회적인 영향을 고려하여 정보를 임의로 변형해야 한다.
⑤ 국민의 알 권리 충족 과정에서 개인의 자유를 보호하도록 노력한다.

15 정보 공유론을 지지하는 논거를 〈보기〉에서 모두 고르시오.

보기

ㄱ. 어떤 프로그램도 무(無)에서 창조되지 않는다.
ㄴ. 저작물은 기존의 정보를 활용한 사회 공유 자산이다.
ㄷ. 창작자의 재산권은 침해될 수 없는 개인의 기본권이다.
ㄹ. 질 높은 정보의 개발은 지적 재산권 보장에서 비롯된다.
ㅁ. 정보에 대한 배타적 독점권 인정은 정보 교류를 방해한다.

16 ㉠에 들어갈 적절한 개념을 쓰시오.

정보에 대한 접근이 쉬워지면서 사적인 정보가 쉽게 유출되는 문제가 발생하고 있다. 이에 따라 개인의 정보를 보호하기 위한 논의가 활발해지고 있다. 처음에는 개인의 정보를 다른 사람의 부당한 감시나 침해, 남용에서 보호하기 위한 권리를 강조하는 맥락에서 출발했으나, 더 나아가 정보의 유통 과정 전체에서 개인이 결정하고 통제하는 권한을 가져야 한다는 [㉠]을/를 강조하는 방향으로 논의가 전개되면서 잊힐 권리가 강조되고 있다.

17 ㉠의 기본 원칙을 네 가지 쓰시오.

정보 사회의 윤리적 문제를 예방하려면 ㉠ 정보 윤리가 정립되어야 한다. 정보 윤리는 기존 윤리 체계를 바탕으로 사이버 공간의 특수성을 고려하여 정립되어야 한다. 이러한 정보 윤리를 토대로 정보 사회의 윤리적 문제를 해결하고 더 나은 정보화 사회로 나아갈 수 있을 것이다.

18 다음 글에서 설명하고 있는 개념이 무엇인지 쓰시오.

이것은 정보 사회에서 매체를 사용하고 이해하는 데 필요한 기본적인 읽기, 쓰기 능력을 말한다. 나아가 다양한 형태의 상호 작용에 접근하고 평가하며, 자신이 찾아낸 정보의 가치를 제대로 평가하기 위한 비판적 사고 능력을 포함한다.

19 다음 글을 읽고 물음에 답하시오.

다양한 정보를 신속하고 정확하게 전달하기 위해 매체는 지속적으로 발전해 왔다. 특히 정보 통신 기술의 발전으로 기존의 매체와는 다른 특징을 가진 다양한 유형의 [㉠]이/가 개발되고 있다.

(1) ㉠에 들어갈 적절한 말을 쓰시오.

(2) (1)의 매체가 지니는 특징을 서술하시오.

딱풀 p. 36

| 수능 응용 |

01 그림은 서술형 평가 문제와 학생 답안이다. 학생 답안의 ㉠~㉤ 중 옳지 않은 것은?

서술형 평가

◎ **문제** 갑, 을의 입장을 비교하여 서술하시오.

> 갑: 저작물에 대한 복제를 금하고 저작자에게 정당한 대가를 지불해야 한다. 그렇지 않으면 창작 동기가 약화되어 질 좋은 정보가 생산되기 어려울 것이다.
> 을: 저작물은 인류의 문화유산을 바탕으로 만든 것이므로 인류 공동의 자산이다. 저작물을 자유롭게 이용함으로써 창작 활동이 더 활발해져 질 좋은 정보의 생산을 기대할 수 있을 것이다.

◎ **학생 답안**

갑은 ㉠ 정보와 그 창조물이 사유 재산이라 인식하며, ㉡ 지적 재산권을 침해될 수 없는 개인의 기본적 권리라고 주장한다. 을은 ㉢ 지적 재산권 보장을 통해 개인의 정보 생산 활동을 지원해야 하며, ㉣ 정보의 진화를 위해 소유권을 공공으로 확대해야 한다고 주장한다. 한편 갑, 을은 ㉤ 사회 발전을 위해서 질 좋은 정보를 생산해야 함을 주장한다.

① ㉠　② ㉡　③ ㉢　④ ㉣　⑤ ㉤

| 교육청 기출 |

02 (가)의 주장을 (나) 그림으로 나타낼 때, ㉠에 대한 반론의 근거로 가장 적절한 것은?

(가)	정보는 시간과 역사를 함께 해 온 인류 공동의 소유물이므로 배타적 소유권을 주장해서는 안 된다. 모든 정보는 공유되어야 한다.
(나)	대전제: 인류 공동의 지적 산물은 독점되어서는 안 된다. + 소전제: ㉠ ⬇ 결론: 모든 정보는 공유되어야 한다.

① 정보는 창작자 개인의 노력에 의해 얻어진 사유재이다.
② 정보의 자유로운 복제가 정보 생산을 더욱 풍성하게 한다.
③ 지적 재산의 제한 없는 공유가 사회 발전의 밑거름이 된다.
④ 정보에 대한 소유권 인정이 정보의 공공적 가치를 훼손한다.
⑤ 소수에 의한 정보 독점 행위는 정보 격차의 문제를 심화시킨다.

| 수능 응용 |

03 (가)의 입장에서 볼 때, 퍼즐 (나)의 세로 낱말 A에 대한 설명으로 가장 적절한 것은?

(가)	소프트웨어의 발전은 진화 과정과 유사하다. 특정 프로그램의 이용자가 그 일부를 손질하여 새로운 기능을 부여하는 일이 계속되기 때문이다. 소유권의 존재는 이러한 진화를 방해한다.
(나)	[퍼즐: (A), (B)] 〔가로 열쇠〕 (A): 사사로운 정이나 관계에 이끌려 일을 하는 것. 실적이 아니라 정치성·혈연·지연 등을 중심으로 공직에 사람을 임용하는 인사 관행 (B): 선악의 행위에 따라 받게 되는 고락(苦樂)의 갚음. 인과○○ 〔세로 열쇠〕 (A): …… 개념

① 모두의 자유로운 이용이 진화를 방해하는 개체이다.
② 어디서든 네트워크에 접근할 수 있는 공적 환경이다.
③ 자유로운 소유권의 이전으로 진화하는 프로그램이다.
④ 모두가 자유롭게 공유하고 접근해야 할 상호 협력의 산물이다.
⑤ 복제·수정이 무한히 가능하므로 무단 사용을 금지해야 할 자산이다.

| 평가원 응용 |

04 (나)의 입장에서 (가)의 입장에 대해서 제기할 반론으로 적절한 것을 〈보기〉에서 고른 것은?

(가)	국민의 알 권리는 공익 실현에 필수적이다. 알 권리 보장을 위해 개인의 자유 침해는 감수해야 한다.
(나)	알 권리도 중요하지만, 개인의 인격권도 보장되어야 한다. 공익 실현, 알 권리의 보장이라는 이유로 모든 개인의 자유 침해를 정당화할 수는 없다.

보기

ㄱ. 인격권 침해가 부당함을 간과하고 있다.
ㄴ. 국민의 알 권리 보장이 가장 중요함을 간과하고 있다.
ㄷ. 공익을 위한 개인의 희생은 불가피함을 간과하고 있다.
ㄹ. 알 권리 실현이 인격권 침해를 정당화할 수 없음을 간과하고 있다.

① ㄱ, ㄴ　② ㄱ, ㄹ　③ ㄴ, ㄷ
④ ㄴ, ㄹ　⑤ ㄷ, ㄹ

| 평가원 응용 |

05 다음 토론의 핵심 쟁점으로 가장 적절한 것은?

> 갑: 사이버 공간에서는 서로를 식별하기 어렵기 때문에 현실에서 표현하지 못하는 솔직한 감정을 드러내거나 다양한 의견을 자유롭게 교환할 수 있습니다.
> 을: 그렇습니다. 하지만 사이버 공간의 익명성을 악용한 악성 댓글의 피해가 심각합니다. 악성 댓글을 제재할 수 있는 법과 제도가 필요합니다.
> 갑: 아닙니다. 악성 댓글 문제는 도덕규범의 자율적 내면화와 실천을 통해 해결해야 합니다.
> 을: 제도적 조치를 반드시 병행해야 합니다. 불편을 감수하더라도 개인의 명예를 보호해야 합니다.

① 사이버 공간은 신분 확인 정보가 제한적인가?
② 사이버 공간도 현실의 도덕규범이 같게 적용되는가?
③ 악성 댓글 문제를 해결하기 위해 자율적 책임감과 실천이 필요한가?
④ 사이버 공간에서 익명성 악용은 악성 댓글의 원인으로 작용하는가?
⑤ 사이버 공간의 악성 댓글 문제 해결을 위해 제도적 규제가 필요한가?

| 수능 응용 |

06 갑, 을 중 적어도 한 사람이 부정의 대답을 할 질문만을 〈보기〉에서 있는 대로 고른 것은?

> 갑: 표현의 자유는 민주주의 사회에서 매우 중요한 가치이며, 인간의 존엄성을 실현하는 바탕이다. 인간의 기본적 권리는 침해될 수 없으므로 표현의 자유 역시 제한해서는 안 된다.
> 을: 표현의 자유는 민주주의를 실현하는 바탕이 되지만, 악의적으로 이용되거나 심각한 피해를 초래하는 경우도 많다. 표현의 자유가 기본권이라 하더라도 제도적인 보완을 통해 적절히 제한될 필요가 있다.

보기
ㄱ. 표현의 자유와 인간의 기본적 권리는 무관한가?
ㄴ. 표현의 자유는 민주주의 발전을 위해 필요한가?
ㄷ. 진정한 표현의 자유를 실현하기 위해 제한이 필요한가?
ㄹ. 사회적 부작용을 고려하여 표현의 자유를 금해야 하는가?

① ㄱ, ㄴ ② ㄱ, ㄹ ③ ㄴ, ㄷ
④ ㄱ, ㄷ, ㄹ ⑤ ㄴ, ㄷ, ㄹ

| 평가원 응용 |

07 다음 글에서 강조하는 입장으로 가장 적절한 것은?

> 최근 한 포털 사이트의 댓글 정책이 개편되었다. 하나의 계정으로 동일한 기사에 쓸 수 있는 댓글 수를 줄이고, 한 계정으로 연속 댓글을 작성할 때 작성 간격을 60초로 확대하는 등의 내용이 주요 골자이다. 이러한 정책 개편은 편향된 생각을 반복적으로 표현하는 반복 댓글을 줄이고, 사회적·정치적 의도성을 가진 댓글에 대한 표현을 제한하는 방향으로 이루어진 것이므로 바람직하다고 할 수 있다.

① 표현의 자유 제한은 심각한 사회적 문제를 초래한다.
② 표현의 자유 실현은 공공의 이익을 위해 제한될 수 있다.
③ 개인의 기본권인 표현의 자유는 최대한 보장되어야 한다.
④ 의도성을 가진 댓글을 작성하는 것 역시 표현의 자유이다.
⑤ 대중 매체에 대한 억압은 국민의 알 권리를 침해할 수 있다.

| 교육청 기출 |

08 갑, 을의 입장에 대한 설명으로 가장 적절한 것은?

> 갑: 가상 공간에서 '표현의 자유'는 그것이 지켜야 할 품격의 한계를 넘어서고 있다. 특히, 인터넷에서 무분별하게 생산되는 가십(gossip)* 중에서 당사자에게 심각한 고통을 주는 유포물이 있다면, 이를 규제하기 위한 법률적 노력이 필요하다.
> 을: 가상 공간에서 사람들이 자유롭게 발언하도록 내버려 두면 진실하고 건전한 표현은 살아남고, 그릇되고 불건전한 표현은 소멸하게 된다. 자유로운 표현의 장(場)에서 진실을 판단하는 것은 제도적 권위에 기대지 않아도 가능하다.
>
> *가십(gossip) 신문, 잡지 등에서 개인의 사생활에 대하여 소문이나 험담 따위를 흥미 본위로 다룬 기사

① 갑은 인격을 보호하기 위한 제도적 강제력이 필요하다고 본다.
② 갑은 개인의 자정 노력만으로 인권이 보장될 수 있다고 본다.
③ 을은 가상 공간에서 진위를 분별하는 제도가 필요하다고 본다.
④ 을은 표현의 자유를 제한하는 사회적 합의가 필요하다고 본다.
⑤ 갑, 을은 표현의 자유가 제한 없이 보장되어야 한다고 본다.

| 수능 응용 |

09 갑이 을에게 제기할 반론으로 가장 적절한 것은?

> 갑: 디지털 익명성은 사람들이 자유롭게 자신의 삶을 계획하고 실현하는 데 매우 중요하기 때문에 일종의 선이라 할 수 있어. 사이버 공간에서 표현의 자유가 정당하게 행사되려면 익명성이 보장되어야 해.
> 을: 디지털 익명성은 사회에 해악을 끼치기 때문에 일종의 악이라 할 수 있어. 사이버 공간에서의 익명의 표현은 범죄에 이용되거나 사회적 신뢰와 질서를 해치는 무책임한 행동을 일으키므로 금지되어야 해.

① 익명성은 가치 중립적 성격을 지님을 간과하고 있다.
② 디지털 익명성이 사이버 폭력 증가의 원인임을 간과하고 있다.
③ 사이버 공간의 실명 공개가 표현의 책임성을 강화함을 간과하고 있다.
④ 사이버 공간의 익명성 규제가 인간의 기본권을 훼손함을 간과하고 있다.
⑤ 사이버 공간의 익명성 보장이 사회 구성원들 간의 불신을 조장함을 간과하고 있다.

| 교육청 응용 |

10 그림의 학생들이 모두 옳은 대답을 했다고 할 때, A에 대한 설명으로 가장 적절한 것은?

① 정보가 전달되고 수용되는 과정이 일방적이다.
② 정보를 제공하는 통로가 제한되어 확산되기 어렵다.
③ 정보의 생산·유통·소비가 전문가만을 통해 이루어진다.
④ 다양한 의견을 반영해 정보를 즉각적으로 수정할 수 있다.
⑤ 전달 과정에서 허위 정보나 유해 정보가 자동으로 걸러진다.

| 평가원 기출 |

11 갑, 을의 입장으로 가장 적절한 것은?

> 갑: '정보 리터러시'는 정보 접근 능력과 정보 수용 능력을 가리킨다. 정보 격차는 주로 그러한 능력들의 차이로 인해 발생하므로, 이를 해결하기 위해 정보 약자에게 정보 접근 및 수용 능력을 제공하는 정보 복지가 보장되어야 한다.
> 을: '정보 리터러시'는 정보 매체의 쌍방향성이 강화됨에 따라 접근 및 수용 능력 이외에 정보 생산 능력까지도 포함해야 한다. 정보 격차는 주로 정보 생산 능력의 차이에 기인하므로 정보 생산 능력을 제공하는 정보 복지가 보장되어야 한다.

① 갑: 정보 약자에게는 정보 접근 능력만을 제공해야 한다.
② 갑: 정보 격차의 주된 원인은 정보 생산력의 차이에 있다.
③ 을: 정보 복지의 핵심 과제는 정보 기기의 평등한 분배이다.
④ 을: 정보 약자가 정보 생산에서 소외되지 않도록 해야 한다.
⑤ 갑, 을: 정보 리터러시는 접근 및 수용 능력에 국한되어야 한다.

| 교육청 응용 |

12 다음 가상 편지에서 강조하는 자세로 가장 적절한 것은?

> 친애하는 ○○에게
> 지난번 자네가 편지에서 고민했던 내용에 대해 나는 이렇게 생각하네. 이른바 디지털 스모그라 불리는 현대 사회에서 자네는 매체가 제공하는 정보를 객관적으로 해석할 수 있는 능력을 길러야 하네. 정보는 그 자체로 사실이 아니라 누군가의 주관이 개입된 하나의 견해일 수 있기 때문이네. 따라서 자네가 합리적 사고를 바탕으로 정보를 올바르게 이해하고 표현할 수 있다면 자네가 고민했던 문제도 해결될 수 있을 것일세.

① 매체가 전달하는 모든 정보가 객관적임을 알아야 한다.
② 매체가 전달하는 정보에 대한 비판적 성찰을 해야 한다.
③ 매체의 정보를 기반으로 개인의 가치관을 수립해야 한다.
④ 매체의 정보에 대한 비판적 사고는 위험함을 알아야 한다.
⑤ 매체에 대한 전적인 신뢰를 바탕으로 정보를 수용해야 한다.

Ⅳ. 과학과 윤리

03 자연과 윤리

1 인간과 자연의 관계에 대한 다양한 관점

1. 서양의 자연관

(1) **인간 중심주의** 인간만이 도덕적 권리를 지닌다고 봄[1] 자료 01
— 자연의 객관적 이해와 과학 발전의 바탕이 되어 인간의 풍요로운 삶에 기여하였다.

① 대표적 사상가

베이컨	'지식은 곧 힘'이라고 하며 정복 지향적 자연관 주장
데카르트	자연은 의식이 없는 단순한 물질이므로 기계와 같음 ➡ 동물의 고통을 부정함
칸트	자연에 대한 간접적 의무[2]가 있지만 인간 상호 간의 의무만이 직접적 의무에 해당

② 문제점 도구적 자연관[3]은 환경 문제의 근본 원인이 됨

(2) **동물 중심주의** 동물까지 도덕적으로 고려함 ➡ 동물에 대한 의무를 직접적 의무로 봄 자료 02
— 동물에 대한 비도덕적 관행을 비판하고 동물 복지에 관심을 가지는 계기를 마련하였다.

① 대표적 사상가

싱어	• 동물도 인간처럼 쾌고 감수 능력을 지니므로 고통에서 해방해야 함 • 이익의 평등한 고려 원칙 강조 ➡ 동물과 인간의 이익을 평등하게 고려하지 않는 것은 종(種) 차별주의
레건 (의무론)	• 동물은 자기 삶을 영위하는 삶의 주체(도덕적으로 무능해도(행위 능력이 없어도) 삶의 주체가 될 수 있다.)이므로 그 자체로 본래적 가치를 지닌 목적적 존재 • 동물을 수단으로 취급하는 행위는 동물의 가치와 권리를 부정하므로 비윤리적

② 한계
- 인간과 동물의 이익 충돌 시 우선하는 이익 판단 곤란
- 식물·무생물 등을 고려하지 않음

(3) **생명 중심주의** 모든 생명체를 도덕적으로 고려함, 모든 생명체가 내재적 가치를 지닌다고 봄
— 도덕적 지위의 기준은 '생명'

① 대표적 사상가

슈바이처	• 생명 외경(畏敬) 강조: 모든 생명은 살고자 하는 의지가 있으며, 그 자체로 신성함 (생명을 고양하는 것은 선, 생명을 파괴하는 것은 악) • 원칙적으로 모든 생명체가 동등한 가치를 지니나(동등성) 불가피하게 생명을 해쳐야 하는 선택의 상황이 있음(차등성) ➡ 이러한 선택에 대해 도덕적 책임을 느껴야 함
테일러	• 모든 생명체는 각기 고유한 방식으로 생존·성장·발전이라는 목표를 지향하고 실현하기 위해 환경에 적응하고자 애쓰는 목적론적 삶의 중심 • 모든 생명체가 의식의 유무나 유용성에 관계없이 고유한 가치를 지님 ➡ 인간은 자신의 고유한 선을 지니는 생명체를 도덕적으로 고려할 의무[4]가 있음

② 한계 무생물을 고려하지 않고, 실천 가능성이 낮음

(4) **생태 중심주의** 생태계 전체를 도덕적으로 고려함, 생태계 전체의 상호 의존성 강조
— 생명 중심주의를 개체론이라고 비판하며 전체론 혹은 전일주의를 주장한다.
— 생태계를 포괄적으로 바라볼 수 있는 시각을 제공해 환경 문제 해결에 기여하였다.

① 대표적 사상가

레오폴드	• 도덕 공동체의 범위를 토양, 물, 식물, 동물 등을 포함한 대지까지 확대(무생물 포함) (대지의 윤리) • 자연은 인간의 이익이나 손해와 무관하게 내재적 가치를 지님
네스	• 심층 생태주의를 주장하며 큰 자아실현, 생명 중심적 평등 제시 • 큰 자아실현: 자기를 자연과의 상호 관련성을 통해 이해하는 과정 • 생명 중심적 평등: 모든 생명체는 상호 연결된 공동체의 구성원으로 동등한 가치를 지님

② 한계
- 생태계 전체의 선을 위해 개별 구성원을 희생하는 환경 파시즘으로 변질될 수 있음
- 환경 문제 해결을 위해 불특정 다수에게 과도한 책임 부과
- 생태계의 가치 실현에 인간의 개입을 허용하지 않아 구체적 환경 보전 방안 제시 곤란

---

❶ 온건한 인간 중심주의(패스모어)
인간이 자연의 일부라는 점을 인정하면서도 다른 존재보다 본질적으로 더 가치 있다고 보지만, 인간의 장기적 생존과 복지를 위해 자연에 대한 존중, 자연에 대한 세심한 보전과 관리, 신중하고 분별력 있는 사용이 필요하다고 본다.

❷ 칸트의 자연에 대한 의무
칸트는 자연을 무자비하게 파괴하는 성향은 타인을 대하는 태도에 영향을 미치므로 인간에 대한 의무를 거스르는 것이고, 자연이 도덕적 감수성을 증진하는 데 기여하므로 인간이 자연을 폭력적으로 대해서는 안 된다고 주장한다.

❸ 도구적 자연관
자연을 인간의 이익과 욕구 충족의 수단으로 삼는 자연관

고득점을 위한 셀파 Tip 비교

| 싱어 vs 레건 |

싱어(동물 해방론)
- 공리주의적 입장
- 도덕적 고려의 조건은 쾌고 감수 능력의 보유 여부뿐

레건(동물 권리론)
- 의무론적 입장(환경 파시즘 반대)
- 도덕적 고려의 조건은 쾌고 감수 능력이 있을 뿐만 아니라 욕구, 지각, 기억 등을 느끼는 삶의 주체인 것

❹ 테일러의 생명체에 대한 의무
- 성실의 의무: 덫 놓기, 낚시 등 동물을 속이는 기만행위를 하면 안 되는 의무
- 해치지 않을 의무: 생명체에 해를 끼쳐서는 안 되는 의무(가장 기본적인 의무이나 불가피성 인정)
- 개입하지 않을 의무: 개별 생명체의 자유를 간섭하거나 전체 생태계를 통제해서는 안 되는 의무
- 보상적 정의의 의무: 해를 입히면 보상해야 하는 의무

셀파 자료 탐구

자료 01 인간 중심주의 윤리

갑: 동물을 이용하는 것이 자연법을 거스르는 것은 아니다. 하지만 인간이 동물의 고통에 동정심을 느낀다면 인간에게는 더 많은 동정심을 갖게 될 것이다.

을: 이성이 없지만 생명이 있는 동물들을 잔학하게 다루는 것과 자연 중에 생명이 없지만 아름다운 것을 파괴하려는 성향은 인간의 자기 자신에 대한 의무에 어긋나고, 도덕성에 매우 이로운 자연적 소질을 약화시킨다. 우리는 인간 외에는 의무를 질 능력이 있는 다른 존재를 알지 못한다. 인간은 다른 존재와 관련한 자기의 의무를 이들 존재에 대한 의무로 혼동해서는 안 된다. 자연 체계 내에서의 인간은 다른 동물들과 같이 대지의 산물로서 평범한 가치를 가진다. 그러나 도덕적, 실천적 이성의 주체로서 인간은 자연 안에 존엄하며 절대적 가치를 지닌 존재이다.

병: 서양의 도덕은 타인에게 해를 가해서는 안 된다고 가르쳐 왔다. 따라서 생태계 파괴는 현재와 미래의 인간에게 손해를 입히므로 금지되어야 한다.

자료 분석 | 갑은 아퀴나스, 을은 칸트, 병은 패스모어로 모두 인간 중심주의 입장이다. 아퀴나스는 신의 섭리에 따라 인간은 동물을 사용할 수 있다고 보고 동물을 이용하는 것이 부정의하지 않다고 여긴다. 칸트는 인간은 인간 자신에게만 직접적 의무를 지닌다고 본다. 패스모어는 인류의 장기적 이익을 위해 친환경적 삶을 추구해야 한다고 주장하는데, 이러한 온건한 인간 중심주의는 인간의 이익이나 관심을 벗어난 환경 오염이나 생태계 파괴는 여전히 고려의 대상으로 삼지 않는다는 한계가 있다.

자료 02 동물 중심주의, 생명 중심주의, 생태 중심주의

존재와 생명체는 다른 개념이야.

갑: 쾌고 감수 능력은 어떤 존재의 이익에 관심을 가질지 여부를 판가름하는 유일한 경계가 된다. 다른 특징으로 경계를 나누는 것은 임의적이라 할 수 있다. 이익 평등 고려의 원리는 존재들 간의 동일한 고통을 동일하게 고려할 것을 요구한다. 어떤 존재가 고통을 느낄 수 없다면 고려해야 할 바는 없다.

을: 믿음과 욕구, 지각과 기억, 미래에 대한 의식이 있고, 쾌락과 고통 등의 감정을 느낄 수 있다면 그 개체는 타자와 구분되는 자신의 복지를 갖고 있고 삶의 주체로서 도덕적 권리를 지니며 평등하게 대우받아야 하고 수단으로만 대우받아서는 안 된다. 그들의 가치는 도덕적 행위 능력과 무관하게 존중되어야 한다.

병: 인간은 자신에게 부여했던 생명에의 경외를 살려고 하는 모든 존재에게 부여하지 않으면 안 된다고 느낀다. 그래서 그는 생명을 고양하는 것을 선으로, 생명을 파괴하는 것을 악으로 여긴다. 인간은 자기가 도울 수 있는 모든 생명체를 도와주고 어떤 생명체에도 해를 끼치지 않을 때만 진정 윤리적이다.

정: 모든 생명체는 내재적 가치를 지니며 자기 보존을 위해 자신의 고유한 방식으로 각자의 선을 추구한다는 점에서 동등한 목적론적 삶의 중심이고, 생명체가 목적론적 삶의 중심이라는 것은 그 활동이 목표 지향적이라는 뜻으로, 생명 활동을 성공적으로 수행하는 항상적인 경향성이 있다는 말이다.

무: 어떤 것이 생명 공동체의 온전성, 안정성, 아름다움을 유지시키는 경향이 있다면 옳다. 생명 공동체의 범위를 대지까지 확장시키기 위해서는 생태계를 경제적 관점뿐만 아니라 윤리적·심미적 측면으로도 살펴봐야 한다. 대지의 사용을 이익의 문제로만 생각하지 말아야 한다.

자료 분석 | 갑은 싱어, 을은 레건, 병은 슈바이처, 정은 테일러, 무는 레오폴드이다. 싱어와 레건은 동물 중심주의, 슈바이처와 테일러는 생명 중심주의, 레오폴드는 생태 중심주의에 속한다. 동물 중심주의, 생명 중심주의, 생태 중심주의는 모두 인간 중심적 사고에서 벗어났다는 의미에서 탈인간 중심주의라고 한다. 동물 중심주의 중에서도 싱어는 쾌고 감수 능력을, 레건은 삶의 주체가 되는 것을 도덕적 고려의 조건으로 본다는 차이가 있다. 슈바이처는 생명의 신비를 두려워하고 존경하는 마음으로 모든 생명을 소중히 여겨야 한다는 생명 외경 사상을 제시하고, 테일러는 모든 생명은 목적론적 삶의 중심에 서 있으므로 고유의 선을 갖는다고 주장한다. 레오폴드는 개체 중심주의적 관점에서 벗어나야 하며 대지를 경제적 관점에서 볼 뿐만 아니라 사랑과 존중의 대상으로 보아야 한다고 주장한다.

기출 선택지 O, X로 정리하기

1 자료 01의 갑은 인간은 다른 동물을 단지 수단으로만 취급해도 된다고 본다. (O, X)

2 자료 01의 을은 이성적 존재만이 도덕적 행위의 주체가 될 수 있다고 본다. (O, X)

3 자료 01의 을은 동식물과 무생물에 부당한 해를 끼치지 않는 것은 인간의 간접적 의무라고 본다. (O, X)

4 자료 01의 병은 인간 간의 의무를 넘어선 새로운 도덕 원리가 요청된다고 본다. (O, X)

5 자료 01의 병은 동물 보호는 인간의 도덕적 실천 과제로 성립 가능하다고 본다. (O, X)

6 자료 02의 갑은 인간과 동물이 선호하는 이익 관심의 대상은 동일하다고 본다. (O, X)

7 자료 02의 을은 삶의 주체인 동물의 권리를 의무론의 관점에서 존중해야 한다고 본다. (O, X)

8 자료 02의 병은 자연 안의 모든 존재들은 동등한 도덕적 가치를 지닌다고 본다. (O, X)

9 자료 02의 정은 모든 생명체는 의식 유무와 상관없이 내재적 가치를 지닌다고 본다. (O, X)

10 자료 02의 무는 개체주의적 관점을 지양하고 인간 중심주의에서 벗어나야 한다고 본다. (O, X)

11 자료 02의 갑, 을은 개체는 쾌고 감수 능력을 지녀야만 도덕적 지위를 갖는다고 본다. (O, X)

12 자료 02의 을, 정은 개체론적 관점에서 도덕적 고려 대상의 범주를 설정해야 한다고 본다. (O, X)

정답 1 O 2 O 3 O 4 X 5 O 6 X 7 O 8 X 9 O 10 O 11 O 12 O

2. 동양의 자연관과 현대적 의의 자료 03

(1) 유불도의 자연관

① 유교 만물이 본래의 가치를 지닌다고 보며 천인합일(天人合一)의 경지 지향

② 불교 연기론을 주장하며 만물의 상호 의존성 강조 ➡ 자비 실천

③ 도교 무위자연을 추구하며 인간의 의지나 욕구와 무관한 자연의 가치 중시

(2) **현대적 의의** 인간과 자연이 상호 의존적 관계라는 것을 보여 줘 환경 문제 해결에 기여함

고득점을 위한 셀파 Tip 비교

| 동서양의 자연관 |

동양의 자연관

- 인간과 자연의 상호 의존성 및 조화와 화합 강조
- 자연과 공존 모색

서양의 자연관

- 자연과 인간의 구분, 자연을 인간의 목적을 달성하는 수단으로 간주
- 아리스토텔레스: 식물은 동물을 위해, 동물은 인간을 위해 만들어짐
- 그리스도교: 자연은 신이 창조한 것으로, 인간이 신의 명령에 따라 관리해야 할 대상이자 신의 섭리를 발견할 수 있는 대상

2 환경 문제에 대한 윤리적 쟁점

1. 환경 문제와 기후 변화

(1) 다양한 환경 문제

① 산업화와 도시화로 인한 토양·수질·대기 오염

② 무분별한 개발과 남획으로 인한 생태계 파괴

③ 오염과 파괴의 심화로 인한 기후 변화

(2) 현대 환경 문제의 특징

① 자정 능력 초과

② 초국가적 성격

③ 책임 소재의 불명확

(3) 기후 변화와 기후 정의 문제

① 기후 변화 자연적 요인이나 인간 활동의 결과로 장기적으로 기후가 변하는 현상[5]

② 기후 정의 문제 기후 변화의 책임은 선진국에 있지만 개발 도상국과 후진국이 피해를 주로 보고 해결을 위해 경제 성장 속도 조절을 요구받음 ➡ 선진국의 보상·지원 필요 (특히 사회적 약자의 피해가 심하다.)

③ 국제적 노력 기후 변화 협약(1992), 교토 의정서(1997)[6], 파리 협정(2015)[7]

2. 미래 세대에 대한 책임과 생태적 지속 가능성

(1) 미래 세대에 대한 책임 자료 04

① 미래 세대도 현세대와 같이 깨끗한 환경에 건강하고 풍요롭게 살 권리 지님 ➡ 미래 세대가 누려야 할 자연을 파괴하는 것은 미래 세대의 정당한 권리를 침해하는 것

② 요나스의 책임 윤리 인류가 지구상에 계속 존재해야 한다는 당위적인 요청에 근거해 현세대는 미래 세대의 존재를 보장하고 그들의 삶의 질을 배려할 책임이 있음

③ 미래 세대에 대한 책임의 근거

- 인류는 하나의 연속적 세대로 이루어진 도덕 공동체
- 어느 세대도 자신의 이익을 위해 전 인류의 공동 자산인 자연환경을 남용·훼손해서는 안 됨
- 현세대는 과거 세대로부터 받은 혜택을 미래 세대에게 전수해야 할 도덕적 책임이 있음

(2) 생태적 지속 가능성

① 의미 생태계의 본질적인 기능과 과정을 유지하고 생태계의 생명 다양성을 보존할 수 있는 생태계의 능력

② 강조 배경 개발과 보전의 갈등을 해결하고자 환경적으로 건전하고 지속 가능한 발전[8]이 등장하였으나 자연보다 인간의 지속 가능성을 우선시하는 한계 보임

③ 생태적 지속 가능성을 위한 노력

- 인간과 자연의 상호 의존 관계 인식
- 생태계의 다양한 관계가 지속될 수 있도록 자신의 행위에 책임을 지는 자세
- 개인적·사회적·국가적·국제적 차원의 생태적 지속 가능성 확보 노력[9]

5 기후 변화의 문제
지구 온난화, 극지방 해빙과 해수면 상승으로 인한 저지대 침수, 이상 기후와 사막화 등으로 인한 질병 발생 증가와 곡물 수확량 감소

6 교토 의정서
선진국에 온실가스 배출 감축량을 설정하고 탄소 배출권 거래제를 도입하였다.

7 파리 협정
선진국뿐만 아니라 개발 도상국까지 탄소 배출 감축 의무를 확대하였다.

8 환경적으로 건전하고 지속 가능한 발전
미래 세대가 그들의 필요를 충족할 수 있는 범위에서 현세대의 필요를 만족하게 하는 개발 방식

9 생태적 지속 가능성 확보 노력
- 개인적 노력: 환경친화적인 생활 습관 기르기
- 사회적·국가적 노력: 환경 보전을 위한 정책 및 제도 운용
- 국제적 노력: 환경 문제에 대한 국제 공조 체제 마련

자료 03 동양의 자연관

(가) 하늘과 땅은 만물을 낳는 것을 마음으로 삼고, 사람은 하늘과 땅의 마음을 얻어 그것을 마음으로 삼는다. 마음의 덕은 모든 것을 갖추었지만 한마디로 말하면 인(仁)일 뿐이다. 하늘이 사람에게 명한 것을 본성〔性〕이라 하고, 본성을 따르는 것은 도(道)라 하며, 이 도를 닦아 나가는 것을 교화〔敎〕라고 한다. 하늘이 음양(陰陽)과 오행(五行)으로 만물을 생겨나게 하니〔化生〕, 천지 만물은 본래 나와 일체이다.

(나) 괴로움〔苦〕, 괴로움의 원인〔集〕, 괴로움의 사라짐〔滅〕, 그리고 괴로움의 사라짐으로 인도하는 방법〔道〕을 바른 통찰지로 보는 사람은 모든 괴로움에서 벗어날 것이다. 고정된 자성(自性)이 있다면, 세상의 모든 현상들은 생겨나지도 않고 없어지지도 않을 것이다. 공(空)하지 않다고 하면, 아직 얻지 못한 것은 결코 얻을 수 없을 것이며 번뇌도 끊을 수 없을 것이다. 털끝 하나에도 끝없는 대지와 큰 바다가 들어 있으며 끝없는 대지와 큰 바다가 티끌과 다르지 않다는 것을 깨달아야 고통이 없는 해탈을 이루게 될 것이다.

(다) 사람은 땅을 본받고, 땅은 하늘을 본받으며, 하늘은 도(道)를 본받고, 도는 스스로 그러함〔自然〕을 본받는다. 도는 항상 무위(無爲)하지만 이루어지지 않음이 없다. 하늘과 땅은 사랑을 모르므로〔不仁〕 인간을 포함한 만물을 짚으로 만든 개처럼 취급한다. 성인(聖人)도 사랑을 모르므로 백성을 짚으로 만든 개처럼 취급한다.

자료 분석 | (가)는 유교, (나)는 불교, (다)는 도교의 입장이다. 유교는 천지 만물에 도덕적 가치가 내재해 있고, 자연은 살아 있는 유기체이며, 인간은 자연의 일부라고 본다. 불교는 모든 존재가 원인과 조건으로 연결되어 서로 영향을 주고받고, 인간과 자연은 하나의 그물망으로 긴밀하게 연결되어 있다고 본다. 도교는 자연이 목적이 없는 무위(無爲)의 체계로서 무목적의 질서를 담고 있다고 보고, 자연의 한 부분인 인간이 자연에 조작과 통제를 가하는 것에 반대한다.

자료 04 미래 세대에 대한 책임

(가) 불확실하고 멀리 있는 쾌락보다 확실하고 가까이 있는 쾌락이 중요하므로 미래 세대를 위해 현세대가 고통을 겪는 것은 옳지 않다. 또한 현세대와 미래 세대 사이에는 도움을 주고받는 관계가 성립될 수 없으므로 미래 세대의 도덕적 권리를 고려할 필요는 없다. 아울러 권리는 존재와 함께 시작되므로 현세대는 미래 세대에게 아무런 의무도 갖지 않는다.

(나) 인간은 결코 수단으로 취급되어서는 안 된다. 따라서 현세대와 동일한 인간인 미래 세대에게도 도덕적 권리를 부여해야 한다. 또한 과거 세대가 현세대에게 도움을 주었듯이, 현세대 역시 미래 세대에게 도움을 주는 것이 당연하다. 아울러 권리의 소유는 존재 여부와 무관하므로 현세대의 행위로 극심한 피해를 겪게 될 미래 세대를 도덕적으로 배려하기 위해 미래 세대의 환경권을 인정해야 한다.

자료 분석 | (가)는 미래 세대에 대한 도덕적 책임을 부정하는 입장이고, (나)는 미래 세대에 대한 도덕적 책임을 인정하는 입장이다. (가)는 공리주의 입장에서 확실하고 가까이 있는 현세대의 쾌락이 미래 세대의 쾌락보다 우선되어야 하고 현세대와 미래 세대 사이에 호혜적 관계가 없으므로 미래 세대에 대한 도덕적 고려를 부정적으로 본다. (나)는 의무론적 입장에서 미래 세대도 인간이므로 도덕적 권리를 주어야 하고 인류는 하나의 연속적 세대로 이루어진 도덕 공동체이므로 현세대는 미래 세대에게 도움을 주어야 할 책임이 있다고 본다.

기출 선택지 O, X로 정리하기

1 자료 03의 (가)는 자연을 필연적 질서가 지배하는 기계적인 존재로 본다. (O, X)

2 자료 03의 (나)는 자연 만물에 고정된 실체가 없다고 본다. (O, X)

3 자료 03의 (나)는 자연을 원인과 조건에 의해 생멸(生滅)하는 관계의 그물〔網〕로 본다. (O, X)

4 자료 03의 (다)는 인간과 자연을 상호 독립된 존재로 이해해야 한다고 본다. (O, X)

5 자료 03의 (가), (나)는 모두 자연 만물을 상의(相依)와 화해(和諧)의 관계에 놓인 것으로 본다. (O, X)

6 자료 03의 (가)는 (다)와 달리 하늘이 인(仁)과 같은 덕의 근원이라고 본다. (O, X)

7 자료 03의 (다)는 (가)와 달리 자연이 목적론적 체계로 구성된다고 본다. (O, X)

8 자료 04의 (가)는 미래 세대를 위해 현세대가 희생되어서는 안 된다고 본다. (O, X)

9 자료 04의 (나)는 세대 간 연속성을 근거로 현세대는 미래 세대를 책임져야 한다고 본다. (O, X)

10 자료 04의 (가), (나)는 현세대에게 도움을 주고 있는 대상만을 도덕적으로 고려해야 한다고 본다. (O, X)

정답 1× 2○ 3○ 4× 5○ 6○ 7× 8○ 9○ 10×

개념 완성

1 인간과 자연의 관계에 대한 다양한 관점

서양의 자연관	인간 중심주의	• 인간만이 도덕적 권리의 주체 • 베이컨: 정복 지향적 자연관 • 데카르트: 자연은 영혼 없는 기계 • 칸트: 자연에 대한 의무는 (❶) 의무
	동물 중심주의	• 동물은 도덕적 고려의 대상 • 싱어: (❷)이 있는 동물은 도덕적 고려의 대상 • 레건: (❸)가 되는 동물은 도덕적 행위 능력이 없어도 도덕적 고려의 대상
	생명 중심주의	• 생명이 있으면 도덕적 고려의 대상 • 슈바이처: 생명에 대한 외경 • 테일러: 모든 생명체는 각기 고유한 선을 지니며 (❹) 삶의 중심이 됨
	생태 중심주의	• 생태계 전체가 도덕적 고려의 대상 • 레오폴드: 도덕 공동체를 (❺)까지 확대 • 네스: 심층 생태주의를 주장하며 큰 자아 실현, 생명 중심적 평등 제시
동양의 자연관		• 유교: 만물은 본래의 가치를 지님, 하늘은 덕의 근원 • 불교: 자연은 원인과 조건으로 연결된 그물 • 도교: 무위자연을 추구해야 하고 자연에 통제나 조작을 가해서는 안 됨

2 환경 문제에 대한 윤리적 쟁점

환경 문제	• 사례: 토양·수질·대기 오염, 생태계 파괴, 기후 변화 등 • 특징: 자정 능력 초과, 초국가적 성격, 책임 소재 불명확
기후 변화	• 의미: 자연적 요인이나 인간 활동의 결과로 장기적으로 기후가 변하는 현상 • 기후 정의 문제: 기후 변화의 책임은 선진국에 있지만 개발 도상국과 후진국이 피해를 보고 경제 성장 속도 조절을 요구받음 • 국제적 노력: 기후 변화 협약(1992), (❻) 의정서(1997), 파리 협정(2015)
미래 세대에 대한 책임	• 요나스의 책임 윤리: 인류가 지구상에 계속 존재해야 한다는 당위적 요청에 근거해 현세대는 미래 세대에 대한 책임을 져야 함 • 책임의 근거: 인류는 하나의 (❼) 세대로 이루어진 도덕 공동체
생태적 지속 가능성	• 의미: 생태계의 본질적인 기능과 과정을 유지하고 생태계의 (❽)을 보존할 수 있는 생태계의 능력 • 다양한 차원의 생태적 지속 가능성 확보 노력 필요

정답 ❶ 간접적 ❷ 쾌고 감수 능력 ❸ 삶의 주체 ❹ 목적론적 ❺ 대지 ❻ 교토 ❼ 연속적 ❽ 생명 다양성

탄탄 내신 문제

01 다음 서양 사상가의 입장으로 적절하지 않은 것은?

> 인간은 자연의 사용자 및 자연의 해석자로서 자연의 질서에 관해 실제로 관찰하고, 고찰한 것만큼 무엇인가를 할 수 있다. 인간에게는 자연을 무제한 지배하고 이용할 수 있는 권한과 능력이 있다.

① 자연은 인류의 복지를 위한 수단이다.
② 인간만이 유일한 도덕적 고려의 대상이다.
③ 인간의 장기적 생존을 위해 자연을 존중해야 한다.
④ 인간의 이익 창출을 위한 자연의 희생은 불가피하다.
⑤ 자연은 단순한 물질 혹은 기계로 환원할 수 있는 존재이다.

02 다음 사상가의 입장에만 '✔' 표시를 한 학생은?

> 동물은 비록 이성은 없을지라도 살아 있는 피조물임을 고려할 때, 동물을 폭력적으로 잔인하게 다루는 것은 인간 자신에 대한 의무를 훨씬 더 심각하게 거스르는 것이다. 왜냐하면 이는 고통이라는 공유된 감정을 무디게 하며, 사람 간의 관계의 도덕성에 이바지할 수 있는 자연적 소질을 약화시키기 때문이다.

입장 \ 학생	갑	을	병	정	무
동물을 고려할 직접적 의무는 없다.	✔	✔		✔	✔
인간의 삶이 동물의 삶에 우선한다.	✔		✔	✔	
동물은 권리를 가진 삶의 주체이다.		✔			
인간과 동물은 동등한 가치를 지닌다.			✔	✔	✔

① 갑 ② 을 ③ 병 ④ 정 ⑤ 무

03 갑, 을 사상가들의 입장에서 볼 때, 질문에 모두 바르게 답한 것은?

> 갑: 우리는 생태계를 파괴하고 자원을 고갈시키는 일이 미래 세대 또는 현세대의 동료 인간에게 해를 끼치므로 나쁘다는 것을 알게 되었다. 이것이 우리의 생태학적 관심을 정당화하는 충분한 이유이다.
> 을: 우리는 자연에 대한 잔혹한 태도를 버려야 한다. 자연을 무자비하게 파괴하고자 하는 성향은 다른 사람을 대하는 태도에도 영향을 미치며, 인간 자신에 대한 의무에 어긋나기 때문이다.

	질문	대답	
		갑	을
①	자연에 대한 고려는 필요한가?	예	예
②	자연은 도덕적 지위를 갖는가?	예	아니요
③	자연보다 인간의 삶이 우선되는가?	아니요	아니요
④	인간은 자연과 동등한 가치를 갖는가?	예	예
⑤	모든 생명체는 존중받을 권리를 갖는가?	아니요	예

04 ㉠에 들어갈 진술로 가장 적절한 것은?

> 나는 자연 안의 모든 생명체에게 본래적 가치가 있으며, 생명이 있다는 이유만으로도 도덕적 지위는 확보된다고 본다. 그런데 어떤 사람들은 인간이 자연과 구별되는 유일한 존재이며, 인간의 이익에 이바지하는 한에서만 자연의 가치를 매길 수 있다고 본다. 나는 이러한 입장이 [㉠]고 생각한다.

① 인간만이 도덕적 지위를 갖는 존재임을 부정한다
② 자연은 인간의 욕구 충족을 위한 수단임을 경시한다
③ 도덕적 고려 대상의 범주를 확대해야 함을 무시한다
④ 인간뿐만 아니라 동식물까지 고려해야 함을 강조한다
⑤ 자연의 모든 생명체는 동등한 가치를 지님을 강조한다

05 그림의 강연자가 지지할 입장만을 〈보기〉에서 있는 대로 고른 것은?

모든 인간의 평등을 보장해 줄 근본적인 원칙은 이익 평등 고려의 원칙이다. 이러한 기본적인 원칙만이 인간들 간의 모든 차이에도 불구하고 모든 인간을 평등하게 만든다. 이 원칙은 인간에게만 한정적으로 적용되는 것은 아니다. 이것은 인간이 아닌 동물들과의 관계에도 적용되는 도덕적 근거이다.

보기
ㄱ. 인간의 이익을 위한 동물 실험은 종 차별이다.
ㄴ. 인간만이 도덕적 지위를 갖는 유일한 존재이다.
ㄷ. 의무론의 관점에서 동물의 권리 보장이 필요하다.
ㄹ. 쾌고 감수 능력은 이익 관심을 갖는 전제 조건이다.

① ㄱ, ㄷ ② ㄱ, ㄹ ③ ㄴ, ㄷ
④ ㄱ, ㄴ, ㄹ ⑤ ㄴ, ㄷ, ㄹ

06 (가) 사상의 입장에서 (나) 상황 속 A에게 제시할 조언으로 가장 적절한 것은?

(가)	만약 한 존재가 고통을 느낀다면 그와 같은 고통을 고려의 대상으로 삼기를 거부하는 자세를 옹호할 수 있는 도덕적인 논증은 없다. 쾌고 감수 능력은 다른 존재의 이익에 관심을 가질지의 여부를 판가름하는 유일한 경계가 된다.
(나)	의학 연구원인 A는 신약의 효능을 검증하기 위해서 원숭이를 대상으로 신약 실험을 계획하고 있다. 그러나 해당 실험은 원숭이에게 심각한 고통과 치명적 부작용을 낳을 수 있다는 것을 알고서 A는 고민에 빠졌다.

① 동물 실험이 동물의 이익을 존중하는지 고려하세요.
② 동물 실험이 선의지에서 비롯된 것인지 고려하세요.
③ 동물 실험이 인간의 풍요를 위한 것인지 고려하세요.
④ 동물 실험이 의학 발달에 기여할 수 있는지 고려하세요.
⑤ 동물 실험이 생태계의 보존에 기여할 수 있는지 고려하세요.

07 갑, 을의 입장에 대한 설명으로 적절하지 않은 것은?

> 갑: 만약 어떤 존재가 고통이나 행복이나 즐거움을 겪을 수 없다면 고려해야 할 것은 아무것도 없다. 타자의 이익을 고려할 때 쾌고 감수 능력이라는 기준이 유일하게 옹호되는 이유이다.
> 을: 삶의 주체라는 것은 단지 살아 있다는 것, 또는 단지 의식을 갖고 있다는 것 이상을 의미한다. 삶의 주체가 된다는 것은 믿음, 욕구, 지각, 기억, 미래에 관한 의식 등을 가지고 있다는 것을 의미한다.

① 갑은 인간과 동물의 이익을 평등하게 고려한다.
② 을은 도덕적 고려 대상의 조건에서 쾌고 감수 능력을 배제한다.
③ 갑은 을보다 더 많은 동물을 도덕적 고려 범위에 포함시킨다.
④ 을은 갑과 달리 의무론적 측면에서 동물의 권리를 옹호한다.
⑤ 갑, 을은 모두 동물을 도덕적 고려의 대상으로 인식한다.

08 다음 서양 사상가가 부정의 대답을 할 질문으로 가장 적절한 것은?

> 인간은 자신에게 부여했던 생명에의 경외를 살려고 하는 모든 존재에게 부여해야 한다.

① 모든 생명체는 동등한 가치를 지니고 있는가?
② 도덕적 지위는 생명 그 자체로부터 도출되는가?
③ 생명을 해치는 경우 도덕적 책임을 져야 하는가?
④ 도덕적 고려의 범위를 모든 생명체로 확대해야 하는가?
⑤ 무생물을 포함한 생태계 전체가 도덕적 고려 대상인가?

09 갑, 을, 병 사상가들이 서로에게 제기할 비판으로 가장 적절한 것은?

> 갑: 신의 섭리에 따라 동물은 자연의 과정에서 인간이 사용하도록 운명 지어졌다.
> 을: 어떤 것이 생명 공동체의 온전성, 안정성에 이바지한다면 옳은 것이고, 그렇지 않다면 그른 것이다.
> 병: 삶의 주체가 된다는 것은 믿음, 욕구, 미래 의식, 쾌락과 고통 등의 감정을 느낄 수 있다는 것이다.

	~이 ~에게	비판 내용
①	갑이 을에게	식물까지 도덕적으로 고려해야 한다.
②	을이 병에게	인간 이외의 존재도 고려해야 한다.
③	병이 갑에게	어떤 존재보다 인간을 먼저 고려해야 한다.
④	갑이 을, 병에게	동물의 기본적 권리를 존중해야 한다.
⑤	을이 갑, 병에게	무생물의 본래적 가치도 존중해야 한다.

10 (가)의 갑, 을 사상가들의 입장을 (나) 그림과 같이 탐구하고자 할 때, A~C에 들어갈 질문으로 옳은 것은?

(가)
갑: 인간은 상호 의존적인 부분들로 이루어진 공동체의 한 구성원이다. 우리는 이 공동체의 범위를 동·식물, 토양, 물, 대지를 포함하도록 확장해야 한다.
을: 생명체가 삶의 목적론적 중심이라고 하는 것은 생명체의 내적 기능과 외적 활동들이 모두 목적 지향적으로 자신의 존재를 지속시키려는 경향을 갖는다는 것을 의미한다.

(나)
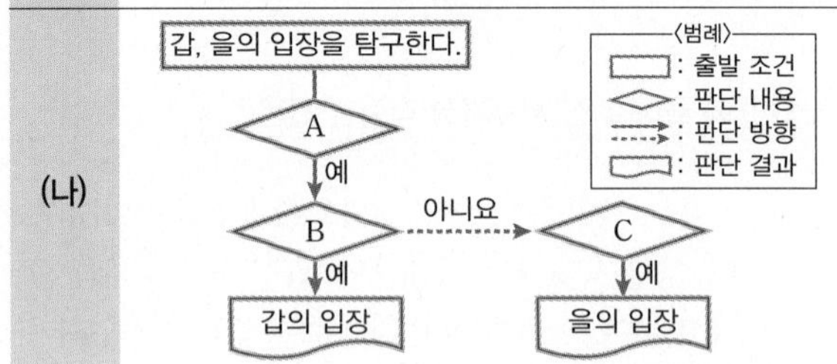

① A: 생명을 가진 존재만을 도덕적으로 고려해야 하는가?
② B: 생태계보다 개별 개체의 생명 보호를 우선해야 하는가?
③ B: 인간 이외의 다른 존재에 대한 고려는 반드시 필요한가?
④ C: 모든 생명체가 가진 내재적 가치를 존중해야 하는가?
⑤ C: 쾌고 감수 능력이 도덕적 고려 여부의 유일한 기준인가?

11 갑이 을에게 제기할 수 있는 비판으로 가장 적절한 것은?

> 갑: 사람은 땅을 본받고, 땅은 하늘을 본받고, 하늘은 도를 본받고, 도는 자연을 본받는다. 성인(聖人)은 자연을 본받고 따른다.
> 을: 식물은 동물을 위해서, 동물은 인간을 위해 만들어진 것이다. 이러한 이유로 인간은 존재론적으로 자연의 모든 것보다 우위에 있다.

① 자연이 인간 존재의 근원임을 간과하고 있다.
② 이성을 통해 자연을 지배해야 함을 간과하고 있다.
③ 인간을 위해서 자연을 보호해야 함을 간과하고 있다.
④ 자연의 가치는 인간이 부여하는 것임을 간과하고 있다.
⑤ 자연을 통해 인간의 이익을 실현해야 함을 간과하고 있다.

12 그림의 학생들이 모두 옳은 대답을 했다고 할 때, ㉠에 들어갈 내용으로 적절한 것을 〈보기〉에서 고른 것은?

현대 환경 문제의 특징에 대해 알아봅시다.
자정 능력을 넘어 회복하기 어려운 정도로 진행됩니다.
㉠
전 지구적인 영향을 미칩니다.

보기
ㄱ. 다른 지역에 연쇄적으로 영향을 미칩니다.
ㄴ. 발생과 영향이 모두 현세대 내에서 나타납니다.
ㄷ. 책임 소재가 불분명해 문제 해결이 쉽지 않습니다.
ㄹ. 인간의 생존과는 관련이 없는 영역에서 나타납니다.

① ㄱ, ㄴ　② ㄱ, ㄷ　③ ㄴ, ㄷ
④ ㄴ, ㄹ　⑤ ㄷ, ㄹ

13 다음 글에서 강조하는 내용으로 가장 적절한 것은?

> 미국의 연구진이 미세 먼지에 관한 연구를 진행하였다. 연구 결과 흑인이 백인에 비해 평균적으로 더 많은 미세 먼지에 노출되며, 미세 먼지로 인한 심혈관 질환과 사망의 위험이 45% 더 높은 것으로 나타났다. 수입이 많고 교육 수준이 높을수록 대기 오염의 영향을 더 적게 받는 경향이 강하게 나타났는데, 흑인이 백인에 비해 환경 오염이 심한 지역에 사는 경우가 많았다.

① 환경 문제와 교육 수준은 별개의 독립적 영역이다.
② 환경 문제는 사회·경제적 문제와 깊은 관련이 있다.
③ 환경 오염에 노출되는 정도와 빈부 수준은 무관하다.
④ 인종적 차이 그 자체가 환경 문제를 유발하는 원인이다.
⑤ 환경 문제와 상관없이 흑인이 백인보다 질병에 취약하다.

14 ㉠에 대한 설명으로 가장 적절한 것은?

> ㉠ 은/는 생태계의 본질적인 기능과 과정들을 유지하고 생태계의 생명 다양성을 보존할 수 있는 생태계의 능력을 의미한다. 만약 ㉠ 이/가 확보되지 않는다면 인간과 사회, 경제 등 모든 영역 또한 지속할 수 없을 것이다.

① 인간과 자연이 상호 의존적 관계에 놓여 있음을 의미한다.
② 환경 문제 해결은 현세대에 대한 고려로 충분함을 의미한다.
③ 경제적 효율성을 기준으로 환경 문제를 해결해야 함을 의미한다.
④ 자연의 지속 가능성이 인간의 지속 가능성보다 우선함을 의미한다.
⑤ 환경 보전을 위해 환경에 악영향을 미치는 모든 개발을 금지해야 함을 의미한다.

딱풀 p. 37

15 다음과 같은 자연관을 가리키는 말을 쓰시오.

- 방황하고 있는 자연을 사냥해서 노예로 만들어 인간의 이익에 봉사하도록 해야 한다.
- 식물은 동물의 생존을 위해 존재하고, 동물은 인간의 생존을 위해 존재한다.

16 인간 중심주의 윤리에서 지지할 주장만을 <보기>에서 있는 대로 고르시오.

보기

ㄱ. 인간과 동물의 가치를 동등하게 고려해야 한다.
ㄴ. 도덕적 고려 대상을 토양, 물, 대지로 확대해야 한다.
ㄷ. 모든 생명체는 내재적 가치를 지니는 삶의 중심이다.
ㄹ. 인간에게 필요한 삶의 도구로서 자연을 대우해야 한다.
ㅁ. 동물에 대한 잔인성은 인간 자신에 대한 의무에 어긋난다.

17 (가)~(다)에 들어갈 알맞은 사상가를 쓰시오.

(가) 은/는 고통과 즐거움을 느낄 수 있는 능력이 어떤 존재가 이익 관심을 갖기 위한 필요충분조건이라 인식하며, 이러한 능력을 가진 동물의 이익을 인간과 평등하게 고려할 것을 주장하였다. 이와 달리 (나) 은/는 동물이 삶의 주체로서 타자와 별개로 자신의 삶에 대한 권리를 가지고 있기 때문에 고려해야 한다는 동물 권리론을 주장하였다. (다) 은/는 동물에 대한 고려를 넘어 생명을 가진 모든 존재를 목적론적 삶의 중심으로 인식하고, 생명체의 고유한 선을 존중할 것을 주장하였다.

18 다음과 같은 환경 윤리를 주장한 사상가에게 할 수 있는 비판을 쓰시오.

대지에 기울인 정성, 믿음 등에 의해 인간과 대지의 관계가 좌우된다. 인간은 사실상 생명 공동체의 한 구성원에 지나지 않는다.

19 서양 사상가 갑, 을, 병의 공통점을 서술하시오.

갑: 생명을 고양하는 것을 선으로, 생명을 파괴하는 것을 악으로 여겨야 한다.
을: 의식이 있든 없든 모든 생명체는 자기 보존과 행복을 향하여 움직이는 목적 지향적인 활동의 단일화된 체계라는 점에서 동등하게 목적론적 삶의 중심이다.
병: 대지 윤리는 공동체의 범위를 토양, 물, 식물과 동물, 곧 포괄하여 토지를 포함하도록 확장하는 것이다. 대지 윤리는 인류의 역할을 토지 공동체의 정복자에서 평범한 구성원으로 변화시킨다.

20 ㉠이 가리키는 개념을 쓰시오.

경제적인 발전을 위해 개발은 불가피하나, 자원의 무분별한 개발과 지나친 소비는 환경 파괴와 자원 고갈을 유발한다. 이를 해결하기 위해서는 ㉠ 미래 세대가 그들의 필요를 충족시킬 수 있는 가능성을 손상시키지 않는 범위 내에서 현재 세대의 필요를 충족시키는 발전을 추구해야 한다.

도전 수능 문제

딱풀 p. 39

| 수능 응용 |

01 갑, 을 사상가들 모두가 부정의 대답을 할 질문으로 가장 적절한 것은?

> 갑: 동물을 잔인하게 다루는 것은 인간에 대한 의무를 거스르는 것이다. 왜냐하면 이것은 사람 간의 관계의 도덕성에 이바지할 수 있는 자연적 소질을 약화시키기 때문이다.
>
> 을: 동물은 고통이나 쾌락을 느낄 수 있는 능력을 가지고 있다. 따라서 이러한 능력을 가진 모든 존재의 이익 관심은 동등하게 고려되어야 하며, 동물도 예외가 될 수는 없다.

① 동물은 인간과 동일한 권리를 가진 삶의 주체인가?
② 인간만이 도덕적으로 행위할 수 있는 능력이 있는가?
③ 인간에게는 동물을 고려해야 할 간접적인 의무만 있는가?
④ 인간의 입장에서 동물의 쾌락과 고통을 바라보아야 하는가?
⑤ 쾌고 감수 능력을 가진 존재는 도덕적으로 고려해야 하는가?

| 교육청 응용 |

02 (가), (나)의 입장에 대한 설명으로 가장 적절한 것은?

> (가) 인간이 자신들을 가장 가치 있다고 간주하는 것은 논리적으로 타당하다. 그렇다고 할지라도 인간의 생존과 복지는 생태계의 건강과 안정성에 달려 있으므로 인간을 위해 자연 세계의 모든 구성원들에게 가치를 부여해야 한다.
>
> (나) 인간이 자기를 도와주는 모든 생명을 도와줄 필요성을 존중하고, 살아 있는 어떤 것에도 해를 끼치는 것을 부끄러워할 때만 비로소 윤리적이다. 그에게는 생명 그 자체가 거룩하다.

① (가): 인간은 단지 생명 공동체의 한 구성원일 뿐이다.
② (가): 자연 보호는 인간의 생존과 복지라는 목적에서 비롯된다.
③ (나): 인간성 보존을 위해 개별 생명체를 고려해야 한다.
④ (나): 대지의 모든 존재는 인간과 동등한 가치를 갖는다.
⑤ (가), (나): 인간은 모든 생명체에 대한 도덕적 의무를 갖는다.

03 그림의 토론 주제에 관한 갑, 을의 입장으로 적절하지 않은 것은?

• 토론 주제: 인간은 자연에 대해 어떤 시각을 가져야 하는가?

자연은 인간을 위한 가장 합리적인 자원이다. 인간은 자연을 활용하여 자연을 정복하고 인간의 복지를 증진시켜야 한다.
갑

모든 생명체는 내재적 가치를 지닌 존재이다. 모든 생명체는 자신의 고유한 선을 지니고 있으므로, 인간은 모든 생명체를 도덕적으로 고려해야 한다.
을

① 갑: 인간은 도덕적으로 고려되어야 할 유일한 존재이다.
② 갑: 인간의 이익 증진 여부에 따라 자연의 가치가 결정된다.
③ 을: 모든 생명체는 유용성에 관계없이 고유한 가치를 지닌다.
④ 을: 자연의 모든 존재는 존중받아야 할 공동체의 구성원이다.
⑤ 갑, 을: 인간은 도덕적으로 행위할 수 있는 도덕적 주체이다.

| 수능 응용 |

04 그림의 강연자가 지지할 입장으로 가장 적절한 것은?

삶의 주체라는 것은 선호와 복지에 관한 이익 관심, 자기의 욕구와 목표를 위해 행위할 수 있는 능력, 순간순간의 시간을 넘어서 자신의 정체성을 느낄 수 있고, 타자와는 별개로 자신의 삶이 좋을 수도 나쁠 수도 있다는 의미에서 자신의 복지를 갖고 있다는 것이다.

① 생태계의 모든 존재는 평등한 권리를 누려야 한다.
② 인간만이 도덕적으로 고려받아야 할 삶의 주체이다.
③ 인간은 동물이 가진 삶에 대한 권리를 존중해야 한다.
④ 인간은 생명을 가진 모든 존재에 대해 도덕적 의무를 지닌다.
⑤ 쾌고 감수 능력은 도덕적 고려의 여부를 결정하는 유일한 기준이다.

| 평가원 응용 |

05 (가)의 갑, 을, 병 사상가들의 입장을 (나) 그림으로 표현할 때, A~D에 해당하는 적절한 진술만을 〈보기〉에서 있는 대로 고른 것은?

(가)
갑: 쾌고 감수 능력을 가진 존재들의 이익을 평등하게 고려해야 한다. 평등의 논리를 인간에게만 적용하는 것은 임의적이다.
을: 욕구를 가진 존재는 타자와 구분되는 자신의 복지를 갖고 있다. 이 존재는 삶의 주체이며 수단으로만 대우받아서는 안 된다.
병: 모든 생명체는 목적론적 활동의 중심이며 도덕적으로 대우받아야 할 존재이다.

(나)
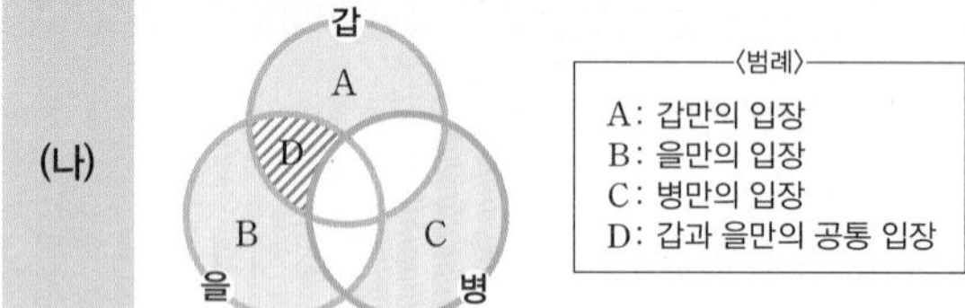

보기
ㄱ. A: 인간과 동물의 도덕적 지위를 차별해서는 안 된다.
ㄴ. B: 삶의 주체인 동물의 권리를 의무론의 관점에서 존중해야 한다.
ㄷ. C: 인간은 생명 공동체에 대한 불간섭의 의무가 있다.
ㄹ. D: 개체는 쾌고 감수 능력을 지녀야만 도덕적 지위를 가질 수 있다.

① ㄱ, ㄷ ② ㄱ, ㄹ ③ ㄴ, ㄹ
④ ㄱ, ㄴ, ㄷ ⑤ ㄴ, ㄷ, ㄹ

| 교육청 기출 |

06 갑, 을, 병의 입장에서 모두 긍정의 대답을 할 질문으로 가장 적절한 것은?

갑: 모든 생명체는 신성하고 동등한 가치를 지니며, 생명을 지키는 것은 선, 생명을 파괴하는 것은 악이다.
을: 오직 유정(有情)적 존재만이 이익 관심을 지니기 때문에 이들을 동등하게 도덕적으로 고려할 책임이 있다.
병: 어떤 개체가 쾌락과 고통을 느끼며 욕구, 지각, 정체성, 목표 등을 갖는다면 그 개체는 삶의 주체이며 결코 수단으로 취급되어서는 안 된다.

① 생태계 전체를 도덕적 고려의 대상으로 보는가?
② 인간은 동물에 대해 도덕적 의무와 책임을 지니는가?
③ 도덕적 행위의 주체인 인간이 다른 존재보다 우월한가?
④ 이익 관심은 동물의 이익을 고려하기 위한 충분조건인가?
⑤ 고통을 느끼는 생명체에 한해 내재적 가치를 인정해야 하는가?

| 교육청 응용 |

07 다음 글의 입장에서 지지할 주장만을 〈보기〉에서 있는 대로 고른 것은?

인간은 자연과 분리될 수 없다. 모든 자연을 통일된 전체로 인식해야 한다. 또한 인간의 행위가 생태계에 미치는 영향을 평가할 때도 자연 전체에 어떤 결과를 미치는가를 놓고 평가해야 한다.

보기
ㄱ. 생태계의 도덕적 고려 대상은 생명체로 국한된다.
ㄴ. 인간은 자연이라는 더 큰 전체의 한 부분일 뿐이다.
ㄷ. 모든 존재는 상호 연결된 공동체의 평등한 구성원이다.
ㄹ. 인간은 자연과의 상호 관련성을 통해서 자신을 이해해야 한다.

① ㄱ, ㄷ ② ㄱ, ㄹ ③ ㄴ, ㄷ
④ ㄱ, ㄴ, ㄹ ⑤ ㄴ, ㄷ, ㄹ

| 수능 응용 |

08 (가)의 갑, 을, 병 사상가들의 입장을 (나) 그림으로 탐구할 때, A~D에 들어갈 질문으로 옳지 않은 것은?

(가)
갑: 동물을 학대하는 행위는 인간의 자기 자신에 대한 의무에 어긋난다.
을: 동물, 식물, 토양이라는 회로를 통해 흐르는 에너지가 솟아나는 샘, 그것이 자연이다. 자연은 하나의 유기적인 전체이다.
병: 동식물은 고유의 선을 갖는 실체이다. 따라서 동식물을 내재적 존엄성을 지니는 것으로 간주해야 한다.

(나)
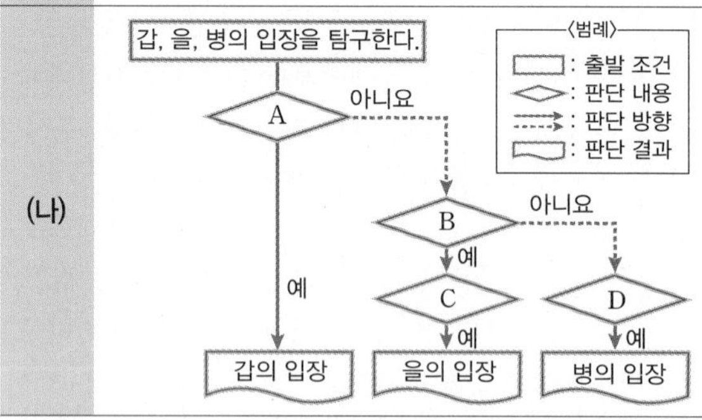

① A: 쾌고 감수 능력은 동물의 이익 고려를 위한 충분조건인가?
② B: 인간은 자연 전체에 직접적인 도덕적 의무를 갖는가?
③ B: 생명 공동체의 온전함이 개별 생명체의 존속보다 중요한가?
④ C: 무생물도 도덕 공동체의 범위에 포함시켜야 하는가?
⑤ D: 인간과 식물은 모두 내재적 가치를 지니는가?

| 수능 응용 |

09 (가)의 갑, 을, 병 사상가들의 입장을 (나) 그림으로 표현할 때, A~D에 해당하는 적절한 진술만을 〈보기〉에서 있는 대로 고른 것은?

(가)	갑: 이익 평등 고려의 원리는 존재들 간의 동일한 고통을 동일하게 고려할 것을 요구한다. 을: 생명체가 목적론적 삶의 중심이라는 것은 생명 활동을 성공적으로 수행하는 항상적인 경향성이 있다는 말이다. 병: 인류는 대지 공동체의 평범한 구성원이 되어야 한다. 이러한 인류의 역할은 동료 구성원과 대지 공동체 자체에 대한 존중을 필연적으로 수반한다.
(나)	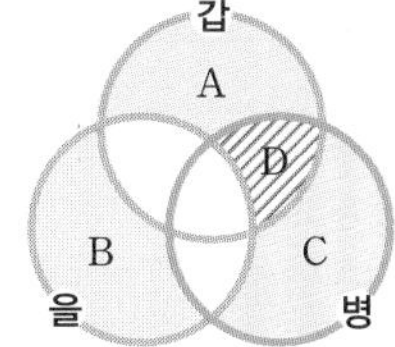 〈범례〉 A: 갑만의 입장 B: 을만의 입장 C: 병만의 입장 D: 갑과 병만의 공통 입장

보기
ㄱ. A: 인간과 모든 동물을 동일하게 대우해야 한다.
ㄴ. B: 생명체에 끼친 해악에 대한 보상적 정의의 의무가 인간에게 있다.
ㄷ. C: 인간 중심주의에서 벗어나고 개체주의적 관점을 지양해야 한다.
ㄹ. D: 이익 관심을 지닌 동물은 도덕적 고려 대상이다.

① ㄱ, ㄹ ② ㄴ, ㄷ ③ ㄴ, ㄹ
④ ㄱ, ㄴ, ㄷ ⑤ ㄱ, ㄷ, ㄹ

10 갑, 을 중 적어도 한 사람이 부정의 대답을 할 질문만을 〈보기〉에서 있는 대로 고른 것은?

갑: 생명체의 활동은 모두 목적 지향적으로 자신의 유기체적 존재를 지속시키려는 일정한 경향을 가진다.
을: 대지 윤리는 인류의 동료 구성원에 대한 존중, 공동체 자체에 대한 존중을 필연적으로 수반한다.

보기
ㄱ. 개별 생명체 존중이 생태계 보존에 우선하는가?
ㄴ. 생태계의 모든 존재에 대한 도덕적 고려가 필요한가?
ㄷ. 인간은 동물의 내재적 가치를 존중할 도덕적 의무를 가지는가?
ㄹ. 인간 중심적 사고를 버리고 다른 존재에 관심을 기울여야 하는가?

① ㄱ, ㄴ ② ㄱ, ㄹ ③ ㄴ, ㄹ
④ ㄱ, ㄴ, ㄷ ⑤ ㄴ, ㄷ, ㄹ

| 수능 응용 |

11 그림은 서술형 평가 문제와 학생 답안이다. 학생 답안의 ㉠~㉤ 중 옳지 않은 것은?

서술형 평가

◎ 문제 (가), (나) 사상의 자연에 대한 관점을 비교하여 서술하시오.

(가) 인(因)과 연(緣)에 의해 생겨나는 것이 법(法)이다. 이것을 공(空)하다고 한다. 일체의 법이 공하다.
(나) 하늘이 명한 것을 성(性)이라고 하고 성을 따르는 것을 도(道)라고 한다. 천지 만물은 본래 나와 일체이다.

◎ 학생 답안

(가), (나)의 관점을 비교하면, (가)는 ㉠ 자연에 고정된 실체가 없다고 보며, ㉡ 모든 생명에 대한 존중을 강조한다. 이에 비해 (나)는 ㉢ 하늘[天]을 도덕 원리의 원천으로 보며, ㉣ 만물이 무위(無爲)의 자연스러움을 따라야 함을 강조한다. 한편 ㉤ (가), (나) 모두 자연 만물을 상의(相依)와 화해(和諧)의 관계로 본다.

① ㉠ ② ㉡ ③ ㉢ ④ ㉣ ⑤ ㉤

| 교육청 응용 |

12 (가), (나)의 입장만을 〈보기〉에서 있는 대로 고른 것은?

(가) 확실하고 가까운 쾌락이 중요하므로 미래 세대를 위해 현세대가 고통을 겪어서는 안 된다. 또한 현세대와 미래 세대는 도움을 주고받을 수 없으므로 미래 세대의 도덕적 권리를 고려할 필요는 없다.
(나) 인간은 결코 수단으로 취급되어서는 안 되므로 미래 세대에게도 도덕적 권리를 부여해야 한다. 또한 과거 세대가 현세대에게 도움을 주었듯이, 현세대 역시 미래 세대에게 도움을 주는 것이 당연하다.

보기
ㄱ. (가): 미래 세대를 위한 현세대의 희생은 옳지 않다.
ㄴ. (가): 현세대와 달리 미래 세대는 도덕적 권리가 있다.
ㄷ. (나): 현세대는 세대 간 연속성을 근거로 미래 세대를 책임져야 한다.
ㄹ. (가), (나): 현세대에게 도움을 주고 있는 대상만을 도덕적으로 고려해야 한다.

① ㄱ, ㄷ ② ㄱ, ㄹ ③ ㄴ, ㄷ
④ ㄱ, ㄴ, ㄹ ⑤ ㄴ, ㄷ, ㄹ

Ⅳ 단원 필기 노트

01. 과학 기술과 윤리

① 과학 기술

성과	물질적 풍요, 편리한 삶, 건강 증진, 생명 연장, 환경적 · 시공간적 제약 극복 등
한계	과학 기술 의존으로 인한 주체성 약화와 비인간화 현상, 생명체 실험 증가로 인한 인간 존엄성 약화, 정보 통신 기술 발달로 인한 인권 · 사생활 침해, 대량 생산과 소비로 인한 환경 문제 등

② 과학 기술에 대한 관점

과학 기술 지상주의	• 과학 기술을 이용하여 모든 문제를 해결할 수 있다고 생각 • 문제점: 과학 기술의 부정적 측면을 간과, 반성적 사고 능력 훼손
과학 기술 혐오주의	• 과학 기술의 비인간적 · 비윤리적 측면을 부각하고 과학의 합리성 자체를 회의 • 문제점: 과학 기술의 영향을 부정하여 현실을 반영하지 못함
바람직한 시각	과학 기술의 긍정적 측면과 부정적 측면 모두 고려

③ 과학 기술의 가치 중립성

- **강조:** 연구 자유 보장, 가치 개입 부정, 윤리적 규제는 과학 기술 발달 저해, 이론적 정당화 맥락에서 필요
- **부정:** 윤리적 검토나 통제 필요, 사회적 요인과의 관련 인정, 과학 기술과 도덕적 가치 분리 불가능, 연구 목적 설정 및 활용의 맥락에서 필요

④ 과학 기술과 윤리적 책임

- 결과의 모호성, 적용의 강제성, 시공간적 광역성 때문에 과학 기술의 윤리적 책임 증가
- **요나스의 책임 윤리:** 책임의 범위를 자연 · 미래 세대까지 확대, 과거 지향적 책임 부과에서 행위되어야 할 것에 대한 책임 제시

⑤ 과학 기술에 대한 책임

- **과학 기술자의 책임**
  - 내적 책임: 연구 자체에 대한 책임 → 과학 기술의 가치 중립성을 강조하는 입장에서 강조
  - 외적 책임: 연구 결과의 사회적 영향에 대한 책임 → 과학 기술의 가치 중립성을 부정하는 입장에서 강조
- 과학 기술의 바람직한 활용을 위해 사회 제도적 차원에서는 윤리 위원회, 기술 영향 평가 제도 등의 노력이 필요하고, 시민적 차원에서는 동양의 순천절물 정신, 책임 윤리 등을 통해 윤리 의식을 함양해야 함

02. 정보 사회와 윤리

① 정보 사회의 장단점

- **장점:** 시공간적 제약 극복, 삶의 편리성 증대, 수평적 · 다원적 사회 변화
- **단점:** 감시와 통제 가능성 증가, 기술 의존성 증가, 다양한 윤리 문제 발생

② 정보 사회의 윤리 문제와 정보 윤리

- **저작권 문제**
  - 저작권 보호 입장: 정보는 사유재, 창작자 권리를 보호해야 저작물 발전
  - 정보 공유 입장: 정보는 공공재, 정보를 자유롭게 이용해야 저작물 발전

  → 둘 다 저작물 발전이 목표!
- **사생활 침해:** 정보 자기 결정권과 잊힐 권리 보장 필요
- 사이버 폭력과 표현의 자유 문제도 발생
- **정보 윤리:** 정보 분석 능력과 윤리적 태도 함양, 정보 윤리의 기본 원칙 준수 (→ 자율성의 원리, 해악 금지의 원리, 선행의 원리, 정의의 원리)

③ 뉴 미디어

- **특징:** 정보 생산과 소비 주체의 상호 작용화, 광범위한 사회적 연결망, 신속한 정보 수집·전달 속도, 다수 정보 이용자의 능동화, 정보 교환의 비동시화, 탈대중화 등
- **문제점:** 객관성과 신뢰성 부족

④ 매체 윤리

- **정보 생산·유통 윤리:** 진실한 태도, 개인의 인격권 보호, 배려, 표현의 자유의 한계 인식 등
- **정보 소비 윤리:** 미디어 리터러시 함양, 사용자 상호 간의 소통 및 시민 의식 등

03. 자연과 윤리

① 서양의 자연관 → 인간만이 도덕적 행위를 할 수 있다는 것이 공통점

→ 삶의 주체는 쾌고 감수 능력보다 포함하는 능력이 많음

구분	도덕적 고려의 범위	대표 학자	한계
인간 중심주의	인간	• 데카르트: 자연은 영혼 없는 기계 • 칸트: 자연에 대한 간접적 의무	환경 문제의 근본 원인
동물 중심주의	인간을 포함한 동물	• 싱어: 쾌고 감수 능력 강조 • 레건: 삶의 주체 강조	식물, 무생물 고려 ×
생명 중심주의	인간, 동물, 식물 등을 포함한 생명체	• 슈바이처: 생명에 대한 외경 강조 • 테일러: 고유한 선을 지닌 목적론적 삶의 중심 → 내재적 가치를 갖기 위한 조건	무생물 고려 ×
생태 중심주의	생명체와 무생물을 포함한 생태계 전체	• 레오폴드: 대지의 윤리 • 네스: 심층 생태주의, 큰 자아실현, 생명 중심적 평등	생태계 전체를 위해 개별 구성원 희생

→ 개체보다 전체를 우선하니까 파시즘이라는 비판을 받음

→ 생명 공동체를 말하지만 생명 중심주의 아님

② 동양의 자연관

유교	만물은 본래의 가치를 지님, 하늘은 덕의 근원
불교	자연은 원인과 조건으로 연결된 그물
도교	무위자연 추구, 자연에 통제나 조작 ×

③ 환경 문제와 기후 변화

환경 문제	자정 능력 초과, 초국가적 성격, 책임 소재의 불명확성이 특징
기후 변화	• 기후 변화의 책임은 선진국에 있지만 개발 도상국과 후진국이 그 피해를 보고 경제 성장 속도 조절을 요구받는 기후 정의 문제 발생 • 기후 변화 협약(1992), 교토 의정서(1997), 파리 협정(2015) 등 국제적 노력이 이루어짐

→ 탄소 배출권 거래제 도입

④ 미래 세대에 대한 책임

- **요나스의 책임 윤리:** 인류가 지구상에 계속 존재해야 한다는 당위적 요청에 근거해 미래 세대에 대한 책임을 져야 함
- **책임의 근거:** 인류는 하나의 연속적 세대로 이루어진 도덕 공동체

→ 세대 간 연속성

⑤ 생태적 지속 가능성

- **의미:** 생태계의 본질적인 기능과 과정을 유지하고 생태계의 생명 다양성을 보존할 수 있는 생태계의 능력
- 생태적 지속 가능성 확보를 위한 다양한 차원의 노력 필요

V

문화와 윤리

이 단원의 핵심 포인트

중단원	핵심 포인트	학습일
01 예술과 대중문화 윤리	• 도덕주의와 예술 지상주의 • 예술의 상업화 • 대중문화의 윤리적 문제	월 일 ~ 월 일
02 의식주 윤리와 윤리적 소비	• 의식주와 윤리 문제 • 윤리적 소비	월 일 ~ 월 일
03 다문화 사회의 윤리	• 다문화 정책 • 종교와 윤리의 관계 • 종교 갈등을 극복하기 위한 자세	월 일 ~ 월 일

셀파와 내 교과서 단원 비교

셀파	천재교과서	금성	미래엔	비상교육	지학사
01 예술과 대중문화 윤리	01 예술과 대중문화 윤리	01 예술과 대중문화 윤리	01 예술과 대중문화 윤리	1 예술과 대중문화 윤리	01 예술과 대중문화 윤리
02 의식주 윤리와 윤리적 소비	02 의식주 윤리와 윤리적 소비	02 의식주 윤리와 윤리적 소비	02 의식주 윤리와 윤리적 소비	2 의식주 윤리와 윤리적 소비	02 의식주 윤리와 윤리적 소비
03 다문화 사회의 윤리	03 다문화 사회의 윤리	03 다문화 사회의 윤리	03 다문화 사회의 윤리	3 다문화 사회의 윤리	03 다문화 사회의 윤리

01 예술과 대중문화 윤리

1 미적 가치와 윤리적 가치

1. 예술[1]의 의미와 기능

(1) **의미** 아름다움을 표현하고 창조하는 인간의 활동과 그 산물

(2) **예술에 대한 다양한 정의**

① 아리스토텔레스의 모방론
- "예술은 자연의 모방이며 자연이 성공하지 못한 것을 완성하는 것을 목표로 한다."
- 예술은 대상의 아름다움을 한층 돋보이게 하는 능동적인 모방을 의미함

② 톨스토이의 표현론
- "예술은 개인의 감정을 표현하여 다른 사람에게 전하는 모든 것이다."
- 공감(共感)의 유발을 중요하게 생각함

③ 칸트의 형식론
- "예술은 다른 무엇을 비추는 거울이 아니라 스스로 반짝이는 거울이다."
- 예술의 본질은 예술 자체의 형식에서 찾아야 한다고 봄

(3) **예술의 기능**

① 사람의 마음 정화[2]
- 예술 작품의 창작 또는 감상을 통해 스트레스 해소
- 심리적 안정과 즐거움 향유

② 인간의 사고 확장
- 예술 작품을 통해 주변 대상의 의미를 새롭게 발견
- 문제의 해결책이나 삶의 지혜 획득

③ 의식·사회 개혁에 이바지
- 예술 활동을 통해 사회 모순 비판
- 새로운 사상과 가치 창조

2. 예술과 윤리의 관계

'예술은 인간의 삶을 위해 존재할 때 의미를 지닐까, 아니면 그 자체로서 의미를 지닐까?'에 대한 질문이다(= 미적 가치와 도덕적 가치의 관계).

(1) **도덕주의** 자료 01

① 주장 도덕적 가치가 미적 가치보다 우위에 있으므로 예술은 윤리의 인도를 받아야 함

② 예술의 목적 올바른 품성을 기르고 도덕적 교훈이나 모범을 제공하는 것

③ 윤리적 규제에 대한 입장 찬성 ➡ 예술이 도덕적 선을 지향하도록 적절한 규제가 필요함

④ 강조점 예술의 사회성 ➡ 참여 예술론[3] 지지

⑤ 한계 예술의 독립성과 예술가의 표현의 자유를 침해할 우려가 있음

(2) **예술 지상주의** 자료 02

'심미주의'라고도 하며, '예술을 위한 예술'이라는 말로 표현된다.

① 주장 미적 가치는 도덕적 가치와 관련성이 낮음

② 예술의 목적 미적 가치의 구현

③ 윤리적 규제에 대한 입장 반대 ➡ 윤리적 가치를 기준으로 예술을 평가하고 규제해서는 안 됨

④ 강조점 예술의 자율성 ➡ 순수 예술론[4] 지지

⑤ 한계 예술의 사회적 영향력과 책임을 간과함 ➡ 천박하고 부도덕한 것을 예술로 포장해 사회에 부정적인 영향을 미칠 우려가 있음

(3) **예술과 윤리의 상호 관련성** 예술은 미적 가치를 추구할 뿐만 아니라 도덕적 가치와의 조화로운 관계를 추구할 때 인격 형성에 긍정적인 영향을 미칠 수 있음 자료 03

왜? 예술과 도덕은 모두 인간다운 삶에 이바지한다는 점에서 공통점을 지니기 때문이다.

---

[1] **예술의 어원**
예술(藝術)의 '예(藝; 심다)'는 기초적인 교양의 씨를 뿌린다는 의미이고, '술(術; 길)'은 어떤 곤란한 과제도 능숙하게 해결할 수 있는 능력을 의미한다.

[2] **정화(淨化)**
아리스토텔레스가 『시학(詩學)』에서 사용한 카타르시스의 다른 표현이다. 카타르시스는 그리스어로 배설을 의미하는데, 풀이하면 예술 작품을 창작하거나 감상하면서 마음에 쌓여 있던 우울함, 불안감, 긴장감 등을 외부로 표출함으로써 정신적 안정을 찾는 것을 의미한다.

[3] **참여 예술론**
예술가도 사회 구성원이고 창작 활동도 사회 활동의 하나이므로 예술은 사회의 모순을 지적하고 사회의 도덕적 성숙에 기여해야 한다는 주장이다.

[4] **순수 예술론**
예술가의 예술 활동은 윤리적 기준과 관습에 상관없이 자율성과 독창성을 지녀야 한다는 주장이다.

고득점을 위한 셀파 Tip 비교

| 도덕주의 vs 예술 지상주의 |

도덕주의
- 예술은 교훈적이고 모범적이어야 함
- 예술 작품에 대한 규제 필요 → 예술의 사회성 강조
- 참여 예술론 지지

⬍

예술 지상주의(심미주의)
- 예술은 미적 가치만을 추구하는 것
- 예술 작품에 대한 규제 반대 → 예술의 자율성 강조
- 순수 예술론 지지

셀파 자료 탐구

자료 01 도덕주의를 주장한 사상가들

(가) 나는 그 어떤 교육보다도 음악 교육이 중요하다고 보네. 리듬과 하모니가 올바른 자에게는 우아함을, 그릇된 자에게는 추악함을 깨닫도록 할 테니까 말이야. 또한 그것은 예술이나 자연에서 누락된 결함을 알게 해 주네.

(나) 현대 예술의 사명은 인간의 행복이 인간 상호 간의 결합에 있다는 진리를 이성의 영역에서 감성의 영역으로 옮겨, 현재 지배하고 있는 폭력 대신 신의 세계, 즉 인간의 최고 목적으로 간주하는 사랑의 세계를 건설하는 일이다.

(다)

◀ 「게르니카(피카소, 1937)」 이 작품은 스페인 내전 중 게르니카라는 작은 마을에 가해진 무차별적인 폭력과 그로 인한 죽음, 고통, 공포, 분노 등을 표현하였다.

자료 분석 | (가)는 플라톤, (나)는 톨스토이가 예술과 윤리의 관계에 관해 한 말이다. 그들은 모두 예술은 인간의 삶을 위해 존재할 때 의미를 지닌다고 보았다(도덕주의). 플라톤의 도덕주의는 현대 들어 톨스토이 등의 참여 예술론으로 나타났다. (다)는 참여 예술론이 구현된 회화이다. 피카소는 이 그림을 통해 전쟁의 참혹함을 세상에 알렸다.

자료 02 예술 지상주의를 주장한 사상가들

(가) 아름다운 것에서 아름다운 의미를 찾는 자들은 교양 있는 자들이다. 세상에 도덕적인 작품, 비도덕적인 작품이라는 것은 없다. 작품은 잘 쓰였거나 형편없이 쓰였거나 둘 중 하나일 뿐이다.

(나) 시(詩)가 도덕적이라든가 혹은 비도덕적이라고 말하는 것은 마치 정삼각형은 도덕적이고 이등변 삼각형은 비도덕적이라고 말하는 것과 같이 무의미하다.

자료 분석 | (가)는 와일드, (나)는 스핑건이 예술과 윤리의 관계에 관해 한 말이다. 그들은 모두 예술과 도덕은 독립적인 영역으로, 예술은 그 자체로서 의미를 지닌다고 보았다(예술 지상주의). 와일드와 스핑건의 예술 지상주의는 현대의 순수 예술론으로 이어졌다.

자료 03 공통 자료 예술과 윤리의 조화를 강조한 사상가들

(가) 예(禮)에서 사람이 서고, 악(樂)에서 사람이 완성된다.

(나) 아름다운 것은 도덕적 선의 상징이다.

자료 분석 | (가)는 공자, (나)는 칸트의 말이다. 공자와 칸트는 공통적으로 미적 가치와 도덕적 가치의 조화를 강조하였다. 사람은 미적 가치를 추구하는 예술을 향유함으로써 삶을 풍요롭게 할 수 있을 뿐만 아니라 올바른 품성을 함양할 수도 있다는 것이다.

기출 선택지 O, X로 정리하기

1 도덕주의에 따르면, 예술 작품도 도덕적 가치 평가의 대상이다. (O , ×)

2 예술 지상주의를 주장한 사상가들은 예술이 인간과 사회에 미치는 영향력을 간과하고 있다. (O , ×)

3 "시인이나 설화 작가들이 모방을 할 경우에는, 용감하고 절제 있고 경건하며 자유인다운 사람들을 모방해야만 한다."라고 주장한 사상가의 입장에서는 예술에서 미와 선의 내용은 유사할 필요가 없다. (O , ×)

4 "예술 세계에서는 어떤 거짓말도 허용된다. 중요한 것은 오차 없는 진실이 아니라 아름다운 거짓이다."라는 입장을 가진 사람은 예술에서 이상과 현실의 분리를 강조할 것이다. (O , ×)

5 도덕주의 사상가들은 예술 활동에서 미적 요소를 배제해야 한다고 본다. (O , ×)

6 예술 지상주의를 지향하는 사람은 "음악은 인간의 도덕성 함양에 기여해야 하는가?"라는 질문에 긍정적인 대답을 할 것이다. (O , ×)

7 "예술은 사물의 실재보다 외관을 아름답게 모방해야 한다."라는 주장은 도덕주의 사상가들의 입장에 부합한다. (O , ×)

정답 1 O 2 O 3 × 4 O 5 × 6 × 7 ×

3. 예술의 상업화 자료 04

(1) **의미** 상품을 사고파는 행위를 통해 이윤을 얻는 일이 예술 작품에도 적용되는 현상

(2) **영향**

① 긍정적 측면

- 예술에 대한 일반 대중의 접근성 확대
- 경제적 이익 창출로 예술가의 안정적 창작 활동 기반 제공

② 부정적 측면

- 예술의 본질 왜곡: 예술 작품이 부의 축적 수단으로 전락⑤
- 예술의 질적 저하

(3) **바람직한 방향** 예술 작품에 대한 반성적 태도와 비판적 안목을 길러 지나친 상업화 경계

왜? 상품성과 대중성을 확보하기 위해 예술 활동의 경향이 더 자극적이고 감각적으로 될 가능성이 높기 때문이다.

⑤ **구겐하임의 예술의 상업화 비판**
세계적인 미술품 수집가로 알려진 구겐하임(Guggenheim, F.)은 "미술 전체가 거대한 투기 사업이 되었다. 대부분 속물적인 의도로 그림을 구매해 미술관에 맡겨 둔다. 사람들은 확신이 없어서 가장 비싼 것만 구입한다. 감상은커녕 창고에 넣어 두고 최종가를 알기 위해 매일 화랑에 전화하는 사람들도 있다."라며 예술이 부의 축적 수단이 된 현실을 비판하였다.

고득점을 위한 셀파 Tip 인과 관계

| 예술의 대중화·상업화와 윤리적 문제의 등장 |

대중 매체와 복제 기술의 발달
⬇
대중문화의 등장
⬇
예술의 대중화·상업화 심화 → 대중문화의 선정성, 폭력성, 자본 종속 문제에서 자유롭지 못함
⬇
대중의 비판적 수용 노력 필요

2 대중문화의 윤리적 문제

1. 대중문화

왜? 대중 매체와 뉴 미디어를 통해 짧은 시간에 불특정 다수에게 전파되기 때문이다.

(1) **의미** 대중 사회를 기반으로 다수가 쉽게 소비하고 향유하는 문화

(2) **특징** 대량 문화, 대중성, 오락성, 상업성 등

(3) **대중문화와 관련된 윤리적 문제**

① 선정성과 폭력성

주의! 대리 경험을 통해 개인의 분노나 성적 욕구, 부정적 감정 등을 해소하여 현실에서의 폭력과 각종 일탈 행위를 줄인다며 긍정적으로 보는 사람들도 있다.

- 대중문화가 이윤 창출 수단이 되면서 점점 더 자극적인 요소와 표현을 포함하게 됨
- 인간의 육체와 성, 폭력에 대한 그릇된 인식 생성 우려 자료 05

인간의 육체와 성을 욕구 충족의 수단이나 과시적 대상으로 삼고, 폭력을 미화하여 악을 응징하는 수단으로 정당화하는 것 등이 이에 해당한다.

② 자본에의 종속⑥

- 자본을 소유한 사람 혹은 집단이 대중문화 주도
- 예술가의 자율성과 독립성 제약
- 대중문화의 획일화, 규격화, 몰개성화 초래 자료 06

⑥ **대중문화의 자본 종속**
멀티플렉스 영화관의 정착 이후 영화 관람이 가능한 스크린 수는 크게 늘었지만 영화관, 투자 제작자, 영화사 등의 시장·자본 논리에 의해 속칭 '돈이 될 만한' 영화가 다수의 스크린을 차지하여 정작 대중은 선택권을 박탈당하는 현상이 나타나고 있다. 또한 텔레비전 드라마는 광고주의 영향력이 작용해 방영 도중 간접 광고(PPL)를 위한 내용으로 수정되기도 하고, 시청률을 고려한 자본의 압박으로 결말이 바뀌기도 한다.

2. 대중문화에 대한 윤리적 규제

(1) **제도적 차원의 규제**

① 찬성 대중문화의 상업성으로 인한 선정성·폭력성 문제에 주목, 시장 논리에 따른 문화의 강요 우려 ➡ 미풍양속과 청소년 보호 등을 위해 유해 요소의 규제 필요

② 반대 규제에 따른 부작용에 주목 ➡ 불공정한 규제 가능성, 표현의 자유와 문화 향유권의 제한 우려 예 검열 제도를 통한 국가의 정치적 의도 관철 또는 예술 활동 억압

③ 제도적 규제의 타당성에 관한 찬반양론을 모두 고려하여 대중문화의 건전한 발전 추구 필요 예 방송법 등을 통해 대중문화의 생산과 소비에 대한 공적 책임 부여, 여러 계층이 참여하는 사회적 기구 창설을 통한 대중문화 종사자들의 자율적인 자정 노력 등

(2) **개인적 차원의 규제**

① 생산자 건전한 대중문화 보급을 위해 노력

② 소비자

- 대중문화의 수동적 소비 주체에서 탈피
- 대중문화에 대한 성찰과 비판적 시각을 가지고 능동적·주체적으로 수용

③ 좋은 문화란 자신과 더불어 공동체의 삶을 풍요롭게 고양하는 것임을 인식해야 함

고득점을 위한 셀파 Tip 비교

| 대중문화에 대한 윤리적 규제 |

찬성
- 선정성·폭력성 등 유해 요소 규제 필요
- 시장 논리에 따른 문화 강요 규제 필요

반대
- 불공정한 규제 가능성
- 표현의 자유 제한 우려
- 대중의 문화 향유권 제한 우려

셀파 자료 탐구

자료 04 예술의 상업성을 활용한 예술가들

(가) 워홀(Warhol, A.)

▲ 「캠벨 수프 통조림」

(나) 리히텐슈타인(Lichtenstein, R.)

▲ 「행복한 눈물」

자료 분석 | 제시된 두 그림은 광고나 만화, 사물, 대중 스타 등 대중문화의 요소를 적극 수용한 예술 양식, 즉 '팝 아트(pop art)'를 대표하는 작품들이다. 팝 아트란 대중문화(popular culture)와 순수 미술(fine art)이 결합한 상업적 미술로, 이와 같은 새로운 흐름을 주도한 예술가들로는 워홀, 리히텐슈타인, 해링(Haring, K.) 등이 대표적이다. 특히 워홀은 스스로를 '사업 미술가'라고 칭하였고, "잘되는 사업은 최고의 예술"이라고 주장하였다.

자료 05 TV 드라마의 폭력성 논란

일본 드라마를 리메이크한 국내 드라마 ○○가 첫 방송부터 폭력성 논란에 휘말렸다. 일본 드라마가 작품성, 시청률에서 큰 사랑을 받았던 터라 ○○에 대한 기대감이 높았는데, 첫 방송에서 다룬 가정 폭력 장면이 원작보다 높은 수위로 구현되면서 논란이 된 것.

일본 드라마의 경우 아이에 대한 가정 폭력 장면은 대사 없이 어두운 연출로 처리함으로써 폭행이 이루어지고 있음을 간접적으로 알리는 데 그쳤는데, 우리나라 드라마의 경우는 대사가 많아지면서 아이에 대한 언어폭력이 직접적으로 전달되었고 아이의 머리채를 잡아당기고 목을 조르는 장면 등이 그대로 전파를 탔다. 이에 폭력을 고발하기 위해 있는 그대로 폭력을 전시하는 방법을 택한 국내 드라마 제작진의 고민이 적었던 것 아니냐는 비판이 일고 있다.

– 스포츠Q(큐), 2008. 1. 25. –

자료 분석 | 기사에 소개된 바와 같이 오늘날 영화나 드라마, 게임, 대중가요 등의 폭력성 문제는 선정성 문제와 함께 적지 않은 논란을 일으키고 있다. 지나치게 폭력적이거나 선정적인 내용은 대중, 특히 청소년에게 정서적으로 악영향을 미칠 수 있고, 나아가 모방 범죄로 이어지기도 한다는 점에서 대중문화에 대한 윤리적 규제가 필요하다는 근거가 되기도 한다.

자료 06 아도르노와 호르크하이머의 문화 산업 비판

문화 산업은 소비자의 모든 욕구가 실현될 수 있는 것처럼 제시하지만, 그 욕구들은 문화 산업에 의해 사전에 결정된 것이다. 소비자는 자신을 영원한 소비자로서, 즉 문화 산업의 객체로서 느끼게 되는 것이 체계의 원리이다. 문화 산업은 자신이 행하는 기만이 욕구의 충족인 양 소비자를 설득하려 들 뿐만 아니라 이를 넘어 문화 산업이 무엇을 제공하든 소비자는 그것에 만족해야 한다는 것을 소비자에게 주입한다. 문화 산업이 제공하는 낙원은 똑같은 일상생활이다. 탈출이나 가출은 처음부터 출발점으로 다시 돌아오도록 설계되어 있다. 즐거움은 체념을 부추기며, 체념은 즐거움 속에서 잊혀지고 싶어 한다.

자료 분석 | 아도르노는 대중문화를 '문화 산업'이라고 하면서, 오늘날 예술계는 자본에 종속되어 획일화된 문화 상품을 끊임없이 생산해 내고 대중은 아무 생각 없이 획일화된 문화 상품으로 즐거움을 추구할 뿐이라고 비판하였다. 아울러 호르크하이머도 자본이 이윤 추구를 극대화하려는 목적을 가지고 대중문화의 생산·유통·소비의 전 과정에 개입하고 있으며, 이러한 문화 산업은 대중에게 비판적으로 사고하거나 상상하기보다 매체가 제공하는 문화 상품을 그대로 수용하고 소비할 것을 장려한다고 보았다.

기출 선택지 O, X로 정리하기

1 "예술 작품에 대한 기술적 복제는 수공적인 복제보다 더 큰 독자성을 지니며, 예술 작품의 존속에 아무런 손상도 입히지 않는다."라고 한 사상가의 입장에서는 대중 예술의 복제 기술은 대중과 예술 작품의 거리를 좁힌다. (O, X)

2 예술 작품이 손쉽게 사고팔 수 있는 상품으로 전락하면서 작가의 예술적 취향이 지나치게 강조되고 있다. (O, X)

3 예술의 상업화로 대중의 미적 취향이 획일화되는 경향이 나타나고 있다. (O, X)

4 예술의 상업화에 비판적인 사람들은, 오늘날 자본에 종속된 예술은 대중의 선호에 따라 그 가치가 평가된다고 본다. (O, X)

5 "문화 산업이 독점한 대중 예술은 개인의 특성을 획일화하여 자신의 논리를 관철한다."라고 주장한 사상가의 입장이라면 대중 예술이 현실적 모순을 은폐하고 대중 의식을 조작한다고 볼 것이다. (O, X)

6 아도르노에 따르면, 대중 예술의 영역과 권력의 영역은 상호 무관하게 작동한다. (O, X)

7 대중 예술을 문화 산업이라고 비판하는 사람들은 대중 예술품의 주된 가치가 교환 가치에 의해 결정되고 있다고 본다. (O, X)

정답 1 ○ 2 × 3 ○ 4 ○ 5 ○ 6 × 7 ○

개념 완성

1 미적 가치와 윤리적 가치

예술	의미	아름다움을 표현하고 (❶)하는 인간의 활동과 그 산물
	다양한 정의	• 아리스토텔레스의 모방론: "예술은 자연의 모방" • 톨스토이의 표현론: "예술은 감정의 표현" • 칸트의 (❷): "예술은 스스로 반짝이는 거울"
	기능	• 사람의 마음을 (❸)하는 힘 • 인간의 사고 확장 • 의식·사회 개혁에 이바지
예술과 윤리의 관계	도덕주의	• 도덕적 가치가 미적 가치보다 우위 • 예술의 목적은 도덕적 교훈·모범 제공 • 예술에 대한 윤리적 규제 찬성 • 예술의 (❹) 강조 → 참여 예술론 지지 • 예술의 독립성과 표현의 자유 침해 우려
	예술 지상주의 (심미주의)	• 도덕적 가치와 미적 가치는 독립적 • 예술의 목적은 (❺)의 구현 • 예술에 대한 윤리적 규제 반대 • 예술의 자율성 강조 → (❻) 지지 • 예술의 사회적 영향력과 책임 간과
	바람직한 관계	미적 가치와 도덕적 가치의 조화
예술의 상업화	긍정적 측면	• 예술에 대한 대중의 (❼) 확대 • 예술가의 안정적 창작 활동 기반 제공
	부정적 측면	• 예술의 본질 왜곡 • 예술의 질적 저하

2 대중문화의 윤리적 문제

윤리적 문제	선정성·폭력성	인간의 육체와 성, 폭력에 대한 그릇된 인식 생성 우려
	자본에의 종속	'자본'이 대중문화 주도 → 예술가의 자율성, 독립성 제약 → 대중문화의 (❽), 규격화, 몰개성화
윤리적 규제	제도적 차원	• 찬성: 미풍양속과 청소년 보호 등을 위해 유해 요소의 규제 필요 • 반대: (❾)의 자유와 문화 향유권 제한 우려
	개인적 차원	생산자, 소비자 모두 개인과 공동체의 삶을 풍요롭게 하는 것이 좋은 문화임을 인식

정답 ❶ 창조 ❷ 형식론 ❸ 정화 ❹ 사회성 ❺ 미적 가치 ❻ 순수 예술론 ❼ 접근성 ❽ 획일화 ❾ 표현

탄탄 내신 문제

01 그림은 서술형 평가 문제와 학생 답안이다. ㉠~㉤ 중 옳지 않은 것은?

〈서술형 평가〉

◎ **문제** 사상가 갑, 을의 입장을 비교하여 설명하시오.

> 갑: 예술은 선과 악을 소재로 사용할 뿐이지 그 자체가 선과 악을 추구하지는 않는다.
> 을: 예술을 평가하기 위해서는 모방한 대상이 무엇이며, 어느 정도 뛰어난지를 식별해야 한다.

◎ **학생 답안**

갑, 을의 입장을 비교해 보면, 갑은 ㉠ 예술의 목적이 미적 가치의 구현에만 있다고 보고, ㉡ 예술의 독창성과 자율성을 강조한다. 그에 비해 을은 ㉢ 예술의 목적이 인간의 도덕적 품성 함양에 있다고 보고, ㉣ 예술의 순수성과 심미성을 강조한다. 한편 ㉤ 갑, 을은 모두 예술 활동이 미적 가치를 추구해야 한다고 본다.

① ㉠ ② ㉡ ③ ㉢ ④ ㉣ ⑤ ㉤

02 다음 사상가가 긍정의 대답을 할 질문으로 가장 적절한 것은?

> 오늘날 문화 상품의 속성은 문화 소비자들의 자발성과 상상력을 불구로 만들어 버림으로써 적극적인 사유를 불가능하게 만든다. 개개의 문화 생산물은 모든 사람들이 여가 시간에조차 소비를 활발하게 하도록 만드는 거대한 경제 메커니즘의 일환이다. 문화 산업은 하자 없는 규격품을 만들 듯이 인간을 재생산하려 든다.

① 문화 산업은 현대의 수동적 문화 소비를 극복하게 하는가?
② 문화 산업은 획일적이고 상업적인 대중문화를 만들어 내는가?
③ 문화 산업은 사람들이 다양한 사고를 할 수 있도록 자극하는가?
④ 문화 산업은 경제적 이해관계에서 자유로운 예술을 가능하게 하는가?
⑤ 문화 산업은 문화 소비자들이 능동적으로 대중문화를 창조할 수 있게 하는가?

03 예술에 대한 갑, 을의 입장에 대한 옳은 설명만을 〈보기〉에서 있는 대로 고른 것은?

> 갑: 예술이 삶을 모방하기보다는 삶이 예술을 모방하는 것이다. 예술은 예술 그 자체 이외에는 어떤 것도 표현하지 않으며 독립적인 삶을 가지고 발전한다. 예술가에게 윤리적 동정심이란 용서할 수 없는 매너리즘이다.
> 을: 훌륭한 예술이란 인류 전체가 사랑으로 연결되어 형제처럼 생활하고 있다는 생각에 기초해야 한다. 진정한 예술이 결핍되었을 때의 가장 통탄할 만한 결과는 예술이 인류에게 직접적으로 악영향을 끼쳐서 가장 나쁜 감정을 일반 사람들에게 전달하는 것이다.

보기

ㄱ. 갑: 예술의 완벽함은 그 자체에서 찾아야 한다.
ㄴ. 을: 예술의 사회적 영향력을 간과해서는 안 된다.
ㄷ. 을: 예술은 도덕적 가치 평가로부터 자유로워야 한다.
ㄹ. 갑, 을: 예술은 아름다움[美]의 가치를 추구해야 한다.

① ㄱ, ㄴ ② ㄴ, ㄷ ③ ㄷ, ㄹ
④ ㄱ, ㄴ, ㄹ ⑤ ㄱ, ㄷ, ㄹ

04 ㉠에 대한 규제를 지지하는 적절한 근거만을 〈보기〉에서 있는 대로 고른 것은?

> ㉠ 외설은 '오물' 또는 '상영 금지'를 뜻하며, 그 내용이 함부로 성욕을 자극 또는 흥분시키고, 일반인의 정상적인 수치심을 해하며, 선량한 성적 도의 관념에 반하는 것이다.

보기

ㄱ. 여성을 성적으로 비하하는 표현은 옳지 않다.
ㄴ. 표현의 자유는 어떠한 이유로도 훼손되어서는 안 된다.
ㄷ. 성을 포함한 인간의 인간성은 수단시되거나 상업화되어서는 안 된다.
ㄹ. 일탈 현상을 야기하거나 사회의 도덕적 가치 기반을 해치는 표현은 삼가야 한다.

① ㄱ, ㄴ ② ㄱ, ㄹ ③ ㄴ, ㄷ
④ ㄱ, ㄷ, ㄹ ⑤ ㄴ, ㄷ, ㄹ

05 갑은 긍정, 을은 부정의 대답을 할 질문으로 가장 적절한 것은?

> 갑: 음악[樂]이 바르게 연주되어야 뜻이 맑아지고, 예의가 닦여져서 행실이 완성되며, 눈과 귀는 총명해진다. 또한 혈기는 화평(和平)스럽게 되고, 풍속이 순화되어 온 천하가 모두 편안해지며, 백성들이 덕(德)으로 인도되어 서로 즐거워한다.
> 을: 실제로 예술은 이미 오래전부터 파악된 바와 같이, 의지의 활동에 의해 생겨난 것이 아니다. 사람을 선량하게 만들어 주는 선의가 예술가를 만드는 것이 아니기 때문이다. 예술은 의지적인 행위에 의해 생겨나는 것이 아니므로 어떤 면제의 특권에 의해서가 아니라 그저 도덕적인 특성들을 적용할 수 없기 때문에 도덕성을 지녀야 한다는 의무가 면제된다.

① 예술 작품은 도덕적 가치 평가를 받아야 하는가?
② 예술가는 선(善)의 가치를 고려할 필요가 없는가?
③ 예술은 선악의 가치 판단에서 자유로워야 하는가?
④ 예술 작품은 예술을 위한 예술을 지향해야 하는가?
⑤ 예술 작품은 미적 가치만을 기준으로 평가해야 하는가?

06 ㉠에 들어갈 내용으로 가장 적절한 것은?

> 나는 예술은 단지 목적 자체로 간주해야만 하며, 미학 외적인 어떠한 목표도 설정해서는 안 된다고 본다. 예술은 하나의 자기 충족적 유희로서 아름다움 이외의 목표를 설정한다면 그 매력이 손상될 수밖에 없기 때문이다. 그런데 어떤 사람들은 "예술은 사회의 모순을 지적하고 사회의 도덕적 성숙에 도움이 되어야 한다."라고 주장한다. 나는 이 사람들의 견해가 예술이 [㉠]고 생각한다.

① 사회적 선의 실현에 이바지해야 한다는 점을 간과하고 있다
② 아름다움 그 자체만을 추구해야 한다는 점을 강조하고 있다
③ 도덕성 함양을 위한 수단이 되어서는 안 된다는 점을 간과하고 있다
④ 정치, 도덕 등 예술 외의 가치로부터 자유로워야 한다는 점을 강조하고 있다
⑤ 사회의 불합리성을 개선하는 데 도움을 주어야 한다는 점을 간과하고 있다

07 다음 글의 입장을 〈보기〉에서 고른 것은?

스크린 독과점 심화 현상에 대한 우려가 크다. 자본과 스타 배우를 독점하고 거대 배급사가 스크린까지 독점해서 개봉되는 상업 영화는 창작자의 다양성보다 영화를 철저하게 상품화하는 문화 산업의 결과물이다. 이러한 현상이 심화되면 대중의 미적 취향은 획일화되어 버릴 것이며, 이는 예술의 하향 평준화를 낳아 결국 영화 산업이 도태될 것이다.

보기

ㄱ. 영화의 질적 제고를 위해 거대 자본과 협력해야 한다.
ㄴ. 영화 예술의 상업화는 다양한 예술이 공존할 수 있는 환경을 만든다.
ㄷ. 거대 자본에 예속된 영화 산업은 대중의 미적 취향을 획일화할 것이다.
ㄹ. 문화 산업 속에서는 영화 창작자가 순수한 상상력을 발휘하기 어려울 것이다.

① ㄱ, ㄴ ② ㄱ, ㄷ ③ ㄴ, ㄷ
④ ㄴ, ㄹ ⑤ ㄷ, ㄹ

08 갑, 을, 병의 입장에 대한 설명으로 옳지 않은 것은?

갑: 음악은 성현이 즐기는 바로서, 이것으로 민심을 선도할 수 있고 사람에게 감동을 줄 수 있으며, 풍속을 변화시킬 수 있는 것이다. 그러므로 선왕이 예악(禮樂)으로 인도하면 백성이 화목해진다.
을: 나쁜 모양과 나쁜 리듬과 불협화음은 나쁜 말씨와 나쁜 성격을 닮았으나, 그 반대의 것들은 그 반대되는 것, 즉 절제 있고 좋은 성격을 닮았으며 그것을 모방한 것이다.
병: 예술은 드러내고 예술가를 숨기는 것이 예술의 목표이다. 예술가에게 윤리적 공감은 불필요하다. 아름다운 사물을 오직 아름다움의 의미로 받아들여야 한다.

① 갑은 선(善)을 증진하는 예술을 좋은 예술로 본다.
② 을은 예술이 인간의 성품을 순화하고 도덕적 교훈을 제공해야 한다고 본다.
③ 병은 예술에는 예술 이외의 다른 목적이 없다고 본다.
④ 갑, 을은 병과 달리 도덕적 가치가 미적 가치보다 우위에 있다고 본다.
⑤ 을, 병은 갑과 달리 예술은 '예술을 위한 예술'이 되어야 한다고 본다.

09 갑, 을의 입장에 대한 설명으로 옳지 않은 것은?

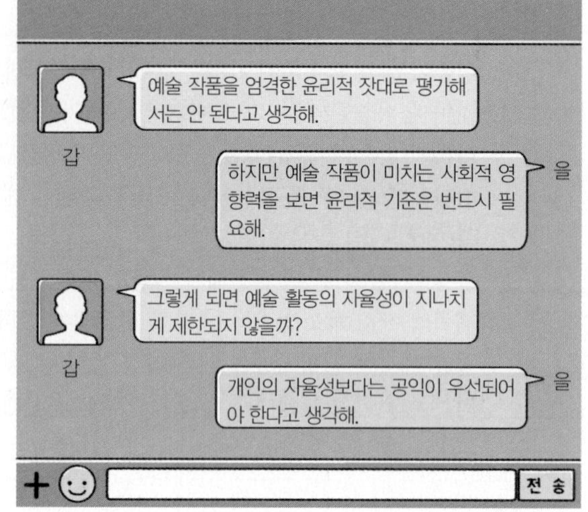

예술 작품을 엄격한 윤리적 잣대로 평가해서는 안 된다고 생각해.
갑
하지만 예술 작품이 미치는 사회적 영향력을 보면 윤리적 기준은 반드시 필요해.
을
그렇게 되면 예술 활동의 자율성이 지나치게 제한되지 않을까?
갑
개인의 자율성보다는 공익이 우선되어야 한다고 생각해.
을
전 송

① 갑은 예술 작품에 대한 검열이 정당하다고 본다.
② 갑은 예술성이 도덕적 가치와 무관한 것이라고 본다.
③ 갑은 윤리의 개입이 예술적 가치를 떨어뜨릴 수 있다고 본다.
④ 을은 예술보다 윤리가 우선해야 한다고 주장한다.
⑤ 을은 예술 작품의 소재를 일부 제한할 수 있다고 본다.

10 다음 글의 입장에 대한 옳은 설명만을 〈보기〉에서 있는 대로 고른 것은?

예술 작품은 감각 대상으로서의 외양을 복제한 모조품이 아니라 절제, 용기, 지혜 등의 실재를 모방한 모사품이다. 모방의 대상으로서의 실재는 이러한 덕목을 구현한 최상의 마음으로 해석될 수 있다. 외양의 모방에만 관심을 둔 시인은 청중에게 특정한 정서를 유발하기 위해 시를 쓰는 데 반해, 최상의 마음을 모방하는 시인은 훌륭한 사람들이 가질 법한 태도와 정서를 자발적으로 표현함으로써 자신의 마음을 발달시킨다.

보기

ㄱ. 예술은 인간의 올바른 품성 함양을 목적으로 해야 한다.
ㄴ. 예술은 유익한 정서를 학습시키는 도덕적 가치와 관련되어야 한다.
ㄷ. 예술은 특정한 정서를 유발하기 위한 아름다움의 추구를 지향해야 한다.
ㄹ. 예술은 다른 무엇을 위한 수단이 아니라 오직 미적(美的) 기준을 충족해야 한다.

① ㄱ, ㄴ ② ㄱ, ㄷ ③ ㄷ, ㄹ
④ ㄱ, ㄴ, ㄹ ⑤ ㄴ, ㄷ, ㄹ

딱풀 p. 41

11 **밑줄 친 '어떤 작가'의 예술관이 지니는 한계를 서술하시오.**

> 예술의 사명은 생명에 대한 경건한 마음, 이웃에 대한 사랑의 마음 등을 모든 사람의 자연스러운 감정이 되도록 함으로써, 인간의 최고 목적으로 간주되는 사랑의 세계를 건설하는 데 이바지하는 것이다. 그런데 어떤 작가는 "예술은 예술 안에서 완벽함을 추구할 뿐, 예술 밖에서 완벽함을 찾지는 않는다. 왜냐하면 예술의 눈은 아름답고 불멸하는 것에 고정되어야 하기 때문이다."라고 주장한다.

12 **다음 글을 읽고 물음에 답하시오.**

> 사람에게 즐거움이 없을 수 없고 즐거움은 또한 악무(樂舞)로 표현되지 않을 수 없으나, 표현을 좋게 이끌어 내지 않으면 혼란이 일어난다. 선왕은 이러한 혼란을 싫어하여 문사(文辭)로 하여금 조리를 분명하게 하되 딱딱하게 하지는 않으며, 반드시 음조의 굽음과 평평함, 복잡함과 단조로움, 섬세함과 옹골짐, 멈춤과 나아감으로 하여금 사람의 착한 마음을 움직여 방종한 마음과 사악한 기분에 영향을 받지 않도록 한다. 이것이 선왕이 악(樂)을 만든 이유이다.

(1) 윗글에 나타난 예술에 대한 관점을 쓰시오.

(2) (1)과 같은 관점이 지니는 한계를 서술하시오.

13 **다음 글을 읽고 물음에 답하시오.**

> 벼락이라도 맞은 것처럼 놀랐다. 미술 전체가 거대한 투기 사업이 되어 있었다. 진정으로 그림을 좋아하는 사람은 많지 않다. 대부분 속물적인 의도로 혹은 세금을 피하려고 그림을 구입해 미술관에 맡겨 둔다. 사람들은 확신이 없기 때문에 가장 비싼 것만 구입한다. 투자 목적으로 그림을 사니 감상은커녕 창고에 넣어 두고 최종가를 알기 위해 매일 화랑에 전화를 걸어 대는 사람들도 있다. 마치 주식을 가장 유리한 시점에 팔려고 기다리는 것처럼 말이다. 내가 600달러에도 팔기 어려웠던 화가들의 작품이 이제는 1만 2천 달러에 거래되고 있다.

(1) 윗글에 나타난 현상이 무엇인지 쓰시오.

(2) 글쓴이가 (1)의 현상으로 인한 문제점으로 지적하고 있는 바를 서술하시오.

14 **㉠이 활성화될 경우 나타날 현상의 긍정적 측면과 부정적 측면을 한 가지씩 서술하시오.**

> ㉠ 문화 산업이란 문화 생산물이나 서비스가 상업적·경제적 전략 하에서 하나의 상품으로 생산, 판매되는 현대적 산업 형태를 말한다. 아도르노는 현대 예술이 자본에 종속되어 문화 산업이 됨에 따라 예술 작품에 대한 체험은 감상자의 고유한 체험이 아니라 표준화된 소비 양식이 될 뿐이라고 비판하였다.

도전 수능 문제

| 교육청 응용 |

01 갑의 입장에서 을에게 제시할 비판적 견해로 가장 적절한 것은?

> 갑: 시가 도덕적이라든가 혹은 비도덕적이라고 말하는 것은, 정삼각형은 도덕적이고 이등변 삼각형은 비도덕적이라고 말하는 것과 마찬가지이다.
> 을: 추한 것과 나쁜 리듬, 부조화는 나쁜 말씨와 나쁜 성품을 닮은 반면, 그와 반대되는 것들은 절제 있고 좋은 성품을 닮았으며 또한 그것을 모방한 것이다.

① 예술은 가치를 추구하는 영역이 아님을 모르고 있다.
② 예술은 사회 문제 비판을 목적으로 함을 모르고 있다.
③ 예술은 도덕적 선의 상징이 될 수 있음을 모르고 있다.
④ 예술 작품의 사전 검열이 강화되어야 함을 모르고 있다.
⑤ 예술이 도덕성 함양의 수단이 되어서는 안 됨을 모르고 있다.

| 수능 응용 |

02 다음 글의 입장에 대한 옳은 설명을 〈보기〉에서 고른 것은?

> 무릇 음악이란 즐거운 것으로, 사람의 감정에서 벗어날 수 없는 것이다. 그런 까닭에 사람은 즐거움이 없을 수 없고, 즐거우면 반드시 소리로 나타내게 되고, 행동으로 드러나기도 한다. 그래서 사람의 도리는 소리와 행동으로 나타나게 되며, 본성의 변화도 여기서 극진하게 이루어진다. 그러므로 사람들은 즐겁지 않을 수 없고, 즐거우면 드러나지 않을 수 없고, 드러나서 도에 맞지 않으면 혼란이 일어나지 않을 수 없다.

보기

ㄱ. 예술 활동의 목적을 예술적 가치의 외부에서 찾는다.
ㄴ. 선한 것과 아름다운 것 사이에는 밀접한 관련이 있다고 본다.
ㄷ. 예술을 도덕적 목적을 위한 수단적 가치로부터 해방시키려 한다.
ㄹ. 예술은 인간을 도덕적으로 개선하는 유용한 장치일 수 없다고 본다.

① ㄱ, ㄴ ② ㄱ, ㄷ ③ ㄴ, ㄷ
④ ㄴ, ㄹ ⑤ ㄷ, ㄹ

03 다음 글에서 추론할 수 있는 예술에 대한 관점을 〈보기〉에서 고른 것은?

> 최근 커뮤니티를 기반으로 예술가와 일반인들이 함께 참여하는 공공 미술의 새로운 영역이 등장하였다. 그 사례로 미술가들이 달동네 주민들과 함께 벽화를 그려 거주 지역과 주민 공동체에 대한 정체성을 다시 찾을 수 있도록 하는 프로젝트가 곳곳에서 벌어지고 있다. 또한 소록도에서는 병원 옹벽에 주민과 의료진이 직접 채색하고 수백 명의 얼굴을 음각으로 새겨 한센인들의 아픔과 희망을 새긴 대형 벽화를 만드는 프로젝트도 있었다.

보기

ㄱ. 예술은 도덕적 평가로부터 자유로워야 한다.
ㄴ. 예술은 사회의 모순을 지적할 수 있어야 한다.
ㄷ. 예술이 현실의 어려움에서 도피하는 수단이 되어서는 안 된다.
ㄹ. 예술가에게 윤리적 공감은 개성과 독창성을 잃게 하는 구속이다.

① ㄱ, ㄴ ② ㄱ, ㄷ ③ ㄴ, ㄷ
④ ㄴ, ㄹ ⑤ ㄷ, ㄹ

| 교육청 응용 |

04 갑 사상가에 비해 을 사상가가 갖는 예술관의 상대적 특징을 그림의 ㉠~㉤ 중에서 고른 것은?

> 갑: 예술은 절대적 자율성을 지닌다. 예술에 대해 도덕적이라든가 혹은 비도덕적이라고 말하는 것은 빵에 대해 도덕적이라거나 비도덕적이라고 평하는 것과 같다.
> 을: 좋은 음악이 되기 위해서는 노랫말이 훌륭한 덕을 지닌 사람의 용기와 절제를 모방해야 하고, 나아가 선율과 리듬의 형식이 그러한 내용을 적절히 반영해야 한다.

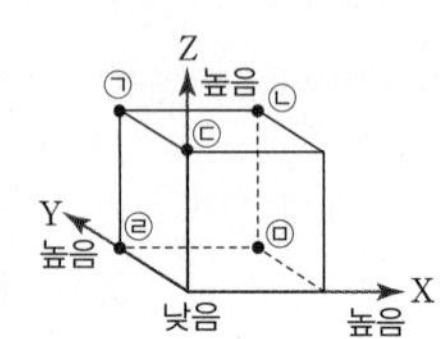

• X: 예술이 인격 완성에 도움을 주어야 함을 강조하는 정도
• Y: 예술이 사회 질서 유지에 기여해야 함을 강조하는 정도
• Z: 예술이 도덕적 평가에서 자유로워야 함을 강조하는 정도

① ㉠ ② ㉡ ③ ㉢ ④ ㉣ ⑤ ㉤

| 수능 응용 |

05 ㉠에 들어갈 내용으로 가장 적절한 것은?

> 나는 좋은 리듬, 좋은 말씨, 조화로움이 담겨 있는 예술 작품은 청소년에게 좋은 성격을 갖게 하지만, 나쁜 리듬, 나쁜 말씨, 부조화는 나쁜 성격을 갖게 한다고 본다. 그런데 어떤 학자는 예술가가 다른 사람의 욕구를 만족시키려는 순간 그는 예술가이기를 포기한 것이며, 예술가에게 윤리적 공감은 필요 없다고 주장한다. 나는 이 학자의 견해가 [㉠]고 생각한다.

① 예술은 도덕적 평가의 대상이 되어야 함을 강조하고 있다
② 예술의 극치가 도덕의 극치와 서로 통함을 강조하고 있다
③ 예술은 예술 그 자체를 위해 존재해야 함을 간과하고 있다
④ 예술이 올바른 품성의 도야에 이바지해야 함을 간과하고 있다
⑤ 예술이 미적 가치를 생산하는 활동이어야 함을 간과하고 있다

06 다음 사상가의 입장에 대한 옳은 설명만을 <보기>에서 있는 대로 고른 것은?

> 훌륭함에 관한 내용으로서 가장 잘 지은 것들을 아이들이 듣게 하고 그렇지 않은 것들은 배제해야 한다. 시인들을 비롯한 모든 장인들은 좋은 성품의 상을 작품 속에 새겨 놓아야 하며, 그렇게 하지 않는 사람은 작품 활동을 금지해야 한다. 그래서 젊은이들이 어릴 적부터 아름다운 작품들을 대하면서 자신들도 모르는 사이에 아름다운 것과 친해지고 닮도록 해야 한다.

보기

ㄱ. 도덕적 가치보다 미적 가치가 우위에 있다고 본다.
ㄴ. 예술 활동은 사회 발전에 이바지해야 한다고 본다.
ㄷ. 표현의 자유가 절대적으로 보장되어야 한다고 본다.
ㄹ. 예술이 인간의 도덕성 함양에 이바지해야 한다고 본다.

① ㄱ, ㄴ ② ㄱ, ㄷ ③ ㄴ, ㄹ
④ ㄱ, ㄷ, ㄹ ⑤ ㄴ, ㄷ, ㄹ

| 평가원 응용 |

07 갑, 을의 예술관에 대한 설명으로 가장 적절한 것은?

> 갑: 아름다운 사물을 오직 '아름다움'의 의미로 받아들이는 이들은 선택된 사람들이다. 세상에 도덕적인 책이나 비도덕적인 책은 없다. 예술가에게 사유와 언어는 예술의 도구이며 악덕과 미덕은 예술을 위한 소재일 뿐이다.
> 을: 아름다운 것은 도덕적 선의 상징이다. 바로 이 점에 있어서 아름다움은 만족을 주며, 다른 모든 사람에게 동의를 요구하는 것이다. 이때 우리의 마음은 감각적 쾌락을 넘어서 순화되고 고양된 고귀함을 느끼게 된다.

① 갑은 예술이 도덕을 위한 수단이 되어야 한다고 본다.
② 을은 예술적 미는 도덕적 가치와 분리되어야 한다고 본다.
③ 갑은 을에 비해 예술의 도덕성 실현을 통한 사회 기여를 강조한다.
④ 을은 갑에 비해 예술의 독립성 보장을 통해 얻는 순수한 미적 즐거움을 강조한다.
⑤ 갑, 을은 모두 예술 활동은 미적 가치를 실현하는 활동이 되어야 한다고 본다.

08 다음과 같은 관점을 지닌 사상가가 지지할 주장으로 가장 적절한 것은?

> 실재의 모방은 쾌락 대신 아름다움, 올바름을 따른다. 음악을 판단하는 기준은 쾌락이 아니며, 우리가 장려해야 할 음악은 그것의 모델인 아름다움과 유사해야 한다. 가장 아름다운 노래를 부르고자 하는 사람들은 올바른 음악을 찾아야 하며, 올바름은 모델의 비율과 특질들을 모방하고 성공적으로 재생하는 것에서 찾을 수 있다.

① 미(美)의 기준을 절대화하여 다양한 도덕적인 양태를 평가해야 한다.
② 사람들이 어릴 때부터 아름다운 작품을 대하면서 아름다움을 닮도록 해야 한다.
③ 올바른 예술 활동을 구현하기 위해서는 사회적 규범으로부터 자유로워야 한다.
④ 진(眞)·선(善)·미(美)를 서로 완전하게 독립된 개별적인 실체로 간주해야 한다.
⑤ 예술가의 윤리적 감성은 미의 구현이라는 예술의 목표와 무관한 것으로 여겨야 한다.

02 의식주 윤리와 윤리적 소비

1 의식주의 윤리

1. 인간의 특성과 의식주 문화

인간의 피부는 추위와 더위에 약하고, 소화 기관은 날것 섭취에 부적합하며, 자연에서 생활하기에는 신체적인 방어 능력이 미약한 것을 말한다.

(1) 인간의 생물학적 특성 생물학적 결핍 때문에 자연에 곧바로 적응하지 못함 ➡ 극복 과정에서 정신 능력 발달 ➡ 제2의 자연으로서 '문화' 조성

(2) 의식주 인간이 사람다운 삶을 살아갈 수 있는 여건이자 문화의 출발점

2. 의복 문화와 윤리적 문제

(1) 의복[1]의 의미와 기능

① 자연이나 추위 등으로부터 신체 보호

② 신분이나 지위·성별·직업 등을 구분하는 표시

③ 개성 표현 수단

④ 공동체의 정체성과 유대감 표출

(2) 의복의 윤리적 의미

① 자아 및 가치관 형성 의복을 통해 개성과 가치관을 표현하는 동시에 착용하는 의복이 가치관 형성에 영향을 주기도 함 ➡ 자아와 의복을 동일시하는 경향

의복을 '제2의 피부'라고 표현하기도 한다.

② 예의에 관한 사회적 기준 반영 때와 장소, 의식에 맞는 예의 표현

(3) 의복과 관련된 윤리적 쟁점 자료 01

왜? 유행을 좇아 소비된 옷들은 유행이 지나면 쉽게 버려지고, 버려진 옷을 폐기하는 과정에서 쓰레기와 탄소 배출량이 크게 늘기 때문이다.

유행 추구 현상 (동조 소비)	패스트 패션[2]과 결합하여 몰개성·획일화와 자원 낭비, 환경 오염, 노동 착취[3] 등의 문제 초래
명품 선호 현상 (과시 소비)	사치 풍조 조장 ➡ 과소비, 계층 간 분열 촉진
생태 윤리적 문제	동물의 고통을 기반으로 생산된 모피나 가죽옷의 착용 문제

(4) 해결 노력

① 생산자 사회적 책임 의식을 갖고 사람과 환경을 생각하는 윤리 경영 실천

② 소비자 무비판적 소비 지양, 인권과 생태 환경을 고려한 윤리적 소비 지향 예 슬로 패션[2]

음식 섭취와 관련해 공자는 예의와 규칙을 준수하여 절제와 수양을 목적으로 해야 한다고 하였고, 불교에서도 절제를 통한 수행의 측면을 중시하며, 아리스토텔레스 역시 절제의 덕을 강조하였다.

3. 음식 문화와 윤리적 문제

(1) 음식과 관련된 윤리적 쟁점

① 식품 안전성 문제 유전자 조작 식품(GMO), 식품 첨가물 등의 유해성 논란, 오염된 식재료 사용 등 자료 02

② 환경 문제

- 대량 생산을 위한 무분별한 개발과 화학 비료·농약 사용, 식품의 원거리 이동에 따른 탄소 배출량 증가 등 ➡ 지구 온난화에 영향
- 대량 소비에 따른 음식물 쓰레기 증가 ➡ 환경 오염, 경제적 손실 초래

③ 동물 복지 문제 육류 소비 증가 ➡ 공장식 축산업의 보편화 ➡ 동물 학대 자료 03

④ 식량 불평등 문제 식품이 남아돌아 비만이 문제 되는 곳이 있는 반면 기아로 고통받는 곳도 있음

주의 공장식 사육 방식은 교통수단에 의한 온실가스 배출량보다 더 많은 온실가스를 배출하기 때문에 환경 문제와도 관련 있다.

(2) 해결 노력

① 개인적 차원 음식물 쓰레기·육류 소비 줄이기, 로컬푸드·슬로푸드 운동에 동참하기 등

② 사회적 차원 안전한 먹거리 인증, 성분 표시 의무화, 육류 사육 방식의 개선 등

로컬푸드란 장거리 운송을 거치지 않은 지역 농산물을, 슬로푸드란 가공하지 않고 자연적인 숙성이나 발효 등 전통적인 방식으로 만든 음식을 말한다.

---

① 의복의 기원
의복은 추위나 더위를 막고, 외부 충격에서 몸을 보호하기 위해 등장한 것이라는 신체 보호설, 다른 사람에게 매력적으로 보일 수 있도록 외모를 꾸미기 위한 것이라는 장식설, 알몸이 부끄러워 몸을 가리기 위한 것이라는 정숙설, 필요한 물건을 달기 위해 허리에 끈을 매고 다닌 것이 옷의 기원이라는 실용적 기능설 등이 있다.

② 패스트 패션(fast fashion)과 슬로 패션(slow fashion)
패스트 패션이란 최신 유행이나 소비자의 취향 변화에 맞춰 빠르게 생산되고 소비되는 의류를 말한다. 그와 대비되는 슬로 패션은 친환경 소재를 원료로 하여 친환경 공법으로 생산되고 유통되며 소비되는 '친환경' 의류를 말한다.

③ 의복의 생산과 노동 착취 문제
의복 생산에는 많은 노동력이 필요하기 때문에 기업은 인건비가 비교적 저렴한 개발도상국에 생산 시설을 구축하고 현지 노동자들을 채용하는 경우가 많다. 이때 기업이 인건비 절감만 추구하여 노동자들을 착취하는 문제가 나타나기도 한다.

고득점을 위한 셀파 Tip 개념

| 의·식과 윤리 문제 |

의복과 관련된 윤리적 문제
- 동조 소비
- 과시 소비
- 생태 윤리적 문제

음식과 관련된 윤리적 문제
- 식품 안전성 문제
- 환경 문제
- 동물 복지 문제
- 식량 불평등 문제

셀파 자료 탐구

자료 01 현대 의복 소비 문화, 무엇이 문제일까?

(가) 경제학자라면 누구나 동의하겠지만, 저렴한 가격은 소비를 촉진한다. 현재 패션의 저렴한 가격은 쇼핑의 무질서 상태를 부추기고 있다. 이제 미국 사람들 전체가 한 해 동안 사들여 쌓아 두는 옷은 약 200억 벌에 이른다. 석유와 물은 점점 부족해지고 있다. 빙산이 녹고 있다. 우리는 지구의 기후를 영원히 달라지게 만들었다.

– 엘리자베스 L. 클라인, 『나는 왜 패스트 패션에 열광했는가』 –

(나) 고도로 산업화된 사회에서 명성을 획득할 수 있는 근거는 다름 아닌 재력이다. 재력을 과시하는 방편인 동시에 명성을 획득하고 유지하는 방편은 과시적 여가와 과시적 소비이다. 그 과정에서 두 가지 방편은 모두 그런 여가나 소비의 가능성을 지닌 중하류 계급에서도 유행하기에 이른다. 과시적 여가와 과시적 소비의 발달 과정을 탐색해 보면 공통으로 낭비라는 요소가 작용했음을 알 수 있다. 그것은 한편으로는 시간과 노력의 낭비이고, 다른 한편으로는 재화의 낭비로 나타난다.

– 베블런, 『유한 계급론』 –

자료 분석 | (가)는 유행이 바뀔 때마다 소비되고 버려지는 옷(패스트 패션)을 만들기 위해 자연 자원이 낭비되고 지구 오염이 갈수록 심해지고 있음을 비판하고 있다. (나)는 과시적 소비가 과소비라는 그릇된 소비 풍조를 초래하는데 이는 결국 자원의 낭비로 나타난다고 하였다. 두 글 모두 오늘날의 의복 소비 문화는 자원의 낭비를 전제로 하고 있다고 보는 것이다.

먹거리의 생산 및 유통 과정에서 농어민과 노동자가 정당한 몫을 받지 못하는 문제도 정의의 문제로 볼 수 있어.

자료 02 안전한 먹거리와 정의 문제

신선한 먹을거리에 대한 접근 여부는 건강과 직결되어 있다. 미국은 물론이고 우리나라 역시 저소득 계층이 신선한 먹을거리에 접근하기는 쉽지 않다. 저소득 계층은 대체로 유기농 음식보다 값싼 패스트푸드를 먹고 있으며, 음식을 못 먹어서 죽기보다는 잘못된 음식을 먹어 죽는 경우가 많다. 이처럼 좋은 먹을거리에 대한 접근이 소득과 관련이 있다는 점으로 볼 때, 저소득층 주민에게 신선한 양질의 먹을거리를 제공해야 할 사회적 의무가 제기된다.

– 변순용, 『음식 윤리』 –

자료 분석 | 음식의 섭취는 인간의 생존과 직결되는 문제이고, 오늘날에도 먹을 음식이 절대적으로 부족해 굶어 죽는 사람이 없는 것은 아니다. 하지만 많은 국가에서 어떤 음식을 먹느냐의 문제도 중요해지고 있다. 유전자 조작 식품(GMO)의 유해성 논란이나 해로운 첨가제 또는 유통 기한이 지난 식재료가 사용된 음식을 먹고 잘못되었다는 많은 뉴스 등이 그 증거이다. 제시문은 인간이라면 누구나 안전한 음식, 신선한 음식을 먹을 권리가 있으며, 사회는 모두가 그 권리를 누릴 수 있게 저소득층을 지원해야 할 의무가 있다고 주장한다. 음식을 정의의 문제와 연결하고 있는 것이다.

육류 소비의 증가는 곡물 부족으로 인한 기아 문제, 목초지 조성을 위한 열대 우림 파괴 문제 등 인류가 직면한 다양한 문제와 관련되어 있어.

자료 03 싱어의 공장식 축산업 비판

산업 사회에서 인간이 동물의 고기를 음식으로 사용하는 것을 윤리적으로 생각해 보려 한다면 그 상황에서 상대적으로 작은 인간의 이익과 먹혀지는 동물의 생명과 복지가 정말 균형을 이루는지 따져 보아야 한다. 이익 평등 고려 원칙에 따를 때, 작은 이익 때문에 큰 이익을 희생하지 말아야 하기 때문이다. 현대의 공장식 축산업은 동물이 우리가 이용할 대상이라는 태도에 입각하여 과학과 기술을 응용하고 있다. 시장에서의 경쟁 때문에 고기 생산자들은, 동물의 삶을 더욱 비참하게 만듦으로써 가격을 쉽게 낮추는 경쟁자들을 따라 할 수밖에 없다. 이러한 방식으로 생산된 고기, 달걀, 우유를 산다면 우리는 감각이 있는 동물을 평생 동안 답답하고 부적합한 환경 속에 감금하는 육류 생산 방식을 감내해야 한다.

자료 분석 | 싱어는 급증한 육류 소비 수요를 충족하기 위해 공장식 축산업 형태로 이루어지는 동물 사육 방식을 비판하였다. 동물도 인간과 마찬가지로 고통을 느낄 수 있는 존재인데도 인간의 편익을 위해 동물의 고통을 무시하는 공장식 사육 방식이 유지된다면, 인간이 먹는 고기는 고통 속에 생산된 고기일 수밖에 없음을 강조함으로써 동물에 대한 비윤리적 대우의 변화를 촉구하였다.

기출 선택지 O, X로 정리하기

1 의복을 구매하는 과정부터 시간, 장소, 상황에 적절한 옷을 입는 것까지 윤리와 무관하지 않기 때문에 인간의 의생활에도 윤리적인 성찰이 필요하다. (O , X)

2 패스트 패션의 문제점은 상품의 과도한 생산과 소비를 유발할 수 있다는 것이다. (O , X)

3 명품 선호 현상을 긍정하는 사람들은, 고가의 명품 소비가 사람들의 박탈감을 유발해 사회 계층 간의 분열을 촉진한다고 본다. (O , X)

4 우리 사회는 개인의 자유와 다양성을 존중하므로 의복을 통해 자신의 개성을 추구하는 것이라면 불법 포획된 동물의 모피나 가죽옷을 입는다 하더라도 문제 삼아서는 안 된다. (O , X)

5 "자른 것이 바르지 않으면 드시지 않았고, …… 주량이 대단했으나 어지러울 정도로 마시지는 않았다."와 같은 식생활을 한 사상가라면 음식 섭취의 목적을 생존 유지로만 보았을 것이다. (O , X)

6 불교에서 술과 고기, 마늘, 파 등을 먹지 말라고 하는 것은 먹는 것과 수행을 연계하고 있음을 보여 준다. (O , X)

7 날로 증가하는 육류 소비가 미래의 지구와 인류의 행복에 큰 위협이 된다고 보는 입장에서는 효율적인 육류 생산 방식을 지지할 것이다. (O , X)

8 육류 소비는 취향의 문제로 윤리와는 무관하다. (O , X)

정답 1 O 2 O 3 X 4 X 5 X 6 O 7 X 8 X

4. 주거 문화와 윤리적 문제 자료 04

(1) 주거의 윤리적 의미

① **개인적 측면** 신체적 안전과 정서적 안정, 휴식을 누릴 수 있는 내적 공간

② **사회적 측면** 공동체의 유대감을 형성하고 관계성을 회복하는 공간

(2) 주거와 관련된 윤리적 쟁점

주의! 과도하게 밀집된 주거 공간으로 인한 삶의 질 저하 문제(소음, 녹지 부족, 유해 환경 노출 등)가 추가로 언급되기도 한다.

① **주거의 불안정성과 불평등 문제** 집이 투기 수단으로 인식되면서 다주택 소유자가 있는 반면 빚을 낸 무리한 내 집 마련으로 경제적 어려움에 처한 사람, 집을 소유하지 못해 자주 이사해야 하는 사람 등 주거의 불안정성이 커짐 ➡ 주거권 보장 문제와 연결됨

② **주거 형태의 획일화·규격화 문제** 전통적 주거 형태에 비해 정체성과 개성 상실, 아파트 같은 공동 주택의 경우 폐쇄성으로 인해 주민 간 소통 단절 발생

(3) 해결 노력

① 주거의 본질[4]적 가치 회복

② 주거 환경의 균형적 발전과 주거 정의[5] 추구

③ 공동체를 고려하는 주거 문화(예 셰어 하우스, 코하우징) 형성

- 셰어 하우스: 침실만 각자 사용하고 거실, 화장실, 욕실 등은 공유하는 주거 방식
- 코하우징: 저밀도의 개별 주택과 함께 공동생활 시설, 공유 옥외 공간 등을 갖춘 주거 공간

④ **주거의 본질**
볼노브(Bollnow, O. F.)는 집이라는 공간은 인간과의 관계 속에서 의미를 지닌다고 보았고, 하이데거는 휴식과 평화를 누리는 내적 공간으로서의 집의 본래적 의미를 찾아야 한다고 주장하였다.

⑤ **주거 정의와 젠트리피케이션 현상**
젠트리피케이션 현상이란 낙후된 구도심이 그 지역 상인들의 노력으로 활성화되자 대규모 프랜차이즈 등의 상업 자본과 중산층 이상의 계층이 유입되고, 결국 치솟는 임대료를 감당하지 못한 기존의 원주민들이 떠나게 되는 것을 가리킨다. 이러한 현상이 되풀이되면서 거주 공간의 문제를 주거 정의의 문제로 접근하려는 논의가 이루어지고 있다.

2 윤리적 소비문화

1. 윤리적 소비 자료 05

(1) 합리적 소비와 윤리적 소비

① **합리적 소비** 소득 범위 내에서 최소한의 비용으로 최대의 만족감을 얻기 위한 소비 ➡ 의도하지 않은 인권 침해, 동물 학대, 환경 오염 등의 문제를 조장할 수 있음

왜? 합리적 소비자의 선택을 받기 위해 생산자는 원가를 줄이되 원가 이상으로 질 좋은 상품을 만들려고 할 것이고, 그 과정에서 노동자들에게 저임금을 강요하고, 동물의 고통을 외면하는 공장식 사육 방식을 고수하며, 환경 오염에 관한 대책을 외면할 수 있기 때문이다.

② **윤리적 소비** 도덕적 가치 판단에 따라 재화나 서비스를 구매하고 사용하는 소비 ➡ 가격뿐 아니라 노동자의 인권, 환경 문제, 원료의 재배·가공 생산·유통에 이르는 전 과정을 고려함

(2) 윤리적 소비의 유형

① **인권과 정의를 생각하는 소비** 노동자의 인권과 복지를 보장하는 기업의 상품 구매, 아동 노동 착취 없이 제3 세계 노동자에게 정당한 임금을 지불한 공정 무역 상품 구매

② **공동체적 가치를 생각하는 소비** 지역 공동체의 지속 가능한 발전을 도모하는 소비
예 로컬푸드 운동

③ **동물 복지를 생각하는 소비** 동물의 생명을 존중하고 고통을 최소화하는 방식으로 생산된 상품 소비

④ **환경 보전을 생각하는 소비** 생태계의 보존과 지속 가능한 소비가 가능하도록 하는 친환경 소비

고득점을 위한 셀파 Tip 개념

| 주거와 윤리 문제 & 윤리적 소비 |

주거와 관련된 윤리적 문제
- 주거의 불안정성과 불평등 문제
- 주거 형태의 획일화·규격화 문제

윤리적 소비의 유형
- 인권과 정의를 생각하는 소비
- 공동체적 가치를 생각하는 소비
- 동물 복지를 생각하는 소비
- 환경 보전을 생각하는 소비

2. 사회적 기업과 윤리적 소비의 실천

(1) 사회적 기업 사회 불평등의 완화, 사회 정의 구현 등 사회적 가치를 우위에 두고 생산 활동을 수행하며, 이를 통해 창출된 수익을 사회적 목적을 위해 환원하는 기업

(2) 윤리적 소비의 실천 노력

① **개인적 차원** 인권, 정의, 환경 등의 가치 실현을 지향하는 윤리적 소비 실천[6], 일회용품 구매 자제, 적극적인 재사용·재활용 노력 등

② **사회적 차원** 윤리적 소비 확산을 위한 제도적 장치 마련
예 친환경 제품 인증, 동물 복지 축산 인증, 사회적 기업 지원법 제정 등

⑥ **윤리적 소비의 실천 사례**
선진국과 개발 도상국 간의 불공정한 무역 구조를 고려해 생산자에게 최저 구매 가격을 보장하거나 생산자와의 직거래를 통해 유통 과정을 줄인 공정 무역 상품을 구매한다. 현지인이 운영하는 숙박업소를 이용하고, 현지 환경을 존중하며 여행지 주민도 함께 행복한 공정 여행을 한다. 지역 경제를 활성화하고 식품의 운송 거리를 좁혀 이산화 탄소 발생량을 최소화하는 로컬푸드 운동에 동참한다.

헤스코트(Heathcote, Edwin)는 그의 책 『집을 철학하다』에서 집은 거주자의 정체성과 삶을 반영한다며, 집을 보면 그 집 주인의 삶의 방식이 지도처럼 그려진다고 했어.

자료 04 거주 윤리

(가) 인간은 체험을 통해 자신이 위치한 공간을 삶의 중심으로 형성할 수 있다. 체험된 공간은 가치를 지향하는 삶의 관계들을 통해서 사람과 관계된다. 체험된 모든 공간은 그것을 체험한 인간과 서로 분리될 수 없다. 인간과 집의 관계는 집을 짓고 그 안에 살면서 자기 집 같고, 마음 편하며, 믿을 만한 친숙함이 있다고 이해될 수 있다. 인간은 이성적 노력을 통해 자신의 집을 지어야 하며, 그 집에서 자기 삶의 질서를 만들어 나가야 하고, 혼란을 일으키는 외부 세계와의 끊임없는 투쟁 속에서 이러한 질서를 지켜 내야 할 책임을 갖는다.

(나) 거주(居住)함은 인간 존재의 근본 특성이다. 인간은 현존재로서 땅, 하늘, 신적인 것들, 죽을 자들의 본질을 사물들 안으로 가져와 소중히 보살피며, 세계 안에서 건축하고 사유하면서 거주한다. 인간은 자기 공간의 중심이 되며, 인간이 움직일 때마다 사물의 연관 체계로서 공간도 함께 변화한다. 인간이 건축함과 거주함에서 사유함을 잊을 때 고향 상실이 일어난다. 이때 거주함에 대해 다시 배워야 한다. 오늘날 거주 공간이 상실되어 탈공간의 시대에 살고 있는 인간은 잃어버린 고향에 대해 숙고하고, 고향을 되찾아야 한다.

자료 분석 | (가)는 볼노브, (나)는 하이데거의 글이다. 인간은 자신의 공간을 자기 삶의 중심으로 형성해야 한다는 '공간 책임론'을 제시한 볼노브는, 인간에게 집은 자기 세계의 중심점이며 자기 존재의 뿌리라고 주장하였다. 하이데거 역시 '거주함'을 지배와 통제가 아닌 보살핌과 책임의 영역으로 보았고, 산업화 이후 내적 공간으로서의 집의 본래적 의미가 상실되어 가는 세태를 '고향의 상실'이라며 비판하였다.

자료 05 윤리적 소비의 중요성

(가) 우리는 왜 윤리적 소비를 해야 할까? 우리가 물건을 하나씩 구매할 때마다 우리는 투표를 하고 있는 것이다. 노동 착취를 통해 만들어진 값싼 옷을 사는 것은 노동자들의 착취에 찬성표를 던지는 것이며, 연료 소비가 많은 자동차를 사는 것은 기후 변화에 찬성표를 던지는 것이다. 우리가 물건을 살 때 윤리적인 문제에 관해 생각해 보는 것은 세상에 대한 이러한 영향을 고려한다는 것을 의미한다. 소비자의 한 사람으로서 우리는 지갑 안에 자신의 의견을 표명할 힘을 가지고 있다.

- 한국 사회적 기업 진흥원, 「2015 착한 소비」 -

(나) 새로운 생명 공학 기술과 관련된 제품과 방법에는 잠재적인 이익이 있다. 그렇지 않다면 그것들은 상업화되지 않았을 것이다. 기업들은 사람들이 원하지 않는 재화나 서비스는 제공하지 않는다. 바로 이 사실이 중요하다. 중요한 것은 단순히 과학자들과 기업들이 생명 공학 연구에 투자하는 동기가 아니라 소비자인 우리의 동기이다. 현재 우리의 기대, 욕망, 태도, 경향 등이 미래의 인류에게 영향을 미치고 문화적 특징 요소들을 결정하기 때문이다. …… 아직은 시장이 소비자를 창출하는 것만큼 소비자가 시장을 창출할 수 있다. 조직적인 세력들의 압도적인 공세에도 불구하고, 우리 각자는 함께 공유해야 할 집단의 미래를 결정하는 데 어떤 식으로든 책임이 있다.

- 리프킨, 『바이오테크 시대』 -

자료 분석 | 합리적 소비가 자기 자신에게 돌아오는 직접적인 혜택만을 생각하는 소비라면 윤리적 소비는 자신뿐만 아니라 다른 사람, 사회, 나아가 자연 등에 미칠 영향까지 생각하는 소비이다. (가)는 개개인의 소비를 '투표'에 비유함으로써 소비 행위가 사회를 변화시키고 인권, 사회 정의, 환경 등 인류 보편의 가치를 실현하는 수단이 될 수 있음을 강조하였다. (나) 역시 소비자 대다수가 윤리적 의식과 태도를 가지고 소비를 하게 된다면 이에 따라 기업 및 기업 자본과 관련된 사람들이 바람직한 변화를 도모할 것이고, 장기적으로 인간, 사회, 환경을 위하는 사회 문화가 형성될 것이라고 보았다. 즉, 의식주와 관련된 윤리적 문제의 해결을 위해 가장 중요한 것은 소비자 개개인의 동기인 것이다.

기출 선택지 O, ×로 정리하기

1 볼노브는 인간의 거주 공간은 집 밖의 세계와는 구분되어야 한다고 주장하였다. (O, ×)

2 볼노브에 따르면, 인간의 거주 공간은 외부를 지향하지 않는 닫힌 공간이어야 한다. (O, ×)

3 자료 04의 (가)와 같은 입장의 사상가라면 진정한 거주를 단순히 공간을 점유하는 행위로 국한하여 생각할 것이다. (O, ×)

4 하이데거는 거주 공간을 인간의 체험과 무관한 객관적인 공간으로 보았다. (O, ×)

5 하이데거는 현대인들이 어느 한곳에 뿌리내리지 못하고 이곳저곳으로 옮겨 다니는 현상에 대해 '고향 상실'의 문제를 지적하였다. (O, ×)

6 자율적 선택권과 최적의 효용은 합리적 소비의 필수적 요소이다. (O, ×)

7 현대 소비 사회에서 사람들은 제품이 아니라 제품의 이미지를 소비하고 있다고 비판한 사상가라면, "현대인은 생산 질서에 좌우되지 않는 소비 활동을 하는가?"에 부정의 대답을 할 것이다. (O, ×)

8 윤리적 소비를 실천하는 사람은 자신의 선호보다는 공공성을 상품 선택의 기준으로 삼을 것이다. (O, ×)

정답 1 O 2 × 3 × 4 × 5 O 6 O 7 O 8 O

개념 완성

1 의식주의 윤리

의복 문화와 윤리적 문제	의복의 윤리적 의미	• 자아 및 가치관 형성에 영향을 줌 • (❶)에 관한 사회적 기준을 반영함
	윤리적 쟁점	• 동조 소비: 유행 추구 현상, 패스트 패션의 발달 → (❷), 환경 오염, 노동 착취 등 초래 • 과시 소비: 명품 선호 현상, 사치 풍조 → 계층 간 분열 촉진 • 생태 윤리적 문제: 모피나 가죽옷 착용 문제
	해결 노력	• 생산자: 사람과 환경을 생각하는 윤리 경영 실천 • 소비자: 비판적 소비, 인권과 생태 환경을 고려한 (❸) 소비 지향
음식 문화와 윤리적 문제	윤리적 쟁점	• 식품 (❹) 문제: 식품의 유해성 논란, 오염된 식재료 사용 등 • 환경 문제: 대량 생산, 대량 소비에 따른 지구 온난화, 환경 오염 등 • 동물 (❺) 문제: 공장식 사육 방식이 지닌 동물 학대 문제 • 식량 (❻) 문제: 식량 과다 지역과 절대 부족 지역의 병존
	해결 노력	• 개인적 차원: 음식물 쓰레기·육류 소비 감축, 로컬푸드·슬로푸드 운동에 동참 등 • 사회적 차원: 안전한 먹거리 인증, 성분 표시 의무화, 육류 사육 방식의 개선 등
주거 문화와 윤리적 문제	주거의 윤리적 의미	개인에게 신체적 안전과 정서적 안정, 휴식을 주는 (❼) 공간이자 공동체의 유대감을 형성하고 관계성을 회복하는 공간
	윤리적 쟁점	• 주거의 불안정성과 불평등 문제 • 주거 형태의 획일화·규격화 문제

2 윤리적 소비문화

소비 유형	합리적 소비	(❽)의 비용으로 최대의 만족을 얻기 위한 소비 → 인권 침해, 동물 학대, 환경 오염 등 유발
	윤리적 소비	(❾) 가치 판단에 따른 소비 → 가격 외 인권, 사회 정의, 환경 등도 고려함
윤리적 소비	유형	• 인권과 정의를 생각하는 소비 • 공동체적 가치를 생각하는 소비 • 동물 복지를 생각하는 소비 • (❿) 보전을 생각하는 소비
	실천 노력	공정 무역 상품 구매, 공정 여행, 로컬푸드 운동, 일회용품 구매 자제 등

정답 ❶ 예의 ❷ 자원 낭비 ❸ 윤리적 ❹ 안전성 ❺ 복지 ❻ 불평등 ❼ 내적 ❽ 최소 ❾ 도덕적 ❿ 환경

탄탄 내신 문제

01 고대 동양 사상가 A의 입장을 〈보기〉에서 고른 것은?

A는 재계(齋戒)할 때 반드시 베로 만든 명의(明衣)를 입고, 평소에 먹던 음식을 바꾸었고, 잠자리도 옮겼다. 밥은 곱게 찧어서 한 것을 즐겨 했고, 쉰밥과 맛이 간 생선, 그리고 상한 고기는 먹지 않았다. 색깔이 흉한 것과 냄새가 고약한 것도 먹지 않았다. 반듯하게 썬 것이 아니면 먹지 않았고, 음식에 어울리는 장(醬)을 사용해 먹었다. 고기는 먹더라도 밥보다 많이 먹지 않았고, 술은 정신없이 취할 지경에 이르지 않게 했다.

보기
ㄱ. 신분을 잘 드러내고 과시할 수 있는 의복을 입어야 한다.
ㄴ. 의식주와 관련해 중용과 절제의 예(禮)를 갖추어야 한다.
ㄷ. 음식을 대할 때에도 덕(德)을 중시하고 욕심을 버려야 한다.
ㄹ. 타인이 제공한 음식은 어떠한 경우에도 남기지 말아야 한다.

① ㄱ, ㄴ ② ㄱ, ㄷ ③ ㄴ, ㄷ
④ ㄴ, ㄹ ⑤ ㄷ, ㄹ

02 ㉠에 들어갈 내용으로 가장 적절한 것은?

최근 급속한 경제 성장과 자본주의의 영향 등으로 향락을 추구하는 소비문화가 만연하고 있다. 이러한 모습은 특히 명품 소비에서 두드러진다. 물질적인 부를 축적한 사람들은 자신의 부를 과시하여 남들로부터 인정받기 위해서, 그리고 타인과 구별 짓기 위해서 명품을 소비한다. 어떤 사람은 명품을 구매하면서 자신이 남보다 우월하다고 생각하고, 또 어떤 사람은 명품으로 한껏 치장한 사람 앞에서 주눅이 들기도 한다. 이러한 명품 선호 현상은 [㉠]

① 절제되고 간소한 삶을 지향하는 소비 풍조를 조장한다.
② 사회 계층 간 위화감을 조성하는 소비 풍조를 조장한다.
③ 상품의 품질과 희소성을 고려하지 않는 소비 풍조를 조장한다.
④ 자신의 경제력 안에서 최선의 제품을 구매하는 소비 풍조를 조장한다.
⑤ 현세대뿐만 아니라 미래 세대의 욕구도 고려하는 소비 풍조를 조장한다.

딱풀 p. 44

03 (가), (나)에 나타난 삶의 태도로 적절한 것을 〈보기〉에서 있는 대로 고른 것은?

(가) 자른 것이 바르지 않으면 드시지 않았고 간장이 없으면 드시지 않았다. 고기가 많아도 곡기(穀氣)를 이기지는 않았으며, 주량이 대단했으나 어지러울 정도로 마시지는 않았다.
(나) 술과 고기를 먹지 마라. 마늘, 부추, 파, 달래, 흥거의 오신채(五辛菜)를 먹지 마라. 식사는 오전 중 한 번으로 끝내라. 발우의 음식은 수많은 연기(緣起)의 과정을 거친 것이다.

보기
ㄱ. (가): 음식 섭취의 목적을 생존 유지에만 국한해야 한다.
ㄴ. (가): 음식을 먹는 행위에서 인간의 품위를 추구해야 한다.
ㄷ. (나): 세상 모든 존재의 상호 의존성을 고려하여 음식을 대해야 한다.
ㄹ. (가), (나): 음식을 섭취할 때는 적절히 조절하고 절제해야 한다.

① ㄱ, ㄷ ② ㄱ, ㄹ ③ ㄴ, ㄹ
④ ㄱ, ㄴ, ㄷ ⑤ ㄴ, ㄷ, ㄹ

04 다음과 같은 주장을 한 사상가가 지지할 입장으로 옳지 않은 것은?

거주한다는 것은 특정한 장소에 속해 있는 것이다. 여기에서부터 세상으로 모든 길이 뻗어 나가고 반대로 모든 길이 되돌아온다. 인간은 안전과 안정을 얻기 위해 경계를 그어야 하고, 반갑지 않은 침입자로부터 보호되어야 한다. 집은 인간의 정신 건강을 위해 필수 불가결한 조건이자 자기 세계의 중심점이다. 집은 내부에서 즐겁게 머무를 수 있는 공간이어야 하며, 아늑함을 유지할 수 있는 곳이어야 한다.

① 거주 공간인 집 속에는 인간의 삶의 역사가 담겨 있다.
② 집은 인간의 내적 성찰을 가능하게 하는 공적 공간이다.
③ 인간에게는 평안한 삶을 누릴 수 있는 거주 공간이 필요하다.
④ 집에 평화적 분위기가 조성될 때 심신의 안정을 얻을 수 있다.
⑤ 집은 거주자의 외부 세계와 내부 세계를 연결하는 통로 역할을 한다.

05 (가)를 주장한 사상가가 (나)에 나타난 음식 문화에 대해 제시할 견해로 가장 적절한 것은?

(가) 우리는 쾌고 감수 능력을 지닌 동물들에 대한 무자비한 착취를 종식해야 한다. 인간은 종 차별주의를 극복하고 진정한 이타성을 발휘해야 한다.
(나) 현대의 쇠고기는 실용주의의 문화적 특성에 대한 살아 있는 표본이나 마찬가지이다. 소는 뿔을 제거당하고 호르몬과 항생제가 투약되고 살충제가 뿌려지고 시멘트 판에 올려진다. 또한 적절한 몸무게가 될 때까지 곡물, 톱밥, 찌꺼기, 오물을 먹으며, 그 몸무게에 도달하면 트럭을 타고 자동화된 도축장으로 운송되어 그곳에서 도살된다. 그리고는 각 부분으로 해체되어 인간에게 유용한 생산물과 부산물로 나뉘게 된다.

① 공장식 사육을 통해 단백질을 저렴하게 공급해야 한다.
② 하나의 기계와 같은 동물을 효율적으로 활용해야 한다.
③ 동물의 고통과 인간의 고통을 동등하게 고려해야 한다.
④ 육식에 대한 욕구를 충족시켜 인간의 쾌락만을 최대화해야 한다.
⑤ 이성적 사고 능력을 가진 존재의 도덕적 지위만을 존중해야 한다.

06 다음 글의 입장으로 옳지 않은 것은?

우리 시대의 인간은 고향을 잃고 지구상 어떤 곳에도 매여 있지 않은 영원한 망명자이다. 하지만 집은 이러한 위험과 희생의 공간인 외부 공간과 구분되는 안정과 평화의 공간이다. 인간은 자신의 중심점인 집을 스스로 만들어 그곳에 뿌리내리고 살 때 진정한 거주를 실현한다. 인간은 이러한 거주의 실현을 통해 단순히 공간을 점유하는 것이 아닌 거주자가 됨으로써 자신의 본질을 실현하고 온전한 의미에서 인간이 될 수 있다.

① 거주를 실현하여 진정한 삶을 추구해야 한다.
② 인간은 영원한 망명자로 살아가서는 안 된다.
③ 집을 통해 자기 자신의 참된 존재의 의미를 회복해야 한다.
④ 인간은 위험과 희생의 공간에서 진정한 거주를 실현할 수 없다.
⑤ 집의 본래적 가치보다 집이 가져올 경제적 가치에 주목해야 한다.

07 갑, 을이 강조할 소비 태도로 적절하지 않은 것은?

> 갑: 올바른 소비는 상품에 대한 정보를 충분히 알아본 뒤, 주어진 예산의 범위 내에서 가장 효용성이 높은 제품을 합리적으로 구매하는 것을 의미한다.
> 을: 올바른 소비는 환경과 인권의 가치를 중시하는 소비로서 생산, 유통, 사용 이후의 처리와 재생에 이르기까지 사회에 미치는 영향을 고려하는 것이다.

① 갑 – 사회적 인정과 과시 욕구를 충족하는 소비
② 갑 – 최소의 비용으로 최대의 만족을 얻는 소비
③ 을 – 친환경 상품이나 공정한 무역의 상품 소비
④ 을 – 공동체를 고려하고 사회적 책임을 실천하는 소비
⑤ 갑, 을 – 사치를 줄이고 절제하는 소비

08 갑, 을의 입장을 그림으로 탐구할 때, A~C에 들어갈 옳은 질문만을 〈보기〉에서 있는 대로 고른 것은?

> 갑: 소비에 따른 기회비용과 만족감을 고려해 편익이 많은 소비를 해야 하며, 자신의 경제력 안에서 최선의 제품을 구매해야 한다.
> 을: 경제적 약자와 인간, 환경 공동체를 고려하는 소비를 해야 하며, 생산자의 인권을 우선적으로 고려하는 제품과 친환경적인 제품을 구매해야 한다.

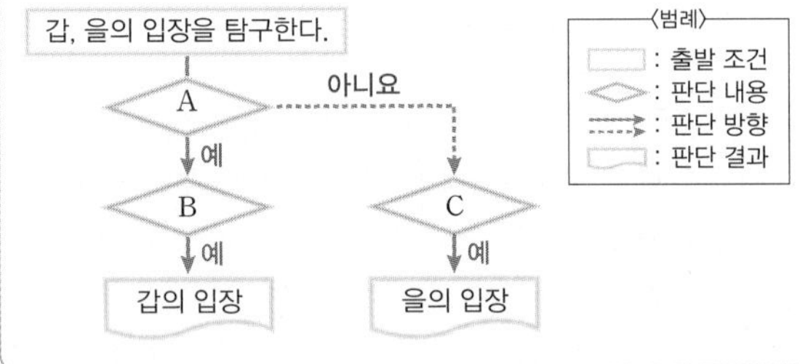

보기
ㄱ. A: 비용이 더 들더라도 보편적 가치를 추구하는 소비를 해야 하는가?
ㄴ. B: 타인과 구별되는 최고가 제품의 구매를 최우선으로 해야 하는가?
ㄷ. B: 최대한 효율적으로 소비하여 자신의 만족을 극대화해야 하는가?
ㄹ. C: 인간과 동물·환경에 해를 끼치는 물품은 구매하지 말아야 하는가?

① ㄱ, ㄴ ② ㄴ, ㄷ ③ ㄷ, ㄹ
④ ㄱ, ㄴ, ㄹ ⑤ ㄱ, ㄷ, ㄹ

09 그림은 서술형 평가 문제와 학생 답안이다. ㉠~㉤ 중 옳지 않은 것은?

〈서술형 평가〉

◎ **문제** 소비에 대한 (가), (나)의 특징을 비교하여 설명하시오.

> (가) 소비의 목적은 만족감의 극대화이다. 소비자는 자신의 예산 범위 내에서 최대의 만족을 얻을 수 있는 재화를 구매하기 위해 노력한다.
> (나) 소비는 개인의 만족감을 넘어서는 사회적 활동이다. 소비는 생산과 유통, 사용과 이후의 처리 및 재생에 이르기까지 사회적 영향력을 행사하는 활동이다. 따라서 인간과 동물, 환경을 착취하고 해를 끼치는 재화는 비윤리적인 재화이며 이를 구매하는 것은 비윤리적 소비이다.

◎ **학생 답안**

소비에 대해 (가), (나)의 특징을 비교하면, ㉠ (가)는 소비자의 효율적 선택을 강조하며, ㉡ 사치를 줄이고 주어진 예산 범위 내에서 만족을 크게 할 것을 주장한다. ㉢ (나)는 소비 활동이 공동체에 미치는 영향을 고려하면서 소비할 것을 강조하며, ㉣ 지속 가능한 환경을 위해 소비할 것을 주장한다. 한편 ㉤ (가)와 달리 (나)는 재화를 선택할 때 개인의 욕구가 절제될 필요가 있다고 본다.

① ㉠ ② ㉡ ③ ㉢ ④ ㉣ ⑤ ㉤

10 다음 글의 입장에서 지지할 내용으로 적절하지 않은 것은?

> 우리는 쇼핑을 할 때마다 투표를 하는 것처럼 여겨야 합니다. 연비가 좋은 자동차를 사는 것은 기후 변화를 위한 투표 행위입니다. 유기농으로 재배한 식품을 사는 것은 환경을 위한 투표가 되고, 공정 무역 제품을 사는 것은 인권을 위한 투표가 됩니다. 소비자가 소비를 하는 것만으로도 세상을 바꿀 수 있는 소비, 물건 그 이상의 가치를 창출하는 소비를 통해 세상을 변화시켜야 합니다.

① 아동 노동 금지에 기여하는 소비를 해야 한다.
② 과시 소비로부터 벗어나 동조 소비를 해야 한다.
③ 친환경적이며 지속 가능한 소비 생활을 해야 한다.
④ 동물 학대를 초래하는 의류 소비는 지양해야 한다.
⑤ 개발 도상국의 생산자를 고려하는 소비를 해야 한다.

딱풀 p. 44

11 ㉠에 들어갈 소비의 명칭을 쓰고, 이러한 소비문화의 문제점을 그 이유와 함께 구체적으로 서술하시오.

> 인간은 어떤 한 집단에 순응하고 그 집단 구성원들과 비슷해지려는 심리를 지니고 있다. 의복은 이러한 심리를 드러내는 데 매우 유용한 수단이 될 수 있다. 이러한 심리에 기인한 소비를 [㉠](이)라 한다.

12 을의 입장에서 갑에게 제기할 수 있는 반론을 간략하게 서술하시오.

> 갑: 명품 옷은 남들의 무시를 막아 주는 '갑옷'의 역할을 한다. 명품 옷을 입게 되면 동일시를 통해 자기만족을 느끼게 되고, 타인들 앞에서 당당할 수 있는 자신감을 갖게 된다. 명품을 통해 얻은 자존감은 행복의 증진에도 이바지한다.
>
> 을: 명품 옷은 상업주의의 탈을 쓰고 사람들을 현혹하고 있다. 명품 옷은 부의 과시 이외에 다른 기능이 없다. 명품 옷은 자신의 개성과 내면의 아름다움을 키우는 데 오히려 방해가 된다. 참된 행복은 명품이 아니라 아름다운 내면에 있는 것이다.

13 (가), (나)의 입장을 분석하여 공통적으로 지지할 수 있는 음식 문화를 간략히 서술하시오.

> (가) 어떤 것이든 더는 먹고 마실 수 없을 때까지 먹고 마시는 것은 자연에 따르는 것을 넘어서는 것이다. 그러므로 마땅한 것을 넘어 자신의 배를 채우고자 하는 폭식가(暴食家)가 되려는 것을 경계해야만 한다.
>
> (나) 마음을 다스리고 성(性)을 길러야 하니, 좋은 음식을 탐내고 맛없는 음식에는 찡그리며 음식을 먹어도 그 생겨난 바를 알지 못하는 것은 어리석다. 덕 있는 선비는 배불리 먹을 궁리만 하지 말고 허물이 없게 해야 한다.

14 갑의 입장과 비교하여 을의 입장이 갖는 상대적 특징을 간략히 서술하시오.

> 갑: 시장에서 개인은 경제적 이익을 자유롭게 추구할 수 있도록 경제적 자율성을 최대한 보장받아야 한다. 이것은 도시의 주거 공간에 대해서도 마찬가지이다. 따라서 좁은 공간에 주거를 밀집시켜 토지의 이용 가치와 삶의 기능적 측면을 극대화하는 등 주거 공간이 부(富)를 증식하는 데 이바지하도록 해야 한다.
>
> 을: 현대 과학 기술은 모든 존재자들을 계산 가능한 에너지원으로 무자비하게 동원하고 지배함으로써 모든 존재자가 자신의 고유한 존재를 발현하면서도 서로 조화와 애정을 갖고 운영되었던 '고향'의 세계를 추방해 버렸다. 이 때문에 우리는 좁은 공간에 밀집한 도시의 아파트를 통해 주거의 참된 의미를 떠올리게 하는 고향의 의미를 더는 발견하기 어렵게 되었다.

도전 수능 문제

01 **다음 제시문의 입장에서 주장할 내용만을 〈보기〉에서 있는 대로 고른 것은?**

> 저렴하게 사서 입고 빨리 버리는 의류 소비 패턴인 '패스트 패션(fast fashion)'이 유행하고 있다. 그런데 패스트 패션 브랜드가 내세우는 저렴한 가격 뒤에는 소비자가 모르는 비용이 숨겨져 있다. 면 1kg을 얻기 위해 필요한 2만 ℓ 이상의 물과 더 많은 면화를 얻기 위해 뿌리는 막대한 양의 살충제, 그리고 옷 제작 과정에 쓰이는 수천 종류의 화학 약품과 제3 세계 아동과 여성의 값싼 노동력이 옷 한 벌을 얻기 위해 치러야 하는 비용이다.

보기

ㄱ. 상품 생산 과정이 윤리적인지 고려해 구매해야 한다.
ㄴ. 자신의 욕구에 부합하는 상품들을 효율적으로 구입해야 한다.
ㄷ. 환경을 고려하여 건전하고 지속 가능한 소비를 실천해야 한다.
ㄹ. 합리적인 소비를 하는 존재로서의 경제적인 삶을 추구해야 한다.

① ㄱ, ㄴ ② ㄱ, ㄷ ③ ㄴ, ㄹ
④ ㄱ, ㄷ, ㄹ ⑤ ㄴ, ㄷ, ㄹ

| 교육청 응용 |

02 **(가)를 주장하는 사상가의 관점에서 〈문제 상황〉에 대해 제시할 견해로 가장 적절한 것은?**

> (가) 고통과 즐거움을 느낄 수 있다는 것은 어떤 존재가 이익 관심을 갖는다고 말할 수 있기 위한 필요조건일 뿐만 아니라 충분조건이기도 하다.
>
> **〈문제 상황〉**
>
> 최근에는 최소의 비용으로 최대한 많은 양의 고기를 생산하기 위해 밀집된 환경 속에서 동물을 사육한다. 동물의 생리적 조건이나 필요가 아닌 규격화된 사육 환경 속에서 물건을 만들 듯 고기를 만들어 내고 있다.

① 동물도 고통을 느끼므로 도덕적으로 대우해야 한다.
② 인간성의 고양에 도움이 되지 않는 비윤리적 사육을 중단해야 한다.
③ 인간 생명 유지에 필수적인 육류의 생산을 지속적으로 늘려야 한다.
④ 생태계의 주인인 인간이 동물을 배려할 수 있는 제도를 시행해야 한다.
⑤ 효율적 육류 생산을 위해 보다 밀집된 환경에서 동물을 사육할 수 있어야 한다.

| 수능 응용 |

03 **다음 토론의 쟁점으로 가장 적절한 것은?**

> 갑: 식량 문제 해결을 위해 농업 생산성의 획기적 증대가 필요합니다. 이를 위해서는 산업형 농업의 확대가 필요합니다.
> 을: 산업형 농업이 단위 면적당 생산성을 높일 수는 있지만, 생태적 지속 가능성과 동물 복지의 측면에서 문제점을 안고 있으므로 유기 농업으로의 전환이 필요합니다.
> 갑: 유기 농업은 생산성이 떨어지며, 상대적으로 비싸 가난한 농가나 빈곤층에는 경제적 부담이 됩니다.
> 을: 인간의 노동과 자연의 순환성에 주목하는 대안 농업을 지향해야 인간이 자연과 공존하는 가운데 살아갈 수 있으므로 이 점을 무엇보다 우선시하는 정책으로의 전환이 필요합니다.

① 어떤 농업 생산 방식이 보다 경제적으로 효율적인가?
② 동물의 권리보다 생태계의 안정성을 우선적으로 고려해야 하는가?
③ 산업형 농업과 유기 농업 중 어떤 것이 보다 바람직한 생산 방식인가?
④ 대안 농업의 방식들 중 어떤 것이 산업형 농업을 대체하는 바람직한 방식인가?
⑤ 지구의 식량 문제의 본질은 농업 생산에 있는가 아니면 농산물 분배에 있는가?

04 **다음과 같은 지침이 강조하는 내용으로 적절하지 않은 것은?**

> • 지역 생산자를 지원하라.
> • 에너지로 소비하는 양 이상은 먹지 마라.
> • 제철 음식을 먹어라. 그리고 가능한 한 거주지에서 생산되는 것을 섭취하라.
> • 다양성을 높이 사라. 농토와 식단의 생물학적 다양성을 장려하는 식으로 먹어라.

① 환경친화적인 먹거리를 찾아야 한다.
② 음식을 섭취할 때에는 절제해야 한다.
③ 지역 경제에 도움이 되는 소비를 해야 한다.
④ 건강과 생명에 도움이 되는 먹거리를 구해야 한다.
⑤ 윤리적 가치보다 합리성을 고려한 소비를 해야 한다.

딱풀 p. 46

05 다음과 같은 관점에서 지지할 내용만을 〈보기〉에서 있는 대로 고른 것은?

> 올바른 밥상머리 교육을 위해 '빈 그릇 운동'을 실시하는 학교들이 늘고 있다. '빈 그릇 운동'은 '나는 음식을 남기지 않겠습니다.'라는 결심의 소박한 실천으로, 환경을 살리고 지구 저편의 굶주리는 이웃들을 살리는 비움과 나눔의 운동이다. 이 운동에 더 많은 사람들이 참여한다면 음식에 대한 사람들의 생각도 달라지게 될 것이다.

보기

ㄱ. 환경적으로 건전하고 지속 가능한 음식 소비를 해야 한다.
ㄴ. 음식 문화와 도덕적 삶이 무관하지 않음을 깨달아야 한다.
ㄷ. 개인적 신분과 부에 따라 음식 문화가 다름을 파악해야 한다.
ㄹ. 지구촌의 인권 향상에 이바지할 수 있는 음식 문화를 추구해야 한다.

① ㄱ, ㄴ ② ㄱ, ㄷ ③ ㄷ, ㄹ
④ ㄱ, ㄴ, ㄹ ⑤ ㄴ, ㄷ, ㄹ

06 갑, 을의 입장에 대한 설명으로 가장 적절한 것은?

> 갑: 모피나 가죽으로 된 옷을 입는 것은 동물에게 불필요한 고통을 주기 때문에 도덕적으로 옳지 않다. 또 부유한 국가는 삶에 보탬이 되지 않는 소비를 지양하고 전 세계 가난한 사람들을 돕는 데 자원을 사용해야 한다. 그렇게 할 때 공동체 전체의 행복이 증가한다.
> 을: 현세대는 미래 세대를 위해 생명 유지 체계가 충분히 기능할 수 있도록 해야 할 의무가 있다. 따라서 에너지 소비를 현저하게 줄이고 삶의 방식을 친환경적으로 전환해 나가는 것은 현세대의 마땅한 의무이다.

① 갑은 개인적 욕망을 절제할 경우에만 사회적 행복을 증진할 수 있다고 본다.
② 을은 윤리적 소비가 인간의 행복에 이바지할 때만 타당성을 지닌다고 본다.
③ 갑은 을과 달리 윤리적 소비의 타당성 여부를 공리주의적 관점에서 판단한다.
④ 을은 갑과 달리 인간보다 생태계를 중시하는 규범을 발전시켜야 한다고 본다.
⑤ 갑, 을은 최소 비용으로 최대 이익을 얻는 소비를 가장 바람직한 것으로 본다.

| 수능 응용 |

07 (가)의 입장에 비해 (나)의 입장이 갖는 상대적 특징을 그림의 ㉠~㉤ 중에서 고른 것은?

> (가) 소비자의 만족감을 충족시키는 소비가 올바른 소비이다. 소비자는 자신의 욕구와 상품에 대한 정보를 바탕으로 자신의 경제력 안에서 상품을 적절하게 선택하여 최대 만족을 얻을 수 있어야 한다.
> (나) 재화의 구매, 사용, 처분 그리고 분배에 이르기까지 사회적 책임을 고려하는 소비가 올바른 소비이다. 시간적으로 먼 미래까지, 공간적으로는 지구 전체를 생각하는 소비 생활을 해야 한다.

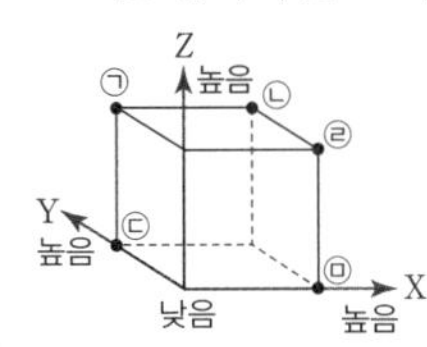

- X: 소비에 있어 최적의 경제적 효용성을 강조하는 정도
- Y: 정의로운 공동체의 구축을 강조하는 정도
- Z: 환경적으로 지속 가능한 소비를 강조하는 정도

① ㉠ ② ㉡ ③ ㉢ ④ ㉣ ⑤ ㉤

08 ㉠에 대한 설명으로 적절하지 않은 것은?

> 미국의 경제학자이자 사회 과학자인 베블런은 상류층이 사회적 지위를 과시하기 위해 하는 소비를 [㉠](이)라고 하였다. 그에 의하면 어떤 상품의 경우는 높은 가격이 책정되어야만 수요가 발생하고 또 증가한다. 대표적인 것이 다이아몬드이다. 다이아몬드의 가격은 고가로 책정되어 있는데, 이렇게 해야 소비자의 허영심을 자극해서 다이아몬드에 대한 소비가 늘어난다.

① 자신을 과시하고자 하는 욕망에서 비롯된다.
② 물질의 소유와 소비에서 행복을 찾으려는 것이 원인이다.
③ 부유층과 서민 간의 소비 불균형을 가져와 위화감을 조성한다.
④ 모든 상품의 유통을 원활하게 하여 경제 성장의 원동력이 된다.
⑤ 상품의 실용성이나 효용성보다는 이미지를 구매하여 소비하는 것이다.

03 다문화 사회의 윤리

1 문화 다양성과 존중

1. 다문화 사회의 윤리적 자세

(1) 다문화 사회 — 국가 간 교류와 협력이 활발해지는 세계화의 영향으로 보편화되고 있다.

① 의미 한 국가 안에 다양한 인종과 문화적 배경을 지닌 사람들이 공존하는 사회 자료 01

② 특징 새로운 문화 요소의 도입으로 문화 선택의 폭과 발전 기회 확대, 갈등 요소도 증대

(2) 다문화 존중 및 관용의 중요성 — 왜? 지역과 역사, 사회 환경에 따라 각기 다른 특성을 지니는 문화는 그 자체로 가치가 있기 때문이다.

① 다양한 문화를 바라보는 태도

자문화 중심주의	자국의 문화를 기준으로 다른 문화를 무조건 낮게 평가하는 태도 ➡ 다른 나라의 고유 문화를 부정하고 문화적 지배와 종속을 강요하는 문화 제국주의로 발전하기도 함
문화 사대주의	자국의 문화를 열등하게 여겨 다른 문화를 숭배하고 추종하는 태도
문화 상대주의	각 문화가 지닌 고유성과 상대적 가치를 이해하고 존중하는 태도 ➡ 다양한 문화의 평화로운 공존을 도모할 수 있다는 점에서 다문화 사회에 필요함

② 다문화에 대한 존중과 관용[1]의 필요성 문화적 차이에 따른 편견과 차별, 그로 인한 갈등을 예방하고 문화적으로 더욱 풍요로운 사회를 만들 수 있음

2. 다문화 사회의 정책과 바람직한 시민 의식

(1) 다문화 정책 자료 02

① 차별적 배제

- 이주민을 특정 목적으로만 받아들이고, 내국인과 동등한 권리를 인정하지 않음
- 한계: 인간의 존엄성과 평등이라는 보편 윤리에 어긋남

② 동화주의

- 이민자를 주류 사회의 언어나 문화에 동화시켜 이들에게 국민이라는 정체성을 부여함
- 용광로 모형으로 설명되기도 함 — 주의! 용광로 모형은 다양한 문화를 섞어서 하나의 새로운 문화를 만든다는 관점으로, 동화주의와 구별해야 한다는 입장도 있다.
- 한계: 문화의 역동성 파괴, 이주민들의 문화적 정체성 상실 등

③ 다문화주의

- 이민자들이 그들의 고유한 문화를 유지하도록 인정하면서 동화가 아닌 공존을 지향함
- 샐러드 그릇 모형, 모자이크 모형으로 설명됨
- 한계: 사회적 연대감이나 결속력 부족 ➡ 사회적 통합이 어려움

④ 문화 다원주의

- 문화의 다양성을 인정하지만 주류 사회의 문화를 바탕으로 문화적 다원성을 수용함
- 국수 대접 모형으로 설명됨
- 한계: 주류 문화를 우위에 두고 다른 문화를 평등하게 인정하지 않음

(2) 다문화 사회의 시민 의식

① 문화적 편견 극복 문화 상대주의적 태도 함양, 극단적 문화 상대주의 지양

② 윤리적 상대주의[2] 지양 보편적 윤리를 기반으로 문화에 대한 비판적 성찰 필요

③ 바람직한 문화적 정체성 자신의 주관이나 문화적 정체성을 유지하면서 조화를 이룸 — 전통문화의 고유성을 인정하면서 세계화를 따르는 '세방화(세계화+지역화)'도 같은 맥락에서 이해된다.

④ 관용 자신과 다른 문화적 배경을 가진 사람의 가치관이나 생각 등을 존중하고 받아들이되 관용의 역설[3]을 경계해야 함 자료 03

주의! 극단적 문화 상대주의, 윤리적 상대주의, 관용의 역설은 모두 명예 살인이나 노예 제도, 인종 차별 등 보편 윤리에 어긋나는 문화까지 무조건 인정한다는 한계가 있다는 점에서 공통적이다.

---

[1] **관용의 의미**
사전적 의미는 남의 잘못을 너그럽게 받아들이거나 용서하는 것을 말하지만, 다문화 사회에서의 관용은 소극적, 적극적으로 나눠 그 의미를 설명할 수 있다. 관용의 소극적 의미는 다른 문화를 접할 때 반대나 간섭, 배타적인 태도를 보이지 않는 것이다. 관용의 적극적 의미는 받아들일 수 없는 상대방의 주장이나 가치관을 이해하려고 노력하며 타자를 존중하려는 자세이다.

고득점을 위한 셀파 Tip 개념

| 다문화 이론 |

- 차별적 배제 모형
  → 이주민 수용 ○, 문화 수용 ×
- 용광로 모형(= 동화주의)
  → 비주류 문화가 주류 문화에 흡수 또는 하나의 새로운 문화 형성
- 샐러드 그릇 모형, 모자이크 모형 (= 다문화주의)
  → 각각의 문화가 평등하게 공존
- 국수 대접 모형(= 문화 다원주의)
  → 주류·비주류 문화로서 공존

[2] **윤리적 상대주의**
옳고 그름의 기준이 시대와 장소, 사회에 따라 다르고, 보편적인 윤리 규범이 존재하지 않는다는 관점이다.

[3] **관용의 역설**
관용을 무제한으로 허용하면, 관용 자체를 부정하는 사상이나 태도까지 인정하게 되어 결국 아무도 관용을 보장받을 수 없게 된다는 것이다.

셀파 자료 탐구

자료 01 다문화 사회로의 변화

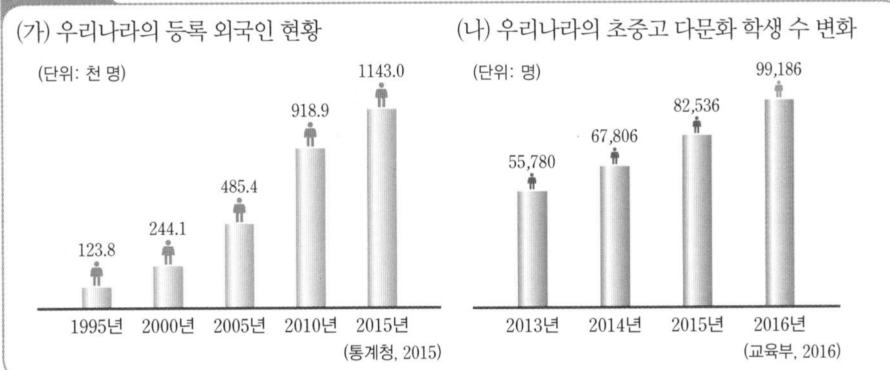

자료 분석 | (가), (나)는 우리나라 역시 다양한 인종의 사람들과 문화가 공존하는 다문화 사회로 접어들었음을 보여 주는 통계 자료이다. (가) 자료에 의하면 1995년에 12만여 명이던 우리나라의 등록 외국인 수가 2015년에는 114만여 명으로, 10년간 10배 가까이 증가하였다. 그에 따라 최근 몇 년 사이에 초중고에 재학 중인 다문화 학생 수 역시 급증하였음을 보여 주는 자료가 (나)이다.

자료 02 공통 자료 다문화 사회를 설명하는 다양한 모형

(가) 여러 가지 금속을 용광로에 넣어 녹이는 것처럼, 다양한 이주민의 문화를 주류 문화에 적응시키고 통합해야 한다.
(나) 다양한 채소와 과일이 고유의 맛과 색을 유지하면서 전체적인 맛의 조화를 이루듯이, 다양한 인종과 민족의 문화가 각각의 고유성을 유지하면서 조화와 공존을 이룬다.
(다) 다양한 조각이 모여 하나의 모자이크가 되는 것처럼, 여러 이주민 문화가 모여 하나의 문화를 이룬다.
(라) 국수의 면과 국물이 주를 이루고 여기에 갖가지 고명이 얹혀 입맛을 돋우듯이, 중심 역할을 하는 주류 문화에 비주류 문화가 덧붙여져 공존한다.

자료 분석 | (가)는 용광로 모형, (나)는 샐러드 그릇 모형, (다)는 모자이크 모형, (라)는 국수 대접 모형이다. 용광로 모형은 '동화주의'의 입장으로, 문화 충돌에 따른 혼란이나 갈등을 방지할 수 있지만 각 문화의 고유성과 다양성이 훼손된다는 한계가 있다. (나)와 (다)는 '다문화주의'의 입장으로, 다양한 문화가 하나의 사회 안에서 각각의 정체성을 유지하며 대등하게 조화를 이룬다는 장점이 있는 반면 문화의 구심점이 없어서 사회적 통합을 이루기 어렵다는 단점도 있다. (라)는 '문화 다원주의'의 입장으로, 문화의 다양성은 인정하지만 주류 문화를 우위에 둔다는 점에서 다문화주의와 차이를 보인다.

자료 03 다문화주의와 관용의 범위

(가), (나)는 다문화주의와 관련해 상반된 주장을 하고 있지만, 주장의 근거로 제시한 것은 공통적으로 '보편적 가치'라는 점에 주목해.

(가) 다문화주의는 문화 간 경계가 실제로 존재한다는 잘못된 전제에 근거하여 집단 간 문화의 장벽을 영속화할 뿐 아니라, 소수 집단에 별도의 권리를 부여하여 개인의 법 앞의 평등이라는 기본 원칙을 심각하게 손상시킨다.
(나) 관용은 문화적 편견과 차별의 문제를 극복하기 위해서 필요하다. 그러나 타인의 불의한 행위에 무관심하거나 도덕적 악을 참는 것은 관용이 아니다. 인류의 보편적 가치에 반하는 것들에 대해서는 불관용할 수 있어야 한다. 즉, 개인의 자유권, 생명권과 같은 권리에 대한 침해는 용인되어서는 안 된다. 모든 인간은 자신이 원하는 삶을 자유롭게 선택할 수 있는 권리가 있으며 그 누구도 개인의 자유를 박탈할 수 없다.

자료 분석 | (가)에는 다문화주의 정책에 대한 비판적인 입장이 드러나 있다. 소수 집단에 별도의 권리를 부여하는 것은 차별화된 권리를 인정하는 것으로, 법 앞의 평등이라는 보편적 인권에 위배된다는 것이다. 이와 달리 (나)에는 다문화주의 자체는 긍정하지만 관용의 역설을 경계해야 한다는 주장이 담겨 있다. 인류의 보편적 가치에 반하는 문화에 대한 관용은 제한해야 한다는 것이다.

기출 선택지 O, X로 정리하기

1 동화주의 관점에 의하면 비주류 문화는 고유의 문화 정체성을 포기해야 한다. (O, X)

2 다문화주의는 주류 문화와 비주류 문화 모두 각각의 정체성을 유지해야 한다고 본다. (O, X)

3 자료 02에서 문화 간의 위계를 강조하는 정도는 (가)가 (나)보다 높다. (O, X)

4 자료 02에서 여러 문화의 공존과 화합을 강조하는 정도는 (다)가 (가)보다 높다. (O, X)

5 자료 02에서 소수 문화의 정체성을 인정하는 정도는 (라)보다 (나)가 낮다. (O, X)

6 자료 02에서 (가)와 (라)는 모두 다양한 문화가 동등한 지위로 공존할 수는 없다고 본다. (O, X)

7 "이질적 요소가 유입되어 구심력이 약화되면 사회는 와해된다."라고 주장하는 사람은 동화주의에 찬성할 것이다. (O, X)

8 "문화의 상대성에 대한 인정이 보편적 가치에 대한 부정으로 나아가서는 안 된다."라고 주장하는 사람이라면 명예 살인과 같은 관습까지도 허용할 가능성이 높다. (O, X)

9 "어느 한 사회의 가치를 기준으로 다른 사회의 윤리 규범을 평가해서는 안 된다."라고 주장하는 사람이라면 보편타당한 윤리 규범의 존재를 부정할 것이다. (O, X)

정답 1 O 2 X 3 O 4 O 5 X 6 O 7 O 8 X 9 O

2 종교의 공존과 관용

1. 종교와 윤리

(1) 종교의 기원과 본질

① 종교의 의미[4] 인간의 유한성, 불완전성에서 비롯된 실존적 문제를 해결하는 과정에서 지니게 된 초월적 존재에 대한 믿음이 구체적인 형태로 나타난 것

② 종교의 구성 요소

- 내용적 측면: 성스럽고 거룩한 것에 관한 주관적 체험과 믿음
- 형식적 측면: 경전과 교리, 의례와 일정한 형식, 교단

주의! 절대적인 존재를 상정하고 죽음과 내세의 문제에 대한 답을 제시한다는 점이 종교의 구성 요소로 제시되기도 하지만 그렇지 않은 종교도 있기 때문에 일반적인 기준으로 이해하는 것이 바람직하다.

(2) 종교와 윤리의 관계[5] 자료 04

구분	종교	윤리
차이점	초월적 세계, 궁극적 존재에 근거한 종교적 신념이나 교리 제시	이성이나 양심, 도덕 감정 등을 근거로 실생활에서 지켜야 하는 규범 제시
공통점	도덕성 중시 ➡ 모든 종교는 보편적 윤리를 포함하고 있음 예 황금률(남에게 대접받고자 하는 대로 남을 대접하라는 것), 다른 사람에 대한 사랑, 자비, 친절 등을 강조하는 것	

2. 종교의 갈등과 공존

(1) 종교 간 갈등의 발생 원인

① 타 종교에 대한 배타적인 태도 가치관 차이, 교리 차이를 부정함

② 타 종교에 대한 무지와 편견 타 종교에 관한 지식 부족에 기인함

(2) 종교 간 갈등 양상 인종, 민족, 자원 등 다른 요소가 결합되어 갈등이 더 깊어지기도 하고, 심한 경우 테러, 전쟁 등의 폭력적인 모습을 보이기도 함

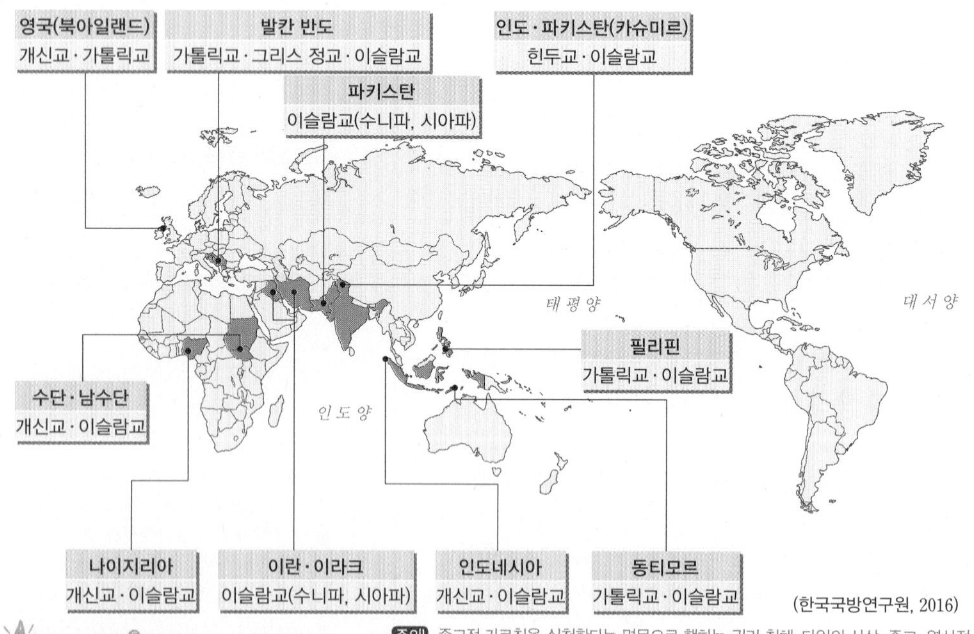

(한국국방연구원, 2016)

(3) 종교 갈등[6]을 극복하기 위한 자세

주의! 종교적 가르침을 실천한다는 명목으로 행하는 권리 침해, 타인의 사상·종교·역사적 전통 등 무시, 전쟁·테러·범죄 등의 악덕에 대해서까지 관용해야 하는 것은 아니기 때문이다.

① 종교적 관용 필요 종교의 자유와 각 종교의 자율성 인정 ➡ 한계 존재 자료 05

② 종교 간 대화와 협력 노력[7] 종교 간 갈등 해소에 도움, 서로 다른 종교를 이해하고 존중하는 풍토 조성 자료 06

종교를 선택할 수 있는 권리, 종교에 대한 신앙을 강요받지 않을 권리, 종교를 가지지 않아도 되는 권리 등을 포함한다.

고득점을 위한 셀파 Tip 개념

| 종교와 윤리의 차이점과 공통점 |

- 차이점
  → 종교: 초월적 세계, 궁극적 존재에 근거한 종교적 신념·교리 제시
  → 윤리: 이성, 양심, 도덕 감정 등에 근거한 실생활 규범 제시
- 공통점: 도덕성 중시

④ 종교에 대한 다양한 관점
신에게 의지하려는 믿음이 종교라고 보는 관점, 인간이 소망하는 것을 대상에 투사한 것이 신이라고 보는 관점, 우리의 일상 가운데 성스러움이 드러나는 현상이 종교라는 관점(엘리아데) 등이 있다. 특히 엘리아데는 그의 저서 『성(聖)과 속(俗)』에서 인간을 '종교적 존재'로 규정하면서, 인간은 근본적으로 종교 지향적이며 그러한 인간에게 자연과 우주는 성스러움으로 가득 차 있는 신의 창조물이라고 보았다.

⑤ 종교와 윤리의 관계에 대한 다양한 관점
종교를 윤리의 일부로 보는 관점, 종교와 윤리를 동일한 것으로 보는 관점, 종교와 도덕을 분리된 체계로 보는 관점, 도덕의 실천을 위해 종교가 필요하다는 관점 등이 있다.

⑥ 종교와 과학의 갈등
천동설, 창조론으로 대표되는 종교는 지동설, 진화론으로 대표되는 과학과도 갈등 관계에 있다. '신앙'의 영역인 종교와 '이성'의 영역인 과학의 갈등은, 서로 양립할 수 있음을 인정하는 것에서부터 극복될 수 있다. 특히 종교는 과학적 진리를 겸허하게 수용하고, 과학은 과학만으로는 설명할 수 없는 초자연적 영역의 존재와 종교적 권위를 인정하기 위한 노력이 필요하다.

⑦ 다른 종교를 이해하려는 자세의 필요성
스위스 출신의 신학자인 큉(Küng, H.)은 "종교 간의 대화 없이 종교 간의 평화는 있을 수 없다."라고 주장하였고, 독일 출신의 종교학자인 뮐러(Müller, M.)는 "하나만 아는 자는 아무것도 모르는 자이다."라고 주장하였다.

다양한 종교에서 발견하게 되는 공통적인 윤리 규범의 대표적인 예가 황금률이야. 네가 싫어하는 것은 남에게 시키지 말고, 자신이 다른 사람에게 대접받고자 하는 대로 남을 대접하라는 거지.

자료 04 도덕과 종교의 관계

토론 주제: 도덕의 최종 근거를 종교에서 찾아야 하는가?

도덕적 최종 근거는 종교, 특히 만물을 창조한 신의 명령에서 찾아야 합니다. 불완전한 인간의 판단은 오류 가능하지만 완전한 존재인 신의 명령은 무조건 옳기 때문입니다.

아닙니다. 신의 명령과 상관없이 그 자체로 옳은 보편타당한 도덕 원리가 있습니다. 인간은 타고난 이성 능력으로 그러한 원리를 인식하여 선악을 판단할 수 있습니다.

갑　　을

자료 분석 | 갑은 도덕의 최종 근거를 완전한 존재인 신의 명령에서 찾고 있고, 을은 보편타당한 도덕 원리에서 찾고 있다. 달리 말하면 갑은 인간을 유한하고 불완전한 존재로 파악하여 인간의 판단 역시 오류 가능성이 있다고 본 것이고, 이와 달리 을은 인간은 타고난 이성 능력을 바탕으로 오류 없이 선악을 판단할 수 있다고 본 것이다. 이처럼 갑과 을은 도덕의 최종 근거를 종교에서 찾아야 하는가에 대해서는 다른 의견을 보이지만, 신의 명령이든 인간의 이성이든 명확하고 보편적인 도덕적 판단 기준이 존재한다고 본다는 점에서 공통적이다.

자료 05 종교적 관용의 자세가 중요한 이유

영화 「킹덤 오브 헤븐」은 십자군 전쟁을 배경으로 한다. 십자군은 겉으로는 신의 뜻을 위해 전쟁을 일으켰다고 하지만 그리스도교의 사랑의 정신을 잃어버리고 모슬렘을 상대로 온갖 악행을 저지른다. 한 지휘관은 "신은 핑계였을 뿐 이 전쟁의 목적은 영토와 재물이었네. 부끄럽다. 예루살렘은 사라졌네."라고 한탄한다. 한편 전투에서 승리한 이슬람 장군인 살라딘은 오히려 종교적 관용을 베풀며 포로를 공정하게 대우하고, 유럽인들이 안전하게 고향으로 돌아갈 있도록 보장해 준다. 주인공인 발리안이 살라딘에게 "당신에게 예루살렘은 무엇인가?"라고 묻자, 살라딘은 다음과 같이 대답한다. "아무것도 아니지. 모든 것이기도 하고." 살라딘은 이슬람 세계의 영웅이기도 하지만, 유럽인에게도 존경을 받는 인물로 그려진다.

자료 분석 | 제시된 자료는 명목상으로는 종교 갈등이지만 실제로는 정치적·경제적 이유로 그리스도교 국가들이 일으킨 십자군 전쟁을 배경으로 한 영화 속 인물을 통해 종교적 관용의 중요성을 보여 준다. 그리스도교도들의 침략에 맞선 이슬람 장군 살라딘이 전투를 승리를 이끈 후 포로를 공정하게 대우하고 침략자들을 안전하게 집으로 돌려보내 준 행동은 자신과 자신의 국가에 해를 끼친 사람들을 용서했을 뿐만 아니라 자신과 다른 종교를 가진 사람들을 배척하지 않고 인간으로서의 보편적 가치를 존중했다는 점에서 의의를 지닌다.

자료 06 종교 간 대화의 필요성

세계 평화를 위한 특별한 책임이 종교에 있다. 종교들이 일치하는 지점을 찾아가는 것으로부터 세계 평화는 시작된다. 인류는 평화보다 전쟁을, 화해보다 광신을, 대화보다 우월성을 부추기는 종교를 더는 용인하지 않는다. 이 세계에 차별의 윤리, 모순의 윤리, 투쟁의 윤리가 사라질 때 비로소 우리는 생존의 기회를 얻을 수 있다. 종교 간 대화 없이 종교의 평화가 있을 수 없고, 종교의 평화 없이 세계 평화는 있을 수 없다.

자료 분석 | 제시문은 한스 큉의 주장을 담은 글이다. 큉은 종교 간의 대화를 통해 종교 평화를, 나아가 세계 평화를 이룰 수 있다고 주장한 가톨릭 신학자로 유명하다. 그는 자신의 저서 『세계 윤리 구상』에서 "종교 사이의 대화를 배제하고는 국가 사이의 어떠한 평화도 불가능하고, 종교 사이의 어떠한 평화도 불가능하며, 신학적인 기본 연구를 배제하고서는 종교 사이의 어떠한 태도도 불가능하다."라고 하였다. 즉, 다른 종교에 대한 이해를 기반으로 대화를 통해 서로의 입장을 이해해야 한다는 것이다.

기출 선택지 O, X로 정리하기

1 자료 04에서 갑은 인간 이성은 불완전하므로 도덕 판단의 최종 근거가 될 수 없다고 보았다. (O , ×)

2 자료 04에서 을은 윤리적 판단에서 종교적 권위보다 합리적 이성을 중시해야 한다고 주장할 것이다. (O , ×)

3 자료 04에서 을은 인간은 누구나 선천적으로 옳고 그름을 판단할 수 있는 능력이 있다고 보았다. (O , ×)

4 "세계는 신비로 가득하므로 인간 이성이 과학적으로 인식하는 틀 속에 가둘 수 없다."라는 입장을 지닌 사람이라면 과학적 인식의 한계 내에서만 진리를 추구해야 한다고 볼 것이다. (O , ×)

5 '종교적 인간에게 자연은 성스러움으로 상징화된 초월적 존재의 창조물'이라고 보는 사람은 종교가 인간의 심리적인 필요에 의해 만들어졌다고 주장할 것이다. (O , ×)

6 종교 간 대화의 필요성을 역설한 큉은 인류 생존의 조건으로 보편 윤리의 실현과 종교의 단일화를 주장하였다. (O , ×)

7 "종교는 자신의 실수와 과오의 역사를 비판적으로 성찰할 수 있어야 한다."라는 입장이라면 오늘날까지 끊이지 않고 있는 종교 분쟁의 해결 방안으로 '자기 종교 안의 모든 것이 선하고 참이라는 믿음의 강화'를 제시할 것이다. (O , ×)

정답 1 O 2 O 3 O 4 × 5 × 6 × 7 ×

개념 완성

1 문화 다양성과 존중

다문화 사회	의미	한 국가 안에 다양한 인종과 문화적 배경을 지닌 사람들이 공존하는 사회
	문화 이해 태도	• (❶): 자국 문화를 기준으로 다른 문화를 무조건 낮게 평가하는 태도 → 문화적 지배와 종속을 강요하는 문화 제국주의로 발전하기도 함 • 문화 사대주의: 자국 문화를 열등하게 여겨 다른 문화를 숭배하고 추종하는 태도 • 문화 (❷): 각 문화가 지닌 고유성과 상대적 가치를 이해하고 존중하는 태도
	존중과 관용	문화적 차이에 따른 편견·차별과 그에 따른 (❸)을 예방하기 위해 필요
다문화 정책과 시민 의식	다문화 정책	• 차별적 배제: 이주민을 특정 목적으로만 수용, 내국인과 동등한 권리 불인정 • (❹): 주류 문화가 비주류 문화를 흡수 → 용광로 모형 • 다문화주의: 동화가 아닌 (❺) 지향 → 샐러드 그릇 모형, 모자이크 모형 • 문화 다원주의: 주류 문화를 바탕으로 문화적 다원성 수용 → (❻) 모형
	시민 의식	• 문화 상대주의적 태도 함양 → 극단적 문화 상대주의, (❼) 상대주의 지양 • 관용적 태도 → 관용의 역설 경계

2 종교의 공존과 관용

종교	의미	초월적 존재에 대한 믿음이 구체적인 형태로 나타난 것
	구성 요소	• 내용적 측면: 성스러움의 주관적 체험과 믿음 • 형식적 측면: 경전과 교리, 의례와 형식, 교단
종교와 윤리의 관계	차이점	• 종교: 초월적 세계, 궁극적 존재에 근거한 종교적 신념이나 교리 제시 • 윤리: 이성, 양심, 도덕 감정 등에 근거한 실생활 규범 제시
	공통점	(❽) 중시
종교 갈등과 공존	갈등의 발생 원인	• 타 종교에 대한 배타적인 태도 • 타 종교에 대한 무지와 편견
	공존 노력	• 종교적 (❾) 필요 • 종교 간 대화와 협력

정답 ❶ 자문화 중심주의 ❷ 상대주의 ❸ 갈등 ❹ 동화주의 ❺ 공존 ❻ 국수 대접 ❼ 윤리적 ❽ 도덕성 ❾ 관용

탄탄 내신 문제

01 (가)에 비해 (나)가 갖는 상대적 특징을 그림의 ㉠~㉤ 중에서 고른 것은?

(가) 국가는 이주민들을 동화시키기 위해 이주민들이 주류 사회의 문화를 습득할 수 있게 도와주어야 하며, 이주민에게 사회 통합 프로그램을 제공해야 한다.
(나) 국가는 문화적 다양성과 이질성을 동등하게 인정하고 보호하기 위한 주체로, 이주자나 소수자의 권리를 보호해야 한다. 국가는 이주자 및 그 문화에 대한 차별을 금지하고, 그들이 사회적 경쟁에서 불리한 점을 인정하여 재정적·법적 지원을 강화해야 한다.

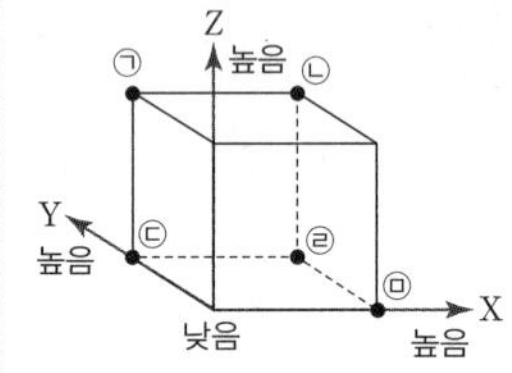

• X: 단일한 문화를 전제로 사회 통합을 지향하는 정도
• Y: 다양한 문화들의 정체성의 존속을 강조하는 정도
• Z: 문화 간의 우열을 가려야 함을 중시하는 정도

① ㉠ ② ㉡ ③ ㉢ ④ ㉣ ⑤ ㉤

02 (가)의 입장에서 (나)의 문제 해결을 위해 제시할 조언으로 가장 적절한 것은?

(가) 다양한 야채와 과일이 샐러드 그릇 안에서 맛의 조화를 이루듯이 다양한 문화의 조화와 공존을 추구해야 한다.
(나) 갑은 한국에서 살고 있는 외국인이다. 그는 외국인으로 한국에서 살아가는 것은 매우 힘들다며 외국인에 대한 차별과 무시가 사라지는 날이 오길 바란다고 말한다.

① 다양한 문화를 하나의 세계 문화로 통합해야 한다.
② 이주민이 주류 문화에 통합될 수 있도록 해야 한다.
③ 주류 문화가 비주류 문화를 인정하고 존중해야 한다.
④ 관용의 자세로 다양한 문화를 동등하게 대우해야 한다.
⑤ 문화의 우열을 구분하고 우수한 문화를 따르도록 해야 한다.

03 (가), (나)의 입장에 대한 설명으로 옳지 않은 것은?

(가) 이민자나 소수 집단에 대해서는 주류 문화로의 융합과 동화, 그리고 시민으로서의 의무를 이행한다는 조건에 대해 동의하거나 서약하는 경우에만 국적과 시민권을 부여해야 한다.
(나) 이주민들이 그들만의 문화를 지켜 가는 것을 인정하고 격려하며, 다양한 문화의 공존에 두어야 한다. 따라서 이주자나 소수 집단의 문화적 다양성을 인정하고 보호해야 한다.

① (가)는 사회의 동일한 문화적 정체성 유지를 추구한다.
② (나)는 이주자의 문화에 대한 차별을 금지한다.
③ (가)는 (나)에 비해 소수 문화 보호를 위한 지원에 소극적이다.
④ (가), (나)는 주류 문화 중심의 사회 통합을 추구한다.
⑤ (나)는 (가)와 달리 이주민들의 문화적 권리를 존중한다.

04 그림은 서술형 평가 문제와 학생 답안이다. ㉠~㉤ 중 옳지 않은 것은?

〈서술형 평가〉

◎ **문제** 다문화에 대한 갑, 을의 입장을 비교하여 설명하시오.

갑: 다양한 야채와 과일이 샐러드 그릇 안에서 고유한 특성을 유지하면서 맛의 조화를 이루듯이, 다양한 문화가 조화와 공존을 이루어야 합니다.
을: 여러 종류의 쇠를 용광로에 녹여서 하나의 것을 만들어 내듯이, 다양한 문화들이 섞여 서로 영향을 주고받으면서 하나의 문화를 형성해야 합니다.

◎ **학생 답안**
갑은 ㉠ 다문화주의의 관점에서 다양한 문화를 이해하고자 하며, ㉡ 주류 문화와 비주류 문화를 구분하려 하지 않는다. 을은 ㉢ 동화주의의 관점에서 다문화를 이해하고자 하며, ㉣ 주류 문화의 정체성을 유지하면서 비주류 문화와의 공존을 모색한다. 갑, 을은 ㉤ 모두 다문화 사회가 겪는 문제를 극복하고자 노력한다.

① ㉠ ② ㉡ ③ ㉢ ④ ㉣ ⑤ ㉤

05 ㉠에 들어갈 내용으로 가장 적절한 것은?

문화가 상대적이라고 해서 윤리적 가치도 상대적이라 할 수는 없다. 그런데 어떤 사람은 "문화의 일부인 관습은 사회마다 다르므로 어느 한 사회의 가치를 기준으로 다른 사회의 관습을 평가해서는 안 된다."라고 주장한다. 나는 이러한 주장이 [㉠]고 생각한다.

① 절대적인 도덕 기준이 존재하지 않음을 간과하고 있다
② 문화의 우열을 가리는 태도가 필요함을 간과하고 있다
③ 문화에 대해서는 도덕적 판단을 내릴 수 없음을 간과하고 있다
④ 어떤 경우에도 문화의 상대성은 보장되어야 함을 간과하고 있다
⑤ 모든 관습을 무조건 바람직한 것으로 인정해서는 안 됨을 간과하고 있다

06 (가), (나)의 입장에 대한 설명으로 옳지 않은 것은?

(가) 문화는 저마다 독자성과 고유성을 지니고 있다. 윤리 규범도 문화의 일부이므로 사회마다 다르며, 따라서 한 사회의 가치를 기준으로 다른 사회의 윤리 규범을 평가해서는 안 된다.
(나) 문화는 각 사회의 차이를 반영하고 있으므로 각 문화의 상대성을 인정해야 한다. 그러나 문화의 상대성에 대한 인정이 보편적 가치에 대한 부정으로 나아가서는 안 된다.

① (가): 문화가 상대성을 지니듯이 윤리도 상대성을 지닌다고 본다.
② (가): 각 문화의 상대성을 인정하고 자체 맥락에서 파악해야 한다고 본다.
③ (나): 모든 사회에 공통으로 적용할 수 있는 보편적 가치가 존재한다고 본다.
④ (나): 문화의 상대성을 인정하는 태도와 보편 윤리를 존중하는 태도는 양립 가능하다고 본다.
⑤ (가), (나): 문화의 다양성이 윤리 규범의 다양성을 정당화하는 근거가 될 수 없다고 본다.

07 ㉠에 들어갈 내용으로 가장 적절한 것은?

> 문화 상대주의를 근거로 윤리적 상대주의를 주장하는 것은 논리적 오류이다. 모든 다양한 문화 속에는 공통된 정신이나 가치가 있으며 이것은 절대적인 것이다. 그런데 문화는 저마다 독자성과 고유성을 가지므로 상대적이며, 윤리 또한 문화의 한 부분이므로 보편적 가치를 근거로 다른 문화에 대해 평가를 내려서는 안 된다고 주장하는 사람들이 있다.
> 나는 이 사람들의 견해가 [㉠] 고 생각한다.

① 문화의 다양성을 인정하고 존중해야 함을 간과하고 있다
② 보편적 가치를 기준으로 각 문화를 평가해야 함을 강조하고 있다
③ 자문화와 타 문화에 대한 윤리적 성찰의 중요성을 간과하고 있다
④ 문화뿐만 아니라 윤리도 절대적인 판단 기준이 없음을 간과하고 있다
⑤ 문화 간의 질적 차이가 있음을 인정하고 우수한 문화를 수용해야 함을 강조하고 있다

08 다음에서 강조하고 있는 내용으로 가장 적절한 것은?

> • 창조는 문화적 전통에 의존하는 동시에 다른 문화와의 접촉을 통해 더욱 풍성해진다.
> • 문화 다양성을 지키는 것은 인간의 존엄성 존중인 동시에 인류가 수행해야 할 윤리적인 의무이다.
> • 생물 다양성이 자연에게 있어 필수 불가결한 것처럼 문화 다양성은 인류에게 있어 교류, 혁신, 창조의 근원으로 작용한다.

① 세계화의 흐름 속에서 주체성과 고유성을 강조해야 한다.
② 문화의 다양성을 추구하는 것은 인류의 당연한 의무이다.
③ 문화 다원주의로 인한 폐단이나 문제점을 간과해서는 안 된다.
④ 타 문화와의 잦은 접촉은 자국의 문화 정체성을 위협할 수 있다.
⑤ 보편적 가치에 위배되더라도 문화의 다양성은 최대한 보장되어야 한다.

[09~10] 다음을 읽고 물음에 답하시오.

> 인간이 성스러움을 아는 것은 그것이 속된 것과는 전혀 다른 어떤 것으로서 스스로 드러내어 보여 주기 때문이다. 이 성스러운 것의 현현(顯現)을 여기서는 성현(聖顯)이라는 말로 불러 본다. …… 어떤 사람들은 성스러운 것이 돌이나 나무 가운데 나타날 수 있다는 것을 이해하기 어려울 것이다. 그러나 우리는 곧 그것이 돌이나 나무 그 자체의 숭배를 의미하는 것이 아니라는 점을 알 수 있다. 성스러운 돌과 나무를 숭배하는 것은 그것이 돌이나 나무가 아니라 성스러운 것, 즉 전혀 다른 어떤 것을 나타내는 성현(聖顯)이기 때문이다.

09 글의 관점에 부합하지 않는 진술은?

① 인간은 본질적으로 종교적 존재이다.
② 자연은 항상 종교적 의미로 충만해 있다.
③ 종교는 인간의 의식 구조에 내재된 것으로 볼 수 있다.
④ 종교는 환상이며, 심리적 필요에 의해 만들어진 것이다.
⑤ 성스러움은 세속적인 삶 속에서 언제든 드러날 수 있다.

10 글의 관점에서 긍정의 대답을 할 질문을 <보기>에서 있는 대로 고른 것은?

> 보기
> ㄱ. 종교는 사회적 필요에 의해 만들어진 것인가?
> ㄴ. 성스러움과 세속적인 것들은 서로 공존하는 것인가?
> ㄷ. 종교는 자신을 상실한 사람들의 자의식의 발현인가?
> ㄹ. 자연과 우주는 성스러움으로 가득 차 있는 신의 창조물인가?

① ㄱ, ㄴ ② ㄱ, ㄷ ③ ㄴ, ㄹ
④ ㄱ, ㄴ, ㄹ ⑤ ㄴ, ㄷ, ㄹ

딱풀 p. 46

11 갑, 을 사상가 중 적어도 한 사람이 긍정의 대답을 할 질문만을 〈보기〉에서 있는 대로 고른 것은?

> 갑: 계시를 인정하는 기독교만이 참된 진리를 갖고 있으며, 이를 인정하지 않거나 거부한다는 측면에서 다른 종교는 거짓 종교에 불과하다. 기독교는 다른 종교와는 근본적으로 공통 기반이 없다. 그 사이에는 질적인 차이가 존재할 따름이다.
> 을: 종교는 '하나의 산을 오르는 여러 갈래 길'이라고 볼 수 있다. 따라서 모든 종교는 각자의 진리를 갖고 있으며, 종교적 구원에 이를 수 있게 한다.

보기
ㄱ. 종교적 진리는 검증 불가능하므로 진리라고 할 수 없는가?
ㄴ. 각 종교는 나름의 진리를 추구하고 있으므로 존중받아야 하는가?
ㄷ. 종교 다원주의의 관점에서 다른 종교를 인정하고 존중해야 하는가?
ㄹ. 진리를 담고 있는 종교는 하나뿐이며, 다른 종교는 진리와 거리가 먼가?

① ㄱ, ㄴ ② ㄱ, ㄹ ③ ㄷ, ㄹ
④ ㄱ, ㄴ, ㄷ ⑤ ㄴ, ㄷ, ㄹ

12 다음 글의 관점에 대한 옳은 설명만을 〈보기〉에서 있는 대로 고른 것은?

> 과학은 경험적인 현상들을 정확하고 엄밀하게 설명함으로써 사건의 원인을 추적하지만, 신학은 사건의 의미를 해석하는 데 초점을 맞춘다. 그러므로 우리가 경험적 세계에 머물러 있지 않고 그것의 활용에 관한 지혜를 얻으려면, 과학적 설명만이 아니라 종교적 설명 또한 필요하다. 따라서 과학과 종교는 경쟁적 관계가 아닌 상보적 관계라고 할 수 있다.

보기
ㄱ. 과학으로는 설명할 수 없는 영역이 존재한다고 본다.
ㄴ. 종교는 과학의 진리를 겸허하게 수용해야 한다고 본다.
ㄷ. 인간의 실존적 상황이 종교적 삶과 과학적 삶 모두를 요구하고 있다고 본다.
ㄹ. 과학과 종교의 관계는 서로 간에 조화될 수 없는 배타성을 지니고 있다고 본다.

① ㄱ, ㄴ ② ㄱ, ㄹ ③ ㄷ, ㄹ
④ ㄱ, ㄴ, ㄷ ⑤ ㄴ, ㄷ, ㄹ

13 다음 사상가의 관점에만 모두 '✓'를 표시한 학생은?

> 종교가 세계 평화를 위한 중요한 의미를 도출해 내려면 어떤 자세로 진리를 추구해야 하는가? 또한 진정한 의미의 일치를 이끌어 내기 위한 방법을 모색할 때 절대적으로 요청되는 전제 조건이란 무엇인가? 이러한 질문에 대한 가장 적절한 답은 바로 모든 종교가 철저한 자아비판에 앞장서는 것이다. 즉, 자신의 실수와 과오의 역사를 비판적인 시각으로 성찰하는 것이다. 왜냐하면 편견에 사로잡히지 않은 사람이라면 진리와 거짓 사이에 내재하는 경계가 처음부터 자신의 종교와 타 종교 사이에 내재하는 경계와 일치하는 것이 아니라는 사실을 잘 알고 있기 때문이다.

관점 \ 학생	갑	을	병	정	무
자신의 종교만이 옳다는 생각을 버려야 한다.	✓	✓		✓	
자신이 믿는 종교의 기준으로 타 종교를 비판해서는 안 된다.	✓			✓	✓
종교 간의 공통점을 모아 하나의 세계 종교로의 통합을 모색해야 한다.		✓	✓		✓
종교 평화를 위해서는 자신의 종교에 대한 자아비판이 전제되어야 한다.			✓	✓	✓

① 갑 ② 을 ③ 병 ④ 정 ⑤ 무

14 갑, 을이 공통으로 강조할 내용으로 가장 적절한 것은?

> 갑: 참된 종교는 신적인 것을 바탕으로 반드시 인간적인 것을 포함하고 있어야 합니다. 개인이 올바른 정체성을 형성할 수 있게 하고 삶의 의미와 가치를 신장하는 종교가 진정한 종교인 동시에 선한 종교입니다.
> 을: 참된 종교는 인도주의적 종교입니다. 인도주의적 종교란 개인이 삶의 의미를 찾고 자아를 실현할 수 있게 하며 사회 구성원 간의 평화로운 공존에 기여하는 종교라고 할 수 있습니다.

① 바람직한 종교는 보편 윤리를 바탕으로 해야 한다.
② 초월적인 존재를 따르는 종교는 권위적이어야 한다.
③ 세속 윤리와 종교적 진리는 동시에 추구할 수 없다.
④ 종교적인 계율을 사회의 주요 규범으로 삼아야 한다.
⑤ 종교적 신념과 양심이 충돌할 경우 전자를 따라야 한다.

딱풀 p. 46

15 글의 관점이 지니는 윤리적 장점과 사회적 한계를 한 가지씩 서술하시오.

> 사회 발전을 위해서는 다양한 문화의 정체성을 있는 그대로 인정해 주고 공존할 수 있도록 해야 한다. 샐러드 그릇에 담긴 채소는 각각 고유의 모습과 맛을 유지하면서도 섞이면 맛있는 샐러드가 되는 것처럼 우리 사회도 다양한 인종, 다양한 민족이 각자의 특성을 유지할 수 있어야 한다.

16 ㉠을 뒷받침할 수 있는 근거를 제시하시오.

> "옳은 것도 그른 것도 없다."라는 관점을 가진 학자가 있다. 그는 도덕적 옳음과 그름의 기준이 사회에 따라 다양하여 보편적 도덕 기준은 존재하지 않는다는 생각을 가지고 있는 듯 보인다. 하지만 나는 ㉠ 그의 관점이 윤리적으로 정당화될 수 없다고 본다.

17 다음에서 알 수 있는 종교의 공통점을 서술하시오.

> - 유교: 네가 원하지 않는 바를 남에게 행하지 마라.
> - 불교: 어떤 일로 고통받은 적이 있다면 그 방식으로 남에게 상처를 주지 마라.
> - 힌두교: 너에게 고통을 불러일으키는 일은 남에게 하지 마라.
> - 이슬람교: 너희들 누구도 형제들이 원하지 않는 방식으로 그들을 대하지 마라.

18 다음 글에서 알 수 있는 바람직한 종교인의 자세를 서술하시오.

> - 이태석 신부는 아프리카 남수단 톤즈에서 선교 생활을 시작하여, 가난한 청소년들을 위해 학교를 짓고 음악을 가르쳤다. 이러한 가르침과 사랑은 소외받은 톤즈의 아이들을 변화시켰다.
> - 달라이 라마는 비폭력 평화 운동을 통해 티베트의 독립을 쟁취하고자 노력해 왔으며, 많은 사람의 존경과 관심을 한 몸에 받고 있다.

딱풀 p. 48

| 교육청 응용 |

01 갑의 입장에 비해 을의 입장이 갖는 상대적 특징을 그림의 ㉠~㉤ 중에서 고른 것은?

> 갑: 열대 지방에 사는 사람들의 의상은 노출이 심하여 윤리적으로 문제가 있습니다. 서구식 정장을 갖추어 입도록 권해야 합니다.
> 을: 열대 지방 사람들이 서구식 정장을 입게 되면 기후와 맞지 않아 피부병이 생기게 됩니다. 다양한 의복 문화는 있는 그대로 존중해야 합니다.
>
> 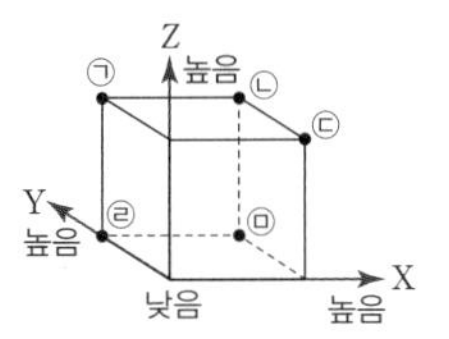
>
>
> • X: 각 문화가 동등한 입장에서 공존해야 한다고 보는 정도
> • Y: 문화마다 지닌 고유성을 존중해야 한다고 보는 정도
> • Z: 문화가 형성된 사회적 배경을 고려해야 한다고 보는 정도

① ㉠ ② ㉡ ③ ㉢ ④ ㉣ ⑤ ㉤

| 교육청 응용 |

02 갑, 을의 입장을 그림으로 탐구하고자 할 때 A~C에 들어갈 적절한 질문만을 〈보기〉에서 있는 대로 고른 것은?

> 갑: 국수 대접을 보면 국수와 국물이 주된 것이지만 고명이 그 위에 얹혀 있어서 맛을 더해 주고 있다. 한 나라의 문화도 이와 마찬가지로, 그 나라의 문화가 중심이 되어 다른 문화를 수용함으로써 발전할 수 있다.
> 을: 채소나 과일이 본연의 맛과 향을 유지하면서 소스와 어우러질 때 맛있는 음식이 된다. 따라서 여러 문화가 각각의 정체성을 유지하면서 조화를 이루어야 한다.
>
> 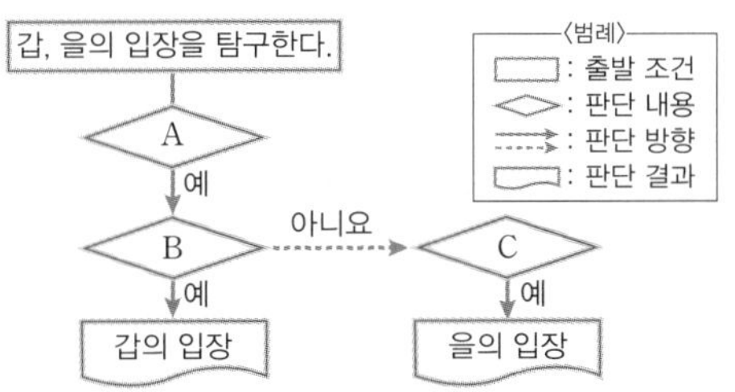
>

보기

ㄱ. A: 관용의 태도로 비주류 문화를 인정해야 하는가?
ㄴ. B: 중심 문화의 관점에서 문화의 단일성을 유지해야 하는가?
ㄷ. B: 주류 문화의 우위를 전제로 비주류 문화를 보호해야 하는가?
ㄹ. C: 문화들 간의 우열을 가리지 말고 평등하게 대해야 하는가?

① ㄱ, ㄴ ② ㄴ, ㄷ ③ ㄷ, ㄹ
④ ㄱ, ㄴ, ㄹ ⑤ ㄴ, ㄷ, ㄹ

| 교육청 응용 |

03 (가), (나) 모두 긍정의 대답을 할 질문으로 가장 적절한 것은?

> (가) 다양한 문화를 인정하면 사회가 혼란해질 수 있으므로, 안정적인 사회를 위해서는 이주민 문화를 주류 문화로 편입하여 하나의 문화로 만들어야 한다.
> (나) 다문화 사회로의 이행에 따른 혼란을 막기 위해 주류 문화가 사회 통합의 주체로 존속하면서도 이주민의 문화 정체성을 존중해야 한다.

① 다양한 문화를 전제로 사회를 통합해야 하는가?
② 이주민 문화의 정체성과 가치를 존중해야 하는가?
③ 주류 문화를 전제로 한 문화적 다양성을 중시해야 하는가?
④ 이주민 문화보다 주류 문화의 규범과 가치를 중시해야 하는가?
⑤ 이주민 문화는 주류 문화 속에 편입되어 동질화되어야 하는가?

04 ㉠에 들어갈 내용으로 가장 적절한 것은?

> 갑: 다문화 사회를 올바른 방향으로 이끌어 가기 위한 모형으로 '샐러드 그릇 모형'이 상당히 유용해 보입니다. 샐러드 그릇 모형에 관해 자세히 설명해 주십시오.
> 을: 샐러드는 생채소나 과일을 마요네즈, 프렌치드레싱 따위의 소스로 버무린 음식입니다. 따라서 샐러드 그릇 모형은 [㉠]는 장점이 있다고 할 수 있습니다. 하지만 이 모형은 각각의 문화적 정체성이 서로 대립하고 갈등할 가능성이 높다는 단점도 존재하죠.

① 다양한 문화를 하나로 통합할 수 있다
② 다양한 문화가 대등한 관계에서 공존할 수 있다
③ 주류 문화와 비주류 문화를 명확하게 구분할 수 있다
④ 주류 문화를 바탕으로 비주류 문화가 조화를 이룰 수 있다
⑤ 단일한 문화와 전통을 강조함으로써 사회 통합을 이룰 수 있다

| 교육청 응용 |

05 갑, 을이 서로에게 제기할 비판으로 가장 적절한 것은?

> 갑: 진정한 사회 통합을 위해서는 타 문화나 소수 문화를 인정해서는 안 됩니다. 소수의 비주류 문화는 주류 문화에 편입·통합되어야 합니다.
> 을: 주류 문화를 인정해야 하겠지만 비주류 문화들도 무시해서는 안 됩니다. 비주류 문화들도 다양한 방식으로 인정하고 받아들여야 합니다.

①	갑이 을에게	타자를 자신과 같아야 하는 존재로 바라보아서는 안 됩니다.
②	갑이 을에게	다양한 문화가 공존할 때 진정한 사회 통합이 가능함을 알아야 합니다.
③	을이 갑에게	문화마다 위계적 속성이 있음을 인정해야 합니다.
④	을이 갑에게	타 문화를 상대적 관점에서 바라보아서는 안 됩니다.
⑤	을이 갑에게	문화마다 각각의 고유한 특성이 있음을 수용해야 합니다.

06 갑, 을, 병의 입장에 대한 설명으로 가장 적절한 것은?

> 갑: 세계화 시대에 우리에게 요청되는 바람직한 다문화 정책은 바로 샐러드 그릇 모형입니다. 이를 통해 우리 사회도 다양한 문화들의 공존을 꾀해야 합니다.
> 을: 다양한 문화들의 공존을 꾀해야 한다는 점에는 동의합니다. 하지만 우리 민족이 원래부터 가지고 있던 문화가 이주민의 문화에 주인 자리를 내주어서는 안 됩니다. 그렇게 되면 우리 민족의 정체성 자체가 흔들릴 수 있기 때문입니다.
> 병: 우리 민족의 정체성 보존을 고려하지 않고 무턱대고 이주민 문화를 받아들인다면 위험한 상황에 처하게 됩니다. 가능한 한 단일한 문화 정체성을 유지하는 것이 안정적인 사회 구축에 도움이 될 것입니다.

① 갑은 을과 달리 다양한 문화가 동등한 입장에서 조화를 이룰 수 있다고 본다.
② 을은 갑과 달리 주류 문화와 비주류 문화의 구분 없이 다양한 문화의 공존이 필요하다고 본다.
③ 병은 갑과 달리 문화의 단일한 정체성 유지보다 다양성을 바탕으로 한 조화가 중요하다고 본다.
④ 갑, 을은 다문화 사회의 발전을 위해서라면 민족 고유 문화의 정체성도 포기할 수 있다고 본다.
⑤ 병은 갑, 을에 비해 이주민 문화를 적극 수용하여 문화의 다양성을 추구해야 한다고 본다.

07 다음 대화에서 갑에 비해 을이 강조하는 내용으로 가장 적절한 것은?

> 갑: 바람직한 사회는 분리될 수 없는 비종교적·민주적·사회적인 공동체여야 합니다. 그리고 그 정신에 따라 언어, 교육, 사회 정책 등을 통해 다양한 문화를 흡수하여 공동체의 단일성을 지켜야 합니다.
> 을: 그렇지 않습니다. 다양한 구성원들이 상호 공존하며 각각의 색깔과 향기를 지니고 조화로운 통합을 이루어 내는 것이 더 바람직합니다.

① 문화의 다양성은 사회 발전의 주요한 토대가 된다.
② 다양한 문화의 특색은 하나의 가치에 용해되어야 한다.
③ 주류 문화와 비주류 문화의 위계질서를 명확하게 강조해야 한다.
④ 효율적인 사회 통합을 위해 하나의 문화로 통합하는 것이 유리하다.
⑤ 각 문화의 특수성을 하나로 통합하여 새로운 문화를 창출해야 한다.

| 교육청 응용 |

08 갑, 을의 입장을 그림으로 탐구할 때 A, B에 들어갈 옳은 질문만을 <보기>에서 있는 대로 고른 것은?

> 갑: 여러 종류의 쇠를 하나의 용광로에 녹여 새로운 금속으로 만들어 내는 용광로 모형을 따라야 합니다.
> 을: 커다란 그릇 안에 각기 다른 맛, 향, 색을 가진 채소와 과일들이 어우러져 고유의 맛을 지키면서 함께 어우러지는 샐러드 그릇 모형을 따라야 합니다.

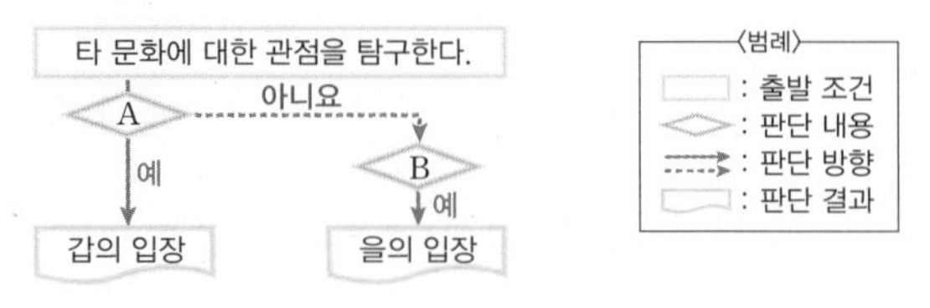

보기

ㄱ. A: 다양한 문화 요소들이 새로운 문화로 재탄생되어야 하는가?
ㄴ. A: 다양한 이주민 문화의 특수성을 그대로 인정해야 하는가?
ㄷ. B: 다양한 문화의 대등한 공존과 조화를 모색해야 하는가?
ㄹ. B: 주류 문화와 비주류 문화를 명확히 구분해야 하는가?

① ㄱ, ㄴ ② ㄱ, ㄷ ③ ㄷ, ㄹ
④ ㄱ, ㄴ, ㄹ ⑤ ㄴ, ㄷ, ㄹ

09 갑, 을 사상가의 종교관에 대한 설명으로 옳지 않은 것은?

> 갑: 종교적 인간에게 자연은 결코 단순한 '자연'이 아니다. 그것은 항상 종교적 의미로 충만해 있다. 이 사실은 쉽게 이해할 수 있다. 왜냐하면 우주는 신의 창조물이고, 세계는 신의 손으로 완성된 것이어서 성스러움으로 가득 차 있기 때문이다.
> 을: 인간은 성장하면서 자신이 영원히 어린아이로 남을 운명이며 미지의 우월한 힘으로부터 보호받지 않고는 결코 살아갈 수 없다는 것을 알고, 아버지라는 인격의 속성을 그 힘에 부여한다. 그는 스스로 신을 만들고, 신을 두려워하면서도 자신의 보호자 역할을 그 신에게 맡긴다.

① 갑은 신이 존재한다고 본다.
② 갑은 신성함은 세계 모든 곳에서 발견된다고 본다.
③ 을은 종교가 심리적 현상이며 환상에 불과한 것이라고 본다.
④ 을은 종교가 인간의 심리적 필요에 의해 만들어진 것이라고 본다.
⑤ 갑, 을 모두 종교는 인간의 소망을 성취해 주기 위해 존재한다고 본다.

10 갑, 을의 입장에 대한 옳은 설명을 〈보기〉에서 고른 것은?

> 갑: 종교와 도덕은 일정한 관계를 맺고 있다. 종교는 도덕의 실천을 위해 필요한 것으로 이해되어야 한다.
> 을: 종교와 도덕은 분리된 것으로 보아야 한다. 종교의 목적과 도덕의 목적은 관련이 없음을 알아야 한다.

보기
ㄱ. 갑: 종교와 도덕은 서로 분리된 관계가 아니라고 본다.
ㄴ. 갑: 종교와 도덕은 상보적인 관계로 공존할 수 있다고 본다.
ㄷ. 을: 종교와 도덕을 서로 규제하는 관계로 이해하고 있다.
ㄹ. 갑, 을: 도덕적 목적을 강조하는 관점에서 종교는 중요하지 않다고 본다.

① ㄱ, ㄴ ② ㄱ, ㄷ ③ ㄴ, ㄷ
④ ㄴ, ㄹ ⑤ ㄷ, ㄹ

| 평가원 응용 |

11 (가)를 주장한 사상가의 입장에서 볼 때, (나)의 세로 낱말 A에 대한 설명으로 옳은 것은?

> (가) 초자연적인 것은 자연적인 것과 불가분의 관계에 있으며, 세계는 그것을 초월하는 어떤 것을 드러낸다. 따라서 인간이 느끼고, 접촉하고, 사랑한 모든 것은 성현(聖顯)이 될 수 있다.

(나)

		A		
	B			

[가로 열쇠] A: 조선 시대에 역대 임금과 왕비의 위패를 모시던 왕실의 사당. ○○ 사직
B: 연기설에 근거해 자연 만물이 상호 의존 관계에 있음을 주장하는 동양 사상
[세로 열쇠] A: ……

① 일상 속에서 성스러움과 만나는 것이다.
② 인간의 근본적인 성향과 대립되는 것이다.
③ 인간의 심리적 필요에 의해 만들어진 것이다.
④ 세속적인 삶에서 벗어나 초월적인 것을 추구하는 것이다.
⑤ 초자연적인 것을 배제하고 자연적인 것을 추구하는 것이다.

| 수능 응용 |

12 다음 글의 입장으로 옳지 않은 것은?

> 자기 자신만이 아니라 개별 인간, 교회, 종교 그리고 종교의 화해를 위해 모든 차원에 걸친 종교 간의 대화가 필요하다. 종교의 다원성을 신학적으로 진지하게 수용하고, 다른 종교의 도전을 인정하며, 자신의 종교를 위해 다른 종교가 제공하는 의미를 탐구하는 종교학자들의 철학적이고 신학적인 대화가 필요하다.

① 자신의 종교에 대해 반성적으로 성찰해야 한다.
② 세계 평화를 위해 하나의 단일 종교를 구상해야 한다.
③ 다른 종교에 대한 이해를 기반으로 대화에 임해야 한다.
④ 종교 간의 평화 없이는 국가들 간의 평화도 기대할 수 없다.
⑤ 종교들이 일치하는 지점에서 대화를 통해 세계 평화를 모색해야 한다.

V 단원 필기 노트

01. 예술과 대중문화 윤리

① 미적 가치와 윤리적 가치

• 예술에 대한 다양한 정의 → 아름다움을 표현하고 창조하는 인간의 활동과 그 산물

모방론	아리스토텔레스, "예술은 자연의 모방"
표현론	톨스토이, "예술은 개인의 감정을 표현하여 다른 사람에게 전하는 모든 것" → 공감의 유발
형식론	칸트, "예술은 다른 무엇을 비추는 거울이 아니라 스스로 반짝이는 거울"

• **예술의 기능:** 사람의 마음을 정화하는 힘, 인간의 사고 확장, 의식 · 사회 개혁에 이바지

• **예술과 윤리의 관계:** 미적 가치와 도덕적 가치의 조화가 바람직

도덕주의	– 도덕적 가치 > 미적 가치 – 예술의 목적은 도덕적 교훈이나 모범의 제공 – 예술의 사회성 강조 – 참여 예술론 지지 → 예술은 사회 모순을 지적하고 사회의 도덕적 성숙에 이바지해야 한다는 주장 – 예술에 대한 윤리적 규제 찬성 – 한계: 예술의 독립성과 표현의 자유 침해 가능성
예술 지상주의 (심미주의)	– 미적 가치와 도덕적 가치는 독립적 – 예술의 목적은 미적 가치 구현 – 예술의 자율성 강조 – 순수 예술론 지지 – 예술에 대한 윤리적 규제 반대 – 한계: 예술의 사회적 영향력과 책임 간과

• **예술의 상업화** → 예술 작품도 상품처럼 사고파는 행위를 통한 이윤 창출이 중요해짐

긍정적 측면	대중의 접근성 확대, 예술가에게는 안정적 창작 활동 기반 제공
부정적 측면	예술의 본질 왜곡, 질적 저하 유발

② 대중문화의 윤리적 문제

• **선정성과 폭력성:** 인간 육체와 성, 폭력에 대한 그릇된 인식 생성 가능성

• **자본에의 종속:** 예술가의 자율성, 독립성 제약 → 대중문화의 획일화, 규격화, 몰개성화 초래

• **규제 찬반 논란:** 유해 요소 규제 필요(규제 찬성) ↔ 표현의 자유와 문화 향유권 제한(규제 반대)
  → 제도적 차원의 규제를 의미함. 개인적 차원, 특히 소비자의 입장에서는 대중문화에 대한 성찰과 비판적 시각이 요구됨

02. 의식적 윤리와 윤리적 소비

① 의식주의 윤리

• **의복의 윤리적 의미:** 자아 및 가치관 형성에 영향, 예의에 관한 사회적 기준 반영
  → 의복을 '제2의 피부'라고 표현할 정도로 자아와 의복을 동일시하기도 함

• **의복 문화의 윤리적 쟁점**

유행 추구 현상	동조 소비, 패스트 패션의 결합 → 몰개성화 · 획일화, 자원 낭비, 환경 오염, 노동 착취 등 초래
명품 선호 현상	사치 풍조 → 과소비, 계층 간 분열 촉진
생태 윤리적 문제	동물의 고통을 수반하는 모피, 가죽옷

• 음식 문화의 윤리적 쟁점

식품 안전성 문제	유전자 조작 식품(GMO), 식품 첨가물, 오염된 식재료 등의 사용 문제
환경 문제	대량 생산, 대량 소비, 식품의 원거리 이동으로 환경 오염 증가와 그에 따른 지구 온난화 문제
동물 복지 문제	육류 소비 증가와 공장식 사육 방식으로 인한 동물 학대 문제
식량 불평등 문제	식량 과다 지역의 비만 문제와 식량 절대 부족 지역의 기아 문제

• **의복, 음식 관련 윤리적 쟁점의 해결 노력:** 슬로 패션, 로컬푸드·슬로푸드 운동(개인), 사람과 환경, 동물을 생각하는 윤리 경영 노력(기업)

• **주거 문화의 윤리적 쟁점:** 주거의 불안정성과 불평등 문제, 주거 형태의 획일화·규격화 문제

→ 집이 투기 수단으로 변질되면서 나타남 → 주거권 보장 문제로 연결됨
→ 주거의 본질적 가치 회복 필요

② 윤리적 소비문화

• **합리적 소비:** 소득 범위 내 최소의 비용으로 최대의 만족감 추구

• **윤리적 소비:** 도덕적 가치 판단에 따른 소비 → 인권과 정의를 생각하는 소비, 공동체적 가치를 생각하는 소비, 동물 복지를 생각하는 소비, 환경 보전을 생각하는 소비

→ 사회적 가치를 우위에 두고 생산하며, 수익은 사회적 목적을 위해 환원하는 사회적 기업도 함께 요구됨

03. 다문화 사회의 윤리

① 문화 다양성과 존중

• **다문화 사회에 필요한 태도:** 존중과 관용, 문화 상대주의 → 자국의 문화만을 높이 평가하는 자문화 중심주의와 타국의 문화를 숭배하고 추종하는 문화 사대주의는 지양해야 함

• **다문화 정책의 유형**

→ 문화 융합을 통해 새로운 문화 창출

차별적 배제	이주민은 수용하나 문화는 수용하지 않음 → 보편 윤리에 어긋남
동화주의	주류 사회에 이주민 흡수(용광로 모형) → 이주민의 정체성 상실, 문화의 역동성 파괴 우려
다문화주의	각각의 문화가 평등하게 공존(샐러드 그릇 모형, 모자이크 모형) → 사회적 통합 곤란
문화 다원주의	☆주류 문화와 비주류 문화로 공존(국수 대접 모형) → 문화의 우열을 평가함

• **다문화 사회에서 경계해야 하는 것들:** 문화적 편견, 극단적 문화 상대주의, 윤리적 상대주의, ☆관용의 역설 등

→ 공통적으로 보편 윤리에 어긋나는 문화까지 무조건 인정함

② 종교의 공존과 관용

• **종교와 윤리의 차이점:** 종교는 초월적 세계, 궁극적 존재를 근거로 종교적 신념, 교리 제시 vs. 윤리는 이성, 양심, 도덕 감정 등을 근거로 실생활 규범 제시

• **종교와 윤리의 공통점:** 도덕성 중시

→ 모든 종교는 황금률 같은 보편적 윤리를 포함하고 있음

• **종교 갈등의 발생 원인:** 타 종교에 대한 배타적인 태도, 무지와 편견

• **종교 갈등 양상:** 인종, 민족, 자원 등의 문제와 결합하여 악화 → 테러, 전쟁 등으로 분출

• **종교 갈등의 극복:** 종교 관용 및 종교 간 대화와 협력 노력 필요

Ⅵ 평화와 공존의 윤리

이 단원의 핵심 포인트

중단원	핵심 포인트	학습일
01 갈등 해결과 소통의 윤리 ~ 민족 통합의 윤리	• 사회 갈등의 원인·양상과 사회 통합 방안 • 소통과 담론의 윤리 • 통일 문제를 둘러싼 쟁점 • 통일이 지향해야 할 가치	월 일 ~ 월 일
02 지구촌 평화의 윤리	• 국제 분쟁의 원인·양상과 국제 평화의 중요성 • 국제 사회에 대한 책임과 해외 원조를 둘러싼 쟁점	월 일 ~ 월 일

셀파와 내 교과서 단원 비교

셀파	천재교과서	금성	미래엔	비상교육	지학사
01 갈등 해결과 소통의 윤리 ~ 민족 통합의 윤리	01 갈등 해결과 소통의 윤리	01 갈등 해결과 소통의 윤리	01 갈등 해결과 소통의 윤리	1 갈등 해결과 소통의 윤리	01 갈등 해결과 소통의 윤리
	02 민족 통합의 윤리	02 민족 통합의 윤리	02 민족 통합의 윤리	2 민족 통합의 윤리	02 민족 통합의 윤리
02 지구촌 평화의 윤리	03 지구촌 평화의 윤리	03 지구촌 평화의 윤리	03 지구촌 평화의 윤리	3 지구촌 평화의 윤리	03 지구촌 평화의 윤리

01 갈등 해결과 소통의 윤리 ~ 민족 통합의 윤리

1 사회 갈등과 사회 통합

1. 사회 갈등

(1) 사회 갈등의 유형

주의! 사회 갈등은 아래 제시된 세 가지 유형만 있는 것은 아니다. 우리나라의 경우 사회·경제적 지위에서 비롯된 계층 갈등, 노사 갈등도 대표적인 사회 갈등으로 손꼽힌다.

① 이념 갈등

- 한 사회나 집단이 지닌 특정한 가치관, 믿음, 견해 등이 다를 경우 발생함 ➡ 이분법적 사고로 갈등이 심화됨

  우리나라의 경우 진보와 보수로 양분되어 모든 쟁점을 이분법적으로 바라봄으로써 소모적인 논쟁으로 이어지기도 한다.

- 사례: 우선순위를 개인의 자유에 두느냐 공동선에 두느냐에 따른 갈등, 경제적 효율성과 구성원의 복지 중 어느 것을 우선하느냐에 따른 갈등 등

② 지역 갈등

자신이 속한 지역의 이익만을 추구하는 태도

- 경제적 요인, 특정 지역에 대한 특권 의식이나 차별 의식으로 인해 발생함 ➡ 연고주의[1], 지역 이기주의, 지역감정[2] 등이 작용하기도 함
- 사례: 사회적 자원의 배분, 공공시설의 입지 선정을 둘러싼 갈등 등

③ 세대 갈등

- 연령과 시대별 경험의 차이로 어느 사회에서나 나타나는 보편적인 현상임 ➡ 급속한 사회 변화에의 적응 속도 차이로 갈등이 심화됨
- 사례: 일자리, 노인 부양 문제를 둘러싼 갈등 등 자료 01

(2) 사회 갈등의 원인[3]

① **생각이나 가치관의 차이** 자신의 생각과 가치관을 절대시하고 다른 사람의 생각이나 가치관을 무시하는 태도

② **이해관계의 대립** 한정된 자원의 불공정한 분배 또는 분배 과정에서의 소외

③ **원활한 소통의 부재** 사회적 쟁점에 대한 소통 부족 또는 한쪽에만 유리한 결론 도출

왜? 소통은 인간과 인간 사이의 원만한 관계는 물론 공공 정책의 결정과 집행 과정에서 필수적인 요소이기 때문이다.

2. 사회 통합

(1) 사회 통합의 필요성 개인의 행복한 삶, 사회 발전 및 국가 경쟁력 강화

(2) 사회 윤리의 기본 원리

공동체 구성원이 모두 함께 살아가야 한다는 것을 인식하고 공통으로 나눠 가지는 귀속 의식

① **연대성** 인간은 사회의 일부로서 서로 긴밀하게 연결되어 있으므로 연대 의식이 필요함 자료 02

② **공익성** 사회 구성원은 사익뿐 아니라 공익을 존중할 때 인간으로서의 존엄성을 보장받을 수 있음

③ **보조성** 개인·소규모 공동체가 제대로 기능하지 못하는 경우에만 국가가 보조적으로 국민을 도와야 함

(3) 사회 통합을 위한 노력 자료 03

① 주체별 역할

- 개인: 자신의 정체성을 유지하면서 다름을 포용하는 열린 자세, 개인선과 공동선의 조화
- 시민 사회: 집단 간 소통과 상호 존중을 통한 신뢰 형성, 갈등 해결을 위한 국가의 노력을 지지하거나 조정에 동참
- 국가: 통합의 정치 지향, 민주적 절차 마련

② 내용별 분류

- 제도적 차원: 공정하고 투명한 분배 절차와 기준 확립, 법치주의 준수
- 의식적 차원: 다양성 인정, 민주 시민 의식 및 양보와 관용의 정신 함양

고득점을 위한 셀파 Tip 개념

| 사회 갈등의 유형과 원인 |

- 이념 갈등: 가치관, 믿음, 견해 등의 차이
- 지역 갈등: 경제적 요인, 특권 의식이나 차별 의식
- 세대 갈등: 연령과 시대별 경험 차이

❶ 연고주의
혈연, 지연, 학연을 다른 어떤 사회적 관계보다 중시하는 태도로, 인간관계에 긍정적으로 작용하기도 하지만 파벌주의를 조장해 조직 내 공정성과 합리성을 저해하는 부작용을 초래하기도 한다.

❷ 지역감정
특정 지역에 살고 있거나 그 지역 출신 사람에 대해 다른 지역 사람들이 갖는 좋지 않은 생각이나 편견을 말한다. 지역감정은 그 지역의 역사적·지리적 상황과 결부되어 나타나기도 하며, 정치적 갈등으로 확대되기도 한다.

❸ 갈등의 원인

구분	원인
사실 관계 갈등	사실 자료와 정보의 불일치
이해관계 갈등	한정된 자원의 배분
구조적 갈등	사회 규범의 제도화 및 제도 변경
관계상 갈등	상대에 대한 기대감의 불충족
가치관 갈등	생각, 신념, 사상, 종교 등 생각 체계의 차이
정체성 갈등	정체성 침해

세대 갈등을 완화하기 위해서는 세대 간의 차이를 자연스럽게 받아들이고 적극적으로 소통해 세대 간의 공감대를 형성하는 것이 중요해.

자료 01 세대 갈등

아시아경제신문 2015년 5월 6일

국민연금법 개정, 세대 갈등 부르나?

최근 정부는 국민연금의 *소득 대체율을 50%로 상향 조정한다고 발표하였다. 국민연금은 세대 간 연대에서 비롯되는 사회 보장 제도이기 때문에 미래 세대가 현세대를 부양하는 부담을 짊어질 수밖에 없다. 보험료 부담이 높아질 수밖에 없는 청년층은 이번 개정안에 대해 반발하는 반면, 국민연금을 받고 있거나 수급을 코앞에 둔 50대 이상 장·노년층은 개정안을 반기고 있다.

* 소득 대체율 본인의 평균 소득을 기준으로 해서 퇴직 후에 어느 정도의 연금을 받을 수 있는지를 나타내는 비율

자료 분석 | 출생률의 하락, 평균 수명의 연장으로 유소년층과 청장년층이 크게 감소하고 노년층이 증가하고 있는 현 상황에서 소득 대체율의 상향 조정은 안 그래도 실업, 저임금 등을 겪고 있는 미래 세대에 부담으로 작용할 것이 분명해 보인다. 하지만 노년 빈곤층의 증가라는 현안과 연금 제도의 혜택이 장기적으로 전 세대에 고루 미칠 수 있다는 점을 고려할 때 국민연금의 확대는 불가피하다는 주장도 무시할 수 없다. 기존의 세대 갈등이 연령과 시대별 경험 차이로 다른 생각과 가치관을 공유하고 있기 때문이었다면, 오늘날의 세대 갈등은 이와 같은 경제적 이해관계까지 맞물려 보다 첨예한 양상을 보이고 있다.

자료 02 기계적 연대와 유기적 연대

사회 응집을 유지하기 위해 모두가 똑같은 사람이 되기를 요구한다. 우리의 개성은 사라지고, 우리는 집합적인 생명체가 된다. 그렇게 뭉친 사회적 분자들은 마치 무기체의 분자들처럼 자체의 행동이 없을 때만 함께 행동할 수 있다. 이러한 형태의 연대를 기계적 연대라고 부른다. …… 이와 반대로 유기적 연대는 분업의 진전과 함께 나타난다. 기계적 연대는 개인들이 서로 유사할 것을 전제로 하지만, 분업에 의한 유기적 연대는 개인들이 서로 다를 것을 전제로 한다. 기계적 연대는 개인이 집단에 흡수될 때 가능하지만, 유기적 연대는 각 개인이 그 고유한 행동의 영역을 가지고 있을 때만 가능하다. 그러므로 집단이 규제할 수 없는 특수한 기능들을 위해서 개인이 지닌 지적 의식 등을 통제해서는 안 된다. 그 영역이 확장될수록 연대를 기반으로 하는 응집은 강해진다.

자료 분석 | 제시문은 프랑스 사회학자인 뒤르켐의 글이다. 뒤르켐은 기계적 연대가 구성원들이 동일한 가치와 규범을 공유하여 결속한 상태라면, 유기적 연대는 전문화된 개개인이 개별성을 유지하면서도 상호 의존적으로 결속한 상태라고 주장하였다. 그는 유기적 연대를 바탕으로 한 사회 통합을 강조하였다.

자료 03 공통 자료 사회 통합의 길을 제시한 말과 글

(가) 구동존이(求同存異): 차이점을 인정하면서 같은 점을 추구한다.
(나) 해불양수(海不讓水): 바다는 어떠한 물도 마다하지 않고 받아들여 거대한 대양을 이룬다.
(다) 원효의 일심(一心) 사상: 다양한 교리와 사상 모두 중생(衆生)을 대상으로 하는 부처의 가르침이며, 그것이 목적으로 하는 바는 모두 깨달음이라는 점에서 한마음이다.
(라) 공자의 화이부동(和而不同): 군자는 다른 사람들과 평화롭게 지낸다. 하지만 그들과 동화되어 같아지지는 않는다.
(마) 스토아학파의 세계 시민주의: 인간의 본질은 이성이며, 모든 인간은 이성을 지니므로 평등하다. 따라서 자기와 다른 것을 있는 그대로 인정하고 자신과 동등하게 대우하는 태도는 갈등을 극복하고 화해와 평화를 실현하도록 돕는다.

자료 분석 | (가)와 (나)는 사회 통합을 위해 필요한 사람들의 마음가짐과 자세를 표현한 사자성어이고, (다)~(마)는 갈등을 극복하는 데 정신적 바탕이 될 수 있는 동서양의 지혜이다. '해불양수'를 풀이하면 모든 사람을 차별하지 않고 포용해야 한다는 의미이다. 또 '화이부동'은 자기 것을 지키되 남의 것도 존중하여 서로 다른 생각이 공존할 수 있도록 노력해야 한다는 뜻이다. 이처럼 (가)~(마)가 공통으로 강조하는 것은 서로 조화를 이루려는 자세를 지니라는 것이다.

기출 선택지 O, X로 정리하기

1 사회의 안정과 질서를 중시하는 보수적 입장과 변화를 통해 사회의 문제점을 해결하는 진보적 입장 간의 갈등은 이념 갈등에 해당한다. (O, ×)

2 수도권과 지방, 도시와 농촌, 영남과 호남 등으로 나뉘어 대립하는 주된 이유는 가치관과 믿음의 차이 때문이다. (O, ×)

3 세대 간의 갈등은 자신이 속한 지역의 이익만을 추구하는 지역 이기주의로 나타나기도 한다. (O, ×)

4 기술, 규범의 변화에 따른 급속한 사회 변동은 세대 갈등을 심화하는 원인이다. (O, ×)

5 역사적 사건을 공유한 집단과 그렇지 않은 집단 간의 충돌은 기성세대와 신세대 사이에서뿐만 아니라 지역 간에도 나타난다. (O, ×)

6 사회 갈등은 구성원 간의 충돌을 일으키고, 이의 해결을 위한 사회적 비용을 발생시키는 등 우리 사회에 부정적인 영향만 미친다. (O, ×)

7 지방 분권, 지역 균형 발전, 복지 정책 등의 확대는 사회 통합을 위한 시민 사회의 노력으로 볼 수 있다. (O, ×)

8 사회 통합을 위해 개인이 지녀야 하는 기본적인 자세는 나와 다른 사람의 다름을 인정하고 포용하는 것이다. (O, ×)

정답 1 O 2 × 3 × 4 O 5 O 6 × 7 × 8 O

2 소통과 담론의 윤리

1. 동서양의 소통과 담론의 윤리

(1) 소통과 담론[4]의 필요성

① 사회 구성원의 자발적·적극적 참여 유도 가능

② 도덕적 권위를 갖춘 합의 도출 가능 —— 왜? 소통을 통해 이루어진 합의는 도덕적 정당성과 설득력을 가지기 때문이다.

(2) 소통과 담론 과정에서 필요한 윤리적 자세

① 소통과 담론에 참여할 수 있는 사람들의 권리 인정

➡ 하버마스[5]는 누구나 자유롭게 소통에 참여할 자격이 있음을 강조 자료 04

② 대화의 상대방을 존중하는 태도

➡ 아펠은 인격의 상호 인정이 진정한 소통을 위한 기본 전제임을 강조, 원효의 화쟁 사상은 포용과 존중의 중요성 강조

③ 진실한 대화

➡ 맹자는 소통을 방해하는 그릇된 언사로 피사, 음사, 사사, 둔사[6] 제시

④ 자신의 오류 가능성을 인정하는 겸허한 태도

➡ 밀은 인간을 끊임없이 잘못 판단하고 잘못 행동할 수 있는 존재로 전제하고 인간의 오류 가능성 검증을 위한 토론의 중요성 강조

⑤ 공적 의사 결정 과정에 적극 참여 (공적 의사 결정에 관한 시민 참여는 오늘날 시민의 정치적 무관심 초래라는 대의 민주주의의 한계를 보완하고 심의 민주주의로 나아갈 수 있는 토대가 된다.)

➡ 아펠은 의사소통 공동체 구성원들의 담론에 참여해야 할 책임과 의사소통 공동체를 유지해야 할 책임 강조

(담론에 참여해야 할 책임: 자신을 구속할 수 있는 보편적 규범을 도출하는 과정에 스스로 참여해야 하는 책임)

(의사소통 공동체를 유지해야 할 책임: 의사소통을 통해 합의된 결과를 받아들이고 실천해야 하는 책임)

2. 담론 윤리

(1) 의미 어떤 규범의 타당성을 그 규범의 영향을 받은 사람들이 합리적인 토론을 통해 도달한 자유로운 동의에서 찾는 윤리

(2) 바람직한 의사소통의 자세

① 편견과 독선주의 경계

② 관용의 태도 함양 자료 05

③ 이성적 대화와 합리적 설득을 통한 합의 및 그로 인한 결과에 대한 책임 연대

(3) 한계

① 도덕규범의 구체적 내용이나 삶의 방향성을 제시하지 않음

② 합의된 내용에 대해 도덕적으로 옳고 그름을 평가하기 어려움

3 통일 문제를 둘러싼 쟁점

1. 통일에 대한 입장 차이 자료 06

소극적 입장(통일 반대)	적극적 입장(통일 찬성)
• 통일에 대한 무관심 ➡ 통일보다 평화와 공존 우선시 • 서로 다른 체제, 생활 방식 차이 등으로 이질화[7] 심화 • 경제적 격차와 그에 따른 천문학적 통일 비용 부담 우려	• 당위적 차원: 민족적 정체성(동질성)의 회복 및 민족 공동체 건설 • 보편적 가치(평화, 인권, 인도주의)의 실현: 한반도 평화 정착 및 세계 평화에 이바지, 남북 주민의 인간다운 삶 구현, 이산가족의 고통 해소 • 실용적 차원: 분단 비용 해소, 통일 편익 향유

고득점을 위한 셀파 Tip 개념

| 동서양 사상가의 소통과 담론 윤리 |

• 원효의 화쟁 사상
➡ 일심(一心)을 통한 갈등 극복

• 하버마스의 담론 윤리
➡ 합리적 의사소통의 필요성 강조

• 아펠의 담론 윤리적 책임
➡ 의사소통 공동체 구성원 모두의 숙고적 책임 강조

④ 담론(談論)
주로 토론의 형태로 이루어지는 이성적 의사소통 행위이다. 담론은 현실에서 전개되는 각종 사건과 행위를 해석하고 인식하는 틀을 제공하여 사회 구성원이 그 틀을 토대로 현실을 바라보고 재구성하게 한다.

⑤ 하버마스의 '이상적 담화 조건'
독일의 철학자 하버마스는 의사소통의 합리성을 실현하기 위해서는 다음 네 가지 조건이 충족되어야 한다고 주장하였다.

이해 가능성	대화 당사자들이 서로의 표현을 제대로 이해할 수 있어야 함
진리성	대화 당사자들의 말하는 내용이 참이어야 함
정당성	대화 당사자들은 논쟁 절차를 준수하여야 함
진실성	대화 당사자들은 기만하거나 속이려는 의도 없이 말하는 바를 진실하게 표현해야 함

⑥ 피사, 음사, 사사, 둔사
피사(詖辭)는 어느 한쪽으로 치우쳐 공정하지 못한 말, 음사(淫辭)는 음란하고 방탕한 말, 사사(邪辭)는 간교하게 속이는 말, 둔사(遁辭)는 이론이 궁색하여 회피하려고 꾸며서 하는 말이다.

⑦ 남북한의 이질화
자유 민주주의와 자본주의 시장 경제를 도입한 남한은 개인의 자율성과 책임을 중시하는 반면, 집단주의와 사회주의를 채택한 북한은 집단에 대한 헌신과 사회·경제적 평등을 강조한다.

하버마스의 주장은 한마디로 "대화가 필요해." 야. 단, 이때의 대화는 '합리적인 대화' 라는 게 요점이야.

자료 04 하버마스의 담론 윤리

오늘날 시민들은 공적 장소에서 토론할 기회를 제대로 가질 수 없을 뿐만 아니라, 그러한 공적 토론이 시민들에게 권장되지도 않는다. 시민들 간의 합리적 의사소통이 없으면 건강한 민주 사회를 유지할 수 없게 된다. 이러한 문제를 극복하기 위해서는 자유롭고 평등한 시민들에 의해 공적 문제에 대한 문제 제기와 토론이 활성화되어야 한다. 민주적 공론장에서 이성적인 시민들이 모두가 합의할 수 있는 논증의 형태로 대화에 참여하고, 그 토론의 결과가 법체계에 반영된다면 현대 사회의 다양한 정치적·윤리적 문제를 해결할 수 있을 것이다.

자료 분석 | 하버마스는 공동의 문제를 시민 사회 내부에서 작동하는 의사소통의 망, 즉 공론의 장에서 논의하고, 논의 과정에서 서로에 대한 이해를 넓히며, 합의에 이르는 과정을 통해 사회 통합에 이를 수 있다고 보았다. 이때 공론의 장에서 합리적 담론이 이루어지기 위해서는 다음과 같은 규칙이 지켜지는 이상적 담화 상황이 조성되어야 한다고 강조하였다. 첫째, 모든 언어와 행위 능력 주체가 담론에 참여할 수 있어야 한다. 둘째, 누구나 어떤 주장에 대해 문제를 제기할 수 있고, 어떤 주장이라도 담론에 부칠 수 있으며, 자기의 생각과 원하는 바를 표현할 수 있어야 한다. 셋째, 어떤 담론의 참가자도 담론의 내적 또는 외적 강제에 의해 위 두 권리를 행사하는 데 방해를 받아서는 안 된다.

자료 05 볼테르의 관용론

우리가 지켜야 할 교리가 적을수록 논쟁은 줄어들 것이다. 그리고 논쟁이 줄어들면 그만큼 참화를 겪을 일도 없어질 것이다. 종교는 우리 인간이 이 세상을 사는 동안, 그리고 죽은 후에도 행복해지기 위해 만들어졌다. 내세에 행복한 삶을 맞이하려면 어떻게 해야 할까? 올바르게 살아야 한다. 그렇다면 우리 인간의 비뚤어진 본성이 허락하는 범위 안에서 현세의 삶을 행복하게 누리려면 어떻게 해야 하는가? 관용을 알고 베풀 줄 알아야 한다. 형이상학적 문제에서 모든 사람이 똑같이 생각하게 되기를 바라는 것은 아주 터무니없는 욕심일 것이다. 한 마을에 사는 모든 사람의 정신을 예속시키고 통제하려 하기보다는 차라리 무력으로 세계를 굴복시키는 편이 쉬우리라.

자료 분석 | 제시문은 1762년에 일어난 장 칼라스의 처형 사건을 계기로 볼테르가 쓴 『관용론』의 일부이다. 장 칼라스 사건은 신교도인 장 칼라스의 아들 앙투안이 신교도라는 이유로 변호사의 꿈이 좌절되자 자살한 데서 비롯되었다. 이후 앙투안의 죽음이 가톨릭으로 개종하려 하다 가족에게 살해된 것이라는 소문이 퍼졌고, 그 근거 없는 소문에 의해 장 칼라스의 가족이 모두 재판에 회부되어 칼라스는 사형당하고 나머지 가족은 추방당했다. 이에 볼테르는 재판의 부당성을 지적하며 재심을 요구하였고, 결국 칼라스는 사형당한 지 3년 만에 무죄를 선고받았다. 볼테르는 장 칼라스 사건의 근본 원인을 인간의 종교적 편견과 맹신에서 찾으며 인도주의의 이름으로 관용을 실천할 것을 주장하였던 것이다.

자료 06 통일 의식

(가) 통일에 대한 당신의 생각은?

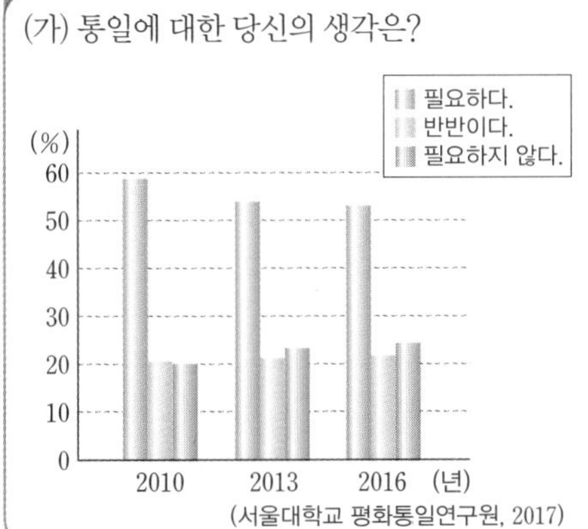

(서울대학교 평화통일연구원, 2017)

(나) 왜 통일을 이루어야 할까?

(통일평화연구원 '2016 통일 의식 조사')

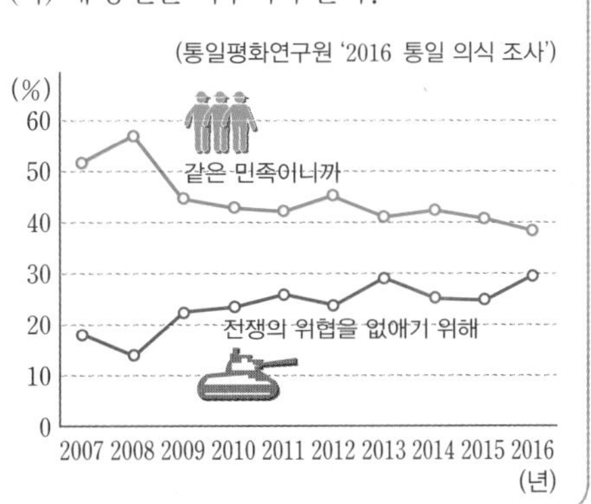

자료 분석 | (가)는 시간이 지날수록 통일이 필요하다는 사람은 줄어들고 통일이 필요하지 않다는 사람이 늘어나고 있음을 보여 준다. 아울러 (나)는 같은 민족이기 때문에 당연히 통일해야 한다고 인식하기보다 '전쟁의 위협을 없애기 위해서'라는 현실적인 이유로 통일을 희망하는 사람이 늘고 있음을 보여 준다. 통일에 대해 소극적 입장을 취하는 사람들 중에는 통일보다는 오히려 평화와 공존을 우선해야 한다고 주장하는 이들도 있다. 이는 평화가 유지되기만 한다면 분단 상태가 지속되어도 된다고 보는 것이다.

기출 선택지 O, X로 정리하기

1 하버마스는 공정하고 합리적인 담론이 이루어지기 위해서는 토론 참여자가 개인적인 욕구, 희망 사항을 제외하고 발언해야 한다고 보았다. (O, X)

2 바람직한 대화의 자세와 관련해 하버마스의 기본 입장은 어떤 주장을 하려면 그 주장에 대한 객관적인 근거를 제시해야 한다는 것이다. (O, X)

3 과학 기술 정책 수립에 대한 토론과 관련해 하버마스의 입장에서는, 과학 기술 전문가 집단만이 의사소통을 해야 한다고 강조한다. (O, X)

4 담론 윤리는 현대 다원주의 사회에서 일어나는 다양한 갈등을 해결하는 계기를 제공한다. (O, X)

5 하버마스는 담론 과정에서 공정성보다는 효율성을 중시한다. (O, X)

6 군사비가 감소하여 복지 혜택이 크게 증가할 것이라는 예상은 통일에 대한 반대 논거이다. (O, X)

7 남북 분단은 윤리적 문제로 볼 수는 없고, 국가·민족의 정치적 문제일 뿐이다. (O, X)

8 자료 06의 (나) 자료를 통해 분단 상태가 지속되면서 민족 동질성 회복을 근거로 하는 통일의 주장은 호소력이 약해졌음을 알 수 있다. (O, X)

정답 1× 2○ 3× 4○ 5× 6× 7× 8○

2. 통일 비용과 분단 비용 문제

(1) 의미

① 통일 비용[8] 통일 이후 남북한 간 격차 해소 및 이질적 요소 통합에 필요한 비용 ➡ 투자 성격의 생산적 비용

② 분단 비용 분단으로 인해 남북한이 부담하는 유·무형의 모든 비용 예 군사비[9], 외교 비용, 전쟁 발발 공포, 이산가족의 고통 ➡ 소모성 지출 비용

(2) **통일 편익** 남북통일로 얻을 수 있는 경제적·비경제적 편익 자료 07

① 남북한 주민의 고통과 불편 해소
- 남북한 주민의 인권 신장
- 문화·관광·여가 기회 증가

② 민족의 번영
- 내수 시장 확대
- 남한의 기술력·자본과 북한의 노동력·천연자원이 결합하여 동반 상승효과
- 동북아시아의 교통·물류 중심지 역할
  - 왜? 해양과 대륙의 요충지에 위치해 있는 지리적 이점 때문이다.
- 통일 한국의 국제적 위상 제고

③ 평화 실현
- 한반도의 평화
- 동북아시아의 긴장 완화
- 지구촌 평화 실현에 이바지

(3) **쟁점** 통일 비용 부담은 통일 반대 논거 중 하나, 분단 비용 해소는 통일 찬성 논거 중 하나 ➡ 통일 비용, 분단 비용뿐 아니라 통일 편익도 함께 고려해야 함

3. 북한 인권 문제

(1) **현황** 정치 참여 및 개인의 자율성·선택권 제한, 생존권 위협, 기회의 불평등 등 인권 침해[10] 만연

(2) **쟁점** 인권은 인류의 보편적 가치 ➡ 인권 상황 개선을 위해 국제 사회와 우리의 노력 필요

4 통일이 지향해야 할 가치

1. 화해와 평화를 위한 노력

(1) **남북한 사회 통합을 위한 노력** 서로 이해하기 쉽고 친밀감을 가질 수 있는 교류부터 시작해 교류·협력의 범위를 단계적으로 넓혀 감으로써 동질성 회복 모색 자료 08

(2) **통일 기반 조성을 위한 노력**

국제적 노력	• 국제 사회와 협력 강화 • 한반도 통일이 동북아와 세계 평화 및 번영에 이바지한다는 것을 적극 홍보
남북한 노력	• 안보 기반 구축 및 남북한 간 신뢰 형성 • 통일을 위한 체계적 준비: 통일의 필요성, 방법 등에 관한 활발한 논의 전개 ➡ 남남 갈등 해소, 국민적 이해와 합의 도출 (남남 갈등: 남북 관계를 둘러싼 남한 내에서의 이념적 갈등)

2. 통일 한국이 지향해야 할 가치

(1) **보편적 가치** 평화, 자유, 인권, 정의 등

주의! 보편적 가치의 실현 여부는 북한 지역에 국한된 문제만은 아니다. 통일 한국은 현재 남한에서 나타나는 사회적 약자나 소수자 차별, 경제적 양극화 심화 등의 문제들까지 극복한 모습이어야 할 것이다.

(2) **통일 한국의 미래상** 수준 높은 문화 국가, 자주적인 민족 국가, 정의로운 복지 국가, 자유로운 민주 국가

고득점을 위한 셀파 Tip 비교

| 통일 비용 vs 분단 비용 |

통일 비용
- 생산적 투자 비용
- 통일 과정 및 통일 이후 한시적 발생

분단 비용
- 소모성 지출 비용
- 분단이 계속되는 한 지속적 발생

[8] 통일 비용
통일 비용은 정치, 행정, 금융, 화폐 등 남북의 제도를 통합하기 위한 비용, 치안, 인도적 차원의 긴급 구호, 실업 문제 등을 해결하기 위한 위기관리 비용, 생산·생활 기반 구축을 위한 경제적 투자 비용 등으로 구분할 수 있다.

[9] 군사비
군사비는 국가의 존속을 위해 필요한 비용이지만 남북한 모두 인구 및 경제 규모 대비 적정 수준 이상의 군사비를 지출하고 있다.

[10] 북한의 주요 인권 침해 실태

식량	출신 성분, 계층에 따른 차별 배급
종교의 자유	주민의 종교 생활 탄압
신체의 자유	수사 기관의 자의적 체포 구금, 가족에게도 미통보
표현의 자유	상시적 통제 장치로 억압
정치범 수용소	극도의 학대, 극도의 영양실조

어린이들의 대통령, 즉 '뽀통령'으로 불리는 '뽀로로'는 남한의 기술력과 자본, 북한의 노동력과 자원이 결합해 엄청난 경제적 성공을 거둔 대표적 사례야.

자료 07 통일 편익

(가) 통일 한국의 GDP 전망치

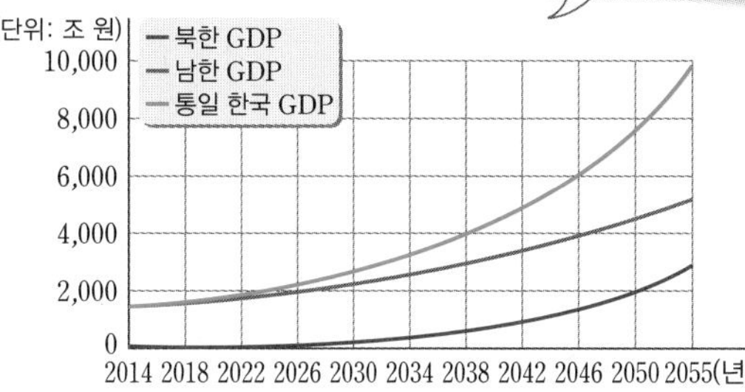

(나) 2010년 우리나라를 방문한 쾰러(Köhler, H) 독일 전(前) 대통령은 "독일인은 통일에 대해 자부심을 가질 만한 이유가 있다."라며 독일 통일이 평화와 안정적인 민주 국가의 삶을 가져다준다고 평가했다. 그는 "통일 비용을 문제로 다른 결정적인 것을 보지 못해서는 안 된다. 유럽에서 평화와 자유를 누리고 산다는 것은 돈으로 계산할 수 있는 것이 아니다."라고 강조하였다.

자료 분석 | (가)는 대외경제정책연구원(KIEP)이 내놓은 통일 한국의 국내 총생산(GDP) 전망치로, 2055년 기준 약 8조 7,000억 달러(한화 9,840조 원)에 달한다. 이는 같은 시점에 예상되는 남한 GDP의 1.7배 수준으로, 남북한 경제 통합의 효과를 단적으로 보여 준다. (나)의 사례는 독일 통일이 가져다준 평화와 자유는 경제적으로 환산할 수 없을 정도로 큰 가치를 지니므로, 통일을 논의할 때 통일 비용 부담이 걸림돌이 되어서는 안 된다는 것을 강조하고 있다.

자료 08 민족 통합을 위한 노력

(가) 갑작스럽게 통일이 이루어진 이후, 동서독 주민들은 통일 이전의 상이한 체제에서 비롯된 사고방식과 정서의 차이로 심각한 갈등을 겪었다. 서독인은 동독인을 가난하고 게으르다는 의미인 '오씨(Ossi)'로, 동독인은 서독인을 거만하고 잘났다는 의미인 '베씨(Wessi)'로 부르는 현상이 나타났다.

(나) 대북 지원은 1995년 수해를 입은 북한이 국제 사회에 지원을 요청한 것을 계기로 시작되었다. 1995~2014년간 대북 지원 총액은 약 3조 2,500억 원이며, 2014년도 대북 지원 총액은 약 195억 원이다. 대북 지원은 북한 주민의 생존권을 보장하고, 우리의 동포애를 전달함으로써 민족 공동체 회복에 이바지하며, 분단 상태를 평화적으로 유지하여 남북 관계의 개선을 가져온다.

자료 분석 | (가)는 독일 통일 후 서로 다른 사고방식과 정서 등으로 인해 빚어졌던 갈등 사례로, 이는 통일을 준비하는 우리나라의 경우도 외형적인 통일보다는 내부의 통합이 시급하다는 점을 시사한다. 즉, 남북한 사이의 지속적인 사회·문화적 교류를 통해 서로의 차이점을 이해하고 줄여 나가기 위한 노력이 먼저 이루어져야 하는 것이다. (나)는 대북 지원 현황과 그 중요성을 강조한 글이다. 이처럼 대북 지원이 꾸준히 이루어져 왔지만, 지원 방식을 둘러싼 대립 역시 존재한다. 남북의 정치·군사 상황과는 무관하게 대북 지원이 이루어져야 한다는 인도주의적 입장과 북한에 일정한 변화를 요구하면서 대북 지원을 해야 한다는 상호주의적 입장이 그것이다. 이는 내부적으로도 국민적 합의를 이끌어 내기 위한 노력이 필요함을 시사한다.

기출 선택지 O, X로 정리하기

1 통일 비용은 통일 한국의 번영을 위한 투자적 성격의 비용으로, 통일 이후 다양한 통일 편익으로 이어질 수 있다. (O , X)

2 통일 비용은 일단 통일이 이루어지면 더는 발생하지 않는다. (O , X)

3 군사비, 외교 비용, 전쟁 발발 가능성에 대한 공포, 이산가족의 고통 등은 모두 통일 비용에 포함된다. (O , X)

4 통일이 되어 전쟁 발발 위험이 감소하고, 그로 인해 문화, 관광, 여가의 기회가 증가하는 것은 통일의 경제적 효과이다. (O , X)

5 통일의 기반을 조성하기 위한 사회 통합 노력은 남북한 주민들 사이에서만 이루어지면 된다. (O , X)

6 통일 한국이 지향해야 할 보편적 가치는 평화, 자유, 인권, 정의 등이다. (O , X)

7 통일 한국에서도 나타날 수 있는 자료 08의 (가)와 같은 갈등을 예방하기 위해서는 통일 전에 대북 지원을 확대하여 경제적 격차를 줄여 나가야 한다. (O , X)

8 대북 지원은 지원 방식에 대한 찬반 논란과 실효성에 대한 많은 의문 제기에도 불구하고 북한 주민의 생존권 보장이라는 급박한 문제 해결이 우선이므로 선지원 후 사회적 합의가 불가피하다. (O , X)

정답 1 O 2 X 3 X 4 X 5 X 6 O 7 X 8 X

개념 완성

1 갈등 해결과 소통의 윤리

사회 갈등	유형	• 이념 갈등: 한 사회나 집단이 지닌 특정한 가치관, 믿음, 견해 등의 차이로 발생 → (❶) 사고로 갈등 심화 • 지역 갈등: 경제적 요인, 특정 지역에 대한 특권·차별 의식으로 인해 발생 → 연고주의, 지역 이기주의, (❷) 등 작용 • 세대 갈등: 연령과 시대별 경험 차이로 어느 사회에서나 나타나는 (❸)인 현상
	원인	• 생각이나 가치관의 차이 • 이해관계의 대립 • 원활한 (❹)의 부재
사회 통합	원리	연대성 + 공익성 + 보조성
	통합 노력	• 개인(열린 자세) + 시민 사회(소통과 상호 존중을 통한 신뢰 형성) + 국가(민주적 절차 마련) • 제도적 차원(공정하고 투명한 절차·기준 확립) + 의식적 차원(다양성 인정, 민주 시민 의식, 관용)
소통과 담론의 윤리	필요한 자세	• 소통과 담론에 참여할 수 있는 권리 인정 • 대화 상대방을 존중하는 태도 • 진실한 대화 • 자신의 (❺) 가능성을 인정하는 겸허한 태도 • 공적 의사 결정 과정에 적극 참여

2 민족 통합의 윤리

통일 문제에 대한 쟁점	입장 차이	• 반대: 무관심, 남북 간 이질화, (❻) 부담 • 찬성: 민족 공동체 건설, 보편적 가치(평화, 인권, 인도주의)의 실현, 분단 비용 해소 및 통일 편익 향유
	통일·분단 비용	• 통일 비용: 통일 이후 남북한 간 격차 해소 및 (❼)에 필요한 비용 → 생산적 투자 비용 • 분단 비용: 분단으로 인해 남북한이 부담하는 유·무형의 모든 비용 → 소모성 지출 비용 • (❽): 남북통일로 얻을 수 있는 경제적·비경제적 편익
	인권 문제	북한의 인권 침해 심각 → 북한의 인권 상황 개선을 위해 국제 사회와 우리의 노력 필요
통일 한국	지향 가치	평화, 자유, 인권, (❾) 등

정답 ❶ 이분법적 ❷ 지역감정 ❸ 보편적 ❹ 소통 ❺ 오류 ❻ 통일 비용 ❼ 통합 ❽ 통일 편익 ❾ 정의

탄탄 내신 문제

01 다음은 사회 갈등의 유형을 정리한 표이다. 이에 대한 추론으로 적절하지 않은 것은?

㉠	전통 사회에서 기성세대가 가졌던 권위와 존경심 상실
㉡	사회 현상에 대한 가치관이나 믿음, 사상, 신념 등의 차이로 인해 발생
㉢	경제적 요인, 특정 지역에 대한 특권 의식이나 차별 의식으로 인해 발생

① ㉠은 기성세대의 사회 변동 부적응이 원인이 되기도 한다.
② ㉡은 사회 구성원이 추구하는 이념적 차이가 발생의 원인이다.
③ 자유주의와 공동체주의 간의 대립과 갈등 문제는 ㉠에 가깝다.
④ ㉢의 문제는 집단 이기주의와 지역감정으로 확산될 수 있다.
⑤ ㉢은 사회·정치·경제적인 갈등이 복합적으로 나타나기도 한다.

02 다음 글의 입장에 대한 설명으로 가장 적절한 것은?

> 사회 응집을 유지하기 위해 모두가 똑같은 사람이 되기를 요구한다. 우리의 개성은 사라지고, 우리는 집합적인 생명체가 된다. 그렇게 뭉친 사회적 분자들은 마치 무기체의 분자들처럼 자체의 행동이 없을 때만 함께 행동할 수 있다. 이러한 형태의 연대를 기계적 연대라고 부른다. …… 이와 반대로 유기적 연대는 분업의 진전과 함께 나타난다. 기계적 연대는 개인들이 서로 유사할 것을 전제로 하지만, 분업에 의한 유기적 연대는 개인들이 서로 다를 것을 전제로 한다.

① 개성의 보존을 위해 개인주의적 사고방식이 필요하다.
② 기계적 연대를 위해 구성원 상호 간의 분업이 필요하다.
③ 사회 질서를 위해 통일된 가치관과 규범의 확립이 필요하다.
④ 집합적인 생명체로서 개인들이 서로 결속력을 유지해야 한다.
⑤ 유기적 연대는 기계적 연대에 비해 구성원 간의 결속력을 중시한다.

03 ㉠~㉢에 대한 설명으로 옳지 않은 것은?

사회 갈등은 구성원 간의 충돌을 일으키고, 이를 해결하기 위해 사회적 비용을 발생시킨다. 그러나 사회 갈등은 사회 구성원들의 소통과 협력을 끌어낼 수 있다는 점에서 민주주의와 사회 발전에 도움을 주기도 한다. 그래서 사회 갈등의 바람직한 해결을 통해 사회 통합을 이룰 수 있도록 노력해야 한다. 이를 위하여 사회 윤리의 기본 원리인 ㉠ 연대성, ㉡ 공익성, ㉢ 보조성을 고려할 필요가 있다.

① ㉠은 고립되어 있지 않고 사회의 일부로서 살아가는 인간의 특성에서 기인한다.
② ㉠은 사회 구성원들 사이에 연대 의식이 필요하다는 내용이다.
③ ㉡은 자신의 인간 존엄성도 보장받으려면 스스로 사익뿐 아니라 공익을 존중해야 한다는 것이다.
④ ㉢은 개인이나 소규모 공동체가 제대로 기능을 못하면 국가가 이들을 도와주어야 한다는 것이다.
⑤ ㉢이 작용할 때는 개인이나 공동체의 권리에 대한 국가의 침해가 허용된다.

04 다음 인터뷰에서 ㉠에 들어갈 대답으로 가장 적절한 것은?

현대 사회에서 발생하는 다양한 갈등을 어떻게 해결해야 할까요?
이성적 존재 간에 합의 가능한 도덕규범인 의사소통의 합리성으로 해결해야 합니다.

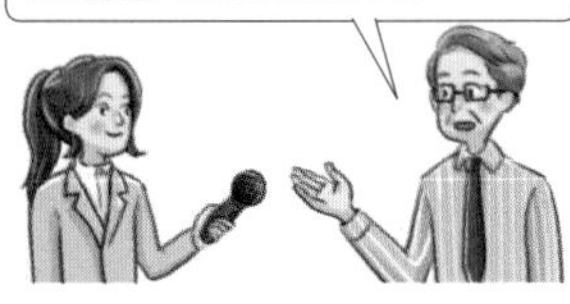

그렇다면 이상적인 의사소통의 조건은 무엇입니까?
이상적인 의사소통이 되기 위해서는
㉠

① 담론의 절차보다는 다수결의 결과에 따라 결정합니다.
② 전문가들이 제안한 방식의 해결책을 중심으로 진행합니다.
③ 의사소통의 효율성보다 결과의 공정성을 추구해야 합니다.
④ 대화 참여 당사자들의 수적(數的) 균형을 유지해야 합니다.
⑤ 참여자 각자는 모두가 이해 가능한 언어를 사용해야 한다.

05 (가)를 주장한 사상가의 입장에서 (나) 사례에 대해 내릴 수 있는 평가로 가장 적절한 것은?

(가) 어떤 준칙이 일반 법칙이 되기를 바란다면 다른 사람들에게 이 준칙의 타당성을 규정적으로 명령하거나 강제하지 말아야 한다. 대신 나의 준칙이 보편화 가능한지 논의하여 검토할 수 있도록 다른 사람에게 제시해야 한다. 개인이 모순 없이 일반 법칙으로 원할 수 있는 것에서부터 모든 사람이 일치하여 보편적 규범으로 승인하기를 원하는 것으로 무게 중심을 이동시킨다.

(나) 트위터는 140자 이내의 단문을 전달하는 온라인 매체이다. 이것은 특정인의 글을 읽겠다고 신청한 '팔로잉(따라보기)' 관계에 있는 다수에게 한꺼번에 메시지를 전달할 수 있다. 트위터는 2008년 미국 대통령 선거에서 본격적으로 활용되면서 정치적 의사소통을 활성화하는 새로운 방식으로 주목받고 있다.

① 대의 민주주의를 훼손하므로 바람직하지 못하다.
② 정당, 언론의 역할을 강화할 수 있으므로 바람직하다.
③ 담론에 참여할 수 있는 범위가 확대되므로 바람직하다.
④ 의사소통의 합리성을 약화시키므로 바람직하지 못하다.
⑤ 여론의 분산을 초래할 가능성이 높으므로 바람직하지 못하다.

06 다음 사상가의 입장에서 강조하는 올바른 소통의 태도를 〈보기〉에서 고른 것은?

깨달음의 길은 넓고 확 트여 걸림이 없고 범주가 없다. 무엇에 기대는 것이 아주 없기 때문에 타당하지 않음이 없다. 이 때문에 일체의 다른 가르침이 모두 깨달음의 가르침이요, 온갖 학파들의 주장이 옳지 않음이 없으며, 온갖 법문이 다 진리에 들어갈 수 있다. 만약 어느 한쪽에 치우쳐 고집한다면 곧 미진함이 있게 된다.

보기

ㄱ. 일심(一心)의 원리를 깨닫고 편견과 집착을 버린다.
ㄴ. 대승적 차원의 융합을 위해 시비(是非) 분별에 힘쓴다.
ㄷ. 참된 진리를 깨닫기 위해 세속에서 벗어나 수양에 힘쓴다.
ㄹ. 모든 교설(敎說)은 하나의 근원에서 나온다는 것을 인식한다.

① ㄱ, ㄴ ② ㄱ, ㄹ ③ ㄴ, ㄷ
④ ㄴ, ㄹ ⑤ ㄷ, ㄹ

07 다음 글을 통해 파악할 수 있는 통일 문제의 시사점으로 타당하지 <u>않은</u> 것은?

> 통일 이후, 많은 서독 사람들은 우리(동독인)들에게 감사하는 마음을 가져야 한다고 넌지시 말하곤 해요. 자신들(서독인)이 동독을 살리기 위해 일을 한다고 말이죠. 서독에서 동독으로 들어가는 돈이 얼마나 되는지 아느냐고요. 그렇지만 우리가 직장 때문에 지금처럼 이렇게 불안정했던 시기는 한 번도 없었답니다. 우리는 이런 통일을 바라지 않았어요. 통일이 우리에게 실업을 가져다준 것은 생각하지 않고, 베시(Wessi, 서독인을 비하하는 표현)는 동독의 단점과 현재의 우리 모습만 보고 그렇게 감사의 말을 듣고 싶어 해요.

① 민족적 일체감 강화가 선행되어야 한다.
② 서로 다른 정치적·경제적 가치관을 존중해야 한다.
③ 통합보다는 정치적 통일을 우선적으로 지향해야 한다.
④ 통일 비용에는 암묵적인 갈등 요소까지 고려해야 한다.
⑤ 통일 과정에서 나타나는 상대적 박탈감을 최소화해야 한다.

08 다음은 어느 뉴스의 보도 내용이다. 뉴스의 입장에서 긍정의 대답을 할 질문을 〈보기〉에서 고른 것은?

> 이번 남북 협력 사업의 추진으로 우리 중소기업은 저렴한 노동력을 제공받을 수 있게 되어 경쟁력이 제고될 것입니다. 그리고 북한은 시장 경제를 배우고 남한의 기술을 습득할 수 있을 것입니다. 이번 사업 추진을 통해 남북한은 실질적인 경제 협력을 할 수 있게 되고, 서로의 신뢰를 다질 수 있을 것으로 보입니다.

보기
ㄱ. 경제 교류를 통해 정부 주도의 통일 정책이 강화되는가?
ㄴ. 남북 협력 사업은 문화적 이질감을 해소할 수 있는 기회가 될 수 있는가?
ㄷ. 남북 협력 사업은 남북한의 이념적 사고방식의 확대를 촉진할 수 있는가?
ㄹ. 남북 협력 사업은 북한의 개방을 유도해 통일 비용의 감소에 이바지할 수 있는가?

① ㄱ, ㄴ ② ㄱ, ㄷ ③ ㄴ, ㄷ
④ ㄴ, ㄹ ⑤ ㄷ, ㄹ

09 다음 글을 통해 알 수 있는 북한의 인권 문제로 타당하지 <u>않은</u> 것은?

> 북한에서 인권은 인민이 가져야 할 정치적·경제적·문화적 및 사회적 제반 권리이다. 모든 착취와 억압이 청산되고 인민이 국가의 주인이 된 사회주의 제도하에서만 인권은 철저히 보장된다. 인권은 그것을 실현할 수 있는 경제적 평등의 조건에 의하여 담보된다. 인민 정권은 자본주의 계급에는 철저한 독재를 하지만 노동 계급을 비롯한 폭넓은 인민 대중에게는 참다운 민주주의적 권리를 보장한다.

① 인권의 천부 인권적 성격을 강화하고자 한다.
② 일당 독재에 의한 참정권 제약이 우려될 수 있다.
③ 인권을 경제적·계급적인 관점에서만 파악하고 있다.
④ 인권을 국가에 의해서만 보장되는 것으로 이해하고 있다.
⑤ 사회주의 제도의 수립을 인권의 전제 조건으로 보고 있다.

10 다음 글에서 강조하는 내용에 부합하는 사례를 〈보기〉에서 고른 것은?

> '긍정적 다름'이란 서로 간의 소통과 협력에 긍정적 역할을 할 수 있는 다름을 의미한다. 50년 이상의 역사를 자랑하는 북한의 '조선옷'은 우리 전통문화를 계승하려는 북한의 노력을 알 수 있는 좋은 예이다. 북한의 조선옷은 '전통의 현대화'라는 차원에서 발전시킨 '개량 한복'이라고 할 수 있다. 색상에서도 다양성을 띠고 디자인이나 모양에서도 지속적으로 발전해 온 것으로 평가받고 있다. 남한도 한복의 패션화 현상이 시작되면서 개량 한복이 개발되었다. 개량 한복은 전통의 근대화라는 측면에서 상당히 긍정적인 것으로 평가된다.

보기
ㄱ. 외래어 대신 전통 우리말로 대체된 북한의 한글 사전
ㄴ. 경제 정책의 차이에 따라 형성된 남북한 주민의 가치관
ㄷ. 전통적 조리 방식에 현대인의 기호를 가미한 남한의 냉면
ㄹ. 남북한 각각의 정치 체제에 따라 해석, 편찬된 역사 교과서

① ㄱ, ㄴ ② ㄱ, ㄷ ③ ㄴ, ㄷ
④ ㄴ, ㄹ ⑤ ㄷ, ㄹ

딱풀 p. 50

11 다음에서 설명하는 개념이 무엇인지 쓰시오.

> 사회 구성원 상호 간 또는 구성원과 사회 간의 상호 의존을 지향하는 의식, 또는 같은 사회의 구성원으로서 공통적으로 나누어 가지는 귀속 의식이다. 개인의 소외를 극복할 수 있는 공존의 기반이 된다.

12 밑줄 친 '유기적 연대'를 실현하기 위해 필요한 조건을 쓰시오.

> 분업에 의한 유기적 연대는 개인들이 서로 다를 것을 전제한다. 기계적 연대는 개인의 성격이 집합적인 성격 속에 흡수됨으로써 가능하지만, 유기적 연대는 각 개인이 그 고유한 행동의 영역을 가지고 있을 때만 가능하다. 그러므로 집합 의식이 규제할 수 없는 특수한 기능들을 위해서 개인의식의 일부를 남겨 두지 않으면 안 된다. 그 영역이 확장될수록 연대를 기반으로 하는 응집은 강해진다.

13 ㉠과 ㉡이 설명하는 바가 무엇인지 자세히 서술하시오.

> 아펠은 의사소통 공동체의 모든 구성원이 져야 하는 숙고적인 책임을 강조한다. 그는 의사소통 공동체의 모든 구성원이 져야 하는 책임은 개개인의 역할 책임과는 근본적으로 다른 도덕적 책임이라고 강조한다. 아펠은 의사소통 공동체의 구성원들은 합의를 하기 위한 ㉠ 담론에 참여해야 할 책임과 ㉡ 의사소통 공동체를 유지해야 할 책임을 동시에 지닌다고 본다. 이러한 연대적 책임을 바탕으로 의사소통 공동체의 구성원으로서 개인은 사회·문화적인 조건을 개선하는 데 협력할 의무를 지닌다고 주장한다.

14 ㉠, ㉡이 각각 무엇인지 쓰고, 그 사례를 한 가지씩 서술하시오.

㉠	: 분단 상태가 지속됨으로써 들어가는 비용 ➡ 소모적 성격이 강함
㉡	: 통일 이후 북한에 투자되는 비용 ➡ 들어간 만큼 회수되는 투자적 성격이 강함

도전 수능 문제

01 **(가)를 주장한 사상가의 입장에서 (나) 사례 속 문제에 대해 제시할 수 있는 해결책으로 타당한 것은?**

(가) 민주 정치에서 의사 결정의 정당성은 다수결만으로 확보되지는 않는다. 의사 결정은 각자의 선호를 공적 의사로 전환시키는 심의 과정을 필수적으로 요구한다. 의사 결정의 민주적 정당성은 시민의 자유롭고 이성적인 대화와 논증 절차 여부에 달려 있다.

(나) 서울의 ○○구에서 장애 학생을 위한 특수 학교 건립 문제를 두고 지역 주민들 간의 갈등이 깊어지고 있다. 장애 학생들을 위한 필수적 공익 시설이 필요하다는 주장과 혐오 시설을 유치할 수 없다는 주장이 팽팽하게 맞서고 있는 상황이다.

① 지역 주민의 투표를 통해 다수결로 결정한다.
② 장애 학생들에 대한 공감에 기초한 배려를 강조한다.
③ 공적 이익을 우선하되 충분한 경제적 보상을 약속한다.
④ 합리적 의사소통으로 사적 이익을 초월한 해결책을 도출한다.
⑤ 시민으로부터 위임받은 공적 강제력을 통한 중재가 필요하다.

02 **다음 대화에서 스승이 제시할 수 있는 소통 방법만을 〈보기〉에서 있는 대로 고른 것은?**

제자: 스승님, 사람들은 왜 서로 대립하고 다투며 사는 것입니까?
스승: 하나인 마음[一心]을 깨닫지 못하고 각기 다른 시각에서 보기 때문이라네.
제자: 그것을 극복하려면 어떻게 살아야 할까요?
스승: 다양한 입장들을 인정하면서도 더 높은 차원에서 통합하는 화쟁(和諍) 정신을 실천해야 하네.

보기

ㄱ. 자신과 타인이 추구하는 바가 다를 수 있음을 파악해야 한다.
ㄴ. 모든 진리는 하나의 원리에서 출발한다는 것을 인식해야 한다.
ㄷ. 타고난 어진 마음을 바탕으로 사욕(私欲)을 이기고 예를 회복한다.
ㄹ. 자신의 주장이 언제나 옳다는 마음이 분쟁의 원인임을 알아야 한다.

① ㄱ, ㄴ ② ㄱ, ㄹ ③ ㄴ, ㄷ
④ ㄱ, ㄴ, ㄹ ⑤ ㄴ, ㄷ, ㄹ

03 **(가)의 입장에서 (나)의 사회 문제를 해결하기 위해 제시할 수 있는 주장으로 가장 적절한 것은?**

(가) 기계적 연대는 개인의 성격이 집합적인 성격 속에 흡수됨으로써 가능하지만, 유기적 연대는 각 개인이 그 고유한 행동의 영역을 가지고 있을 때만 가능하며 그 영역이 확장될수록 연대를 기반으로 하는 응집은 강해진다.

(나) 영화 「모던 타임즈」의 주인공인 찰리는 조립 라인에서 나사를 조이는 단순 작업만을 반복한다. 여기서는 인간의 노동을 중심으로 기계가 돌아가는 것이 아니라 단순화되고 파편화된 인간의 노동이 기계의 동작에 맞춰진다.

① 대량 생산을 위한 노동의 분업화를 강화해야 한다.
② 노동 생산성의 향상을 위한 경제적 유인을 제공한다.
③ 사회 구성원 간 역할 교환을 통해 전문성을 향상시킨다.
④ 개인이 서로 다를 것을 전제로 분업에 의한 연대를 추구한다.
⑤ 전문성 향상을 위해 구성원 각자의 주체적 노력을 강조한다.

| 수능 기출 |

04 **사회 사상가 갑, 을의 입장에 대한 설명으로 옳은 것은?**

갑: 당사자들이 합의를 통해 주제에 대한 보편적 결론에 도달하려면 공론장이 개방되어야 한다. 공론장에 참여한 당사자들이 진리성, 정당성, 진실성, 이해 가능성의 규범을 준수할 때 이상적 대화가 가능한 공동체의 토대가 마련된다.
을: 당사자들이 자신의 재능, 가치관, 심리적 경향 등을 알지 못하는 가상 상황이 정의의 원칙에 합의하기 위한 조건이다. 이러한 상황이 전제되어야만 당사자들이 합의한 정의의 원칙이 보편적이고 정당한 공정성을 확보할 수 있다.

① 갑은 공론장에서 특정 주제의 배제가 필요하다고 본다.
② 갑은 공론장을 정부가 관장하는 법적으로 제도화된 기구로 본다.
③ 을은 가상 상황을 상호 배려와 대화가 이뤄지는 상황으로 본다.
④ 을은 가상 상황의 개인들이 계약에 합의할 의지가 없다고 본다.
⑤ 갑, 을은 합의 당사자들이 자유롭고 평등한 존재이어야 한다고 본다.

| 수능 기출 |

05 **다음 사례를 통해 우리나라의 분단 상황을 극복하는 데 있어 참고할 수 있는 시사점으로 가장 적절한 것은?**

> 갑작스럽게 통일이 이루어진 이후 동·서독 주민들은 통일 이전의 상이한 체제에서 비롯된 사고방식과 정서의 차이로 심각한 갈등을 겪었다. 서독인은 동독인을 가난하고 게으르다는 의미인 '오씨(Ossi)'로, 동독인은 서독인을 거만하고 잘났다는 의미인 '베씨(Wessi)'로 부르는 현상이 나타났다.

① 남북한의 조속한 통합을 위해 외형적인 통일을 강조해야 한다.
② 국제적 합의를 통해 남북통일에 대한 공감대를 형성해야 한다.
③ 정치·군사적 방식을 통해 하나의 민족 공동체를 수립해야 한다.
④ 동북아 다자 안보를 토대로 한반도 평화 체제를 구축해야 한다.
⑤ 사회·문화적 교류의 확대를 통해 남북한의 이질성을 줄여야 한다.

06 **다음은 '남북 관계 발전과 평화 번영을 위한 선언' 중 일부이다. 이를 토대로 한 추론으로 타당한 것은?**

> …… 쌍방은 우리 민족끼리 뜻과 힘을 합치면 민족 번영의 시대, 자주 통일의 새 시대를 열어 나갈 수 있다는 확신을 표명하면서 6·15 공동 선언에 기초하여 남북 관계를 확대·발전시켜 나가기 위하여 다음과 같이 선언한다.
> 5. 남과 북은 민족 경제의 균형적 발전과 공동의 번영을 위해 경제 협력 사업을 공리공영과 유무상통의 원칙에서 적극 활성화하고 지속적으로 확대 발전시켜 나가기로 하였다.

① 경제적 인프라를 토대로 흡수 통일을 지향하고자 한다.
② 정치적 연합을 통해 경제적 협력을 이끌어 내고자 한다.
③ 군사적 긴장 완화를 위한 통일 비용을 투자해야 한다.
④ 국제적 공조를 통해 남북 간의 정치적 통일이 선행되어야 한다.
⑤ 경제적 교류 활성화를 통해 점진적 통일을 달성해 나가고자 한다.

07 **㉠~㉣에 대한 적절한 진술만을 〈보기〉에서 있는 대로 고른 것은?**

> 남북통일 과정에서 발생하게 될 비용과 편익을 고려해 볼 필요가 있다. 통일 비용은 통일 직후 예상되는 급격한 변화에 대응하기 위한 ㉠ 위기관리 비용, ㉡ 이질적인 제도의 통합을 통해 민주적 질서를 정착시키는 데 드는 제도 통합 비용, 그리고 열악한 사회 간접 자본과 산업 구조의 개선을 위해 드는 ㉢ 경제적 투자 비용으로 나눌 수 있다. 한편 통일이 되면 이산가족의 아픔 해소, 한반도의 지정학적 리스크로 인한 불이익의 해소 등 ㉣ 통일로 인한 편익 역시 기대할 수 있는데, 이것은 통일 방식에 따라 달라질 것이다.

보기

ㄱ. ㉠은 분단 상황의 긴장을 완화하기 위해 소모되는 비용이다.
ㄴ. ㉡은 북한 주민들을 남한 질서에 동화(同化)시키는 것이다.
ㄷ. ㉢은 통일 이전에 남북 경제 교류를 확대하여 감소시킬 수 있다.
ㄹ. ㉣은 국가적 위상 강화, 내수 시장 확대가 포함된다.

① ㄱ, ㄴ ② ㄴ, ㄹ ③ ㄷ, ㄹ
④ ㄱ, ㄴ, ㄷ ⑤ ㄱ, ㄷ, ㄹ

08 **다음 글에 내포된 통일 한국의 지향 가치에 대한 적절한 설명만을 〈보기〉에서 있는 대로 고른 것은?**

> 21세기의 국가 정체성이나 경쟁력은 문화적 측면에서 찾아야 한다. 우리 민족은 오랜 역사 속에서 외세에 시달리면서도 고유한 전통문화를 간직하여 왔으며, 대륙과 해양 문화를 주체적으로 수용하면서 세계 문화 발전을 위한 매개자 역할을 해 왔다. 통일 한국은 사회 발전과 국가 경쟁력의 원동력인 문화 자원을 발굴·육성하고, 동서양의 우수한 문화를 수용하여 세계적인 문화 국가를 이룩할 수 있도록 노력해야 한다.

보기

ㄱ. 한 민족으로서의 자주적 발전을 도모하고자 한다.
ㄴ. 민족 문화 창달을 위해 자문화 중심주의를 확대한다.
ㄷ. 국제 사회에서의 능동적 주체자로서 위상을 강화한다.
ㄹ. 국가 경쟁력을 강화하기 위해 대륙과 해양 문화 수용에 주력해야 한다.

① ㄱ, ㄴ ② ㄱ, ㄷ ③ ㄷ, ㄹ
④ ㄱ, ㄴ, ㄷ ⑤ ㄱ, ㄷ, ㄹ

02 지구촌 평화의 윤리

1 국제 분쟁의 해결과 평화

1. 국제 분쟁

(1) 원인별 분류

① 영토 분쟁
- 양상: 국가 간 더 넓은 영토를 확보하거나 특정 영토를 차지하려는 다툼
- 사례: 이스라엘이 팔레스타인 지역에 국가를 수립하면서 발생한 유대인과 아랍인 간의 분쟁

② 종교 분쟁
- 양상: 다른 종교에 대한 불관용에서 발생하는 갈등
- 사례: 카슈미르 지역의 힌두교를 믿는 인도인과 이슬람교를 믿는 파키스탄인들 간의 분쟁

③ 자원 분쟁
- 양상: 석유나 천연가스 등의 자원을 둘러싼 다툼
- 사례: 동중국해에 매장된 자원을 차지하기 위한 중국과 일본의 영유권 분쟁

④ 인종·민족 분쟁
- 양상: 한 민족이 다른 민족을 억압하여 발생하는 갈등
- 사례: 케냐 대통령 선거 부정 의혹으로 서로 다른 후보를 지지하는 민족 간의 분쟁

(2) 특징 다양한 정치·경제적, 종교적 이해관계가 얽혀 복잡한 양상을 보임, 국지적 분쟁 증가

팔레스타인 지역을 둘러싼 유대인과 아랍인 간의 분쟁은 영토 분쟁이자 종교 분쟁, 인종·민족 분쟁이다.

(3) 윤리적 문제[❶] 평화, 인권, 정의 등 보편적 가치 훼손

(4) 해결 방안

① 문명의 다양성과 차이 존중 종교적·문화적 차이로 인한 충돌 해결

② 국제적 분배 정의 실현 부(富)의 불평등 분배에서 비롯되는 갈등 해소

이를 위해서는 약소국을 배려하는 국제적 차원의 제도 마련, 국제 원조 기구를 통한 기부 활성화 등의 노력이 요구된다.

③ 형사적 정의 실현 자료 01
- 테러 집단에 대한 피해국의 직접적인 무력 사용
- 국제 형사 경찰 기구나 국제 형사 재판소(ICC) 등 국제기구[❷]를 통한 처벌

2. 국제 분쟁 해결에 관한 다양한 입장 자료 02

(1) 현실주의적 입장

① 국가의 이익과 도덕성 충돌 시 국가의 이익 우선

② 국가의 힘을 키워 세력 균형을 유지해야 분쟁 해결 가능

(2) 이상주의적 입장

① 국가의 이익보다 인간의 존엄성, 자유, 평등 등 보편적인 가치 우선

② 국제기구, 국제법 등 도덕성에 근거한 집단 안보 형성을 통해 분쟁 해결

(3) 구성주의적 입장

① 상대국과의 관계 정립, 상호 작용이 국익 좌우

② 국가 간 긍정적인 상호 작용을 통해 분쟁 해결

3. 국제 평화의 중요성 자료 03

(1) 칸트의 영구 평화론 국제법을 따르는 평화 연맹 구성 요구 ➡ 국제 연맹, 국제 연합 결성에 영향

주의! 국제기구가 세계 평화 유지에 도움이 된다고 본 칸트의 사상은 국제 관계를 보는 이상주의적 관점과 일치한다.

(2) 갈퉁의 적극적 평화론
- 소극적 평화와 적극적 평화를 구분함
- 직접적·물리적 폭력으로부터 벗어난 소극적 평화뿐 아니라 빈곤, 정치적 억압, 종교적 차별과 같은 구조적·문화적 폭력[❸]까지 제거된 적극적 평화의 실현 주장

---

❶ 국제 분쟁의 윤리적 문제
국제 분쟁은 국가 간 무기 개발 경쟁을 가속화하고 국제 사회의 분열을 가져와 지구촌의 평화를 위협한다. 아울러 분쟁 과정에서 집단 살해, 인종 청소와 같은 반인도적 범죄가 자행되어 인간의 존엄성과 정의를 훼손한다.

❷ 국제 사회의 국제 분쟁 개입
국제 형사 재판소(ICC)는 반인도적 범죄를 저지른 가해자 처벌을 주로 담당하고, 국제 사법 재판소(ICJ)와 국제 해양법 재판소(ITLOS)는 분쟁 당사국을 중재하여 평화로운 해결을 유도한다. 분쟁에 적극적으로 개입하여 평화 유지 활동을 전개하는 국제 연합 평화 유지군도 있다.

고득점을 위한 셀파 Tip 비교

| 현실주의 vs 이상주의 |

현실주의
- 갈등의 원인: 자국의 이익 추구
- 갈등 해결의 원천: 힘, 권력
  → 세력 균형을 통해 전쟁 예방·억지
- 한계: 군비 경쟁 유도, 다양한 주체의 존재와 협력 관계 설명 곤란

이상주의
- 갈등의 원인: 잘못된 제도, 무지, 오해
- 갈등 해결의 원천: 이성
  → 국제기구, 국제법, 국제 규범을 통한 제도 개선
- 한계: 현실과 낙관적 전망 사이의 괴리

❸ 구조적·문화적 폭력
구조적 폭력이란 사회 제도나 관습, 정치, 법률 등에서 생기는 간접적·정신적 폭력으로 의도되지 않은 폭력이고, 문화적 폭력은 종교·언어·예술 등을 통해 직접적·구조적 폭력을 용인하고 정당화하는 상징적인 의미로서의 폭력을 말한다.

자료 01 반인도적 범죄에 대한 처벌이 필요한 이유

국민일보 2012. 7. 11.

국제 형사 재판소(ICC)는 2012년 3월 10일, 콩고 내전 당시 어린 아동을 전쟁에 이용하고 성 노예로 부리는 등 반인도주의적 범죄를 저지른 콩고 반군 지도자 루방가(51세)에게 징역 14년형을 선고하였다. 지난 콩고 내전(2002~2003년) 당시 소년병을 내전에 동원한 혐의로 ICC에 피소된 루방가에게 내려진 이번 판결은 ICC 역사상 최초의 유죄 판결이라는 점에서 의미가 있다. 그뿐만 아니라 이번 ICC의 실형 선고는 아프리카 등 세계 곳곳에서 자행되고 있는 아동 학대, 소년병 징집에 대한 의미 있는 경고가 될 것으로 전망된다.

자료 분석 | 반인도적 범죄는 국제 사회의 정의를 해치는 대표적 요인으로, 무고한 사람의 목숨을 빼앗거나 인간의 존엄성을 해치는 것이다. 그러므로 반인도적 범죄를 저지른 사람이나 집단이 처벌받지 않는다면 이는 지구촌의 형사적 정의를 훼손하는 일이다. 이에 따라 국제 사회는 반인도적 국제 범죄에 대해 공소 시효를 적용하지 않고 있다. 아울러 집단 학살, 전쟁 범죄, 반인도적 범죄를 저지른 개인을 처벌하기 위해 국제 형사 재판소를 상설화하여 운영하고 있다.

자료 02 국제 관계를 보는 관점과 그에 따른 분쟁 해결 방법

(가) 국제 정치는 국가 이익의 관점에서 정의된 권력을 위한 투쟁이다.
(나) 국제 관계는 국가 간 상호 작용을 통해서 구성된다.
(다) 국제 분쟁은 국가 간 도덕성을 확보해야 해결된다.

자료 분석 | (가)는 국제 관계를 바라보는 현실주의적 입장(모겐소), (나)는 구성주의적 입장(웬트), (다)는 이상주의적 입장(칸트)이다. (가)에 의하면 국제 분쟁은 국가 간 세력이 균형을 이룰 때 해결할 수 있고, (나)에 의하면 국가 간의 긍정적인 상호 작용으로 우호적 관계를 정립할 때 해결할 수 있다. (다)에 의하면 국제기구, 국제법, 국제 규범 등 제도 개선을 통해 집단 안보가 형성되면 국제 분쟁을 해결할 수 있다.

일반적인 경우 문화적 폭력은 구조적 폭력을 정당화하고, 구조적 폭력은 물리적 폭력으로 가시화되는 경향을 보여.

자료 03 공통 자료 영구 평화론과 적극적 평화론

(가) 사회 계약에 기초하여 하나의 국가가 건립되듯이, 국제 관계도 국가들이 자발적으로 결성한 연맹 체계에 기초한 국제법을 통해 평화 상태에 들어설 수 있다. 이 상태에서만 국민의 모든 권리나 국가들의 소유가 확정적인 것으로 인정되고 참된 평화 상태가 될 수 있다. 이러한 연맹의 이념은 모든 국가로 확산되어야 하며, 영원한 평화로의 지속적인 접근은 인간 및 국가의 의무로서, 그리고 권리에 기초한 과제로서 성립될 수 있다.

(나) 폭력을 줄이는 것도 중요하지만, 폭력을 예방하는 것이 더 중요하다. 전자는 소극적 평화를 목표로 하지만, 후자는 적극적 평화를 지향하는 것이다. 따라서 전쟁, 테러, 폭행 등 신체에 직접 해를 가하는 직접적·물리적 폭력이 제거된 소극적 평화 상태뿐만 아니라 억압, 착취 등의 구조적 폭력과 종교와 사상, 언어와 예술, 과학과 법, 대중 매체와 교육의 내부에 존재하는 문화적 폭력까지 모두 사라진 적극적 평화 상태를 추구해야 한다. 또한 목적이 수단을 정당화할 수 없듯이, 평화는 평화적 수단으로만 이루어져야 한다.

자료 분석 | 두 자료는 모두 국제 평화의 중요성을 역설한 글로, (가)는 칸트의 주장, (나)는 갈퉁의 주장이다. 칸트는 영구 평화에 이르기 위해서는 모든 국가의 정치 체제가 시민 참여로 정책이 결정되는 공화 정체일 것, 국제법이 자유로운 국가들의 연방 체제에 기초할 것, 국가 간 평등한 관계에 기반을 둔 세계 시민법으로 환대권(이방인에게 인정되는, 적으로 간주되지 않을 권리이자 존중받을 권리)이 보장될 것 등의 요건이 충족되어야 한다고 본다. 한편 갈퉁은 평화를 위협하는 주된 요인은 폭력이라며, 전쟁, 테러와 같은 직접적 폭력뿐 아니라 빈곤, 인권 침해 등의 문제까지도 모두 해결되어 누구나 자아실현이 가능한 상태를 참된 평화라고 본다. 아울러 칸트가 주장한 영구 평화론에 관해서는 소극적 평화 달성이라는 의미만 가질 뿐이라고 비판한다.

기출 선택지 O, X로 정리하기

1 국가 간의 분쟁은 대개 영토, 종교, 자원, 인종·민족 중 어느 한 가지 원인만 작용하여 발생한다. (O , X)

2 자료 02의 (가) 입장에서는 국가 간 분쟁을 예방하고 억지하기 위해서는 국가 간 힘의 균형이 이루어져야 한다. (O , X)

3 국제 분쟁의 해결 과정에서 국제기구, 국제법 등의 역할을 강조한다면 자료 02의 (나)의 입장이다. (O , X)

4 자료 02의 (다) 입장에서는 국가의 이익과 도덕성이 충돌할 때 국가의 이익을 우선시해야 한다. (O , X)

5 자료 03의 (가)를 주장한 사상가는 연맹 체제의 단계에서도 개별 국가의 주권은 인정되어야 한다고 본다. (O , X)

6 자료 03의 (가) 입장에서는 국제 사회는 국제적 사회 계약을 통해 연맹 체제를 단일 국가로 전환해야 한다. (O , X)

7 자료 03의 (나)를 주장한 사상가는 적극적 평화를 위한 직접적인 폭력 사용은 인정되어야 한다고 본다. (O , X)

8 자료 03의 (나) 입장에서는 직접적인 폭력의 제거가 간접적인 폭력의 제거보다 중요하다. (O , X)

정답 1× 2○ 3× 4× 5○ 6× 7× 8×

2 국제 사회에 대한 책임과 기여

1. 국제 사회에 대한 책임

(1) 세계화의 긍정적 영향

① 생활 공간의 확장 ➡ 판매 시장 확대 및 소비 선택의 기회 증가

② 국가 간 자유로운 경쟁과 교류 확대 ➡ 인류의 공동 번영 여건 조성

왜? 각국의 기업들이 국제적 경쟁력을 갖추기 위해 노력하는 과정에서 창의성과 효율성, 생산성이 높아지기 때문이다.

③ 다양한 문화 교류 ➡ 지구적 차원에서의 문화 간 공존 기대 상승

(2) 세계화의 부정적 영향

① 자본·기술력 보유국과 비보유국 간 빈부 격차(남북문제) 심화[4]

왜? 자본과 기술력을 보유한 선진국은 주로 북반구에, 그렇지 못한 개발 도상국은 주로 남반구에 위치해 있기 때문이다.

② 국가 간 경제 의존도 심화 ➡ 한 국가의 경제 위기가 세계 경제에 미치는 영향력 증대

③ 각 지역, 각 나라 고유의 정체성 약화

④ 문화의 획일화

2. 해외 원조의 윤리적 근거[5] 자료 04

(1) 싱어의 관점 자료 05

① 주장

- 절대적 빈곤으로 고통받는 사람들을 돕는 것은 윤리적 의무 ➡ 공리주의적 입장
- 굶주림으로 죽어 가는 이웃에게 자신의 꼭 필요하지 않는 지출을 기부하는 방식으로 소득의 일정 부분을 적극적으로 기부할 것

② 원조의 주체 원칙적으로 개인

주의! 싱어는 해외 원조의 주체로 개인을 강조하였지만 국가 차원의 원조도 가능하다고 보았다.

③ 원조의 직접적인 대상 개인

④ 원조의 목적 가난과 굶주림에 따른 고통 제거를 통한 전 인류의 복지 증진

(2) 롤스의 관점

① 주장

- 빈곤국이 질서 정연한 사회로 이행하도록 돕는 것은 정의 실현을 위한 의무
- 질서 정연한 사회의 구현 이후에는 원조를 중단해야 함

주의! 질서 정연한 사회로의 이행이 곧 부의 재분배나 복지 향상을 의미하는 것은 아니다. 롤스는 상대적 빈곤국이라 하더라도 질서 정연하기만 하면 원조할 필요가 없다고 보았다.

② 원조의 주체 국가

③ 원조의 직접적인 대상 사회

④ 원조의 목적 빈곤국의 자생력 증진

(3) 노직의 관점

① 원조나 기부는 선의를 베푸는 자선 행위

② 개인은 정당한 절차를 거쳐 취득한 재산에 대해 배타적·절대적 소유권 발생 ➡ 해외 원조를 의무로 요구하는 것은 개인의 권리 침해

3. 국제 사회의 기여 노력

(1) 해외 원조[6]의 목적

① 인간의 존엄성 실현 인도주의적 차원, 비슷한 역량을 지닌 국가 간에도 원조 가능

② 자원 확보나 국가의 이미지 제고 자국의 이해관계나 외교 정책적 필요

(2) 원조의 딜레마 무분별한 원조로 원조 수혜국의 주인 의식이나 자립 능력이 약화되어 해외 원조에 계속해서 의존하게 되는 것 자료 06

(3) 해외 원조의 방식

① 직접적인 원조 긴급한 구호를 위한 식량 및 의약품 제공, 구조대 파견 등

② 간접적인 원조 인적 자원의 개발, 인권 보호, 성 평등 실현, 환경 보호, 정보 통신 체계 구축 등 지원

---

④ 남북문제의 윤리적 문제
국가 간의 빈부 격차는 선진국 중심의 시장과 자본 독점으로 절대 빈곤국 국민의 인간다운 삶은 물론 생명까지 위협하고 있으며, 선진국 외 국가들을 생산 기지와 시장으로 전락시킴으로써 지구촌 분배 정의의 실현을 어렵게 하고 있다.

⑤ 해외 원조에 대한 의무론적 관점
어려운 처지의 국가를 돕는 행위는 사람을 목적으로 대우하는 것으로, 언제 어디서나 보편성을 지닐 수 있는 도덕 법칙이기 때문에 마땅히 해야 하는 윤리적 의무라는 입장이다.

고득점을 위한 셀파 Tip 비교

| 해외 원조 의무론 vs 자선론 |

의무의 관점
- 싱어의 공리주의적 입장: 가난하고 굶주리는 사람을 돕는 것
- 롤스의 정의 실현론: 질서 정연한 사회로의 이행을 돕는 것

자선의 관점
- 노직의 자발적 선택론: 고통받는 사람들에게 선의를 베푸는 것

⑥ 해외 원조의 실태
국제 사회는 공적 개발 원조(ODA)를 통해 개발 도상국의 경제 개발과 복지 증진을 지원하고 있다. 또 유엔 회원국들은 지속 가능한 개발 목표(SDGs)를 협의하여 모든 형태의 빈곤과 불평등 감소, 환경적인 지속 가능성과 지속 가능한 발전 개념의 균형 있는 이행을 위해 노력하고 있다. 이 밖에 국제 사면 위원회, 국경 없는 의사회 등 국제 비정부 기구(INGO)의 원조 활동도 활발하게 이루어지고 있다.

셀파 자료 탐구

자료 04 공통 자료 해외 원조론 비교

갑: 자원은 한정되어 있기에 최대의 이익이 산출될 수 있는 곳에 사용되는 것이 적절하다. 풍요한 사회의 서민들만 풍요로움을 누리는 것은 부당하다. 인류 전체의 이익 증진을 위해 절대 빈곤으로 고통받는 사회의 사람들을 원조해야 한다.

을: 자원이 부족하다고 해서 질서 정연한 사회가 될 수 없는 경우는 거의 없다. 어떤 사회가 질서 정연한 사회가 되는 결정적 요인은 자원의 수준보다는 정치 문화이다. 불리한 여건으로 고통받는 사회가 정치 문화를 바꾸도록 원조해야 한다.

병: 자유 사회에서 개인의 선택은 존중되어야 한다. 원조를 강요하는 것은 자신의 소유물에 대한 절대적 권리를 갖는 개인의 권리를 침해하는 것이다.

자료 분석 | '인류 전체의 이익 증진'을 주장하는 갑은 싱어, '질서 정연한 사회'를 강조하는 을은 롤스, '개인의 선택 존중'을 우선시하는 병은 노직이다. 싱어는 공리주의 관점에서 죽음이라는 결과를 가져오는, 굶겨 죽이는 행위와 굶어 죽도록 내버려 두는 행위 모두 비도덕적 행위라고 본다. 이에 국민 국가 개념을 뛰어넘는 지구적 차원의 사고와 윤리에 따라 의무적으로 해외 원조에 나서야 한다고 주장한다. 롤스는 정치·문화적으로 불리한 여건에 처해 고통받는 사회의 구성원들이 있다면 그 나라가 가난하든 부유하든 도와주어야 한다고 주장한다. 노직은 가난한 사람을 도울지 말지 정하는 것은 순전히 개인의 몫이라고 본다.

자료 05 싱어의 해외 원조론과 적용

(가) 우리가 세계화의 시대를 얼마나 잘 겪어 낼 수 있는가 하는 문제는 '하나의 세계'에 살고 있다는 생각에 어떻게 윤리적으로 대응하는가에 달려 있다. 세계 모든 사람의 이익은 그 사람이 처한 국적과 무관하게 평등하게 고려되어야 한다. 따라서 부의 분배에 대한 전 지구적 단일 기준을 마련하고 이를 통해 전 지구적 차원의 분배가 이루어져야 한다.

(나) 문제 상황

자료 분석 | (가)는 해외 원조를 윤리적 의무라고 주장한 싱어의 관점이고, (나)는 개인이 가난한 나라의 배고픈 사람들에게 도움을 주어야 할지 고민하고 있는 상황을 보여 준다. (가)의 관점을 지닌 사람이라면 (나)와 같은 고민을 가진 사람들에게 그들을 돕는 것은 세계 시민으로서 당연한 의무라고 조언할 것이다.

자료 06 원조의 딜레마

원조 환상이란 부유한 나라가 하루 1달러 미만으로 생계를 유지하고 있는 가난한 나라에 부족한 돈을 더 주기만 하면 세계의 빈곤이 사라질 것이라는 생각을 말한다. 세계 빈곤 문제를 해결하고 죽어 가는 아이들의 생명을 구하는 일은 배관을 고치거나 망가진 차를 수리하는 일처럼 공학적인 일이 아니다. 원조 수혜국의 빈곤 문제는 단순히 자원이나 기회가 부족하기 때문이 아니다. 열악한 제도와 미숙한 정부, 부패한 정치 등 구조적인 문제와 연결되어 있어 소위 한쪽에서 물을 공급하면 다른 쪽으로 쏟아져 나오는 것처럼 오히려 원조 수혜국의 빈곤 상황을 악화시킬 수 있다.

자료 분석 | 제시문은 물질적 원조만으로는 빈곤 문제가 해결되지 않으며, 무분별한 원조는 원조 수혜국에 오히려 독이 될 수도 있음을 보여 주는 디턴의 글이다. 실제로 아프리카 나라들에 대한 원조가 꾸준히 증가했던 1960년대부터 1990년대 초까지 아프리카 나라들의 경제 성장률은 지속해서 감소하였다. 그런데 냉전이 끝나고 1990년대 중반 이후 아프리카에 대한 원조가 줄어들자 아프리카의 경제 상황은 오히려 호전되었다.

기출 선택지 O, X로 정리하기

1 자료 04의 갑의 입장에서는 사회 내에서 이루어지는 부조와 해외 원조 사이에 본질적인 차이가 없다. (O , X)

2 자료 04의 을의 관점에 의하면 해외 원조는 인류의 균등한 복지 수준을 목표로 이루어져야 한다. (O , X)

3 자료 04의 병은 원조의 의무를 실행하기 위한 과세는 강제 노동과 같다고 본다. (O , X)

4 자료 04에서 갑과 을은 모두 해외 원조를 의무라고 본다. (O , X)

5 자료 04에서 갑은 해외 원조에서 국가적 경계는 아무 의미가 없다고 강조한 반면 을은 국가적 경계를 중시한다. (O , X)

6 자료 05의 (가) 관점에 의하면 우리가 번 돈은 우리의 것이며 우리 마음대로 쓸 권리가 있다. (O , X)

7 자료 05의 (가) 입장에서는 전 세계 가난한 사람들에 대한 원조에 앞서 자신과 가까운 이웃부터 먼저 도와주어야 한다고 주장할 것이다. (O , X)

8 노직은 자료 05의 (나) 상황에 처한 사람에게 가난한 나라의 배고픈 사람들을 돕는 것은 빈부 격차 문제를 해결할 수 있는 최선의 방안이라고 조언할 것이다. (O , X)

정답 1 O 2 X 3 O 4 O 5 O 6 X 7 X 8 X

개념 완성

1 국제 분쟁의 해결과 평화

국제 분쟁	원인과 특징	• 원인: 영토, 종교, (❶), 인종·민족 등 • 특징: 어느 한 원인에 의한 갈등이라기보다 정치·경제적, 종교적 이해관계가 얽혀 복잡한 양상을 보임
	윤리적 문제	평화, 인권, 정의 등 (❷) 훼손
	해결 방안	• 문명의 다양성과 (❸) 존중 • 국제적 분배 정의 실현 • 형사적 정의 실현
국제 분쟁 해결론	현실주의	• 국가의 이익 > 도덕성 • 분쟁 해결 방법: 세력 균형
	이상주의	• 국가의 이익 < 도덕성 • 분쟁 해결 방법: (❹) 형성
	구성주의	• 국가 간 상호 작용이 국익 좌우 • 분쟁 해결 방법: 긍정적 상호 작용
국제 평화의 중요성	칸트	(❺): 국제법을 적용받는 평화 연맹 구성 요구 → 국제 연맹, 국제 연합 결성에 영향
	갈퉁	적극적 평화론: 직접적·물리적 폭력뿐 아니라 구조적·문화적 폭력까지 제거된 적극적 평화의 실현 주장

2 국제 사회에 대한 책임과 기여

세계화의 영향	긍정적	• 판매 시장 및 소비 선택의 기회 증가 • 자유 (❻)과 교류 확대로 인류의 공동 번영 여건 조성 • 다양한 교류로 문화 공존 기대 상승
	부정적	• (❼) 심화 • 국가 간 경제 의존도 심화로 경제 위기 연대 • 각국의 정체성 약화 및 문화의 획일화
해외 원조의 윤리적 근거	싱어	• 가난한 사람들을 돕는 것은 윤리적 의무 → 공리주의 • 원조의 주체는 원칙적 개인, 대상도 개인 • 원조의 목적은 전 인류의 복지 증진
	롤스	• 빈곤국의 질서 정연한 사회로의 이행을 돕는 것은 (❽) 실현을 위한 의무 • 원조의 주체는 국가, 대상은 사회 • 원조의 목적은 빈곤국의 자생력 증진
	노직	원조나 기부는 (❾) 행위
해외 원조	목적	인간의 존엄성 실현, 자원 확보, 국가의 이미지 제고 등

정답 ❶ 자원 ❷ 보편적 가치 ❸ 차이 ❹ 집단 안보 ❺ 영구 평화론 ❻ 경쟁 ❼ 남북문제 ❽ 정의 ❾ 자선

탄탄 내신 문제

01 지도를 보고 추론한 내용으로 옳지 않은 것은?

① 자원 분쟁이 국가 간 무력 분쟁으로 확대될 수 있다.
② 국제 사법 재판소와 같은 국제기구가 개입할 수도 있다.
③ 냉전 시대와 같은 전 지구적 차원의 분쟁이 확대되고 있다.
④ 국제 분쟁은 영토, 민족뿐만 아니라 자원 때문에 발생하기도 한다.
⑤ 반인도적 범죄가 발생할 경우 형사적 정의의 차원에서 대응해야 한다.

02 (가)~(다)에 대한 설명으로 옳지 않은 것은?

> (가) 국제 정치는 국가 이익의 관점에서 정의된 권력을 위한 투쟁이다. 따라서 국제 분쟁 해결을 위한 힘이 요구된다.
> (나) 인간은 근본적으로 상호 협력할 수 있는 존재이다. 그러므로 국제 분쟁은 국가 간 도덕성을 확보해야 해결된다.
> (다) 국제 관계는 물적 자원, 이익, 제도뿐만 아니라 관념으로 구성된다. 따라서 국제 관계는 국가 간 상호 작용을 통해 구성된다.

① (가)는 국가 간 힘의 균형을 통한 평화를 강조할 것이다.
② (나)는 국제법이나 국제기구를 통한 국제 분쟁의 해결을 강조할 것이다.
③ (다)는 국제 질서의 도덕적 규범은 상대적일 수 있다고 본다.
④ (가)보다 (나)는 인간의 본성에 대하여 긍정적인 입장이다.
⑤ (가)에 비해 (다)는 군사 동맹을 통한 분쟁 해결을 강조한다.

03 갑의 관점에서 신문 기사를 이해한 내용으로 타당한 것은?

갑: 인간은 근본적으로 상호 협력할 수 있는 존재이므로 국가 간 이해관계도 협력을 통해 조정함으로써 평화를 달성할 수 있다.

아프리카 코트디부아르 축구 대표팀은 독일 월드컵 본선 경기를 앞두고 수단과 벌인 최종 예선전에서 수단을 3-1로 이겼다. 월드컵 본선 진출권을 따낸 뒤 코트디부아르 축구 선수들은 방송 카메라 앞에 무릎을 꿇고 "여러분, 적어도 일주일 동안만이라도 무기를 내려놓고 전쟁을 멈춥시다."라고 호소하였다. 코트디부아르는 2002년부터 코코아 채취 이득을 두고 벌어지는 반군인 북부 이슬람 세력과 정부를 장악한 남부 기독교 세력 간의 전쟁으로 하루도 총성이 끊이지 않는 상황이었다. 하지만 축구 선수들의 호소가 전해지자 놀랍게도 전쟁이 중단되었다.

- 국민일보, 2015. 5. 25. -

① 국제 정치의 주체는 최종적으로 국가가 되어야 한다.
② 힘의 균형이 일시적으로 달성되어 휴전이 가능하였다.
③ 국제기구를 통한 해결은 중립성·공정성에 한계가 있다.
④ 국가 간 관계는 문화적·경제적 요소에 따라 상대적이다.
⑤ 인간의 이성적 판단 능력에 따라 평화 상태는 지속될 수 있다.

04 다음에서 설명하는 국제기구의 설립 취지와 목적에 대한 추론으로 적절한 것은?

국제 형사 재판소(International Criminal Court)는 집단 살해죄, 인도에 반(反)한 죄, 전쟁 범죄 및 침략 범죄 등 가장 중대한 국제 인도법 위반 범죄를 저지른 개인을 처벌할 수 있는 최초의 상설 국제 재판소이다. 국제 조약과 관습법에서는 집단 살해, 전쟁 범죄 및 인도에 관한 죄를 금지하는 규범을 만들어 왔으나, 현실적으로는 규범 위반에 대한 처벌이 불가능하다는 한계가 있었다.

① 약소국의 군비 강화에 대한 억제
② 국가 간 경제·무역 분쟁에 대한 중재
③ 반인도적 범죄에 대한 응징과 재발 방지
④ 전쟁 범죄와 국제적 범죄에 대한 관습적 처벌
⑤ 개별 국가의 인권 침해 문제에 대한 개입과 해결

05 다음 사상가의 입장에서 ㉠을 달성하기 위한 적절한 노력을 〈보기〉에서 고른 것은?

폭력을 줄이는 것도 중요하지만, 폭력을 예방하는 것이 더 중요하다. 전자는 소극적 평화를 목표로 하지만, 후자는 적극적 평화를 지향하는 것이다. 따라서 전쟁, 테러, 폭행 등 신체에 직접 해를 가하는 직접적·물리적 폭력이 제거된 소극적 평화 상태뿐만 아니라 억압, 착취 등의 구조적 폭력과 종교와 사상, 언어와 예술, 과학과 법, 대중 매체와 교육의 내부에 존재하는 문화적 폭력까지 모두 사라진 ㉠ 적극적 평화 상태를 추구해야 한다.

보기

ㄱ. 이웃 국가와 영토 분쟁으로 교전 중인 A국 무장 단체
ㄴ. 차별적인 법 집행에 불복종 운동을 벌이는 B국 국민들
ㄷ. 강제 징병에 맞서 폭력적인 시위로 저항 중인 C국 국민들
ㄹ. 강압적 기업 문화를 비판하는 집회를 개최하는 D사 노동자들

① ㄱ, ㄴ ② ㄱ, ㄷ ③ ㄴ, ㄷ
④ ㄴ, ㄹ ⑤ ㄷ, ㄹ

06 다음은 어느 사상가에 대한 필기 내용 중 일부이다. 이를 통한 추론으로 타당한 것은?

① 예비 조항 – 국제 평화를 방해하는 요소들을 제거해야 함 ➡ 상비군 폐지와 국가 주권에 대한 간섭 배제 등
② 확정 조항
- 제1항 – 국내법의 관점에서 각국의 헌법은 '공화적(민주적)'이어야 함
- 제2항 – 국제법의 관점에서 모든 국가가 자유롭고 평등한 주권을 전제로 '연방 체제'를 구성할 것
- 제3항 – 세계 시민법의 입장에서 제 국민 상호의 '방문권' 확립을 요청(보편적이고 우호적인 조건으로 제한될 것)

① 국제 평화 달성을 위해 군사 동맹을 강화해야 한다.
② 개별 국가의 주권을 하나의 정치 체제로 통합해야 한다.
③ 전 세계적 차원의 민족주의를 강화하는 계기가 될 수 있다.
④ 봉건적 체제라 할지라도 개별 국가의 주권을 존중해야 한다.
⑤ 개별 국가의 시민이 특정 국가를 통행할 권리를 보장해야 한다.

07 ㉠에 들어갈 내용으로 적절하지 않은 것은?

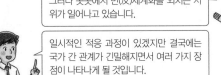

세계화를 통해 다양한 분야의 교류 확대와 경제적 효과를 기대할 수 있다는 점에서 긍정적으로 평가됩니다.

그러나 곳곳에서 반(反)세계화를 외치는 시위가 일어나고 있습니다.

일시적인 적응 과정이 있겠지만 결국에는 국가 간 관계가 긴밀해지면서 여러 가지 장점이 나타나게 될 것입니다.

그렇다면 당신은 ㉠ 는 점을 간과하고 있습니다.

① 소득과 자원 분배에 따른 남북문제가 심화된다
② 선진국 중심의 문화적 획일화가 일어날 수 있다
③ 개발 도상국의 선진국에 대한 무역 의존도가 심화된다
④ 다양한 재화와 서비스의 국가 간 이동이 자유로워진다
⑤ 자유 무역은 강대국의 다국적 기업을 중심으로 전개된다

08 (가)의 입장에서 이루어진 (나)에 대한 판단으로 적절한 것은?

(가) 관용은 이해와 용서를 통해 갈등을 줄여 나가는 것을 의미하지만, 때로는 인류의 보편적 가치를 무시하는 강제를 정당화하거나 지배 세력의 시혜(施惠) 수단으로 왜곡되기도 한다. 따라서 관용의 본래적 의미를 회복하려면 개인의 자유와 평등의 실현을 가로막는 장애물에 대해서는 불관용해야 한다.
(나) 르완다 내전(內戰)은 1959년에서부터 1996년까지 벌어진 내전으로, 소수파인 투치족과 다수파 지배 계층인 후투족이 국가 통치권을 놓고 벌인 분쟁이다. 내전 기간 중 약 150만 명이 학살당했고, 240만에 달하는 난민이 발생하였다.

① 어떤 가치라도 평등하게 수용하려는 마음을 지녀야 한다.
② 개인에 따라 관용의 한계는 다를 수 있음을 인식해야 한다.
③ 사회·문화적 배경에 따라 분쟁 해결 방법이 다를 수 있다.
④ 보편적 정의에 어긋나는 행위에 대해서는 불관용이 요구된다.
⑤ 강자의 입장에서 사회적 약자를 보호해야 함을 깨달아야 한다.

09 갑, 을의 입장에 대한 옳은 설명을 〈보기〉에서 고른 것은?

인간의 본성은 이기적이며, 이러한 인간들로 구성된 국가와 국제 관계 역시 자기 이익의 관점을 벗어날 수 없기 때문에 분쟁은 끊이지 않게 됩니다.
갑

그렇지 않습니다. 인간은 본래적으로 선하고 상호 협력할 수 있는 존재이므로 이성적 대화를 통해 국가 간 평화 유지가 가능합니다.
을

보기
ㄱ. 갑은 국가의 역할을 자국의 이익 극대화로 간주한다.
ㄴ. 을은 국가 간 협력 가능성에 대해 긍정적이다.
ㄷ. 을은 국제법, 국제기구가 강대국 중심으로 구성되어 있음을 강조한다.
ㄹ. 갑은 을에 비해 자국과 상대국의 관계성에 주목한다.

① ㄱ, ㄴ ② ㄱ, ㄷ ③ ㄴ, ㄷ
④ ㄴ, ㄹ ⑤ ㄷ, ㄹ

10 다음 사상가의 입장에서 〈문제 상황〉 속 A의 행위에 대한 평가로 가장 적절한 것은?

감정이나 욕구가 아니라 도덕 법칙을 존중하려는 의무에서 비롯된 행위만 도덕적 가치가 있다. 그 자체가 선인 도덕 법칙은 정언 명령의 형식으로 제시된다.

〈문제 상황〉

A는 절대 빈곤 국가에서 굶주림에 괴로워하는 아이들의 모습을 TV에서 보고, 동정심에 이끌려 국제 비정부 기구를 통해 기부하였다.

① 개인의 배타적 소유권에 대한 자연적 경향성의 침해이다.
② 인류 전체의 고통을 감소하는 것이므로 도덕적인 행위이다.
③ 가까운 관계부터 확대된 사랑이 아니므로 인간의 본성에 어긋난다.
④ 도덕 법칙에 대한 존경에서 비롯되지 않았으므로 도덕적 가치가 없다.
⑤ 질서 정연한 사회로의 이행에 기여하지 못하므로 진정한 원조가 아니다.

11 갑, 을 사상가의 입장에 대한 추론으로 가장 적절한 것은?

> 갑: 질서 정연한 사회의 정부는 고통받는 사회의 만민을 원조할 의무를 진다. 원조의 목표는 그러한 고통받는 사회를 질서 정연한 국가 체제로 편입시키는 것이다.
> 을: 풍요로운 사회의 부유한 사람들은 이익 평등 고려의 원칙에 따라 빈곤으로 고통받는 사람들을 원조해야 한다. 이러한 원조는 궁극적으로 인류의 복지를 증진하는 데 기여해야 한다.

① 갑: 빈곤 상태에 있는 모든 국가가 원조의 대상이다.
② 갑: 풍요로운 국가는 빈곤한 국가를 자국으로 편입시켜야 한다.
③ 을: 해외 원조를 진행하되 자국 빈곤층을 우선으로 지원한다.
④ 을: 공리주의적 관점에서 해외 원조의 이익을 고려해야 한다.
⑤ 갑, 을: 해외 원조의 목적은 국가 간 경제적 평등 실현이다.

12 그림은 서술형 평가 문제와 학생 답안이다. ㉠~㉤ 중 옳지 않은 것은?

〈서술형 평가〉

◎ **문제** (가), (나)의 입장을 비교하여 서술하시오.

> (가) 정당한 절차에 따라 이전(移轉)된 재화의 소유권은 온전히 개인의 권리이다. 따라서 부당하게 이전된 재화는 자유를 침해하는 것이다.
> (나) 절대 빈곤에 빠진 국가의 국민들을 돕는 것은 부유한 국가의 국민 모두의 의무이다. 그들의 소득 1%를 원조에 쓴다면 세계적 차원의 빈곤을 구제할 수 있다.

◎ **학생 답안**

㉠ (가)는 해외 원조를 의무로 파악하지 않고 개인의 자유로 파악한다. ㉡ 소유권을 배타적인 권리로 보기 때문이다. 이에 비해 ㉢ (나)는 해외 원조를 부유한 국가가 주체가 되어 마땅히 해야 할 일로 이해한다. 즉, ㉣ 해외 원조를 윤리적 차원의 의무로 보는 것이다. 한편 ㉤ (가)와 (나)는 개인이 자율적으로 행하는 해외 원조에 대해 반대하지 않는다.

① ㉠ ② ㉡ ③ ㉢ ④ ㉣ ⑤ ㉤

13 다음은 '국경 없는 의사회'의 활동 원칙이다. 이를 통해 파악할 수 있는 기구의 성격을 〈보기〉에서 고른 것은?

> • 의료 윤리: 국경 없는 의사회는 의료 윤리 규범을 준수하여 활동하며, 특히 의료 활동 중 개인이나 집단에 해를 가하지 않을 의무를 다한다.
> • 공정성과 중립성: 인종, 종교, 성별, 정치적 성향에 관계없이 오직 의료적 필요에만 근거하여 도움이 필요한 사람들을 지원한다.
> • 독립성: 국경 없는 의사회는 독자적·자율적으로 현지 주민들의 필요를 파악하여 지원 여부를 결정한다. 제한 없이 주민들에게 접근하고, 지원 활동을 직접 관리할 권한을 확보하기 위해 최선을 다한다.

보기
ㄱ. 의료 행위의 전문성을 높일 것을 목적으로 한다.
ㄴ. 지원 과정에서 정치적 편향성의 발생 가능성을 차단한다.
ㄷ. 외부의 간섭 없이 주민들의 필요한 사항을 조사할 수 있다.
ㄹ. 의료 지원과 직접적 관련이 없는 사람은 활동에서 배제한다.

① ㄱ, ㄴ ② ㄱ, ㄷ ③ ㄴ, ㄷ
④ ㄴ, ㄹ ⑤ ㄷ, ㄹ

14 사상가 갑이 을의 주장에 대하여 할 수 있는 조언으로 적절하지 않은 것은?

> 갑: 만민은 정의롭거나 적정 수준의 사회 체제로 나아가는 데 있어서 불리한 여건으로 인해 고통받고 있는 사회의 국민을 도와야 한다.
> 을: 부유한 나라가 단지 가난한 나라에 돈을 쥐어 주면 빈곤에서 벗어날 것이라고 판단하는 것은 착각이다. 빈곤은 단순히 자원이나 기회의 부족만으로 발생하지 않는다. 무능하고 부패한 정부나 정치로 인해 빈곤한 나라에 대한 원조는 오히려 무능과 부패의 자원으로 이용될 수 있다.

① 해외 원조는 정부 차원에서 하는 것이 효율적이다.
② 물질적 원조뿐 아니라 정치 구조의 개선도 요구된다.
③ 해외 원조는 독재 정권의 유지 수단으로 전용될 수 있다.
④ 질서 정연한 사회가 고통받는 사회를 돕는 것은 의무이다.
⑤ 해외 원조는 인간을 수단이 아닌 목적으로 대우하는 것이다.

딱풀 p. 53

15 ㉠, ㉡에 들어갈 알맞은 말을 쓰시오.

갈퉁에 의하면 평화는 ㉠ 의미의 평화와 ㉡ 의미의 평화로 나눌 수 있다. ㉠ 평화는 직접적인 폭력과 전쟁, 테러, 범죄 등으로부터 해방된 상태를 의미한다. ㉡ 평화는 직접적인 폭력뿐만 아니라 빈곤, 정치적 억압, 종교적 차별과 같은 사회의 구조적·문화적 폭력이 제거되어 인간답게 살아갈 수 있는 삶의 조건이 갖추어진 상태를 가리킨다.

16 사상가의 주장을 참고하여 영구 평화를 위한 조건 세 가지를 서술하시오.

영구적인 평화 상태를 위해서는 무엇보다 모든 국가의 정치 체제가 민주적인 공화제여야 한다. 이 체제의 조건은 첫째로 사회 구성원의 자유의 원리에 의해, 둘째로 모두가 단 하나의 공통된 입법에 근거를 둔 의존의 원리에 의해, 셋째로 평등의 원리에 의해 마련된다. 이 체제가 영구적인 평화에 대한 전망을 제시한다. 왜냐하면 전쟁 여부를 결정하기 위해서는 국민의 동의가 필수적인데, 국민은 전쟁이 초래할 재앙을 감수하는 데에 매우 신중할 수밖에 없기 때문이다. 반면에 군주나 독재자는 국가의 구성원들보다 손쉽게 전쟁을 선포해 버린다.

17 다음 글에서 추론할 수 있는 국제 관계를 보는 입장을 쓰시오.

"국제 관계는 국가 간 상호 작용을 통해 구성된다."
웬트에 의하면 국가는 상대국과의 상호 작용을 통해서 정체성을 형성하고 관계를 정립한다. 즉, 자국과 상대국이 적, 친구 혹은 경쟁자 중 어떤 관계인지, 어떻게 상호 작용할 것인지에 따라서 국익이 좌우된다. 따라서 자국과 상대국의 긍정적인 상호 작용을 통해 분쟁을 해결할 수 있다.

18 다음과 같은 형태의 국제 정치의 주체를 쓰고, 그 대표 사례를 해외 원조 활동과 관련지어 서술하시오.

국경을 넘어 활동하는 시민 개개인 또는 민간단체에 의해 조직된 국제적 기구이다. 넓은 의미로는 기업과 시민 단체를 모두 포괄하며, 좁은 의미로는 비영리 민간단체를 가리킨다.

19 해외 원조에 대한 갑, 을의 입장을 비교하여 서술하시오.

갑: 정치 문화는 한 사회의 부와 복지 수준을 결정하는 주된 요인이기 때문에 자원과 부가 빈약한 사회라 할지라도 그 사회는 질서 정연한 사회가 될 수 있다. 이를 유념하여 만민은 고통을 겪는 사회들을 원조해야 한다.

을: 타인은 굶주리고 있는데 우리가 사치품에 돈을 쓰고 있다면, 확실히 우리는 더 많이 기부할 수 있다. 모든 사람의 이익을 동등하게 고려하여, 도덕적으로 상응하는 중요한 것의 희생이 없다면 우리는 마땅히 그들을 도와야 한다.

딱풀 p. 55

01 (가)의 관점에서 (나)를 설명한 내용으로 가장 적절한 것은?

> (가) 국제 사회는 반인도적 범죄 행위에 대응하기 위하여 국가 간의 분쟁을 조정하기도 하고, 국제 형사 경찰 기구를 통한 국제 범죄 수사 공조는 물론, 피해 당사국이 여러 나라의 도움을 받아 반인도적 범죄 행위에 대하여 직접 응징할 수도 있어야 한다.
> (나) 보스니아 내전은 20세기 인류 역사에서 가장 잔인하고 수치스러운 전쟁이라 불릴 정도로 상당한 충격을 준 전쟁이다. 400만 인구의 40%에 해당하는 사람들이 살던 집을 떠나 난민으로 전락했고, 40%의 집들이 방화나 폭격 등으로 인해 초토화되었다. 이 전쟁으로 25~30만 명의 사람들이 학살당했다고 추정되나 아직도 정확한 통계 자료는 없다.

① 무력을 동반한 공격은 어떤 경우에도 정당화될 수 없다.
② 국가 내의 폭정은 전쟁 선포의 정당한 명분이 될 수 없다.
③ 국제 공동선을 위한 것이라면 개인도 전쟁 선포가 가능하다.
④ 자국 방어를 제외한 모든 전쟁은 도덕적으로 정의로울 수 없다.
⑤ 형사적 차원의 정의 실현은 무력 사용과 응징을 동반할 수 있다.

02 다음 글에서 추론할 수 있는 내용으로 적절하지 않은 것은?

> ICPO(interpol)는 국제 범죄의 신속한 해결과 각국 경찰 기관의 발전을 위한 기술 협력을 목적으로 1956년에 설립된 국제기구이며, 국제적인 형사 사건의 조사, 정보·자료의 교환, 수사 협력 등의 일을 주로 한다. 현재 가입되어 있는 189개국이 매년 약 5,900만 유로의 재정적 지원을 하고 있다. 인터폴은 정치적인 중립성을 지키기 위해서 어떤 정치적·군사적·종교적·인종적 문제에도 개입할 수 없게 되어 있다.

① 국제 범죄는 개별 국가의 노력만으로 해결되기 어렵다.
② 국제 분쟁 해결은 정치적 공정성·중립성을 필요로 한다.
③ 국제적 갈등은 개별 국가의 해결 의지가 전제되어야 한다.
④ 인터폴은 테러나 비인도적 범죄와 같은 문제에는 개입할 수 없다.
⑤ 국제 분쟁은 개별 국가의 이익이 서로 복잡하게 얽혀 있는 경우가 많다.

03 국제 사회를 바라보는 관점 A, B에 대한 설명으로 옳은 것은?

A	국가의 이익이 도덕성과 충돌할 때 도덕성보다 국가의 이익을 우선시해야 한다. 왜냐하면 국민의 안녕과 국익을 지키는 것이 국가의 의무이기 때문이다.
B	분쟁 관계에서 국가는 도덕성을 고려해야 하며, 국가의 이익보다 인간의 존엄성, 자유, 평등 등 보편적인 가치를 우선하여 달성해야 한다.

① A는 국제기구의 중재를 근본적 해결책으로 본다.
② A는 국가 간 세력 균형으로 평화를 이룰 수 있다고 본다.
③ B는 국제 사회를 홉스가 가정한 자연 상태와 유사하다고 본다.
④ A는 B보다 국제법과 국제기구에 의한 해결을 강조한다.
⑤ B는 A와 달리 국가 간 상호 작용에 따라 국제 질서가 달라진다고 본다.

| 평가원 응용 |

04 (가)의 갑, 을, 병의 입장을 (나) 그림으로 탐구하고자 할 때 A~D에 들어갈 적절한 질문만을 〈보기〉에서 있는 대로 고른 것은?

(가)
갑: 세계 각국은 무정부 상태인 국제 관계 구조에서 생존을 위해 언제나 권력과 국익을 추구한다.
을: 국제 제도와 민주적 여론을 통한 국가 간 신뢰와 협력 확대가 국제 평화의 필수 조건이다.
병: 국가의 정체성과 국제 관계의 구조는 행위자들의 사회적 상호 작용을 통해 구성된다.

(나)
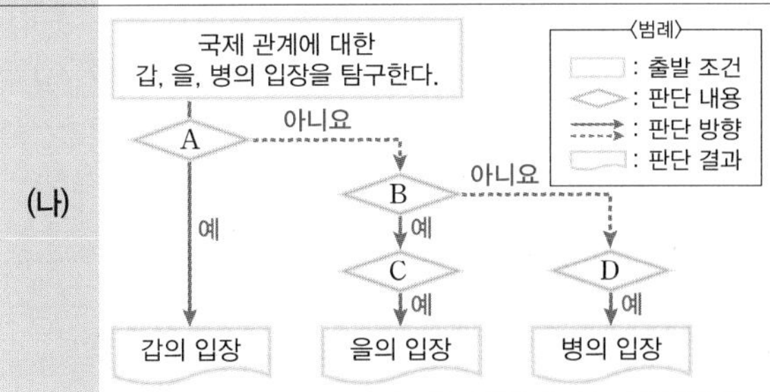

보기
ㄱ. A: 국가를 본질적으로 이기적인 존재라고 규정하는가?
ㄴ. B: 국가 간 세력 균형이 안보를 위한 최적의 수단인가?
ㄷ. C: 국제 관계에서 보편적 도덕규범의 수립이 가능한가?
ㄹ. D: 행위자의 관점에 따라 국익의 내용이 변할 수 있는가?

① ㄱ, ㄴ ② ㄱ, ㄷ ③ ㄴ, ㄹ
④ ㄱ, ㄷ, ㄹ ⑤ ㄴ, ㄷ, ㄹ

| 수능 응용 |

05 다음 사상가의 주장으로 옳지 않은 것은?

> 사회 계약에 기초하여 하나의 국가가 건립되듯이 국제 관계도 국가들이 자발적으로 결성한 연맹 체제에 기초한 국제법을 통해 평화 상태에 들어설 수 있다. 이 상태에서만 국민의 모든 권리나 국가들의 소유가 확정적인 것으로 인정되고 참된 평화 상태가 될 수 있다. 이러한 연맹의 이념은 모든 국가로 확산되어야 하며 영원한 평화로의 지속적인 접근은 인간 및 국가의 의무로서 그리고 권리에 기초한 과제로서 성립될 수 있다.

① 영구적 국제 평화를 실현할 수 있다.
② 국제적 차원의 사회 계약으로 단일 정부 체제로 전환해야 한다.
③ 세계 시민법은 인류의 평화적인 교류 조건에 한정되어야 한다.
④ 개별 국가는 민주적 공화정을 전제로 평화 체제에 합의해야 한다.
⑤ 어떠한 경우에도 개별 국가 주권이 다른 국가의 수단이 될 수 없다.

| 평가원 응용 |

06 갑, 을의 입장으로 적절한 내용을 〈보기〉에서 고른 것은?

> 갑: 전쟁이 없는 상태를 넘어 모든 종류의 폭력이 없거나 감소한 상태가 평화이다. 이러한 평화를 저해하는 직접적이고 구조적인 폭력과 이를 정당화하는 문화적 폭력은 평화적 수단으로 해소해야 한다.
> 을: 전쟁이 정의롭기 위해서는 전쟁 개시, 전쟁 수행 과정, 전쟁 종식과 평화 정착에서 정당성을 갖추어야 한다. 비록 전쟁의 시작은 정당화될 수 없을지라도 그 수행 과정과 전후 처리는 정의로워야 한다.

보기
ㄱ. 갑은 직접적 폭력의 소멸을 평화 달성의 충분조건으로 본다.
ㄴ. 갑은 노동력을 착취하고 자유를 저해하는 것도 폭력으로 간주한다.
ㄷ. 을은 전쟁이 부당하게 개시되더라도 정당하게 종식될 수 있다고 본다.
ㄹ. 을은 갑에 비해 평화 달성의 절차적 과정을 중요시한다.

① ㄱ, ㄴ ② ㄱ, ㄷ ③ ㄱ, ㄹ
④ ㄴ, ㄷ ⑤ ㄷ, ㄹ

07 다음 사상가의 관점을 분석한 내용으로 적절한 것을 〈보기〉에서 있는 대로 고른 것은?

> 직접적 폭력은 언어적 폭력과 신체적 폭력으로 나눌 수 있다. 이러한 폭력은 시간의 흐름에 따라 다시 폭력을 재현하므로 마음의 상처를 남긴다. 구조적 폭력은 정치적·억압적·경제적·착취적 폭력으로 구분된다. 이러한 폭력들은 분열, 붕괴 및 사회적인 소외 등에 의해 조장된다. 문화적 폭력은 종교와 사상, 언어와 예술, 법과 과학, 대중 매체와 교육 전반에 영향을 미쳐서 구조적 폭력과 직접적 폭력을 정당화하는 역할을 한다. 따라서 폭력은 주로 문화적 폭력으로부터 구조적 폭력을 거쳐 직접적 폭력으로 번진다.

보기
ㄱ. 문화적 폭력은 이념, 언어 등에 내재되어 있다.
ㄴ. 사회적 소수자를 희화화한 표현은 직접적 폭력이다.
ㄷ. 폭력은 다양한 형태로 상호 작용하며 영향을 미친다.
ㄹ. 폭력을 극복하기 위해서는 폭력적 방법을 배제하지 않는다.

① ㄱ, ㄴ ② ㄱ, ㄷ ③ ㄴ, ㄹ
④ ㄱ, ㄷ, ㄹ ⑤ ㄴ, ㄷ, ㄹ

08 (가)는 (나)의 세로 열쇠 A에 대한 정의이다. 이에 대한 설명으로 타당하지 않은 진술은?

<table>
<tr><td>(가)</td><td>자유 무역의 확대를 통해 국제적 인구 이동이 증가하고 있다. 이로 인해 다양한 배경과 특성을 가진 사람들과의 접촉이 증가하고 있다.</td></tr>
<tr><td>(나)</td><td>
<table>
<tr><td></td><td></td><td></td><td></td><td></td><td></td></tr>
<tr><td></td><td></td><td>A</td><td></td><td></td><td></td></tr>
<tr><td></td><td>B</td><td></td><td></td><td></td><td></td></tr>
<tr><td></td><td></td><td>C</td><td></td><td></td><td></td></tr>
<tr><td></td><td></td><td></td><td></td><td></td><td></td></tr>
</table>
[가로 열쇠]
A: 어떤 분야가 전문적으로 분화되는 현상. ○○화
B: 봄, 여름, 가을, 겨울
C: 사물의 개성을 유지한 채 상호 공존한다는 뜻의 사자성어. ○○○동
[세로 열쇠] A: ……
</td></tr>
</table>

① 국가 간 다양한 재화와 서비스의 이동이 가능해진다.
② 다국적 기업의 자본과 투자의 이동 범위가 확대된다.
③ 선진국의 자본과 개발 도상국의 노동력 이동이 활발해진다.
④ 문화적 획일화와 시장 독점은 주로 강대국 중심으로 일어난다.
⑤ 부유한 남반구 국가들과 빈곤한 북반구 국가 간 격차가 심화된다.

| 평가원 응용 |

09 (가)의 갑, 을, 병의 입장을 (나) 그림으로 표현할 때, A~D에 해당하는 적절한 진술만을 〈보기〉에서 있는 대로 고른 것은?

(가)
갑: 전 세계 사람들의 이익은 그 사람의 국적과 상관없이 동등하게 고려되어야 한다. 우리는 세계 시민으로서 전 지구적 차원의 원조에 동참해야 한다.
을: 우리를 불가침의 개인들로 간주하는 정의로운 국가는 최소 국가뿐이다. 원조는 개인의 자유로운 선택에 근거해야 한다.
병: 만민은 정의롭거나 적정 수준의 사회 체제로 나아가는 데 있어서 불리한 여건으로 인해 고통받고 있는 사회의 국민들을 도와야 한다.

(나)

〈범례〉
A : 갑만의 입장
B : 을만의 입장
C : 병만의 입장
D : 갑과 병만의 공통 입장

보기
ㄱ. A: 원조는 인류의 행복 증진을 위한 의무 이행이다.
ㄴ. B: 원조를 실행하기 위한 과세는 강제 노동과 같다.
ㄷ. C: 원조의 대상은 질서 정연한 빈곤국까지도 포함해야 한다.
ㄹ. D: 원조의 최종 목표는 국가 간의 경제적 불평등 해소이다.

① ㄱ, ㄴ ② ㄱ, ㄹ ③ ㄷ, ㄹ
④ ㄱ, ㄴ, ㄷ ⑤ ㄴ, ㄷ, ㄹ

| 평가원 응용 |

10 갑 사상가에 비해 을 사상가가 갖는 해외 원조에 대한 입장의 상대적 특징을 그림의 ㉠~㉤ 중에서 고른 것은?

갑: 만약 국제 사회에서 어떤 사회가 불리한 여건 때문에 고통을 겪고 있다면, 그 사회가 적정 수준의 문화를 형성하여 질서 정연한 사회가 될 수 있도록 도와야 한다.
을: 만약 도덕적으로 상응하는 중요한 것을 희생하지 않고 나쁜 일이 일어나는 것을 막을 수 있는 힘이 우리에게 있다면, 우리는 마땅히 그러한 나쁜 일을 막아야 한다.

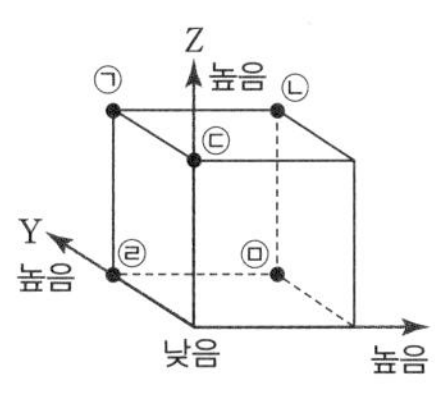

• X: 원조의 과제로 사회 제도의 개선을 강조하는 정도
• Y: 원조의 목표로 개인들의 복지 향상을 강조하는 정도
• Z: 원조의 근거로 이익 평등 고려의 원칙을 강조하는 정도

① ㉠ ② ㉡ ③ ㉢ ④ ㉣ ⑤ ㉤

11 (가)의 갑과 을이 (나)의 활동을 지지한다고 할 때, 타당하다고 판단되는 이유만을 〈보기〉에서 있는 대로 고른 것은?

(가)
갑: 사회적 가치나 공동선을 추구한다는 명분으로 개인의 소유권을 침해해서는 안된다.
을: 만약 어떤 사람에게 매우 나쁜 일이 일어나는 것을 방지할 수 있는 힘을 우리가 가지고 있고, 그 나쁜 일을 방지함으로써 그 일에 상응하는 도덕적 중요성을 가진 다른 일이 희생되지 않는다면, 우리는 그렇게 해야만 한다.

(나)

우리는 선진국! 가난한 나라를 도웁시다.

보기
ㄱ. 갑은 자국의 이익 극대화를 조건으로 지지한다.
ㄴ. 갑은 도덕적 자율성에 근거한 자선에 찬성한다.
ㄷ. 을은 범지구적 쾌락을 증진한다면 지지할 것이다.
ㄹ. 을은 선진국 시민의 잉여 소득 이전을 조건으로 지지한다.

① ㄱ, ㄴ ② ㄱ, ㄷ ③ ㄴ, ㄹ
④ ㄱ, ㄴ, ㄹ ⑤ ㄴ, ㄷ, ㄹ

| 수능 응용 |

12 그림은 서술형 평가 문제와 학생 답안이다. ㉠~㉤ 중 옳지 않은 것은?

〈서술형 평가〉

◎ **문제** 해외 원조에 대한 입장을 비교하여 서술하시오.

갑: 정치 문화는 한 사회의 부와 복지 수준을 결정하는 주된 요인이므로 자원과 부가 빈약한 사회이더라도 질서 정연한 사회가 될 수 있다.
을: 모든 사람의 이익을 동등하게 고려하여, 도덕적으로 상응하는 중요한 것의 희생이 없다면 우리는 마땅히 그들을 도와야 한다.

◎ **학생 답안**

갑은 ㉠ 질서 정연한 정치 체제 수립을 원조의 목적이라고 본다. 그는 ㉡ 빈곤하지만 질서 정연한 사회에 대해서는 더는 원조할 필요가 없다고 주장한다. 이에 비해 을은 ㉢ 지구적 차원의 복지 증진을 원조의 목적으로 삼는다. 그는 ㉣ 국가만을 원조의 주체로 인식한다. 한편 ㉤ 갑은 해외 원조의 본질을 정의 실현, 을은 유용성 극대화로 파악한다.

① ㉠ ② ㉡ ③ ㉢ ④ ㉣ ⑤ ㉤

01. 갈등 해결과 소통의 윤리~민족 통합의 윤리

① 사회 갈등과 사회 통합

• 사회 갈등 유형

이념 갈등	사회나 집단 간 가치관, 믿음, 견해 차이 + 이분법적 사고
지역 갈등	특정 지역에 대한 특권 의식이나 차별 의식 + 연고주의, 지역 이기주의, 지역감정
세대 갈등	연령과 시대별 경험 차이 → 보편적 현상

• **갈등 원인:** 생각이나 가치관 차이, 이해관계 대립, 원활한 소통 부재 등

• **사회 통합의 필요성:** 개인의 행복한 삶, 사회 발전, 국가 경쟁력 강화 등을 위해

• **사회 윤리의 기본 원리:** 연대성 + 공익성 + 보조성
→ 사회 갈등 해결 과정에서 국가의 보조적 역할 필요

• **주체별 사회 통합 노력**

개인	열린 자세, 개인선과 공동선 조화
시민 사회	집단 간 신뢰 형성, 국가의 갈등 해결 노력 지원
국가	통합 정치 지향, 민주적 절차 마련

• **내용별 사회 통합 노력**

제도적 차원	공정하고 투명한 절차 · 기준 확립, 법치주의 준수
의식적 차원	다양성 인정, 민주 시민 의식, 양보 · 관용 정신

② 소통과 담론의 윤리

• **소통과 담론의 필요성:** 사회 구성원의 자발적 · 적극적 참여 유도 가능, 도덕적 정당성을 지닌 합의 도출 가능

• **소통 · 담론 시 윤리적 자세:** 소통과 담론에 참여할 수 있는 권리 인정, 대화 상대방 존중, 진실한 대화, 자신의 오류 가능성 인정, 공적 의사 결정 과정에 적극 참여

• **바람직한 의사소통의 의미와 방법**

원효	– 포용과 존중의 중요성(화쟁 사상) – 일심(一心)을 통한 갈등 극복 강조
하버마스	– 합리적 의사소통의 필요성과 누구에게나 소통에 참여할 자격이 있음을 강조 – 이상적 담화 조건(이해 가능성, 진리성, 정당성, 진실성) 제시
아펠	– 인격의 상호 인정 – 공동체 구성원들의 담론 참여 의무 · 책임 강조

• **담론 윤리:** 어떤 규범의 타당성을 그 규범의 영향을 받은 사람들의 합리적인 토론을 통해 도달한 자유로운 동의에서 찾는 윤리

• **담론 윤리의 한계:** 도덕규범의 구체적 내용이나 삶의 방향성 미제시, 합의된 내용에 대한 도덕적 옳고 그름 평가 곤란 → 편견과 독선주의 경계, 관용적 자세, 이성적 합의 과정과 결과에 대한 책임 연대로 극복

③ 통일 문제를 둘러싼 쟁점

• **찬반 대립**
→ 서로 다른 체제(자유 민주주의 · 자본주의 vs. 집단주의 · 사회주의), 생활 방식 차이 등이 원인

통일 반대	관심 없음, 이질화 심화, 경제적 격차와 천문학적 통일 비용 부담
통일 찬성	민족 공동체 건설을 위해 당연, 보편적 가치 실현, 분단 비용 해소, 통일 편익 기대

→ 평화, 인권, 인도주의

→ 통일 비용 부담은 통일 반대 논거, 분단 비용 해소는 통일 찬성 논거

- **통일 비용과 분단 비용 문제:** 통일 논의 시 통일 편익에 대한 고려도 필요

통일 비용	통일 이후 남북 격차 해소 및 통합에 드는 비용 → 생산적 투자 비용(한시적)
분단 비용	분단 유지 시 남북이 부담하는 유·무형의 모든 비용 → 소모성 지출 비용(통일 전까지 지속적) → 예 군사비, 외교 비용, 전쟁 발발 공포, 이산가족의 고통
통일 편익	통일로 얻게 되는 경제적·비경제적 편익 → 남북한 주민의 고통·불편 해소, 민족의 번영, 평화 실현, 인권 신장, 국제적 위상 제고 등

- **북한 인권 문제:** 인류의 보편적 가치인 인권 침해 심각 → 국제 사회의 개선 노력 필요

④ 통일이 지향해야 할 가치

예 통일이 국제 사회에 가져다줄 이점 홍보, 안보 기반 구축 및 남북한 간 신뢰 형성, 통일을 위한 체계적 준비 등

- **화해·평화 노력:** 교류·협력 범위의 단계적 확장을 통한 동질성 회복 모색, 통일 기반 조성
- **통일 한국의 모습:** 보편적 가치(평화, 자유, 인권, 정의 등) 지향, 수준 높은 문화 국가, 자주적인 민족 국가, 정의로운 복지 국가, 자유로운 민주 국가

02. 지구촌 평화의 윤리

① 국제 분쟁의 해결과 평화

- **국제 분쟁의 원인:** 영토, 종교, 자원, 인종·민족 등 → 여러 원인이 복잡하게 얽혀 해결 곤란, 보편적 가치(평화, 인권, 정의 등) 훼손이라는 윤리적 문제 발생
- **해결 방안:** 문명의 다양성과 차이 존중, 국제적 분배 정의 실현, 형사적 정의 실현
- **국제 분쟁 해결에 관한 입장 비교**

→ 국제 형사 경찰 기구, 국제 형사 재판소 등 국제기구 개입

현실주의	국가 이익 우선주의 → 힘, 권력 간 균형을 통해 분쟁 억제
이상주의	보편적 가치 우선주의 → 국제기구, 국제법 등 도덕성에 근거한 집단 안보로 분쟁 해결
구성주의	국가 간 긍정적인 상호 작용으로 분쟁 해결

- **국제 평화 이론**

영구 평화론	국제법이 적용되는 평화 연맹 구성 필요 → 국제 연맹, 국제 연합 결성에 영향
적극적 평화론	직접적·물리적 폭력 제거(소극적 평화) + 구조적·문화적 폭력 제거 → 적극적 평화

② 국제 사회에 대한 책임과 기여

- **세계화의 영향:** 긍정적(생활 공간 확장, 자유 경쟁과 교류로 공동 번영 여건 조성, 다문화 공존) + 부정적(남북문제, 경제 의존도 심화, 문화의 획일화)
- **해외 원조의 윤리적 근거** → 해외 원조의 딜레마: 무분별한 원조는 수혜국의 자립 능력을 오히려 약화시켜 계속 원조에 의존하게 된다는 것

싱어	– 가난하고 굶주리는 사람을 돕는 것은 윤리적 의무 → 공리주의 – 원칙적으로 개인이 개인을 지원함으로써 전 인류의 복지를 증진함
롤스	– 빈곤국의 질서 정연한 사회로의 이행을 돕는 것은 정의 실현을 위한 의무 – 국가가 상대적 빈곤국을 도움으로써 그 사회의 자생력을 증진함
노직	원조나 기부는 자선 행위 → 개인의 배타적·절대적 소유권 강조 → 해외 원조를 의무로 요구하는 것은 소유권 침해

Memo.

개념을 잡아 주는 **자율학습 기본서**

고등 셀파

BOOK 1 | 개념 잡는 알집

생활과 윤리

개념을 잡아 주는 **자율학습 기본서**

고등 셀파

생활과 윤리

BOOK 2

믿고 보는 정답 및 해설 **딱 맞는 풀이집**

천재교육

선생님이 옆에서 풀어 주듯 친절한 해설!
오답 해결을 위한 완벽 시스템!

각 문항에 대한 상세한 설명이 필요할 때 | **정답을 찾아가는 셀파 - Tip**

문제와 관련된 개념 정리가 필요할 때 | **내 것으로 만드는 셀파 - Tip**

자료에 대한 분석 방법을 알고 싶을 때 | **자료를 분석하는 셀파 - Tip**

서술형 문제에서 고득점이 필요할 때 | **모범 답안 & 주요 단어**

"정답인 이유, 오답인 이유를 확실하게 분석하여 문제 해결력을 키워 줍니다."

믿고 보는 정답 및 해설

딱 맞는 풀이집

I 현대의 삶과 실천 윤리

01 현대 생활과 실천 윤리

탄탄 내신 문제 p. 14 ~ p. 18

01 ②	02 ④	03 ①	04 ④	05 ④	06 ③
07 ③	08 ③	09 ④	10 ⑤	11 ②	12 ④
13 ②	14 ②	15 기술 윤리학		16 ㉠ 실천, ㉡ 이론	
17 해설 참조		18 해설 참조		19 해설 참조	
20 해설 참조					

01 윤리의 특성 답 ②

인간은 출생과 동시에 필연적으로 어떤 집단에 소속되어 한 개인이자 공동체의 일원으로 살아간다. 이러한 특성으로 인해 인간은 다른 사람과 더불어 살아가고자 하고, 윤리는 이를 위해 공동체에서 지켜야 할 도덕적 행위의 기준과 당위를 제시한다.

정답을 찾아가는 셀파 - Tip

① 사물의 원리를 파악하고 근본적인 이치를 탐구한다. (×)
→ 제시문에 나타난 인간의 특성과 관련이 없다.
② 공동체에서 지켜야 할 도덕적 행위의 기준과 당위를 제시한다. (○)
③ 삶의 모든 영역에서 어떤 선택을 할 것인가에 대한 답을 제시한다. (×)
→ 윤리가 삶의 모든 영역에서 답을 제시해 주는 것은 아니다.
④ 독립된 존재로서 인간의 본성과 행동의 원인을 설명하고 탐구한다. (×)
→ 제시문에서는 인간을 다른 사람과 더불어 살아가는 존재라고 하였다.
⑤ 자연과 인간의 관계를 과학적으로 분석하여 문제의 해결책을 제시한다. (×)
→ 윤리는 자연과 인간의 관계를 과학적으로 분석하지 않는다.

02 윤리학과 사회 과학의 특성 답 ④

사회 과학은 사회 현상의 인과 관계를 설명하는 데 초점을 둔다. 반면 윤리학은 우리가 실제로 딛고 서 있는 '발밑의 문제', 즉 실생활에서 개인적·사회적 윤리 문제에 대한 해결책을 제시하고자 한다.

정답을 찾아가는 셀파 - Tip

① ~~㉠~~은 도덕적인 삶의 방향을 제시한다. (×) ㉡
② ~~㉠~~은 도덕규범의 실천을 핵심 과제로 삼는다. (×) ㉡
③ ~~㉡~~은 사회 현상의 인과 관계를 규명하고자 한다. (×) ㉠
④ ㉡은 개인적·사회적 윤리 문제에 대한 해결책을 제시하고자 한다. (○)
⑤ ㉠, ㉡에는 행위의 당위성과 정당성을 설명한다는 공통점이 있다. (×)
→ 행위의 당위성과 정당성을 설명하는 것은 윤리학이다.

03 메타 윤리학의 특징 답 ①

제시문은 메타 윤리학에 대한 설명이다. 메타 윤리학은 도덕 언어의 의미를 명확하게 정의하고 검증 가능한 사실 명제를 다루고자 한다.

정답을 찾아가는 셀파 - Tip

ㄷ. 이론을 바탕으로 윤리적 문제에 대한 해결책을 제시한다.
→ 실천 윤리학에 대한 설명이다.
ㄹ. 특정한 사회의 도덕적 관습을 시기별로 조사하고 기록한다.
→ 기술 윤리학에 대한 설명이다.

자료를 분석하는 셀파 - Tip

윤리학은 학문적으로 성립 가능한 문제를 중심으로 다루어야 한다. 따라서 '무엇이 선한 것인가?'라는 문제보다는 '선하다.'는 말을 참과 거짓으로 따질 수 있는지, 과학적 명제처럼 검증할 수 있는지 살펴보는 것이 필요하다.

- 메타 윤리학의 관점이다.
- 규범 윤리학이 관심을 가지는 질문이다.
- 메타 윤리학은 도덕적 언어의 의미 분석에 초점을 맞춘다.

04 윤리학의 분류 답 ④

문제의 (가)는 규범 윤리학, (나)는 메타 윤리학의 입장이다. 규범 윤리학은 인간이 어떻게 행위를 해야 하는가에 대한 보편적 도덕규범을 탐구하고, 구체적인 도덕 판단의 타당성과 그 근거에 대해 묻는다. 반면 메타 윤리학은 도덕적 개념의 의미를 규명하고 도덕적 진술의 논리적 구조를 분석하며 도덕적 추론의 타당성을 입증하고자 한다. 윤리 문제에 대한 구체적인 해결책을 모색하는 것은 실천 윤리학이다.

05 윤리학의 분류 답 ④

갑은 이론 윤리학, 을은 기술 윤리학의 입장이다. 이론 윤리학은 도덕적 정당화의 이론적 근거를 제시하는 데 관심을 두는 반면, 기술 윤리학은 다양한 지역의 도덕적 풍습을 묘사하거나 객관적으로 서술하는 데 관심을 둔다.

정답을 찾아가는 셀파 - Tip

ㄱ. 갑은 윤리적 개념의 의미 분석을 중요시한다.
→ 메타 윤리학의 입장이다.
ㄷ. 을은 어떠한 행위에 대한 도덕적 판단의 기준을 정립하고자 한다.
→ 이론 윤리학의 입장이다.

06 윤리학의 분류 답 ③

(가)는 이론 윤리학, (나)는 메타 윤리학, (다)는 실천 윤리학이다. ㄱ, ㄷ, ㄹ의 질문은 현실의 삶과 관련되어 있으면서 구체적인 윤리적 판단과 해결책을 요구한다. 따라서 실천 윤리학과 관련이 있는 질문이라고 할 수 있다.

정답을 찾아가는 셀파 - Tip

ㄱ. (가): 배아 복제를 통한 인공 수정은 정당한가?
→ 실천 윤리학과 관련된 질문이다.
ㄴ. (나): 선, 악의 판단 기준은 동기인가, 결과인가?
→ 윤리적 판단의 기준 자체에 대한 논의이므로 이론 윤리학과 관련된다.

07 새로운 윤리의 특징 답 ③

현대 사회에서는 기존의 윤리 규범으로는 해결하기 어려운 새로운 문제들이 제기되었다. 이러한 문제를 해결하기 위해 요청된 새로운 윤리학은 도덕 이론을 바탕으로 현실의 구체적인 윤리 문제를 해결하고자 하고, 대체로 실천 윤리학의 특징을 지닌다.

정답을 찾아가는 셀파 - Tip

① 객관적인 도덕 법칙을 정립하는 것 (×)
→ 이론 윤리학의 특징이다.
② 도덕적 언어의 의미를 명확하게 규명하는 것 (×)
→ 메타 윤리학의 특징이다.
③ 도덕 이론을 바탕으로 현실의 문제를 해결하는 것 (○)
④ 도덕적 추론의 논리적 타당성을 명확히 입증하는 것 (×)
→ 메타 윤리학의 특징이다.
⑤ 특정한 시대의 가치관에 대해 객관적으로 기술하는 것 (×)
→ 기술 윤리학의 특징이다.

08 실천 윤리학의 관심 분야 답 ③

사이버 공간에서의 윤리 규범을 다루고 있는 ⓒ은 정보 윤리이다. 인공 임신 중절이나 배아 복제 등은 생명 윤리에서 다루는 논제이다.

09 실천 윤리학의 특징 답 ④

밑줄 친 '이 윤리학'은 실천 윤리학으로, 삶에서 발생하는 구체적인 윤리 문제를 해결하고자 한다. 이러한 특성상 실천 윤리학은 윤리학에 국한되지 않고 다른 인접 학문 분야와의 교류와 연계를 강조한다.

정답을 찾아가는 셀파 - Tip

ㄱ. 도덕적 정당화의 이론적 근거를 제시한다.
→ 이론 윤리학의 특성이다.
ㄷ. 윤리적 언어의 의미와 개념을 명확하게 밝히고자 한다.
→ 메타 윤리학의 특성이다.

10 이론 윤리학의 특징 답 ⑤

갑은 실천 윤리학, 을은 이론 윤리학의 입장이다. 따라서 밑줄 친 부분에는 이론 윤리학의 특징을 설명하는 내용이 들어갈 수 있다.

정답을 찾아가는 셀파 - Tip

① 도덕 언어의 의미 분석을 강조하고 (×)
→ 메타 윤리학의 특징이다.
② 윤리학과 인접 학문들의 학제적인 연계를 중시하고 (×)
→ 실천 윤리학의 특징이다.
③ 특정 지역의 도덕 현상에 대한 객관적 기술을 강조하고 (×)
→ 기술 윤리학의 특징이다.
④ 도덕 현상을 가치 중립적으로 진술해야 한다는 것을 모르고 (×)
→ 기술 윤리학의 특징이다.
⑤ 도덕적 행위를 이론적으로 분석하고 정당화해야 한다는 것을 강조하고 (○)

11 실천 윤리학의 특징 답 ②

(가)는 실천 윤리학의 등장 배경이고, (나)는 환경 문제를 해결하기 위한 여러 학문의 학제적 연계를 보여 준다. 이를 통해 윤리학의 학문적 독자성이 약화하고 있음을 짐작할 수 있다.

12 윤리적 책임의 범위 답 ④

제시문은 과학 기술을 스스로 통제하고 자율적으로 이용할 수 있도록 책임의 범위를 확장할 것을 촉구하고 있다. 인간의 힘으로 자연을 극복할 수 있다고 믿는 것은 이러한 내용과 거리가 멀다.

13 과학 기술의 발달과 실천 윤리 답 ②

제시문은 요나스의 주장이다. 요나스에 따르면 과학 기술의 급격한 발달은 과거에는 예상하지 못하였던 새로운 윤리적 문제와 윤리적 공백을 초래한다. 그러나 전통적인 윤리로는 이러한 변화에 대처할 수 없으므로 새로운 윤리학이 요청되고, 인간의 행위와 책임에 대한 도덕적 숙고가 강조된다.

정답을 찾아가는 셀파 - Tip

ㄴ. 도덕적 언어의 의미와 논리적 타당성의 분석을 요구한다.
→ 메타 윤리학의 특성이다. 새로운 윤리는 대체로 실천 윤리학의 성격을 띤다.
ㄹ. 윤리적 공백으로 발생하는 문제는 도덕적 개념을 학문적으로 다룰 수 있는지 탐구함으로써 해결할 수 있다고 본다.
→ 요나스는 인간의 행위에 대한 윤리적 숙고와 성찰을 통해 해결할 수 있다고 본다.

14 실천 윤리학의 등장 배경과 특징 답 ②

실천 윤리학은 이론 윤리학을 토대로 하여 구체적인 행위에 대한 지침을 제공한다. 그러므로 실천 윤리학은 이론 윤리학과 유기적인 관계를 맺고 있다.

서답형 문제

15 기술 윤리학의 특징 답 기술 윤리학

특정 지역이나 시대의 도덕규범과 관련된 문화적 사실들을 객관적으로 설명하고자 하는 것은 기술 윤리학이다.

16 윤리학의 분류 답 ㉠ 실천, ㉡ 이론

다른 인접 학문과의 연계를 강조하는 것은 실천 윤리학, 도덕적 판단의 기준에 대해 관심을 갖는 것은 이론 윤리학이다.

17 메타 윤리학의 특징

모범 답안 | ㉠은 메타 윤리학이다. 메타 윤리학은 도덕적 언어의 의미를 명확하게 밝히고자 한다. 또 윤리적 개념을 객관적으로 구체화하여 학문적 성립 가능성을 분석하고자 한다.

주요 단어 | 메타 윤리학, 언어의 의미, 개념, 학문적 성립 가능성

채점 기준	배점
메타 윤리학의 특징 두 가지를 모두 구체적으로 서술한 경우	상
메타 윤리학의 특징 한 가지만 구체적으로 서술한 경우	중
메타 윤리학의 특징을 서술하지 않고, 다른 윤리학의 특징을 서술한 경우	하

18 새로운 윤리학의 특징

모범 답안 | 오늘날 등장한 새로운 윤리학은 대체로 실천 윤리학의 성격을 띤다. 따라서 도덕 원리나 윤리 이론을 바탕으로 윤리적 문제의 해결책을 제시하고자 하고, 이를 위해 윤리 문제와 관련된 다른 학문과의 연계를 강조한다.

주요 단어 | 윤리적 문제, 해결책, 다른 학문, 연계

채점 기준	배점
주요 단어를 포함하여 실천 윤리학의 특징을 구체적으로 서술한 경우	상
실천 윤리학의 특징을 서술하였으나, 잘못된 내용이 포함된 경우	중
실천 윤리학이 아닌 다른 윤리학의 특징을 서술한 경우	하

19 윤리학의 특성

모범 답안 | (가)와 같은 학문은 윤리학으로, (나)와 같은 문제의 해결책을 모색할 때 윤리적 행동의 근거를 제시하고, 정당성과 당위성을 부여하는 역할을 한다.

주요 단어 | 윤리학, 해결책, 근거 제시, 정당성 부여

채점 기준	배점
(가)가 윤리학임을 밝히고, 윤리학의 역할을 구체적으로 서술한 경우	상
(가)가 윤리학임을 밝히지 않고 윤리학의 역할을 서술한 경우	중
문제 해결에 도움을 준다고만 서술한 경우	하

20 윤리 문제의 분석

모범 답안 | (가)는 모든 사람의 이익을 평등하게 고려해야 한다는 윤리적 행동의 원칙을 제시한다. 이러한 관점에서 볼 때, (나)가 윤리적이지 않은 이유는 북한 이탈 주민과 우리의 이익을 동등하게 고려하지 않은 것이라고 할 수 있다.

주요 단어 | 이익, 평등, 윤리적 행동, 원칙, 북한 이탈 주민

채점 기준	배점
이익의 평등한 고려 원칙을 언급하고, 북한 이탈 주민의 이익이 평등하게 고려되지 않았다고 서술한 경우	상
이익의 평등한 고려 원칙을 언급하지 않고, 북한 이탈 주민의 이익이 평등하게 고려되지 않았다고 서술한 경우	중
북한 이탈 주민의 이익이 고려되지 않았다고만 서술한 경우	하

도전 수능 문제

p. 19 ~ p. 21

01 ③	02 ④	03 ③	04 ①	05 ④	06 ②
07 ⑤	08 ④	09 ⑤	10 ③	11 ④	12 ①

01 윤리학의 구분 파악하기 답 ③

A는 기술 윤리학, B는 규범 윤리학, C는 메타 윤리학이다. 기술 윤리학은 도덕적 관습의 기술, 규범 윤리학은 인간이 어떻게 행동해야 할 것인가에 대한 보편적 도덕 원리의 탐구, 메타 윤리학은 도덕 언어의 의미와 윤리학의 학문적 성립 가능성에 대한 분석을 목표로 한다.

02 메타 윤리학의 특징 답 ④

㉠에는 메타 윤리학의 관점에서 실천 윤리학에 대해 비판하는 내용이 들어갈 수 있다.

정답을 찾아가는 셀파 - Tip

① 윤리적 삶의 가치와 방향을 제시해야 함을 간과하고 있다. (×)
→ 실천 윤리학의 관점에서 메타 윤리학에 제시할 수 있는 비판이다.

② 도덕적 행위를 위한 도덕 원리를 세워야 함을 간과하고 있다. (×)
→ 규범 윤리학의 관점에서 메타 윤리학에 대해 제시할 수 있는 비판이다.

③ 도덕 법칙을 정립하여 만인에게 적용해야 함을 간과하고 있다. (×)
→ 규범 윤리학의 관점에서 메타 윤리학에 대해 제시할 수 있는 비판이다.

④ 도덕 언어의 분석을 핵심 과제로 삼아야 함을 간과하고 있다. (○)

⑤ 현실 도덕 문제에 대한 해결책을 모색해야 함을 간과하고 있다. (×)
→ 실천 윤리학의 관점에서 메타 윤리학에 제시할 수 있는 비판이다.

03 윤리학의 구분 답 ③

갑은 기술 윤리학, 을은 규범 윤리학의 입장이다. 도덕적 관행들을 객관적으로 서술하고자 하는 기술 윤리학과 달리, 규범 윤리학은 어떻게 행동해야 하는가에 관한 규범적 원리를 정립하고자 한다.

정답을 찾아가는 셀파 - Tip

① 갑: 도덕 현상을 기술할 때 문화적 특성을 ~~고려하지 말아야~~ 한다. (×)
고려해야

② 갑: 도덕적 관습 비교보다 윤리적 개념 분석을 중시해야 한다. (×)
→ 기술 윤리학은 윤리적 개념 분석보다 도덕적 관습의 기술을 중시한다.

③ 을: 어떻게 행동해야 하는가에 대한 규범적 원리를 정립해야 한다. (○)

④ 을: 도덕적 명제의 논리 구조와 의미 분석이 탐구 목적이어야 한다. (×)
→ 메타 윤리학에 대한 설명이다.

⑤ 갑, 을: 인간의 가치 판단을 배제하여 객관성을 확보해야 한다. (×)
→ 규범 윤리학은 인간의 가치 판단을 배제하지 않는다.

04 실천 윤리학과 이론 윤리학 답 ①

(가)는 실천 윤리학, (나)는 이론 윤리학이다. 이론 윤리학은 윤리적 판단의 객관적 기준과 윤리 규범의 이론적 근거 정립을 실천 윤리학보다 더 중시한다. 따라서 X축은 낮고, Y축과 Z축은 높다.

05 윤리학의 분류 답 ④

갑은 이론 윤리학, 을은 실천 윤리학의 입장이다. 이론 윤리학은 도덕 법칙을 정립함으로써 윤리 문제 해결의 토대를 제공하고, 실천 윤리학은 삶의 영역에서 제기되는 다양한 윤리 문제를 해결하고자 한다.

06 윤리학의 분류 답 ②

윤리 문제에 대한 해결책 제시를 강조한 갑은 실천 윤리학, 언어의 개념적 규정을 강조한 을은 메타 윤리학의 입장에 해당한다.

정답을 찾아가는 셀파 - Tip

ㄴ. 행위의 근거가 되는 객관적인 도덕 법칙을 정립한다.
→ 이론 윤리학의 주요 탐구 과제이다.

ㄹ. 특정 시대의 관습에 대해 조사하고 객관적으로 기술한다.
→ 기술 윤리학의 주요 탐구 과제이다.

07 기술 윤리학의 특성 답 ⑤

갑은 기술 윤리학, 을은 이론 윤리학의 입장이다. 도덕 원리를 바탕으로 윤리 문제에 대한 해결책을 제시하려는 것은 실천 윤리학이다.

① 기술 윤리학과 이론 윤리학 모두 윤리를 연구 대상으로 삼는다. ③ 기술 윤리학은 당대 사회 구성원의 인식을 있는 그대로 기술하고자 하므로, 사회 구성원들의 판단에 따라 도덕적 행위의 기준이 다르게 기술될 수 있다.

내 것으로 만드는 셀파 - Tip

▶ **기술 윤리학의 특징**

- 특정한 시대나 지역의 윤리적 관습을 객관적으로 기록하고 서술하려 한다.
- 윤리에 대해 가치 평가를 내리는 것이 아니라 보고 듣고 느낀 그대로의 가치 중립적 설명에 초점을 맞춘다. → 사회 과학적 성격을 많이 가지고 있다.

08 윤리학의 분류 답 ④

갑은 메타 윤리학, 을은 이론 윤리학에 해당한다. 메타 윤리학은 도덕적 언어의 개념적 구체화를 강조한다. 반면 이론 윤리학은 행위의 도덕적 판단 기준을 밝힘으로써 도덕적 행위에 대한 정당성을 확보하고자 하므로 도덕 판단의 준거가 되는 이론을 중시한다고 할 수 있다.

정답을 찾아가는 셀파 - Tip

ㄹ. 을은 윤리학과 다양한 학문 영역의 학제적 연계를 중시한다.
→ 다양한 학문 영역과 학제적 연계를 중시하는 것은 실천 윤리학이다.

내 것으로 만드는 셀파 - Tip

▶ **이론 윤리학과 메타 윤리학의 특징**

이론 윤리학	도덕적 행위의 이론적 기준 정립과 정당화, 체계화를 목적으로 함
메타 윤리학	윤리적 판단 대상과 근거의 객관적 실증 강조 → 도덕 언어의 의미와 뜻을 구체화하는 데 주력함

09 윤리학의 특성 답 ⑤

(가)는 메타 윤리학, (나)는 이론 윤리학, (다)는 실천 윤리학이다. 도덕 현상의 객관적 서술을 강조하는 관점은 기술 윤리학이다.

10 실천 윤리학의 특징 답 ③

제시문의 '이 윤리학'은 실천 윤리학으로, 실제 생활 영역에서 제기되는 다양한 윤리 문제를 해결하고자 등장하였다. 이를 위해 실천 윤리학은 이론 윤리학에서 정립한 도덕규범을 현실 문제에 적용함으로써 구체적인 해결책과 대안을 모색한다.

정답을 찾아가는 셀파 - Tip

① 도덕 명제에 대한 검증 가능성과 분석적 접근을 강조한다. (×)
→ 메타 윤리학의 특성이다.
② 도덕적 탐구가 학문적으로 정립 가능한 분야임을 부정한다. (×)
인정
③ 도덕규범의 현실적인 적용과 구체적인 대안의 실천을 강조한다. (○)
④ 도덕 문제 해결을 위한 규범 윤리 이론의 응용 가능성을 부정한다. (×)
인정
⑤ 도덕적 관행을 가치와 무관한 문화적 사실로 볼 것을 강조한다. (×)
→ 기술 윤리학의 입장이다.

내 것으로 만드는 셀파 - Tip

▶ **실천 윤리학의 특징**

- 보편적인 도덕 법칙을 구체적인 삶의 문제에 응용함
- 윤리적 문제 해결에 관해 윤리학과 관련 학문 분야와의 연계를 강조함
- 이론 윤리학을 바탕으로 삶에서 발생하는 구체적인 문제에 대한 도덕적 해결책을 찾고자 함

11 실천 윤리학의 특징 답 ④

㉠은 메타 윤리학, ㉡은 실천 윤리학이다. 실천 윤리학은 삶의 영역에서 제기되는 윤리 문제의 해결책을 제시하고자 하는데, 이 과정에서 이론적 타당성을 검토하기 위해 메타 윤리학이나 기술 윤리학, 그 밖의 다양한 분야의 지식을 활용할 수 있다.

정답을 찾아가는 셀파 - Tip

① ㉠은 삶에서 추구해야 할 규범의 제시를 목표로 삼는다. (×)
→ 메타 윤리학은 도덕 언어의 분석을 목표로 한다.
② ㉡은 도덕적 관습에 대한 객관적 조사 및 서술에 주력한다. (×)
→ 기술 윤리학의 특징이다.
③ ㉠은 ㉡의 이론을 적용하여 현실의 문제를 해결하려 한다. (×)
→ 실천 윤리학은 이론 윤리학을 토대로 윤리 문제의 해결책을 제시한다.
④ ㉡은 이론적 타당성 검토를 위해 ㉠의 지식을 활용할 수 있다. (○)
⑤ ㉠, ㉡은 실천적 지식보다 이론적 지식의 탐구를 중시한다. (×)
→ 실천 윤리학은 실천적 지식을 중시한다.

12 실천 윤리학의 분야 답 ①

그림은 실천 윤리학과 관련된 현대 사회의 윤리적 쟁점들을 보여 준다. 난민 문제는 인간과 자연의 관계를 규정하는 문제와 거리가 멀다.

02 현대 윤리 문제에 대한 접근

탄탄 내신 문제 p. 28 ~ p. 32

01 ③ **02** ① **03** ② **04** ③ **05** ④ **06** ①
07 ④ **08** ⑤ **09** ⑤ **10** ⑤ **11** ⑤ **12** ②
13 ⑤ **14** ① **15** (가) 좌망, 심재, 허심, (나) 내면의 성찰, 바라밀, (다) 경(敬), 성(誠) **16** 배려, 보살핌, 유대감 **17** 해설 참조
18 해설 참조 **19** 해설 참조

01 유교 사상의 특징 답 ③

(가) 사상은 유교이다. (나)의 가로 낱말 (A)는 상선약수, (C)는 신독이므로 세로 낱말 (B)는 '수신'이다. 유교에서 수신은 인간에게 내재된 사단을 통해 인의예지의 사덕을 드러내고 실천하여 인격을 수양하는 것을 의미한다.

정답을 찾아가는 셀파 - Tip

① 허심으로 물아일체의 경지에 이르는 것 (×)
→ 도교와 관련된 내용이다.
② 해탈에 이르기 위해 팔정도를 실천하는 것 (×)
→ 불교와 관련된 내용이다.
③ 사덕을 드러내고 실천하여 인격을 수양하는 것 (○)
④ 수양을 통해 선행을 지속하고 사단을 형성하는 것 (×)
→ 유교에서는 사단은 형성되는 것이 아니라 본래 타고나는 것으로 본다.
⑤ 무위의 덕을 실천하여 도(道)의 원리를 체득하는 것 (×)
→ 도교와 관련된 내용이다.

자료를 분석하는 셀파 - Tip

성실함 그 자체는 하늘의 도(道)이고, 성실하고자 하는 것은 사람의 도이다. 자신의 마음을 보존하고 본성을 함양하는 것이 곧 하늘을 섬기는 방법이다.
└ 하늘의 선한 본성이 인간에게 내재되어 있다는 것을 의미하므로 (가) 사상이 유교임을 알 수 있다.

02 불교 사상의 특징 답 ①

제시문의 사상은 불교이다. 불교에서는 자비의 실천을 강조하고, 연기성을 깨닫고 고통의 원인인 삼독과 집착을 버리면 해탈과 열반에 이를 수 있다고 본다.

정답을 찾아가는 셀파 - Tip

ㄷ. 좌망과 심재를 통해 자연의 원리를 습득한다.
→ 도교에서 강조하는 수양 방법이다.

ㄹ. 경(敬)과 성(誠)을 통해 사욕을 이기고 예(禮)를 회복한다.
→ 유교에서 강조하는 수양 방법이다.

자료를 분석하는 셀파 - Tip

- 수행의 궁극적인 목표는 생로병사의 과정이 반복되는 고통을 극복하고 해탈하는 것이다. (불교는 고통과 번뇌에서 벗어나 해탈과 열반에 이르는 것을 수양의 목표로 한다.)
- 모든 것이 서로 인드라망으로 이어져 있음을 깨달으면 독립적으로 존재할 수 있는 존재는 없다는 것을 알게 된다. (공(空) 사상과 연결된다.) (인드라망: 모든 사물과 존재를 이어 주는 끈과 같은 것으로서, 연기설을 설명하는 개념이다.)

03 동양 사상의 수양 방법 답 ②

(가)는 불교의 연기설, (나)는 유교의 신독에 관한 내용이다. 불교에서 말하는 수양의 궁극적인 목적은 진리를 깨닫고 해탈과 열반에 이르는 것이며, 중생 구제와 자비의 실천은 수양의 구체적인 방법이라고 할 수 있다.

04 동양 사상의 비교 답 ③

A에는 불교, B에는 유교와 관련된 질문이 들어간다. 연기는 모든 존재와 현상은 인연에 의해 생겨난다는 뜻으로, 불교에서는 연기성을 깨달으면 스스로 존재하는 고정된 실체가 없음을 알게 된다고 본다.

정답을 찾아가는 셀파 - Tip

① A: 보편타당한 도덕적 의무를 준수해야 하는가? (×)
→ 칸트의 의무론과 관련 있다.

② A: 인간의 선한 도덕적 본성을 확충해야 하는가? (×)
→ 유교와 관련 있다.

③ A: 연기(緣起)를 깨달으면 고정된 실체가 없음을 알게 되는가? (○)

④ B: 자연과 인간을 하나의 유기체로 인식하는가? (×)
→ 도교와 관련 있다.

⑤ B: 물과 같은 겸허(謙虛)와 부쟁(不爭)의 삶을 지향하는가? (×)
→ 도교와 관련 있다.

05 의무론의 특징 답 ④

제시문의 사상가는 칸트이다. 칸트의 입장에서 볼 때 안락사를 요구하는 갑의 행동은 자신의 생명을 고통을 회피하는 수단으로 이용하는 것이라고 할 수 있다.

06 양적 공리주의와 질적 공리주의 답 ①

갑은 양적 공리주의를 주장한 벤담, 을은 질적 공리주의를 주장한 밀이다. 벤담은 쾌락의 질적 동일성을 전제하여 쾌락의 양적인 증대를 강조한다. 또한 벤담과 밀은 모두 공리주의자이므로 행위 결과의 유용성을 도덕적 판단의 기준으로 삼는다.

정답을 찾아가는 셀파 - Tip

ㄷ. B: 사회적 쾌락의 극대화를 위해 개인적 쾌락을 배제한다.
→ 공리주의는 개인적 쾌락의 극대화가 사회적 쾌락의 극대화로 이어진다고 간주하므로, 개인적 쾌락을 배제하지는 않는다.

ㄹ. C: ~~감각적~~ 쾌락이 ~~정신적~~ 쾌락보다 질적으로 우월한 쾌락이다.
(감각적 → 정신적, 정신적 → 감각적)

07 칸트의 의무론과 벤담의 공리주의 답 ④

갑은 칸트, 을은 벤담의 입장이다. 칸트는 도덕적 의무를 지키고자 하는 행위의 동기에, 벤담은 행위의 결과로부터 판단되는 유용성에 도덕적 판단의 기준이 있다고 본다.

내 것으로 만드는 셀파 - Tip

▶ 의무론과 공리주의의 비교

구분	의무론	공리주의
행위 목표	이성의 명령에 따르는 것, 도덕 법칙을 존중하려는 의무에 따르는 것	쾌락의 증대, 고통의 감소 → 개인과 사회의 행복
행위의 판단 기준	그 자체로 선인 정언 명령이나 도덕적 의무를 지키고자 하는 동기	행위의 결과로부터 판단되는 행위의 개인적·사회적 유용성
도덕적 행위	선의지를 가지고 자율적으로 보편적인 도덕 법칙을 따르는 행위	최대 다수의 최대 행복을 가져오는 행위
특징	도덕적 의무, 당위, 동기 중시 → 의무론적 윤리설	행복, 쾌락 등 행위 결과 중시 → 결과론적 윤리설

08 의무론과 공리주의 답 ⑤

갑은 규칙 공리주의, 을은 양적 공리주의, 병은 칸트의 의무론의 입장에 해당한다. 의무론은 선의지에 따라 도덕 법칙을 존중하려는 의무 의식에서 비롯된 행위만 도덕적 가치를 지닌다고 본다. 따라서 행위 결과의 유용성과 효용성을 중시하는 공리주의의 결과주의에 대해 보편적인 도덕 법칙을 준수하고자 하는 동기가 판단의 기준임을 간과하고 있다고 비판할 수 있다.

정답을 찾아가는 셀파 - Tip

① 갑이 병에게: 행위의 유용성을 계산하는 것이 불가능하다는 것을 간과하고 있다. (×)
→ 규칙 공리주의는 행위의 유용성을 계산할 수 있다고 본다.

② 을이 갑에게: 유용성의 원리에 부합하는 행위는 정당하다는 것을 간과하고 있다. (×)
→ 규칙 공리주의와 양적 공리주의 모두 유용성의 원리에 부합하는 행위는 정당한 행위라고 간주한다.

③ 병이 을에게: 쾌락과 고통이 선악의 판단 기준이 된다는 것을 간과하고 있다. (×)
→ 공리주의는 쾌락과 고통의 양을 계산할 수 있다는 것을 전제로 하여, 행위의 유용성을 산출한다.

④ 을이 갑, 병에게: 질적으로 우월한 쾌락이 존재한다는 사실을 간과하고 있다. (×)
→ 질적 공리주의의 관점에서 양적 공리주의를 비판하는 내용이다.

⑤ 병이 갑, 을에게: 보편적인 도덕 법칙을 준수하고자 하는 동기가 판단의 기준임을 간과하고 있다. (○)

09 홉스의 사회 계약론 답 ⑤

제시문은 홉스의 주장이다. 홉스에 따르면, 사람들은 인간의 이기적 본성과 재화의 희소성으로 인해 투쟁 상태에 빠지고, 자연권을 보장받을 수 없게 된다. 이에 따라 사람들은 자신의 생명을 보호하고 안전을 도모하며, 자연 상태의 불안과 공포를 극복하기 위해 계약과 동의를 바탕으로 국가를 구성한다.

정답을 찾아가는 셀파 - Tip

① 자연 상태에서 인간의 본성은 ~~선하다~~. (×)
이기적이다.

② 도덕적 의무는 ~~인간들 사이의 투쟁에서~~ 도출된다. (×)
사회 계약에서

③ 자연법을 준수함으로써 ~~자연 상태를 유지할 수 있다~~. (×)
자연 상태에서 벗어날 수 있다.

④ 묵시적인 사회 계약에서는 도덕적 의무가 나오지 않는다. (×)
→ 홉스는 묵시적인 사회 계약도 이성적 합의의 산물이므로, 도덕적 의무를 도출할 수 있다고 본다.

⑤ 국가는 자연 상태에서 벗어나기 위해 만들어진 계약의 산물이다. (○)

10 덕 윤리의 특성 답 ⑤

밑줄 친 '이 윤리 사상'은 현대의 덕 윤리 사상이다. 아리스토텔레스의 사상에 뿌리를 두고 있는 덕 윤리는 도덕적 행위의 원리보다는 행위자의 성품이나 인간관계의 맥락에 관심을 두고, 시대적·상황적 맥락에 따라 자신의 도덕적 탁월성(덕)을 발휘할 것을 강조한다.

11 책임 윤리의 특성 답 ⑤

제시문은 요나스의 주장이다. 요나스는 현세대와 후세대의 인간은 물론 동물과 자연 생태계까지 윤리적 고려의 대상에 포함할 것을 강조하는데, 이것은 칸트의 논의를 확장한 것으로 볼 수 있다.

12 배려 윤리의 특징 답 ②

배려 윤리는 기존 근대 철학의 이성이나 정의, 공정성과 같은 요소는 완전한 윤리적 기준을 세우는 데 부족하다고 본다. 따라서 공감과 배려, 관계성 등을 중시하고, 맥락적인 사고를 바탕으로 도덕 규칙을 파악하고자 한다.

13 담론 윤리의 특성 답 ⑤

제시문은 담론 윤리에 대한 내용이다. 담론 윤리에 따르면 모든 주체는 자유롭게 자신의 의견을 공론장에 제시할 수 있고, 이를 바탕으로 합리적이고 공적인 해결책이 도출된다. 이러한 공적 담론의 목적은 담론을 통해 개인적 차원의 선호를 공적 차원의 합리성으로 전환할 수 있는 가능성을 열어 놓는 것이므로, 개인의 고정된 선호가 변화하지 않도록 해야 한다는 것은 적절하지 않다.

14 도덕 과학적 접근 답 ①

밑줄 친 '이 접근법'은 도덕 과학적 접근이다. 도덕 과학적 접근은 도덕과 관련된 다양한 현상을 과학적인 방법으로 설명하고자 하는데, 특히 신경 윤리학에서는 의학적인 방법을 통해 윤리적 행위를 유도할 수 있다고 주장한다. 그러나 이러한 접근법은 인간의 자율성을 간과하고 있다는 비판을 받을 수 있다.

서답형 문제

15 유·불·도의 수양 방법

답 (가) 좌망, 심재, 허심, (나) 내면의 성찰, 바라밀, (다) 경(敬), 성(誠)

(가)는 도교의 도(道), (나)는 불교의 연기설, (다)는 유교의 사단에 대한 설명이다. 도교에서는 좌망과 심재, 허심을, 불교에서는 내면의 성찰과 바라밀을, 유교에서는 경(敬)과 성(誠)을 수양 방법으로 제시한다.

16 배려 윤리의 특징 답 배려, 보살핌, 유대감

제시문은 배려 윤리학자 나딩스의 주장이다. 배려 윤리에서는 서로 배려하는 마음을 통해 따뜻한 인간관계를 맺는 것이 중요하다고 보고, 배려와 보살핌, 유대감 같은 덕목을 강조한다.

17 불교 사상의 특징

(1) 연기(설)

(2) 모범 답안 | 내면의 성찰은 집착과 번뇌에서 벗어나 불성을 깨닫기 위한 수행 방법이고, 바라밀은 욕망과 고통으로 가득 찬 현실에서 해탈하기 위한 보살의 수행 방법이다.

주요 단어 | 내면의 성찰, 집착, 불성, 바라밀, 해탈, 보살, 수행

채점 기준	배점
(1)에 연기를 쓰고, (2)에 내면의 성찰과 바라밀에 대해 서술한 경우	상
(1)에 연기를 쓰지 않고, (2)에 내면의 성찰과 바라밀에 대해 서술한 경우	중
(1)에 연기를 쓰고, (2)에 불교가 아닌 다른 사상의 수양 방법을 서술한 경우	하

18 의무론과 공리주의의 한계

모범 답안 | ㉠ 행복이나 쾌락의 양을 산출하는 것이 매우 어렵고, 행위의 결과를 기준으로 판단한다는 것은 윤리적 행위의 근거가 없는 것과 마찬가지라는, ㉡ 도덕적 행위의 기준이 모호하고, 정언 명령에 따른 행위가 부딪히는 경우 판단이 어렵다는

주요 단어 | 쾌락의 양, 산출, 행위의 결과, 근거, 기준, 정언 명령

채점 기준	배점
㉠에 의무론의 한계를 서술하고, ㉡에 공리주의의 한계를 서술한 경우	상
㉠에 의무론의 한계를 서술하고 ㉡에 공리주의의 한계를 서술하였으나, 잘못된 내용이 포함된 경우	중
㉠, ㉡ 가운데 한 가지만 서술한 경우	하

19 담론 윤리의 특징

모범 답안 | (가)는 하버마스가 주장한 담론 윤리로, (나)의 문제 해결 방법으로 자유로운 의견 주장과 상호 존중과 이해가 바탕이 된 대화와 합의를 강조한다. 하버마스는 이러한 의사소통의 합리성을 실현할 때 참여자 모두 합의의 결과를 수용할 수 있다고 주장한다.

주요 단어 | 담론 윤리, 대화, 합의, 의사소통의 합리성, 수용

채점 기준	배점
문제 해결 방법으로 자유로운 의견 주장과 대화와 합의를 강조하고, 모든 참여자가 합의의 결과를 수용할 수 있다는 내용을 서술한 경우	상
자유로운 의견 주장을 강조한다는 내용만 서술한 경우	중
담론 윤리가 아닌 다른 윤리 사상에 대한 내용을 서술한 경우	하

도전 수능 문제

p. 33 ~ p. 35

01 ①	02 ②	03 ③	04 ②	05 ③	06 ①
07 ⑤	08 ①	09 ⑤	10 ③	11 ②	12 ②

01 유교 사상의 특징 답 ①

인(仁)을 설명하고 있으므로 (가) 사상은 유교이다. (나)의 가로 낱말 (A)는 본능, (B)는 적성이므로, 세로 낱말 (A)는 '본성'이다. 유교에서는 본성을 누구나 지니고 있는 선함이라고 본다.

내 것으로 만드는 셀파 - Tip

▶ 사단과 사덕의 관계

사단(四端)	내용	사덕(四德)
측은지심(惻隱之心)	남을 측은히 여기는 마음	인(仁)
수오지심(羞惡之心)	불의를 부끄러워하고 미워하는 마음	의(義)
사양지심(辭讓之心)	양보하고 공경하는 마음	예(禮)
시비지심(是非之心)	옳고 그름을 판단하는 마음	지(智)

02 불교 사상의 특징 답 ②

제시문은 불교의 연기설에 대한 설명이다. 불교에서는 윤회하는 삶을 고통의 하나로 보고, 현세에서 덕을 쌓으면 윤회의 고통에서 벗어나 해탈과 열반에 이를 수 있다고 여긴다.

03 도교 사상의 특징 답 ③

제시문은 도교의 제물(齊物)에 대한 내용이다. 제물은 편견이나 선입견에서 벗어나 자신의 관점에서 사물을 판단하지 않고 만물이 상대적이라는 것을 자각하는 것이다.

정답을 찾아가는 셀파 - Tip

① 천지 만물에 인의예지가 내재되어 있다는 것을 (×)
→ 유교와 관련된 내용이다.

② 도(道)의 관점에서 인간과 사물은 하나라는 점을 (×)
→ 도교와 관련되지만 제시문의 문맥과 어울리지 않는 내용이다.

③ 주관적 인식에 사로잡혀 만물은 상대적이라는 점을 (○)

④ 모든 현상은 원인과 조건에 따라 생겨난다는 진리를 (×)
→ 불교와 관련된 내용이다.

⑤ 경(敬)과 성(誠)의 원리에 따라 사물을 탐구해야 함을 (×)
→ 유교와 관련된 내용이다.

04 동양 사상의 비교 답 ②

제시된 그림의 알고리즘은 왼쪽부터 차례대로 도교, 불교, 유교의 이상적 인간상에 해당한다. 도교에서는 상선약수의 원리를 알고 심재와 좌망을 실천할 것을 강조한다. 또한 불교에서는 삼독을 제거하고 만물이 상호 의존적이라는 연기성을 깨달을 것을 강조한다.

정답을 찾아가는 셀파 - Tip

ㄱ. A: 사단을 확충하여 사덕을 드러내야 하는가?
→ 유교와 관련된 질문이다.

ㄹ. D: 불성을 깨닫고 수기안인을 실천해야 하는가?
→ 불성은 불교와 관련되고, 수기안인은 유교와 관련된다.

05 의무론의 종류 답 ③

갑은 의무론적 윤리를 주장한 칸트, 을은 자연법 윤리를 주장한 아퀴나스이다. 칸트와 아퀴나스는 모두 보편적인 도덕적 의무의 존재를 인정하고, 인간은 이성을 통해 어떻게 행동하는 것이 도덕적 행동인지 알 수 있다고 본다.

정답을 찾아가는 셀파 - Tip

ㄱ. 갑은 온전한 행복은 절대적 존재를 전제한다고 본다.
→ 아퀴나스에 해당하는 설명이다.

ㄴ. 을은 ~~갑과 달리~~ 선험적으로 존재하는 정의를 강조한다.
마찬가지로

06 칸트의 의무론적 윤리 답 ①

(가) 사상가는 칸트이다. 칸트는 어떤 상황에서도 선하다고 평가될 수 있는 행위가 존재하고, 이것은 정언 명령의 형식으로 제시된다고 본다. 또한 선의지에 따라 도덕적 의무를 자율적으로 실천하는 것이 도덕적 행동이라고 주장한다. 이러한 관점에서 볼 때 (나)의 갑에게는 보편적인 선의지에 따라 도덕적으로 행동하라고 조언할 수 있다.

07 칸트와 요나스의 사상 답 ⑤

갑은 칸트, 을은 요나스이다. 칸트와 요나스는 모두 인간이 준수해야 할 무조건적인 도덕적 의무가 존재한다고 보고, 이것을 정언 명령의 형식으로 제시한다.

정답을 찾아가는 셀파 - Tip

① 갑은 자연적 경향성에 근거한 행위를 도덕적 행위로 ~~본다~~. (×)
보지 않는다.

② 갑은 도덕 법칙의 형식으로 행위를 ~~판단해서는 안 된다고~~ 본다. (×)
판단해야 한다고

③ 을은 책임의 주체와 대상은 ~~이성을 가진 존재로 한정된다고~~ 본다. (×)
미래 세대와 자연에까지 확대된다고

④ 을은 의도하지 않은 결과까지 책임져야 ~~하는 것은 아니라고~~ 본다. (×)
한다고

⑤ 갑, 을은 인간이 준수해야 할 무조건적인 도덕적 의무가 있다고 본다. (○)

08 규칙 공리주의와 행위 공리주의 답 ①

(가)는 규칙 공리주의, (나)는 행위 공리주의의 입장이다. 공리의 원리를 개별 행위에 적용하는 행위 공리주의는 매 행위마다 유용성을 산출할 결과를 계산해야 한다는 한계를 가지고 있다. 이러한 한계를 극복하기 위해 제시된 규칙 공리주의는 행위가 따르고 있는 규칙의 결과를 옳은 행위를 결정하는 기준으로 삼는다. 따라서 어떤 규칙이 최대의 유용성을 가져오는가를 중시하며, 행위의 규칙에 공리의 원리를 적용한다.

09 덕 윤리의 특징 답 ⑤

밑줄 친 'A 사상'은 덕 윤리이다. 덕 윤리는 선한 행위의 실천을 위해서는 행위자에게 초점을 맞추어야 한다고 보고, 더불어 사는 공동체 구성원의 삶을 강조한다. 특히 현대 덕 윤리학자인 매킨타이어는 개인의 선택과 자유보다 공동체의 전통과 역사를 중시한다.

10 베버와 요나스의 책임 윤리 답 ③

갑은 베버, 을은 요나스이다. 요나스는 인류가 존속해야 한다는 것은 무조건적으로 따라야 할 정언 명령이라고 보고, 현세대는 물론 미래 세대의 인간과 자연에 대해서도 책임질 것을 강조한다.

정답을 찾아가는 셀파 - Tip

① 갑: 정치 영역에서는 ~~책임~~ 윤리보다 ~~심정~~ 윤리를 우선해야 한다. (×)
심정 책임

② 갑: 심정 윤리에서는 행위의 선한 ~~의도가 아닌 결과~~를 중시한다. (×)
의도와 동기를

③ 을: 인류가 존속해야 한다는 것은 무조건 따라야 할 정언 명령이다. (○)

④ 을: 자연에 대한 인류의 책임은 예방이 아닌 보상을 위한 것이다. (×)
→ 요나스는 예방적 책임을 강조한다.

⑤ 갑, 을: 행위의 의도가 선하다면 결과가 나쁘더라도 책임질 필요가 없다. (×)
→ 베버와 요나스는 모두 결과에 대해 책임질 것을 강조한다.

11 배려 윤리의 특징 답 ②

제시문은 배려 윤리의 기본 입장이다. 배려 윤리는 남성 중심적 정의 윤리를 비판하고, 배려와 공감 같은 여성적 특성을 중시한다. 따라서 A에게 상대방의 어려움에 대해 공감하고 배려할 것을 조언할 수 있다.

정답을 찾아가는 셀파 - Tip

① 도와주었을 때 당신이 얻을 수 있는 이익을 고려하여 행동하세요. (×)
→ 공리주의의 입장이다.

② 상대방의 어려움을 공감하여 무엇이 필요한지 살펴 행동하세요. (○)

③ 동정심이 아닌 누구나 동의 가능한 합리적 판단에 따라 행동하세요. (×)
→ 배려 윤리는 자연적 배려와 정서(감정)을 중시한다.

④ 어떤 선택이 더 많은 사회적 효용을 낳을지 고려하여 행동하세요. (×)
→ 공리주의의 입장이다.

⑤ 타인을 배려하는 마음보다 도덕적 의무 의식에 따라 행동하세요. (×)
→ 의무론의 입장에 해당한다.

12 배려 윤리와 담론 윤리 답 ②

갑은 배려 윤리, 을은 담론 윤리의 입장이다. 담론 윤리를 주장한 하버마스는 담론 참여자들 사이에 의사소통의 합리성을 강조하며, 담론을 통해 옳고 그름에 대한 판단의 정당성을 확보할 수 있다고 본다.

정답을 찾아가는 셀파 - Tip

① 갑은 공정함이 보살핌보다 중요하다고 본다. (×)
→ 공정함과 보살핌이 조화를 이루어야 한다고 본다.

② 을은 담론을 통해 옳고 그름에 대한 판단의 정당성을 확보하고자 한다. (○)

③ 갑과 달리 을은 공감 능력의 필요성을 강조한다. (×)
→ 배려 윤리와 담론 윤리 모두 공감 능력의 필요성을 강조한다.

④ 갑은 이성, 을은 감정을 윤리적 공감의 척도로 본다. (×)
→ 배려 윤리와 담론 윤리 모두 이성과 감정의 상호 보완적 관계를 강조한다.

⑤ 갑, 을 모두 공감과 의사소통을 통해 보편타당한 도덕적 의무를 산출할 수 있다고 본다. (×)
→ 보편타당한 도덕적 의무를 산출하는 것은 칸트의 의무론과 관련 있다.

03 윤리 문제에 대한 탐구와 성찰

탄탄 내신 문제 p. 40 ~ p. 43

01 ⑤	02 ④	03 ⑤	04 ④	05 ⑤	06 ④
07 ③	08 ③	09 ⑤	10 ④	11 해설 참조	
12 해설 참조		13 해설 참조		14 해설 참조	

01 도덕적 탐구 과정 답 ⑤

제시문을 도덕적 탐구 과정에 따라 배열하면 (나) → (가) → (라) → (다)가 된다. 도덕적 탐구와 토론의 과정을 거치는 동안 자신의 처음 입장이나 잠정적 대안이 수정되거나 변경되기도 한다. 그러므로 (다)에서 결정한 최종 입장이나 대안은 (라)에서 설정한 자신의 입장이나 잠정적 대안과 다를 수 있다.

내 것으로 만드는 셀파 - Tip

▶ **도덕적 탐구의 의미와 유의점**

의미	• 윤리적 사고를 통해 도덕적 의미를 새롭게 구성하는 지적 활동 • 도덕적 사고를 통해 윤리 문제 해결을 위한 최선의 대안을 끌어내는 과정
유의점	• 개인적 이익이 아닌 도덕적 관점이 선행되어야 함 • 탐구 과정에서 정서적 측면을 고려하여 이성과 정서의 조화를 이루어야 함 • 탐구 과정에서 연역적·귀납적 사고와 같은 형식 논리에 지나치게 집착하지 않도록 해야 함

02 도덕적 탐구 과정 답 ④

갑의 말은 사실 판단, 을의 말은 가치 판단에 해당한다. 사실 판단은 객관적인 자료를 통해 진위 여부를 가릴 수 있다. 또한 을의 말은 갑의 말에 근거하고 있으므로, 을의 말이 타당성을 얻기 위해서는 갑의 말이 사실로 입증되어야 한다.

정답을 찾아가는 셀파 - Tip

ㄱ. 갑의 말에 대한 검증은 ~~다수결로~~ 이루어진다.
객관적 자료를 통해

ㄷ. 을의 말은 뉴스 보도를 근거로 하고 있으므로 사실 판단의 문제이다.
→ 을의 말은 갑의 말에 근거하고 있으며, 가치 판단에 해당한다.

03 도덕적 추론 답 ⑤

도덕 원리는 역할 교환 검사, 보편화 결과 검사, 반증 사례 검사 등을 활용하여 정당화할 수 있다. 사실 판단은 개념이나 용어를 확인하거나 실험 또는 관찰을 통해 진위 여부를 확인할 수 있다. 도덕 판단은 옳고 그름을 분별하기 위한 판단이다. 도덕 판단은 대체로 보편적 가치를 지니는 반면, 사실 판단은 보편적 가치를 지니지 않을 수도 있다.

04 도덕적 추론 절차 답 ④

제시된 도덕적 추론의 소전제 ㉠은 '낙태는 인간 존재인 태아를 죽이는 것이다.'라고 할 수 있다. 따라서 '태아는 완전한 인간 존재로 볼 수 없다.'를 반론의 근거로 들 수 있다.

내 것으로 만드는 셀파 - Tip

▶ **삼단 논법을 통한 도덕적 추론**

도덕 원리 (대전제)	도덕 원리를 다른 사람들의 처지에서도 받아들일 수 있는지, 규범적 차원에서 보편화할 수 있는지 검토함 → 역할 교환 검사, 보편화 결과 검사, 반증 사례 검사 등을 활용함
사실 판단 (소전제)	실험, 관찰, 조사, 연구 등의 방법을 활용하여 제시된 사실 근거의 참과 거짓을 확인함
도덕 판단 (결론)	도덕 판단을 객관적 입장에서 검토하고, 규범적 차원에서 보편화가 가능한지, 전제와 결론 사이에 논리적 오류는 없는지를 점검함

05 배려적 사고 답 ⑤

(가)는 배려적 사고의 필요성을 강조하고 있으며, 배려적 사고는 공감 능력을 바탕으로 한다. 그러므로 이러한 관점에서는 갑에게 학교 폭력을 당한 을의 처지에 공감하고 도와주려고 해야 한다는 조언을 할 수 있다.

06 유교의 윤리적 성찰 방법 답 ④

제시문은 유교의 수양 방법이다. 유교의 대표적인 성찰 방법인 거경은 마음을 한 곳에 모아 흐트러짐이 없게 하는 것이다. 또한 증자는 세 가지 물음을 통해 매일 하루의 삶을 성찰하였는데, 이것을 일일삼성(一日三省)이라고 한다.

정답을 찾아가는 셀파 - Tip

ㄱ. 참선을 통해 불변의 자아를 인식한다.
→ 참선은 불교의 성찰 방법이다. 불교에서는 참선을 통해 인간의 참된 삶과 맑은 본성을 깨달을 수 있다고 본다.

ㄷ. 끊임없는 질문을 통해 자신의 무지를 자각한다.
→ 소크라테스의 산파술에 대한 설명이다.

07 토론에 대한 밀의 입장 답 ③

제시문은 밀의 주장이다. 밀에 따르면 불완전한 존재인 인간은 인식과 판단에서 오류를 범할 수 있으며, 토론을 통해 자신의 판단을 검증할 수 있고 오류 가능성도 줄일 수 있다. 또한 사실과 논의를 통해 잘못된 의견과 관행도 수정할 수 있다. 그러므로 토론 과정에서 참여자 개인의 가치관은 변하지 않아야 한다는 진술은 밀의 입장과 거리가 멀다고 할 수 있다.

08 토론과 의사소통 답 ③

제시문에서는 토론 참여자들의 개방적인 태도를 강조한다. 불완전한 존재인 인간은 누구나 오류를 범할 수 있다. 그러므로 자신의 의견에 오류가 있을 수 있음을 인정하고, 상대방의 반론에 대해 개방적인 자세를 취해야 한다. 또한 토론 과정에서 개인은 자신의 의견을 검증하고 정당화할 수 있다.

09 토론의 절차와 자세 답 ⑤

제시된 대화에서 을은 토론 당사자의 자유롭고 평등한 참여를 강조하고 있다. 따라서 을은 갑이 소수 의견이 옳을 수 있고 토론을 통해 오류를 시정할 수 있음을 간과하고 있다고 지적할 수 있다.

10 윤리적 실천 답 ④

갑은 아리스토텔레스이다. 아리스토텔레스는 중용을 기준으로 자신의 행위와 태도를 성찰할 것을 강조한다. 그리고 도덕적 습관을 들이면 선한 행위를 하고자 하는 의지를 강화할 수 있고 선한 성품을 지닐 수 있게 된다고 하면서, 도덕적 행동의 습관화를 강조한다.

서답형 문제

11 도덕적 탐구 과정

(1) 도덕적 탐구

(2) 모범 답안 | 배아 복제를 둘러싸고 배아 복제 기술의 유용성과 인간 존엄성이 충돌하고 있음을 확인한다. 배아 복제 연구의 진행 정도, 배아 복제 기술의 활용 분야 등 배아 복제 문제와 관련된 자료를 수집하고 분석한다. 분석한 자료와 정보를 토대로 잠정적인 대안을 설정하고 그에 대한 근거를 정리한다. 토론을 통해 배아 복제의 허용과 제한 사이에서 적절한 최종 대안을 결정한다.

주요 단어 | 확인, 자료 수집, 분석, 잠정적 대안, 설정, 최종, 결정

채점 기준	배점
(1)에 도덕적 탐구를 쓰고, (2)를 도덕적 탐구 과정에 맞추어 구체적으로 서술한 경우	상
(1)에 도덕적 탐구를 쓰고, (2)를 도덕적 탐구 과정에 맞추어 서술하였으나 잘못된 내용이 포함된 경우	중
(1)에 도덕적 탐구를 쓰고, (2)를 도덕적 탐구 과정에 맞추어 서술하지 않은 경우	하

내 것으로 만드는 셀파 - Tip

▶ **도덕적 탐구의 과정**

윤리적 문제 확인 및 명료화	윤리 문제에 대한 쟁점이나 가치 갈등이 무엇인지 확인하고 명료화함
관련 자료 수집 및 분석	윤리 문제에 대한 쟁점이나 가치 갈등과 관련된 정보를 수집하고 분석함
잠정적 대안 설정 및 검토	정당한 근거를 바탕으로 자신의 입장이나 대안을 설정함 → 역할 교환 검사나 보편화 결과 검사 등을 통해 근거에 대한 타당성을 확보할 수 있음
최종 대안 도출	의사소통 및 토론의 과정을 거쳐 제시된 대안의 장단점을 분석하고 최선의 대안이나 입장을 결정함
반성적 성찰	도덕적 탐구 활동을 반성적으로 성찰하고, 자신의 입장을 정리함

12 도덕적 추론 과정

모범 답안 | 대전제: 타인이 인간의 생명을 결정하는 것은 살인이다.
소전제: 소극적 안락사는 타인이 환자의 생명을 결정하는 것이다.
결론: 소극적 안락사는 살인이다.

주요 단어 | 타인, 생명 결정, 살인, 소극적 안락사, 환자

채점 기준	배점
삼단 논법에 맞추어 대전제, 소전제, 결론 모두 적절하게 서술한 경우	상
삼단 논법에 맞추어 대전제, 소전제, 결론 가운데 두 가지를 적절하게 서술한 경우	중
삼단 논법에 맞추어 서술하지 못하였거나, 대전제, 소전제, 결론 가운데 한 가지만 적절하게 서술한 경우	하

 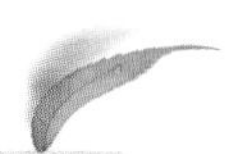

13 윤리적 성찰의 요건

모범 답안 | 아리스토텔레스가 성찰에서 강조한 덕목은 중용이다. 중용은 '마땅한 때에, 마땅한 일에 대하여, 마땅한 사람에게, 마땅한 동기'로 느끼거나 행하는 것을 의미한다.

주요 단어 | 아리스토텔레스, 성찰, 중용

채점 기준	배점
아리스토텔레스가 성찰에서 강조한 중용에 대해 구체적으로 서술한 경우	상
아리스토텔레스가 성찰에서 강조한 중용에 대해 서술하였으나, 잘못된 내용이 포함된 경우	중
아리스토텔레스가 성찰에서 강조한 중용에 대해 서술하지 않고, 다른 내용을 서술한 경우	하

14 토론의 기능

(1) 토론

(2) 모범 답안 | 토론은 인식과 판단 과정에서의 오류 가능성을 줄이고 갈등을 해결하는 실마리가 될 수 있다. 토론을 통해 윤리적 문제 해결 방안에 대한 정당성을 부여하고 발전적인 대안을 제시할 수 있다.

주요 단어 | 토론, 오류 가능성, 문제 해결, 정당성 부여, 대안 제시

채점 기준	배점
(1)에 토론을 쓰고, (2)에 토론이 필요한 이유 두 가지를 구체적으로 서술한 경우	상
(1)에 토론을 쓰고, (2)에 토론이 필요한 이유를 한 가지만 서술한 경우	중
(1)에 토론을 쓰고, (2)에 토론이 필요한 이유와 관련 없는 내용을 서술한 경우	하

도전 수능 문제

p. 44 ~ p. 45

01 ⑤ 02 ② 03 ⑤ 04 ① 05 ① 06 ④
07 ④ 08 ②

01 도덕적 추론 답 ⑤

(가)의 내용을 삼단 논법으로 분석하면 전제 2는 소전제에 해당하고, ㉠의 내용은 '자연에 대한 객관적 사실을 관찰하고 탐구하는 과학 연구는 가치 중립적인 것이다.'라고 할 수 있다. 따라서 이에 대한 반론의 근거는 '과학 연구는 가치중립적인 것이 아니다.'이다.

02 도덕적 추론 과정 분석 답 ②

여학생의 진술을 삼단 논법의 형식으로 바꿀 때, 소전제 ㉠에 들어갈 말은 '인간 배아 복제 실험은 인간을 대상으로 하는 실험이다.'이다. 이 진술에 대한 반론은 인간 배아는 인간과 다르다고 보는 관점에서 펼칠 수 있다. 그러므로 '출생하기 이전의 어떤 존재도 인간으로 볼 수 없다.'라는 진술이 반론의 근거가 될 수 있다.

03 도덕적 추론 과정 답 ⑤

(나)는 도덕적 추론 과정을 나타낸 것이다. 도덕적 추론은 보편적인 도덕 원리를 바탕으로 사실 판단을 거쳐 도덕 판단을 내리는 연역적 추론 방법이다.

04 유교 사상의 수양 방법 답 ①

을은 유교의 관점에서 말하고 있다. 유교에서는 윤리적 성찰의 방법으로 거경의 수양 방법을 중시한다. 거경의 주된 예는 신독으로, 신독은 홀로 있을 때에도 도리에 어긋나지 않도록 몸과 마음을 바르게 하는 것이다.

정답을 찾아가는 셀파 - Tip

ㄷ. 타고난 악한 본성을 선하게 만들기 위해 노력해야 하네.
→ 유교에서는 인간은 선한 본성을 타고난다고 본다.

ㄹ. 참선을 통해 인간의 참된 삶과 맑은 본성을 깨달아야 하네.
→ 참선은 불교에서 강조한 성찰 방법이다.

내 것으로 만드는 셀파 - Tip

▶ **윤리적 성찰의 방법**
- **유교**: 신독과 주일무적(主一無適)을 요체로 하는 거경의 수양법 강조
- **불교**: 무엇이 참된 삶인지 깨닫고 바르게 살아가기 위해, 앉아서 하는 수행법인 참선 제시
- **소크라테스**: '숙고하지 않는 삶은 가치가 없다.' → 반성하고 성찰하는 삶의 자세 강조
- **아리스토텔레스**: 반성과 성찰, 도덕적 실천 의지 강조 → 타인과의 관계에서 세계로 윤리적 성찰의 범위 확장

05 토론의 가치 답 ①

(가)는 언론과 사상의 자유에 관한 밀의 주장이고, (나)는 진리를 위해 소수의 발언 기회를 제한해야 한다는 주장이다. 밀은 자유로운 토론을 통해 오류 가능성을 줄이고 참된 진리에 대해 이해할 수 있다고 보고, 참된 진리를 위해서는 소수의 의견이라 할지라도 발언의 기회를 보장해야 한다고 주장한다. 그러므로 진리를 형성하기 위해 모두가 합의해야 한다는 논거는 적절하지 않다.

06 토론에 대한 밀의 입장 답 ④

(가)는 밀의 주장이다. (나)의 가로 낱말 (A)는 토의, (B)는 여론이므로, 세로 낱말 (A)는 토론이다. 밀은 인간은 인식과 판단의 과정에서 오류를 범할 수 있으며, 자유로운 토론을 통해 이러한 오류 가능성을 줄일 수 있다고 본다. 그러므로 밀의 관점에서 볼 때, 토론은 오류를 줄이고 진리를 찾기 위한 논의의 과정이라고 할 수 있다.

07 토론과 소통의 기능 답 ④

(가) 사상가는 합리적인 의사소통과 토론의 중요성을 강조한 하버마스이고, (나)의 그래프는 성별 임금 격차가 심화되고 있다는 윤리 문제를 보여 준다. 하버마스에 따르면, 의사소통의 합리성이 실현되면 모든 참여자가 수용할 수 있는 해결책을 도출할 수 있다. 그러므로 토론의 참여자들은 자신의 주장에 오류가 있을 수 있음을 인정하고, 대화를 통해 주관적 관점에서 벗어나 상호 이해를 제고해야 한다.

정답을 찾아가는 셀파 - Tip

ㄱ. 공동체의 전통에 근거하여 해결책을 모색한다.
→ 공동체의 전통이 정당성을 보장하지는 않는다.

ㄷ. 의견을 하나로 통일하기 위해 다른 사람을 포섭한다.
→ 자유로운 토론과 의사소통을 통해 합리적인 해결책을 모색해야 한다.

08 표현의 자유와 토론의 가치 답 ②

제시된 만화에서는 밀의 관점에서 표현의 자유와 토론의 중요성을 강조하고 있다. 논쟁 과정에서 옳지 않은 소수 의견이 제시되더라도 그 의견을 존중해야 하는 이유는, 그 소수 의견을 통해 기존의 진리가 지닌 가치와 의의를 재확인할 수 있기 때문이다.

정답을 찾아가는 셀파 - Tip

① 다수의 의견에 대한 복종의 필요성을 알게 됩니다. (×)
→ 다수의 의견에 무조건 복종하는 것은 옳지 않다.
② 기존의 진리가 지닌 가치와 의의를 재확인하게 됩니다. (○)
③ 다수뿐만 아니라 소수마저 동의해야 진리가 됨을 알게 됩니다. (×)
→ 만장일치 한다고 해서 진리가 되는 것은 아니다.
④ 사회적 유용성의 차원에서 표현의 자유를 제한해야 함을 알게 됩니다. (×)
→ 사회적 유용성을 명분으로 표현의 자유를 제한해서는 안 된다.
⑤ 다수에 의해 확립된 의견만이 진리의 표준이 될 수 있음을 확인하게 됩니다. (×)
→ 다수의 의견이 진리의 표준인 것은 아니다.

Ⅱ 생명과 윤리

01 삶과 죽음의 윤리 ~ 생명 윤리

탄탄 내신 문제 p. 58 ~ p. 62

01 ③	02 ④	03 ⑤	04 ④	05 ③	06 ①
07 ⑤	08 ④	09 ①	10 ④	11 ④	12 ⑤
13 ④	14 ①	15 해설 참조		16 해설 참조	
17 해설 참조		18 해설 참조		19 해설 참조	

01 석가모니와 장자의 죽음관 답 ③

갑은 석가모니, 을은 장자이다. 장자는 삶과 죽음을 기가 모였다가 흩어지는 것으로 보고, 자연스럽고 필연적인 과정이므로 죽음 앞에서 슬퍼할 필요가 없다고 주장한다.

정답을 찾아가는 셀파 - Tip

① 갑: 윤회의 과정에서 벗어나는 것은 불가능하다. (×)
→ 열반과 해탈의 경지에 이르면 윤회에서 벗어날 수 있다고 본다.
② 갑: 영혼이 육체를 떠나야 진리를 인식할 수 있다. (×)
→ 플라톤의 입장이다.
③ 을: 죽음은 기(氣)가 흩어지는 과정으로 보아야 한다. (○)
④ 을: 죽은 사람에게 예(禮)를 갖추어 애도를 표현해야 한다. (×)
→ 유교의 입장이다.
⑤ 갑, 을: 도덕적 가치가 삶과 죽음의 선택 기준이 될 수 있다. (×)
→ 유교의 입장이다.

02 장자와 하이데거의 죽음관 답 ④

갑은 장자, 을은 하이데거이다. 장자는 죽음은 모여 있던 기가 흩어지는 현상이고, 삶과 죽음은 자연적이고 필연적인 과정이므로 죽음을 걱정하거나 두려워할 필요가 없다고 주장한다. 하이데거는 '자신이 죽는다는 사실을 자각하는 것은 삶이 시작되는 사건'이라고 하면서 현존재인 인간은 죽음에 대해 자각함으로써 삶을 더욱 의미 있고 가치 있게 살 수 있다고 주장한다.

03 죽음에 대한 플라톤의 입장 답 ⑤

제시문은 플라톤의 주장이다. 그는 인간의 영혼이 육체에 갇혀 있는 동안에는 육체적 감각이나 욕망으로 인해 제대로 된 사유를 하는 것이 어렵다고 본다. 이러한 관점에서 플라톤은 인간은 죽음으로써 영혼이 육체에서 해방될 때 참된 사유를 할 수 있고, 참된 지혜를 얻을 수 있다고 주장한다.

정답을 찾아가는 셀파 - Tip

① 인간은 죽음을 통해 신과 합일할 수 있다. (×)
→ 플라톤은 죽음을 통해 신과 합일할 수 있다고 보지 않는다.
② 삶과 죽음은 차별할 수 없는 순환의 과정이다. (×)
→ 불교와 도교의 입장이다.
③ 죽음 이후에 인간은 그 어떤 것도 인식하지 못한다. (×)
→ 에피쿠로스의 입장이다.
④ 죽음의 고통에서 벗어나기 위해서는 깨달음을 얻어야 한다. (×)
→ 죽음을 고통으로 보는 것은 불교의 입장이다. 플라톤은 죽음으로써 이데아의 세계로 돌아갈 수 있고 참된 지혜를 얻을 수 있다고 본다.
⑤ 죽음으로써 영혼이 육체에서 해방되어 참된 지혜를 얻을 수 있다. (○)

04 죽음에 대한 하이데거의 입장 이해 답 ④

제시문은 하이데거의 주장이다. 하이데거의 주장에 따르면 현존재인 인간은 죽음에 이를 수밖에 없다는 인간의 유한성을 자각함으로써 삶의 가치를 깊이 성찰할 수 있고, 이를 통해 보다 의미 있고 충실한 삶을 살아갈 수 있다.

정답을 찾아가는 셀파 - Tip

① 죽음은 또 다른 세계로 윤회하는 출발점이다. (×)
→ 불교의 입장이다.
② 현존재는 죽음을 극복할 수 있는 무한한 존재이다. (×)
→ 하이데거는 현존재는 죽음에 이를 수밖에 없는 유한한 존재라고 본다.
③ 인간은 죽음을 통해 이데아의 세계로 돌아갈 수 있다. (×)
→ 플라톤의 입장이다.
④ 죽음에 대한 자각은 삶의 가치를 깊이 성찰할 수 있게 한다. (○)
⑤ 죽음 이후에는 아무것도 감각할 수 없으므로 죽음을 두려워할 필요가 없다. (×)
→ 에피쿠로스의 입장이다.

05 낙태에 관한 찬반 입장의 근거 답 ③

갑은 태아가 인간과 동일한 도덕적 지위를 지닌다고 보고 낙태에 반대하는 반면, 을은 자율 근거를 바탕으로 낙태에 찬성한다. 태아를 여성 몸의 일부로 보고, 모든 여성은 자신의 몸에 대한 소유권을 지니기 때문에 여성은 태아에 대한 권리를 갖는다는 주장은 낙태에 찬성하는 입장에서 제시할 수 있는 논거이다.

내 것으로 만드는 셀파 - Tip

▶ 낙태 찬반론의 논거

찬성론 (선택 옹호주의)	• 소유권 근거: 태아는 여성 몸의 일부이므로, 여성은 태아에 대한 권리를 지님 • 자율 근거: 여성은 자신의 신체에 대해 자율적으로 선택할 권리를 지님 • 정당방위 근거: 여성은 자기방어와 정당방위의 권리를 지님
반대론 (생명 옹호주의)	• 잠재성 근거: 태아는 성숙한 인간으로 발달할 가능성을 지님 • 존엄성 근거: 모든 생명은 존엄하므로 태아의 생명도 존엄함 • 무고한 인간의 신성불가침 근거: 태아는 무고한 인간이고, 무고한 인간을 해쳐서는 안 됨

06 낙태에 관한 찬반 논거 파악 답 ①

갑은 무고한 인간의 신성불가침 근거를 바탕으로 무고한 인간 존재인 태아를 해치는 행위는 도덕적으로 옳지 않다고 본다. 반면 을은 자율 근거를 바탕으로 임신한 여성은 어떠한 이유로든 임신 상태에서 벗어날 권리, 즉 낙태할 수 있는 권리를 지닌다고 본다.

정답을 찾아가는 셀파 - Tip

ㄴ. B: 태아는 인간 존재로서의 지위를 지닌다.
→ 을은 태아와 인간이 동일한 존재가 아니라고 주장한다.

ㄹ. C: 생명은 존엄하므로 태아의 생명권이 우선되어야 한다.
→ 을은 태아의 생명권보다 여성의 선택권이 우선되어야 한다고 본다.

07 자연법 윤리의 생식 보조술에 대한 관점 이해 답 ⑤

(가)는 자연법 윤리의 주장이다. 자연법 윤리의 관점에서는 인공 수정 시술과 같은 생식 보조술은 생명의 탄생에 인위적으로 개입하는 것이므로 옳지 않다고 비판할 수 있다.

08 뇌사와 심폐사에 대한 쟁점 이해 답 ④

㉣은 뇌사에 찬성하는 입장이다. 뇌사에 찬성하는 입장에서는 인간의 고유한 활동은 뇌 기능에서 비롯되는 것이며, 뇌사를 허용할 경우 환자와 가족의 경제적 부담을 덜어 줄 수 있다고 주장한다.

09 뇌사에 대한 관점 답 ①

갑은 뇌사자의 장기로 다른 사람을 살릴 수 있다는 실용주의적 관점에서 뇌사를 죽음으로 인정해야 한다고 주장한다. 반면 을은 뇌사 판정의 남용 가능성과 오류 가능성을 들어 뇌사를 죽음으로 인정할 수 없다고 주장한다.

10 정당한 인체 실험의 조건 분석 답 ④

인간을 대상으로 한 실험이 정당성을 인정받기 위해서는 사전에 실험에 관한 정보가 충분히 고지되고, 실험 대상자의 순수하고 자발적인 동의가 전제되어야 한다. 중고생은 인체 실험에 동의할 수 있는 법적인 능력이 없으며, 실험에 관한 정보를 속이거나 사전에 위험성을 고지하지 않은 실험은 정당하다고 볼 수 없다.

11 배아 복제에 대한 입장 답 ④

(가)는 미끄러운 경사길 논증이다. 이 관점에서는 배아 복제를 허용해야 한다는 (나)의 주장에 대해 배아 복제 허용은 개체 복제 허용까지 초래한다고 비판할 수 있다.

12 개체 복제 기술에 대한 의무론 윤리의 입장 답 ⑤

(가) 사상가는 칸트이다. 칸트의 관점에서는 갑에게 인간성을 수단으로 삼아서는 안 된다는 도덕 법칙에 따라 생명을 조작하는 행위를 해서는 안 된다고 조언할 수 있다.

13 개체 복제 찬반 논쟁 답 ④

인간 개체 복제에 찬성하는 갑과 달리 을은 많은 문제점이 생길 수 있으므로 인간 개체 복제를 허용해서는 안 된다고 주장한다.

정답을 찾아가는 셀파 - Tip

ㄷ. 복제 인간도 존엄성을 보장받을 수 있습니다.
→ 인간 개체 복제에 찬성하는 입장에서 할 수 있는 주장이다.

14 레건의 동물 권리론 이해 답 ①

제시문은 레건의 주장이다. 레건은 일부 동물은 삶의 주체가 될 수 있으므로 도덕적으로 존중받아야 한다고 주장한다. 다만 레건은 고통을 느끼고, 자신의 욕구와 목표를 위해 행위를 할 수 있으며, 자신의 정체성을 느낄 수 있는 능력 등을 지닌 경우에만 인간과 마찬가지로 도덕적 지위를 지닌다고 간주한다.

정답을 찾아가는 셀파 - Tip

① 동물을 단지 인간의 목적을 위한 수단으로 이용하는 것은 옳지 않다. (○)

② 생명이 있는 모든 존재는 내재적 가치를 지니기 때문에 도덕적으로 배려해야 한다. (×)
→ 레건은 모든 생명체가 삶의 주체가 될 수 있다고 여기지는 않는다.

③ 동물이 고통을 느낀다는 사실은 동물이 도덕적 고려를 받을 수 있는 필요충분조건이다. (×)
→ 벤담과 싱어의 입장이다.

④ 동물이 도덕적으로 고려받을 권리를 지니지는 않지만 동물을 함부로 다루어서는 안 된다. (×)
→ 아퀴나스와 칸트의 입장이다.

⑤ 동물을 잔혹하게 다루어서는 안 되는 유일한 이유는 그것이 인간에 대한 잔혹한 행위를 조장할 수 있기 때문이다. (×)
→ 아퀴나스와 칸트의 입장이다.

서답형 문제

15 공자와 장자의 죽음관

(1) 갑: 공자, 을: 장자

(2) 모범 답안 | 공자는 죽음보다 현세의 도덕적 삶이 더 중요하다고 본다. 반면 장자는 삶과 죽음은 기(氣)가 모였다가 흩어지는 것이고 계절의 순환처럼 자연스럽고 필연적인 과정이므로, 죽음에 대해 슬퍼하거나 애도할 필요가 없다고 본다.

주요 단어 | 공자, 장자, 현세, 도덕적 삶, 기(氣), 필연적, 과정

채점 기준	배점
(1)에 갑은 공자, 을은 장자라고 쓰고, (2)에 공자와 장자의 죽음관을 구체적으로 서술한 경우	상
(1)에 갑은 공자, 을은 장자라고 쓰고, (2)에 공자와 장자의 죽음관 가운데 한 가지만 서술한 경우	중
(1)에 갑은 공자, 을은 장자라고 쓰고, (2)에 공자와 장자가 아닌 다른 사상가의 죽음관을 서술한 경우	하

16 뇌사 허용론에 대한 반론

모범 답안 | 뇌 기능이 정지하더라도 의료 기기를 이용하면 호흡과 심장 박동이 유지되므로 죽음으로 볼 수 없다. 의료 자원의 효율적 이용과 장기 이식과 같은 실용주의적 관점으로 뇌사 문제에 접근하는 태도는 생명의 존엄성을 경시할 수 있다.

주요 단어 | 뇌 기능, 호흡, 심장 박동, 유지, 실용주의, 존엄성, 경시

채점 기준	배점
뇌사에 반대하는 주장 두 가지를 구체적으로 서술한 경우	상
뇌사에 반대하는 주장 한 가지를 구체적으로 서술한 경우	중
뇌사 반대론과 관련 없는 내용을 서술한 경우	하

17 안락사에 대한 반대 입장 이해

모범 답안 | 밑줄 친 '이것'은 안락사이다. 안락사를 반대하는 입장에서는 모든 인간의 생명은 존엄하며, 인간은 자신의 죽음을 인위적으로 선택할 권리가 없다고 본다. 또한 죽음을 인위적으로 앞당기는 행위는 자연의 질서에 부합하지 않는다고 본다.

주요 단어 | 안락사, 반대, 생명, 존엄, 인위적, 선택, 권리, 질서

채점 기준	배점
안락사라고 쓰고, 안락사 반대론의 근거 두 가지를 서술한 경우	상
안락사라고 쓰고, 안락사 반대론의 근거 한 가지를 서술한 경우	중
안락사라고만 서술한 경우	하

18 인간 개체 복제의 윤리적 문제점

모범 답안 | 인간 생명의 존엄성을 훼손할 수 있습니다. 인간의 자연스러운 출산 과정에 어긋납니다. 인간의 고유성이 침해되고 인간관계를 혼란에 빠뜨릴 수 있습니다. 인간의 생명을 도구화하는 것입니다.

주요 단어 | 존엄성 훼손, 고유성 침해, 생명 도구화

채점 기준	배점
인간 개체 복제 반대의 근거 세 가지를 서술한 경우	상
인간 개체 복제 반대의 근거 두 가지를 서술한 경우	중
인간 개체 복제 반대의 근거 한 가지를 서술한 경우	하

19 동물의 권리에 대한 싱어와 레건의 입장

모범 답안 | A: 쾌고 감수 능력이 도덕적 고려의 기준이다.
B: 동물도 도덕적으로 고려받을 권리를 가진다.
C: 삶의 주체가 될 수 있는 존재는 목적으로 대우해야 한다.

주요 단어 | 쾌고 감수 능력, 도덕적 고려, 권리, 삶의 주체, 목적

채점 기준	배점
A, B, C에 들어갈 말을 모두 바르게 서술한 경우	상
A, B, C 가운데 두 가지를 바르게 서술한 경우	중
A, B, C 가운데 한 가지만 바르게 서술한 경우	하

도전 수능 문제

p. 63 ~ p. 65

01 ②	02 ①	03 ①	04 ④	05 ②	06 ③
07 ②	08 ⑤	09 ③	10 ②	11 ⑤	12 ①

01 맹자와 장자의 죽음관 (답) ②

(가)는 맹자, (나)는 장자의 주장이다. 맹자는 삶과 의로움 가운데 한 가지를 택해야 한다면 의로움을 택하겠다고 주장하고 있는데, 이를 통해 도덕적 가치가 삶과 죽음의 선택 기준이 될 수 있다는 것을 알 수 있다. 이처럼 유교에서는 죽음보다는 현세의 도덕적인 삶을 더욱 강조한다.

정답을 찾아가는 셀파 - Tip

① (가): 생(生) 그 자체가 어떤 가치보다도 더 소중하다. (×)
→ 맹자는 생보다 의로움이 가치 있다고 본다.
② (가): 도덕적 가치가 삶과 죽음의 선택 기준이 될 수 있다. (○)
③ (나): 삶과 죽음은 자연의 과정이 아니라 응보의 과정이다. (×)
→ 장자는 삶과 죽음을 자연스럽고 필연적인 과정이라고 본다.
④ (나): 삶과 죽음의 악순환을 끊는 것이 이상적 인간의 경지이다. (×)
→ 불교의 입장이다.
⑤ (가), (나): 죽음 이후를 대비하여 도덕적 이치를 탐구해야 한다. (×)
→ 장자는 해당하지 않는다.

02 장자의 죽음관 파악 (답) ①

제시문의 사상가는 장자이다. 장자는 삶과 죽음은 기(氣)가 모였다가 흩어지는 것이며, 봄·여름·가을·겨울 사계절의 변화와 같이 자연스럽고 필연적인 과정이므로 죽음에 대해 슬퍼하거나 애도할 필요가 없다고 본다.

정답을 찾아가는 셀파 - Tip

ㄷ. 죽음을 애도하는 것은 천명(天命)에 따르는 순리이다.
→ 장자는 죽음에 대해 애도할 필요가 없다고 본다.
ㄹ. 지속적인 선행의 실천으로 죽음에 올바르게 임할 수 있다.
→ 장자는 죽음에 임하기 위한 지속적인 선행의 실천을 강조하지 않는다.

03 에피쿠로스와 하이데거의 죽음관 비교 (답) ①

갑은 에피쿠로스, 을은 하이데거이다. 에피쿠로스는 살아서는 죽음을 경험할 수 없고 죽어서는 감각할 수 없으므로, 죽음을 두려워할 필요가 없다고 본다. 이에 비해 하이데거는 현존재인 인간은 죽음에 대해 자각함으로써 참된 실존을 찾을 수 있으며, 삶을 더욱 의미 있고 가치 있게 살 수 있다고 본다.

정답을 찾아가는 셀파 - Tip

① 죽음에 대해 자각할 때 참된 실존을 찾을 수 있다. (○)
② 모든 사람은 삶과 죽음의 윤회에서 벗어날 수 없다. (×)
→ 삶과 죽음을 윤회의 과정으로 보는 것은 불교의 관점이다.
③ 육체의 죽음 이후에 참다운 진리를 획득할 수 있다. (×)
→ 플라톤의 관점이다.
④ 죽음의 고통에서 벗어나기 위해 탐욕을 제거해야 한다. (×)
→ 죽음을 고통으로 보는 것은 불교의 관점이다.
⑤ 죽음은 자연스러운 과정으로 두려움의 대상이 아니다. (×)
→ 죽음은 자연스럽고 필연적인 과정으로 보는 것은 장자의 관점이다.

04 플라톤, 에피쿠로스, 하이데거의 죽음관 답 ④

갑은 플라톤, 을은 에피쿠로스, 병은 하이데거이다. 죽음 이후에는 아무것도 감각할 수 없다고 본 에피쿠로스와 달리, 플라톤은 죽음 이후에 참된 진리의 세계에 도달할 수 있다고 본다. 또한 플라톤은 죽음이란 육체에 갇혀 있던 영혼이 해방되어 이데아의 세계로 돌아가는 것이며, 인간은 죽음으로써 참된 사유를 할 수 있고 참된 지혜를 얻을 수 있다고 주장한다.

내 것으로 만드는 셀파 - Tip

▶ **동서양의 죽음관**

동양	• 공자: 죽음에 관심을 가지기보다는 현세의 도덕적인 삶에 충실하는 것이 더 중요함 • 장자: 삶과 죽음은 기(氣)가 모였다가 흩어지는 것이고 자연스럽고 필연적인 과정이므로, 삶에 집착하거나 죽음을 걱정하고 두려워할 필요가 없음 • 불교: 죽음은 고통이자 다음 세상으로 윤회하는 과정이며, 현세의 업보가 죽은 이후의 삶을 결정함
서양	• 플라톤: 죽음은 육체에 갇혀 있던 영혼이 해방되어 이데아의 세계로 돌아가는 것임 • 에피쿠로스: 살아서는 죽음을 경험할 수 없고, 죽어서는 감각할 수 없으므로 죽음을 두려워할 필요가 없음 • 하이데거: 현존재인 인간은 죽음을 직시할 때 진정한 삶을 살 수 있음

05 태아의 지위에 대한 관점 이해 답 ②

갑은 태아도 인간으로서의 지위를 갖는다고 본다. 그리고 이러한 관점에서 낙태는 인간의 생명을 제거하는 것이라고 보고 낙태에 반대한다. 이에 반해 을은 태아는 인간으로서의 지위를 갖지 않는다고 본다. 그리고 이러한 관점에서 낙태는 인간의 생명을 제거하는 것이 아니라고 보고 낙태에 반대하지 않는다.

정답을 찾아가는 셀파 - Tip

ㄴ. 태아는 인간이 될 수 있는 존재인가?
→ 갑, 을 모두 태아는 인간이 될 수 있는 가능성을 갖고 있다고 본다.

ㄹ. 무고한 인간을 죽이는 행위는 옳지 않은가?
→ 을이 부정할 질문이라고 보기 어렵다.

06 안락사에 대한 입장 파악 답 ③

갑은 인위적 개입으로 환자의 죽음을 앞당기는 적극적 안락사는 허용될 수 없지만, 회복이 불가능한 환자의 연명 치료를 중단하는 것과 같은 소극적 안락사는 자연의 과정을 따르는 것이기 때문에 허용될 수 있다고 주장한다. 반면 을은 인간의 생명은 절대적 가치를 지니고 있기 때문에 적극적 안락사와 소극적 안락사 모두 허용되어서는 안 된다고 주장한다.

07 자살에 대한 칸트와 아퀴나스의 입장 답 ②

갑은 의무론자인 칸트, 을은 자연법 윤리론자인 아퀴나스이다. 칸트는 고통에서 벗어나기 위해 자살하는 것은 자신의 생명과 인격을 수단으로 삼는 행위이고, 자율적 인간으로서 가지는 자기 보전의 의무를 위반하는 행위라고 여긴다. 즉 칸트는 인간을 고통 완화의 수단으로 대우한다는 점에서 자살에 반대한다.

정답을 찾아가는 셀파 - Tip

① 갑: 사회적 유용성 증진에 장애가 되기 때문이다. (×)
→ 칸트는 사회적 유용성을 근거로 자살에 반대하지 않는다.

② 갑: 자율적 인간으로서 갖는 의무에 위반되기 때문이다. (○)

③ 을: 신에 대한 생명의 의무를 ~~이행한~~ 것이기 때문이다. (×)
위반하는

④ 을: 자신을 사랑하고자 하는 자연적 성향에 ~~따른~~ 것이기 때문이다. (×)
위배되는

⑤ 갑, 을: 자신에 대한 의무만을 이행하려는 이기적인 행동이기 때문이다. (×)
→ 칸트와 아퀴나스 모두 관련이 없다.

08 인간 배아 복제 연구에 대한 다양한 입장 비교 답 ⑤

갑은 많은 사람에게 이익을 주는 경우에, 을은 더 많은 사람에게 더 많은 행복을 주는 경우에 한하여 인간 배아 복제 연구를 허용해야 한다고 주장한다. 즉 갑, 을 모두 공리주의적 측면에서 인간 배아 복제 연구의 허용 여부를 논해야 한다고 본다.

09 생명 윤리 이해하기 답 ③

(가)를 주장한 사상가는 요나스이다. 요나스는 인간은 자신의 미래에 대해 '모를 권리', 즉 '무지에 대한 권리'를 가지고 있다고 본다. 그러므로 인간의 유전자를 인위적으로 조작하여 인간의 운명까지도 통제해야 한다고 보는 (나)의 내용에 대해, 요나스는 인간은 자율적이며 자기 목적적 존재로서, 자신의 미래를 스스로 결정할 수 있다고 비판할 수 있다.

10 유전자 조작에 대한 쟁점 답 ②

갑은 유전자 조작은 자연 질서에 위배되는 것이라고 간주하고, 모든 유전자 조작에 대해 반대하는 입장이다. 반면 을은 우월한 형질을 유발하기 위한 유전자 조작에는 반대하지만, 난치병의 치료나 질병의 예방을 위한 유전자 조작은 자연 질서에 부합하므로 허용될 수 있다고 보는 입장이다.

11 싱어와 레건의 입장 비교 답 ⑤

갑은 싱어, 을은 레건으로, 모두 동물도 도덕적으로 고려받을 권리를 지닌다고 본다. 싱어는 쾌고 감수 능력에 근거하여, 쾌고를 지각할 수 있는 동물의 이익 관심은 인간과 동등하게 배려해야 한다고 주장한다. 레건은 지각, 기억, 믿음, 자기의식 등의 능력을 가진 동물은 삶의 주체가 될 수 있으며, 이런 동물은 그 자체로 목적으로 대우해야 한다고 주장한다.

정답을 찾아가는 셀파 - Tip

ㄱ. A: 모든 동물의 이익을 동등하게 고려해야 하는가?
→ 싱어와 레건 모두 '아니요'라고 대답할 수 있는 질문이다.

12 동물 실험에 대한 싱어의 관점 이해 답 ①

제시문은 싱어의 주장이다. 싱어는 동물의 이익을 인간의 이익과 동등하게 고려해야 한다는 '이익의 평등한 고려의 원칙'을 전제하고, 동물 실험은 종 차별주의에 해당한다고 비판한다.

02 사랑과 성 윤리

탄탄 내신 문제 p. 70 ~ p. 74

01 ⑤	02 ②	03 ①	04 ②	05 ①	06 ④
07 ⑤	08 ③	09 ⑤	10 ⑤	11 ②	12 ③
13 ①	14 ①	15 해설 참조		16 해설 참조	
17 해설 참조		18 해설 참조		19 해설 참조	

01 사랑의 의미 답 ⑤

제시문은 프롬의 주장이다. 프롬은 사랑이란 상대방을 소유의 대상이 아닌, 있는 그대로 보고 그의 특성을 인정하는 것이라고 말한다. 프롬에 따르면 진정한 사랑이란 상대방을 소생시키며 상대방의 생동감을 증대하는 활동이고, 사랑하는 사람의 생명과 성장에 관심과 도움을 주는 것이며, 상대방의 요구에 대해 내가 적극적으로 반응하는 것이다.

02 사랑의 요소 답 ②

제시문은 프롬의 글이다. 프롬이 제시한 사랑의 구성 요소 가운데 존경은 상대방을 있는 그대로 보고, 그의 독특한 개성을 인정하는 것이다.

정답을 찾아가는 셀파 - Tip

① 상대방의 모든 것을 소유하려는 것이다. (×)
→ 프롬이 말한 사랑은 사람을 있는 그대로 보고 그의 개성을 지각할 줄 아는 능력이다.

② 상대방을 있는 그대로 보고 존중하는 것이다. (○)

③ 상대방을 돌보며 관계를 책임지고 유지하는 것이다. (×)
→ 프롬이 말한 사랑의 요소 중 책임에 해당한다.

④ 상대방에게 호감을 느끼고 상대방과 함께하고 싶은 것이다. (×)
→ 스턴버그가 제시한 사랑의 요소 중 열정에 해당한다.

⑤ 상대방의 생명과 성장에 관심을 가지고 적극적으로 보호하는 것이다. (×)
→ 프롬이 말한 사랑의 요소 중 관심과 배려에 해당한다.

03 성과 사랑의 관계 답 ①

갑은 성적 행위는 쾌락을 추구하지만, 사랑은 폭넓은 정서적 기능을 가지고 있다고 본다. 을은 사랑이 없는 한 사람들은 서로 합일할 수 없으며, 성적 만족은 사랑의 결과라고 지적한다. 따라서 갑, 을 모두 사랑이 없는 성은 행복을 보장하지 못한다고 보고 있다.

04 성에 대한 보수주의의 관점 답 ②

제시문은 사랑과 성을 바라보는 관점 가운데 보수주의의 입장이다. 보수주의의 입장에서는 결혼과 출산을 전제로 하지 않는 성관계를 금기의 대상으로 여기고, 결혼은 성으로 인한 사회적 혼란을 방지하고 사회적 안정을 유지하는 데 필수적인 제도적 장치라고 주장한다.

05 사랑과 성을 바라보는 다양한 관점 답 ①

(가)는 보수주의, (나)는 급진적 자유주의의 관점이다. 보수주의적 관점에서는 자녀 출산을 목적으로 한 성적 관계만을 허용해야 한다고 주장하는데, 이러한 주장은 종족 보존이라는 성의 생식적 가치를 중시하는 것이다.

정답을 찾아가는 셀파 - Tip

① (가)는 성의 생식적 가치를 중시한다. (○)

② (가)는 사랑이 전제된 성적 관계는 모두 허용한다. (×)
→ 온건한 자유주의의 관점과 관련 있다.

③ (나)는 성적 관계에서 무제한적인 자유를 허용한다. (×)
→ 타인에게 해악을 끼치는 성적 관계는 허용할 수 없다고 보고 있으므로, 무제한적인 자유를 허용하는 것은 아니다.

④ (나)는 성의 쾌락적 가치보다 인격적 가치를 중시한다. (×)
→ 급진적 자유주의의 관점은 성의 쾌락적 가치를 중시한다.

⑤ (가), (나)는 개인 간의 합의를 성적 관계의 충분조건으로 간주한다. (×)
→ 급진적 자유주의의 관점에만 해당한다.

06 양성평등에 대한 보부아르의 입장 답 ④

제시문은 보부아르의 주장이다. 보부아르는 남성이라는 본질도, 여성이라는 본질도 존재하지 않으므로 여성과 남성은 서로 동등한 존재라고 말한다. 또한 여성다움, 즉 사회적으로 규정된 여성의 역할은 선천적으로 주어진 것이 아니라고 비판하면서 여성도 남성과 마찬가지로 자유롭고 주체적인 존재라고 주장한다.

정답을 찾아가는 셀파 - Tip

ㄱ. 여성과 남성의 본질은 서로 대립되는 것임을 이해해야 한다.
→ 보부아르는 여성의 본질도, 남성의 본질도 존재하지 않는다고 본다.

ㄷ. 여성은 남성보다 열등한 존재로서 종족 보존을 위한 역할에만 충실해야 한다.
→ 보부아르는 여성과 남성은 서로 동등한 존재라고 주장한다.

07 성과 관련된 칸트주의적 이해 답 ⑤

(가)는 칸트의 주장이다. 모든 인간은 목적적 존재로 대우받아야 한다는 칸트의 입장에 따르면, 음란물은 인간을 도구적 존재로 여기기 때문에 인간의 존엄성을 훼손할 수 있다. 그러므로 음란물을 보는 행위는 타인에게 직접적인 피해를 주지는 않지만 도덕 법칙에는 위배된다고 할 수 있다.

08 부부 관계의 특징 파악 답 ③

(가)는 유교이다. (나)의 가로 낱말 (A)는 부자유친, (B)는 사대부이므로, 세로 낱말 (A)는 부부이다. 유교에서는 부부를 상경여빈의 예로써 서로를 공경해야 하는 보완적이고 대등한 관계로 본다.

09 유학에서의 가족 윤리 답 ⑤

㉠은 부부, ㉡은 효(孝)이다. 효는 호혜적이고 상호적인 윤리 규범의 일부로, 부모님이 돌아가신 이후에도 상·장례나 제례를 통해 계속되고, 자식이 죽을 때가 되어서야 비로소 종료된다.

10 유학에서의 가족 윤리 답 ⑤

제시문의 사상은 효제의 실천을 중시하는 유교이다. 유교에서는 부모에 대한 효와 형제자매 간의 우애를 수신의 시작이자 근본으로 삼는다. 또한 유교에서는 친소에 대한 분별을 분명히 하는데, 먼저 자신의 부모를 공경하고 이에 기초해 이웃 어른을 공경함으로써 이상적인 사회를 만들 수 있다고 본다.

11 자식의 도리에 대한 유교의 입장 답 ②

제시문은 공자의 주장으로 유교 사상이다. 유교에서는 효를 인(仁)을 실천하는 출발점이자 모든 행실의 근본이 되는 덕목이라고 본다. 또한 이러한 효의 시작은 부모에게서 물려받은 자신의 몸을 상하지 않게 하는 것이라고 주장한다.

정답을 찾아가는 셀파 - Tip

ㄴ. 효의 실천과 우애의 실천은 별개라고 본다.
→ 유교에서는 우애를 실천하는 것이 효를 실천하는 것이라고 본다.

ㄷ. 효의 궁극적인 목적은 물질적 봉양이라고 본다.
→ 유교에서는 효의 근본은 부모의 마음을 기쁘게 해 드리는 양지(養志)라고 본다.

12 가족 윤리에 대한 유교의 입장 답 ③

제시문은 유교의 관점에서 효를 설명한다. 유교에서는 부모와 자녀를 수직적인 관계로 보고, 부모는 자녀에게 자애를 베풀고 자녀는 부모에게 효를 실천해야 한다고 주장한다.

13 유학에서의 가족 윤리 답 ①

제시문의 사상은 유교이다. 유교에서는 형은 부모와 같은 마음으로 동생을 보살피고, 동생은 부모를 사랑하는 마음으로 형을 공경해야 한다고 본다.

정답을 찾아가는 셀파 - Tip

① 형은 부모와 같은 마음으로 동생을 보살펴야 한다. (○)

② 가족과 이웃을 구별하지 말고 똑같이 사랑해야 한다. (×)
→ 유교에서는 가까운 사람과 먼 사람에 대한 사랑을 구별해야 한다고 본다.

③ 부모와 자식은 수평적 관계에서 사랑을 나누어야 한다. (×)
→ 부모와 자식은 수직적 관계에 있다.

④ 부부는 음양의 관계처럼 수직적 질서를 유지해야 한다. (×)
→ 음양론에서는 부부를 상호 보완적이고 대등한 관계로 본다.

⑤ 출세하여 이름을 떨치는 것을 효의 시작으로 여겨야 한다. (×)
→ 유교에서는 입신양명은 효의 완성이며, 효의 시작은 불감훼상이라고 본다.

14 유학에서의 가족 윤리 답 ①

A는 부부, B는 형제자매이다. 부부는 음양의 원리에 따라 신체적 차이를 인정하면서 서로 도움을 주고받는 관계이고, 혈연관계가 아니다. 형제자매는 우애 있게 지냄으로써 효를 실천할 수 있는 관계로, 서로 항렬이 같으며 혈연관계이다.

서답형 문제

15 프롬의 사랑

모범 답안 | 제시문은 프롬의 주장으로, 그가 말한 진정한 사랑은 상대방을 있는 그대로 보고 그의 특성을 인정하는 것이고, 상대방이 자신의 능력을 최대한 발휘할 수 있도록 도와주는 것이며, 상대방의 요구에 대해 성실하게 응답할 준비를 갖추는 것이다.

주요 단어 | 프롬, 사랑, 특성, 인정, 능력, 발휘, 요구, 응답, 준비

채점 기준	배점
프롬의 관점에서 본 사랑의 의미 세 가지를 명확하게 서술한 경우	상
프롬의 관점에서 본 사랑의 의미 두 가지를 서술한 경우	중
프롬의 관점에서 본 사랑의 의미 한 가지를 서술한 경우	하

16 성의 가치와 도덕적 덕목

모범 답안 | 성은 새로운 생명의 탄생을 통한 종족 보존이라는 생식적 가치를 지니고, 인간의 감각적 욕망의 충족이라는 쾌락적 가치를 지닌다. 또한 상호 간 존중과 배려를 실현하고, 자아실현과 인격 완성에 기여한다는 인격적 가치를 지닌다. 생식적 가치는 책임, 쾌락적 가치는 절제, 인격적 가치는 인격 존중이라는 덕목을 요구한다.

주요 단어 | 종족 보존, 생식적 가치, 욕망, 충족, 쾌락적 가치, 자아실현, 인격 완성, 인격적 가치, 책임, 절제, 인격 존중

채점 기준	배점
성의 가치와 각각에 필요한 도덕적 덕목을 세 가지 모두 구체적으로 서술한 경우	상
성의 가치와 각각에 필요한 도덕적 덕목을 두 가지만 서술한 경우	중
성의 가치와 각각에 필요한 도덕적 덕목을 한 가지만 서술한 경우	하

17 성 상품화에 대한 반대 논거

모범 답안 | (가) 사상가는 칸트로, 그의 관점에서 성 상품화는 인간을 목적이 아닌 수단으로 대함으로써 인간의 존엄성을 훼손하는 비도덕적 행위이다. 그러므로 성 상품화는 결코 정당화할 수 없다.

주요 단어 | 성 상품화, 목적, 수단, 인간 존엄성, 비도덕적 행위

채점 기준	배점
성 상품화는 인간을 수단으로 대함으로써 존엄성을 훼손한다는 내용을 명확하게 서술한 경우	상
성 상품화는 인간을 수단으로 대한다는 내용만 서술한 경우	중
칸트의 입장에서 성 상품화에 대한 반론을 서술하지 않은 경우	하

18 형제자매 관계에서의 가족 윤리

(1) 동기간(同氣間)

(2) 모범 답안 | 형제자매 간에는 형우제공과 효제를 실천해야 한다. 형우제공은 형은 동생을 사랑하고 보살피며 동생은 형을 윗사람 대하듯 공경해야 한다는 의미이고, 효제는 부모에 효도하고 형제자매 간에 서로 공경해야 한다는 의미이다.

주요 단어 | 형제자매, 형우제공, 효제

채점 기준	배점
형우제공과 효제에 대해 모두 명확하게 서술한 경우	상
형우제공과 효제 가운데 한 가지만 서술한 경우	중
형제자매 사이에 우애 있게 지내야 한다고만 서술한 경우	하

19 형제자매 관계의 특징

(1) 형제자매

(2) 모범 답안 | 형제자매는 부모의 사랑과 관심을 받으려고 서로 경쟁하고 대립하는 관계이다. 그와 동시에 형제자매는 서로 사랑하며 놀이를 함께 하는 친구이자 문제를 함께 해결하는 협력자로, 친애와 협동의 관계이기도 하다.

주요 단어 | 형제자매, 경쟁, 대립, 친애, 협동

채점 기준	배점
경쟁과 대립, 친애와 협동이라는 형제자매의 두 가지 측면을 모두 구체적으로 서술한 경우	상
형제자매의 두 가지 측면을 서술하였으나, 잘못된 내용이 포함된 경우	중
형제자매는 대립하거나 협력하는 관계라고만 서술한 경우	하

도전 수능 문제

p. 75 ~ p. 77

01 ①	02 ④	03 ④	04 ④	05 ⑤	06 ②
07 ②	08 ④	09 ⑤	10 ④	11 ④	12 ④

01 사랑에 대한 프롬의 입장 답 ①

제시문은 프롬의 주장이다. 프롬은 사랑이란 수동적인 감정이 아니라 능동적인 활동이라고 보고, 자신을 희생하여 상대방이 원하는 것을 들어주는 것은 진정한 사랑이 아니라고 주장한다.

02 올바른 사랑의 자세 답 ④

그림의 강연자는 프롬이다. 프롬은 상대방을 소유하거나 구속하는 사랑은 올바른 사랑이 아니라고 보고, 올바른 사랑은 상대방을 이해하려고 노력하며, 서로의 모습을 존중하고 인정함으로써 서로가 온전히 성장할 수 있도록 돕는 것이라고 주장한다.

03 성에 대한 다양한 입장 답 ④

갑은 보수주의, 을은 급진적 자유주의, 병은 온건한 자유주의의 관점에 해당한다. 급진적 자유주의는 당사자 간의 자유로운 의사를 중시하고, 사랑 없이 성적 호감과 관심만으로도 성이 가능하다고 본다. 반면 온건한 자유주의는 사랑은 인간의 성에 특별한 가치와 존엄성을 부여하므로 사랑과 결합한 성만이 인간의 고유한 품격을 유지해 줄 수 있다고 보고, 사랑이 있는 성을 추구한다.

정답을 찾아가는 셀파 - Tip

ㄷ. C: 쾌락을 주는 성적 활동은 모두 도덕적으로 정당한 것인가?
→ 급진적 자유주의의 관점에서도 타인에게 해가 되는 성적 활동은 도덕적으로 정당하지 않은 것으로 간주한다.

04 성과 사랑에 관한 온건한 자유주의의 관점 답 ④

제시문은 온건한 자유주의의 관점이다. 온건한 자유주의의 관점에서는 사랑만이 인간의 성을 존엄하게 만들어 주기 때문에 사랑이 없는 성은 도덕적으로 옳지 않다고 본다. 이러한 관점에서 결혼이나 출산과 관련된 성이라도 사랑이 전제되지 않으면 동물의 성과 다를 바 없다고 여긴다.

정답을 찾아가는 셀파 - Tip

ㄱ. 성의 본래적 가치는 생식적 가치에 있다고 본다.
→ 보수주의의 관점이다.

ㄷ. 성적 쾌락은 그 자체로 순수한 가치를 지닌다고 본다.
→ 급진적 자유주의의 관점이다.

05 보수주의와 온건한 자유주의의 입장 답 ⑤

갑은 보수주의, 을은 온건한 자유주의의 관점이다. 보수주의는 부부간의 성행위만 도덕적이라고 보는 반면, 온건한 보수주의는 사랑을 전제로 한 성행위를 도덕적이라고 본다. 또한 두 관점 모두 성행위에는 타인의 인격 존중이 전제되어야 한다고 본다.

정답을 찾아가는 셀파 - Tip

ㄱ. A: 성행위의 필요충분조건은 자발적 동의이다.
→ 보수주의는 성적 관계에 대한 책임을 강조한다.

내 것으로 만드는 셀파 - Tip

▶ **사랑과 성을 바라보는 관점**

보수주의	• 결혼 제도 내에서 출산과 양육에 대한 책임을 질 수 있는 성만이 도덕적으로 정당하다고 간주함 • 결혼은 성의 사회적 책임을 위한 제도적 장치임
온건한 자유주의 (중도주의)	• 사랑과 결합한 성만이 인간의 고유한 품격을 유지해 줄 수 있음 • 사랑이 있는 성 추구
(급진적) 자유주의	• 성숙한 사람들이 상호 동의하에 타인에게 해를 주지 않는다면 성적 호감과 관심만으로도 성이 가능함 • 사랑 없이도 가능한 성 추구

06 여성과 남성의 평등 답 ②

갑은 여성성과 남성성은 사회화로 형성되는 것이라고 보고, 을은 여성과 남성이 근본적으로 다르다고 본다. 따라서 갑은 을이 여성과 남성의 성향 차이가 후천적인 것임을 간과하고 있다고 비판할 수 있다.

07 칸트의 성에 대한 관점 답 ②

사상가는 칸트이고, 〈문제 상황〉의 A는 금전적 대가를 받고 타인의 성적 욕구를 충족시켜주는 일에 참여할 것인지를 고민하고 있다. 칸트는 신체는 인격을 이루는 것이므로 사물처럼 취급할 수 없다고 주장하고 있으므로, A에게 자신을 인격체가 아닌 사물처럼 취급하여 존엄성을 침해하지 않도록 하라고 조언할 수 있다.

정답을 찾아가는 셀파 - Tip

① 사람들의 다양한 성적 취향을 존중하렴. (×)
→ 〈문제 상황〉과 관련 없는 조언이다.

② 자신을 인격체가 아닌 사물처럼 취급하지 않도록 하렴. (○)

③ 어떤 경우에도 성적 욕망을 채우려 해서는 안 된다는 것을 생각하렴. (×)
→ 칸트는 욕망 충족을 위한 인간의 활동 자체를 부정하지는 않는다.

④ 성적 자기 결정권에 따라 어떤 성적 행동도 정당화된다는 것을 생각하렴. (×)
→ 칸트는 자유 의지에 따른 결정을 중시하지만, 그 자유 의지는 도덕 법칙을 따르는 데 사용되어야만 가치 있다고 본다.

⑤ 상호 동의하에 이루어진 모든 성적 활동은 정당화할 수 있다는 것을 고려하렴. (×)
→ 상호 동의하에 이루어진 성적 활동이라도 자신의 성을 사물처럼 취급할 수 있으므로, 칸트가 조언할 말이라고 하기 어렵다.

08 성 상품화의 쟁점 답 ④

갑은 성 상품화에 찬성하고, 을은 반대한다. 성 상품화란 성 자체를 상품처럼 사고팔거나, 성을 다른 상품을 팔기 위한 수단으로 이용하는 것을 말한다. 성 상품화 반대 입장에서는 성 상품화를 인격적 가치를 지니는 인간의 성을 상품으로 대상화하는 것이라고 보고, 상품 판매를 위한 도구로 성적 이미지나 상징을 사용하는 것에 대해 반대한다.

정답을 찾아가는 셀파 - Tip

ㄴ. 성을 이용한 자유로운 이윤 추구를 허용해야 한다.
→ 성 상품화에 찬성하는 입장에 해당한다.

09 유교에서 말한 부부 사이의 윤리 답 ⑤

제시문의 사상은 유교 사상으로, 상호 공경을 바탕으로 하는 부부 사이에서의 도리를 제시하고 있다. 유교에서는 부부간에도 공경하는 마음을 담아 예절의 형식을 따라야 한다고 본다.

정답을 찾아가는 셀파 - Tip

① 부부의 예절은 성 역할의 차이를 해소하는 데서 시작한다. (×)
→ 유교에서 말하는 부부 예절은 서로의 역할과 도리가 다름을 전제한다.
② 금수에게도 사람의 남녀에게 볼 수 있는 분별적 도리가 있다. (×)
→ 제시문에서 금수는 남녀의 구별이 분명하지 않다고 하였다.
③ 남녀가 부부의 연을 맺을 때 일정한 절차가 필요한 것은 아니다. (×)
→ 제시문을 통해 부부가 되는 것에 일정한 절차가 필요함을 알 수 있다.
④ 부부의 도리는 두 사람의 관계보다 각자의 개별성을 중시해야 한다. (×)
→ 유교에서는 인간을 관계적 존재로 파악한다. 그러므로 부부의 도리도 부부 사이의 관계를 전제한다.
⑤ 부부간에도 공경하는 마음을 담아 예절의 형식을 따라야 한다. (○)

자료를 분석하는 셀파 - Tip

혼례에 일정한 형식과 절차가 있음을 의미하는 것으로, 부부가 되는 것에 일정한 절차가 필요함을 알 수 있다.

천지가 화합해야 만물이 생성된다. 이와 마찬가지로 남녀가 결혼해야 자손이 태어나고 번영해서 만세에까지 이어진다. ……(중략)…… 남자가 친히 아내를 맞이할 때 선물을 가지고 상견(相見)하는 것은 공경을 통해 부부유별을 밝히려는 것이다. 이처럼 남녀가 유별한 뒤라야 부자가 친하게 되고, 그런 다음에야 도의가 성립되며, 도의에 의해 예의가 제정되고, 그런 다음에야 만사가 안정된다. 만일 남녀의 구별이 분명하지 않고 도의가 성립하지 않는다면, 그것은 금수(禽獸)의 도(道)이다.

금수는 남녀의 구별이 분명하지 않음을 추론할 수 있다.

10 음양론에 근거한 부부 관계의 윤리 답 ④

(가) 사상은 음양론이다. (나)의 가로 낱말 (A)는 부의, (B)는 대장부이므로 세로 낱말 (A)는 부부이다. 음양론에서는 부부를 상호 보완적이고 대등한 관계로 본다.

정답을 찾아가는 셀파 - Tip

① 신뢰와 믿음을 바탕으로 하는 위계적 관계이다. (×)
→ 부부는 위계적 관계가 아니라 서로 대등한 관계이다.
② 항렬과 촌수를 고려하여 정성을 다하는 관계이다. (×)
→ 친족 관계에 대한 설명이다.
③ 효와 자애를 주고받으며 사랑을 실천하는 관계이다. (×)
→ 부모와 자녀의 관계이다.
④ 동등한 입장에서 서로를 보완하고 존중하는 관계이다. (○)
⑤ 각자 삶의 영역을 구축해 상호 간섭하지 않는 관계이다. (×)
→ 부부는 각자 삶의 영역을 구축하거나 상호 간섭하지 않는 관계가 아니다.

11 효의 성격 답 ④

제시문은 부모가 도리에 어긋나는 일을 할 경우에 자식은 부모에게 간언해야 하며, 간언할 때에도 부모의 안색과 조짐을 살펴야 한다고 주장한다. 이를 통해 효는 호혜적이고 쌍방적인 성격을 지니고 있으며, 참된 효는 예(禮)와 의(義)를 바탕으로 하고 있음을 알 수 있다. 이처럼 부모와 자식이 가정 내에서 자신의 역할을 온전히 수행할 때 바람직한 부모 자식 관계가 정립될 수 있다.

내 것으로 만드는 셀파 - Tip

▶ **공자가 말한 부모에 대한 간언**

공자는 『논어』의 「이인」 편에서 부모에게 간언하는 것과 관련해 다음과 같이 말한다.

"부모를 섬기되 조심스럽게 간언해야 하는 것이니, 부모의 마음이 내 말을 받아주지 않음을 보고서도 더욱 공경하여 어기지 않으며 수고스럽더라도 원망하지 않아야 한다."

12 유교에서의 가족 윤리 답 ④

(가) 사상은 유교이고, (나)의 ㉠은 형제자매, ㉡은 부모이다. 형제자매 관계를 통해 장유유서의 도리를 배울 수 있고, 형제자매 간에 우애 있게 지내는 것은 효의 실천이 된다. 또한 부모는 자애를 베풀어 자녀들이 건강하게 성장할 수 있도록 최선을 다해야 한다.

정답을 찾아가는 셀파 - Tip

ㄷ. ㉠과 ㉡ 사이에는 ~~상호 평등한 횡적~~ 관계가 성립된다.
종적

III 사회와 윤리

01 직업과 청렴의 윤리

탄탄 내신 문제 p. 86 ~ p. 90

01 ②	02 ②	03 ③	04 ③	05 ④	06 ③
07 ③	08 ①	09 ④	10 ①	11 ③	12 ⑤
13 ②	14 ⑤	15 해설 참조		16 해설 참조	
17 해설 참조		18 해설 참조		19 해설 참조	

01 직업의 기능 답 ②

일반적으로 직업은 '경제적으로 안정된 삶', '개인의 잠재력 계발', '사회적 역할 분담'이라는 세 가지 기능을 지닌다. 즉 직업을 통해 생계를 유지하는 데 필요한 경제적 소득을 안정적으로 확보할 수 있고, 사회 구성원으로서 정체성과 소속감 및 자존감을 얻을 수 있는 동시에 잠재력과 능력을 발휘하며 삶의 의미를 찾을 수 있으며, 사회생활에 참여하고 사회 발전에 기여할 수 있다. 갑은 직업의 경제적 측면을, 을은 자아실현의 측면을 강조한다.

내 것으로 만드는 셀파 - Tip

▶ **직업의 기능**

생계유지	경제적으로 안정된 삶
자아실현	잠재력 계발에 의한 보람 강조
사회봉사	사회 구성원으로서 사회적 역할 수행

02 직업의 개인적·사회적 의미 답 ②

돈을 많이 벌지는 않지만 전 세계 사람과 대화를 나누며 즐기고 있다는 내용과 우리 각자가 사회의 중요한 구성원이므로 일에 자부심을 가지고 있다는 내용에서 알 수 있듯이 제시문의 A는 직업의 진정한 의미가 경제적, 물질적 풍요로움의 실현보다 자기만족과 사회 구성원으로서의 역할 분담 및 참여에 있다고 여긴다.

03 직업의 의미 답 ③

제시문의 을은 직업에서 경제적·물질적 안정이나 넉넉함보다 자신이 행복하고 즐길 수 있는지를 우선해야 하며, 나아가 사회적 존재로서 자신의 역할까지도 고려해야 한다고 본다.

정답을 찾아가는 셀파 - Tip

① 직업을 선택할 때는 ~~물질적 풍요를~~ 우선해야 한다. (×)
자기만족을

② 직업을 선택할 때는 ~~부모님의 뜻을 항상~~ 따라야 한다. (×)
자신의 행복을

③ 직업을 선택할 때는 자신이 행복할 수 있는지를 우선 고려해야 한다. (○)

④ 직업을 선택할 때는 자아 성취~~보다~~ 사회에 대한 봉사를 ~~우선~~ 고려해야 한다. (×)
와 함께

⑤ 직업을 선택할 때는 ~~사회 구성원으로서의 역할보다 경제적 안정을~~ 우선해야 한다. (×)
경제적 안정보다 행복

04 직업의 기능별 강조 입장 답 ③

(가)는 현실적인 경제적 욕구의 충족, 즉 직업의 생계유지 측면을 상대적으로 강조하는 반면, (나)는 직업이 가지는 자아실현과 사회적 역할 분담의 측면을 상대적으로 강조하고 있다. 따라서 직업에서 자아실현을 강조하는 정도(X)는 (가)에 비해 (나)가 높고, 직업에서 경제적 안정을 강조하는 정도(Y)는 (나)에 비해 (가)가 높으며, 직업에서 사회적 역할 분담을 강조하는 정도(Z)는 (가)에 비해 (나)가 높다.

05 맹자의 직업관 답 ④

대인과 소인의 일, 마음을 수고롭게 하는 사람과 몸을 수고롭게 하는 사람을 구별하고 모든 것을 손수 만들 수 없다는 내용에서 알 수 있듯이 맹자는 육체노동과 정신노동을 구분 짓고, 두 노동은 상보적 역할을 통해 사회의 안정적 질서 유지에 함께 기여한다고 본다.

06 순자와 맹자의 직업관 답 ③

갑은 예(禮)에 기초해 사회적 지위와 역할을 분담하게 해야 한다는 순자이고, 을은 국가가 일정한 생업 기반을 제공해 주어야 한다는 맹자이다. 두 사상가 모두 일(직업)을 통해 사회 구성원이 공동체 내에서 일정한 역할을 분담해야 한다고 본다.

내 것으로 만드는 셀파 - Tip

▶ **순자와 맹자의 직업관**

순자	맹자
예(禮)에 근거해 덕(德)과 능력을 기준으로 직위 부여	노심(勞心)과 노력(勞力)의 구분을 통한 사회적 역할 분담

07 순자와 정약용의 직업관 답 ③

갑은 신분적 질서가 아닌 능력을 기준으로 국가가 직능을 배분할 것을 주장하는 정약용이다. 을은 각자의 능력과 덕을 기준으로 사회적 직위를 부여해야 한다고 주장하는 순자이다. 두 사상가는 사회적 분업 차원에서 역할 분담을 인정한다는 공통점이 있다.

정답을 찾아가는 셀파 - Tip

① 사회적 직위는 하늘의 뜻에 따라 맡게 해야 한다. (×)
→ 두 사상가 모두 사회적 직위는 능력에 따라 맡게 해야 한다고 본다.

② 국가는 선천적 도덕 능력을 기준으로 직위를 맡겨야 한다. (×)
→ 두 사상가 모두 사회적 직위는 능력에 따라 맡게 해야 한다고 본다.

③ 사회적 직위는 신분이 아닌 개인의 능력을 기준으로 맡게 해야 한다. (○)

④ 국가는 사회적 분업과 신분 질서를 함께 고려해 직위를 맡겨야 한다. (×)
→ 두 사상가 모두 신분 질서보다 능력을 강조한다.

⑤ 국가는 생득적 신분을 바탕으로 정신노동과 육체노동을 배분해야 한다. (×)
→ 정약용은 능력을 기준으로 한 직능 배분, 순자는 능력과 덕을 기준으로 한 사회적 직위 부여를 강조한다.

08 플라톤의 직업관 답 ①

제시문은 통치자 계층(수호자 계층)의 사적 소유를 부정하는 플라톤의 주장이다. 그는 각 계층은 저마다 타고난 고유한 성향에 따른 적합한 역할로서 오직 한 가지 일을 수행해야 한다고 주장한다. 즉, 각 계층은 다른 계층의 일에 관여해서는 안 된다.

정답을 찾아가는 셀파 - Tip

- 각 계층은 공동체의 선을 위해 사유 재산을 지녀서는 안 된다.
→ 플라톤은 통치자 이외의 계층이 사유 재산을 지니는 데 반대하지 않는다.
- 각 계층은 공동체에 필요한 재화의 생산을 위해 육체노동을 해야 한다.
→ 플라톤은 능력에 따라 정신노동과 육체노동을 다르게 배분해야 한다고 주장한다.

09 노동에 대한 『구약 성서』의 입장과 직업 소명설 답 ④

갑은 노동을 원죄에 대한 벌로 설명한 『구약 성서』이고, 을은 칼뱅이다. 『구약 성서』는 노동을 원죄에 대한 벌로 이해하고, 인간은 속죄의 차원에서 죽을 때까지 노동을 해야 한다고 본다. 칼뱅은 노동이 소명으로서 금욕적 성격을 지녀야 한다고 주장한다.

정답을 찾아가는 셀파 - Tip

ㄴ. B: 청교도적 노동 윤리는 자본주의의 토대이다.
→ 프로테스탄트에 대한 평가이며, 『구약 성서』의 입장과 무관하다.

10 칼뱅의 직업 소명설 답 ①

제시문의 사상가는 직업 소명설을 주장하는 칼뱅이다. 칼뱅은 신이 우리 각자에게 내린 신성한 뜻을 소명이라 보며, 이를 직업에서의 노동과 연관 지어 설명한다. 즉 직업적 노동에 의한 부의 축적을 신의 영광을 표현하는 유익한 수단으로 본다. 또한 그는 직업을 통한 이웃 사랑의 실천을 강조한다.

11 마르크스와 칼뱅의 노동관

답 ③

갑은 자본주의에서의 노동이 소외된 노동이라고 주장하는 마르크스, 을은 칼뱅이다. 마르크스는 노동을 인간의 고유한 유(類)적 본질로 이해하고 자본주의하의 분업이 노동의 본질을 왜곡한다고 여기며, 칼뱅은 직업 노동을 신의 영광을 표현하는 활동으로 본다. A에는 마르크스와 칼뱅 모두 긍정의 대답을 할 질문이, B에는 마르크스는 긍정, 칼뱅은 부정의 대답을 할 질문이 들어가야 한다. C에는 칼뱅이 긍정의 대답을 할 질문이 들어가야 한다.

정답을 찾아가는 셀파 - Tip

ㄱ. A: 인간의 노동은 사적 소유를 목적으로 하는가?
→ 마르크스는 노동을 통한 인간의 본질 실현, 칼뱅은 노동을 통한 신의 영광 표현을 강조한다.

ㄴ. A: 노동자의 노동은 거래되는 하나의 상품이어야 하는가?
→ 마르크스만이 자본주의에서의 노동을 상품으로 본다.

12 직업 윤리의 일반성과 특수성

답 ⑤

직업 윤리는 어떤 사람이 직업인이 되었을 때 자기가 맡은 일에서 지켜야 할 마땅한 도리이다. 직업 윤리에는 모든 인간이 보편적으로 지켜야 할 기본 윤리가 포함되는데, 이를 '일반성'이라고 부른다. 인간이라면 누구나 지켜야 할 정직과 성실, 신의, 책임, 의무 등이 직업 윤리의 일반성에 해당한다. 또 직종의 전문화와 함께 각 직업에 맞는 구체적인 윤리가 요구되는데, 이를 '특수성'이라고 한다. 특수성은 일반성의 토대 위에서 정립되어야 한다.

⑤ 직업 윤리의 특수성만 강조하면 윤리 상대주의에 빠질 수 있기 때문에 직업 윤리의 특수성을 일반성과 독립된 성격을 지닌 것으로 보아서는 안 된다.

13 기업의 사회적 책임에 대한 입장

답 ②

갑은 기업의 목적이 시장에서의 공정한 규칙을 준수하면서 이윤 추구를 극대화하는 것이라고 보고, 을은 사회적 책임의 이행을 통해 기업이 더 많은 이윤을 얻을 수 있다고 여긴다. 갑, 을 모두 시장의 공정한 규칙의 준수에 의한 이윤 추구를 강조하고 있다. 즉 기업의 목적이 경제적 이윤 추구라는 데에서는 갑, 을 모두 동의한다. 하지만 사회적 책임 이행이 기업의 이익에 기여한다는 데에는 을만 동의한다.

정답을 찾아가는 셀파 - Tip

ㄴ. B: 기업은 시장의 공정한 규칙을 준수해야 하는가?
→ 갑, 을 모두 기업이 시장의 공정한 규칙을 준수하면서 이윤을 추구해야 한다고 주장하므로 타당한 질문이 될 수 없다.

ㄷ. B: 기업은 기업의 사익보다 공익을 우선해야 하는가?
→ 갑은 사익 추구로서 이윤 추구만이 기업의 유일한 목적이어야 한다고 주장한다. 따라서 타당한 질문이 될 수 없다.

14 공직자 윤리에 대한 정약용의 관점

답 ⑤

제시문은 공직자의 덕목으로 자기 자신을 다스리는 율기(律己)와 함께 청렴과 애민(愛民), 봉공(奉公)을 강조하는 정약용의 입장이다. 특히 그는 청렴을 공직자의 임무이자 공직자가 지녀야 할 근본적인 덕(德)이라고 주장한다.

⑤ 정약용은 공직자가 공과 사를 엄격하게 구분하고 공익을 사익보다 우선해야 한다고 본다.

서답형 문제

15 맹자, 순자, 정약용의 노동관

모범 답안 | ㉠ 맹자는 노심과 노력을 구분해 양자 사이의 상보성을 중시하고, 항산에 의한 항심을 강조한다. ㉡ 순자는 예를 기준으로 각자의 능력과 덕에 따라 직업을 맡아야 한다는 역할 분담론을 주장한다. ㉢ 정약용은 사회적 분업에 따라 신분과 직능을 구분할 것을 주장하고, 신분적 질서에서 벗어날 것을 강조한다.

주요 단어 | 노심, 노력, 항산, 항심, 예, 능력, 덕, 역할 분담, 사회적 분업, 직능, 신분적 질서

채점 기준	배점
맹자, 순자, 정약용의 노동관을 핵심적인 내용을 담아 정확하게 서술한 경우	상
맹자, 순자, 정약용 중 두 사람의 노동관만을 핵심적인 내용을 담아 정확하게 서술한 경우	중
맹자, 순자, 정약용 중 한 사람의 노동관만을 핵심적인 내용을 담아 정확하게 서술한 경우	하

16 플라톤, 중세 그리스도교, 프로테스탄티즘의 노동관

모범 답안 | ㉠ 플라톤은 각자가 타고난 성향(기질)에 따라 각각 한 가지 역할에 배치되어야 한다고 주장한다. ㉡ 중세의 그리스도교는 원죄에 대한 벌로서 속죄의 차원에서 죽을 때까지 힘든 노동을 해야 한다고 주장한다. ㉢ 프로테스탄티즘은 직업 노동은 신이 부여한 소명이기 때문에 금욕과 성실로써 행해야 한다고 주장한다.

주요 단어 | 타고난 성향, 한 가지 역할, 원죄, 속죄, 노동, 신, 소명, 금욕, 성실

채점 기준	배점
플라톤, 중세 그리스도교, 프로테스탄티즘의 노동관을 핵심적인 내용을 담아 정확하게 서술한 경우	상
플라톤, 중세 그리스도교, 프로테스탄티즘 중 두 노동관만을 핵심적인 내용을 담아 정확하게 서술한 경우	중
플라톤, 중세 그리스도교, 프로테스탄티즘 중 한 노동관만을 핵심적인 내용을 담아 정확하게 서술한 경우	하

17 직업 윤리

(1) 정직, 성실, 신의, 책임

(2) 모범 답안 | 직업 윤리의 특수성은 직업 윤리의 일반성의 토대 위에서 정립되어야 한다. 보편 윤리를 간과한 채, 직업 윤리의 특수성만 강조하면 윤리 상대주의에 빠질 수 있기 때문이다.

주요 단어 | 직업 윤리의 특수성, 직업 윤리의 일반성, 보편 윤리, 윤리 상대주의

채점 기준	배점
(1)의 덕목을 쓰고, (2)의 직업 윤리의 일반성과 특수성의 관계와 그 이유를 정확하게 서술한 경우	상
(1)의 덕목을 쓰고, (2)의 직업 윤리의 일반성과 특수성의 관계를 비교적 잘 서술한 경우	중
(1)의 덕목을 쓰고, (2)의 직업 윤리의 일반성과 특수성의 관계를 부정확하게 서술한 경우	하

18 프리드먼의 기업관과 마르크스의 노동관

(1) 모범 답안 | 프리드먼, 그는 기업은 게임의 규칙을 준수하면서 공개적이고 자유로운 경쟁에 전념함으로써 주주의 이익만을 위한 활동을 해야 한다고 주장한다.

주요 단어 | 프리드먼, 게임의 규칙, 자유로운 경쟁, 주주의 이익

(2) 모범 답안 | 마르크스는 노동은 인간의 유(類)적 본질(즉 고유한 본질)로서 본래 자아실현의 의미를 갖지만, 분업화된 자본주의에서 노동자의 노동은 소외된 노동이 된다고 본다.

주요 단어 | 마르크스, 유적 본질(고유한 본질), 자아실현, 자본주의, 소외된 노동

채점 기준	배점
(1)의 프리드먼의 입장과 (2)의 마르크스의 자아실현으로서의 노동의 본질과 분업화된 자본주의하의 노동에 대한 평가를 모두 정확하게 서술한 경우	상
(1)의 프리드먼의 입장과 (2)의 마르크스의 자아실현으로서의 노동의 본질과 분업화된 자본주의하의 노동에 대한 평가 중 하나만 정확하게 서술한 경우	중
(1)의 프리드먼의 입장과 (2)의 마르크스의 자아실현으로서의 노동의 본질과 분업화된 자본주의하의 노동에 대한 평가를 모두 부정확하게 서술한 경우	하

19 청렴의 필요성

(1) 정약용

(2) 모범 답안 | 청렴은 부패를 방지·근절하고, 도덕적 인격을 형성하도록 해 자아실현과 공동체 발전에 기여할 수 있기 때문에 필요하다.

주요 단어 | 부패, 도덕적 인격, 자아실현, 공동체 발전

채점 기준	배점
(1)을 쓰고, (2)의 청렴이 필요한 이유를 정확하게 서술한 경우	상
(1)을 쓰고, (2)의 청렴이 필요한 이유를 비교적 잘 서술한 경우	중
(1)을 쓰고, (2)의 청렴이 필요한 이유를 부정확하게 서술한 경우	하

도전 수능 문제

p. 91 ~ p. 93

01 ④	02 ⑤	03 ③	04 ④	05 ②	06 ⑤
07 ②	08 ④	09 ②	10 ④	11 ③	12 ⑤

01 맹자의 노동 및 직업관 답 ④

제시문의 사상가는 항산과 항심을 강조하는 맹자이다. 갑옷 만드는 사람이 선한 마음을 지켜 나갈 수 있다는 주장에서 알 수 있듯이 맹자에게 직업 활동이란 도덕성의 확충이라는 인격 수양의 의미를 지닌다. 그렇기 때문에 도덕적 본성을 유지할 수 있도록 직업 선택에서 신중함을 기해야 한다고 볼 것이다.

02 맹자와 순자의 직업관 답 ⑤

갑은 맹자, 을은 순자이다. 맹자는 백성에게 안정된 생업(직업)을 갖도록 한 후 항심을 유지하도록 교육해야 한다고 주장한다. 또한 노심자의 노력과 배려를 강조한다. 순자는 이기적 존재인 인간은 예로써 욕망을 절제해야 한다고 본다. 두 사상가 모두 노동을 사회적 역할을 분담하는 활동으로 바라본다.

03 순자와 플라톤의 직업관 답 ③

갑은 순자이고, 을은 플라톤이다. 두 사상가 모두 자신의 능력과 성향에 따라 사회적 역할을 분담해야 한다고 주장한다.

정답을 찾아가는 셀파 - Tip

① A: 직업 노동은 원죄에 대한 벌로서 주어진 것이다. (×)
→ 중세 그리스도교에서 바라보는 노동관에 해당한다.

② A: 노심(勞心)하는 자가 노력(勞力)하는 자를 통치해야 한다. (×)
→ 노심과 노력에 의한 직책의 구분은 맹자의 입장이다.

③ B: 사회적 역할의 분담은 각자의 능력을 기준으로 해야 한다. (○)

④ C: 예를 통해 욕망을 적절하게 절제해야 한다. (×)
→ 순자는 예(禮)에 근거한 절제를 강조한다.

⑤ C: 한 가지 일에 대한 계층 간 협업이 신분의 구분보다 중요하다. (×)
→ 플라톤은 각 계층이 저마다 각각의 고유한 한 가지 역할에만 충실할 것과 그에 따른 구분을 강조한다.

04 칼뱅의 노동관 답 ④

(가)를 주장한 사상가는 칼뱅이고, (나)의 ㉠은 '직업'이다. 칼뱅은 직업이 신이 개인에게 부여한 소명(召命)이고 창조주의 노동에 동참하는 행위라고 본다. 그는 직업 노동이 금욕과 절제를 바탕으로 하고, 신의 영광을 표현하는 행위여야 한다고 주장한다.

정답을 찾아가는 셀파 - Tip

ㄹ. 부의 축적을 삶의 궁극적인 목적으로 추구하는 활동이다.
→ 신의 영광을 드러내고자 하는 활동이다.

05 직업에 대한 베버와 공자의 입장 답 ②

갑은 프로테스탄티즘이 자본주의 정신의 토대가 되었다고 해석하는 베버이고, 을은 정명 사상에서 직업의 근거를 찾고 있는 공자이다. 베버는 프로테스탄트가 직업적 성공을 통한 부의 축적이 구원의 징표라며 부를 정당화하였다고 보고, 공자는 정명 사상을 통해 맡은 직책을 충실히 수행할 것을 강조한다.

내 것으로 만드는 셀파 - Tip

▶ **프로테스탄트와 공자의 직업관**

프로테스탄트	공자
직업은 신이 부여한 소명, 직업적 성공은 구원의 징표	정명(正名) 사상: 자신의 직분에 충실해야 함

06 맹자와 마르크스의 노동관 답 ⑤

갑은 대인과 소인, 항산과 항심에 기초해 노동을 설명하는 맹자이고, 을은 자본주의에서 분업화된 노동에 의해 노동자의 노동이 소외되며, 노동자가 기계의 부속품으로 전락한다고 주장하는 마르크스이다.

자료를 분석하는 셀파 - Tip

을: 분업화에 따른 노동으로 고용주는 자본가가 되어 감독과 지휘를 하게 되지만 노동자는 작업장의 부속물로서 자본의 소유물로 전락한다.
└ 자본주의의 분업 노동은 자본가 계급과 노동자 계급을 만들어 내, 노동자는 기계의 부품으로 전락하는 한편, 자본가의 지배 아래에 놓이게 된다.

07 프로테스탄트와 마르크스의 노동에 대한 입장 답 ②

갑은 노동을 신(神)의 소명으로 파악하는 프로테스탄트의 입장을 설명하고, 을은 노동을 자아실현으로 이해하는 마르크스의 입장을 드러내고 있다. 프로테스탄트들은 노동을 신의 영광을 드러내는 가장 좋은 행위로 여긴다. 마르크스는 인간은 본래 노동을 통해 자기를 실현할 수 있지만 자본주의적 분업 방식이 노동의 소외 문제를 일으켰다고 지적한다.

08 칼뱅과 마르크스의 노동관 답 ④

갑은 칼뱅, 을은 마르크스이다. 자본주의의 기술적 분업이 소외를 일으킨다고 여기는 마르크스는 생산 수단의 공유제(공산 사회)를 통해 노동 소외를 극복할 수 있다고 본다.

정답을 찾아가는 셀파 - Tip

① 갑: 노동을 통한 부의 축적이 구원의 조건이 된다. (×)
→ 칼뱅은 직업적 성공을 통한 부의 축적이 구원의 징표라고 본다.

② 갑: 신의 영광을 위해 세속의 직업에서 떠나야 한다. (×)
→ 칼뱅은 직업을 통해 신의 영광을 드러낼 수 있다고 본다.

③ 을: 기술적 분업을 통해 생산성 향상을 추구해야 한다. (×)
→ 마르크스는 자본주의에서 분업이 소외된 노동의 문제를 낳는다고 본다.

④ 을: 생산 수단의 공유를 통해 인간의 본질을 회복해야 한다. (○)

⑤ 갑, 을: 노동은 신이 인간에게 내린 형벌일 뿐이다. (×)
→ 칼뱅은 직업을 신이 인간에게 부여한 소명으로 보고, 마르크스는 직업 노동을 통해 인간은 자기의 본질을 실현할 수 있다고 본다.

09 기업의 사회적 책임 답 ②

제시문은 기업의 유일하고 근본적인 목적이 자유 시장 경제 원리에 충실한 이윤의 극대화라고 주장하는 프리드먼의 입장이다. 그는 이윤 추구 이외의 요구를 기업에 하는 것은 자유 시장 경제의 근본 원리를 오해하는 것이라고 주장한다.

10 기업의 사회적 책임 답 ④

강연자는 기업의 근본 목적을 자유 시장 경제 원리에 충실한 이윤 추구에 두어야 한다는 논리를 비판하면서 기업의 사회적 책임의 필요성을 주장하고 있다. 강연자는 환경 오염과 같이 지역 사회에 불이익을 일으키는 외부 효과를 기업이 해결해야 한다고 본다.

11 기업의 사회적 책임에 대한 입장 답 ③

(가)는 기업의 이윤 추구만이 기업의 사회적 책임이라고 주장하고, (나)는 기업의 사회적 책임의 범위에 이윤 추구뿐만 아니라 공익을 위한 활동까지 포함할 것을 주장한다. (가), (나) 모두 기업의 이윤 추구를 기업의 본질로 간주하고 있다.

12 정약용의 공직자 윤리 답 ⑤

제시문은 청렴을 강조한 정약용의 입장이다. 정약용은 백성을 사랑하고 공익을 위해 힘쓰려면 청렴이 필요하다고 강조한다. 그러나 그는 청렴이 목민관의 모든 과오를 면책시켜 준다고는 보지 않는다.

02 사회 정의와 윤리

탄탄 내신 문제 p. 100 ~ p. 105

01 ⑤	02 ③	03 ③	04 ①	05 ④	06 ③
07 ⑤	08 ①	09 ②	10 ②	11 ④	12 ③
13 ②	14 ⑤	15 ⑤	16 ②	17 ⑤	18 ③

19 해설 참조 20 해설 참조 21 해설 참조

22 (가) 루소, (나) 생명 보존, (다) 칸트, (라) 동의, (마) 베카리아, (바) 범죄 예방

01 니부어의 사회 윤리적 관점 답 ⑤

제시문의 사상가는 니부어이다. 니부어는 집단을 구성하는 개인이 도덕적이더라도 집단 자체는 비도덕적일 수 있다며 집단과 개인의 도덕성을 구분하고, 사회의 도덕적 문제는 개인의 도덕성 함양과 사회 구조의 개선이 함께 이루어져야 해결할 수 있다고 본다. 또한 그는 사회 정의 실현을 위한 비합리적인 수단이 도덕적 선의지의 견제와 통제를 받지 않을 경우 사회에 엄청난 위험이 될 수 있다고 주장한다.

02 니부어의 사회 윤리적 관점 답 ③

니부어는 사회 집단의 도덕성은 개인의 도덕성에 비해 현저히 떨어진다고 본다. 따라서 개인의 도덕성을 함양하고, 사회 제도와 구조를 개선하여 사회 정의 실현을 목표로 해야 한다고 주장한다.

③ 집단의 도덕성을 도덕적인 개인의 노력만으로 실현할 수 있다는 것은 개인 윤리를 중시하는 입장이라고 할 수 있다.

03 분배의 기준으로서 필요와 업적 답 ③

사회적 약자를 배려할 것을 강조하는 필요에 의한 분배와 달리 업적에 의한 분배는 각자가 성취한 결과로서 업적을 중시하기 때문에 사회적 약자를 배려하기 어렵다는 문제를 안고 있다. 경제적 효율성 개선, 생산 의욕과 동기의 제고, 능력 있는 사람에 대한 적절한 보상 등은 업적에 의한 분배가 지닐 수 있는 장점이다. 기회와 혜택의 균등을 강조하는 것은 절대적 평등에 의한 분배를 주장하는 입장이다.

04 정의에 대한 아리스토텔레스의 입장 답 ①

제시문은 특수적(부분적) 정의에 대한 아리스토텔레스의 주장이며, (가)는 기하학적 비례 관계가 중시되는 분배적 정의, (나)는 산술적 비례 관계가 중시되는 시정적(교정적) 정의에 대해 설명하고 있다.

정답을 찾아가는 셀파 - Tip

ㄷ. (가), (나): 지혜, 용기, 절제의 덕이 조화를 이룰 때 실현되는 정의이다.
→ 지혜, 용기, 절제의 덕이 조화를 이룰 때 정의의 덕이 실현된다는 것은 플라톤의 입장이다.

ㄹ. (가), (나): 공동체 전체의 행복을 산출하는 일반적 정의의 성격을 지닌다.
→ 아리스토텔레스에 따르면, 분배적 정의와 시정적 정의는 일반적 정의가 아니라 특수적 정의에 속한다. 아리스토텔레스는 법을 준수함으로써 정치 공동체의 행복을 창출하고 지키는 것과 이웃과의 관계 속에서 완전한 미덕 또는 탁월성을 구현하는 것을 일반적 정의로 본다.

05 롤스의 정의론 답 ④

제시문의 사상가는 롤스이며, 롤스는 정의의 제1원칙과 제2원칙을 순수한 가상으로서 무지의 베일을 쓴 원초적 상황으로부터 이끌어 낸다. 제1원칙은 제2원칙에 우선하고, 제2원칙에서 기회균등의 원칙은 차등의 원칙에 우선한다. 따라서 평등한 기본적 자유를 보장하는 것이 공정한 기회균등을 보장하거나 최소 수혜자에게 최대의 이익을 보장하는 것보다 우선하고, 공정한 기회균등을 보장하는 것이 최소 수혜자에게 최대의 이익을 보장하는 것보다 우선한다.

정답을 찾아가는 셀파 - Tip

① 사회적 약자에 대한 배려는 양심과 사상의 자유에 우선해야 한다. (×)
→ 양심과 사상의 자유는 평등한 기본적 자유에 속하고, 사회적 약자에 대한 배려는 최소 수혜자의 이익에 해당한다고 볼 수 있다.

② 평등한 기본적 자유가 최소 수혜자의 이익에 우선해서는 안 된다. (×)
→ 제1원칙이 제2원칙에 우선하므로 평등한 기본적 자유는 최소 수혜자의 이익에 우선해야 한다.

③ 최소 수혜자의 이익은 공정한 기회균등보다 중요하게 다루어야 한다. (×)
→ 기회균등의 원칙은 차등의 원칙에 우선한다.

④ 제1원칙과 제2원칙은 순수한 가상적 상황에서 도출되는 정의의 원칙이다. (○)

⑤ 각자에게 공정한 기회를 보장하기 위해 형식적 기회의 평등만을 제공해야 한다. (×)
→ 롤스의 공정한 기회균등에는 실질적 기회균등이 포함된다.

06 롤스 정의론의 우선성 원리 답 ③

롤스는 사회 제도가 추구해야 할 제1 덕목을 정의(옳음)로 보고, 제1원칙은 제2원칙에 대해 축차적 서열에서 우선하며, 기회균등의 원칙은 차등의 원칙에 우선한다고 주장한다. 또 다수에게 좋은 것이 곧 정의라는 공리주의적 정의관에 대해서는 좋음이 옳음에 우선할 수 없다는 논거에 기초해 비판한다.

③ 최대 다수에게 최대 이익을 제공하는 것이 도덕적이라고 보는 입장은 공리주의 입장이다.

07 롤스의 정의론 답 ⑤

제시문은 무지의 베일을 쓴 원초적 상황에서 정의의 원칙을 도출하고자 한 롤스이다. 그는 상호 무관심한 합리적 이기심을 지닌 개인들은 최소 수혜자의 처지를 개선하자는 제안을 정의의 원칙으로 채택할 것이라고 주장한다.

⑤ 각자는 자신이 최소 수혜자일 수도 있으므로 최소 수혜자의 처지를 개선하자는 데 동의할 것이다.

08 노직의 소유 권리론 답 ①

제시문은 자유 지상주의자로 평가받는 노직의 입장이며, 그는 개인의 정당한 소유물에 대해 당사자의 절대적 권리를 주장한다. 그는 약탈, 절도처럼 부당한 취득에 대해서는 이전의 원칙에 어긋나므로 정당한 소유권을 인정하지 않는다.

09 마르크스와 노직의 분배적 정의관 답 ②

갑은 마르크스주의적 분배 정의를, 을은 자유 지상주의적 분배 정의를 주장하고 있다. 을과 달리 갑은 소유로 말미암은 경제적 불평등의 해소가 정의의 주요 주제가 되어야 한다고 본다. 반면 을은 정당한 절차를 거쳐 취득한 소유물에 관한 배타적 권리를 보장하는 것을 정의라고 본다.

정답을 찾아가는 셀파 - Tip

① 사회적 다수의 선을 극대화하는 것이 정의인가? (×)
→ 최대 다수의 최대 행복을 낳는 것을 도덕적이라고 하는 공리주의의 입장과 관련된다.

② 소유로 말미암은 경제적 불평등의 해소가 정의인가? (○)

③ 소유에 관한 배타적 권리를 보장하는 것이 정의인가? (×)
→ 마르크스주의에서는 부정, 자유 지상주의에서는 긍정의 대답을 할 질문이다.

④ 국가는 정의를 실현하기 위해 시장에 개입해야 하는가? (×)
→ 부정의를 고치기 위한 교정을 인정하는 자유 지상주의에서도 긍정의 대답을 할 질문이다.

⑤ 무지의 베일에서 도출된 결론이 정의의 올바른 기준인가? (×)
→ 롤스의 입장에서 긍정의 대답을 할 질문이다.

10 롤스와 노직의 정의관 답 ②

갑은 롤스, 을은 노직이다. 롤스와 노직 모두 자유주의적 입장과 공정한 절차를 강조한다. 따라서 공정한 절차에 의한 사회·경제적 불평등은 정의에 부합한다고 본다. 그러나 롤스는 복지를 위한 재분배 정책에 찬성하고 천부적 재능을 사회 공동의 자산으로 보는 반면, 노직은 이에 반대한다.

정답을 찾아가는 셀파 - Tip

① 복지를 위한 재분배 정책을 시행하는 것은 정의에 부합하는가? (×)
→ 노직의 입장에서 부정의 대답을 할 질문이다.

② 공정한 절차에 의한 결과로서 경제적 불평등은 정의에 부합하는가? (○)

③ 정당한 최초의 소유 과정은 이후의 모든 소유 방식을 정의롭게 하는가? (×)
→ 노직의 입장에서도 최초의 소유 과정 이후의 이전이나 교정의 절차가 정당해야 한다.

④ 공정한 기회균등의 실현을 위해 사회적 약자를 우선 배려하는 것이 정의인가? (×)
→ 롤스의 입장에서만 긍정의 대답을 할 질문이다.

⑤ 각자가 가지고 태어나는 천부적 재능을 각자의 소유물로 보는 것이 정의인가? (×)
→ 롤스는 천부적 재능을 사회 공동의 자산으로 간주해야 한다고 주장한다.

11 롤스와 노직의 정의관 답 ④

갑은 롤스, 을은 노직이다. 롤스와 노직은 공통적으로 절차의 공정성이 결과의 공정성을 보장한다고 본다. 노직 또한 교정의 원칙을 실현하는 데에서 국가의 역할을 인정한다.

정답을 찾아가는 셀파 - Tip

ㄱ. B: 절차의 공정성은 결과의 공정성을 보장하는가?
→ 롤스와 노직 모두 긍정의 대답을 할 질문이므로 적절하지 않다.

12 부유세에 대한 노직의 입장 답 ③

갑은 소유 권리로서의 정의를 주장하는 노직이므로 부유세를 소유권 침해로 볼 것이다. 노직은 누군가를 도울 목적으로 행해지는 재분배를 반대하고, 그러한 재분배를 강제 노동의 부과로 해석한다. 사회 전체의 효용을 중시하는 것은 공리주의적 입장에 해당한다.

13 소수자 우대 정책에 대한 찬성 논거 답 ②

제시문은 우대 정책의 도입 필요성에 대해 주장하는 글이므로 이를 정당화할 수 있는 논거를 찾으면 된다. 사회적 다양성과 공동선 증진, 과거의 차별 시정과 사회적 격차 완화는 이 제도를 지지할 적절한 논거에 해당한다.

정답을 찾아가는 셀파 - Tip

ㄴ. 모든 사회 구성원의 수준을 똑같게 향상시켜야 합니다.
→ 우대 정책의 목적은 사회 구성원의 수준을 똑같게 향상시키는 것이 아니라 공정한 기회균등을 실현하는 것이다.

ㄹ. 개인의 능력이 아닌 성(性)과 인종에 근거해 우대받도록 해야 합니다.
→ 우대 정책을 반대하는 입장에서는 우대 정책이 성과 인종에 근거해 우대받도록 하는 것이므로 부당한 차별이라고 주장한다.

14 소수자 우대 정책에 대한 반대 논거 답 ⑤

소수자 우대 정책은 사회적 약자의 보상받을 권리를 인정하고, 그들이 받았던 차별을 시정하며, 그들에게 자아실현 기회를 제공하고, 사회적 다양성을 실현하는 데 기여한다. 소수자 우대 정책에 대한 반대 논거로는 특정 집단에 대한 부당한 특혜, 소수 집단에 대한 부정적 낙인 효과, 그리고 새로운 사회 갈등의 원인 제공 등을 제시할 수 있다.

15 칸트와 벤담의 형벌관 답 ⑤

갑은 칸트, 을은 벤담이다. 칸트는 형벌을 일종의 정언 명령으로 보는 응보주의적 입장, 벤담은 형벌이 사회 공동체의 선을 증진해야 한다는 공리주의적 입장이다.

⑤ 형벌이 지속적인 본보기 효과를 거두어야 한다는 것은 공리주의적 입장에서만 주장할 내용이다.

16 칸트와 벤담의 형벌관 답 ②

갑은 칸트, 을은 벤담이다. 칸트는 응보주의적 입장에서 형벌에서 동등성의 원리를 강조하고, 벤담은 공리주의적 입장에서 사회 전체의 선이라는 효용을 강조한다. 따라서 칸트는 동등성의 원리를 바탕으로 살인자에 대한 사형에 찬성한다.

내 것으로 만드는 셀파 - Tip

▶ **형벌과 사형에 대한 사상가들의 입장**

벤담	공리주의적 관점에서 사회적 효용에 대한 계산에 의한 형벌 부과 강조
루소	계약론적 관점에서 사형제 찬성
칸트	응보주의적 정의관에서 사형제 찬성
베카리아	계약론, 공리주의적 관점에서 사형제 반대

17 벤담과 베카리아의 형벌관 답 ⑤

갑은 벤담, 을은 베카리아이다. 벤담과 베카리아 모두 공통적으로 형벌의 목적으로 범죄 예방에 의한 사회적 이익의 증진을 강조한다. 인과응보에 의한 정의 실현을 형벌의 본질로 보고 형벌의 목적을 범죄 행위와 동등한 처벌에 두는 것은 칸트의 입장이다.

18 루소와 베카리아의 사형제에 대한 입장 답 ③

갑은 사형제를 인정하는 루소, 을은 사형제의 부당성을 주장하는 베카리아이다. 루소와 베카리아는 모두 형벌의 목적이 사회 방위에 있다고 본다. 다만 사형을 찬성하는 루소에 비해 베카리아는 효율성이나 사회 계약의 내용을 고려할 때 사형을 폐지하고 종신 노역형으로 대체하는 것이 바람직하다고 주장한다. 사형을 범죄자의 인격 존중과 연계하는 것은 칸트이고, 루소는 살인이 일반 의지에 의해 규정된 계약(법)의 위반이라 주장한다.

자료를 분석하는 셀파 - Tip

갑: 사회 계약에 의하면, 타인의 희생으로 자신의 생명을 보존하려는 사람은 타인을 위해 자신의 생명을 희생해야 한다.
└ 계약론에 근거해 사형제를 찬성하므로 루소이다.

을: 법은 개개인의 의사를 대변하는 일반 의사를 대표한다. 그런데 자신의 생명을 빼앗을 권능을 타인에게 양도할 사람이 이 세상에 누가 있겠는가?
└ 일반 의사에 근거한 계약론적 관점에서 사형제를 반대하므로 베카리아이다.

서답형 문제

19 롤스의 정의론

(1) (가) 롤스, (나) 평등한 자유, (다) 최소 수혜자

(2) 모범 답안 | 첫째, 제2원칙에 대한 제1원칙의 우선성(자유의 우선성)이 있다. 둘째, 차등의 원칙에 대한 기회균등의 원칙의 우선성이 있다.

주요 단어 | 제2원칙, 제1원칙, 자유의 우선성, 차등의 원칙, 기회균등의 원칙

채점 기준	배점
(1)을 쓰고, (2)를 두 가지 모두 정확하게 서술한 경우	상
(1)을 쓰고, (2)를 한 가지만 정확하게 서술한 경우	중
(1)을 쓰고, (2)를 미흡하게 서술한 경우	하

20 소수자 우대 정책의 찬성 논거

모범 답안 | 첫째, 과거의 차별을 시정(교정)하고 사회적 격차를 줄여야 한다. 둘째, 자연적·사회적 운으로 발생한 불평등을 시정하여 기회의 평등을 실현해야 한다. 셋째, 사회적 다양성을 실현하고, 공동선을 증진해야 한다.

주요 단어 | 차별, 시정, 사회적 격차, 자연적·사회적 운, 기회의 평등, 다양성, 공동선

채점 기준	배점
세 가지 논거를 모두 정확하게 서술한 경우	상
세 가지 논거 중 두 가지만 정확하게 서술한 경우	중
세 가지 논거 중 한 가지만 정확하게 서술한 경우	하

21 사형 제도에 대한 찬성 논거

모범 답안 | 생명을 박탈하는 사형은 범죄 억제 효과가 크다. 처벌의 목적은 근본적으로 인과응보적 응징에 있다. 흉악 범죄자의 생명 박탈은 사회 정의를 실현하는 확실한 방법이다. 종신형은 경제적 부담이 크며, 오히려 비인간적인 형벌이다. 사형은 사회의 일반적인 법 감정에 부합한다.

주요 단어 | 범죄 억제, 인과응보, 사회 정의, 종신형, 경제적 부담, 법 감정

채점 기준	배점
세 가지 논거를 모두 정확하게 서술한 경우	상
세 가지 논거 중 두 가지만 정확하게 서술한 경우	중
세 가지 논거 중 한 가지만 정확하게 서술한 경우	하

22 사형제에 대한 다양한 입장

답 (가) 루소, (나) 생명 보존, (다) 칸트, (라) 동의, (마) 베카리아, (바) 범죄 예방

루소는 사회 계약설적 관점에서 사형에 처할 중죄를 범한 자는 사회 계약을 위반하였으므로 스스로 사회 구성원이기를 포기한 것이고, 사회의 적으로 간주해야 한다고 본다. 칸트는 응보주의적 관점에서 누군가를 때리거나 살해하는 것은 자기 자신을 때리거나 살해하는 것과 동등하므로 살인을 저지른 자는 마땅히 사형을 받아야 한다고 주장하고, 사형은 자신의 자율적인 행위에 대해 응분의 책임을 지는 것이므로 살인한 범죄자의 인격을 존중하는 것이라고 주장한다. 베카리아는 사회 계약설의 관점에서 생명 위임은 사회 계약의 내용이 아니고, 공리주의적 관점에서 사형은 범죄 예방에 비효율적이라고 보므로 사형에 반대한다.

도전 수능 문제

p. 106 ~ p. 109

01 ⑤	02 ①	03 ④	04 ④	05 ⑤	06 ④
07 ④	08 ②	09 ③	10 ③	11 ⑤	12 ③
13 ②	14 ③	15 ⑤	16 ④		

01 개인 윤리와 사회 윤리 답 ⑤

갑은 개인 윤리적 관점에서 사회적 도덕 문제를 파악하며, 을은 사회 윤리적 관점에서 사회적 도덕 문제를 파악한다. 사회적 도덕 문제 해결에서 갑은 개인의 선의지와 양심적 덕목 실천을 중시하고, 을은 도덕성 함양과 함께 사회 구조 및 제도의 개선을 중시한다.

정답을 찾아가는 셀파 - Tip

ㄴ. 사회 갈등의 해법이 권력 불균형 유지에 있는가?
→ 개인 윤리적 관점에서는 개인의 도덕성 함양으로 사회 갈등을 해결할 수 있다고 보고, 사회 윤리적 관점에서는 집단 간 권력 균형을 통해 사회 갈등을 해결할 수 있다고 본다.

02 니부어의 사회 윤리적 입장 답 ①

갑은 개인의 도덕성 함양과 사회 구조의 개선을 모두 중시하는 니부어, 을은 개인의 선의지 함양만을 강조하는 도덕가들이다. 니부어는 집단 간 힘의 차이를 사회적 갈등의 중요한 원인으로 보기 때문에 집단 간 힘의 균형을 중시한다.

03 니부어의 사회 윤리적 입장 답 ④

제시문의 사상가는 니부어이며, 그는 도덕가(도덕주의자)들의 입장, 즉 개인의 도덕의식과 양심(선의지)의 고양만을 통해서도 도덕적 사회를 실현할 수 있다는 주장을 비판한다. 그는 개인 간 갈등은 도덕적·합리적 방법에 의해 조정될 수 있지만, 집단 간 힘의 불균형 때문에 일어나는 사회적 부정의는 구조와 제도의 개선이라는 정치적·물리적 방법이 함께 쓰여야 함을 강조한다.

정답을 찾아가는 셀파 - Tip

① 개인 윤리적 이타성과 사회 윤리적 정의는 항상 상호 배타적인가? (×)
→ 상호 보완적인 관계여야 한다.

② 개인들의 자발적 타협이 사회 정의를 실현하는 유일한 방법인가? (×)
→ 집단 간 갈등을 해결하려면 개인의 자발적 타협뿐만 아니라 사회 구조와 제도의 개선도 필요하다.

③ 개인의 도덕적 선의지 함양은 사회 정의 실현의 충분조건인가? (×)
→ 개인 윤리적 관점이다. 사회 윤리적 관점은 사회 정의 실현을 위해 개인의 도덕적 선의지 함양과 사회 구조·제도의 개선이 함께 필요하다고 본다.

④ 개인 간 갈등은 도덕적이고 합리적인 방법으로 조정될 수 있는가? (○)

⑤ 개인의 합리적 도덕성은 개인이 속한 집단의 도덕성보다 열등한가? (×)
→ 집단의 도덕성은 개인의 도덕성보다 열등하다.

04 벤담(공리주의)의 정의관 답 ④

제시문은 공리주의자 벤담이다. 그는 사회적 효용의 극대화를 정의로 본다. 롤스나 노직은 절차적 정의를 주장하므로 절차가 공정하면 결과가 불평등해도 정의롭다고 본다. 가치와 공적에 의한 재화의 분배를 중시한 인물은 아리스토텔레스이고, 소유에 관한 개인의 권리를 절대시하는 것은 노직이다. 노직은 또한 복지를 위한 국가의 재분배에 반대한다.

05 아리스토텔레스와 롤스의 정의관 답 ⑤

갑은 아리스토텔레스, 을은 롤스이다. 아리스토텔레스가 말하는 분배적 정의는 각자의 가치나 공적을 기준으로 삼고, 롤스는 제1원칙을 제2원칙보다 우선한다. 아리스토텔레스와 롤스 모두 정의로운 사회에서도 사회적·경제적 불평등은 존재한다고 본다.

06 아리스토텔레스, 벤담, 롤스의 분배적 정의 답 ④

갑은 아리스토텔레스, 을은 벤담, 병은 롤스이다. 아리스토텔레스는 분배적 정의에서 기하학적 비례 관계를 중시하고, 벤담은 쾌락과 고통의 총합의 계산에 의한 쾌락의 극대화 또는 고통의 최소화를 분배 정의의 기준으로 삼는다. 아리스토텔레스, 벤담, 롤스 모두 사회·경제적 불평등을 인정한다.

정답을 찾아가는 셀파 - Tip

ㄷ. C: 최소 수혜자의 이익만을 우선하는 것이 정의이다.
→ 롤스는 평등한 자유의 원칙과 기회균등의 원칙을 차등의 원칙보다 우선하므로 최소 수혜자의 이익만을 우선하는 것이 정의일 수 없다.

07 노직의 정의관 답 ④

제시문은 소유 권리론을 주장하는 노직이며, 최소 국가는 부정의한 계약의 시정을 위해 개입할 수 있다.

정답을 찾아가는 셀파 - Tip

① 공리의 극대화를 위한 자유의 제한은 정의로운가? (×)
→ 공리주의에서 긍정의 대답을 할 질문이다.

② 공동체 구성원의 필요를 충족하는 것이 정의인가? (×)
→ 노직은 모든 사람이 자신의 소유물에 대해 소유 권리를 갖는 것이 정의라고 본다.

③ 최대 다수에게 좋은 것은 정의의 합당한 기준인가? (×)
→ 공리주의에서 긍정의 대답을 할 질문이다.

④ 최소 국가는 개인 간 계약 이행에 개입할 수 있는가? (○)

⑤ 원초적 합의는 심리학적 사실에 대한 지식을 포함하는가? (×)
→ 롤스가 긍정의 대답을 할 질문으로, 롤스는 원초적 상황에서도 일반적 사실은 안다고 가정한다.

08 아리스토텔레스, 롤스, 노직의 정의관 답 ②

갑은 아리스토텔레스, 을은 롤스, 병은 노직이다. 아리스토텔레스는 특수적 정의를 분배적 정의와 시정적 정의로 나누고, 롤스는 원초적 입장에서 개인은 타인의 이해관계에 무관심하다고 보며, 노직은 개인의 자연적 재능을 개인의 소유물로 여긴다.

내 것으로 만드는 셀파 - Tip

▶ **아리스토텔레스, 롤스, 노직 정의관의 특징**

아리스토텔레스	특수적(부분적) 정의의 구분: 분배적 정의(기하학적 비례 강조), 시정적 정의(산술적 비례 강조)
롤스	• 무지의 베일을 쓴 원초적 상황에서 정의의 원칙 도출 • 평등한 자유의 원칙 • 차등의 원칙(최소 수혜자의 원칙)
노직	• 소유 권리론: 소유에 관한 절대적 권리 강조 • 최선의 국가로서 최소 국가 강조

09 노직, 마르크스, 롤스의 정의관 답 ③

갑은 노직, 을은 마르크스, 병은 롤스이다. 노직은 교정적 정의를 위한 국가의 개입을 인정하고, 마르크스는 사적 소유를 인정하지 않으며, 자본주의에서의 노동 분업은 노동 소외를 심화한다고 본다.

정답을 찾아가는 셀파 - Tip

① 갑: 부의 소유와 거래 및 교정에 대한 국가의 개입은 배제된다. (×)
→ 노직은 교정을 위한 국가의 개입을 인정한다.

② 을: 노동 분업은 소외된 노동을 해방시켜 필요에 따른 분배를 실현한다. (×)
→ 마르크스는 자본주의하에서 이루어지는 분업화된 노동이 노동의 소외를 불러온다고 본다.

③ 병: 공정으로서의 정의관에서 사회는 상호 이익을 위한 협동 체제이다. (○)

④ 갑, 병: 선천적 유불리의 영향을 줄여야 정의로운 분배가 가능하다. (×)
→ 롤스는 개인의 타고난 재능을 사회 공동의 자산으로 간주하는 등 선천적 유불리를 줄이는 데 찬성하지만, 노직은 반대한다.

⑤ 을, 병: 사적 소유권은 인간의 기본적인 권리로 승인될 수 없다. (×)
→ 마르크스만의 입장이다.

10 롤스와 노직의 정의관 답 ③

갑은 롤스, 을은 노직이다. 최소 국가만이 개인의 권리를 가장 잘 보호한다는 것은 노직의 주장이며, 롤스와 노직 모두 기본적 자유의 가치와 절차의 공정성을 강조한다.

11 소수자 우대 정책에 대한 찬반 논거 답 ⑤

갑은 소수자 우대 정책이 소수자에게 정당한 몫을 할당하여 실질적인 평등 실현에 기여한다는 점에 근거해 지지하며, 을은 소수자의 입학을 위해 일반인이 희생당하므로 공정한 경쟁을 해친다는 점에 근거해 반대한다.

⑤ 새로운 역차별은 소수자가 아닌 일반인이 겪을 수 있는 피해에 해당한다.

12 소수자 우대 정책과 관련된 윤리적 쟁점 답 ③

갑은 과거의 차별을 시정해야 한다는 점에서 우대 정책을 지지하고, 을은 과거의 차별로 보상받는 대상과 보상하는 주체가 현세대라는 점이 부당하다며 우대 정책을 반대한다.

13 루소와 벤담의 형벌관 답 ②

갑은 루소, 을은 벤담이다. 루소는 사회 계약설적 관점에서 사형을 인정하고, 벤담은 더 큰 해악의 제거나 방지를 위해 형벌이 필요하다고 주장한다.

정답을 찾아가는 셀파 - Tip

ㄴ. B: 살인범에 대한 응당한 보복이 사형의 목적이다.
→ 살인범에 대한 응당한 보복을 사형의 목적으로 강조하는 것은 응보주의적 관점에 서 있는 칸트의 입장이다.

ㄹ. C: 살인을 저지른 자는 반드시 사형에 처해져야 한다.
→ 공리주의의 입장에서는 더 큰 사회적 이익의 증진을 가져올 때만 사형을 허용해야 한다.

14 칸트, 루소, 베카리아의 형벌관 답 ③

갑은 칸트, 을은 루소, 병은 베카리아이다. 칸트는 응보주의적 형벌관에, 루소는 일반 의지에 규정된 사회 계약에 근거해 사형제를 인정한다. 반면 베카리아는 사형이 끔찍하기만 할 뿐 범죄 예방에 도움이 되지 않으며, 생명권은 양도의 대상이 되지 않으므로 사형을 해서는 안 된다고 비판한다.

자료를 분석하는 셀파 - Tip

갑: 타인에게 해를 입힌 사람을 처벌하여 그것이 결과적으로 이끌어 내는 것이 없다고 하더라도 그 자체로 옳다.
└ 범죄에 상응하는 형벌은 형벌의 결과와 무관하게 옳다는 칸트의 응보주의적 형벌관을 표현하고 있다.

을: 사회적 권리를 공격하는 악당이 국가의 법을 침해한 것은 그 구성원이기를 포기한 것이고, 국가와 전쟁을 한 것이다.
└ 루소는 살인자를 국가와 전쟁을 벌이는 것으로 묘사한다.

병: 최대 다수에게 최대의 이익이 되는 계약을 준수하는 것은 모든 사람에게도 이익이 된다.
└ 베카리아는 형벌이 공공의 이익에 기여해야 하고, 생명 위임이 사회 계약에 포함되지 않는다고 하며 사형에 반대한다는 점에서 공리주의와 계약론에 근거한 형벌관을 가지고 있다고 할 수 있다.

15 베카리아와 벤담의 형벌관 답 ⑤

갑은 베카리아, 을은 벤담이다. 베카리아는 계약론과 공리주의적 입장에서 사형에 반대하며, 벤담은 공리주의적 입장에서 형벌을 필요악으로 본다. 베카리아는 사형보다 종신 노역형이 범죄 억제력이 강하다고 본다. 벤담은 형벌이 예방할 해악이 초래할 해악보다 커야 한다고 여긴다. 또한 사형은 동해보복(同害報復)을 위한 것이 아니라 더 큰 사회적 이익을 증진시키기 위한 것이라고 본다. 사형을 한 시민에 대해 국가가 벌이는 전쟁이라고 한 것은 베카리아에게만 해당한다. 베카리아와 벤담 모두 공리주의적 형벌관을 가지고 있으므로 형벌에 의한 공동체 전체의 선 실현을 강조한다.

16 베카리아와 칸트의 형벌관 답 ④

갑은 베카리아이고, 을은 칸트이다. 베카리아는 범죄 예방을 형벌의 목적으로 보며, 칸트는 동등성의 원리에 따라 응보주의적 형벌관을 주장한다. 따라서 베카리아는 형벌의 선한 결과와 형벌 자체의 악을 비교해서 형벌의 부과 여부를 결정해야 한다고 주장하며, 칸트는 결과와 무관하게 범죄 행위에 비례해 형벌을 가해야 한다고 본다.

정답을 찾아가는 셀파 - Tip

① 형벌의 목적은 응분의 보복이 아닌 범죄 예방인가? (×)
→ 베카리아는 긍정, 칸트는 부정의 대답을 할 질문이다.

② 범죄자는 응분의 보복을 바랐기 때문에 처벌받는가? (×)
→ 칸트는 응분의 보복을 의욕했기 때문에 형벌을 받는 것이 아니라 응분의 보복을 받을 만한 행위를 했기 때문에 그에 따라 응분의 보복으로서 형벌이 가해지는 것이라고 본다.

③ 사형은 사회 계약의 일반 의지에 위배되는 형벌인가? (×)
→ 베카리아가 긍정의 대답을 할 질문이다.

④ 사형은 동등성의 원리에 따른 공적 정의의 실현인가? (○)

⑤ 사형은 유용성의 이념과 인간 존중의 이념에 위배되는가? (×)
→ 베카리아는 사형보다 종신형이 유용하다고 보고, 칸트는 사형이 살인에 대한 응분의 책임을 지우는 것이므로 인격을 존중하는 것이라고 여긴다.

03 국가와 시민의 윤리

탄탄 내신 문제 p. 114 ~ p. 117

01 ③ 02 ⑤ 03 ④ 04 ① 05 ③ 06 ②
07 ④ 08 ③ 09 ③ 10 ③ 11 해설 참조
12 해설 참조 13 해설 참조
14 ㉠ 양심, ㉡ 사회적 다수의 정의관, ㉢ 헌법 정신, ㉣ 공리주의

01 로크의 국가 형성 및 정치적 의무 답 ③

제시문은 계약론에 근거해 정치적 의무를 주장하는 로크이다. 로크는 자발적 동의에 의한 정치적 의무의 발생을 강조한다.

내 것으로 만드는 셀파 - Tip

▶ **로크의 국가 권위에 대한 입장**

- 국가의 권위는 시민의 자발적 동의(명시적, 묵시적)에 기초
- 국가는 시민의 자유, 생명, 재산과 같은 천부적 자연권을 보호해야 할 의무 보유

02 로크의 계약론과 흄의 혜택론 답 ⑤

제시문의 갑은 계약론자인 로크이고, 을은 국가의 권위를 혜택에서 찾는 흄이다.

⑤ 국가가 인간의 자연적 본성에 기초하는 자족적 정치 공동체라고 주장하는 사상가는 아리스토텔레스이다.

03 아리스토텔레스의 국가의 성격 답 ④

제시문의 사상가는 국가를 자연의 창조물로 보고, 하나의 완전한 자족적 정치 공동체로 파악하는 아리스토텔레스이다. 흄은 국가(정부)가 제공하는 혜택과 이익에 의해 시민의 정치적 의무가 발생한다고 주장한다.

정답을 찾아가는 셀파 - Tip

ㄹ. 인간은 국가로부터 얻는 혜택과 이익이 있을 때에만 복종해야 하는가?
→ 아리스토텔레스는 국가가 사회적 존재로서의 인간의 본성에 따라 자연스럽게 생겨났으므로 권위를 지닌다고 본다.

04 국가의 역할에 대한 맹자의 입장 답 ①

제시문은 민본주의 정치를 중시하는 맹자이다. 그는 백성을 정치의 근본으로 삼는 민본주의를 강조하고, 군주는 항산(恒産)을 제공하여 백성을 경제적으로 안정시켜 주어야 한다고 주장한다. 그러나 그는 백성의 생명과 재산을 기본권이라고 주장하지는 않는다.

정답을 찾아가는 셀파 - Tip

- 국가는 백성의 생명과 재산을 기본권으로 보장해야 하는가?
→ 기본권은 민주주의에서 사용하는 개념이다.
- 국가에 대해 백성이 갖는 의무는 군주의 권력으로부터 유래하는가?
→ 유교는 군주가 덕을 갖추고 올바른 정치를 할 때, 백성에게 국가에 대한 충(忠)의 자세를 요구할 수 있다고 본다.

05 공자와 묵자의 정치관 답 ③

갑은 공자, 을은 묵자이다. 공자는 도덕적 군주에 의한 덕(德)의 정치를 강조했고, 묵자는 겸애(兼愛)와 교리(交利)에 기초한 정치를 주장했다. 정치가 백성을 사랑하고 위하는 것이라는 점에 대해 두 사상가 모두 동의할 것이다.

내 것으로 만드는 셀파 - Tip

▶ **시민에 대한 국가의 의무**

공자, 맹자	도덕적 군주에 의한 덕(德)의 정치
묵자	무차별적 사랑〔兼愛〕과 교리(交利)의 정치
한비자	엄격한 상벌에 의한 법치와 사회 질서 유지
정약용	백성들의 건강한 삶을 위한 통치자의 헌신과 백성에 대한 배려 강조

06 국가의 의무 답 ②

제시문의 '기본 소득 법안'은 국가가 시민의 기본 욕구를 충족시켜 주어야 하며, 이를 위해 국가는 적극적 역할을 해야 한다는 생각을 바탕에 깔고 있다.

07 세대별 인권 답 ④

제시된 도표는 바사크의 인권 이론에 정보 접근권을 추가한 것이다. 국가로부터 간섭받지 않을 자유를 권리로서 강조하는 것은 특히 1세대 인권에서 두드러진다.

내 것으로 만드는 셀파 - Tip

▶ **인권의 변화**

1세대 인권	자유권적 기본권
2세대 인권	사회권적 기본권
3세대 인권	연대와 단결의 권리
4세대 인권	정보화 시대의 인권

08 정치 참여에 대한 루소와 공리주의의 입장 답 ③

(가)는 루소, (나)는 공리주의이다. 루소는 공적 영역에서 공익을 지향하는 의지를 일반 의지라고 하며, 국가의 의지가 일반 의지에서 나온다고 여긴다. 공리주의는 정치 참여가 시민의 선호를 모아 정책에 반영해 선을 달성할 수 있다고 주장한다.

정답을 찾아가는 셀파 - Tip

ㄱ. (가)는 시민들의 사적인 이익을 추구하는 의지를 합친 것에서 국가의 의지가 나온다고 본다.
→ 루소는 일반 의지에서 국가의 의지가 나온다고 본다.

ㄹ. (가), (나)는 정치 참여가 대리인인 공직자나 정치인이 국민의 선호와 무관하게 자기 이익에만 탐닉하는 문제를 낳을 수 있다고 본다.
→ 주인 – 대리인 문제는 대의 민주주의가 낳을 수 있는 문제이고, 정치 참여는 이를 해결하는 방안이 될 수 있다.

09 롤스와 소로의 시민 불복종 답 ③

갑은 롤스, 을은 소로이다. 두 사상가는 모두 시민 불복종에 의한 처벌을 감수해야 한다고 주장한다.

③ 롤스는 평등한 자유의 원칙과 기회균등의 원칙에 대한 심각한 위반을 시민 불복종의 조건으로 본다.

10 드워킨과 롤스의 시민 불복종 답 ③

갑은 드워킨, 을은 롤스이다. 롤스는 시민 불복종은 거의 정의로운 민주 체제에서만 가능하며, 법에 대한 충실성의 한계 내에서 이루어져야 한다고 본다. 두 사상가 모두 시민 불복종에서 양심과 정의의 개념을 강조한다.

정답을 찾아가는 셀파 - Tip

① A: 시민 불복종은 거의 정의로운 민주 체제에서만 가능하다. (×)
→ 롤스의 입장이다.

② B: 시민 불복종은 부정의한 법에 대한 즉각적 거부이다. (×)
→ 소로의 입장이다.

③ B: 시민 불복종은 양심과 정의에 기초해 이루어질 수 있다. (○)

④ C: 시민 불복종은 처벌에 대한 저항을 포함한다. (×)
→ 롤스는 시민 불복종 시 처벌을 감수해야 한다고 본다.

⑤ C: 시민 불복종은 공개적이 아니라 비밀리에 이루어져야 한다. (×)
→ 롤스는 시민 불복종이 공개적으로 이루어져야 한다고 본다.

서답형 문제

11 국가 권위의 정당성에 대한 혜택론, 인간 본성론

모범 답안 | ㉠ 흄: 국가는 시민에게 공공재 및 관행의 혜택과 이익을 제공하며, 이에 따라 시민은 국가의 법이나 권위에 복종해야 한다. ㉡ 아리스토텔레스: 국가는 인간의 본성에 따라 자연스럽게 형성되며, 따라서 정치적 권위에 대한 복종은 인간의 본성에서 비롯되는 자연스러운 것이다.

주요 단어 | 흄, 혜택, 공공재, 관행, 아리스토텔레스, 본성

채점 기준	배점
㉠과 ㉡을 대표하는 각 사상가를 바르게 쓰고 사상가의 입장을 정확하게 서술한 경우	상
㉠과 ㉡을 대표하는 각 사상가를 바르게 쓰고 사상가의 입장을 비교적 잘 서술한 경우	중
㉠과 ㉡을 대표하는 각 사상가를 바르게 쓰고 사상가의 입장을 부정확하게 서술한 경우	하

12 동양의 국가관과 서양의 국가관

(1) 모범 답안 | ㉠ 국가의 역할을 위민, 민본주의와 관련지어 이해하며, 국가가 백성의 경제적 안정을 도모해야 한다고 주장한다. ㉡ 국가의 시장 개입을 최소화할 것을 주장하며, 국가의 역할을 국방·외교·치안만으로 제한할 것을 주장한다. ㉢ 국가가 시민의 기본 욕구를 충족시키기 위해 의료·교육·복지를 제공할 것을 주장한다.

주요 단어 | 위민, 민본, 경제적 안정, 시장 개입, 기본 욕구, 복지

(2) 모범 답안 | 빈부 격차(부의 불평등)의 심화에 따라 인간다운 삶이 보장받기 어려운 문제가 발생한다.

주요 단어 | 빈부 격차 심화, 인간다운 삶

채점 기준	배점
(1)의 ㉠, ㉡, ㉢의 입장 세 가지를 정확하게 서술하고 (2)의 소극적 국가관의 문제점을 정확하게 서술한 경우	상
(1)의 ㉠, ㉡, ㉢의 입장 세 가지를 잘 서술하였으나 (2)의 소극적 국가관의 문제점을 부정확하게 서술한 경우	중
(1)의 ㉠, ㉡, ㉢의 입장 세 가지를 부정확하게 서술하고, (2)의 소극적 국가관의 문제점을 서술하지 못한 경우	하

13 인권 개념의 전개

모범 답안 | 1세대 인권은 자유권적 기본권으로, 신체의 자유와 사상의 자유를 포함한다. 2세대 인권은 사회적 기본권으로, 사회 보장에 대한 권리, 일할 수 있는 권리를 포함한다. 3세대 인권은 연대와 단결권으로, 사회적 소수자의 권리와 평화·환경권을 포함한다. 4세대 인권은 정보화 시대에 새롭게 제기된 인권 개념으로, 정보 접근권을 포함한다.

주요 단어 | 자유권, 사회적 기본권, 연대와 단결권, 정보화

채점 기준	배점
인권의 발전적 흐름 네 단계에서 단계별 인권 개념의 특성을 정확하게 서술한 경우	상
인권의 발전적 흐름 네 단계에서 단계별 인권 개념의 특성을 비교적 잘 서술한 경우	중
인권의 발전적 흐름 네 단계에서 단계별 인권 개념의 특성을 부정확하게 서술한 경우	하

14 시민 불복종에 대한 사상가들의 입장

답 ㉠ 양심, ㉡ 사회적 다수의 정의관, ㉢ 헌법 정신, ㉣ 공리주의

시민 불복종과 관련해 핵심 기준으로 소로는 양심, 롤스는 사회적 다수의 정의관, 드워킨은 헌법 정신, 싱어는 공리주의를 든다.

도전 수능 문제 p. 118 ~ p. 119

01 ②	02 ①	03 ⑤	04 ①	05 ④	06 ②
07 ③	08 ③				

01 정치적 의무에 대한 흄과 로크의 입장 답 ②

갑은 흄, 을은 로크이다. 흄은 정치적 의무의 근거를 국가가 제공하는 혜택에서 찾고, 로크는 계약론적 관점에서 찾는다. 두 사상가 모두 정치적 의무는 중단될 수 있다고 본다. 자발적 계약에 의해 국가에 대한 정치적 의무가 발생한다는 것은 계약론적 관점을 지닌 로크가 긍정의 대답을 할 수 있다. 자연적 본성에 의해 국가에 대한 정치적 의무가 발생한다는 것은 아리스토텔레스의 입장이다.

02 국가의 권위에 대한 홉스와 로크의 입장 답 ①

갑은 홉스, 을은 로크이다. 두 사상가 모두 계약론적 관점에서 국가의 권위 발생과 개인의 정치적 의무를 주장한다. 이들은 국가가 개인의 생명과 재산, 자유를 보호할 책무를 지닌다고 주장한다.

03 소로와 롤스의 시민 불복종 답 ⑤

갑은 소로, 을은 롤스이다. 소로는 시민 불복종의 근거를 양심에, 롤스는 다수의 공유된 정의관에 둔다.

⑤ 소로는 법에 대한 존경심보다는 인간으로서의 양심을 우선해야 한다고 보고, 롤스는 평등한 자유의 원칙이나 공정한 기회균등의 원칙을 현저하게 위반하는 법과 정책에 대해서만 시민 불복종이 이루어질 수 있다고 본다. 따라서 양심에 어긋나는 모든 법에 대해 시민 불복종을 해야 한다는 주장에 소로는 찬성하고 롤스는 반대할 것이다.

04 소로와 롤스의 시민 불복종 답 ①

갑은 소로, 을은 롤스이다. 소로는 양심과 정의에 근거한 시민 불복종을 강조하고 롤스는 평등한 자유의 원칙과 기회균등의 원칙, 다수의 공유된 정의관에 근거한 시민 불복종을 강조한다. 소로는 법보다 양심을 중시하므로 양심에 어긋나는 법이라면 최후 수단이 아니더라도 시민 불복종을 할 수 있다고 여긴다. 롤스는 시민 불복종이 국가 체제가 아니라 정부 정책의 변혁을 목적으로 삼아야 한다고 본다.

정답을 찾아가는 셀파 - Tip

ㄴ. 을: 시민 불복종은 법에 대한 충실성을 거부하는 정치 행위이다.
→ 롤스는 시민 불복종이 법에 대한 충실성의 한계 내에서 법에 대한 불복종을 표현하는 것이라고 본다.

ㄹ. 갑, 을: 정의감에 호소하는 시민 불복종이 비폭력적일 필요는 없다.
→ 소로는 원칙적으로 시민 불복종은 비폭력적이어야 한다고 보고, 롤스도 시민 불복종은 비폭력적이어야 정당화될 수 있다고 여긴다.

05 롤스의 시민 불복종 답 ④

제시문은 롤스이다. 롤스는 시민 불복종을 법이나 정부의 정책에 변화를 가져오기 위해 이루어지는 정치 행위라고 주장하며, 그것은 거의 정의로운 민주 사회에서 체제의 합법성을 인정하는 시민들에 의해서만 가능하다고 주장한다.

06 롤스의 시민 불복종 답 ②

제시문은 롤스이다. 롤스는 시민 불복종 운동에서 다수의 정의관에 기초한 공공적 성격, 즉 공개적인 정치 운동임을 강조하고 있다. 시민 불복종 운동은 의도적인 위법 행위이면서 처벌을 감수한다.

정답을 찾아가는 셀파 - Tip

① 시민 불복종은 정치 체제를 변혁하기 위한 폭력 행위인가? (×)
→ 법이나 정책을 변혁하기 위한 비폭력 행위이다.

② 시민 불복종은 공개적으로 주목받아야 할 위법 행위인가? (○)

③ 시민 불복종은 처벌을 피하고자 하는 정치적 행위인가? (×)
→ 시민 불복종은 처벌이나 제재를 감수하는 정치적 행위이다.

④ 시민 불복종은 다수자의 정의감을 거부하는 행위인가? (×)
→ 시민 불복종은 다수의 정의감에 호소하는 행위이다.

⑤ 시민 불복종은 정의의 원칙을 위반하는 행위인가? (×)
→ 시민 불복종은 정의의 원칙을 위반하는 법이나 정책에 따르기를 거부하는 행위이다.

07 롤스의 시민 불복종 답 ③

제시문은 롤스이다. 롤스는 사회 다수가 공유하는 정의관에 시민 불복종의 근거를 둔다.

정답을 찾아가는 셀파 - Tip

① 불합리한 모든 법률과 정책을 대상으로 삼아야 한다. (×)
→ 평등한 자유의 원칙을 심하게 위반하거나 공정한 기회균등의 원칙을 현저하게 위배하는 법률과 정책만으로 대상이 한정된다.

② 불의한 국가 체제의 변혁을 목적으로 행해져야 한다. (×)
→ 국가 체제가 아닌 법이나 정책의 변혁이 목적이다.

③ 사회의 다수자가 갖는 정의관에 근거를 두어야 한다. (○)

④ 비폭력적이고 비공개적인 방식으로 전개되어야 한다. (×)
→ 공개적인 방식으로 전개되어야 한다.

⑤ 개인의 종교적 신념을 추구하는 행위를 포함해야 한다. (×)
→ 공유된 정의관에 의거해야 한다.

08 싱어의 시민 불복종 답 ③

제시문의 사상가는 싱어이다. 그는 공리주의적 입장에서 시민 불복종에 대한 계산, 즉 결과론적 접근이 필요하다고 주장한다. 그는 시민 불복종의 이익과 손해, 성공 가능성을 고려해야 한다고 본다. 양심에 근거한 불복종은 소로가 강조하는 것이고, 시민 불복종이 다수의 정의관에 근거해야 한다는 것은 롤스의 견해이며, 헌법 정신에 반하는 법률에 대해 저항할 수 있다는 주장은 드워킨의 입장이다.

내 것으로 만드는 셀파 - Tip

▶ **소로, 드워킨의 시민 불복종**
- **소로:** 양심에 어긋나는 법에 대해 시민 불복종 가능
- **드워킨:** 헌법 정신에 반하는 법률에 대해 시민 불복종 가능, 시민 불복종의 유형을 양심·정의·정책 기반으로 분류

Ⅳ 과학과 윤리

01 과학 기술과 윤리

탄탄 내신 문제 p. 128 ~ p. 131

01 ⑤ 02 ④ 03 ① 04 ⑤ 05 ④ 06 ①
07 ③ 08 ① 09 ⑤ 10 ③ 11 ㄴ, ㄷ, ㄹ
12 해설 참조 13 공포의 발견술
14 ㉠ 내적 책임, ㉡ 외적 책임 15 기술 영향 평가 제도

01 과학 기술 발달로 인한 문제점 답 ⑤

제시문에 등장하는 '판옵티콘'은 철학자 벤담이 제안한 것으로 죄수의 일상을 간수가 마음껏 감시할 수 있는 원형 감옥을 의미한다. 판옵티콘에 갇힌 죄수는 간수가 감시하고 있는지 아닌지 모르기 때문에 항상 감시받고 있다는 생각을 바탕으로 행동해야 한다. ㉠에서 '새로운 판옵티콘'은 과학 기술, 특히 정보 통신 기술의 발달로 개인의 인권과 사생활이 침해될 수 있다는 우려에서 나온 개념이다.

정답을 찾아가는 셀파 - Tip

① 첨단 무기의 개발은 인류를 위협에 빠뜨릴 수 있다. (×)
→ 새로운 판옵티콘은 감시 체제와 관련된다.
② 과학 기술의 발달은 자연환경의 파괴를 초래할 수 있다. (×)
→ 과학 기술의 한계에 관한 설명이나 제시문과 거리가 멀다.
③ 생명 과학 기술의 발달로 생명의 존엄성이 훼손될 수 있다. (×)
→ 새로운 판옵티콘은 정보 통신 기술의 발달과 관련된다.
④ 과학 기술 활용 정도에 따라 빈부 격차가 발생할 수 있다. (×)
→ 올바른 설명이나 정보 통신 기술을 통한 감시와는 거리가 멀다.
⑤ 과학 기술의 발달로 개인의 인권과 사생활이 침해될 수 있다. (○)

02 과학 기술 지상주의와 과학 기술 혐오주의의 특징 답 ④

갑은 과학 기술이 인류에게 행복을 가져다줄 수 있다고 믿는 과학 기술 지상주의의 입장이고, 을은 과학 기술로 말미암아 인류가 심각한 문제에 직면하였으며 과학 기술이 비인간화를 초래할 것이라는 과학 기술 혐오주의의 입장이다. 갑은 과학 기술이 인간에게 무한한 행복과 풍요를 가져다준다고 보고, 을은 과학 기술과 인간성 훼손이 밀접하게 관련이 있다고 본다.

정답을 찾아가는 셀파 - Tip

① 갑은 과학 기술의 가치를 인정하지 않는다. (×)
→ 갑은 과학 기술의 가치를 긍정적으로 인식한다.
② 갑은 과학 기술의 비윤리적 측면을 강조한다. (×)
→ 갑은 과학 기술의 긍정적인 측면을 강조한다.
③ 을은 과학 기술로 사회 문제를 해결할 수 있다고 본다. (×)
→ 을은 과학 기술로 말미암아 많은 사회 문제가 발생한다고 본다.
④ 을은 과학 기술이 인간성 훼손과 무관하지 않다고 본다. (○)
⑤ 갑, 을은 모두 과학 기술의 사회적 유용성을 강조한다. (×)
→ 갑만이 과학 기술의 사회적 유용성을 강조한다.

03 과학 기술의 가치 중립성을 강조하는 관점 답 ①

제시문은 과학 기술의 가치 중립성을 강조하는 입장이다. 과학 기술의 가치 중립성을 강조하는 사람들은 과학 기술이 선이나 악과 같은 윤리적 평가와 무관하다고 본다.

정답을 찾아가는 셀파 - Tip

① 과학 기술 그 자체는 선도 악도 아니다. (○)
② 과학 기술은 사회와 독립적 영역이 아니다. (×)
→ 과학 기술을 사회와 독립적인 영역으로 파악한다.
③ 과학 기술은 가치 판단에서 자유로울 수 없다. (×)
→ 과학 기술에 대해 가치 판단을 내릴 수 없다고 본다.
④ 과학 기술은 도덕적 가치와 분리해 생각할 수 없다. (×)
→ 가치 중립성을 부정하는 입장의 주장이다.
⑤ 과학 기술에는 일정한 목적과 의도가 개입되어 있다. (×)
→ 과학 기술은 객관적인 사실의 영역에 있다고 여긴다.

04 과학 기술의 가치 중립성에 대한 다양한 관점 답 ⑤

갑은 과학 기술의 가치 중립성을 강조하는 입장으로, 과학 기술은 사실성 여부를 판단하는 학문이므로 과학 기술에 대한 윤리적 평가를 유보해야 한다고 본다. 반면, 을은 과학 기술의 가치 중립성을 부정하는 입장으로, 과학 기술이 사회에 영향을 끼치며 인간의 삶과 밀접한 관련이 있으므로 과학 기술 연구와 활용의 전 과정에서 가치 판단이 필요하다고 본다. 갑은 을에게 과학 기술에 가치가 개입되면 과학 기술 연구자의 자율성이 보장되기 어렵다고 비판할 수 있다.

05 과학 기술의 가치 중립성을 부정하는 관점 답 ④

제시문은 과학 기술의 가치 중립성을 부정하는 관점에서 원자 폭탄 연구에 참여한 과학자의 책임을 강조한다. 이러한 입장은 윤리적 평가를 기반으로 과학 기술이 연구되어야 함을 주장한다. 따라서 ㉠에 들어갈 내용은 과학 기술이 윤리적 가치와 불가분의 관계에 있다는 것이 적절하다.

06 요나스의 책임 윤리 답 ①

요나스는 인류가 존재해야 한다는 당위적 요청을 근거로 인류 존속을 위한 새로운 책임의 개념을 제시한다. 그는 기존의 책임 범위를 자연과 미래 세대까지 확장하는 새로운 윤리학을 제시하며, 과거 행위에 대한 책임뿐 아니라 예상되는 결과를 고려한 미래적 책임을 주장한다.

정답을 찾아가는 셀파 - Tip

① 결과를 고려한 미래적 책임이 인간에게 요구된다. (○)
② 행위의 책임은 과거 행위에 대한 책임으로 충분하다. (×)
→ 미래에 예상되는 결과를 고려한 미래적 책임까지 포함된다.
③ 인간이 가지는 책임의 범위는 현재의 인류에 한정된다. (×)
→ 책임의 범위는 자연과 미래 세대까지 확장되어야 한다.
④ 기술의 결과에 대한 고려는 과학 기술 발전을 제한한다. (×)
→ 미리 사유된 위험으로부터 결과를 예측하여 예견적 책임을 다해야 한다.
⑤ 과학 기술의 목적은 미래 세대의 이익과는 관련이 없다. (×)
→ 과학 기술은 자연과 미래 세대까지 고려하는 범위 내에서 발전되어야 한다.

07 심정 윤리와 책임 윤리 ⓓ ③

갑은 행위자가 선한 의도로 한 행위에 대해서는 결과에 대해 책임지지 않아도 된다고 주장하고, 을은 행위자의 의도뿐만 아니라 결과를 고려한 예견적 책임을 강조한다. 즉 갑은 행위자의 의도만을 강조하는 심정 윤리를, 을은 행위자의 의도와 함께 결과를 고려해야 한다는 책임 윤리를 주장한다. 을은 갑에게 행위자는 행위의 선한 의도뿐만 아니라 결과에 대한 책임 의식도 가져야 한다고 비판할 수 있다.

정답을 찾아가는 셀파 - Tip

① 결과에 대한 우려는 행위자의 선한 의도를 훼손한다. (×)
→ 심정 윤리에서 주장하는 내용이다.

② 의도하지 않은 결과는 행위자의 책임 범위를 벗어난다. (×)
→ 책임 윤리는 의도하지 않은 결과도 행위자의 책임으로 본다.

③ 행위의 선한 의도가 결과의 정당성을 보장하지 않는다. (○)

④ 좋은 결과만 낳으면 된다는 생각은 성과주의를 초래한다. (×)
→ 심정 윤리는 오히려 결과를 고려하지 않는다는 문제점이 있다.

⑤ 행위자가 행위의 모든 결과를 예측하는 것은 불가능하다. (×)
→ 심정 윤리에서 선한 의도를 강조하는 이유이다.

08 과학 기술자의 외적 책임과 내적 책임 ⓓ ①

과학자에게는 연구 윤리를 준수하며 표절·조작 등의 연구 부정행위를 해서는 안 된다는 내적 책임과 연구 결과가 사회에 미칠 영향력을 고려하여 사회적 책임을 다해야 한다는 외적 책임이 있다.

09 과학자의 사회적 책임에 대한 문제 ⓓ ⑤

제시문은 과학자의 내적 책임만을 강조하는 입장으로, 이러한 입장의 사람은 과학자의 연구 결과에 대한 윤리적 평가와 사회적 영향력에 대한 숙고를 강조하는 외적 책임에 반대할 것이다.

정답을 찾아가는 셀파 - Tip

ㄱ. 과학 기술의 활용은 과학자의 의도와 무관한가?
→ 제시문은 과학자가 과학 기술을 어떻게 활용할지에 대해 아무런 지시를 내리지 않는다고 주장하므로 긍정할 것이다.

ㄴ. 과학자의 책임은 연구 과정 내에서만 물을 수 있는가?
→ 제시문은 과학자가 내적 책임을 다할 뿐이라고 설명하므로 긍정할 것이다.

10 기술 영향 평가 제도 ⓓ ③

기술 영향 평가 제도는 과학 기술이 사회 전반에 미치는 영향을 파악하여 과학 기술의 바람직한 발전 방향을 모색하고 부정적 영향을 최소화하려는 시도이다.

서답형 문제

11 과학 기술의 가치 중립성 ⓓ ㄴ, ㄷ, ㄹ

과학 기술의 가치 중립성을 주장하는 사람들은 과학자의 연구의 자율성을 보장해야 하고, 과학 기술에 관한 연구가 학문적 목적에서 객관적으로 이루어져야 한다고 본다. ㄱ, ㅁ은 과학 기술의 가치 중립성을 부정하는 논거이고, ㄴ, ㄷ, ㄹ은 과학 기술의 가치 중립성을 긍정하는 논거이다.

12 과학 기술 과정의 구분에 따른 가치 중립성 논의

모범 답안 | ㉠에서는 이론적 정당화를 추구해야 하므로 과학 기술의 가치 중립성을 보장해야 하며, ㉡에서는 과학 기술이 인간과 사회에 미치는 영향을 고려해야 하므로 가치 판단이 개입될 수밖에 없다.

주요 단어 | 과학 기술의 가치 중립성, 이론적 정당화, 인간과 사회에 미치는 영향, 가치 판단

채점 기준	배점
이론적 정당화 과정과 연구 대상의 선정 및 연구 결과의 활용 과정을 구분하여 가치 중립성과 적절하게 연결하여 서술한 경우	상
가치 중립성과 연결하여 이론적 정당화 과정과 연구 대상의 선정 및 연구 결과의 활용 과정 중 한 과정만 서술한 경우	중
이론적 정당화 과정과 연구 대상의 선정 및 연구 결과의 활용 과정 모두 가치 중립성과 적절하게 연결하지 못한 경우	하

13 요나스의 공포의 발견술 ⓓ 공포의 발견술

요나스는 어떤 존재를 보호하기 위해서는 희망보다는 공포를 논의의 대상으로 삼아야 한다고 주장하며, 미리 사유된 위험을 토대로 자연과 미래 세대에 대한 책임을 강조한다. 이처럼 공포를 통해 윤리적 원리를 발견하는 방법을 요나스는 '공포의 발견술'이라고 명한다.

14 과학자의 내적 책임과 외적 책임 ⓓ ㉠ 내적 책임, ㉡ 외적 책임

과학자의 책임으로는 연구 윤리를 지키고 자료를 표절하거나 조작·날조하지 않는 등의 연구 자체에 대한 내적 책임과 자신의 연구 결과가 사회에 미칠 영향에 대한 사회적 책임 의식을 가져야 한다는 외적 책임이 있다. 과학의 가치 중립성을 부정하는 사람의 경우 과학자의 내적 책임과 외적 책임을 모두 인정하는 반면, 과학의 가치 중립성을 강조하는 사람은 과학자의 내적 책임만 인정하는 경향이 있다.

15 기술 영향 평가 제도 ⓓ 기술 영향 평가 제도

과학 기술의 사회적 영향력을 고려하여 과학 기술의 바람직한 발전 방향을 모색하고, 부정적 영향을 최소화하기 위해 기술 영향 평가 제도를 실시하고 있다. 기술 영향 평가 제도에는 전문가 중심의 평가와 일반 대중의 토론을 중심으로 한 시민 참여적 평가 등이 있다.

도전 수능 문제

p. 132 ~ p. 133

01 ② 02 ① 03 ② 04 ⑤ 05 ② 06 ①
07 ② 08 ⑤

01 과학 기술 지상주의와 과학 기술 혐오주의 ⓓ ②

제시문의 '나'는 과학 기술이 사회의 모든 문제를 해결하고 무한한 부와 행복을 누리게 해 줄 수 있다고 믿는 과학 기술 지상주의 입장이다. '어떤 사람들'은 과학 기술이 비인간화를 초래하고 오히려 사회에 많은 문제를 낳았다는 과학 기술 혐오주의의 입장이다. 따라서 ㉠에는 과학 기술 혐오주의에 대한 비판이 들어가는 것이 적절하다. 과학 기술 혐오주의는 과학 기술의 혜택과 성과를 간과하여 비현실적이라는 비판을 받는다.

02 과학 기술의 가치 중립성을 강조하는 관점 답 ①

제시문의 사상가는 과학 기술의 가치 중립성을 주장하는 야스퍼스이다. 야스퍼스는 과학 기술 자체는 가치 중립적인 것으로 기술의 선악 여부는 인간이 기술을 어떻게 사용하느냐에 달려 있다고 본다.

정답을 찾아가는 셀파 - Tip

ㄴ. 기술은 인간과 사회를 지배하려는 속성을 지닌 악이다.
→ 기술은 가치 중립적인 것으로 선악이라는 가치와는 무관하다.

ㄹ. 인간은 기술로부터 어떠한 좋은 것도 만들어 낼 수 없다.
→ 기술 자체는 좋고 나쁨이 없지만, 인간의 사용 방향에 따라 좋은 것을 만들어 낼 수 있다.

03 과학 기술의 가치 중립성을 부정하는 관점 답 ②

그림의 강연자는 과학 기술의 가치 중립성을 부정하는 하이데거이다. 하이데거는 과학 기술이 가치 중립적인 것이 아니며, 과학 기술에 대한 윤리적 성찰과 기술의 결과에 따른 사회적 책임이 필요하다고 본다.

정답을 찾아가는 셀파 - Tip

① 과학 기술의 영향은 과학자의 책임 밖의 일인가? (×)
→ 가치 중립성을 부정하는 입장에서는 과학 기술의 영향에서 과학자의 책임을 인정한다.

② 과학 기술에 대한 사회적 책임은 불가피한 것인가? (○)

③ 과학 기술과 윤리는 별개의 영역이라고 볼 수 있는가? (×)
→ 우리 존재를 지배하는 과학 기술은 윤리의 영역에 속한다.

④ 과학 기술은 도덕적 평가로부터 자유로워야 하는가? (×)
→ 과학 기술에 대한 윤리적 성찰을 강조한다.

⑤ 과학 기술의 목적과 과정은 가치 중립적인 것으로 평가해야 하는가? (×)
→ 과학 기술을 중립적인 것으로 고찰해서는 안 된다고 본다.

04 과학 기술의 가치 중립성에 대한 다양한 관점 답 ⑤

(가)는 과학 기술의 가치 중립성을 부정하는 입장, (나)는 과학 기술의 가치 중립성을 강조하는 입장이다. (가)에 비해 (나)는 과학 기술 연구의 독립성을 강조하는 정도(X)가 높고, 과학 기술에 대한 윤리적 판단을 배제해야 함을 강조하는 정도(Y)가 높다. 반면, 과학 기술 연구 결과 활용에 관해 과학자의 사회적 책임을 강조하는 정도(Z)는 낮다.

05 과학 기술의 가치 중립성을 부정하는 관점 답 ②

㉠에 들어갈 내용은 '객관적인 지식과 그 활용 과정에는 주관적 가치가 개입되어서는 안 된다.'이다. 이에 대한 반론은 '객관적인 지식과 그 활용 과정에도 주관적 가치가 개입될 수 있다.'이므로 과학 기술의 가치 중립성을 부정하는 입장이 근거로 제시되어야 한다.

06 과학 기술의 가치 중립성에 관한 다양한 관점 답 ①

갑은 과학 기술을 가치 중립적으로 보는 입장, 을은 과학 기술의 가치 중립성을 부정하는 입장이다. 갑은 과학 기술에 대한 도덕적 평가가 불필요하다고 보고, 을은 과학 기술에 대한 윤리적 검토가 필요하다고 본다.

07 요나스의 책임 윤리 답 ②

(가)는 미리 사유된 위험을 통해 자연과 미래 세대를 보호하는 책임 윤리를 강조하는 요나스의 주장이다. 요나스는 (나)의 물음에 생태계 전체를 예방적 책임 대상에 포함시켜야 한다고 주장할 것이다.

정답을 찾아가는 셀파 - Tip

① ~~현재가 아니라 미래의 위험만을~~ 고려해야 한다. (×)
현재 및 미래의 위험을 모두

② 생태계 전체를 예방적 책임 대상에 포함시켜야 한다. (○)

③ ~~연구의 위험이 확실할 때에만~~ 예방 조치를 취해야 한다. (×)
예견될 수 있는 모든 결과를 고려하여

④ ~~세대 간 호혜성의 원칙에 따라~~ 미래 세대를 책임져야 한다. (×)
현세대만이(호혜성은 불가능함)

⑤ ~~사회에 대한 책임보다 과학적 연구 성과를~~ 더 중시해야 한다. (×)
과학적 연구 성과보다 사회적 책임을

08 요나스의 책임 윤리 답 ⑤

제시된 사상가는 자연과 미래 세대에 대한 미래적인 책임을 주장한 요나스이다. 요나스는 A 학생에게 환경과 미래 세대에 미칠 영향을 고려한 책임을 강조하라고 조언할 수 있다.

정답을 찾아가는 셀파 - Tip

① 환경 문제 해결보다 경제적 성장을 강조하세요. (×)
→ 성장을 위한 무분별한 기술 개발에 대해 성찰해야 한다.

② 미래 세대의 인간은 환경 문제와 무관함을 강조하세요. (×)
→ 인간은 환경과 미래 세대에 대한 미래적 책임을 져야 한다.

③ 과학 기술로 환경 문제를 해결할 수 있음을 강조하세요. (×)
→ 기술로 인한 문제를 해결하기 위해 윤리적 공백을 책임으로 채워야 한다.

④ 환경에 대한 책임보다 과학 기술 발전을 더 강조하세요. (×)
→ 요나스는 과학 기술의 위험성을 우려하며 환경에 대한 책임을 강조한다.

⑤ 환경과 미래 세대에 미칠 영향을 고려한 책임을 강조하세요. (○)

02 정보 사회와 윤리

탄탄 내신 문제 p. 138 ~ p. 142

01 ⑤ **02** ④ **03** ③ **04** ④ **05** ① **06** ①
07 ⑤ **08** ④ **09** ④ **10** ④ **11** ⑤ **12** ④
13 ④ **14** ④ **15** ㄱ, ㄴ, ㅁ **16** 정보 자기 결정권
17 자율성의 원칙, 해악 금지의 원칙, 선행의 원칙, 정의의 원칙
18 미디어 리터러시(media literacy) **19** 해설 참조

01 저작권 문제 답 ⑤

갑은 저작권 보호를 주장하는 입장, 을은 정보 공유를 주장하는 입장이다. 갑은 창작자의 노력에 대가를 지불하여 정보의 질적 수준을 높일 것을 주장하고, 을은 저작물은 공공재라고 보고 저작권 보호가 정보 독점 현상을 초래할 수 있음을 우려한다. 모든 창작물은 기존의 정보를 활용한 결과라는 것은 을의 입장이므로 C에 해당한다.

02 저작권 문제
답 ④

갑은 개인이 정신적 창작물의 소유권을 가진다고 주장하고, 을은 정신적 창작물이 인류 공동의 자산임을 강조한다. 따라서 갑은 정신적 창작물에 대해 정당한 대가를 주장하는 반면, 을은 저작권이 공익을 위해 공유되어야 하는 권리라 인식하고 갑보다 정보 격차에 따른 불평등을 우려한다.

03 잊힐 권리와 알 권리
답 ③

제시문은 잊힐 권리와 알 권리의 충돌에 관한 글이다. 이를 해결하기 위해서는 두 권리의 적절한 균형이 필요하다. 따라서 어느 한 권리만을 지나치게 강조하기보다는 잊힐 권리와 알 권리에 대한 사회적 논의를 통해 이러한 충돌을 해결하는 것이 적절하다. 이때 개인의 인격권 침해 여부나 공익 증진 여부 등을 면밀하게 검토하여 충돌을 해결해야 한다.

04 사이버 불링(cyber bullying)의 특징
답 ④

제시문은 사이버 불링에 관한 글이다. 사이버 불링은 정보 통신 기기를 통해서 이루어지는 다양한 형태의 공격, 괴롭힘을 의미한다. 사이버 불링과 같은 사이버 폭력은 시공간의 제약 없이 이루어지므로 정보의 확산 속도가 빨라 수정이나 회수가 어려우며 가해자들이 폭력의 심각성을 인식하지 못한다는 특징을 갖는다.

정답을 찾아가는 셀파 - Tip

① 시공간의 제약을 많이 받는 행위이다. (×)
→ 시공간의 제약을 받지 않는 행위이다.

② 유포된 정보의 수정이나 회수가 쉽다. (×)
→ 정보의 속성상 한번 유포된 정보의 수정이나 회수는 거의 불가능하다.

③ 정보의 유포가 어려워 확산 속도가 느리다. (×)
→ 오늘날에는 정보의 확산 속도가 매우 빠르다.

④ 가해자들이 폭력의 심각성을 자각하기 어렵다. (○)

⑤ 직접적, 물리적인 경험이 아니므로 큰 피해를 입지 않는다. (×)
→ 빠른 정보 확산에 따라 큰 피해를 초래할 수 있다.

05 표현의 자유 문제
답 ①

갑은 표현의 자유를 강조하고 있다. 다만 표현의 자유는 다른 사람의 자유를 훼손하거나 다른 사람에게 해를 끼치지 않는 범위 내에서만 이루어져야 한다고 여긴다. 따라서 갑은 A가 연예인의 인권을 침해하고 연예인에게 해를 끼쳤으므로 그의 행위를 부당한 행위라고 평가할 것이다.

06 정보화로 인한 문제 해결을 위한 개인 윤리적 접근
답 ①

칼럼은 정보화로 인한 새로운 문제를 해결하기 위해 기술의 보완이나 법의 강제력과 같은 사회적 차원의 접근과 함께 개개인의 노력이 필요함을 주장한다. 따라서 ㉠에는 개인 윤리적 차원의 접근에 관한 내용이 들어가는 것이 적절하다. 법과 처벌 강화, 정책 수립, 관련 위원회 조직 등은 사회 윤리적 차원에서 사회 제도 및 구조를 개선하는 것에 해당한다.

07 정보화 사회의 윤리적 원칙
답 ⑤

정보화 사회에서는 윤리적 원칙을 준수해야 한다. 정보화 사회의 개인은 자율적으로 도덕 원칙을 수립하고, 타인의 복지를 증진하는 방향으로 행동함으로써 사회에 해악을 끼치는 행동을 피해야 한다. 그러나 현실이든 가상 공간이든 행동 주체는 결국 인간이기 때문에 현실에서 지켜야 할 바람직한 자세와 정보화 사회의 윤리적 원칙은 크게 구분되지 않는다.

08 대중 매체의 역기능
답 ④

텔레비전, 라디오, 신문, 인터넷 등 불특정 다수를 대상으로 정보를 전달하는 매체를 대중 매체라 한다. 대중 매체는 사회 전반에 미치는 영향력이 매우 크기 때문에 순기능과 역기능이 모두 존재한다. 대중 매체가 제공하는 오락에 탐닉하는 대중은 사회적·정치적 문제에 무관심해질 수 있고, 대중 매체는 각종 위험 정보를 제공해 대중에게 심리적 긴장감이나 공포를 유발할 수 있으며, 불공정한 보도로 편견을 심어 줄 수 있다는 역기능이 있다.

정답을 찾아가는 셀파 - Tip

ㄹ. 부정부패를 고발하는 공적인 역할을 수행한다.
→ 대중 매체의 순기능에 해당한다.

ㅁ. 정보를 생산, 처리, 분배해 주는 영향력을 발휘한다.
→ 매체의 중요성에 대한 설명이다.

09 뉴 미디어의 특성
답 ④

정보 통신 기술의 발전으로 기존의 매체와는 다른 다양한 유형의 뉴 미디어가 등장하고 있다. 뉴 미디어를 통해 누구나 정보를 생산, 소비, 유통할 수 있다. 또한 뉴 미디어는 모든 정보를 디지털화하여 정보를 신속하게 처리할 수 있다. 아울러 뉴 미디어를 이용해 시공간의 제약에서 벗어나 대규모의 사회적 연결망을 형성할 수 있게 되었다.

정답을 찾아가는 셀파 - Tip

ㄴ. 소수가 다수에게 정보를 일방적으로 전달한다.
→ 정보 생산과 소비 주체의 쌍방향적 의사소통이 가능하다.

ㄷ. 정보 제공자가 정보 수신자와 달리 자발성을 갖추게 된다.
→ 정보를 선택하고 활용할 수 있는 정보 수신자의 자발성도 중시된다.

10 정보 사회에서의 언론 윤리
답 ④

제시문은 뉴스에 대한 취사선택권인 게이트 키핑이 사회에 미칠 부정적 영향을 최소화하고 객관적인 뉴스를 보도하기 위해 반드시 필요한 과정이라 보고 있다. 따라서 이에 반대하는 사람은 뉴스의 선택 과정에 사회적 압력이나 외부적 요인이 작용할 수 있으므로 공정성과 객관성이 침해될 수 있다고 주장할 것이다.

11 바람직한 언론의 자세
답 ⑤

(가)는 언론이 정치적, 경제적 권력에 굴하지 않고 진실을 보도해야 한다는 입장이다. 따라서 A에는 국민의 알 권리 실현을 위해 객관적이고 공정한 태도를 유지할 수 있도록 언론이 외부적 영향에서 자유로워야 한다는 내용이 들어가는 것이 가장 적절하다.

12 칸트의 의무론과 매체 윤리

답 ④

갑은 도덕 법칙을 지키고자 하는 의무 의식에서 비롯된 행위를 도덕적 행위라 인식하는 칸트이다. 칸트는 A가 피해자를 속여 정보를 얻어냈을 뿐만 아니라 피해자의 신분을 숨겨 주겠다는 약속도 저버린 채 기사를 보도하였으므로 A의 행위에 대해 타인을 수단으로 대우한 부당한 행위라고 평가할 것이다.

정답을 찾아가는 셀파 - Tip

① 피해자에게 고통을 주었으므로 부당한 행위이다. (×)
→ 공리주의적 입장이다. 칸트는 행위가 낳는 쾌락과 고통으로 행위의 정당성을 판단하지 않는다.

② 결과적으로 알 권리를 충족했으므로 정당한 행위이다. (×)
→ 칸트는 행위의 도덕성을 판단하는 기준으로 우연의 영향을 받을 수 있는 결과가 아니라 동기를 중시한다.

③ 선을 행하라는 자연법을 어겼으므로 부당한 행위이다. (×)
→ 선을 행하라는 자연법에 따르라고 주장하는 것은 중세 그리스도교 사상가인 아퀴나스이다.

④ 자신을 위해 타인을 수단으로 대우한 부당한 행위이다. (○)

⑤ 사회적으로 긍정적인 결과를 낳았으므로 정당한 행위이다. (×)
→ 칸트는 결과가 긍정적인 행위가 아니라 선의지에서 비롯된 행위를 정당한 행위로 본다.

13 뉴 미디어 시대의 매체 윤리

답 ④

갑은 정확한 사실의 보도를 위해서는 개인의 권리를 침해할 수 있는 몰래카메라 취재도 정당할 수 있다고 주장하고, 을은 취재 과정에서 언론 윤리를 준수하여 정당한 방법을 사용하는 것이 사실의 보도만큼 중요하다고 주장한다. 따라서 을은 몰래카메라 취재가 바탕이 된 부당한 보도에 반대한다.

정답을 찾아가는 셀파 - Tip

① 갑: 취재의 자유는 정의로운 방법을 통해 실현된다. (×)
→ 을의 입장이다. 갑은 몰래카메라 취재와 같은 정의롭지 않은 방법이라도 사용할 수 있다고 본다.

② 갑: 개인 사생활의 자유는 국민의 알 권리에 우선한다. (×)
→ 갑은 몰래카메라 취재를 찬성하므로 국민의 알 권리가 개인의 사생활의 자유보다 우선한다고 보는 입장이다.

③ 을: 공익 실현을 위해 개인의 권리 침해는 불가피하다. (×)
→ 을은 어떤 경우에도 정당한 방법으로 취재해야 한다고 본다.

④ 을: 방법이 옳지 않다면 불공정한 보도가 될 수밖에 없다. (○)

⑤ 갑, 을: 효과적인 취재를 위해서 모든 방법을 동원할 수 있다. (×)
→ 갑만의 입장이다. 을은 효과적인 취재를 위해서라도 언론 윤리를 훼손하는 부당한 방법은 사용해서는 안 된다고 보는 입장이다.

14 언론의 자유 실현을 위한 윤리적 조건

답 ④

제시문은 언론의 자유 실현을 위해 윤리적 조건이 충족되어야 함을 주장한다. 진정한 언론의 자유 실현을 위해서는 공정성과 객관성을 확보하기 위해 외부적 영향과 압력을 배제해야 하며, 국민의 알 권리를 충족하는 과정에서 개인의 자유를 침해해서는 안 된다. 또한 사건을 균형 있는 시각으로 바라보아야 하고 언론이 사회에 미칠 영향력을 고려해야 하며, 자의적으로 정보를 변형하거나 조작해서는 안 된다.

④ 언론은 진실을 그대로 보도해야 하므로 정보를 임의로 변형해서는 안 된다.

서답형 문제

15 정보 공유론

답 ㄱ, ㄴ, ㅁ

정보 공유론은 지적 창작물이 공공재이므로 공익을 위해 사용해야 한다는 입장이다. 따라서 소유권의 보장을 통해 개인이나 집단이 정보를 독점한다면 지속적인 정보의 발전이 어렵다고 본다.

ㄷ, ㄹ은 정보 사유론을 지지하는 논거이다.

16 개인 정보 보호를 위한 권리

답 정보 자기 결정권

정보 자기 결정권은 개인이 자신에 관한 정보의 유통 과정 전체를 결정할 수 있는 권리이다. 정보 자기 결정권을 강조하는 입장에서는 온라인상에서 자신의 정보에 대한 삭제 및 확산 방지를 요구할 수 있는 개인의 잊힐 권리를 옹호한다.

17 정보 윤리의 기본 원칙

답 자율성의 원칙, 해악 금지의 원칙, 선행의 원칙, 정의의 원칙

정보를 생산하고 소비하는 각 개인은 규범적인 윤리 원칙을 준수해야 한다. 정보 윤리는 인간성 존중, 자유, 평등, 책임, 정의 등과 같은 전통적 가치와 긴밀하게 연결된 기본 원칙을 제시하고 있다. 자율성의 원칙은 스스로 도덕 원칙을 수립하여 행동하고 타인의 자기 결정 능력을 존중해야 한다는 원칙이다. 해악 금지의 원칙은 남에게 해악을 끼치거나 상해를 입히는 일을 피해야 한다는 원칙이다. 선행의 원칙은 타인의 복지를 증진하는 방향으로 행동해야 한다는 원칙이다. 정의의 원리는 공정한 기준에 따라 혜택이나 부담을 공정하게 배분해야 한다는 원칙이다.

18 정보 소비 과정의 윤리

답 미디어 리터러시(media literacy)

뉴 미디어 시대의 정보 소비 활동은 새로운 정보 창출로 이어질 수 있으므로 정보 소비의 주체는 동시에 정보 생산의 주체가 될 수 있다. 이와 관련하여 매체를 이해하고 활용하는 능력인 미디어 리터러시는 우리가 정보 사회를 살아가는 데 갖추어야 할 핵심적인 삶의 기술이라 할 수 있다.

19 뉴 미디어의 특징

(1) 뉴 미디어

(2) 모범 답안 | 첫째, 정보 생산자와 정보 소비자의 쌍방향적 의사소통이 가능하다. 둘째, 시공간의 제약을 받지 않고 광범위한 사회적 연결망을 형성할 수 있다. 셋째, 정보를 수집·전달하는 속도가 신속하다. 넷째, 다양한 의견을 반영하여 즉각적으로 정보를 수정할 수 있다.

주요 단어 | 쌍방향적 의사소통, 시공간의 제약, 사회적 연결망, 정보, 수집, 전달, 수정

채점 기준	배점
(1)의 뉴 미디어를 쓰고, (2)의 뉴 미디어의 특징을 적절하게 서술한 경우	상
(1)의 뉴 미디어를 쓰고, (2)의 뉴 미디어의 특징을 비교적 잘 서술한 경우	중
(1)의 뉴 미디어를 쓰고, (2)의 뉴 미디어의 특징을 미흡하게 서술한 경우	하

도전 수능 문제

p. 143 ~ p. 145

01 ③	02 ①	03 ④	04 ②	05 ⑤	06 ④
07 ②	08 ①	09 ④	10 ④	11 ④	12 ②

01 저작권 문제 답 ③

갑은 저작물에 대한 정당한 대가를 지불함으로써 소유권을 보장해야 한다는 입장이고, 을은 저작물은 인류 문화를 바탕으로 만든 공동의 자산이므로 공유해야 한다는 입장이다.

③ ㉢은 지적 재산권 보장을 주장하는 갑의 입장이다.

02 저작권 문제 답 ①

(가)는 정보는 인류 공동의 소유물이므로 공유되어야 한다고 주장한다. (가)의 입장에서 소전제 ㉠에 들어갈 내용은 '정보는 인류 공동의 지적 산물이다.'이므로, 이에 반대하는 논거는 정보는 인류 공동의 지적 산물이 아니라는 입장이 들어가야 한다.

03 소프트웨어 공유에 대한 관점 답 ④

(가)는 소프트웨어의 특성상 소유권을 인정하게 되면 다양한 질 높은 소프트웨어 개발이 제한될 것을 우려하며 소프트웨어에 대한 공유를 주장한다. (나)의 가로 낱말 (A)는 정실주의, (B)는 응보이므로 세로 낱말 (A)에 들어갈 개념은 정보이다. (가)의 입장에서 정보는 모두가 자유롭게 공유해야 할 사회적 산물이라 할 수 있다.

정답을 찾아가는 셀파 - Tip

① 모두의 자유로운 이용이 진화를 방해하는 개체이다. (×)
→ 소프트웨어에 대한 소유권을 주장하는 입장이다.

② 어디서든 네트워크에 접근할 수 있는 공적 환경이다. (×)
→ 유비쿼터스 환경을 의미한다.

③ 자유로운 소유권의 이전으로 진화하는 프로그램이다. (×)
→ 소프트웨어에 대한 공유를 주장하는 입장에서는 소유권을 부정한다.

④ 모두가 자유롭게 공유하고 접근해야 할 상호 협력의 산물이다. (○)

⑤ 복제·수정이 무한히 가능하므로 무단 사용을 금지해야 할 자산이다. (×)
→ 소프트웨어에 대한 소유권을 주장하는 입장이다.

04 국민의 알 권리와 개인의 자유의 충돌 답 ②

(가)는 국민의 알 권리 보장을 위해서 개인의 자유 침해는 감수해야 함을, (나)는 국민의 알 권리와 개인의 인격권을 함께 보장해야 함을 주장한다. (나)는 (가)에 대해 개인의 인격권 침해는 부당하며, 국민의 알 권리 보장이라는 목적의 정당성이 개인의 자유 침해를 정당화할 수는 없다고 비판할 수 있다.

정답을 찾아가는 셀파 - Tip

ㄴ. 국민의 알 권리 보장이 가장 중요함을 간과하고 있다.
→ (가) 입장은 국민의 알 권리가 공익 실현에 필수적이라고 보고 개인의 자유보다 중요하다고 주장한다.

ㄷ. 공익을 위한 개인의 희생은 불가피함을 간과하고 있다.
→ (가)는 알 권리 보장을 위해 개인의 자유 침해를 받아들여야 한다고 본다.

05 악성 댓글 문제 해결을 위한 다양한 노력 답 ⑤

갑은 악성 댓글 문제를 도덕규범의 자율적 내면화와 실천을 통해 해결해야 한다고 보고, 을은 자율적인 노력과 함께 제도적 조치도 병행해야 문제를 해결할 수 있다고 본다. 따라서 갑, 을은 악성 댓글을 제재할 수 있는 제도적 규제의 필요성을 둘러싸고 의견 차이를 보인다.

①, ③, ④는 갑, 을 모두 동의하는 부분이며, ②는 토론의 쟁점과 무관한 내용이다.

06 표현의 자유 제한에 관한 다양한 관점 답 ④

갑은 표현의 자유는 인간의 기본적 권리이므로 절대 침해해서는 안 된다는 입장이고, 을은 진정한 표현의 자유를 실현하기 위해서는 제도적 보완을 통한 적절한 제한이 필요하다는 입장이다. ㄱ은 갑, 을 두 사람 모두 부정의 대답을 할 질문이다. ㄷ은 갑은 부정의 대답을, 을은 긍정의 대답을 할 질문이다. ㄹ도 갑은 부정의 대답을, 을은 긍정의 대답을 할 질문이다.

정답을 찾아가는 셀파 - Tip

ㄴ. 표현의 자유는 민주주의 발전을 위해 필요한가?
→ 갑, 을 모두 표현의 자유가 민주주의 발전을 위해 필요한 가치라고 인식한다.

07 표현의 자유가 가지는 한계 답 ②

제시문은 공익을 위해 표현의 자유가 제한될 수 있다고 주장하고 있다. 특정한 사회적·정치적 의도와 목적을 가진 표현이 집단적으로 대량 게시될 경우 여론의 흐름을 인위적으로 왜곡하는 등 사회에 부정적 영향을 미칠 수 있으므로 공익을 위해서는 반복 댓글에 적절한 제한이 필요하다는 것이 제시문의 입장이다.

08 표현의 자유 제한에 대한 다양한 관점 답 ①

갑은 표현의 자유를 적절히 규제하기 위한 법률적 노력이 필요하다고 보고, 을은 개인의 자율적 규제와 노력만으로도 그릇되고 불건전한 표현을 몰아낼 수 있다고 본다. 갑은 인격을 보호하기 위해서는 법과 제도 같은 강제력이 필요하다고 보며, 가상 공간에서 진위를 분별하는 제도 등 표현의 자유 제한에 대한 사회적 합의가 필요하다고 본다. 반면 을은 개인에게 표현의 자유를 인정하면 제도적 권위 없이도 자연스럽게 진실하고 건전한 표현만 남는다고 본다.

정답을 찾아가는 셀파 - Tip

① 갑은 인격을 보호하기 위한 제도적 강제력이 필요하다고 본다. (○)

② 갑은 개인의 자정 노력만으로 인권이 보장될 수 있다고 본다. (×)
→ 갑은 타인에게 심각한 고통을 주는 유포물에 대해서는 개인의 자정 노력을 넘어 법률적 규제가 필요하다고 본다.

③ 을은 가상 공간에서 진위를 분별하는 제도가 필요하다고 본다. (×)
→ 을은 사람들에게 표현의 자유를 허용하면 진실한 표현은 살아남고 거짓된 표현은 소멸한다고 본다.

④ 을은 표현의 자유를 제한하는 사회적 합의가 필요하다고 본다. (×)
→ 을은 표현의 자유를 제한하는 것을 반대하는 입장이다.

⑤ 갑, 을은 표현의 자유가 제한 없이 보장되어야 한다고 본다. (×)
→ 갑은 표현의 자유에 대한 규제를 주장한다.

09 디지털 익명성에 관한 다양한 관점 답 ④

갑은 사이버 공간에서 표현의 자유 실현을 위해 디지털 익명성을 보장해야 한다는 입장이고, 을은 디지털 익명성이 사회에 많은 해악과 범죄를 초래하므로 금지되어야 한다는 입장이다. 갑은 을에게 익명성을 금지할 경우 표현의 자유 제한을 통해 오히려 개인의 기본권이 훼손될 수 있다고 반박할 수 있다. 익명성에 대해서는 갑, 을 모두 선이나 악이라고 가치 판단을 내리고 있다. 익명성이 사이버 폭력의 원인이라는 주장, 실명 공개가 표현의 책임성을 강화한다는 주장, 익명성 보장이 사회 구성원 사이의 불신을 조장한다는 주장은 디지털 익명성에 반대하는 입장에서 제시할 수 있는 근거이다.

10 뉴 미디어의 특징 답 ④

A는 정보화 사회에 새롭게 등장한 뉴 미디어이다. 뉴 미디어는 기존의 매체와는 달리 시공간적 제약에서 벗어나 광범위한 사회적 연결망 형성과 쌍방향적 의사소통을 가능하게 하며, 정보의 생산·소비·유통이 동시 다발적으로 이루어지게 한다. 또한 다양한 의견을 반영한 즉각적 정보 수정이 가능하다.

정답을 찾아가는 셀파 - Tip

① 정보가 전달되고 수용되는 과정이 ~~일방적~~이다. (×)
쌍방향적

② 정보를 제공하는 통로가 ~~제한되어 확산되기 어렵다~~. (×)
다양화되어 확산 속도가 빠르다.

③ 정보의 생산·유통·소비가 ~~전문가만을~~ 통해 이루어진다. (×)
정보 사용자 모두를

④ 다양한 의견을 반영해 정보를 즉각적으로 수정할 수 있다. (○)

⑤ 전달 과정에서 허위 정보나 유해 정보가 ~~자동으로 걸러진다~~. (×)
걸러지기 어렵다.

11 정보 리터러시에 대한 다양한 관점 답 ④

갑은 정보 리터러시를 정보 접근 능력과 정보 수용 능력이라 주장하고, 을은 정보 리터러시에 정보 접근과 수용 능력 이외에 정보 생산 능력까지 포함해야 한다고 주장한다.

정답을 찾아가는 셀파 - Tip

① 갑: 정보 약자에게는 정보 접근 능력만을 제공해야 한다. (×)
→ 정보 접근 능력과 정보 수용 능력 모두를 제공해야 한다.

② 갑: 정보 격차의 주된 원인은 정보 생산력의 차이에 있다. (×)
→ 정보 격차의 주된 원인은 정보 접근 및 수용 능력의 차이에 있다.

③ 을: 정보 복지의 핵심 과제는 정보 기기의 평등한 분배이다. (×)
→ 정보 생산 능력을 제공하는 정보 복지가 보장되어야 한다.

④ 을: 정보 약자가 정보 생산에서 소외되지 않도록 해야 한다. (○)

⑤ 갑, 을: 정보 리터러시는 접근 및 수용 능력에 국한되어야 한다. (×)
→ 을은 정보 리터러시의 개념을 정보 생산 능력으로 확장해야 한다고 본다.

12 매체에 대한 비판적 시각 답 ②

가상 편지에서는 매체가 제공하는 정보를 그대로 받아들일 것이 아니라 비판적으로 해석하는 태도를 길러야 함을 강조하고 있다.

03 자연과 윤리

탄탄 내신 문제 p. 150 ~ p. 154

01 ③	02 ①	03 ①	04 ③	05 ②	06 ①
07 ②	08 ⑤	09 ⑤	10 ④	11 ①	12 ②
13 ②	14 ①	15 인간 중심주의		16 ㄹ, ㅁ	

17 (가) 싱어, (나) 레건, (다) 테일러 18 해설 참조
19 해설 참조 20 환경적으로 건전하고 지속 가능한 발전

01 베이컨의 인간 중심주의적 입장 답 ③

제시문의 서양 사상가는 인간이 자연에 대한 지배권을 가지고 있으므로 인간의 이익을 위해 자연을 활용할 권한이 있다는 것을 강조하는 베이컨이다.

③ 인간의 장기적 생존을 위해 자연을 존중해야 한다는 입장은 온건한 인간 중심주의적 입장에 해당한다.

02 칸트의 온건한 인간 중심주의적 입장 답 ①

제시문의 사상가는 인간성 보존을 위해 동식물에 대한 간접적 의무를 주장한 칸트이다. 칸트는 직접적 의무는 아니지만 동식물에 대한 폭력성이 인간의 도덕성을 훼손할 수 있으므로 동식물을 고려해야 한다고 주장한다. 그러나 칸트는 인간 중심주의적 관점이므로 인간과 동물은 동등한 가치를 지니지 않는다고 본다. 동물을 삶의 주체로 보는 것은 동물 중심주의를 주장하는 레건의 입장이다.

정답을 찾아가는 셀파 - Tip

- 동물은 권리를 가진 삶의 주체이다.
  → 칸트는 고통에 대해 공감을 일으키는 인간의 자연적 소질을 약화시킬 수 있다는 이유에서 동물에 대한 잔인한 대우에 반대하지만 동물의 권리를 인정한 것은 아니다.
- 인간과 동물은 동등한 가치를 지닌다.
  → 칸트는 인간만이 도덕적, 실천적 이성의 주체로서 존엄하다고 본다.

03 인간 중심주의의 다양한 관점 답 ①

갑은 현세대와 미래 세대의 삶을 위해서 자연에 대한 관심과 고려가 필요하다고 주장하는 패스모어, 을은 인간성을 보존하기 위해서 자연에 대한 적절한 고려가 필요하다고 주장하는 칸트이다. 두 사상가는 모두 인간을 위해서 자연에 대한 고려가 필요하다고 본다.

정답을 찾아가는 셀파 - Tip

① 자연에 대한 고려는 필요한가? (○)

② 자연은 도덕적 지위를 갖는가? (×)
→ 갑, 을 모두 자연에 대한 고려의 필요성은 인정하나, 자연이 도덕적 지위를 갖는다고 보지는 않는다.

③ 자연보다 인간의 삶이 우선되는가? (×)
→ 갑, 을 모두 자연보다 인간의 삶이 우선된다고 본다.

④ 인간은 자연과 동등한 가치를 갖는가? (×)
→ 갑, 을 모두 자연이 인간을 위해 존재한다고 인식한다.

⑤ 모든 생명체는 존중받을 권리를 갖는가? (×)
→ 갑, 을 모두 인간만이 존중받을 권리가 있다고 본다.

04 생명 중심주의의 인간 중심주의 비판 답 ③

제시문의 '나'는 모든 생명체의 내재적 가치를 존중하고 생명체가 가진 도덕적 지위에 대한 고려를 주장하는 생명 중심주의적 입장이다. 반면 '어떤 사람들'은 자연과 구별되는 인간의 우월성과 자연이 가진 도구적 가치를 주장하는 인간 중심주의적 입장이다. '나'는 '어떤 사람들'이 도덕적 고려 대상의 범주를 확대해야 한다는 것을 모르고 있다고 생각할 것이다.

정답을 찾아가는 셀파 - Tip

① 인간만이 도덕적 지위를 갖는 존재임을 ~~부정한다~~ (×)
강조
② 자연은 인간의 욕구 충족을 위한 수단임을 ~~경시한다~~ (×)
강조
③ 도덕적 고려 대상의 범주를 확대해야 함을 무시한다 (○)
④ 인간뿐만 아니라 동식물까지 고려해야 함을 ~~강조한다~~ (×)
무시
⑤ 자연의 모든 생명체는 동등한 가치를 지님을 ~~강조한다~~ (×)
경시

05 싱어의 동물 중심주의적 입장 답 ②

강연자는 쾌고 감수 능력을 가진 동물의 이익을 인간의 이익과 동등하게 고려해야 함을 주장하는 싱어이다. 싱어는 쾌고 감수 능력은 이익 관심을 갖는 전제 조건이며, 인간의 이익만을 위한 동물 실험은 종 차별이라 주장한다.

정답을 찾아가는 셀파 - Tip

ㄴ. 인간만이 도덕적 지위를 갖는 유일한 존재이다.
→ 인간뿐만 아니라 쾌고 감수 능력을 지닌 동물도 도덕적 지위를 갖는다.
ㄷ. 의무론의 관점에서 동물의 권리 보장이 필요하다.
→ 공리주의적 관점에서 동물의 이익을 보장해야 한다.

06 싱어의 동물 중심주의적 입장 답 ①

(가) 사상은 쾌고 감수 능력을 가진 동물의 이익을 평등하게 고려해야 한다고 공리주의적 관점에서 주장하는 싱어의 입장이다. 싱어는 (나) 상황 속 A에게 동물의 이익을 평등하게 존중했는지 고려해야 한다고 조언할 수 있다.

정답을 찾아가는 셀파 - Tip

① 동물 실험이 동물의 이익을 존중하는지 고려하세요. (○)
② 동물 실험이 선의지에서 비롯된 것인지 고려하세요. (×)
→ 선의지를 중시하는 것은 칸트의 입장이다.
③ 동물 실험이 인간의 풍요를 위한 것인지 고려하세요. (×)
→ 인간의 풍요를 고려한다는 점에서 공리주의의 입장으로 혼동할 수 있으나 공리주의는 인간뿐만 아니라 쾌고 감수 능력을 지닌 동물까지 도덕적으로 고려해야 한다는 입장이다.
④ 동물 실험이 의학 발달에 기여할 수 있는지 고려하세요. (×)
→ 의학 발달은 동물을 제외한 인간만을 위한 것이라는 점에서 싱어의 충고로 적절하지 않다.
⑤ 동물 실험이 생태계의 보존에 기여할 수 있는지 고려하세요. (×)
→ 생태계 보존은 생태 중심주의에서 강조할 주장이다.

07 싱어와 레건의 동물 중심주의적 입장 답 ②

갑은 쾌고 감수 능력을 지닌 동물의 이익을 평등하게 고려해야 함을 주장하는 싱어, 을은 삶의 주체인 동물의 권리를 보장해야 함을 주장하는 레건이다. 레건은 삶의 주체인 동물이 쾌고 감수 능력 이외에 믿음, 욕구, 지각, 기억 등 다양한 조건을 갖춰야 함을 주장한다. 두 사상가는 동물을 도덕적 고려 대상으로 인식한다는 공통점이 있다.

② 을은 도덕적 고려 대상의 조건으로 쾌고 감수 능력 이외에 다른 능력도 요구한다.

08 슈바이처의 생명 중심주의적 입장 답 ⑤

제시문의 서양 사상가는 생명의 내재적 가치를 주장하고 모든 생명체에 대한 존중을 주장하는 슈바이처이다. 슈바이처는 도덕적 고려의 범위를 모든 생명체로 확대해야 한다고 주장하지만, 생명을 기준으로 도덕적 고려 여부를 결정하기 때문에 무생물을 포함한 생태계 전체는 도덕적 고려 대상으로 보지 않는다.

09 환경 윤리의 다양한 관점 답 ⑤

갑은 인간이 신의 섭리에 따라 자연을 사용할 수 있다고 주장하는 아퀴나스, 을은 생태계의 보존을 최우선으로 여기는 레오폴드, 병은 동물을 삶의 주체로 인식하여 동물의 권리 존중을 강조하는 레건이다. 레오폴드는 아퀴나스와 레건에게 무생물도 존중해야 한다고 비판할 수 있다. 아퀴나스는 인간만을 도덕적으로 고려해야 한다고 보고, 레오폴드와 레건은 모두 인간 이외의 존재까지 도덕적으로 고려해야 한다고 본다.

10 생태 중심주의적 입장과 생명 중심주의적 입장 답 ④

갑은 인간이 생태 공동체의 한 구성원일 뿐이며 인간은 자연의 모든 존재와 동등한 가치를 갖는다고 주장하는 레오폴드, 을은 모든 생명체가 내재적 가치를 가지고 있으며 생명이 있다는 사실만으로 도덕적 지위를 갖는다고 주장하는 테일러이다.

정답을 찾아가는 셀파 - Tip

① A: 생명을 가진 존재만을 도덕적으로 고려해야 하는가? (×)
→ 갑은 생명을 지닌 존재뿐만 아니라, 무생물에 대한 도덕적 고려도 주장한다.
② B: 생태계보다 개별 개체의 생명 보호를 우선해야 하는가? (×)
→ 갑은 개별 생명체의 보호보다 생태계 전체에 대한 보호가 우선한다고 주장한다.
③ B: 인간 이외의 다른 존재에 대한 고려는 반드시 필요한가? (×)
→ 갑, 을 모두 인간 이외의 다른 존재에 대한 고려가 필요하다고 본다.
④ C: 모든 생명체가 가진 내재적 가치를 존중해야 하는가? (○)
⑤ C: 쾌고 감수 능력이 도덕적 고려 여부의 유일한 기준인가? (×)
→ 을은 생명 그 자체를 기준으로 도덕적 고려 여부를 결정해야 한다고 본다.

11 동양의 자연관과 인간 중심주의적 입장 답 ①

갑은 인위적인 것에서 벗어나 자연 그대로의 모습으로 살아가야 함을 주장하는 노자, 을은 식물이나 동물이 인간을 위해 존재한다고 주장하는 아리스토텔레스이다. 노자는 아리스토텔레스에게 자연이 인간 존재의 근원이라는 것을 잊어서는 안 된다고 비판할 수 있다.

12 현대 환경 문제의 특징 답 ②

현대 환경 문제는 자정 능력을 넘어 회복하기 어려운 수준으로 진행되며 전 지구적으로 영향을 미친다. 또한 다른 지역이나 국가에 연쇄적 영향을 미치며, 책임 소재가 불분명하여 문제 해결이 어렵다. 아울러 미래 세대에게까지 영향을 미칠 수 있다.

13 환경 문제와 환경 정의 답 ②

제시문은 흑인과 백인이 환경 오염에 노출되는 정도의 차이를 다양한 요인을 통해 분석함으로써 환경 문제와 사회·경제적 문제가 밀접하게 관련되어 있음을 강조한다.

14 생태적 지속 가능성 답 ①

㉠은 생태계의 본질적 기능을 유지하고 생태계의 다양성을 보존할 수 있는 능력이므로 '생태적 지속 가능성'을 의미한다. 생태적 지속 가능성을 확보하지 않는다면 인간의 지속 가능한 삶 또한 확보될 수 없다. 따라서 인간과 자연이 상호 의존적 관계에 놓여 있음을 인식해야 하고, 인간의 행위에 대한 지속적인 성찰이 필요하다.

서답형 문제

15 환경 윤리에 대한 인간 중심주의적 관점 답 인간 중심주의

제시된 내용은 자연의 도구적 가치를 강조하고, 동식물의 존재 이유를 인간으로부터 도출하고 있기 때문에 공통적으로 환경에 대한 인간 중심주의적 관점이라 할 수 있다.

16 환경 윤리에 대한 인간 중심주의의 입장 답 ㄹ, ㅁ

환경에 대한 인간 중심주의적 관점은 자연을 인간에게 필요한 삶의 도구로 인식하는 입장과 동물에 대한 잔인성은 인간 자신에 대한 의무에 어긋난다고 주장하는 온건한 입장을 모두 포함한다.

17 동물 중심주의적 입장과 생명 중심주의적 입장

답 (가) 싱어, (나) 레건, (다) 테일러

(가)는 쾌고 감수 능력이 이익 관심을 고려하기 위한 필요충분조건이라고 인식하므로 인간과 동물의 이익을 평등하게 고려해야 한다고 주장하는 싱어이며, (나)는 삶의 주체인 동물의 권리를 주장하므로 레건이고, (다)는 동물에 대한 고려를 넘어 모든 생명체를 목적론적 삶의 중심으로 인식하고 고유한 선을 존중해야 한다는 테일러이다.

18 생태 중심주의적 입장에 대한 비판

모범 답안 | 생태계 전체의 선을 위해 개별 생명체의 희생을 정당화할 수 있다.

주요 단어 | 생태계, 개별 생명체, 희생, 정당화

채점 기준	배점
생태계를 하나로 보는 입장에서 개별 생명체가 희생당할 수 있다고 서술한 경우	상
생태계를 하나로 보므로 개별 생명체가 무시당한다고 서술한 경우	중
인간은 다른 생명 공동체의 구성원보다 가치 있다고 서술한 경우	하

19 생명 중심주의적 입장과 생태 중심주의적 입장의 공통점

모범 답안 | 갑, 을, 병은 모두 탈인간 중심주의적 입장이다. 갑, 을, 병은 모두 생명이 있는 존재를 고려해야 함을 주장한다.

주요 단어 | 탈인간 중심주의, 생명, 고려

채점 기준	배점
갑, 을, 병 모두 탈인간 중심주의적 입장이라고 서술하거나 생명이 있는 존재를 고려해야 함을 주장한다고 서술한 경우	상
갑, 을, 병 모두 인간 이외의 존재를 도덕적으로 고려해야 함을 주장한다고 서술한 경우	중
갑, 을, 병 모두 인간뿐만 아니라 다른 존재의 생명을 중시한다는 정도로만 서술한 경우	하

20 개발과 보전의 갈등 해결 답 환경적으로 건전하고 지속 가능한 발전

㉠은 개발에 대한 필요성을 인정하면서도 미래 세대의 생존 가능성을 손상하지 않는 범위 내로 개발을 제한하는 환경적으로 건전하고 지속 가능한 발전에 관한 내용이다. 이는 자연보다 인간의 지속 가능성을 우선시하는 한계가 있다.

도전 수능 문제 p. 155 ~ p. 157

01 ①	02 ②	03 ④	04 ③	05 ⑤	06 ②
07 ⑤	08 ①	09 ②	10 ①	11 ④	12 ①

01 온건한 인간 중심주의적 입장과 동물 중심주의적 입장 답 ①

갑은 칸트, 을은 싱어이다. 칸트는 인간의 간접적 의무로서 동물에 대한 고려를, 싱어는 이익 평등 고려의 원칙에 입각하여 동물에 대한 고려를 주장한다. 두 사상가 모두 동물을 인간과 동일한 권리를 가진 삶의 주체로 여기지 않는다. 삶의 주체는 의무론적 동물 중심주의자인 레건의 용어이다.

정답을 찾아가는 셀파 - Tip

① 동물은 인간과 동일한 권리를 가진 삶의 주체인가? (○)
② 인간만이 도덕적으로 행위할 수 있는 능력이 있는가? (×)
→ 두 사상가 모두 도덕적 행위 능력은 인간에게만 있다고 본다.
③ 인간에게는 동물을 고려해야 할 간접적인 의무만 있는가? (×)
→ 칸트는 동물에 대한 간접적 의무를 인정한다.
④ 인간의 입장에서 동물의 쾌락과 고통을 바라보아야 하는가? (×)
→ 칸트가 긍정의 대답을 할 질문이다.
⑤ 쾌고 감수 능력을 가진 존재는 도덕적으로 고려해야 하는가? (×)
→ 싱어가 긍정의 대답을 할 질문이다.

02 온건한 인간 중심주의적 입장과 생명 중심주의적 입장 답 ②

(가)는 온건한 인간 중심주의적 입장, (나)는 생명 중심주의적 입장이다. (가)는 자연에 대한 보호가 인간의 생존과 복지라는 목적에서 비롯된다고 보며, (나)는 인간이 모든 생명체에 대해 도덕적 의무를 갖는다고 본다. 인간이 단지 생명 공동체의 한 구성원일 뿐이라는 것은 생명 중심주의이고, 인간성 보존을 위해 개별 생명체를 고려해야 한다는 것은 온건한 인간 중심주의이며, 대지의 모든 존재가 인간과 동등한 가치를 갖는다는 것은 생태 중심주의이다.

03 인간 중심주의적 입장과 생명 중심주의적 입장 답 ④

갑은 자연을 인간의 복지 증진을 위한 수단으로 인식하는 인간 중심주의적 입장, 을은 자연 안의 모든 생명체의 내재적 가치를 인정하고 도덕적 고려 대상으로 삼아야 한다는 생명 중심주의적 입장을 취하고 있다.

④ 자연의 모든 존재는 생명체뿐만 아니라 무생물까지 포함하므로, 이를 존중해야 한다는 주장은 생명 중심주의를 넘어 생태 중심주의적 입장에 해당된다.

04 레건의 동물 중심주의적 입장 답 ③

그림의 강연자는 쾌고 감수 능력, 욕구, 기억, 지각, 미래 의식 등을 갖춘 동물들을 삶의 주체로 인정하고 동물의 권리를 존중해야 한다고 주장하는 레건이다. 그는 동물의 권리를 의무론적 관점에서 제시하고, 인간에게 동물의 권리를 존중할 의무가 있다고 주장한다.

정답을 찾아가는 셀파 - Tip

① 생태계의 모든 존재는 평등한 권리를 누려야 한다. (×)
→ 생태계의 모든 존재의 본래적 가치를 인정하는 것은 생태 중심주의의 주장이다.

② 인간만이 도덕적으로 고려받아야 할 삶의 주체이다. (×)
→ 인간 이외의 다른 존재의 도덕적 지위를 인정하지 않는 인간 중심주의의 주장이다.

③ 인간은 동물이 가진 삶에 대한 권리를 존중해야 한다. (○)

④ 인간은 생명을 가진 모든 존재에 대해 도덕적 의무를 지닌다. (×)
→ 생명을 가진 모든 존재에 대한 도덕적 의무를 강조하는 것은 생명 중심주의의 주장이다.

⑤ 쾌고 감수 능력은 도덕적 고려의 여부를 결정하는 유일한 기준이다. (×)
→ 레건은 삶의 주체로 존중받기 위해서 쾌고 감수 능력 이외에 다양한 조건이 충족되어야 한다고 본다.

05 환경 윤리에 대한 다양한 관점 답 ⑤

갑은 싱어, 을은 레건, 병은 테일러이다. 싱어와 레건은 모두 쾌고 감수 능력을 지닌 동물이 도덕적 지위를 갖는다고 보았으나, 싱어는 공리주의적 관점에서 동물의 이익을, 레건은 의무론의 관점에서 동물의 권리를 옹호한다. 한편 테일러는 인간이 생명 공동체에 대한 불간섭의 의무가 있다고 본다. 종의 차이만으로 도덕적 지위에 차별을 두어서는 안 된다는 것은 세 사상가 모두의 공통점이다.

정답을 찾아가는 셀파 - Tip

ㄱ. A: 인간과 동물의 도덕적 지위를 차별해서는 안 된다.
→ 싱어가 특히 동물과 인간의 이익을 평등하게 고려하지 않는 것은 종 차별주의라고 주장하기는 하나 레건, 테일러의 입장에 따를 때에도 동물을 도덕적 고려 대상에 포함시켜야 하므로 세 사상가 모두 종의 차이만으로 인간과 동물의 도덕적 지위에 차별을 두는 것에 대해 부정적인 입장을 취할 것이다.

06 환경 윤리에 대한 다양한 관점 답 ②

갑은 모든 생명체의 생명 유지가 최고선이라고 주장하는 슈바이처, 을은 쾌고 감수 능력을 갖춘 존재에 대한 동등한 이익 고려를 주장하는 싱어, 병은 삶의 주체로서 조건을 갖춘 존재에 대한 권리 존중을 주장하는 레건이다. 세 사상가는 모두 인간이 동물에 대해 도덕적 의무와 책임을 지닌다고 주장한다.

정답을 찾아가는 셀파 - Tip

① 생태계 전체를 도덕적 고려의 대상으로 보는가? (×)
→ 생태 중심주의적 입장에서만 긍정의 대답을 할 질문이다.

② 인간은 동물에 대해 도덕적 의무와 책임을 지니는가? (○)

③ 도덕적 행위의 주체인 인간이 다른 존재보다 우월한가? (×)
→ 인간 중심주의적 입장에서만 긍정의 대답을 할 질문이다.

④ 이익 관심은 동물의 이익을 고려하기 위한 충분조건인가? (×)
→ 싱어의 입장에서만 긍정의 대답을 할 질문이다.

⑤ 고통을 느끼는 생명체에 한해 내재적 가치를 인정해야 하는가? (×)
→ 싱어와 레건의 입장에서만 긍정의 대답을 할 질문이다.

07 환경 윤리에 관한 생태 중심주의적 관점 답 ⑤

제시된 글은 생태 중심주의적 입장이다. 생태 중심주의는 인간을 자연의 한 부분으로 파악하고, 자연 안의 모든 존재가 평등하며 인간이 자연과의 상호 관련성을 통해 자신을 발견할 수 있다고 본다.

정답을 찾아가는 셀파 - Tip

ㄱ. 생태계의 도덕적 고려 대상은 생명체로 국한된다.
→ 생태 중심주의는 무생물도 도덕적 고려의 대상으로 삼는다. 생명체만으로 도덕적 고려의 대상으로 삼는 것은 생명 중심주의의 입장이다.

08 환경 윤리에 대한 다양한 관점 답 ①

갑은 인간의 도덕성 보존을 위해 동식물에 대한 간접적 의무를 주장하는 칸트, 을은 생태계를 하나의 유기체로 인식하여 자연의 모든 존재에 대한 존중을 주장하는 레오폴드, 병은 생명을 가진 동식물의 고유한 선을 존중할 것을 주장하는 테일러이다.

① 세 사상가 모두 부정할 질문이다. 쾌고 감수 능력을 강조하는 것은 싱어이다.

09 환경 윤리에 대한 다양한 관점 답 ②

갑은 쾌고 감수 능력을 지닌 동물의 이익에 대한 평등한 고려를 주장하는 싱어, 을은 생명체가 목적론적 삶의 중심이며 고유한 선을 지닌 존재라고 주장하는 테일러, 병은 자연의 모든 존재를 생명 공동체의 구성원으로 존중해야 함을 주장하는 레오폴드이다. 테일러는 생명체에 대한 의무로서 성실의 의무, 해치지 않을 의무, 개입하지 않을 의무, 보상적 정의의 의무를 제시한다.

정답을 찾아가는 셀파 - Tip

ㄱ. A: 인간과 모든 동물을 동일하게 대우해야 한다.
→ 싱어는 모든 동물이 아니라 쾌고 감수 능력이 있는 동물만을 도덕적 고려의 대상으로 삼고 평등하게 고려할 것을 주장한다.

ㄹ. D: 이익 관심을 지닌 동물은 도덕적 고려 대상이다.
→ 싱어, 테일러, 레오폴드가 공통으로 긍정할 진술이다.

10 생명 중심주의적 입장과 생태 중심주의적 입장 답 ①

갑은 테일러, 을은 레오폴드이다. 테일러는 개별 생명체에 대한 존중이 생태계 보존보다 중요하다고 보고, 레오폴드는 생태계의 모든 존재에 대한 도덕적 고려가 필요하다고 본다.

11 동양의 자연관 답 ④

(가)는 모든 존재가 원인과 조건으로 연결되어 서로 영향을 주고받는다는 불교, (나)는 천지 만물에 도덕적 가치가 내재해 있다는 유교이다.

④ 무위를 강조하는 것은 도교의 입장이다.

12 미래 세대에 대한 책임 답 ①

(가)는 공리주의적 관점과 호혜적 관계의 유무를 근거로 미래 세대를 도덕적으로 고려할 필요가 없다는 입장이다. (나)는 세대 간 연속성을 이유로 미래 세대를 도덕적으로 고려해야 한다는 입장이다.

정답을 찾아가는 셀파 - Tip

ㄴ. (가): 현세대와 달리 미래 세대는 도덕적 권리가 있다.
→ (가)는 미래 세대의 도덕적 권리를 고려할 필요가 없다고 주장한다.

ㄹ. (가), (나): 현세대에게 도움을 주고 있는 대상만을 도덕적으로 고려해야 한다.
→ (가)는 도움을 주고받는 관계가 성립되어야 도덕적 권리도 인정할 수 있다고 보므로 긍정할 수 있지만, (나)는 세대 간 연속성을 근거로 현세대가 과거 세대에게서 도움을 받은 것처럼 미래 세대도 도와야 한다고 주장하므로 부정할 진술이다.

V 문화와 윤리

01 예술과 대중문화 윤리

탄탄 내신 문제 p. 166 ~ p. 169

01 ④	02 ②	03 ④	04 ④	05 ①	06 ③
07 ⑤	08 ⑤	09 ①	10 ①	11 해설 참조	
12 해설 참조		13 해설 참조		14 해설 참조	

01 예술 지상주의 예술관과 도덕주의 예술관 답 ④

서술형 평가 문제에서 갑은 예술 지상주의를 주장한 와일드, 을은 도덕주의를 주장한 플라톤이다. 예술 지상주의와 도덕주의 모두 예술 작품을 만드는 예술 활동은 미적 가치를 추구해야 한다고 본다. 다만 예술 지상주의와 달리 도덕주의는 미적 가치를 도덕적 가치와 연관지어 이해한다는 점에서 차이가 있다.

④ ㉣은 예술 지상주의를 주장한 와일드의 입장이다. 도덕주의는 예술의 사회적 영향력을 중시하여 사회성을 강조한다.

내 것으로 만드는 셀파 - Tip

▶ **예술을 보는 예술 지상주의와 도덕주의 비교**

예술 지상주의	도덕주의
• 예술은 도덕 등 다른 것을 위한 수단으로 취급되어서는 안 됨 • 미적 가치는 도덕적 가치와 무관 • 예술에 대한 윤리적 규제 반대 • 예술의 자율성 강조	• 예술은 올바른 품성 함양 및 도덕적 교훈·모범을 제공하기 위한 것 • 미적 가치보다 도덕적 가치가 우위 • 예술에 대한 윤리적 규제 찬성 • 예술의 사회성 강조

02 문화 산업에 대한 비판 답 ②

제시문은 아도르노의 문화 산업에 대한 비판을 담고 있다. 아도르노는 대중문화가 사람들의 모든 사고를 동질적으로 만들고 있다고 비판하며, 문화 산업은 기존의 지배 관계와 사회 체제를 정당화하고 재생산하는 역할을 하고 있다고 지적한다.

② 아도르노는 상업성과 획일성을 대중문화의 가장 큰 특징으로 본다.

정답을 찾아가는 셀파 - Tip

① 문화 산업은 현대의 수동적 문화 소비를 극복하게 하는가? (×)
→ 문화 산업이 대중을 계획된 의도에 따라 반응하게 만든다고 본다.

② 문화 산업은 획일적이고 상업적인 대중문화를 만들어 내는가? (○)

③ 문화 산업은 사람들이 다양한 사고를 할 수 있도록 자극하는가? (×)
→ 문화 산업이 사람들의 적극적인 사유를 불가능하게 한다고 본다.

④ 문화 산업은 경제적 이해관계에서 자유로운 예술을 가능하게 하는가? (×)
→ 문화 산업은 상업적 이익의 극대화를 추구하므로 예술 활동도 경제적 이해관계로부터 자유롭지 않게 한다고 본다.

⑤ 문화 산업은 문화 소비자들이 능동적으로 대중문화를 창조할 수 있게 하는가? (×)
→ 문화 산업이 대중을 수동적인 소비자로 만든다고 본다.

03 예술과 윤리의 관계 답 ④

갑은 심미주의자 와일드이고, 을은 도덕주의자 톨스토이이다. 와일드는 예술은 아름다우면 되는 것이지 도덕적일 필요는 없다고 보면서 도덕적 기준이나 원리로 예술을 판단하려 해서는 안 된다고 주장한다. 톨스토이는 예술의 사명은 사랑의 세계를 건설하는 데 있다고 보면서 예술이 사회 발전에 기여해야 한다고 주장한다.

ㄱ. 와일드는 "예술이 그 완벽함을 그 자체 속에서 찾아야지, 그 자체 밖에서 찾아서는 안 된다."라고 주장한다. 예술은 예술 그 자체를 목적으로 삼아야 한다고 본 것이다. ㄴ. 톨스토이는 예술은 사회의 발전에 이바지해야 한다고 본다. ㄹ. 와일드와 톨스토이 모두 예술은 아름다움의 가치와 관련이 있다고 본다.

ㄷ은 갑(와일드)의 주장이다.

04 외설에 대한 검열 답 ④

외설은 사람의 성욕을 함부로 자극하여 난잡하다는 의미이다.

ㄱ. 외설은 성적 호기심을 발동하기 위하여 성이나 신체와 관련된 표현을 과도하게 드러내거나 여성을 성적으로 비하한다. 따라서 여성을 성적으로 비하하는 것은 인간의 존엄성을 훼손하므로 옳지 않다고 비판할 수 있다. ㄷ. 외설은 인간의 성을 대상화하고 수단시함으로써 인간의 존엄성을 훼손한다는 비판을 받는다. ㄹ. 외설에 반대하는 입장에서는 외설이 사람들에게 모방 충동을 유발하여 일탈 현상을 일으킴으로써 사회의 도덕적 가치 기반을 약화한다고 비판한다.

정답을 찾아가는 셀파 - Tip

ㄴ. 표현의 자유는 어떠한 이유로도 훼손되어서는 안 된다.
→ 예술과 외설을 구분하는 검열을 반대하는 사람들의 주장이다. 이들은 예술 작품에 대해서 예술과 외설을 구분하는 것 자체가 검열의 정당성을 인정하는 것이고, 이는 표현의 자유를 침해하는 것이라고 본다.

05 도덕주의와 심미주의의 쟁점 (답) ①

갑은 유학(儒學)의 예술관으로 도덕주의 입장이고, 을은 미적 가치와 선의 가치는 분리되어야 한다고 주장하므로 심미주의 입장에 있다.

① 도덕주의는 예술 작품이 도덕적 가치를 담아야 한다고 보기 때문에 도덕적 가치를 평가 기준으로 삼지만, 심미주의는 예술 작품이 도덕적 가치로부터 자유로워야 한다고 보기 때문에 도덕적 가치를 평가 기준으로 삼지 않는다.

정답을 찾아가는 셀파 - Tip

① 예술 작품은 도덕적 가치 평가를 받아야 하는가? (○)
② 예술가는 선(善)의 가치를 고려할 필요가 없는가? (×)
→ 갑은 부정, 을은 긍정의 대답을 할 질문이다.
③ 예술은 선악의 가치 판단에서 자유로워야 하는가? (×)
→ 갑은 부정, 을은 긍정의 대답을 할 질문이다.
④ 예술 작품은 예술을 위한 예술을 지향해야 하는가? (×)
→ 갑은 부정, 을은 긍정의 대답을 할 질문이다.
⑤ 예술 작품은 미적 가치만을 기준으로 평가해야 하는가? (×)
→ 갑은 부정, 을은 긍정의 대답을 할 질문이다.

06 순수 예술론과 참여 예술론 (답) ③

제시문의 '나'는 순수 예술론을 지지하는 사람이고, '어떤 사람들'은 참여 예술론을 지지하는 사람들이다. 순수 예술론은 예술 활동이 도덕적 기준이나 사회적 관습으로부터 자율적이어야 한다고 본다. 반면에 참여 예술론은 예술가도 어느 한 사회의 구성원이므로 예술 활동 역시 다양한 사회 활동 중 하나라고 본다. 그에 따라 ① 사회적 선의 실현을 강조하고, ② 사회적 발전에 이바지해야 한다고 보며, ④ 사회의 도덕적 성숙에 도움이 되어야 한다고 강조한다. 아울러 ⑤ 사회의 모순을 비판하고 이를 개선하는 데 이바지해야 한다고 주장한다.

자료를 분석하는 셀파 - Tip

나는 예술은 단지 목적 자체로 간주해야만 하며, 미학 외적인 어떠한 목표도 설정해서는 안 된다고 본다. 예술은 하나의 자기 충족적 유희로서 아름다움 이외의 목표를 설정한다면 그 매력이 손상될 수밖에 없기 때문이다. 그런데 어떤 사람들은 "예술은 사회의 모순을 지적하고 사회의 도덕적 성숙에 도움이 되어야 한다."라고 주장한다. 나는 이 사람들의 견해가 예술이 [㉠]고 생각한다.

- '나'가 심미주의 입장을 지님을 알 수 있다.
- 예술의 자율성과 독창성을 중시함을 알 수 있다.
- '어떤 사람들'이 중시하는 것은 예술의 사회성임을 알 수 있다.

07 예술의 상업화 (답) ⑤

제시문은 스크린 독과점 현상의 문제점을 지적하고 있다. 상업 영화의 스크린 독과점 심화 현상으로 인해 독립 영화나 예술 영화 등 상품성이 낮은 작품은 대중에게 소개될 기회조차 박탈되고, 이는 대중의 미적 취향을 획일화할 것이라고 우려한다.

08 예술과 윤리의 관계 (답) ⑤

갑은 순자이다. 순자는 음악으로 민심을 선도하고 풍속을 변화시킬 수 있으며 백성을 화목하게 할 수 있다고 주장한다. 따라서 도덕주의의 입장을 취한다고 볼 수 있다. 을은 플라톤이다. 플라톤도 예술 작품이 인간의 성품을 순화하고 도덕적 교훈이나 본보기를 제공해야 한다고 보았으므로 도덕주의 입장으로 분류할 수 있다. 병은 절대적 심미주의자인 와일드이다. 와일드는 예술이 도덕 등 다른 것을 위한 수단으로 취급되어서는 안 되며, 예술은 예술 자체나 아름다움의 추구를 목표로 삼아야 한다고 본다.

⑤ 예술은 '예술을 위한 예술'이 되어야 한다고 본 사람은 병뿐이다.

09 예술의 평가 기준 (답) ①

갑은 예술 활동에 있어 표현의 자유가 보장되어야 함을 중시하며, 을은 예술 활동도 윤리적 기준을 지킴으로써 공익 실현에 이바지해야 함을 강조한다.

① 예술 작품에 대한 검열은 예술가의 자유로운 표현 활동을 제약할 수 있다는 것이 갑의 입장이다.

10 플라톤의 예술에 대한 입장 (답) ①

제시문은 예술과 도덕의 관계에 대하여 도덕주의적 관점을 취하는 플라톤의 주장이다. 도덕주의는 도덕적 가치가 미적 가치보다 우위에 있으며, 예술 작품은 인간의 성품을 순화하고 도덕적 교훈이나 본보기를 제공해야 한다고 본다.

ㄷ. 플라톤은 청중에게 특정한 정서를 유발하기 위한 예술 활동을 부정적으로 보았고, ㄹ은 심미주의적 관점이다.

서답형 문제

11 예술을 보는 심미주의의 한계

모범 답안 | 예술의 사회적 영향력과 책임을 간과하여 천박하고 부도덕한 것까지도 예술로 포장함으로써 사회에 부정적인 영향을 미칠 우려가 있다.

주요 단어 | 사회적 영향력, 사회적 책임

채점 기준	배점
주요 단어를 모두 포함하여 논리적으로 서술한 경우	상
주요 단어 중 하나만 포함하여 논리적으로 서술한 경우	중
부정적이라는 의미만 전달될 뿐 내용 전개가 논리적이지 못한 경우	하

12 예술을 보는 도덕주의의 한계

(1) 도덕주의

(2) **모범 답안** | 예술 고유의 미적 가치가 경시될 수 있으며, 예술가의 표현의 자유를 침해하여 자유로운 창작 활동을 제한할 수 있다.

주요 단어 | 미적 가치, 표현의 자유

채점 기준	배점
(1)을 쓰고, (2)에서 주요 단어 두 개를 모두 포함하여 서술한 경우	상
(1)을 쓰고, (2)에서 주요 단어 한 개만 포함하여 서술한 경우	중
(1)만 쓴 경우 또는 (2)만 주요 단어 한 개를 포함하여 서술한 경우	하

13 예술의 상업화와 그에 따른 문제점

(1) 예술의 상업화

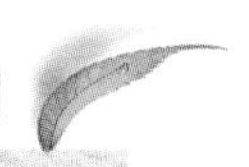

(2) 모범 답안 | 사람들이 그림을 예술 작품으로 대하고 감상하면서 미적 체험과 감흥을 느끼는 것이 아니라 수익을 올리거나 세금을 피하려는 등 경제적 이익을 추구하는 수단으로 취급하고 있다. 이처럼 예술의 상업화는 예술의 고유한 미적 가치를 훼손하고 예술 작품을 하나의 상품으로 전락시키는 문제가 있다.

주요 단어 | 수단, 상품

채점 기준	배점
(1)을 쓰고, (2)에서 주요 단어 두 개를 모두 포함하여 서술한 경우	상
(1)을 쓰고, (2)에서 주요 단어 한 개만 포함하여 서술한 경우	중
(1)만 쓴 경우 또는 (2)만 주요 단어 한 개를 포함하여 서술한 경우	하

14 문화 산업 활성화의 명암

모범 답안 | 문화 산업이 활성화될 경우 예상되는 긍정적 측면은 예술에 대한 일반 대중의 접근성이 확대된다는 것과 경제적 이익 창출로 예술가의 안정적인 창작 활동 기반이 마련될 수 있다는 것이다. 부정적 측면은 예술 작품이 부의 축적 수단이 되면서 예술의 본질이 왜곡되고, 상품성과 대중성을 중시하는 분위기로 인해 예술가의 자율성이 훼손되며, 예술 활동의 경향이 더 자극적이고 더 감각적으로 변해 예술의 질적 저하가 우려된다는 점이다.

주요 단어 | 접근성, 창작 활동 기반, 본질, 자율성, 질적 저하

채점 기준	배점
문화 산업 활성화의 양 측면을 한 가지씩 모두 바르게 서술한 경우	상
문화 산업 활성화의 한 측면만 바르게 서술한 경우	중
문화 산업 활성화가 가져올 변화를 두 측면으로 구분하지 않고 두서없이 서술한 경우	하

도전 수능 문제

p. 170 ~ p. 171

01 ⑤ 02 ① 03 ③ 04 ⑤ 05 ④ 06 ③
07 ⑤ 08 ②

01 예술에 대한 심미주의의 입장 답 ⑤

갑은 스핑건으로 심미주의의 입장에서, 을은 플라톤으로 도덕주의의 입장에서 예술과 윤리의 관계를 파악하고 있다.

⑤ 심미주의는 예술을 위한 예술을 옹호하는 입장으로, 도덕주의가 예술의 자율성을 침해한다고 비판할 것이다.

02 유학의 예술관 답 ①

제시문은 예술에 대한 유교의 입장으로 도덕주의에 해당한다. 도덕주의는 예술 활동의 목적이 예술적 가치의 외부인 도덕에 있으며(ㄱ), 선한 것과 아름다운 것 사이에 직접적인 관련성이 있다고 본다(ㄴ).

ㄷ과 ㄹ은 심미주의적 견해이다.

03 도덕주의와 참여 예술론 답 ③

제시된 내용은 참여 예술론의 관점이다. 참여 예술론은 예술이 사회의 모순을 지적할 수 있어야 하고(ㄴ), 사회 발전에 도움이 되어야 한다(ㄷ)는 입장으로 도덕주의에 근거한다.

ㄱ, ㄹ은 심미주의에 기반한 순수 예술론의 관점이다.

04 심미주의와 도덕주의의 쟁점 답 ⑤

갑은 심미주의 입장인 스핑건이고, 을은 도덕주의 입장인 플라톤이다. 스핑건은 예술을 도덕으로부터 완전히 독립된 영역으로 보아 예술가의 작품을 도덕적 가치로 판단하면 안 된다고 주장한다. 플라톤은 예술의 도덕 교육적인 기능을 강조하며 예술이 인간의 품성 함양에 이바지해야 한다고 본다.

⑤ 플라톤은 예술이 인격 완성에 도움을 주어야 하며(X축 높음), 사회 질서 유지에 기여해야 한다(Y축 높음)고 강조한다. 즉, 예술을 도덕적 평가의 대상으로 삼고 있는 것이다(Z축 낮음).

05 심미주의와 도덕주의의 쟁점 답 ④

제시문의 '나'는 플라톤, '어떤 학자'는 와일드이다. 플라톤은 모든 예술 작품은 고결한 품성과 올바른 행위를 포함하여 도덕적 교훈이나 본보기를 제공해야 한다고 본다. 와일드는 예술을 위한 예술을 강조하면서 예술은 도덕적 평가에서 자유로워야 한다고 주장한다. 따라서 ㉠에는 도덕주의의 입장에서 심미주의를 비판하는 내용이 들어가야 한다.

06 예술에 대한 도덕주의적 입장 답 ③

제시문은 플라톤의 주장으로, 예술에 대한 도덕주의의 관점을 담고 있다. 도덕주의는 예술의 사회적 영향력을 강조하여 예술이 사회 발전에 이바지해야 하고(ㄴ), 인간의 올바른 도덕적 품성 함양을 목적으로 해야 한다(ㄹ)고 본다.

도덕주의는 도덕적 가치가 우위에 있다고 보며(ㄱ), 예술 작품에 대한 검열의 필요성을 주장한다(ㄷ).

07 예술과 윤리의 관계 답 ⑤

갑은 심미주의, 을은 도덕주의의 관점에서 예술을 바라보고 있지만, 둘 다 예술 활동이 미적 가치를 실현하는 활동이 되어야 한다고 본다는 점에서는 공통적이다.

정답을 찾아가는 셀파 - Tip

① 갑은 예술이 도덕을 위한 수단이 되어야 한다고 본다. (×)
→ 갑은 예술은 아름다우면 되는 것이지 도덕적일 필요는 없다고 주장한다.

② 을은 예술적 미는 도덕적 가치와 분리되어야 한다고 본다. (×)
→ 을은 일치되어야 한다고 주장한다. 분리되어야 한다고 보는 것은 갑이다.

③ 갑은 을에 비해 예술의 도덕성 실현을 통한 사회 기여를 강조한다. (×)
→ 갑은 도덕적 기준이나 원리로 예술을 판단하려는 시도는 창조나 감상에 유해하다고 본다. 반면에 을은 예술을 통해 도덕성을 실현해야 한다고 주장한다.

④ 을은 갑에 비해 예술의 독립성 보장을 통해 얻는 순수한 미적 즐거움을 강조한다. (×)
→ 예술의 독립성 보장을 통해 얻는 순수한 미적 즐거움을 강조하는 것은 갑의 입장이다.

⑤ 갑, 을은 모두 예술 활동은 미적 가치를 실현하는 활동이 되어야 한다고 본다. (○)

08 플라톤의 도덕주의적 관점 답 ②

제시문은 플라톤의 주장이다. 플라톤은 예술과 도덕의 관계에 있어서 도덕주의의 입장을 취한다.

플라톤에 따르면 예술은 실재를 모방하는 것인데, 그것은 올바름을 모방해야 하고 사람들은 이러한 올바름에 따라 삶을 영위해야 한다.

정답을 찾아가는 셀파 - Tip

① 미(美)의 기준을 절대화하여 다양한 도덕적인 양태를 평가해야 한다. (×)
→ 도덕주의는 도덕이 미를 평가해야 한다고 본다.

② 사람들이 어릴 때부터 아름다운 작품을 대하면서 아름다움을 닮도록 해야 한다. (○)

③ 올바른 예술 활동을 구현하기 위해서는 사회적 규범으로부터 자유로워야 한다. (×)
→ 도덕주의는 예술이 현실적 삶과 관련을 맺을 수밖에 없다고 본다.

④ 진(眞)·선(善)·미(美)를 서로 완전하게 독립된 개별적인 실체로 간주해야 한다. (×)
→ 도덕주의는 선과 미가 일치될 수 있다고 본다.

⑤ 예술가의 윤리적 감성은 미의 구현이라는 예술의 목표와 무관한 것으로 여겨야 한다. (×)
→ 도덕주의는 예술가의 윤리적 감성과 동정심이 미를 구현하는 기반이 될 수 있다고 본다.

02 의식주 윤리와 윤리적 소비

탄탄 내신 문제 p. 176 ~ p. 179

01 ③	02 ②	03 ⑤	04 ②	05 ③	06 ⑤
07 ①	08 ③	09 ⑤	10 ②	11 해설 참조	
12 해설 참조		13 해설 참조		14 해설 참조	

01 윤리적 소비에 대한 이해 답 ③

A는 공자이다.

ㄴ. 공자는 의복은 물론 음식을 대할 때에도 중용과 절제의 예와 덕을 중시하였다. ㄷ. 음식에 관한 공자의 태도는 내면의 인간다움으로서 인(仁)이 사회적 규범인 예(禮)에 맞게 드러나야 한다는 사상을 잘 표현하고 있다.

02 올바른 소비 문화 답 ②

제시문은 명품 선호 현상이 사회에 부정적인 영향을 미친다고 비판한다. 명품 소비는 고가의 상품을 통해 타인에게 자기를 과시하려는 그릇된 욕망을 표현할 뿐이라는 것이다.

①, ⑤는 윤리적 소비, ④는 합리적 소비를 강조하는 입장이다. ③ 명품을 선호하는 사람은 상품의 희소성을 중시한다.

03 음식 윤리 답 ⑤

(가)는 음식에 대한 윤리적 태도를 강조한 공자의 글이고, (나)는 불교에서 강조하는 음식에 대한 태도이다.

ㄴ. 음식을 먹는 행위에서 인간의 품위를 추구한 것은 공자에 대한 설명으로 옳다. ㄷ. 음식을 통해 세상 모든 존재의 상호 의존성을 고려하여 음식을 대하라고 하는 내용은 불교의 연기설에 부합한다. ㄹ. 음식을 섭취할 때 적절히 조절하고 절제해야 한다는 주장은 공자와 불교의 음식에 대한 윤리적 태도로 적절하다.

정답을 찾아가는 셀파 - Tip

ㄱ. (가): 음식 섭취의 목적을 생존 유지에만 국한해야 한다.
→ 공자는 음식 섭취를 통해 생존 유지뿐만 아니라 인간다움을 고양해야 한다고 본다.

04 볼노브의 주거 윤리 답 ②

제시된 사상가는 독일의 철학자 볼노브이다. 볼노브에 의하면, 집은 자기 자신을 성찰하고 안전을 보장하며 외부 세계와 연결하는 통로로서 매우 사적인 공간이다.

05 음식 문화의 윤리적 문제 답 ③

(가)를 주장한 사상가는 싱어이다. (나)는 육식 위주의 음식 문화로 동물 학대 및 환경 문제와 음식 정의 문제가 야기되고 있다고 주장한다.

정답을 찾아가는 셀파 - Tip

① 공장식 사육을 통해 단백질을 저렴하게 공급해야 한다. (×)
→ 싱어는 동물에게 고통을 가하는 공장식 사육에 반대한다.

② 하나의 기계와 같은 동물을 효율적으로 활용해야 한다. (×)
→ 동물을 기계로 본 인간 중심주의 사상가는 데카르트이다.

③ 동물의 고통과 인간의 고통을 동등하게 고려해야 한다. (○)

④ 육식에 대한 욕구를 충족시켜 인간의 쾌락만을 최대화해야 한다. (×)
→ 싱어는 동물과 인간의 쾌락을 동등하게 고려해야 한다고 본다.

⑤ 이성적 사고 능력을 가진 존재의 도덕적 지위만을 존중해야 한다. (×)
→ 싱어는 이성이나 지성 등을 기준으로 도덕적 지위를 부여하는 것은 임의적이라고 본다. 대신에 그는 쾌고 감수 능력을 기준으로 제시한다.

06 주거에 대한 볼노브의 입장 답 ⑤

① 볼노브는 인간이 집을 스스로 만들어 뿌리내리고 살 때 자신의 본질을 실현하는 진정한 삶을 살 수 있다고 본다. ② 볼노브는 오늘날의 인간을 '고향을 잃은 망명자'라고 규정하면서 인간은 단순히 공간을 점유하는 것을 넘어 진정한 거주를 실현해야 한다고 여긴다. ③ 볼노브는 집을 통해 진정한 거주를 실현해야 온전한 의미에서 인간이 될 수 있다고 주장한다. ④ 볼노브는 외부 공간은 위험과 희생의 공간, 집은 안정과 평화의 공간으로 특징지으며, 인간은 집에서 진정한 거주를 실현할 수 있다고 강조한다.

07 합리적 소비와 윤리적 소비 답 ①

갑은 상품의 효용성을 고려하는 합리적 소비를 강조하고 있고, 을은 상품의 효용성뿐만 아니라 생산과 유통 과정에서의 윤리성도 고려하는 윤리적 소비를 강조하고 있다.

①은 과시 소비이다. 과시 소비는 명품 선호 현상과 맞물려 사치 풍조를 조장해 과소비, 계층 간 분열 등을 촉진한다.

내 것으로 만드는 셀파 - Tip

▶ 합리적 소비와 윤리적 소비

합리적 소비	윤리적 소비
• 소비자가 가격과 품질 등 상품 정보를 바탕으로 재화나 서비스를 사는 것 • 소득 범위 내에서 최소의 비용으로 최대의 만족감을 얻기 위한 소비	• 소비자가 윤리적인 가치 판단에 따라 재화나 서비스를 사는 것 • 가격 외 인권, 정의, 공동체적 가치, 동물 복지, 환경 보전 등도 고려한 소비

08 합리적 소비와 윤리적 소비 답 ③

갑은 합리적 소비, 을은 윤리적 소비의 입장이다. 합리적 소비는 자신의 경제력 안에서 최선의 제품을 구매하는 것이고, 윤리적 소비는 인류의 보편 가치를 중시하여 이를 소비 생활에서 실천하는 것이다.

ㄷ. 합리적 소비는 자신의 경제력의 범위에서 최선의 선택을 하여 만족감을 극대화하는 것이다. ㄹ. 윤리적 소비는 '착한 소비', '녹색 소비'를 추구한다.

정답을 찾아가는 셀파 - Tip

ㄱ. A: 비용이 더 들더라도 보편적 가치를 추구하는 소비를 해야 하는가?
→ A에는 갑의 긍정, 을의 부정의 대답을 이끌어 낼 질문이 들어가야 하는데, 제시된 질문은 각각 반대의 응답이 예상된다.

ㄴ. B: 타인과 구별되는 최고가 제품의 구매를 최우선으로 해야 하는가?
→ 합리적 소비는 최고가 제품의 구매를 최우선으로 삼기보다는 자신의 경제력 안에서 최선의 제품을 구매하고자 한다. 따라서 을의 입장에서뿐만 아니라 갑의 입장에서도 부정적인 답변이 예상되는 질문이다.

09 합리적 소비와 윤리적 소비의 특징 답 ⑤

(가)는 합리적 소비, (나)는 윤리적 소비이다. 합리적 소비는 주어진 예산 범위 내에서 만족감을 가장 크게 주는 소비, 즉 효율적인 소비를 강조하는 입장이다. 이에 비해 윤리적 소비는 윤리적으로 만들어진 재화와 서비스를 구매하는 것이다. 이는 인간, 동물, 환경을 착취하지 않거나 적어도 해를 끼치지 않는 것을 의미한다.

⑤ 합리적 소비와 윤리적 소비 모두 개인의 욕구가 절제될 필요성을 인정한다. 합리적 소비는 주어진 예산 범위를 고려한 절제가 필요하며, 윤리적 소비는 공동체성을 반영하여 개인의 욕구를 절제할 필요가 있다고 본다.

10 윤리적 소비에 대한 이해 답 ②

제시문에서는 윤리적 소비의 중요성을 강조하고 있다.

② 과시 소비는 자신의 사회적 지위와 경제적 부를 과시하기 위한 소비이고, 동조 소비는 자신의 의사와 관계없이 남이 소비하는 것을 따라 하는 소비를 말한다. 두 소비 형태 모두 인권과 정의, 공동체적 가치, 동물 복지, 환경 보전 등을 생각하는 윤리적 소비와는 거리가 멀다.

서답형 문제

11 의복 문화와 윤리적 문제

모범 답안 | 동조 소비, 동조 소비는 유행을 좇아 소비하는 경향으로, 몰개성·획일화를 초래한다. 아울러 그러한 경향에 맞춰 빠르게 생산되고 소비되는 패스트 패션이 확산되고 유행을 좇아 소비된 옷들은 유행이 지나면 쉽게 버려지기 때문에 노동 착취, 자원 낭비, 환경 오염 등의 문제도 유발한다.

주요 단어 | 동조 소비, 몰개성, 획일화, 패스트 패션, 노동 착취, 자원 낭비, 환경 오염

채점 기준	배점
동조 소비라고 쓰고, 그 문제점을 이유와 함께 구체적으로 서술한 경우	상
동조 소비라고 쓰고, 그 문제점만 간략하게 서술한 경우	중
동조 소비라고만 쓴 경우	하

12 의복과 관련된 윤리적 쟁점

모범 답안 | 명품 소비는 사치 풍조를 조장해 과소비와 계층 간 분열을 촉진하는 문제가 있으므로 지양해야 한다.

주요 단어 | 사치, 과소비, 계층 간 분열

채점 기준	배점
명품 소비의 문제점을 주요 단어 중 둘 이상을 포함하여 논리적으로 서술한 경우	상
명품 소비의 문제점을 주요 단어 중 하나만 포함하여 논리적으로 서술한 경우	중
명품 소비의 문제점을 서술하였으나 내용 전개가 논리적이지 못한 경우	하

13 음식 문화와 윤리적 문제

모범 답안 | (가)는 음식을 먹고 마실 때 폭식을 해서는 안 되며 적절한 선에서 멈추어야 한다고 주장한다. (나)는 선비는 배불리 먹는 것을 경계하고 음식을 먹을 때에도 마음을 다스리는 수양이 필요하다고 강조한다. 따라서 (가), (나) 모두 음식 섭취와 관련해 절제를 강조한다는 점에서 공통적이다.

주요 단어 | 절제

채점 기준	배점
두 입장을 바르게 분석한 후 주요 단어를 넣어 공통의 주장을 서술한 경우	상
두 입장에 대한 분석은 미흡하지만 주요 단어를 넣어 공통의 주장을 바르게 서술한 경우	중
분석 과정 없이 '절제'가 필요하다고만 서술한 경우	하

14 주거 문화와 윤리적 문제

모범 답안 | 갑은 집을 경제적 효율성과 편리성의 이념에 따라 재산적 가치를 극대화하기 위한 투기 수단으로 이해하고 있다. 그에 반해 을은 하이데거의 '고향' 개념을 현대 주거 공간에 적용해 설명하고 있다. 하이데거는 실존적 의미를 지녔던 '고향'이 경제적 효율성과 이익 추구의 대상으로 전락했다고 비판하면서 잃어버린 '고향'의 정신을 회복할 것을 강조한다. 즉, 을은 집을 휴식과 평화를 누리는 내적 공간으로 이해하고 있는 것이다.

주요 단어 | 투기 수단, 내적 공간

채점 기준	배점
주요 단어를 모두 포함하고, 갑의 입장과 적절히 비교하면서 을의 입장을 논리적으로 서술한 경우	상
주요 단어를 포함하지는 않았으나 갑의 입장과 적절히 비교하면서 을의 입장을 논리적으로 서술한 경우	중
주요 단어는 물론 입장 비교 과정도 없이 을의 입장만 서술한 경우	하

도전 수능 문제

p. 180 ~ p. 181

01 ②	02 ①	03 ③	04 ⑤	05 ④	06 ③
07 ①	08 ④				

01 의복 문화와 윤리적 소비 답 ②

제시문에는 윤리적 소비와 거리가 멀다는 점에서 패스트 패션을 비판적으로 보는 입장이 나타나 있다.

ㄴ, ㄹ. 합리적 소비를 강조하는 입장으로, 패스트 패션의 효율성을 높이 평가하여 옹호할 가능성이 높다.

02 싱어의 동물 윤리 답 ①

(가)를 주장한 사상가는 싱어이다. 주어진 문제 상황은 최소 비용으로 최대한 많은 양의 고기를 생산하기 위해 동물을 비윤리적으로 대우하는 공장식 축산업의 실태를 보여 주고 있다. 싱어는 인간과 동물의 이익을 평등하게 고려해야 한다고 주장한다. 따라서 동물을 수단으로 대우하고 극심한 고통을 가하는 공장식 축산업에 대해 비판하면서 동물을 도덕적으로 대우해야 한다고 주장할 것이다.

싱어는 ② 동물의 고통을 고려한 것이지 인간성 고양을 이유로 공장식 축산업을 비판한 것이 아니고, ④ 생태계의 주인이 인간이라는 인간 중심주의적 사고에 반대한다.

03 음식 문화와 윤리적 문제 답 ③

갑은 경제적 효율성의 측면에서 산업형 농업을 지지하는 반면, 을은 생태적 지속 가능성을 들어 유기 농업을 지지하고 있다.

② 갑과 을은 각각 경제적 효율성과 생태적 안정성을 우선적 고려 사항으로 보고 있지, 동물의 권리를 두고 토론하는 것은 아니다.

04 음식 윤리의 이해 답 ⑤

제시문은 음식과 관련된 윤리적 지침이다.

자료를 분석하는 셀파 - Tip

- 지역 생산자를 지원하라.
  → ③ 지역 경제에 도움이 되는 소비를 강조한다.
- 에너지로 소비하는 양 이상은 먹지 마라.
  → ② 절제하는 음식 섭취 습관을 강조한다.
- 제철 음식을 먹어라. 그리고 가능한 한 거주지에서 생산되는 것을 섭취하라. → ④ 건강과 생명에 도움이 되는 먹거리 섭취를 강조한다.
- 다양성을 높이 사라. 농토와 식단의 생물학적 다양성을 장려하는 식으로 먹어라. → ① 환경친화적인 먹거리 섭취를 강조한다.

05 올바른 음식 윤리 답 ④

제시문은 '빈 그릇 운동'을 지지하는 내용이다. '빈 그릇 운동'은 환경을 고려한 음식 소비를 강조하고(ㄱ), 음식 문화에도 많은 윤리적 문제들이 관련되어 있다고 보며(ㄴ), 음식을 나눔으로써 기아 문제를 해결하여 지구촌의 인권 향상에도 이바지할 수 있다고 본다(ㄹ).

06 윤리적 소비의 이해 답 ③

갑은 공리주의적 입장에서 윤리적 소비를 주장하고 있다. 동물에게 불필요한 고통을 주는 것은 잘못이고, 선진국이 후진국을 도울 경우에 공동체 전체의 행복이 증가한다는 표현에서 갑이 공리주의자임을 알 수 있다. 을은 의무론의 입장에서 윤리적 소비를 주장하고 있다. 을은 현세대는 미래 세대의 삶을 고려할 의무가 있다고 본다.

③ 공리주의자인 갑은 의무론자인 을과 달리 공리주의적 관점을 바탕으로 윤리적 가치 판단을 내린다.

07 소비 윤리의 쟁점 답 ①

(가)는 합리적 소비, (나)는 윤리적 소비이다. 윤리적 소비는 X축(소비에 있어 최적의 경제적 효용성을 강조하는 정도)에서 합리적 소비보다 낮기 때문에 ㉠, ㉢이 이에 해당한다. Y축(정의로운 공동체의 구축을 강조하는 정도)에서는 합리적 소비보다 높기 때문에 ㉠, ㉢ 모두 해당한다. Z축(환경적으로 지속 가능한 소비를 강조하는 정도)에서는 합리적 소비보다 높기 때문에 ㉠만 이에 해당한다.

08 과시 소비 문화의 윤리적 문제 답 ④

㉠은 '과시 소비'이다. 과시적 소비는 일부 상품에 높은 가격이 책정되고, 사치 풍조가 조장되어 수요가 몰리면서 해당 상품 관련 자원의 고갈, 환경 훼손 등의 문제로 이어져 경제를 위협할 수 있다. 또한 자신과 남을 구분 짓기 위하여 경쟁적으로 더 비싼 상품을 소비하게 되면서 사회 계층 간의 위화감을 조성하여 분열을 촉진하는 등의 문제를 발생시킨다.

03 다문화 사회의 윤리

탄탄 내신 문제

p. 186 ~ p. 190

01 ③	02 ④	03 ④	04 ④	05 ⑤	06 ⑤
07 ③	08 ②	09 ④	10 ③	11 ⑤	12 ④
13 ④	14 ①	15 해설 참조		16 해설 참조	
17 해설 참조		18 해설 참조			

01 다문화 이론 답 ③

(가)는 동화주의, (나)는 다문화주의의 관점을 취하고 있다. 다문화주의적 관점은 동화주의적 관점에 비해 단일한 문화를 전제로 사회 통합을 지향하는 정도가 낮고(X : ㉠, ㉢), 다양한 문화들의 정체성의 존속을 강조하는 정도는 높으며(Y : ㉠, ㉡, ㉢, ㉣), 문화 간의 우열을 가려야 함을 중시하는 정도는 낮다(Z : ㉢, ㉣, ㉤). 따라서 ㉢이 정답이다.

02 다문화주의 답 ④

(가)는 다문화 사회를 샐러드 그릇 모형으로 설명하는 다문화주의의 입장이다.

④ 다문화주의는 다양한 문화를 평등하게 인정하고 주류와 비주류의 구분 없이 여러 문화의 공존을 추구해야 한다는 입장이다. 다양한 문화를 있는 그대로 인정하기 위해서는 관용의 자세가 필요하다.

정답을 찾아가는 셀파 - Tip

① 다양한 문화를 하나의 세계 문화로 통합해야 한다. (×)
→ 다문화주의는 각각의 문화가 고유성을 유지해야 한다고 본다.

② 이주민이 주류 문화에 통합될 수 있도록 해야 한다. (×)
→ 동화주의의 입장이다. 동화주의는 비주류 문화가 주류 문화에 적응하고 통합되어야 한다고 본다.

③ 주류 문화가 비주류 문화를 인정하고 존중해야 한다. (×)
→ 문화 다원주의의 입장이다. 문화 다원주의는 주류 사회의 문화를 바탕으로 문화적 다원성을 수용한다.

④ 관용의 자세로 다양한 문화를 동등하게 대우해야 한다. (○)

⑤ 문화의 우열을 구분하고 우수한 문화를 따르도록 해야 한다. (×)
→ 문화 절대주의적 입장이다.

03 다문화 사회의 정책 이론 답 ④

(가)는 동화주의, (나)는 다문화주의의 입장이다. (가)는 이민자가 출신국의 언어, 문화, 사회적 특성을 포기하고 주류 사회의 일원이 되는 것을 이상적으로 본다. 이와 달리 (나)는 이민자가 그들만의 문화를 지키는 것을 인정하고 장려하며, 동화가 아닌 공존을 지향한다.

④ 다문화주의는 문화를 주류 문화와 비주류 문화로 구분하지 않으며, 다양한 문화가 동등하게 공존해야 한다는 입장이다.

04 다문화 사회를 보는 다양한 관점 답 ④

갑은 샐러드 그릇 모형을 주장하는 사람이고, 을은 용광로 모형을 주장하는 사람이다.

④ 용광로 모형은 다양한 이주민의 문화(비주류 문화)를 거대한 용광로(주류 문화)에 융합하여 하나의 문화로 만드는 것이다.

05 문화 상대주의와 보편 윤리 답 ⑤

제시문의 '나'는 문화의 상대성은 인정하는 동시에 윤리의 보편성을 강조하고 입장인 반면, '어떤 사람'은 문화와 윤리 모두 상대성을 지닌다고 주장하는 입장이다.

⑤ 보편적 윤리를 기반으로 문화(모든 관습)에 대한 비판적 성찰이 필요하다는 '나'의 관점에 부합한다.

①, ③, ④는 '어떤 사람'이 '나'의 주장을 비판할 때 적절하고, ②는 문화 절대주의자의 주장이다.

06 다문화 사회의 시민 의식 답 ⑤

(가)는 문화의 다양성과 윤리의 상대성을 모두 인정하지만, (나)는 문화의 다양성은 인정하되 윤리적 상대주의는 지양해야 한다고 본다.

⑤ 문화의 다양성이 윤리 규범의 다양성을 정당화하는 근거가 될 수 없다고 보는 입장은 (나)이다. (가)는 문화의 다양성이 윤리 규범의 다양성을 정당화하는근거가 될 수 있다고 보는 입장이다.

07 윤리적 상대주의 비판 답 ③

문화 상대주의란 문화의 다양성과 상대성을 인정하는 입장이며, 윤리적 상대주의란 행위의 도덕적 옳음과 그름이 사회에 따라 다르고 보편적인 도덕적 기준은 존재하지 않는다는 입장이다. 따라서 ㉠에 들어갈 말은 다양한 문화 속에 보편 윤리가 내재해 있다고 보는 입장에서 윤리적 상대주의를 주장하는 사람들을 비판하는 내용이어야 한다.

③ '나'는 보편적인 윤리적 가치가 없다면 각 문화의 관행 등을 평가할 수 있는 기준이 없게 되어 자문화나 타 문화에 대한 윤리적 성찰이 불가능해질 것이라고 주장할 것이다.

'이 사람들'은 ① 문화의 다양성뿐만 아니라 윤리적 가치의 상대성까지 인정해야 하고, ②, ④ 각 문화와 윤리를 평가할 수 있는 보편적 가치나 절대적 판단 기준이 없다고 주장한다. 이처럼 문화 상대주의를 바탕으로 윤리적 상대주의를 주장하므로 ⑤ 문화 간의 질적 차이의 존재를 부정할 것이다.

08 문화 다양성 선언 답 ②

제시문은 문화 다양성 선언 중 일부이다. 문화 다양성 선언은 문화의 다양성이 인류 전체의 문화 발전과 혁신에 기여할 것이라고 강조하며, 문화의 다양성을 존중하는 것은 인류가 수행해야 할 윤리적 의무라고 주장한다.

정답을 찾아가는 셀파 - Tip

① 세계화의 흐름 속에서 주체성과 고유성을 강조해야 한다. (×)
→ 제시문은 주체성과 고유성보다는 문화의 다양성을 강조한다.

② 문화의 다양성을 추구하는 것은 인류의 당연한 의무이다. (○)

③ 문화 다원주의로 인한 폐단이나 문제점을 간과해서는 안 된다. (×)
→ 제시문은 문화 다원주의로 인한 문제점을 경계해야 한다고 강조하기보다는 오히려 문화의 다양성을 추구해야 한다고 강조한다.

④ 타 문화와의 잦은 접촉은 자국의 문화 정체성을 위협할 수 있다. (×)
→ 제시문은 타 문화와의 접촉과 교류를 경계하는 것이 아니라 적극 지지한다.

⑤ 보편적 가치에 위배되더라도 문화의 다양성은 최대한 보장되어야 한다. (×)
→ 보편적 가치에 위배되는 문화까지 인정해야 한다는 내용을 포함하고 있지는 않다.

09 종교의 본질 답 ④

제시문은 루마니아의 종교학자인 엘리아데의 글이다.

④는 심리학자인 프로이드가 말한 종교의 정의이다.

내 것으로 만드는 셀파 - Tip

▶ **종교의 본질에 관한 엘리아데의 주장**

- 종교는 우리의 일상 가운데 성스러움이 드러나는 현상이다.
- 성(聖)과 속(俗)은 대립적이고 상호 모순적인 개념이지만, 일상에서 성스러움은 그 자체로 나타나지 않고 속된 세계와 더불어 나타난다.
- 인간은 본질적으로 종교적 존재이기 때문에 비종교적 인간의 대부분은 의식하지 못해도 여전히 종교적으로 행동한다.
- 종교는 인간의 의식 구조에 내재된 것이며, 모든 종교는 근원적으로 일치한다.

10 엘리아데의 종교에 대한 입장 답 ③

엘리아데는 종교를 인간을 둘러싼 자연과 인간의 세속적인 삶 속에서 자연스럽게 드러나는 성스러움으로 설명한다. 따라서 엘리아데가 긍정의 대답을 할 질문은 ㄴ과 ㄹ이다.

ㄱ. 종교를 사회적 필요에 의해 만들어진 것으로 본 사상가는 뒤르켐이고, ㄷ. 종교를 자신을 상실한 사람들의 자의식의 발현으로 본 사상가는 마르크스이다.

11 종교에 대한 입장 답 ⑤

갑은 기독교만이 진리의 종교이며 다른 종교는 비진리라고 하는 배타주의적 입장을, 을은 종교적 진리는 상대적이라는 다원주의적 입장을 취하고 있다.

ㄴ, ㄷ은 을이, ㄹ은 갑이 긍정의 대답을 할 질문이다.

정답을 찾아가는 셀파 - Tip

ㄱ. 종교적 진리는 검증 불가능하므로 진리라고 할 수 없는가?
→ 갑, 을 모두 종교가 진리를 제시한다고 본다.

12 과학과 종교의 관계 답 ④

제시문에서는 과학은 경험적 세계를 설명하고, 종교는 이를 활용하는 지혜를 제공하기 때문에 상호 보완적 관계를 맺고 있다고 주장한다.

ㄱ, ㄴ. 종교는 과학을 적대시하지 않고 과학은 겸허하게 자신의 한계를 인정함으로써 서로 간에 조화를 이루기 위한 토대를 마련하게 된다고 본다. ㄷ. 과학과 종교 두 가지 영역이 모두 제 역할을 다하며 조화를 이룰 때 인간의 삶이 영위될 수 있다고 본다.

13 큉의 종교 윤리 이해 답 ④

제시문은 큉의 주장이다. 큉은 자신의 종교만이 진리이고 타 종교는 거짓이나 오류라는 경계선을 긋는 것은 잘못된 편견에 사로잡힌 견해라고 비판하였다. 아울러 종교의 평화 없이는 세계 평화도 없다며 종교 간 대화가 없으면 세계 평화가 이루어질 수 없다고 강조하였다. 이를 위해 타 종교를 비판하기에 앞서 자신의 종교에 오류나 거짓이 없는지 비판하고 성찰하는 태도가 필수라고 보았다. 즉, 종교 평화를 위해서는 자기 종교에 대한 자아비판이 전제되어야 한다고 본 것이다. 한편 큉은 하나의 세계 종교로의 통합이 아니라 종교 간의 대화를 강조하였다.

14 바람직한 종교의 모습 답 ①

갑은 큉이고, 을은 프롬이다.

① 큉은 세계의 종교 속에 공통적으로 함축된 일반적인 도덕적 기준을 인간적인 것으로 규정하였고, 프롬은 인도주의적 종교를 바람직한 종교의 기준으로 제시하였다. 큉과 프롬은 모두 바람직한 종교는 보편 윤리의 범위 안에서 활동해야 한다는 점을 강조하는 입장이다.

서답형 문제

15 샐러드 그릇 이론의 장점과 한계

모범 답안 | 샐러드 그릇 이론은 다양한 문화를 주류와 비주류의 구분 없이 평등하게 존중한다. 그에 따라 소수 문화를 보호하고 다양한 문화가 각각의 정체성을 유지하며 조화를 이룸으로써 문화적 역동성을 향상시킬 수 있다. 하지만 사회 구성원들의 결속력을 떨어뜨려 사회적 통합을 어렵게 한다는 한계가 있다.

주요 단어 | 정체성, 조화, 결속력, 사회적 통합

채점 기준	배점
주요 단어를 세 개 이상 포함하여 논리적으로 서술한 경우	상
주요 단어를 두 개 포함하여 논리적으로 서술한 경우	중
주요 단어를 한 개만 포함하여 서술한 경우	하

16 윤리적 상대주의 비판

모범 답안 | '그'는 윤리적 상대주의를 지지한다. 윤리적 상대주의는 자유, 평등, 인권, 정의 같은 보편적 가치를 바탕으로 하는 문화에 대한 비판적 성찰을 불가능하게 하여, 보편 윤리에 위배되는 문화도 모두 인정할 수밖에 없는 역설에 빠질 수 있다.

주요 단어 | 윤리적 상대주의, 보편적 가치, 비판적 성찰, 보편 윤리

채점 기준	배점
주요 단어를 세 개 이상 포함하여 논리적으로 서술한 경우	상
주요 단어를 두 개 포함하여 논리적으로 서술한 경우	중
주요 단어를 한 개만 포함하여 서술한 경우	하

17 종교와 윤리의 관계

모범 답안 | 모든 종교는 도덕성을 중시하여 황금률, 다른 사람에 대한 사랑, 친절 등과 같은 보편적 윤리를 포함하고 있다.

주요 단어 | 도덕성, 보편적 윤리

채점 기준	배점
주요 단어를 모두 포함하여 논리적으로 서술한 경우	상
주요 단어 중 하나만 포함하여 논리적으로 서술한 경우	중
주요 단어를 포함하지 않고 종교가 도덕(윤리)과 관련이 높다는 취지로만 서술한 경우	하

18 바람직한 종교인의 자세

모범 답안 | 종교적 교리가 세속의 도덕적 삶과(성과 속이) 불가분의 관계에 있음을 깨닫고, 봉사하고 헌신함으로써 도덕적 삶을 실천해야 한다.

주요 단어 | 종교적 교리, 도덕적 삶

채점 기준	배점
성과 속이 밀접한 관련을 맺고 있음을 근거로 세속에서의 도덕적 삶의 실천을 강조한 경우	상
성과 속에 대한 언급 없이 도덕적 삶의 실천만을 강조한 경우	중
사회에 기여해야 한다는 취지로 서술한 경우	하

도전 수능 문제 p. 191 ~ p. 193

01 ②	02 ③	03 ④	04 ②	05 ⑤	06 ①
07 ①	08 ②	09 ⑤	10 ①	11 ①	12 ②

01 문화를 바라보는 태도 답 ②

갑은 문화의 우열을 평가하는 입장이며, 을은 문화 상대주의의 입장이다. 문화 상대주의는 각각의 문화가 서로 다른 사회적 배경에서 형성되므로 문화의 우열을 가리기 어렵다고 보는 입장이다(Z축 높음). 따라서 다양한 문화가 지닌 고유성을 존중해야 하며(Y축 높음), 각 문화가 동등한 입장에서 공존을 도모해야 한다고 본다(X축 높음).

02 국수 대접 이론과 샐러드 그릇 이론 답 ③

갑은 국수 대접 이론이고, 을은 샐러드 그릇 이론이다. 국수 대접 이론은 주류 문화와 비주류 문화를 구분하면서도 다양한 문화들 간의 공존을 강조한다. 샐러드 그릇 이론은 주류 문화와 비주류 문화를 구분하지 않고 모든 문화의 정체성을 대등하게 인정하면서 조화롭게 공존할 것을 강조한다.

정답을 찾아가는 셀파 - Tip

ㄱ. A: 관용의 태도로 비주류 문화를 인정해야 하는가?
→ 국수 대접 이론, 샐러드 그릇 이론 모두 관용의 태도를 강조하지만, 국수 대접 이론은 주류·비주류 문화를 구분하는 데 반해 샐러드 그릇 이론은 주류·비주류 문화를 구분하지 않는다.

ㄴ. B: 중심 문화의 관점에서 문화의 단일성을 유지해야 하는가?
→ 중심 문화의 관점에서 문화의 단일성을 유지해야 한다고 보는 관점은 용광로 이론이다.

03 동화주의와 문화 다원주의 답 ④

(가)는 이주민 문화의 주류 문화로의 편입을 강조하는 용광로 모형(동화주의)을, (나)는 이주민 문화의 문화 정체성을 존중하면서도 주류 문화가 사회 통합의 주체로 존속하는 국수 대접 모형(문화 다원주의)을 주장한다. 두 입장 모두 긍정의 대답을 할 질문은 "이주민 문화보다 주류 문화의 규범과 가치를 중시해야 하는가?"이다.

①~③ 용광로 모형은 부정, 국수 대접 모형은 긍정의 대답을 할 질문이다. ⑤ 용광로 모형은 긍정, 국수 대접 모형은 부정의 대답을 할 질문이다.

04 샐러드 그릇 모형의 특징 답 ②

갑은 다문화 정책으로 샐러드 그릇 모형이 유용하다고 본다. 그리고 을은 샐러드 그릇 모형에 대해 설명하고 있으므로, ㉠에는 샐러드 그릇 모형의 장점이 들어가야 한다.

정답을 찾아가는 셀파 - Tip

① 다양한 문화를 하나로 통합할 수 있다 (×)
→ 용광로 모형의 특징이다.

② 다양한 문화가 대등한 관계에서 공존할 수 있다 (○)

③ 주류 문화와 비주류 문화를 명확하게 구분할 수 있다 (×)
→ 용광로 모형이나 국수 대접 모형의 특징이다.

④ 주류 문화를 바탕으로 비주류 문화가 조화를 이룰 수 있다 (×)
→ 샐러드 그릇 모형은 주류 문화와 비주류 문화를 구분하는 것이 아니라 모든 문화가 서로 동등한 관계 속에서 조화를 이루어야 한다고 강조한다.

⑤ 단일한 문화와 전통을 강조함으로써 사회 통합을 이룰 수 있다 (×)
→ 용광로 모형의 특징이다.

05 동화주의와 문화 다원주의 답 ⑤

갑은 소수의 비주류 문화가 주류 문화에 통합되어야 한다는 동화주의를 강조한다. 을은 주류 문화와 비주류 문화 모두 다양한 방식으로 공존해야 한다는 문화 다원주의를 강조한다.

정답을 찾아가는 셀파 - Tip

① [갑이 을에게] 타자를 자신과 같아야 하는 존재로 바라보아서는 안 됩니다. (×)
→ 을이 갑에게 할 수 있는 비판이다.

② [갑이 을에게] 다양한 문화가 공존할 때 진정한 사회 통합이 가능함을 알아야 합니다. (×)
→ 을이 갑에게 할 수 있는 비판이다.

③ [을이 갑에게] 문화마다 위계적 속성이 있음을 인정해야 합니다. (×)
→ 문화마다 위계적 속성이 있다고 보는 것은 동화주의의 입장에 가깝다. 따라서 동화주의(갑)에 대한 비판으로 적절하지 않다.

④ [을이 갑에게] 타 문화를 상대적 관점에서 바라보아서는 안 됩니다. (×)
→ 타 문화를 상대적 관점에서 바라보고자 하는 것은 문화 다원주의의 입장에 가깝다. 따라서 동화주의(갑)를 비판할 내용으로 적절하지 않다.

⑤ [을이 갑에게] 문화마다 각각의 고유한 특성이 있음을 수용해야 합니다. (○)

06 다문화 정책에 대한 다양한 입장 답 ①

갑은 세계화 시대에 다양한 이주민 문화가 동등한 입장에서 공존하며 서로 조화를 이루는 샐러드 그릇 모형을 지지한다. 을은 고유한 민족의 문화가 주류 문화로서 확고한 위치를 차지하면서 비주류 문화인 이주민 문화가 조화를 이루어야 한다고 보는 국수 대접 모형을 지지한다. 병은 이주민 문화를 받아들이는 것에 대해 상당히 회의적인 태도를 보이고 있으며, 최대한 단일한 문화적 정체성을 유지하는 것이 사회 안정에 도움이 된다고 강조한다.

① 갑은 다양한 문화가 동등한 입장에서 서로 조화를 이룰 수 있다고 보는 반면, 을은 주류 문화와 비주류 문화를 구분해야 한다고 본다.

정답을 찾아가는 셀파 - Tip

① 갑은 을과 달리 다양한 문화가 동등한 입장에서 조화를 이룰 수 있다고 본다. (○)

② 을은 갑과 달리 주류 문화와 비주류 문화의 구분 없이 다양한 문화의 공존이 필요하다고 본다. (×)
→ 을은 비주류 문화를 인정하긴 하지만 주류 문화와의 구분이 필요하고, 비주류 문화로 인해 주류 문화의 정체성이 흔들려서는 안 된다고 본다.

③ 병은 갑과 달리 문화의 단일한 정체성 유지보다 다양성을 바탕으로 한 조화가 중요하다고 본다. (×)
→ 병은 다양한 이주민 문화의 수용에 대해 부정적인 태도를 보이고 있으며, 문화의 다양성보다는 단일한 정체성 유지를 강조하고 있다.

④ 갑, 을은 다문화 사회의 발전을 위해서라면 민족 고유문화의 정체성도 포기할 수 있다고 본다. (×)
→ 갑은 각각의 문화가 고유성을 유지할 것을 강조하며, 을은 민족 고유의 정체성을 확고히 유지하는 가운데 이주민 문화를 수용하여 조화를 이룰 것을 강조하고 있다.

⑤ 병은 갑, 을에 비해 이주민 문화를 적극 수용하여 문화의 다양성을 추구해야 한다고 본다. (×)
→ 갑, 을이 병에 비해 이주민 문화를 적극 수용하여 문화의 다양성을 추구할 필요가 있다고 본다.

07 동화주의와 반동화주의 ㊎ ①

갑은 다양한 문화를 흡수·통합하여 하나의 단일한 문화의 전통을 유지해야 한다고 강조하는 동화주의적 입장이다. 이에 반대하는 을은 다양한 구성원들이 다양한 문화적 특색을 지녀 조화로운 통합을 이루어 내는 것이 더 바람직하다고 여기는 다문화주의 또는 문화 다원주의적 입장이다.

정답을 찾아가는 셀파 - Tip

① 문화의 다양성은 사회 발전의 주요한 토대가 된다. (○)
② 다양한 문화의 특색은 하나의 가치에 용해되어야 한다. (×)
→ 갑이 강조하는 내용에 해당한다.
③ 주류 문화와 비주류 문화의 위계질서를 명확하게 강조해야 한다. (×)
→ 제시된 대화만으로는 알 수 없다.
④ 효율적인 사회 통합을 위해 하나의 문화로 통합하는 것이 유리하다. (×)
→ 갑이 강조하는 내용에 해당한다.
⑤ 각 문화의 특수성을 하나로 통합하여 새로운 문화를 창출해야 한다. (×)
→ 을은 새로운 문화의 창출보다는 다양한 문화의 조화로운 공존을 강조한다.

08 용광로 모형과 샐러드 그릇 모형의 쟁점 ㊎ ②

갑은 용광로 모형을, 을은 샐러드 그릇 모형을 지지한다. 따라서 A에는 용광로 모형에서는 긍정적인 대답이 나올, 샐러드 그릇 모형에서는 부정적인 대답이 나올 질문이 들어가야 한다. B에는 샐러드 그릇 모형에서만 긍정적인 대답이 나올 질문이 들어가야 한다.

ㄱ. 용광로 모형은 다양한 문화적 요소들을 하나로 용해시켜 또 다른 하나의 새로운 문화로의 재탄생이나 창출을 강조하기 때문에 긍정의 대답이 나올 질문이다. 하지만 샐러드 그릇 모형은 다양한 문화가 각각의 특징을 지니면서 서로 어우러지는 것을 강조하기 때문에 부정의 대답이 나올 질문이다. ㄷ. 샐러드 그릇 모형에서만 긍정의 대답이 나올 질문이다.

정답을 찾아가는 셀파 - Tip

ㄴ. A: 다양한 이주민 문화의 특수성을 그대로 인정해야 하는가?
→ 용광로 모형에서 부정의 대답을, 샐러드 그릇 모형에서 긍정의 대답을 할 질문이다.
ㄹ. B: 주류 문화와 비주류 문화를 명확히 구분해야 하는가?
→ 샐러드 그릇 모형에서 부정의 대답을 할 질문이다. 샐러드 그릇 모형에서는 주류 문화와 비주류 문화를 명확하게 구분하지 않는다.

09 종교에 대한 관점 ㊎ ⑤

갑은 종교학자 엘리아데이고, 을은 심리학자 프로이트이다. 엘리아데는 세상이 신에 의해 창조되었으므로 신성함이 보편적으로 내재되어 있다고 본다. 이에 반해 프로이트는 신의 실존을 부정하고, 인간의 심리적 불안감이 자신을 지켜 줄 완벽한 존재인 신을 창조해 낸 것이라고 본다. 엘리아데는 신성함은 세계 모든 곳에서 내재되어 있다며 인간을 종교적 인간으로 규정하고, 종교적 지향성을 인간의 근본적인 성향으로 본다. 그에 반해 프로이트는 종교가 심리적 현상이며 환상에 불과한 것이라며, 인간의 심리적 불안감과 이를 해소하기 위한 필요에 의해 종교가 만들어졌다고 본다.

⑤ 프로이트는 종교를 인간의 소망 성취를 위해 존재하는 것으로 본다. 그러나 엘리아데는 종교를 인간의 소망 여부와 상관없이 필연적으로 존재하는 것으로 본다.

10 종교와 도덕의 관계 ㊎ ①

갑은 종교와 도덕의 일정한 관계를 이야기하면서 종교를 도덕의 실천을 위해 필요한 것으로 보고 있다. 을은 종교와 도덕을 분리하여 이해하면서 종교의 목적과 도덕의 목적을 구분 짓고 있다.

정답을 찾아가는 셀파 - Tip

ㄷ. 을: 종교와 도덕을 서로 규제하는 관계로 이해하고 있다.
→ 을은 종교와 도덕은 분리되어 관계를 맺고 있지 않다고 보기 때문에 종교와 도덕을 서로 규제하는 관계로 이해한다고 볼 수 없다.
ㄹ. 갑, 을: 도덕적 목적을 강조하는 관점에서 종교는 중요하지 않다고 본다.
→ 갑은 종교를 중요하다고 볼 것이고, 을의 입장은 주어진 내용만으로는 알 수 없다.

11 엘리아데의 종교관 ㊎ ①

(가)를 주장한 사상가는 엘리아데이다. (나)의 가로 낱말 A는 '종묘(宗廟)'이고 B는 '불교(佛敎)'이다. 따라서 세로 낱말 A는 '종교(宗敎)'이다. 엘리아데는 종교를 일상 속에서 성스러움과 만나는 것으로 이해하였다. 그는 성과 속이 분리되어 있거나 단절되어 있지 않으며, 결국 일상적인 삶 자체가 언제든지 성스러움의 드러남, 즉 성현(聖顯)이 될 수 있다고 보았다.

③은 프로이트의 종교관이다.

12 종교와 세계 평화 ㊎ ②

제시된 사상가는 큉이다. 큉은 세계 윤리 구상에서 최종적 목표는 결코 하나의 단일 종교를 이루는 것이 아니라 종교들 사이에 평화를 실현하는 것이라고 주장한다.

Ⅵ 평화와 공존의 윤리

01 갈등 해결과 소통의 윤리~민족 통합의 윤리

탄탄 내신 문제 p. 204 ~ p. 207

01 ③	02 ⑤	03 ⑤	04 ⑤	05 ③	06 ②
07 ③	08 ④	09 ①	10 ②	11 연대 의식	
12 해설 참조		13 해설 참조		14 해설 참조	

01 사회 갈등의 유형과 종류 ㊎ ③

㉠은 세대 갈등, ㉡은 이념 갈등, ㉢은 지역 갈등이다.

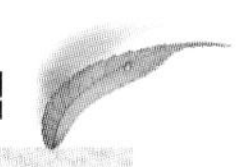

③ 개인주의와 공동체주의의 대립과 갈등 문제는 각 개인이 갖고 있는 사상이나 가치관의 문제이므로 이념 갈등에 해당한다.

02 기계적 연대와 유기적 연대 답 ⑤

제시문에서 필자는 유기적 연대의 특징을 기계적 연대와 맞대어 비교하며 설명하고 있다.

⑤ 유기적 연대는 구성원들의 개성과 자발적 결속을 강조한다.

내 것으로 만드는 셀파 - Tip

▶ 기계적 연대와 유기적 연대 비교

기계적 연대	유기적 연대
• 각자의 개성과 자율성이 없는, 집단적 동일성을 지향하는 연대 의식 • 예 집단주의적 문화가 만연한 기업의 노동자, 군대식 지시에 순응하는 개인	• 각 개인의 자율성과 장점, 개성을 가진 채 공동의 목적을 달성하고자 하는 연대 의식 • 예 각자의 업무 분담이 원활하게 이루어지는 팀 조직

03 사회 윤리의 기본 원리 답 ⑤

연대성은 인간이 사회의 일부로서 서로 긴밀하게 연결되어 있기 때문에 필요하고, 공익성 역시 인간은 사회 구성원이기 때문에 요구된다.

④ 개인이나 소규모 공동체가 제대로 기능을 못해 국가의 도움을 받아야 하는 경우라도 국가는 이들의 권리를 침해하지 않는 범위 내에서 보조적으로 도와주어야 한다.

04 합리적 의사소통의 조건 답 ⑤

인터뷰의 상대방은 합리적 의사소통의 방식을 담론 윤리의 관점에서 제시하고 있다.

정답을 찾아가는 셀파 - Tip

① 담론의 절차보다는 다수결의 결과에 따라 결정합니다. (×)
→ 토론을 통해 소수 의견이 다수로, 다수 의견이 소수로 바뀔 수도 있어야 한다.

② 전문가들이 제안한 방식의 해결책을 중심으로 진행합니다. (×)
→ 전문가들의 조언보다 참여자들의 의사소통을 통해 도출된 해결책이 필요하다.

③ 의사소통의 효율성보다 결과의 공정성을 추구해야 합니다. (×)
→ 의사소통의 합리성과 공정성을 강조하는 것이 담론 윤리의 특징이다. 결과의 공정성을 배제하는 것은 아니지만 추구하는 목표도 아니다.

④ 대화 참여 당사자들의 수적(數的) 균형을 유지해야 합니다. (×)
→ 합리적 의사소통은 참여자들의 수는 상관없고, 관련 당사자의 참여도가 높을수록 좋다.

⑤ 참여자 각자는 모두가 이해 가능한 언어를 사용해야 합니다. (○)

05 하버마스의 공론장 이론 답 ③

(가)는 하버마스의 공론장 이론의 일부이다. 그에 의하면 공론장의 참여 당사자들은 자유롭고 평등하게 담론 과정에 참여할 수 있다. 이를 전제로 공론장에서 원활한 상호 작용이 일어나게 되고, 참여자는 합심하여 개인적 이익을 초월한 공적 이익에 부합하는 해결책을 도출해 낼 수 있다. 따라서 (가) 입장에서라면 (나)에서 소개된 트위터라는 온라인 공간은 시간적·공간적 제약이 적어 가급적 많은 사람이 공론장에 참여할 수 있는 기회를 제공할 것이므로 바람직하다고 평가할 것이다.

06 원효의 사상 답 ②

제시문의 사상가는 원효이다. 그에 따르면 깨달음에 이르는 방법은 다양하더라도 그것이 지향하는 바는 모두 깨달음이라는 것으로, 결국 모든 만물의 근원은 하나[일심(一心)]라는 것이다. 따라서 극단적인 관점으로 치우치지 말 것을 강조한다.

정답을 찾아가는 셀파 - Tip

ㄴ. 대승적 차원의 융합을 위해 시비(是非) 분별에 힘쓴다.
→ 대승적 합의(화쟁)를 위해서는 시비의 분별을 멈춰야 한다.

ㄷ. 참된 진리를 깨닫기 위해 세속에서 벗어나 수양에 힘쓴다.
→ 참된 진리는 세속에서 발견되어야 하는 것이다.

07 통합과 통일 답 ③

제시문에서는 독일의 급격한 통일 이후 나타난 동·서독 국민 간의 갈등이 드러나 있다. 서독 주민들은 복지 비용으로 들어가는 그들의 세금과 재정적 문제에서 느끼는 부담감을, 동독 주민들은 서독 주민들의 우월감과 그에 기인한 말과 행동에서 느끼는 상대적 박탈감을 드러낸다. 따라서 이 글의 핵심은 통일 이후 전개될 주민들 간의 갈등을 최소화해야 한다는 것이다.

③ 정치적 '통일'보다는 국민적 '통합'이 더 우선되어야 한다는 것을 추론할 수 있다.

08 남북 경제 협력과 통일 비용 답 ④

뉴스 보도는 남북 경제 협력은 북한의 시장 개방을 통해 남한은 북한의 자원과 노동력을 이용하고, 북한은 경제 성장의 기회로 활용할 수 있다는 내용을 전달하고 있다. 이는 통일 이후 투자될 통일 비용의 감소를 가져올 것이다. 아울러 이같은 경제 교류는 서로 간의 문화적 이질감을 줄일 수 있는 기회가 될 것이라고 보고 있다.

정답을 찾아가는 셀파 - Tip

ㄱ. 경제 교류를 통해 정부 주도의 통일 정책이 강화되는가?
→ 경제 교류의 확대는 정부 주도가 아닌 민간 주도로 흘러갈 것이다.

ㄷ. 남북 협력 사업은 남북한의 이념적 사고방식의 확대를 촉진할 수 있는가?
→ 이념 중심의 사고방식이 아니라 실리 중심의 사고방식이 확대될 것이다.

09 북한의 인권 문제 답 ①

제시문을 분석해 보면 인권 보장의 조건으로 사회주의 국가 건설을 내세우고 있다. 따라서 보편적 인권의 개념으로는 한계가 있다.

① 인권의 천부적 성격이 부정되고 국가에 의해서만 부여되는 것으로 파악될 우려가 있다.

10 긍정적 다름과 조화 답 ②

제시문의 '긍정적 다름'이란 남북한의 차이가 궁극적으로 서로 간의 이점으로 작용될 수 있는 긍정적인 성격을 가진 차이를 의미한다.

ㄴ, ㄹ은 남북한의 서로 다른 체제로 인해 대립적 성격을 갖는 것이므로 긍정적 다름으로 보기 어렵다.

서답형 문제

11 사회 윤리의 기본 원리 답 연대 의식

제시문은 사회 통합을 위해 필요한 사회 윤리의 기본 원리 중 연대성에 관한 설명이다. 연대성이란 인간은 고립되어 살아가지 않으며 사회의 일부로서 공동체의 일에 참여하고 서로 긴밀하게 연결되어 있기 때문에 사회 구성원들 간에 연대 의식이 필요하다는 것이다.

12 유기적 연대의 실현을 위한 조건

모범 답안 | 개인의 자율성을 보장하고 각각의 개성이나 지적 의식, 사상적 자유 등을 억압하지 않아야 한다.

주요 단어 | 자율성, 개성, 자유, 억압

채점 기준	배점
주요 단어를 포함하여 논리적으로 서술한 경우	상
주요 단어를 포함하여 서술하였으나 논리가 미흡한 경우	중
주요 단어를 포함하지 않은 채 제시문을 요약하여 옮겨 적은 경우	하

13 담론 윤리

모범 답안 | ㉠은 자신을 구속할 수 있는 보편적 규범을 도출하는 과정에 스스로 참여해야 하는 책임, ㉡은 의사소통을 통해 합의된 결과를 받아들이고 실천해야 하는 책임이다.

주요 단어 | 보편적 규범, 참여, 의사소통, 합의, 결과, 실천

채점 기준	배점
주요 단어를 모두 포함하여 ㉠, ㉡의 의미를 바르게 서술한 경우	상
주요 단어를 포함하지는 않았으나 참여, 실천에 초점을 맞춰 서술한 경우	중
밑줄 친 문구를 그대로 활용한 것에 그친 경우	하

14 분단 비용과 통일 비용

모범 답안 | ㉠은 분단 비용, ㉡은 통일 비용이다. 분단 비용으로는 분단 상황에서 지출되는 군사 비용, 분단 상태에서 지속되는 남남 갈등에 소모되는 비용 등이 있고, 통일 비용으로는 통일 이후 북한 지역에 투자되는 경제 개발 비용, 북한 주민에 대한 복지 비용 등이 있다.

주요 단어 | 분단 비용, 통일 비용, 소모, 투자

채점 기준	배점
㉠, ㉡을 쓰고, 분단 비용은 소모성, 통일 비용은 투자성이 있다는 설명과 함께 적절한 사례를 하나씩 들어 서술한 경우	상
㉠, ㉡을 쓰고, 적절한 사례를 하나만 들어 서술한 경우	중
㉠, ㉡만 쓴 경우	하

도전 수능 문제 p. 208 ~ p. 209

01 ④ **02** ④ **03** ④ **04** ⑤ **05** ⑤ **06** ⑤
07 ③ **08** ②

01 공론장 이론 답 ④

(가)의 사상가는 하버마스이다. 하버마스는 공론장의 의사소통을 통해 도출된 결론은 개인적 이익을 초월한 공적 이익이라고 하였다. 또한 공론 참여자는 적극적인 의사소통을 통해 해결책을 도출하고, 그렇게 도출된 해결책을 충실히 따를 의무가 있다고 보았다.

02 원효의 사상 답 ④

원효의 일심, 화쟁 사상의 핵심을 이해하는지 묻는 문제이다.

ㄱ. 화쟁(和爭) 사상에 대한 기본적 태도로서 타당한 진술이다. ㄴ. 일심(一心) 사상에 대한 설명으로 타당한 주장이다. ㄹ. 원효에 따르면 자신의 말이 무조건 옳다고 믿는 독선과 아집이 분쟁의 원인이다.

ㄷ은 유교 사상에 대한 진술이다.

03 유기적 연대 답 ④

(가)는 유기적 연대에 대한 설명이다. (나)는 대량 생산 체제의 분업화된 환경에서 하나의 기계로 전락한 노동자의 현실을 풍자하고 있다. 따라서 유기적 연대의 관점에서 이를 극복하기 위해서는 노동자 각자의 자율성과 자발성에 기초한 연대가 형성되어야 한다. 그때서야 비로소 생산성, 전문성의 향상에 이바지할 수 있는 것이다.

③ 역할 교환은 분업의 원리와 상충되는 것으로, 제시문에서는 그 근거를 찾을 수 없다.

04 하버마스의 담론 윤리와 롤스의 순수 절차적 정의 답 ⑤

자유롭고 평등한 시민들이 모여 토론하는 공론장의 필요성을 역설한 갑은 하버마스이고, 공정한 절차가 공정한 결과를 가져온다고 주장한 을은 롤스이다.

⑤ 하버마스와 롤스 모두 합의 당사자들은 자유롭고 평등한 존재여야 한다고 본다.

정답을 찾아가는 셀파 - Tip

① 갑은 공론장에서 특정 주제의 배제가 필요하다고 본다. (×)
→ 하버마스가 말한 공론장은 그 어떤 시민이라도 참여할 수 있는 개방성이 주된 특징이다.

② 갑은 공론장을 정부가 관장하는 법적으로 제도화된 기구로 본다. (×)
→ 하버마스가 제시한 공론장은 시민들이 자발적으로 만들어 내고 참여하는 자유로운 공간이다.

③ 을은 가상 상황을 상호 배려와 대화가 이뤄지는 상황으로 본다. (×)
→ 롤스는 가상 상황에서 합의 당사자들은 자신의 이익에만 관심을 지닌다고 본다.

④ 을은 가상 상황의 개인들이 계약에 합의할 의지가 없다고 본다. (×)
→ 롤스는 합의 당사자들은 사회의 구성원으로서 그 사회의 정의의 원칙에 합의하고자 하는 의지를 지니고 있다고 본다.

⑤ 갑, 을은 합의 당사자들이 자유롭고 평등한 존재이어야 한다고 본다. (○)

05 통합과 통일 답 ⑤

독일은 통일 이후 제도적 차원의 통일에 진력해 왔지만 사회·문화적 통합, 즉 옛 동독과 옛 서독 주민들 간의 마음의 통합을 이루는 문제를 제대로 해결하지 못해 양 지역 주민들 간의 갈등이 오랫동안 지속되었다. 이러한 독일 통일의 사례는 우리에게 외형적인 통일보다는 사회·문화적 교류의 확대를 통해 남북한의 이질성을 줄이면서 남북한 주민들 간의 마음의 통합이 이루어져야 진정한 의미의 통일이 가능하다는 것을 시사한다.

정답을 찾아가는 셀파 - Tip

① 남북한의 조속한 통합을 위해 외형적인 통일을 강조해야 한다. (×)
→ 외형적인 통일을 위한 조속한 통합은 독일이 겪었던 것과 마찬가지로 남북한 주민들 간의 사회·문화적 갈등을 일으킬 가능성이 크다.

② 국제적 합의를 통해 남북통일에 대한 공감대를 형성해야 한다. (×)
→ 제시문을 통해서는 파악할 수 없는 내용이다.

③ 정치·군사적 방식을 통해 하나의 민족 공동체를 수립해야 한다. (×)
→ 정치·군사적 방식보다는 사회·문화적 통합의 중요성을 강조하고 있다.

④ 동북아 다자 안보를 토대로 한반도 평화 체제를 구축해야 한다. (×)
→ 제시문을 통해서는 파악할 수 없는 내용이다.

⑤ 사회·문화적 교류의 확대를 통해 남북한의 이질성을 줄여야 한다. (○)

06 경제 통합과 정치 통일 답 ⑤

자료는 2007 남북 정상 회담의 결과로 작성된 선언문이다. 인용된 부분은 경제 교류를 통해 단계적으로 정치적 통일로 나아가겠다는 양국 정부의 통일 방향성을 제시한 것이다.

정답을 찾아가는 셀파 - Tip

① 경제적 인프라를 토대로 흡수 통일을 지향하고자 한다. (×)
→ 흡수 통일은 한국 정부의 통일 정책과는 정반대의 정책으로, 가급적 기피하고자 하는 방법론이다.

② 정치적 연합을 통해 경제적 협력을 이끌어 내고자 한다. (×)
→ 경제적 교류를 통해 서서히 정치적 통일을 이끌어 내고자 한다.

③ 군사적 긴장 완화를 위한 통일 비용을 투자해야 한다. (×)
→ 통일 비용은 통일 이후에 투자되는 비용이다.

④ 국제적 공조를 통해 남북 간의 정치적 통일이 선행되어야 한다. (×)
→ 단계적 통일 방안에 대한 설명과 반대되는 진술이다.

⑤ 경제적 교류 활성화를 통해 점진적 통일을 달성해 나가고자 한다. (○)

07 통일 비용과 통일 편익 답 ③

통일과 관련된 제반 비용과 통일 이후의 편익을 이해하는지 묻는 문제이다. ㉠, ㉡, ㉢은 모두 통일 이후에 지출되는 통일 비용에 해당한다.

정답을 찾아가는 셀파 - Tip

ㄱ. ㉠은 분단 상황의 긴장을 완화하기 위해 소모되는 비용이다.
→ 분단 상황의 긴장 완화에 소모되는 비용은 분단 비용에 해당한다.

ㄴ. ㉡은 북한 주민들을 남한 질서에 동화(同化)시키는 것이다.
→ 동화는 한쪽 문화가 다른 쪽에 편입되는 것이므로, 동화주의가 강조될수록 남북 주민 간 이질감과 적대감은 심화될 수밖에 없다.

08 통일 한국의 지향점 답 ②

제시문은 통일 한국은 문화 국가를 지향한다는 내용이다. 다시 말해 개개인의 문화적 활동을 장려하고 국가는 이를 존중한다는 것을 핵심으로 하고 있다.

ㄴ. 자문화 중심주의는 타 문화권 출신의 구성원들과 문화적 마찰 및 충돌을 가져올 수 있어 지양해야 한다. ㄹ. 제시문은 우리 고유의 전통문화 자원의 발굴·육성 및 주체적인 해외 문화 수용의 필요성을 함께 강조하고 있다.

02 지구촌 평화의 윤리

탄탄 내신 문제 p. 214 ~ p. 218

01 ③	02 ⑤	03 ⑤	04 ③	05 ④	06 ⑤
07 ④	08 ④	09 ①	10 ④	11 ④	12 ③
13 ③	14 ③	15 ㉠ 소극적, ㉡ 적극적		16 해설 참조	
17 구성주의적 입장		18 해설 참조		19 해설 참조	

01 국제 분쟁 현황 답 ③

지도를 통해 세계 각지에서 자원을 둘러싼 분쟁이 일어나고 있음을 확인할 수 있다. 근래의 국제 분쟁은 냉전과 같은 지구적 차원의 분쟁보다 지역적·국지적 차원의 분쟁이 증가했다는 특징이 있다. 따라서 이의 해결을 위해서는 INGO와 같은 비정부 단체나 국제 사법 재판소, 국제 형사 재판소와 같은 국제기구들의 역할이 중시된다.

02 국제 사회를 바라보는 관점 답 ⑤

(가)는 현실주의, (나)는 이상주의, (다)는 구성주의 이론이다.

내 것으로 만드는 셀파 - Tip

▶ 국제 사회를 보는 다양한 관점

현실주의	• 국가는 자국의 이익을 최우선으로 고려하는 존재 • 국제 분쟁의 원인: 자국의 이익만을 극대화하려는 국가 이기주의 • 국가 간 세력 균형을 통한 전쟁 방지 강조
이상주의	• 인간의 선한 본성을 기반으로 국가 간 이성적 대화와 상호 협력이 가능하다고 파악 • 국제기구, 국제 여론, 국제법, 국제 규범을 통한 제도 개선
구성주의	• 국가의 정체성이나 국제 관계의 구조를 가변적인 것으로 파악 → 협력과 갈등이 동시에 존재함 • 국제 분쟁의 해결 방안: 국가 간의 문화적 공통점을 찾고, 이질성을 줄이는 것이 중요

03 이상주의적 관점 답 ⑤

갑의 주장은 이상주의적 관점에 해당한다. 국가 간 이해와 협력을 통한 분쟁 해결은 곧 국제법과 국제기구의 필요성 증대의 논리로 이어진다.

①, ②는 현실주의적 관점에, ④는 구성주의적 관점에 각각 해당한다. ③은 이상주의적 관점의 한계이다.

04 국제 형사 재판소 답 ③

국제 형사 재판소는 반인도적 범죄를 저지른 가해자 처벌을 주로 담당한다.

① 군비 강화는 정치적 문제이므로 국제 형사 재판소의 관할 범위를 벗어나며, ② 경제·무역 분쟁은 형사 범죄가 아니므로 국제 형사 재판소의 심판 대상이 아니다. 국제 형사 재판소는 ④ 명시적 규정에 의한 처벌을 기초로 하며, ⑤ 인권 침해가 국제적 범죄에 해당할 정도로 중대하지 않는 한 개별 국가의 인권 침해 문제에 대해 개입하지 않는다.

05 적극적 평화 (답) ④

제시문은 갈퉁의 '적극적 평화'에 대한 설명이다. 적극적 평화란 자신에게 직접적으로 가해지는 물리적 폭력을 넘어 불평등한 구조와 억압을 개선하려는 노력이다. 다시 말해, 적극적 평화는 소극적 평화를 전제로 하는 개념이다.

ㄱ, ㄷ. 갈퉁에 의하면 적극적 평화를 이루는 방법은 비폭력적이어야 한다.

06 칸트의 영구 평화론 (답) ⑤

필기된 내용은 칸트의 영구 평화론이다.

⑤ 확정 조항 제3항은 세계 시민법에 근거하여 한 개인이 자유롭게 국가의 경계를 통행할 것을 보장해야 한다는 점을 명시하고 있다.

07 세계화의 장단점 (답) ④

㉠에는 세계화와 자유 무역의 가속화로 인해 나타날 수 있는 부정적인 측면이 제시되어야 한다. 따라서 세계화의 긍정적인 측면에 해당하는, 재화와 서비스의 국가 간 자유로운 이동은 타당하지 않다.

08 관용과 국제 분쟁 (답) ④

(가)에서는 인류의 보편적인 정의와 도덕 관념에 어긋나는 행위에 대해서는 불관용의 원칙이 적용되어야 한다고 주장하고 있다. 즉, 관용의 원칙이 적용될 수 있는 사안과 그렇지 않은 사안이 명백히 구분됨을 강조하고 있는 것이다.

09 국제 사회를 바라보는 관점 (답) ①

갑은 현실주의, 을은 이상주의적 입장이다. 갑은 성악설에 따른 홉스의 관점과 동일하게 국제 사회를 인식한다. 반면 을은 칸트나 루소의 이성주의, 계몽주의의 관점에서 국제 사회를 바라본다.

ㄷ은 갑의 현실주의적 입장에 해당하는 설명이고, ㄹ은 구성주의적 입장이다.

10 해외 원조에 관한 칸트의 관점 (답) ④

제시문의 사상가는 칸트이다. 칸트는 도덕 법칙에 대한 존경으로 말미암아 의무를 행했을 때만 도덕적 가치를 인정한다.

정답을 찾아가는 셀파 - Tip

① 개인의 배타적 소유권에 대한 자연적 경향성의 침해이다. (×)
→ 노직의 입장이다.

② 인류 전체의 고통을 감소하는 것이므로 도덕적인 행위이다. (×)
→ 공리주의의 입장이다.

③ 가까운 관계부터 확대된 사랑이 아니므로 인간의 본성에 어긋난다. (×)
→ 유교의 입장이다.

④ 도덕 법칙에 대한 존경에서 비롯되지 않았으므로 도덕적 가치가 없다. (○)

⑤ 질서 정연한 사회로의 이행에 기여하지 못하므로 진정한 원조가 아니다. (×)
→ 롤스의 입장이다.

11 롤스와 싱어의 해외 원조 이론 (답) ④

갑은 해외 원조의 윤리적 근거를 정의 실현을 위한 의무라고 보는 롤스, 을은 윤리적 의무라고 보는 싱어이다.

내 것으로 만드는 셀파 - Tip

▶ **롤스와 싱어의 해외 원조 이론 비교**

롤스	• 해외 원조는 현실주의적 관점에서 국가적 차원으로 이루어져야 함 • 빈곤한 국가가 빈곤을 극복하기 위해서는 민주적 정치 체제(질서 정연한 사회)가 성립되어야 함
싱어	• 해외 원조는 공리주의적 관점에서 개인적 차원으로 이루어져야 함(이익 평등 고려의 원칙) ➜ 국가적 차원의 해외 원조는 독립 국가에 대한 간섭이 될 수도 있음 • 부유국의 과잉 소득 중 1%의 해외 원조를 통해 빈곤의 문제를 해결할 수 있음

12 노직과 싱어의 해외 원조 이론 (답) ③

(가)는 노직, (나)는 싱어의 입장이다. 노직은 해외 원조를 개인의 자유에 의한 기부 차원에서 이루어져야 한다고 보는 반면, 싱어는 부유한 국가의 시민의 의무로 이해한다. 즉, 부유한 국가나 정부의 의무가 아니라 비빈곤 국가의 시민적 차원의 의무로 파악한 것이다.

13 국경 없는 의사회 (답) ③

국경 없는 의사회는 국제 비정부 기구의 대표적인 단체로, 개별 정부나 국가의 정치적 이익을 초월한 공적 활동을 수행한다.

ㄴ은 공정성과 중립성을 요구한다는 점에서, ㄷ. 독립성을 추구한다는 점에서 타당한 진술이다.

정답을 찾아가는 셀파 - Tip

ㄱ. 의료 행위의 전문성을 높일 것을 목적으로 한다.
→ 의료 행위의 전문성 제고가 아니라 의료 혜택의 확대를 위해 활동한다.

ㄹ. 의료 지원과 직접적 관련이 없는 사람은 활동에서 배제한다.
→ 의료 지원에 도움이 될 수 있는 개인이나 단체도 활동에 참여할 수 있다. 지리학자나 경제학자 등이 대표적이다.

14 롤스의 해외 원조 이론과 해외 원조 무용론 (답) ③

해외 원조를 의무의 관점에서 보는 갑은 롤스이고, 을은 해외 원조 무용론을 주장하고 있다. 따라서 갑은 을에게 해외 원조가 정치적·사회적 제도를 개선시키고(질서 정연한 체제로의 이행), 빈곤에서 벗어나 자립할 수 있도록 하는 데 도움이 된다고 주장할 수 있다.

③은 을이 주장하는 핵심 내용이다.

서답형 문제

15 갈퉁의 적극적 평화론 (답) ㉠ 소극적, ㉡ 적극적

노르웨이의 평화학자인 갈퉁은, 평화를 소극적 의미의 평화와 적극적 의미의 평화로 구분하고, 진정한 평화를 이루기 위한 적극적 평화를 강조하였다.

16 칸트의 영구 평화론

모범 답안 | 각국의 정치 체제가 민주적 공화제일 것, 연방 체제를 구성할 것, 세계 시민법을 토대로 보편적 우호의 조건을 마련할 것 등이다.

주요 단어 | 민주적 공화제, 연방 체제, 보편적 우호 조건

채점 기준	배점
세 가지 조건을 모두 바르게 서술한 경우	상
두 가지를 바르게 서술한 경우	중
한 가지만 바르게 서술한 경우	하

17 국제 관계를 보는 구성주의적 입장 ㉰ 구성주의적 입장

국가 간 상호 작용을 토대로 관계가 형성된다는 것과 이를 바탕으로 국제적 문제를 해결할 수 있다는 내용을 토대로 구성주의적 입장을 추론할 수 있다.

18 국제 비정부 기구

모범 답안 | 국제 비정부 기구(INGO), 국제 사면 위원회는 모든 사람의 인권을 보호하고 양심수의 사면을 위해 활동한다. 또는 국경 없는 의사회는 의료 혜택의 확대를 위해 활동한다.

주요 단어 | 국제 비정부 기구

채점 기준	배점
국제 비정부 기구라고 쓰고, 그 대표 사례와 해외 원조 활동을 모두 바르게 서술한 경우	상
국제 비정부 기구와 그 대표 사례를 바르게 썼으나 해당 사례의 해외 원조 활동에 대한 설명이 미흡한 경우	중
국제 비정부 기구라고만 쓴 경우	하

19 롤스와 싱어의 해외 원조 이론

모범 답안 | 갑, 을 모두 해외 원조를 의무의 관점에서 파악하고 있다. 갑은 빈곤국의 정치적 구조를 질서 정연한 구조로 전환시킬 정도의 지원이 필요하며, 이때 국가적 차원에서 원조가 이루어져야 한다고 강조한다. 을은 공리주의적 관점에서 해외 원조의 필요성을 강조하며, 부유한 국가의 국민들이 잉여 소득의 일부를 이전해야 한다고 주장한다.

주요 단어 | 의무의 관점, 질서 정연한 사회, 잉여 소득의 이전

채점 기준	배점
갑, 을 입장을 비교하여 공통점과 차이점을 모두 바르게 서술한 경우	상
갑, 을 입장의 차이점을 바르게 서술한 경우	중
구체적인 비교 없이 갑은 롤스, 을은 싱어의 입장이라고만 쓴 경우	하

도전 수능 문제

p. 219 ~ p. 221

01 ⑤	02 ④	03 ②	04 ④	05 ②	06 ④
07 ②	08 ⑤	09 ①	10 ①	11 ⑤	12 ④

01 국제 정의 실현 ㉰ ⑤

(가) 사상가가 주장하는 핵심은 국제 정의를 실현하기 위한 방법이다. 보편적 인권과 정의를 훼손하는 행위에 대해 국제 사회가 공조하여 제재하는 것은 물론, 형사 재판 기구를 통해 처벌하거나 필요한 경우 무력을 사용할 수도 있다는 것이다.

02 국제 형사 경찰 기구 ㉰ ④

제시문에서 설명하는 기구는 국제 형사 경찰 기구이다. 글의 내용을 토대로 할 때, 국제 형사 경찰 기구는 정치적·군사적·종교적·인종적 문제에 대해서는 중립성을 지켜야 하므로 개입할 수 없다는 것일 뿐이다. 테러나 비인도적 범죄와 같은 보편적 인권을 침해하는 범죄에 해당하는 문제라면 수사할 권한이 있다.

03 현실주의와 이상주의 ㉰ ②

A는 모겐소의 주장으로 현실주의의 관점, B는 칸트의 주장으로 이상주의의 관점이다.

정답을 찾아가는 셀파 - Tip

① A는 국제기구의 중재를 근본적 해결책으로 본다. (×)
→ 이상주의의 관점이다.

② A는 국가 간 세력 균형으로 평화를 이룰 수 있다고 본다. (○)

③ B는 국제 사회를 홉스가 가정한 자연 상태와 유사하다고 본다. (×)
→ 현실주의의 관점이다.

④ A는 B보다 국제법과 국제기구에 의한 해결을 강조한다. (×)
→ 국제법과 국제기구에 의한 해결을 강조하는 것은 B, 즉 이상주의의 관점이다.

⑤ B는 A와 달리 국가 간 상호 작용에 따라 국제 질서가 달라진다고 본다. (×)
→ 웬트의 주장으로, 구성주의의 관점이다.

04 국제 사회를 보는 다양한 관점 ㉰ ④

갑은 현실주의, 을은 이상주의, 병은 구성주의이다. 현실주의는 인간의 본성을 이기적이라고 규정하고, 무질서와 혼돈 상태의 국제 사회에서 자국민의 안전과 행복, 평화와 질서를 유지하려면 자국이 타국보다 우월한 힘을 보유해야 한다고 강조한다. 아울러 국제 평화를 이루는 방편으로는 세력 균형을 주장한다. 이상주의는 인간은 근본적으로 선하고 상호 협력할 수 있는 존재이므로 국가 간 이해관계를 조정하여 조화와 평화를 달성할 수 있다고 본다. 그리고 국제기구, 국제법 등을 통해 잘못된 제도를 바로잡아 국제 사회의 갈등을 조정할 수 있다고 주장한다. 구성주의는 국제 사회에서 국가는 사회적 상호 작용 속에서 자신의 정체성을 구성하고, 상대 국가와의 관계를 규정한다고 본다. 국제 구조는 사회적으로 만들어졌기 때문에 국가의 정체성과 이익이 구성되는 과정을 분석하여 문화적 공통점을 찾아야 국제 체제의 안정이 가능하다는 주장이다.

ㄱ, ㄴ은 현실주의적 입장에서만 '예'라고 대답할 질문이다. ㄷ은 이상주의 입장에서 '예'라고 대답할 질문이다. ㄹ은 구성주의 입장에서 '예'라고 대답할 질문이다.

05 칸트의 영구 평화론 ㉰ ②

제시문은 칸트의 주장이다.

칸트는 ① 영구적 국제 평화 실현을 논제로 삼아야 한다고 본다. 아울러 ③ 세계 시민법을 토대로 한 자율적 통행권은 보편적 우호를 위한 조건 아래에서만 인정되어야 하고, ④ 개별 국가의 정치 체제가 권력 분립이 실현된 공화정체가 되어야 하며, ⑤ 국제 연맹 체제하에서도 각 국가는 주권을 가져야 한다고 본다.

② 칸트는 단일 주권을 가진 세계 정부는 현실적으로 불가능하며, 단일 국가는 전제적 정치를 통해 나쁜 결과를 초래할 수 있다고 본다.

06 국제 평화 실현을 위한 방법 답 ④

갑은 갈퉁의 평화론, 을은 정의 전쟁론이다.

ㄴ. 노동력 착취는 구조적 폭력으로서 간접적 폭력에 속한다. ㄷ. 을은 전쟁 개시 전 국제 사회로부터 지지를 얻을 경우 정당성을 얻을 수 있으나 만일 그러지 못했다면 수행 과정과 종전 처리에서 정의의 원칙을 따름으로써 윤리적 정당성을 획득할 수 있다고 본다.

정답을 찾아가는 셀파 - Tip

ㄱ. 갑은 직접적 폭력의 소멸을 평화 달성의 충분조건으로 본다.
→ 갑에 의하면 직접적 폭력의 소멸은 평화 달성의 필요조건일뿐 충분조건일 수는 없다. 평화를 위해서는 직접적 폭력이 없는 소극적 평화 상태를 넘어 간접적 폭력도 사라진 적극적 평화까지 달성되어야 한다고 보기 때문이다.

ㄹ. 을은 갑에 비해 평화 달성의 절차적 과정을 중요시한다.
→ 갑은 비폭력적 방법으로, 을은 전쟁의 개입 과정과 수행 과정에서의 정의의 원칙을 강조한다는 측면에서 양쪽 모두 절차적 정당성을 중요시하고 있음을 알 수 있다.

07 갈퉁의 적극적 평화론 답 ②

제시문은 갈퉁의 주장으로, 적극적 평화론이다.

ㄱ. 문화적 폭력은 비물질적 요소에 내재되어 있어 구조적 폭력과 직접적 폭력을 정당화하는 역할을 한다. ㄷ. 제시문에 부합하는 내용이다.

갈퉁에 의하면 ㄴ. 사회적 소수자에 대한 희화화는 문화적 폭력에 해당하고, ㄹ. 폭력을 극복하기 위해 폭력적 방법을 동원하는 것은 폭력의 순환을 불러일으킬 뿐이다.

내 것으로 만드는 셀파 - Tip

▶ **폭력의 분류**

직접적 폭력	신체적·언어적 폭력
구조적 폭력	정치적·억압적·경제적·착취적 폭력
문화적 폭력	미디어 등을 통해 직접적·구조적 폭력을 정당화함

08 세계화의 장단점 답 ⑤

가로 열쇠의 A는 '세분'화, B는 '사계', C는 '화이부'동이다. 따라서 세로 열쇠의 A는 세계화이다. 세계화는 강대국, 선진국의 다국적 기업을 중심으로 전개되는데, 세계 각국으로 이들의 재화와 서비스가 수출되어 자본에 의한 문화적 독점과 획일화가 진행된다. 그에 따라 선진국이 몰려 있는 북반구(유럽과 북아메리카) 국가들과 개발 도상국, 빈곤국이 몰려 있는 남반구 국가들 간의 경제적 격차 문제가 심화된다.

09 싱어, 노직, 롤스의 해외 원조론 답 ①

갑은 싱어, 을은 노직, 병은 롤스이다. 싱어는 인류 전체의 행복을 증진시켜야 한다는 공리주의에 입각하여 빈곤으로 고통받는 사람들을 돕는 것을 의무로 본다. 노직은 정당하게 취득한 재산에 대한 배타적 소유권을 강조하며, 원조는 개인의 자율적 선택이라고 본다. 롤스는 원조를 개개인에 대한 의무가 아니라 '고통받는 사회'에 대한 의무로 보고, 빈곤의 문제는 물질적 자원의 부족에 따르는 문제가 아니라 정치·사회적 제도의 결함 때문이라고 주장한다.

ㄱ. 원조를 인류의 행복 증진을 위한 의무 이행으로 보는 것은 싱어에게만 해당된다. ㄴ. 원조를 실행하기 위한 과세는 강제 노동과 같다는 입장은 노직에게만 해당된다.

정답을 찾아가는 셀파 - Tip

ㄷ. C: 원조의 대상은 질서 정연한 빈곤국까지도 포함해야 한다.
→ 롤스에게 있어서 원조의 대상은 정치·사회적 제도가 갖춰져 있지 않은 '고통받는 사회'이지 '질서 정연한 사회'는 아니다. 따라서 롤스에게 해당하지 않는 진술이다.

ㄹ. D: 원조의 최종 목표는 국가 간의 경제적 불평등 해소이다.
→ 싱어에게 있어서 원조의 목표는 국가의 경계를 뛰어넘는 인류 전체의 행복 증진이고, 롤스에게 있어서 원조의 목표는 '고통받는 사회'를 '질서 정연한 사회'로 만드는 데 있다. 따라서 싱어와 롤스 모두에게 해당하지 않는 진술이다.

10 롤스와 싱어의 해외 원조론 비교 답 ①

갑은 롤스이고, 을은 싱어이다. 롤스와 싱어는 해외 원조를 자선이 아니라 의무의 관점에서 이해했다는 측면에서는 공통된다. 하지만 롤스는 불리한 여건으로 인해 고통받는 사회를 질서 정연한 사회로 만들어야 한다는 국제주의적 관점, 싱어는 인종과 국적을 초월한 세계 시민주의의 관점에서 원조의 의무를 주장한다.

① 싱어는 롤스에 비해 X축은 낮음, Y축과 Z축은 높음에 해당한다.

11 노직과 싱어의 해외 원조론 답 ⑤

갑은 자유주의 사상가 노직, 을은 공리주의 사상가 싱어이다.

ㄴ. 소유권의 자율적 이전을 강조하는 노직의 입장에서 타당한 진술이다. ㄷ. 싱어의 공리주의적 관점을 고려할 때 타당한 진술이다. ㄹ. 싱어의 주장으로 타당한 진술이다.

정답을 찾아가는 셀파 - Tip

ㄱ. 갑은 자국의 이익 극대화를 조건으로 지지한다.
→ 싱어는 세계 시민주의적 관점에서 자국의 이익과 국제적 차원의 이익을 구분하는 것을 비판적으로 인식한다.

12 해외 원조의 주체 답 ④

갑은 롤스, 을은 싱어이다. 롤스는 빈곤의 원인을 정치·사회 구조에서 찾으므로 국가적 차원의 지원을 통한 질서 정연한 사회 실현을 해결책으로 제시한다. 그에 반해 을은 세계적 차원에서 부유국의 잉여 소득의 이전을 강조하므로 해외 원조는 국가가 아닌 부유국 시민의 의무로 이해한다.

개념을 잡아 주는 **자율학습 기본서**

고등 셀파

BOOK 2 | 딱 맞는 풀이집

생활과 윤리

개념을 잡아 주는 **자율학습 기본서**

고등 셀파

생활과 윤리

BOOK 3

학교 시험 기간에 활용하는 **시험 대비 문제집**

천재교육

Sherpa

학교 시험 기간에 활용하는

시험 대비 문제집

I 단원 현대의 삶과 실천 윤리

주제 01 탐구 방법에 따른 윤리학의 구분

기술 윤리학	도덕 현상과 문제를 명확하게 기술하고, 현상들 간의 인과 관계를 설명하고자 함
메타 윤리학	윤리학의 학문적 성립 가능성을 모색하기 위해 도덕 언어의 의미나 도덕적 진술의 논리적 구조 등을 분석함
규범 윤리학	인간의 도덕적 행위의 근거가 되는 보편적 도덕 원리나 인간의 성품에 관해 탐구하고, 이를 바탕으로 도덕적 문제의 해결과 실천 방법을 제시함

주제 02 이론 윤리학과 실천 윤리학

이론 윤리학	도덕 원리나 도덕적 정당화의 이론적 근거를 제시하고, 도덕적 행위에 대한 이론적 분석과 정당화를 다룸 ➡ 윤리 문제 해결의 이론적 토대 제공
실천 윤리학	삶에서 구체적으로 발생하는 윤리 문제에 대해 도덕 원리를 근거로 실제적이고 구체적인 해결책을 모색함
공통점	현실의 윤리 문제에 대한 해결책과 올바른 삶의 방향을 제시함

주제 03 실천 윤리학의 등장 배경과 특징

등장 배경	• 이론 윤리학의 한계 봉착 • 도시화, 세계화, 정보화 등의 사회·문화적 변화 • 과학 기술의 급격한 발전 • 다른 학문과의 협력 요구
특징	• 구체적이고 실천적인 도덕 판단과 행위의 지침 강조 • 다양한 삶의 영역에서 제기되는 문제의 구체적인 해결책 모색 • 과학 기술의 발달로 발생하는 새로운 문제를 다룸 • 다양한 학문 분야 간의 대화 강조 • 이론 윤리학과 유기적 관계에 있음

주제 04 동양 윤리적 접근

유교	• 천지 만물에 인의예지가 내재해 있음 • 인간은 누구나 선한 본성을 지니고 있음 • 경(敬)과 성(誠)을 통해 선한 본성을 보존하고 확충하며 예(禮)를 회복하고자 함〔克己復禮〕 • 대동 사회: 공자가 제시한 유교의 이상 사회
불교	• 연기설: 만물은 독립적으로 존재할 수 없고, 서로 연결되어 상호 의존함 ➡ 모든 존재는 스스로 고정된 실체가 없음〔空〕 • 자비의 실천 강조: 모든 존재를 차별하지 않는 사랑의 실천 강조 • 내면의 성찰과 바라밀의 실천을 통해 연기성과 진리에 대한 깨달음을 얻어 해탈과 열반에 이를 수 있음
도교	• 세계는 상대적인 것으로 이루어져 있고, 만물은 평등한 가치를 지님 • 무위자연(無爲自然)의 추구: 자연 그대로의 질서를 따를 것을 강조함 ➡ 최고의 선은 물과 같음〔上善若水〕 • 소국 과민: 무위의 다스림이 이루어지는 이상 사회 • 좌망과 심재를 통해 소요유의 정신을 실현하고, 만물을 평등하게 바라보는 제물(齊物)을 실천할 수 있음

주제 05 의무론적 접근

공통점	행위 자체의 도덕성에 주목하면서 도덕적 의무 강조
자연법 윤리	자연법 원리에서 도출되는 도덕적 의무 준수 강조
칸트의 의무론	• 보편적인 도덕 법칙: 그 자체로 선(善) ➡ 정언 명령의 형태로 제시 • 행위의 동기 중시: 의무 의식과 선의지에서 나온 행위만이 도덕적 가치를 지님

주제 06 공리주의

공통점	유용성(공리)의 원리에 따르는 행위를 옳은 행위로 간주함	
고전적 공리주의	양적 공리주의(벤담)	쾌락은 질적으로 동일함 ➡ 쾌락의 양을 계산해 유용성을 측정할 수 있음
	질적 공리주의(밀)	쾌락은 질적으로 동일하지 않음 ➡ 질적으로 높고 고상한 쾌락을 추구
행위 공리주의와 규칙 공리주의	행위 공리주의	더 많은 공리를 가져오는 행위를 옳은 행위로 간주함
	규칙 공리주의	일반적으로 최대의 행복을 가져오는 행위 규칙을 따라야 한다고 주장함

주제 07 현대 윤리학적 접근

덕 윤리	행위자에게 초점 ➡ 행위자의 성품과 바람직한 인간관계의 맥락에 주목함
책임 윤리	다양한 유형의 책임 강조 ➡ 당면한 윤리 문제를 책임의 관점에서 규명하고 해결하고자 함
배려 윤리	남성 중심적 정의 윤리를 비판하며 사랑과 모성적 배려, 공동체적 관계에 주목함
담론 윤리	윤리 문제의 해결을 위한 자유로운 의견 주장과 대화와 합의를 강조함
도덕 과학	도덕과 관련된 다양한 현상을 과학적 방법으로 설명하려 함

주제 08 도덕적 추론과 토론

도덕적 추론	이유나 근거를 제시하면서 도덕 판단을 끌어 내는 과정 도덕 원리(대전제) ➡ 사실 판단(소전제) ➡ 도덕 판단(결론)
토론	• 상대방을 설득하거나 이해하고, 이를 바탕으로 문제에 대한 최선의 해결책을 모색하는 것 • 인식과 판단에서의 오류 가능성을 줄임 • 당면한 윤리 문제에 대한 바람직한 해결 방안을 모색함 • 주관적인 의견을 보편적인 앎의 형태로 만듦

주제 09 동서양의 윤리적 성찰 방법

동양	• 거경: 마음을 한 곳으로 모아 흐트러짐이 없게 하는 것 • 일일삼성: 매일 하루의 삶을 성찰하는 지침 • 참선: 인간의 참된 삶과 본성을 깨닫기 위한 수행법
서양	• 산파술: 끊임없는 질문으로 자신의 무지를 자각하게 돕는 방법 • 중용: 마땅한 때에, 마땅한 일에 대해, 마땅한 사람에게, 마땅한 동기로 느끼거나 행하는 것

단원 평가

제 1 회

생활과 윤리

I. 현대의 삶과 실천 윤리

성명 | 반 | 번호

01 ㉠, ㉡에 관한 설명으로 적절하지 않은 것은?

> ㉠ 나는 윤리학은 현실에서 적용 가능한 도덕적 규범이나 원칙을 탐구하여 이를 구체적인 삶의 문제에 적용하는 것이어야 한다고 본다. 그런데 ㉡ 어떤 사람들은 도덕이 현실적 삶의 일부이기 때문에 경험적으로 연구될 수 있다는 관점에서 윤리학은 어떤 문화나 사회의 도덕적 현상을 객관적으로 기술하는 것이라고 주장한다.

① ㉠은 윤리학이 삶의 문제 해결에 도움을 준다고 본다.
② ㉠은 윤리학이 윤리 문제 해결에 대한 이론적 근거를 제시한다고 본다.
③ ㉡은 사실 판단에 따른 서술을 윤리학의 핵심으로 본다.
④ ㉡은 사회 구성원들의 인식을 초월한 보편적 도덕규범을 강조한다.
⑤ ㉠은 ㉡에 비해 윤리학의 실천적 성격을 강조한다.

02 (가), (나)에 들어갈 내용을 〈보기〉에서 골라 바르게 연결한 것은?

> 20세기 들어 등장한 이 윤리학은 언어의 의미 분석에 몰두하고, ((가))을/를 강조한다. 그러나 안락사, 임신 중절 등과 같이 도덕 언어의 분석이나 기존의 도덕 이론만으로 해결할 수 없는 새로운 도덕 문제들이 제기되었고, 이에 따라 현실적 삶에 등장한 딜레마를 해결하기 위해 새로운 윤리학이 요구되었다. 이러한 윤리학은 ((나))을/를 강조한다.

보기
ㄱ. 도덕적 개념의 이론적 기준을 정립하는 것
ㄴ. 윤리학의 학문적 성립 가능성을 구체화하는 것
ㄷ. 도덕 이론을 배제하고 구체적인 해결책을 찾는 것
ㄹ. 도덕 문제와 관련된 인접 학문과의 연계를 강화하는 것

	(가)	(나)		(가)	(나)		(가)	(나)
①	ㄱ	ㄴ	②	ㄱ	ㄷ	③	ㄴ	ㄷ
④	ㄴ	ㄹ	⑤	ㄷ	ㄹ			

03 갑이 〈문제 상황〉에서 제시할 수 있는 윤리학의 과제로 적절한 것을 〈보기〉에서 고른 것은?

> 갑: 윤리 문제를 해결하기 위해서는 새로운 학문적 지식을 바탕으로 세워진 도덕규범을 구체적인 문제 상황에 적용하는 것이 중요하다.
>
> 〈문제 상황〉
>
> 인공 수정으로 태어난 아이들은 유리병 속에서 길러지고, 지능에 따라 장래의 지위가 결정된다. 개인은 주어진 역할을 자동적으로 수행하고, 고민이나 불안은 신경 안정제로 해소한다.

보기
ㄱ. 윤리학의 학문적 성립 가능성에 대한 탐구
ㄴ. 과학 기술 발달을 바탕으로 한 이상 사회 제시
ㄷ. 새롭게 등장한 문제에 대한 구체적 해결책 마련
ㄹ. 사실 판단과 가치 판단을 고려한 당위적 규범 제시

① ㄱ, ㄴ ② ㄱ, ㄷ ③ ㄱ, ㄹ
④ ㄴ, ㄷ ⑤ ㄷ, ㄹ

04 다음 사상가가 제시할 수 있는 현대 사회의 윤리적 과제로 가장 적절한 것은?

> 기술의 발전은 인간이 점점 더 많은 힘을 갖게 된다는 의미이다. 인간의 행위는 도덕적으로 숙고되어야 하며, 인간의 힘의 행사 역시 마찬가지이다. 힘의 변증법에서 첫 번째 단계의 힘은 인간이 자연에 대해 행사하는 힘이다. 이것은 이성의 작용으로 이루어진다. 두 번째 단계의 힘은 힘 자체가 힘에 대해 통제를 하게 되고 힘의 주인이 되어 버린다. 세 번째 단계의 힘은 우리가 기술 발전에 내재한 무한한 진보의 이념을 지혜의 도움으로 제한할 수 있는 것이다.

① 과학 기술과 도구에 대한 인간의 의존 강화
② 과학 기술에 대한 윤리적 판단과 성찰의 강조
③ 이성을 통해 자연을 극복할 수 있다는 믿음의 확산
④ 인간의 무한한 욕망을 구현할 수 있는 실천적 지혜의 형성
⑤ 인간은 자연의 일부분이라는 새로운 생태주의적 가치관의 통제

05 다음 사상의 관점에서 〈문제 상황〉 속 갑에게 해 줄 수 있는 조언으로 가장 적절한 것은?

> 측은히 여기는 마음은 인(仁)이요, 잘못을 부끄러워하는 마음은 의(義)이며, 공경하는 마음은 예(禮)이고, 시비를 가리는 마음은 지(智)이니, 인의예지는 진실로 나에게 있는 것이다.

> **〈문제 상황〉**
> 갑은 어느 날 난치병을 앓고 있는 홀어머니를 돌보는 소년 가장에 대한 뉴스를 보게 되었다. 갑은 그동안 모아 둔 용돈을 기부하려다가, 곧 새 컴퓨터를 사려고 용돈을 모으던 과정이 떠올라 고민하기 시작하였다.

① 나와 남이 다르지 않고 이어져 있음을 명심하게.
② 사사로운 욕심을 버리고 진정한 예(禮)를 회복하도록 하게.
③ 소요(逍遙)의 경지에 도달하기 위해 마음을 비우도록 하게.
④ 도덕적 실천을 통해 인간의 이기적 본성을 바로잡도록 하게.
⑤ 정의로운 마음은 실천을 통해 형성되는 것임을 깨닫도록 하게.

06 다음 사상에서 강조하는 수양 방법을 〈보기〉에서 고른 것은?

> 온갖 욕망에 집착함은 성스럽지 못하고 무익하다. 스스로 고행을 일삼는 것 역시 성스럽지 못하고 무익하다. 이 두 가지 극단을 버리고 중도(中道)를 깨달으면 눈을 뜨게 하고 지혜를 생기게 한다.

> 보기
> ㄱ. 신독(愼獨)의 자세를 통해 사물의 이치를 궁구한다.
> ㄴ. 고통의 원인이 집착과 욕망에 있다는 사실을 깨닫는다.
> ㄷ. 연기성(緣起性)을 깨닫고 중생 구제와 자비를 실천한다.
> ㄹ. 좌망(坐忘)과 심재(心齋)를 통해 대자연의 원리와 하나가 된다.

① ㄱ, ㄴ ② ㄱ, ㄷ ③ ㄴ, ㄷ
④ ㄴ, ㄹ ⑤ ㄷ, ㄹ

07 다음 사상에서 강조하는 바람직한 삶의 태도로 가장 적절한 것은?

> 도(道)와 가까운 존재가 되고 싶다면 낮은 곳을 향해 흐르는 물처럼 살아야 한다. 물은 온갖 것을 섬길 뿐 그것들과 다투는 일이 없고, 다툼이 없으니 나무람을 받는 일도 없다.

① 신독과 거경의 자세를 잃지 않는다.
② 무욕과 중도의 삶을 살아가기 위해 집착을 버린다.
③ 언제 어디서나 보편타당한 도덕적 원리를 실천한다.
④ 선천적 본성을 회복하고 예(禮)에 따르는 삶을 추구한다.
⑤ 인위적인 강제가 없는 소박하고 무지한 삶의 자세를 지닌다.

08 갑은 부정, 을은 긍정의 대답을 할 질문으로 가장 적절한 것은?

> 갑: 사물은 저것 아닌 것이 없고, 이것 아닌 것이 없다. 옳음은 그름에서 말미암고, 그름은 옳음에서 말미암는다. 그래서 성인(聖人)은 이들로 말미암지 않고 자연에 비추어 본다.
> 을: 인성(人性)은 선(善)을 좋아하고 악(惡)을 싫어하는 것이다. 선을 좋아해서 측은(惻隱), 사양(辭讓)의 마음이 있고, 악을 싫어해서 수오(羞惡), 시비(是非)의 마음이 있다. 이 네 가지 마음이 인(仁), 의(義), 예(禮), 지(智)를 이룬다.

① 인간은 자연의 일부에 불과한 존재인가?
② 수양을 통해 성인(聖人)이 될 수 있는가?
③ 연기성과 중도를 깨닫는 수양이 필요한가?
④ 물과 같은 겸허와 부쟁의 삶을 지향해야 하는가?
⑤ 인(仁)과 예(禮)의 규범을 통해 사회를 바로잡아야 하는가?

09 다음 사상의 특징으로 적절하지 않은 것은?

> 법은 영원법, 자연법, 인정법의 세 가지로 분류할 수 있다. 영원법은 모든 질서의 원천으로서 세계를 지배하는 신의 이성 그 자체이다. 자연법은 그러한 신의 영원법이 피조물인 인간에게 반영된 것으로, 인간은 그것을 스스로의 이성으로 인식하고 이해할 수 있다. 왜냐하면 신의 법은 원래 합리적이고 인간은 신에 의해 이성적 동물로 만들어졌기 때문이다.

① 보편적인 도덕 원리의 존재를 전제한다.
② 실정법에 도덕적 정당성을 부여하려 한다.
③ 인간은 이성을 통해 신의 뜻을 파악할 수 있다고 본다.
④ 자연법 원리를 통해 도덕 행위의 규범을 정립하고자 한다.
⑤ 도덕적 행위의 원리보다 행위자의 도덕적 습관을 강조한다.

10 (가)의 사상가 갑, 을의 입장을 (나) 그림으로 표현할 때, A~C에 해당하는 옳은 진술을 〈보기〉에서 고른 것은?

(가)
갑: 만약 사적인 쾌락이 너의 목적이라면 그런 쾌락을 추구하고, 공적인 쾌락이 너의 목적이라면 그런 쾌락을 확대하라.
을: 아무런 제한 없이 선하다고 생각할 수 있는 것은 오직 선의지뿐이다. 지성, 용기, 결단성 등은 많은 의도에서 선하고 바람직하지만 이런 천부적인 자질들을 이용하는 의지가 선하지 않다면 극도로 악하고 해가 될 수 있다.

(나)
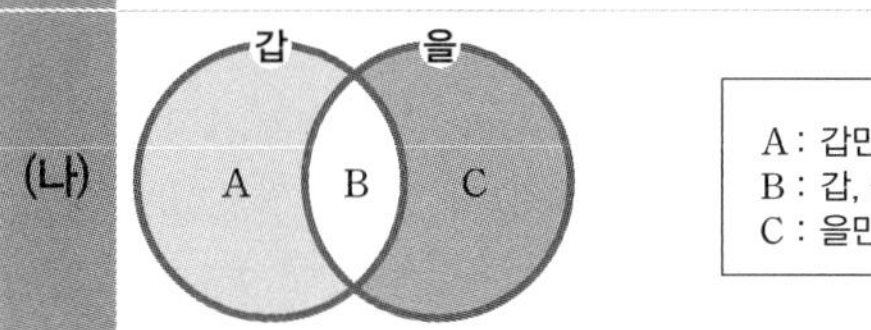

보기
ㄱ. A: 행위 결과의 유용성이 도덕적 판단의 기준이 된다.
ㄴ. B: 도덕 판단의 이론적 근거를 제시하고자 한다.
ㄷ. B: 감각적 쾌락과 정신적 쾌락은 질적으로 다르다.
ㄹ. C: 공동체적 관습을 고려한 도덕적 의무의 이행을 강조한다.

① ㄱ, ㄴ ② ㄱ, ㄷ ③ ㄴ, ㄷ
④ ㄴ, ㄹ ⑤ ㄷ, ㄹ

11 (가)의 사상가 갑, 을의 입장을 (나) 그림으로 탐구할 때, A~C에 해당하는 적절한 질문을 〈보기〉에서 고른 것은?

(가)
갑: 옳은 행위란 다른 어떠한 규칙보다 더 많은 행복이나 더 적은 불행을 가져오는 규칙을 따르는 것이다.
을: 어떠한 상황에서 특정 행위가 다른 행위보다 더 큰 효용을 가져올 때에만 그 행위를 옳은 행위로 볼 수 있다.

(나)
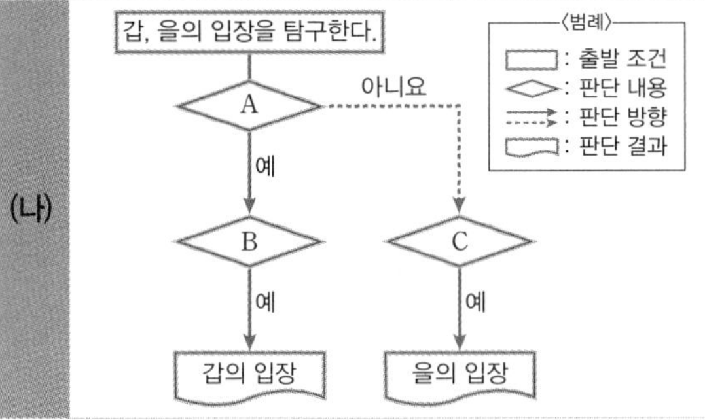

보기
ㄱ. A: 최대 다수의 최대 행복을 추구하는가?
ㄴ. B: 다수의 이익을 위해 개인의 쾌락을 배제하는가?
ㄷ. B: 행위 규칙의 유용성이 도덕 판단의 근거가 되는가?
ㄹ. C: 도덕 판단과 법률 제정의 근거가 되는 원리가 존재하는가?

① ㄱ, ㄴ ② ㄱ, ㄷ ③ ㄱ, ㄹ
④ ㄴ, ㄷ ⑤ ㄷ, ㄹ

12 사상가 갑, 을의 주장으로 적절하지 않은 것은?

> 갑: 자연 상태에서는 불신과 투쟁만이 존재할 뿐, 보편타당한 도덕 원리가 존재할 수 없다. 개인들은 생명 보호와 안전을 위해 정부를 세우고 법을 제정한다.
> 을: 정의는 권리와 의무를 할당하고 사회적 이익을 적절하게 분배하는 원칙들의 역할에 의해 규정된다. 정의의 원칙들은 평등한 최초의 입장에서 합의할 대상이다.

① 갑은 국가와 정부를 인위적 산물이라고 본다.
② 갑은 계약과 동의를 통해 정부가 수립된다고 본다.
③ 을은 계약을 통해 성립된 원칙은 공정성을 갖는다고 본다.
④ 을은 갑과 달리 인간을 이기적인 존재로 전제한다.
⑤ 갑, 을 모두 가상적 상황에서 계약이 성립된 것으로 파악한다.

13 갑, 을의 입장에 대한 설명으로 옳은 것은?

동정심으로 사람들을 도와주는 것은 매우 칭찬받을만한 일입니다. 하지만 그런 행위가 도덕적 가치를 가진다고 하기는 어렵습니다. 왜냐하면 보편적 의무로부터 나온 것이 아니기 때문입니다.

보편적 의무나 원칙을 강조하는 도덕은 각 개인의 인격적 특성을 무시합니다. 도덕은 공동체의 선, 관행, 전통과 분리될 수 없습니다. 공동체와 역사를 공유하는 인간의 도덕적 삶은 매우 복잡하고 풍부합니다.

갑

을

① 갑은 행위의 동기는 도덕 판단의 근거가 될 수 없다고 본다.
② 을은 도덕적 행위의 원리보다 행위자의 도덕적 성품을 강조한다.
③ 을은 옳고 그름을 판단하는 단일한 도덕 원칙이 존재한다고 본다.
④ 갑은 을과 달리 도덕적 실천에서 이성보다 감정을 더 중시한다.
⑤ 을은 갑과 달리 행위의 동기보다 결과적 유용성을 더 강조한다.

14 갑의 입장에 비해 을의 입장이 갖는 상대적인 특징을 그림의 ㉠~㉤ 중에서 고른 것은?

갑: 도덕성은 법칙으로부터 유발되는 의무의 관념이 동시에 행위로 나타나는 것이며, 단지 의무에 맞는 것이 아니라 의무로부터 비롯된 것이어야 한다.
을: 옳고 그름을 규정하는 원칙을 아는 것보다 유덕한 사람이 되는 것이 중요하다. 즉 '무엇을 해야만 하는가?'라는 물음보다 '어떤 사람이 될 것인가?'라는 물음에 주목해야 한다.

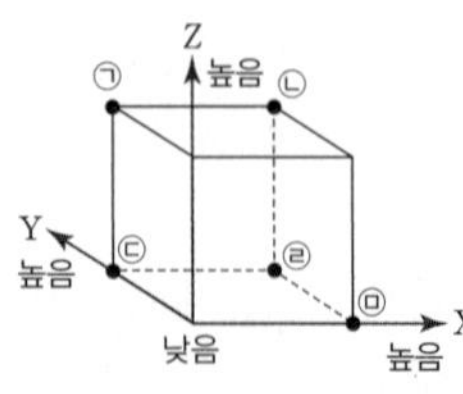

• X: 의무에 따른 행동보다 공동체적 맥락을 강조하는 정도
• Y: 행위자의 반복적 의지와 중용을 강조하는 정도
• Z: 정언 명령에 따른 규칙 준수를 강조하는 정도

① ㉠ ② ㉡ ③ ㉢ ④ ㉣ ⑤ ㉤

15 그림의 사상가 갑, 을이 모두 지지할 주장을 〈보기〉에서 고른 것은?

자신은 물론 타인의 인격을 자신의 수단으로 대우해서는 안 된다. 인간은 그 자체로서 목적이어야 한다.

인간은 책임질 수 있는 유일한 존재이다. 현세대뿐만 아니라 미래 세대를 위한 책임 역시 정언 명령이다.

갑

을

보기
ㄱ. 인간의 존엄성은 변할 수 없는 보편적 가치이다.
ㄴ. 현세대와 미래 세대의 도덕적인 책임은 상호 보완적이다.
ㄷ. 예견할 수 있는 결과에 대해서는 책임의 범위가 넓어진다.
ㄹ. 인간은 이성적 능력을 바탕으로 선한 행위를 판단할 수 있는 존재이다.

① ㄱ, ㄴ ② ㄱ, ㄹ ③ ㄴ, ㄷ
④ ㄴ, ㄹ ⑤ ㄷ, ㄹ

16 다음 사상가의 입장을 〈보기〉에서 고른 것은?

낯선 사람이 길을 물었을 때, 우리는 그의 요구를 주의 깊게 듣고 그가 인정하는 방식으로 반응하여 배려의 관계를 만들 수 있다. 이러한 배려는 자연적 배려에 기초한다. 배려의 관계는 배려의 노력을 수용할 때 완성된다.

보기
ㄱ. 개인의 독립성보다 사회적 관계성을 중시한다.
ㄴ. 근대 철학의 핵심인 이성, 정의, 공정함을 강조한다.
ㄷ. 공감을 바탕으로 사회적 소수자와의 유대를 강화하려 한다.
ㄹ. 도덕규범에 대한 객관적이고 보편적 발견이 가능하다고 본다.

① ㄱ, ㄴ ② ㄱ, ㄷ ③ ㄴ, ㄷ
④ ㄴ, ㄹ ⑤ ㄷ, ㄹ

17 다음 사상가의 주장에 대한 추론으로 옳지 않은 것은?

> 도덕적 주장의 정당화는 공론장에서 담론의 참여자 간에 의사소통의 합리성이 실현될 때 가능하다. 의사소통의 합리성이란 상호 간의 논증적 토론을 통해 이해와 보편적 합의에 도달하는 것을 말하며, 이는 우리 모두가 함께 의사소통에 참여하면서 서로를 인정하는 가운데 성립할 수 있다.

① 담론은 사회 문제 해결을 위한 의사소통 행위이다.
② 담론의 참여자들은 자유롭게 표현할 권리를 가진다.
③ 담론은 공론장이라는 가상적 공간에서 본격적으로 논의된다.
④ 담론을 통해 모든 개인의 이익을 보장하는 해결 방안이 도출될 수 있다.
⑤ 각 참여자의 의사는 보편적으로 수용될 수 있는 소통 방법으로 표현되어야 한다.

18 (가) 과정에 따라 (나) 문제를 해결하고자 할 때, 옳은 내용을 〈보기〉에서 고른 것은?

(가)	㉠ 윤리적 문제 확인 및 명료화	→	㉡ 관련 자료 수집 및 분석	→	㉢ 잠정적 대안 설정 및 검토	→	㉣ 최종 대안 확정
(나)	인공 지능 기술은 인간을 불필요한 노동에서 해방시켜 창의적인 일에 몰두하게 해 준다는 긍정적인 면이 있지만, 인간 노동을 대체하여 실업률을 높이고 인간을 기계 문명에 종속시킨다는 부정적인 면도 있다.						

보기
ㄱ. ㉠에서 인공 지능에 대한 찬반 주장을 검토한다.
ㄴ. ㉡의 사례로 인공 지능에 대한 논문 검토가 있다.
ㄷ. ㉢에서는 가치 판단을 토대로 사실 판단을 도출한다.
ㄹ. ㉣에서는 주장의 객관성 유지를 위해 토론의 과정을 배제한다.

① ㄱ, ㄴ ② ㄱ, ㄷ ③ ㄱ, ㄹ
④ ㄴ, ㄷ ⑤ ㄷ, ㄹ

서답형 문제

19 다음 동양 사상에서 강조하는 수양 방법 두 가지를 쓰고, 그에 대해 간략하게 설명하시오.

> 천하의 물은 바다보다 더 큰 것이란 없다. 모든 강물이 바다로 흘러들며, 한 때도 멈추는 일이 없는데도 차서 넘치지 않는다. 미려(尾閭)란 곳에서는 바닷물이 한 때도 그치는 일 없이 새어 나가는데도 물이 말라 버리지 않는다. 봄이나 가을에도 변화가 없고, 장마가 지나 가뭄이 드나 영향이 없다. 이 바다가 장강(長江)이나 황하의 흐름보다 얼마나 방대한 것인가는 수량으로 계산할 수가 없는 것이다. ……(중략)…… 그러나 나는 이런 것으로 스스로 뛰어났다고 생각해 본 일이 없다. 나는 하늘과 땅 사이에 있어서는 마치 작은 돌이나 작은 나무가 큰 산에 있는 것이나 다름없는 존재인 것이다.

20 다음 주장을 참고하여 공동체적 성찰 방법으로서 토론의 필요성을 세 가지 서술하시오.

> 의사 결정은 개인들의 선호를 단순히 종합한 결과로 간주될 수 없으며, 그에 대한 합당하고 도덕적인 근거를 갖고 있어야 한다. 따라서 각자의 선호를 공적 의사로 전환시키는 심의가 필수적이다. 의사 결정의 민주적 정당성은 시민들의 자유롭고 이성적인 대화와 논증 절차 여부에 달려있는 것이다.

생명과 윤리

주제 01 죽음에 관한 철학적 견해

구분	내용
동양	• 공자: 죽음보다 현재의 도덕적 삶이 더욱 중요함 • 장자: 죽음은 모여 있던 기(氣)가 흩어지는 자연스럽고 필연적인 과정 ➡ 삶에 집착하거나 죽음을 두려워할 필요 없음 • 불교: 죽음은 고통의 하나이자, 윤회의 과정 ➡ 자신의 업(業)에 따라 죽음 이후의 삶이 결정됨
서양	• 플라톤: 죽음은 육체에 갇혀 있던 영혼이 해방되어 이데아의 세계로 돌아가는 것 • 에피쿠로스: 살아서는 죽음을 경험할 수 없고, 죽어서는 감각할 수 없음 ➡ 죽음을 두려워할 필요 없음 • 하이데거: 죽음을 자각함으로써 진정한 삶을 살 수 있음

주제 02 출생과 죽음에 관한 윤리적 문제

구분	입장	내용
임신 중절	허용	• 여성의 선택권 > 태아의 생명권 • 태아는 완전한 인간으로 볼 수 없음
	반대	• 여성의 선택권 < 태아의 생명권 • 태아는 완전한 인간으로 보아야 함
생식 보조술	찬성	• 불임 부부의 고통을 덜어 줄 수 있음 • 출생률을 높여 줄 수 있음
	반대	• 자연의 섭리에 어긋남 • 아기의 친권 문제, 여분의 수정란과 배아 처리 문제와 같은 여러 가지 윤리 문제가 발생할 수 있음
뇌사	찬성	• 뇌 기능 정지 시 인간으로서의 고유한 활동 불가 ➡ 뇌 기능 정지 시 사망(죽음 = 뇌사) • 뇌사자의 장기로 다른 사람을 구할 수 있음
	반대	• 뇌 기능 정지를 죽음으로 보기에는 문제가 있음 ➡ 심폐 기능 정지 시 사망(죽음 = 심폐사) • 실용주의 관점은 인간의 가치를 위협할 수 있음
안락사	찬성	• 인간은 자신의 죽음을 선택할 권리가 있음 • 환자와 환자 가족들의 고통을 덜어 줄 수 있음
	반대	• 인간에게는 죽음을 선택할 권리가 없음 • 생명 경시 풍조가 확산될 수 있음

주제 03 생명 과학 기술과 관련된 윤리적 문제

구분	입장	내용
배아 복제	찬성	• 배아는 인간으로서의 도덕적 지위를 지니지 않음 • 난치병 치료에 도움을 줄 수 있음
	중도적 입장	• 배아는 인간으로서 잠재성을 지니지만, 이미 태어난 인간과는 차이가 있음 • 일정한 기준을 마련하여 제한적으로 허용해야 함
	반대	• 배아는 인간으로서의 도덕적 지위를 지님 • 배아를 파괴하는 것은 인간을 수단화하는 것이며, 살인과 같음
생식 세포 치료	찬성	• 유전적 질병으로 인한 후세대의 고통 감소 가능 • 난자의 세포질 유전으로 인한 질병의 유일한 치료 방법일 수 있음
	반대	• 문제가 생길 경우 후세대에 지속적인 고통을 줄 수 있음 • 새로운 우생학적 시도로 변형될 수 있음 • 인간의 유전적 다양성이 상실될 수 있음

주제 04 동물의 권리에 관한 논쟁

사상가	내용
데카르트	동물은 고통과 쾌락을 경험할 수 없음 ➡ 동물 실험 옹호
아퀴나스, 칸트	동물을 대하는 감정과 행동이 인간을 대하는 데에도 영향을 미침 ➡ 동물을 함부로 다루어서는 안 됨
벤담, 싱어	동물은 쾌고 감수 능력을 지님 ➡ 동물의 이익도 고려해야 함
레건	동물도 삶의 주체가 될 수 있음 ➡ 삶의 주체가 되는 동물은 그 자체로 목적으로 대우해야 함

주제 05 동물 실험에 관한 논쟁

동물 실험 옹호	동물 실험 반대
• 동물은 기본적 권리를 지니지 않음 • 동물 실험의 결과는 인간에게도 유효함 • 동물 실험으로 인체 실험의 위험성 감소 가능 • 동물 실험의 완벽한 대안이 없음	• 동물도 기본적 권리를 지님 • 동물 실험의 결과를 인간에게 적용할 때 부작용이 나타날 수 있음 • 목적이 불분명하고 필수적이지 않은 실험으로 동물이 고통받음 • 동물 실험자에게 정서적 문제 발생

주제 06 사랑과 성을 바라보는 관점

관점	내용
보수주의	결혼 제도 내에서 출산과 양육에 대한 책임을 질 수 있는 성만이 도덕적으로 정당함 ➡ 성의 생식적 가치 중시
급진적 자유주의	성숙한 사람들이 상호 동의하에 타인에게 해를 주지 않으면 성적 호감과 관심만으로도 성이 가능함
온건한 자유주의	사랑과 결합한 성만이 인간의 고유한 품격을 유지시켜 줌 ➡ 사랑이 있는 성 추구

주제 07 성과 관련된 윤리적 문제

구분	내용
성차별	• 자유, 평등, 인간 존엄성 훼손 ➡ 윤리적 문제 야기 • 성별을 근거로 개인의 능력 제한 ➡ 사회적 손실 초래
성적 자기 결정권	• 자신의 성적 자기 결정권 행사에 대해 책임을 짐 ➡ 타인에게 해가 되지 않더라도 성의 인격적 가치를 훼손하는 행위는 정당화할 수 없음 • 자신의 성적 자기 결정권만큼 타인의 성적 자기 결정권도 동등하게 존중해야 함
성 상품화	• 성적 이미지를 활용한 이윤 추구가 정당한 행동인지 인간을 수단화하는 것인지의 문제가 있음

주제 08 가족 해체와 가족 윤리

구분	항목	내용
가족 해체	원인	사회 구조 변화와 의학 기술의 발전 ➡ 혼인율과 출생률의 급격한 감소 ➡ 가족의 기능 약화 및 가족의 형태 변화
	영향	• 개인의 삶을 불안하게 만듦 • 사회의 근본적인 변화를 가져옴 • 가족 공동체의 와해 ➡ 사회 전체에 부정적인 영향을 줌
가족 윤리	부부간	부부상경, 부부유별, 상경여빈 등
	부모 자식 간	부자유친, 부의, 모자, 자애, 자효, 효 등
	형제자매 간	우애, 형우, 제공 등

단원 평가 제 2 회

생활과 윤리

Ⅱ. 생명과 윤리

성명 | 반 | 번호

01 갑, 을 사상가의 입장을 그림으로 표현할 때, A~C에 해당하는 진술만을 〈보기〉에서 있는 대로 고른 것은?

갑: 우리가 존재하는 한 죽음은 우리와 함께 있지 않으며, 죽은 이후에 우리는 더 이상 존재하지 않는다.
을: 사람을 섬길 줄도 모르면서 어떻게 귀신을 섬길 수 있으며, 삶도 아직 모르면서 어떻게 죽음을 알겠는가?

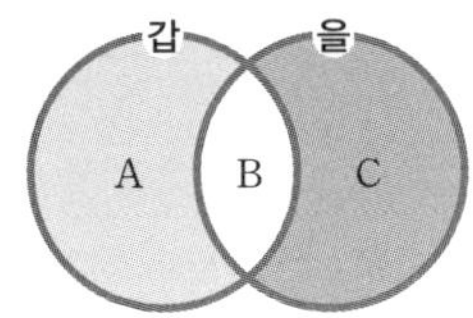

〈범례〉
A : 갑만의 입장
B : 갑, 을의 공통 입장
C : 을만의 입장

보기
ㄱ. A: 죽음은 산 사람과 죽은 사람 모두와 무관하다.
ㄴ. A: 죽음은 영원하고 참된 쾌락에 도달하는 것이다.
ㄷ. B: 죽음 이후의 삶보다 현재의 삶이 더 중요하다.
ㄹ. C: 현세에서의 업보가 죽음 이후의 삶을 결정한다.

① ㄱ, ㄷ ② ㄴ, ㄷ ③ ㄴ, ㄹ
④ ㄱ, ㄴ, ㄹ ⑤ ㄴ, ㄷ, ㄹ

02 갑, 을 사상가의 입장을 그림과 같이 탐구할 때, A~C에 들어갈 적절한 질문만을 〈보기〉에서 있는 대로 고른 것은?

갑: 이것이 있으므로 저것이 있다. 삶이 있어서 늙음과 죽음이 있고, 삶을 떠나서는 늙음과 죽음도 없다.
을: 모든 좋고 나쁨은 감각에 달려 있다. 그러나 죽음은 감각의 상실이므로, 우리에게 아무것도 아니다.

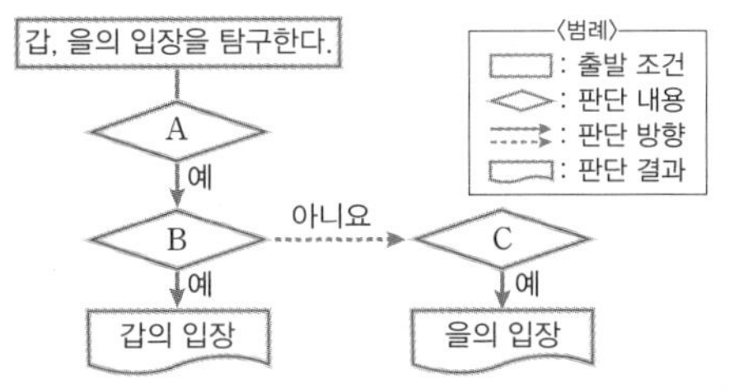

보기
ㄱ. A: 죽음은 영혼이 이데아로 돌아가는 것인가?
ㄴ. B: 죽음을 윤회하는 과정이 단절된 상태로 보는가?
ㄷ. B: 자신의 업에 의해 죽음 이후의 삶이 결정되는가?
ㄹ. C: 죽음은 감각적으로 경험할 수 없는 상태인가?

① ㄱ, ㄴ ② ㄴ, ㄷ ③ ㄷ, ㄹ
④ ㄱ, ㄷ, ㄹ ⑤ ㄴ, ㄷ, ㄹ

03 다음 논쟁에서 을의 입장을 지지하는 논거로 가장 적절한 것은?

갑: 인간의 도덕적 지위는 사고 능력, 자아 인식 등과 같은 정신적 능력의 유무에 따라 판단되어야 합니다. 따라서 태아는 인간으로서의 존엄성을 가진다고 볼 수 없고, 상황에 따라 낙태를 허용할 수 있습니다.
을: 아닙니다. 인간의 도덕적 지위는 나중에 인간이 될 가능성이 있는지 없는지에 따라 판단되어야 합니다. 따라서 태아도 인간으로서의 존엄성을 지니고 있으며, 낙태는 허용되어서는 안 됩니다.

① 임부의 권리를 태아의 권리보다 우선해야 한다.
② 태아는 여성 몸의 일부이고 여성은 자신의 몸에 대한 소유권을 지닌다.
③ 모든 인간 생명은 존엄하고 태아 역시 생명이 있는 인간으로 보아야 한다.
④ 태아는 인간으로서 성장할 잠재성을 지니지 않은 세포 덩어리로 간주해야 한다.
⑤ 여성은 태아를 생산하는 주체이므로 태아에 대한 결정권을 행사할 수 있어야 한다.

04 갑, 을의 입장을 지지하는 근거로 적절한 것만을 〈보기〉에서 있는 대로 고른 것은?

갑: 인간의 죽음이란 심장이 완전히 정지되었을 때를 의미합니다. 뇌의 기능이 손상되었다는 이유로 죽음을 판정하는 것은 윤리적으로 옳지 않습니다.
을: 그렇지 않습니다. 일반적으로 심장의 기능이 유지되더라도 뇌의 모든 기능이 정지된 상태에서는 진정한 인간다운 모습을 구현할 수 없습니다. 따라서 뇌사를 죽음으로 보아야 합니다.

보기
ㄱ. 갑: 뇌사 판정의 오류 가능성이 존재한다.
ㄴ. 갑: 진정한 인간다움은 심장이 아닌 뇌에서 비롯된다.
ㄷ. 을: 뇌사를 인정하면 다른 많은 생명을 살릴 수 있다.
ㄹ. 을: 인간의 생명은 실용적 가치로 따질 수 없는 것이다.

① ㄱ, ㄷ ② ㄴ, ㄷ ③ ㄷ, ㄹ
④ ㄱ, ㄴ, ㄹ ⑤ ㄴ, ㄷ, ㄹ

05 다음 글의 입장에서 지지할 견해로 가장 적절한 것은?

당신은 실제로 죽은 사람과 마찬가지인 생활을 하고 있습니다. 당신은 왜 계속 병을 안고 있습니까? 당신의 생활이 비참하다는 것을 잘 알면서 왜 주저합니까? 당신은 감금되어 있는 것과 같습니다. 당신은 왜 탈출을 해서 더 좋은 세계로 가려하지 않습니까? 그럴 생각이 있으면 말씀만 하십시오. 그러면 우리는 당신을 해방시킬 준비를 하겠습니다. 당신은 고통에서 벗어날 수 있습니다.

① 안락사는 환자의 자발적인 동의가 있다면 허용될 수 있다.
② 안락사는 신의 뜻을 저버리는 행위이므로 허용되어서는 안 된다.
③ 범죄에 악용될 가능성이 있으므로 안락사는 허용되어서는 안 된다.
④ 전문가의 판단에 따라 환자의 동의가 없어도 안락사가 시행될 수 있다.
⑤ 기적적으로 살아날 가능성은 언제나 존재하므로 안락사가 허용되어서는 안 된다.

06 밑줄 친 부분에 들어갈 내용으로 가장 적절한 것은?

자살하는 사람은 어떠한 삶도 살아갈 수 없다. 고통에서 벗어나 행복을 추구할 수 없고, 자신의 신념을 추구하며 살아갈 수도 없다. 잘못을 책임지고 문제를 직접 해결할 수 없고, 사회 발전을 위해 어떠한 행동을 할 수도 없다. 오히려 자살하는 사람은 주변의 친지 또는 사회 전체에 책임을 전가하거나 그 죽음에 책임을 느끼게 만든다. 그러므로 ＿＿＿＿＿＿＿＿＿＿＿＿

① 자살을 선택하는 것은 진정한 자유 의지의 행사라고 보기 어렵다.
② 자살은 모든 인간에게 죽을 권리가 부여되어 있음을 확인시켜 준다.
③ 자살은 개인의 자유 의지보다 생명의 존엄성을 중시하는 행위라고 할 수 있다.
④ 고통스런 삶에서 벗어나기 위해 선택한 자살은 도덕적으로 아무런 문제가 없다.
⑤ 자살은 자신을 포함한 모든 인간을 수단이 아닌 목적으로 대우한 것이라고 할 수 있다.

07 다음 강령에서 강조하는 내용을 〈보기〉에서 고른 것은?

인간을 대상으로 하는 실험에서 피험자는 어떠한 폭력, 기만, 협박, 술책, 강요 없이 스스로 자유롭게 선택할 수 있어야 한다. 이를 위해서 실험자는 피험자에게 실험의 성격, 기간, 목적, 방법, 예상되는 불편과 위험, 건강상의 영향 등에 대해 알려 주어야 한다. 이러한 책임은 실험을 지도하고 참여하는 연구자 개개인에게 있다.

보기
ㄱ. 피험자의 개인 정보를 대중에게 공개해야 한다.
ㄴ. 실험에 대한 피험자의 자발적 동의가 있어야 한다.
ㄷ. 피험자의 이익보다 사회의 이익을 우선시해야 한다.
ㄹ. 피험자에게 실험에 대한 정보를 충분히 제공해야 한다.

① ㄱ, ㄴ ② ㄱ, ㄷ ③ ㄴ, ㄷ
④ ㄴ, ㄹ ⑤ ㄷ, ㄹ

08 다음 원칙을 제정한 이유로 가장 적절한 것은?

- 약자의 처지에 있는 연구 대상자들은 특별히 보호해야 한다.
- 실험 계획과 수행은 독립적인 윤리 심사 위원회의 사전 심의를 거쳐야 한다.
- 연구 대상자의 이익에 대한 고려는 과학 발전과 사회의 이익에 앞서야 한다.
- 연구 대상자에게 연구 자체의 목적과 방법, 예견되는 이익과 내재하는 위험성 등을 사전에 충분히 알려야 하며, 그에 근거하여 자발적 동의를 받아야 한다.

① 인체 실험의 효율성과 신속성을 제고하기 위해서
② 인체 실험과 동물 실험의 차이점을 비교하기 위해서
③ 가능한 한 많은 인체 실험 대상자를 모집하기 위해서
④ 인체 실험으로 인한 부당한 권리 침해를 방지하기 위해서
⑤ 인체 실험이 과학 발전에 기여한다는 것을 입증하기 위해서

09 갑, 을의 입장을 〈보기〉에서 고른 것은?

갑: 인간 배아는 수정된 순간부터 온전한 인간으로 존중받아야 한다. 인간의 발달 과정은 경계가 없는 연속적 과정이며, 인간 배아는 인간으로 발달하기 위한 잠재성을 지니고 있기 때문이다.
을: 인간 배아는 인간의 다른 세포와 다를 바 없는 존재이다. 따라서 인간 배아는 생명권을 포함한 어떠한 도덕적 지위도 갖지 않으며, 인류를 질병의 고통으로부터 구하기 위해 활용될 수 있다.

보기
ㄱ. 갑: 인간 배아는 비인격적인 존재이다.
ㄴ. 갑: 인간 배아는 인간이 될 잠재성을 지니고 있다.
ㄷ. 을: 인간 배아의 사용은 윤리적으로 허용될 수 있다.
ㄹ. 을: 인간 배아는 성인과 동등한 도덕적 지위를 지닌다.

① ㄱ, ㄴ ② ㄱ, ㄷ ③ ㄴ, ㄷ
④ ㄴ, ㄹ ⑤ ㄷ, ㄹ

10 그림은 서술형 평가 문제와 학생 답안이다. 학생 답안의 ㉠~㉤ 중 옳지 않은 것은?

〈서술형 평가〉

◎ **문제** 갑, 을의 입장에 대해 서술하시오.

갑: 최근 유전자 조작에 대한 연구를 통해 많은 사회적 유용성이 창출되고 있습니다.
을: 아닙니다. 유전자 조작 기술은 수많은 부작용을 초래하고 있습니다.

◎ **학생 답안**

갑은 유전자 조작을 긍정적으로 보는 입장이다. 이러한 입장에서는 유전자 조작 기술로 ㉠ 식량 문제를 해결할 수 있고, ㉡ 경제적 이윤을 창출하여 ㉢ 사회적 행복을 증진할 수 있다고 주장할 수 있다. 반면 을은 유전자 조작을 부정적으로 보는 입장이다. 이러한 입장에서는 유전자 조작 기술이 ㉣ 생태계 질서를 교란시킬 수 있고, ㉤ 생물의 유전적 다양성을 증가시킨다고 주장할 수 있다.

① ㉠ ② ㉡ ③ ㉢ ④ ㉣ ⑤ ㉤

11 (가) 사상가의 입장에서 (나)의 주장에 대해 제기할 수 있는 반론으로 가장 적절한 것은?

(가)	몇몇 포유류들은 믿음과 욕구, 지각과 기억, 미래에 대한 의식을 지니고 있으며, 쾌락과 고통 등의 감정을 느낄 수 있다. 이러한 동물들은 삶의 주체로서 도덕적 권리를 지닌다.
(나)	인간의 생명과 건강을 위해 동물 실험은 꼭 필요하다. 인간과 동물은 생물학적으로 유사할 뿐만 아니라, 동물 실험의 확실한 대안도 존재하지 않는다.

① 동물은 도덕적 고려의 대상이 될 수 없다.
② 모든 생명체는 똑같은 권리를 지니고 있다.
③ 인간의 권리보다 동물의 권리가 더 중요하다.
④ 모든 동물은 쾌고 감수 능력을 보유하고 있다.
⑤ 동물도 삶의 주체가 될 수 있으므로 기본적인 권리를 갖는다.

12 다음 사상가의 입장만을 〈보기〉에서 있는 대로 고른 것은?

사랑의 능동적 성격은 '준다.'라고 하는 요소 외에도 모든 사랑의 형태에 언제나 어떠한 기본적인 요소들이 공통적으로 내포되어 있다는 사실에서도 분명해진다. 이러한 요소들은 보호, 책임, 존경, 이해 등이다.

보기
ㄱ. 사랑은 자신의 의지대로 상대를 변화시키는 것이다.
ㄴ. 사랑은 사랑하는 사람의 성장에 관심을 갖는 것이다.
ㄷ. 사랑은 상대방이 지닌 고유한 개성을 존중하는 것이다.
ㄹ. 사랑은 언제나 상대에 대한 의존성을 필요로 하는 것이다.

① ㄱ, ㄴ ② ㄱ, ㄹ ③ ㄴ, ㄷ
④ ㄱ, ㄴ, ㄹ ⑤ ㄴ, ㄷ, ㄹ

13 다음 사상가의 입장과 일치하는 진술만을 〈보기〉에서 있는 대로 고른 것은?

내가 다른 사람을 사랑한다고 할 때 느끼는 일체감이란 있는 그대로의 그와 하나가 된다는 것이지, 그를 나에게 필요한 이용의 대상으로 본다는 것이 아니다. 사랑은 사랑하고 있는 자의 생명과 성장에 대한 적극적 관심이다. 이러한 적극적 관심이 없으면 사랑도 없다.

보기

ㄱ. 사랑은 상대방에게 응답할 준비를 갖추는 것이다.
ㄴ. 사랑은 상대방을 있는 그대로 보고 소유하는 것이다.
ㄷ. 사랑은 두 존재가 하나가 되면서도 둘로 남아 있는 것이다.
ㄹ. 사랑은 인간 존재를 타인과 결합시키는 능동적인 능력이다.

① ㄱ, ㄷ ② ㄱ, ㄹ ③ ㄴ, ㄷ
④ ㄱ, ㄷ, ㄹ ⑤ ㄴ, ㄷ, ㄹ

14 갑, 을의 입장으로 가장 적절한 것은?

갑: 성적 활동은 당사자들 간의 자발적 동의에 따라 이루어지고 다른 사람에게 피해를 끼치지 않을 때 도덕적으로 허용될 수 있다.
을: 성적 활동은 남녀가 신뢰와 사랑을 전제로 결혼이라는 사회적 승인을 거쳐서 출산과 관련하여 이루어질 때만 도덕적으로 허용될 수 있다.

① 갑: 쾌락을 주는 성적 활동은 모두 도덕적으로 허용된다.
② 갑: 부부 사이에서 이루어지는 성만이 도덕적으로 정당하다.
③ 을: 성적 활동의 목적은 결혼과 출산에 따른 종족 번식이다.
④ 을: 성을 통해 얻을 수 있는 쾌락에서 성적 활동의 가치를 찾아야 한다.
⑤ 갑, 을: 성적 활동의 가치는 인격적 결실에서 찾아야 한다.

15 ㉠에 들어갈 진술로 가장 적절한 것은?

갑: 최근 연예인들이 인기를 얻기 위해 지나치게 신체를 노출하는 것이 유행처럼 번지고 있습니다.
을: 그런 식으로 성을 이윤 추구에 이용하는 성 상품화는 윤리적으로 문제가 있습니다.
갑: 저는 그렇게 생각하지 않습니다. 성적인 이미지를 이용하여 인기를 향상시키는 것은 자신의 경쟁력을 높이고 이윤을 추구하는 정당한 행위입니다. 따라서 성 상품화를 비난할 수는 없습니다.
을: 제가 보기에 당신은 ______㉠______

① 성적 자기 결정권을 올바르게 행사하고 있습니다.
② 성의 인격적 가치를 지나치게 강조하고 있습니다.
③ 이윤 추구를 정당화하는 자본주의 논리를 부정하고 있습니다.
④ 성을 도구화한 이윤 추구의 윤리적 문제점을 지적하고 있습니다.
⑤ 성 상품화는 인간의 성이 지닌 본래의 가치와 의미를 훼손할 수 있음을 간과하고 있습니다.

16 ㉠, ㉡의 인간관계에 대한 설명으로 가장 적절한 것은?

• [㉠]은/는 인륜의 시초가 되기 때문에 삼가지 않으면 곧 인륜의 질서가 어지러워진다. 그러므로 예(禮)는 [㉠]이/가 서로 삼가는 데에서 비롯된다.
• [㉡]은/는 형체는 다르나 본래 한 핏줄을 받았다. 나무에 비유하면 뿌리가 같고 가지는 다른 것과 같고, 물에 비유하면 근원이 같고 흐름은 다른 것과 같다.

① ㉠은 동기간으로 서로 경쟁하고 협력한다.
② ㉡은 서로 효(孝)와 자애를 주고받는다.
③ ㉠과 ㉡은 존수와 호칭을 엄격하게 따진다.
④ ㉠은 ㉡과 달리 상호 대등하고 수평적인 관계이다.
⑤ ㉡은 ㉠보다 먼저 형성되는 가족 내의 인간관계이다.

17 (가) 사상가의 입장에서 볼 때, (나)의 ㉠에 대한 설명으로 가장 적절한 것은?

(가)	자신의 어른을 공경함으로써 남의 노인에게 미치고, 자신의 어린아이를 사랑함으로써 남의 아이에게 미친다면 천하를 자기 손바닥 안에서 다스릴 수 있다.
(나)	우리의 몸은 부모로부터 물려받은 것이다. 감히 상하게 하거나 훼손하지 않는 것이 ㉠ 의 시작이다. 몸을 세워서 도리를 행하고 이름을 후세에 떨쳐 부모를 빛나게 하는 것이 ㉠ 의 끝이다.

① 형제자매 간의 우애를 바탕으로 형성된다.
② 이웃 어른에 대한 공경으로 나아가게 하는 필수 덕목이다.
③ 나의 부모와 남의 부모를 차별 없이 사랑하게 하는 덕목이다.
④ 나와 다른 사람을 분별하는 의식에서 벗어나게 하는 근본 원리이다.
⑤ 음양론에 입각해서 나와 다른 사람을 수평적으로 연결시켜 주는 원리이다.

18 다음 글을 통해 추론할 수 있는 내용으로 가장 적절한 것은?

> 형이 형 되는 까닭과 아우가 아우 되는 까닭에서 어른과 어린이의 도리가 비롯된다. 어른은 어린이를 사랑하고 어린이는 어른을 공경해야, 어린이를 업신여기고 어른을 능멸하는 폐단이 사라지고 바르게 된다. 형제는 동기간이고 뼈와 살을 나눈 지극히 가까운 친족이니, 더욱 마땅히 우애해야 하고 서로 미워하거나 원망하여 하늘의 바른 뜻을 무너뜨려서는 안 된다.

① 형제 관계에서는 장유의 구별이 필요하지 않다.
② 형제 관계에서 장유의 기본 도리를 찾을 수 있다.
③ 장유 관계와 형제 관계에는 공통점이 존재하지 않는다.
④ 형제 관계는 상호 간 이익을 전제로 맺어진 계약 관계이다.
⑤ 자식에 대한 부모의 사랑은 형제 간 우애의 전제 조건이다.

서답형 문제

19 다음 글을 읽고 물음에 답하시오.

> 모든 좋고 나쁨은 감각에 달려 있는데, 죽음은 감각의 상실이다. 따라서 죽음이 우리에게 아무것도 아니라는 사실을 알게 되면, 인간은 죽을 수밖에 없다는 것도 즐겁게 된다. 이것은 그런 앎이 우리에게 무한한 시간의 삶을 더해 주기 때문이 아니라, 불멸에 대한 갈망을 제거해 주기 때문이다.

(1) 윗글과 같이 주장한 사상가를 쓰시오.

(2) 위 사상가의 죽음관을 서술하시오.

20 갑의 입장에서 을의 의견에 제기할 수 있는 반론을 세 가지 서술하시오.

> 갑: 뇌의 기능이 정지하면 죽음으로 보아야 합니다. 오늘날 장기 이식 기술이 발달함에 따라 뇌사를 죽음으로 인정하면 뇌사자의 장기를 이식해 많은 생명을 살릴 수 있기 때문입니다.
> 을: 저는 동의하지 않습니다. 사람의 생명은 존엄하기 때문에 실용적 가치로 평가할 수 없습니다. 심폐사를 죽음으로 보아야 합니다.
> 갑: 뇌 기능이 정지하면 사람으로서 고유한 활동을 할 수 없습니다. 그러므로 사람의 인격은 심장이 아니라 뇌에서 비롯된다고 할 수 있으며, 뇌사를 허용해야 합니다.
> 을: 뇌의 명령 없이도 유지될 수 있는 사람의 생명 그 자체가 존엄한 것입니다. 또한 장기 이식을 위해 뇌사 판정이 악용될 가능성에도 유의할 필요가 있습니다. 뇌사는 허용되어서는 안 됩니다.

사회와 윤리

주제 01 직업관

맹자	• 백성은 일정한 생업이 있어야 도덕적 마음을 가질 수 있음 ➡ 통치자는 구성원의 생계 수단을 마련해 주어야 함 • 사회적 분업 인정
순자	예를 바탕으로 한 역할 분담
실학자	능력에 따라 역할 분담
프로테스탄티즘	• 직업 소명설 • 부의 축적 정당화
마르크스	• 노동을 통해 자기 본질 실현 • 자본주의 분업이 노동 소외 문제 초래 ➡ 분업 반대

주제 02 기업의 사회적 책임

프리드먼	이윤 극대화만이 기업의 책임
보겔, 애로우	기업의 장기적 이윤 추구에 기여하므로 사회적 책임 이행 필요

주제 03 개인 윤리와 사회 윤리

개인 윤리	• 윤리 문제의 원인과 해결은 개인의 도덕성과 관련 • 이타성 실현 강조
사회 윤리 (니부어)	• 윤리 문제의 원인과 해결은 사회 제도 및 구조와도 관련 • 개인의 도덕성 함양도 필요성 인정 • 정의 실현 강조 • 집단과 개인의 도덕성 구분 • 개인 윤리와 상호 보완적 관계

주제 04 롤스의 정의관

공정으로서의 정의	공정한 절차를 통해 합의된 것은 정의로움
원초적 입장	서로 무관심한 합리적 개인이 무지의 베일을 쓰고 있다고 가정한 상황
정의의 원칙	• 제1원칙: 모든 사람은 기본적 자유에서 평등한 권리를 지닌다. • 제2원칙: 사회적·경제적 불평등은 최소 수혜자에게 최대 이익을 보장해야 하며, 그 불평등이 모든 사람에게 이익이 되리라는 것이 합당하게 기대되고, 불평등의 계기가 되는 지위는 공정한 기회균등의 원칙에 따라 모든 사람에게 개방되어야 한다.

주제 05 노직의 정의관

소유 권리로서의 정의	• 재화의 취득·이전·교정의 절차가 정당해야 함 • 개인의 권리를 보호·존중하는 역할만 하는 최소 국가가 정당
정의의 원칙	• 취득의 원칙: 취득에서의 정의의 원리에 따라 소유물을 취득한 자는 그것의 소유 권리가 있다. • 이전의 원칙: 소유물에 대한 소유 권리가 있는 자로부터 이전에서의 정의의 원리에 따라 그 소유물을 취득한 자는 그것의 소유 권리가 있다. • 교정의 원칙: 취득의 원칙과 이전의 원칙이 반복적으로 적용되지 않은 부당한 취득은 교정해야 한다.

주제 06 처벌의 정당화 근거

응보주의적 관점	처벌의 목적은 범죄 행위의 심각성에 비례한 처벌
공리주의적 관점	처벌은 고통을 가하므로 해악이지만, 더 큰 사회적 이익을 증진하기 위한 수단 ➡ 처벌로 얻는 이익 > 처벌로 발생하는 고통

주제 07 사형 제도에 대한 사상가들의 견해

루소	사형에 처할 중죄를 저지른 자는 사회 계약을 위반한 사회의 적 ➡ 사형 찬성
칸트	살인자에 대한 사형은 범죄자의 인격을 존중하는 행위 ➡ 사형 찬성
베카리아	사형은 공익에 기여하는 바가 적고, 범죄 예방의 지속성이 약함 ➡ 사형 반대

주제 08 시민 불복종

의미	법이나 정부의 정책에 변화를 가져올 목적으로 행해지는 공공적·비폭력적·양심적 위법 행위
이론적 근거	• 소로: 인간은 법보다 양심을 우선해야 함 • 롤스: 사회적 정의의 원칙을 현저하게 위반하는 법이나 정책에 대한 저항 가능 • 드워킨: 헌법 정신에 반하는 법률에 대해 저항 가능 • 싱어: 시민 불복종의 성공 가능성 및 이익과 손해 등을 계산해야 함
반대 주장	실정법의 권위 약화, 민주적 절차 무시, 집단 이기주의의 발로가 될 수도 있음
정당화 조건	비폭력성, 최후의 수단, 법 전체에 대한 항거 불가, 처벌·제재의 감수, 공개성, 목적의 정당성, 기본권 보호

생활과 윤리

성명 | 반 | 번호

01 다음 사상가가 부정의 대답을 할 질문으로 옳은 것은?

> 백성에게 항산(恒産)이 없으면 항심(恒心)도 없으며, 대인(大人)이 하는 일이 있고 소인(小人)이 하는 일이 있다.

① 대인과 소인은 각각에 맞은 사회적 역할이 있는가?
② 덕(德)을 갖춘 사람은 노심(勞心)의 역할을 맡는가?
③ 물질적 안정은 도덕적인 마음의 유지를 위해 중요한가?
④ 모든 사람은 정신노동과 육체노동을 동등하게 해야 하는가?
⑤ 사회적 역할을 구분하는 것은 사회 질서의 유지에 도움이 되는가?

02 (가)의 갑, 을 사상가의 입장을 (나)의 그림으로 표현할 때, A~C에 해당하는 진술로 옳은 것만을 〈보기〉에서 있는 대로 고른 것은?

(가)
갑: 각 분야에 능(能)한 사람을 가려 그 분야를 이끌어 가도록 해야 국부가 넉넉해진다. 이를 위해 예(禮)를 기준으로 삼아야 한다.
을: 대인(大人)이 할 일이 있고, 소인(小人)이 할 일이 따로 있으며, 어떤 사람은 마음을 수고롭게 하고, 어떤 사람은 몸을 수고롭게 한다.

(나)
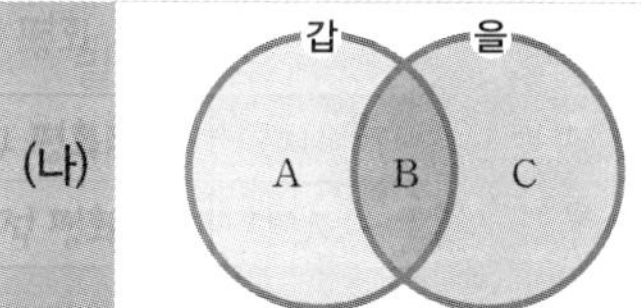

〈범례〉
A : 갑만의 입장
B : 갑, 을의 공통 입장
C : 을만의 입장

보기
ㄱ. A: 물질적 욕망의 충족을 위해 예(禮)에 근거한 역할 수행이 필요하다.
ㄴ. B: 직업이란 각자가 능력에 따라 사회적 역할을 분담하는 것이다.
ㄷ. C: 노심(勞心)하는 자와 노력(勞力)하는 자는 동등해야 한다.
ㄹ. C: 경제적 부가 인간의 도덕성을 위협하지 않도록 해야 한다.

① ㄱ, ㄴ ② ㄱ, ㄹ ③ ㄷ, ㄹ
④ ㄱ, ㄴ, ㄷ ⑤ ㄴ, ㄷ, ㄹ

03 갑 사상가는 긍정의 대답을, 을 사상가는 부정의 대답을 할 질문으로 옳은 것은?

> 갑: 정신노동과 육체노동이 소멸한 후, 노동이 단지 생산을 위한 수단일 뿐만 아니라 생활에서도 가장 필요한 것이 된 후, 개인들은 전면적으로 발전하고 생산력도 성장한다.
> 을: 직업 노동의 열매인 부의 획득은 신의 축복이다. 부단하고 지속적인 직업 노동은 신앙의 진실성에 대한 분명한 증명이다.

① 직업 노동은 금욕적 삶을 위한 최고의 수단인가?
② 인간은 신의 은총에 의해 주어진 재화의 관리인일 뿐인가?
③ 신의 섭리는 직업에 의한 합리적 이윤 추구를 허용하는가?
④ 자본주의의 사적 이윤 추구 동기는 인간 소외의 원인인가?
⑤ 신의 영광을 더하기 위해 체계적인 분업 노동으로 부자가 되는 것은 정당한가?

04 다음 사상가가 긍정의 대답을 할 질문으로 가장 적절한 것은?

> 사적 소유제와 자유 기업을 근본으로 하는 자유 시장 경제 체제에서 기업의 경영인은 단지 기업 소유자의 고용인에 지나지 않기 때문에 가능한 한 많은 이윤을 추구하는 일 외에 다른 역할을 하려 해서는 안 된다. 기업의 사회적 책임이란 단지 기업의 이익 극대화를 위한 전략적 수단일 뿐이다.

① 기업이 존재하는 고유한 목적은 이윤 추구에 있는가?
② 기업은 사회적 존재로서 공익적 책임을 수행해야 하는가?
③ 기업의 존재 목적은 모든 사회 구성원의 삶의 질 향상인가?
④ 기업의 이윤 추구는 사회적 책임의 한계 내에서만 허용되는가?
⑤ 기업은 미래 세대와 자연환경에 대한 책임을 수용해야 하는가?

05 다음 입장에서 지지할 주장으로 적절하지 않은 것은?

> 부패를 조장하는 관행을 법적 제재로 없애려 해도 성공하기 어렵습니다. 관행을 없애기 위해서는 정직성과 투명성을 정착시키는 사회적 자본이 무엇보다 중요합니다. 이것은 주로 신뢰, 규범, 관용 등 도덕적 자원들로 구성됩니다. 사회적 자본의 축적은 공공 문제에 대한 자발적 참여와 협력을 증진시키고, 시민 결사체들을 통해 의견 대립을 긍정적으로 승화시킵니다. 그 결과 반칙과 부패는 감소하고, 호혜성과 생산성은 증가합니다.

① 사회적 신뢰는 사회적 자본 형성을 촉진한다.
② 사회적 자본을 쌓으면 시민 간 호혜성이 늘어난다.
③ 시민 결사체 간 갈등은 항상 부정적 결과만을 낳는다.
④ 사회적 자본의 증대는 사회적·경제적 효율성 증진에 기여한다.
⑤ 시민의 참여 의식은 부패 관행의 제거에 중요한 동인(動因)이다.

06 다음 사상가가 부정의 대답을 할 질문으로 가장 적절한 것은?

> 사회를 중심에 놓고 보면, 최고의 도덕적 이상은 정의이고, 개인을 중심에 놓고 보면 최고의 도덕적 이상은 이타성이다. 사회는 불가피하게 이기심, 반항, 강제력, 원한처럼 도덕성이 높은 사람들로부터는 결코 도덕적 승인을 얻어 낼 수 없는 방법을 사용해서라도 종국적으로는 정의를 추구해야 한다.

① 개인의 이타성은 사회 정의 실현에 기여하는가?
② 개인 윤리와 사회 윤리는 상호 보완적 관계인가?
③ 개인의 도덕적 이상과 사회의 이상은 동일한 것인가?
④ 정치에서 물리력의 사용은 도덕적 견제를 받아야 하는가?
⑤ 사회 정의의 실현을 위해서는 외적인 강제력이 필요한가?

07 ㉠에 들어갈 말로 가장 적절한 것은?

> 분배적 정의와 관련해 제시할 수 있는 올바른 기준은 업적을 기준으로 하는 것이다. 그런데 어떤 사람들은 필요에 따른 분배가 가장 바람직하다고 주장한다. 나는 그들의 이와 같은 분배 방식에 문제가 있다고 보는데, 그 이유는 그 방식이 [㉠]

① 노동 의욕과 경쟁을 지나치게 강조하기 때문이다.
② 사회적 약자에 대한 배려를 결여하고 있기 때문이다.
③ 개인의 능력과 역량만을 지나치게 강조하기 때문이다.
④ 각자가 지닌 자연적 재능만을 기준으로 하기 때문이다.
⑤ 개인의 성취에 대한 실질적 보상을 부정하기 때문이다.

08 다음 사상가의 주장만을 〈보기〉에서 있는 대로 고른 것은?

> • 사회 정의의 원칙은 사회 체제를 선정하고, 적절한 분배의 몫에 합의하는 데 필요한 원칙들의 체계를 요구한다.
> • 정의는 사회 제도의 제1 덕목이다. 법이나 제도가 아무리 효율적이고 정연하다고 하더라도, 그것이 정당하지 못한 것이라면 개선되거나 폐기되어야 한다.

보기

ㄱ. 정의의 기본 원칙들에는 축차적 우선성에 의한 서열이 존재한다.
ㄴ. 사회·경제적 불평등은 공정한 절차를 준수하게 되면 발행하지 않는다.
ㄷ. 각 개인이 갖는 자유는 다른 개인들이 갖는 자유의 체계와 양립해야 한다.
ㄹ. 천부적 재능의 우연한 분포에 의한 불평등의 완화를 위한 재분배는 허용되어야 한다.

① ㄱ, ㄴ ② ㄱ, ㄷ ③ ㄴ, ㄹ
④ ㄱ, ㄷ, ㄹ ⑤ ㄴ, ㄷ, ㄹ

09 다음 사상가의 입장에서 긍정의 대답을 할 질문만을 <보기>에서 있는 대로 고른 것은?

> • 우리는 어떤 것을 소유함으로써 타인의 처지를 악화시키지 않는 한 그 소유물을 취득할 응분의 권한을 갖는다.
> • 취득하거나 양도할 때 과오나 그릇된 절차에 의한 소유가 발생하게 되면, 이를 바로잡아야 한다.

보기

ㄱ. 차등의 원칙은 구성원 모두에게 이익이 되는가?
ㄴ. 부의 불평등 해소에 기여하는 재분배만이 정당화될 수 있는가?
ㄷ. 사회적 약자를 위한 세금 부과는 개인의 정당한 소유권을 침해하는가?
ㄹ. 국가는 강압, 절도, 사기, 강제 계약을 막는 등의 최소 역할만을 해야 하는가?

① ㄱ, ㄴ ② ㄱ, ㄷ ③ ㄷ, ㄹ
④ ㄱ, ㄴ, ㄹ ⑤ ㄴ, ㄷ, ㄹ

10 (가)를 주장한 사상가가 (나)의 상황 S_1~S_4에 대해 제시할 입장으로 옳지 <u>않은</u> 것은?

(가) 우리는 정당한 최초의 취득에 대해 응분의 권리를 가지며, 타인에 의해 자유로이 양도된 것에 대해서도 정당한 소유권을 갖는다.

(나)
S_1: 갑은 정당한 노동으로 재화 g를 취득했다.
⇩
S_2: 을은 갑에게서 g를 자유롭게 양도받았다.
⇩
S_3: 병은 을에게서 g를 강제적으로 빼앗았다.
⇩
S_4: 정은 병에게서 g를 자유롭게 양도받았다.

*화살표(⇩)는 상황(S)의 경과를 나타낸다.

① 갑은 S_1에서 g를 소유할 정당한 권리를 갖는다.
② 을은 S_2에서 g를 소유할 정당한 권리를 갖는다.
③ 병은 S_3에서 g를 양도할 정당한 권리가 없다.
④ 정은 S_4에서 g에 대해 소유권을 주장해서는 안 된다.
⑤ 국가는 S_3, S_4가 아닌 S_1, S_2에 대해 교정적 간섭을 해야 한다.

11 (가)의 갑, 을 사상가들의 입장을 (나) 그림으로 표현할 때, A~C에 해당하는 적절한 진술만을 <보기>에서 있는 대로 고른 것은?

(가)
갑: 한 분배가 정의로울 수 있는 충분조건은 그 분배 아래에서 모든 사람이 자신이 소유하고 있는 것에 대해 소유 권리를 갖는 것이다.
을: 사회·경제적 불평등은 허용되지만, 그것은 모든 사람 중에서도 최소 수혜자의 처지를 개선하는 경우에 정당하다.

(나)
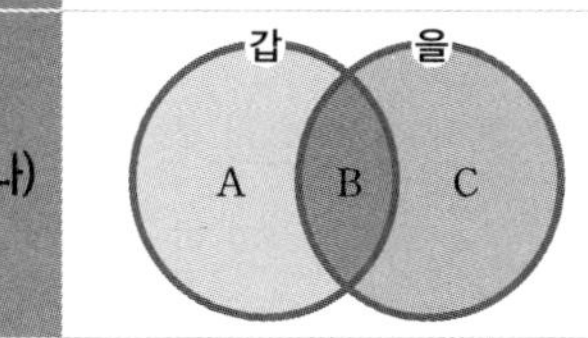

<범례>
A : 갑만의 입장
B : 갑, 을의 공통 입장
C : 을만의 입장

보기

ㄱ. A: 자연적 우연성에 의한 개인의 재능은 자신의 것이다.
ㄴ. B: 절차적 정의를 따른 결과적 불평등은 공정하다.
ㄷ. C: 각 개인은 자유롭고 평등한 하나의 인격체이다.
ㄹ. C: 재화의 공정한 분배는 개인의 자발적 선택에 의해 이루어져야 한다.

① ㄱ, ㄴ ② ㄱ, ㄹ ③ ㄷ, ㄹ
④ ㄱ, ㄴ, ㄷ ⑤ ㄴ, ㄷ, ㄹ

12 갑, 을, 병 사상가들의 입장으로 옳은 것은?

> 갑: 정의란 '각자는 자신의 능력에 따라, 각자에게는 자신의 필요에 따라'라는 기준을 확립하는 것이다.
> 을: 정의란 취득에서의 정의의 원리에 따라 소유물을 획득한 자가 그 소유물을 소유할 권리를 갖는 것이다.
> 병: 정의란 권리와 의무를 할당하고, 사회적 이익을 적절하게 분배하는 원칙들로 최초의 입장에서 합의할 대상이다.

① 갑: 분배적 정의는 가치와 공적에 따라 이루어져야 한다.
② 을: 최소 국가만이 최선의 가장 포괄적인 국가이다.
③ 병: 천부적 재능의 우연한 분포는 개인의 소유물로 간주해야 한다.
④ 갑, 병: 사회 전체의 이익을 명분으로 개인의 소유권을 침해해서는 안 된다.
⑤ 을, 병: 자연적 우연성에 의한 개인의 재능은 사회 공동의 것으로 보아야 한다.

13 갑, 을의 입장으로 가장 적절한 것은?

> 갑: 소수자 우대 정책은 사회의 다양성과 사회 정의의 실현을 위해 필요한 제도이다.
> 을: 정의란 공정성을 말하는 것이지만, 이를 무시하고 책임 없는 후손에게 불이익을 주는 것은 정의가 아니다.

① 갑: 소수자 우대 정책은 공정한 경쟁 원리를 무시한다.
② 갑: 소수자 우대 정책은 업적과 능력의 원칙을 무시한다.
③ 을: 소수자 우대 정책은 새로운 역차별의 원인이 된다.
④ 을: 소수자 우대 정책은 공익적 가치 실현에 부합한다.
⑤ 갑, 을: 소수자 우대 정책은 정의로운 재분배 정책이다.

14 (가) 입장에서 (나) 주장에 대해 제시할 정당화 논거로 적절하지 않은 것은?

(가)	• 학교가 인종, 계급, 직업, 지위에 의해 한 국가를 분리하는 것은 정의와 조화라는 가치에 반하는 것이다. 학교는 다양한 학생으로 구성된 모습을 지향해야 한다. • 어떤 학생도 과거의 성취나 능력, 타고난 덕으로 인해 대학 입학 자격을 받아서는 안 된다. 학생들은 학교가 추구하는 다양한 목표에 기여할 가능성으로 판단되어야 한다.
(나)	소수자를 우대하는 대학 입학 전형 방식을 도입해야 한다.

① 대학은 다원적 가치를 구현해야 하기 때문이다.
② 대학은 인종적 다양성을 실현해야 하기 때문이다.
③ 대학은 객관적 성적을 기준으로 선발해야 하기 때문이다.
④ 대학은 설립 목적에 부합하는 선발을 해야 하기 때문이다.
⑤ 대학은 사회를 분리하려는 시도를 하지 말아야 할 책무가 있기 때문이다.

15 갑, 을이 서로에 대해 제기할 반론만을 〈보기〉에서 있는 대로 고른 것은?

형벌은 범죄에 상응해야 하며, 도덕적 형평성의 회복을 목적으로 해야 합니다.
갑

그렇지 않습니다. 형벌은 범죄자를 교화하고, 범죄를 예방해야 합니다.
을

보기
ㄱ. 갑이 을에게: 형벌의 응보적 성격을 무시하고 있습니다.
ㄴ. 갑이 을에게: 형벌이 계약의 공정한 이행이어야 함을 무시하고 있습니다.
ㄷ. 을이 갑에게: 형벌이 공동체의 선을 증진해야 함을 간과하고 있습니다.
ㄹ. 을이 갑에게: 형벌이 동등성의 원리를 따라야 함을 간과하고 있습니다.

① ㄱ, ㄴ ② ㄱ, ㄷ ③ ㄴ, ㄹ
④ ㄱ, ㄷ, ㄹ ⑤ ㄴ, ㄷ, ㄹ

16 (가)의 사상가 갑, 을의 입장을 (나)의 그림으로 탐구할 때 A~C에 해당하는 질문으로 옳은 것은?

(가)
갑: 법의 일반 목적은 공동체의 행복이며, 공리의 원리를 따라야 한다.
을: 법의 목적은 적은 고통을 주면서, 범죄자가 새로운 해악을 입힐 가능성을 방지하는 것이다.

(나)
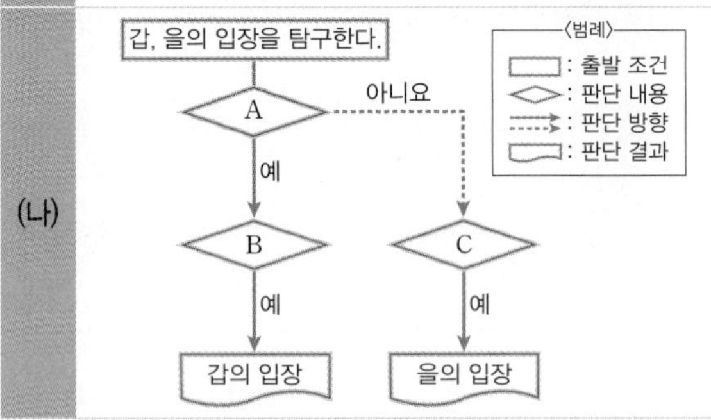

① A: 형벌은 본보기를 통해 지속적 효과를 지녀야 하는가?
② B: 형벌은 범죄를 원래 상태로 되돌리는 것이 목적인가?
③ B: 형벌에 의한 범죄자의 고통은 응보적 의미를 갖는가?
④ C: 형벌은 공동체의 선을 실현하는 수단이어야 하는가?
⑤ C: 형벌은 정언 명령으로서 공적 정의 실현이라는 의미를 지니는가?

17 갑, 을 모두 긍정의 대답을 할 질문으로 옳은 것은?

갑: 형벌은 범죄 예방을 통해 최대 다수의 최대 행복을 실현하는 데 적합한 수단이어야 한다.
을: 법은 각 개인의 일반 의사를 대표한다. 자신의 생명을 빼앗을 권능을 타인 또는 국가에 양도할 사람이 누가 있겠는가?

① 사형은 살인범에게 국가가 내릴 수 있는 최선의 형벌인가?
② 형벌은 사회적 유용성의 가치에 기여할 때 정당성을 갖는가?
③ 사형은 자율적 행위자인 살인범의 인격을 존중하는 것인가?
④ 사형은 일반 의지가 규정한 계약의 위반에 대한 응분의 보복인가?
⑤ 형벌은 예방과 교화보다 국민의 법 감정에 충실할 때 정당성을 갖는가?

18 갑, 을 사상가의 입장에 대한 설명으로 옳은 것만을 〈보기〉에서 있는 대로 고른 것은?

갑: 사람은 생명 보존을 위해 계약을 맺으며, 살인자가 사형을 받는 것에 동의하는 이유는 자신이 살인자의 희생물이 되는 것을 피하기 위해서이다.
을: 형벌에서 공적 정의란 동등성의 원리이고, 따라서 오직 보복법만이 형벌과 양과 질을 규정한다.

보기
ㄱ. 갑은 사형의 근거가 일반 의지에 규정된 계약의 위반에 있다고 본다.
ㄴ. 을은 사형을 시민 사회의 선(善)을 실현하기 위해 필요하다고 본다.
ㄷ. 을은 갑과 달리 범죄 예방을 위해 종신형보다 사형이 효과적이라고 본다.
ㄹ. 갑, 을은 살인자에 대한 사형을 공적 정의의 실현으로 본다.

① ㄱ, ㄴ ② ㄱ, ㄹ ③ ㄷ, ㄹ
④ ㄱ, ㄴ, ㄷ ⑤ ㄴ, ㄷ, ㄹ

19 갑은 긍정, 을은 부정의 대답을 할 질문으로 옳은 것은?

갑: 형벌로서 사형은 인격인 살인범의 인간성을 훼손할 수 있는 모든 가혹 행위로부터 그의 인격을 존중해 주는 것이다.
을: 형벌은 살인범이 지속적으로 비참한 상태에 놓인 것을 보여 줌으로써 사람들에게 오랫동안 본보기의 역할을 해야 하기 때문에 사형을 시켜서는 안 된다.

① 형벌은 범죄 예방을 위한 응보적 성격을 갖는가?
② 사형은 종신 노역형을 대체할 유일한 합법적 형벌인가?
③ 형벌은 사회적 이익 감소에 대한 보복적 성격을 갖는가?
④ 형벌은 사회적 효용이 아닌 범죄 그 자체에만 근거해야 하는가?
⑤ 사형은 살인범의 인격권보다 공동선의 실현을 위해 집행되어야 하는가?

20 (가)의 갑, 을 사상가의 입장을 (나)의 그림으로 표현할 때, A~C에 해당하는 옳은 진술만을 〈보기〉에서 있는 대로 고른 것은?

(가)
갑: 권리와 책임의 근거는 오직 정부로부터 거두는 이익 때문이며, 이 때문에 정부에 대한 저항을 불쾌하게 여긴다.
을: 정부는 분쟁을 재판할 우월자가 없이 이성에 따라 살던 구성원들이 자연권, 즉 스스로의 생명과 자유, 재산을 보호하기 위해 계약을 통해 만든 것이다.

(나)
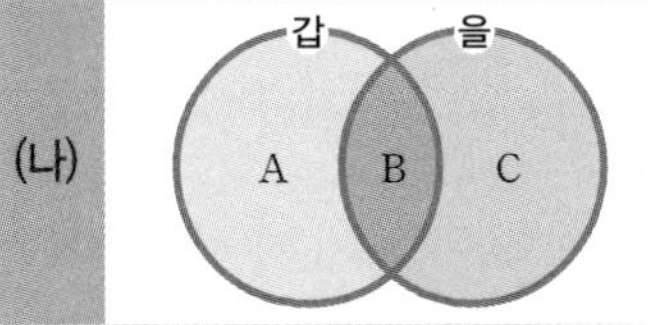

〈범례〉
A : 갑만의 입장
B : 갑, 을의 공통 입장
C : 을만의 입장

보기
ㄱ. A: 정치적 의무의 발생은 인간의 자연적 본성 때문인가?
ㄴ. B: 국가가 제공하는 혜택이 정치적 의무와 관련되는가?
ㄷ. B: 국가의 역할 수행에 따라 정치적 의무는 철회되기도 하는가?
ㄹ. C: 정치적 의무의 근거는 각자의 동의에 기초하는가?

① ㄱ, ㄴ ② ㄱ, ㄷ ③ ㄴ, ㄹ
④ ㄱ, ㄷ, ㄹ ⑤ ㄴ, ㄷ, ㄹ

21 (가)의 사상가 갑, 을의 입장을 (나)의 그림으로 탐구할 때 A~C에 해당하는 옳은 질문만을 〈보기〉에서 있는 대로 고른 것은?

(가)
갑: 사회에 들어가겠다는 어떤 사람의 명시적 동의가 그를 그 사회의 완전한 구성원이자 그 정부의 신민으로 만든다는 점은 확실하다.
을: 모든 생활 공동체는 어떤 선(善)을 목적으로 성립하며, 국가 또는 정치 공동체는 다른 공동체보다 더 큰 최고선을 목적으로 성립한다.

(나)
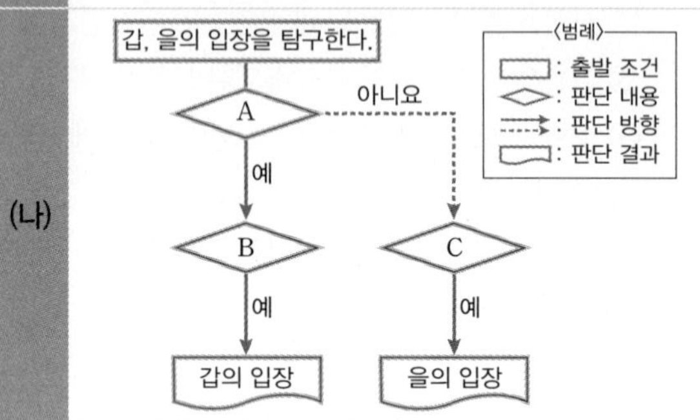

보기
ㄱ. A: 국가의 우선적 목표는 개인의 생명, 재산, 자유의 보호인가?
ㄴ. B: 국가는 완전하고 자족적인 정치 공동체인가?
ㄷ. B: 정치적 권위에 대한 복종은 명시적 동의에 의해서만 성립하는가?
ㄹ. C: 정치적 권위에 대한 복종은 인간의 본성에서 비롯되는가?

① ㄱ, ㄷ ② ㄱ, ㄹ ③ ㄴ, ㄹ
④ ㄱ, ㄴ, ㄷ ⑤ ㄴ, ㄷ, ㄹ

22 다음 사상가의 입장으로 가장 적절한 것은?

공정으로서의 정의의 관점에서 볼 때 기본적인 자연적 의무는 정의의 의무이다. 사회의 기본 구조가 정의롭거나 혹은 그러한 상황을 합당하게 기대할 만큼 정의로울 경우 각자는 자신에게 요구되는 바를 행해야 할 자연적 의무를 지닌다.

① 국가는 가장 완전한 공동체이다.
② 국가는 인간의 타고난 본성에서 유래한다.
③ 자연적 의무는 자발적인 동의를 전제로 성립한다.
④ 시민이 국가에 복종하는 것은 자연적 의무에 해당한다.
⑤ 국가는 중립적인 입장을 지녀야 하므로 도덕적 선 실현에 영향을 미쳐서는 안 된다.

23 다음 사상가의 입장으로 가장 적절한 것은?

어떤 소수자에게 투표권이나 직책을 맡을 권리나 재산을 소유할 권리가 거부될 때, 혹은 어떤 종교 단체들이 억압받을 때, 정의의 원칙에 어긋나는 이러한 부정의한 상황에 대한 최종적 선택이 시민 불복종일 수 있다.

① 거의 정의로운 사회에서 발생하는 시민 불복종은 정당화되지 않는다.
② 종교적 교리나 개인적 가치관에 근거한 시민 불복종은 항상 정당하다.
③ 공정한 기회균등의 원칙에 대한 심각한 위반은 시민 불복종의 이유가 된다.
④ 최소 수혜자의 원리에 대한 입장 차이는 시민 불복종의 정당한 이유가 된다.
⑤ 평등한 자유의 원칙에 대한 심각한 위반만이 시민 불복종의 정당한 이유이다.

24 (가)의 사상가 갑, 을의 입장을 (나)의 그림으로 탐구할 때 A~C에 해당하는 옳은 질문만을 〈보기〉에서 있는 대로 고른 것은?

(가)
갑: 정부란 사람들이 잘 살아가기 위한 편의적 기관이다. 먼저 사람이고, 그 다음 국민이어야 한다.
을: 시민 불복종은 법이나 정부 정책의 변화를 목적으로 하는 공공적이고 비폭력적이며, 평화적이기는 하지만, 법에 반하는 정치적 행위이다.

(나)
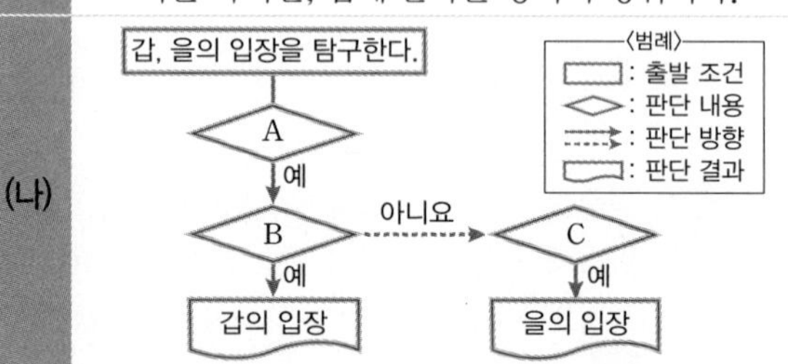

보기
ㄱ. A: 시민 불복종은 정의롭지 못한 법을 바로잡으려는 자발적 행위인가?
ㄴ. B: 시민 불복종은 개인의 양심보다 다수결의 원리에 근거해야 하는가?
ㄷ. B: 시민 불복종을 하기 전에 법에 따른 처벌 유무를 우선 고려해야 하는가?
ㄹ. C: 시민 불복종은 법에 충실하려는 한계 안에서 이루어지기 때문에 비폭력적인가?

① ㄱ, ㄷ ② ㄱ, ㄹ ③ ㄴ, ㄹ
④ ㄱ, ㄴ, ㄷ ⑤ ㄴ, ㄷ, ㄹ

25 갑, 을 사상가의 입장으로 옳지 않은 것은?

> 갑: 자신의 양심을 입법자에게 맡겨서는 결코 안 된다. 먼저 사람이고 나서 그다음에 법에 복종해야 하기 때문이다.
> 을: 민주 사회에서 합법적 수단을 통해 가까운 미래에 변화를 일으킬 가능성이 극단적으로 적을 경우 불법적 수단의 사용을 강력히 반대할 이유가 없다. 이때 우리가 중단하려는 악의 크기와 우리가 낳을 법과 민주주의에 대한 존중심의 감소 정도를 계산해 보아야 한다.

① 갑: 개인의 양심은 법보다 우선한다.
② 갑: 각자는 법에 대한 존경심보다 옳음에 대한 존경심을 길러야 한다.
③ 을: 시민 불복종이 산출할 손익을 계산해야 한다.
④ 을: 시민 불복종의 성공 가능성을 고려해야 한다.
⑤ 갑, 을: 차등의 원칙만을 심각하게 위배한 행위는 시민 불복종 대상이 안 된다.

26 (가) 사상가의 입장에서 (나)의 ㉠에 대한 설명으로 옳은 것은?

(가)	시민 불복종은 공동 사회의 다수자가 갖고 있는 정의감을 드러내고, 자유롭고 평등한 개인들 사이에서 사회 협동체의 원칙이 존중되지 않고 있음을 보여 주는 정치적 행위이다.
(나)	헌법 정신에 반하는 법률에 대한 시민 불복종은 양심과 정책에 기반한 유형 이외에 [㉠]에 기반한 유형도 있다. 예를 들어, 베트남 전쟁에 대해 반대하는 시위를 하며 국가의 전쟁에 반대해서는 안 된다는 법을 어긴 경우는 [㉠]에 기반한 시민 불복종이다.

① 절차적 과정과 상관없이 그 자체로서 옳다.
② 공정한 절차에 의한 불평등을 허용해서는 안 된다.
③ 동등한 사람들에게 동등한 몫의 재화를 분배해야 한다.
④ 타고난 공적과 성품에 따라 각자의 몫을 나누어야 한다.
⑤ 차등의 원칙이 평등한 기본적 자유의 보장에 우선해서는 안 된다.

서답형 문제

27 갑, 을 사상가들의 사형제에 대한 기본 입장을 서술하시오.

> 갑: 법은 각 개인의 자유 중 최소한의 몫을 모은 것 이외에 어떤 것도 아니다. 법은 개개인의 의사를 대변하는 일반 의사를 대표한다.
> 을: 시민 사회가 모든 구성원의 동의를 통해 공동체를 해체하기로 했을 때조차도 감옥에 남아 있는 마지막 살인자에 대한 집행은 반드시 이루어져야 한다.

28 ㉠, ㉡에 대해 서술하시오.

> 정치적 의무는 인간이라면 누구나 지켜야 할 도덕적 규범과 달리 특정 국가 공동체에 속하는 사람들에게만 주어지는 의무이다. 이와 같은 정치적 의무를 바라보는 입장에는 ㉠ 동의론, 혜택론, 본성론, ㉡ 자연적 의무론 등이 있다.

29 ㉠ ~ ㉢ 사상가들이 강조하는 시민 불복종의 정당화를 위한 핵심 논거를 서술하시오.

> 시민 불복종은 법이나 정부의 정책에 변화를 가져오기 위해 행하는 공공적이고 비폭력적이며, 양심적인 위법 행위를 말한다. 하지만 ㉠ 소로, ㉡ 롤스, ㉢ 드워킨 등 각각의 사상가들은 시민 불복종의 정당화를 위한 핵심 논거에서는 차이를 드러내기도 한다.

IV 단원 과학과 윤리

주제 01 과학 기술에 대한 관점

구분	내용
과학 기술 지상주의	• 과학 기술을 이용하여 모든 문제를 해결할 수 있다는 생각 • 문제점: 과학 기술의 부정적 측면을 간과, 반성적 사고 능력 훼손
과학 기술 혐오주의	• 과학 기술의 비인간적·비윤리적 측면을 부각하고 과학의 합리성 자체를 회의 • 문제점: 과학 기술의 영향을 부정하여 현실을 반영하지 못함
바람직한 시각	과학 기술의 긍정적 측면과 부정적 측면 모두 고려

주제 02 과학 기술의 가치 중립성

구분	내용
강조 입장	• 연구의 자유 보장 • 가치 개입 부정 • 윤리적 규제는 과학 기술 발달 저해
부정 입장	• 윤리적 검토나 통제 필요 • 사회적 요인과의 관련 인정 • 과학 기술과 도덕적 가치 분리 불가능
균형	• 이론적 정당화 맥락에서 과학 기술의 가치 중립성 인정 • 연구 목적 설정 및 활용의 맥락에서 과학 기술에 대한 가치 평가 인정

주제 03 요나스의 책임 윤리

구분	내용
책임의 확대	• 자연, 미래 세대 등까지 확대 • 과거 지향적 책임 부과에서 행위되어야 할 것에 대한 책임 제시
과학 기술자의 책임 윤리	• 과학 기술의 발전이 사회에 미칠 결과를 예측하고 윤리적 책임을 져야 함 • 자연환경과 미래 세대가 존속할 수 있는 범위 내에서 과학 기술의 발전을 추구 • 과학 기술의 부정적 결과에 대한 예측을 통한 연구의 한계 인식

주제 04 과학 기술자의 책임

구분	내용
내적 책임	연구 자체에 대한 책임으로 과학 기술의 가치 중립성을 강조하는 입장과 연결됨
외적 책임	연구 결과의 사회적 영향에 대한 책임으로 과학 기술의 가치 중립성을 부정하는 입장과 연결됨

주제 05 정보 사회의 윤리 문제

구분	내용
저작권 문제	• 저작권 보호 입장: 정보는 사유재, 창작자 권리를 보호해야 저작물 발전 • 정보 공유 입장: 정보는 공공재, 정보를 자유롭게 이용해야 저작물 발전
사생활 침해	정보 자기 결정권과 잊힐 권리 보장 필요 ➡ 개인의 사생활 보호와 알 권리의 충돌

주제 06 서양의 자연관

구분	내용
인간 중심주의	• 인간만 도덕적 고려 • 데카르트: 자연은 영혼 없는 기계 • 칸트: 자연에 대한 간접적 의무
동물 중심주의	• 인간을 포함한 동물까지 도덕적 고려 • 싱어: 쾌고 감수 능력 강조 • 레건: 삶의 주체 강조
생명 중심주의	• 인간, 동물, 식물 등을 포함한 생명체까지 도덕적 고려 • 슈바이처: 생명에 대한 외경 강조 • 테일러: 고유한 선을 지닌 목적론적 삶의 중심
생태 중심주의	• 생명체와 무생물을 포함한 생태계 전체를 도덕적 고려 • 레오폴드: 대지의 윤리 • 네스: 심층 생태주의, 큰 자아실현, 생명 중심적 평등

주제 07 동양의 자연관

구분	내용
유교	• 만물은 본래의 가치를 지님 • 하늘은 덕의 근원
불교	• 자연은 원인과 조건으로 연결된 그물 • 만물의 상호 의존성 강조
도교	• 무위자연 추구 • 자연에 통제나 조작을 가해서는 안 됨
공통점	• 인간과 자연의 상호 의존성 및 조화와 화합 강조 • 자연과의 공존 모색

주제 08 미래 세대에 대한 책임

구분	내용
책임 윤리	인류가 지구상에 계속 존재해야 한다는 정언 명법에 근거해 미래 세대에 대한 책임을 져야 함
책임의 근거	현세대와 미래 세대의 세대 간 연속성

단원 평가 제 4 회

생활과 윤리

Ⅳ. 과학과 윤리

성명		반		번호	

01 그림의 토론 주제에 관한 갑, 을의 입장으로 적절하지 않은 것은?

• 토론 주제: 과학 기술에 대해 어떤 관점을 가져야 하는가?

과학 기술은 인류에게 풍요를 가져다줄 것입니다. 과학 기술의 발전만이 사회의 모든 문제를 해결하고 무한한 부와 행복을 가능하게 합니다.
갑

과학 기술은 인류의 삶을 위협하는 요인입니다. 과학은 합리성이라는 이름으로 비인간화를 초래하고 인간성 자체를 위협하고 있습니다.
을

① 갑: 과학 기술은 인류의 건강과 생명 연장에 기여한다.
② 갑: 과학 발전에 따른 문제는 기술 개발로 해결할 수 있다.
③ 을: 과학에 대한 맹신은 인간의 반성적 사고를 훼손한다.
④ 을: 과학 기술의 성과에 숨겨진 부작용을 인식해야 한다.
⑤ 갑, 을: 과학 기술에 대한 비판적 사고 능력이 필요하다.

02 갑, 을 사상가들의 입장으로 가장 적절한 것은?

> 갑: 기술을 중립적인 것으로 고찰하여 우리와 무관한 것으로 볼 때, 우리는 무방비 상태로 기술에 내맡겨진다.
> 을: 기술은 수단일 뿐이며 그 자체로 선도 아니고 악도 아니다. 과학 기술의 선악은 인간이 기술을 어디에 사용하는가에 달려 있다.

① 갑은 과학 기술과 도덕이 별개의 영역임을 강조한다.
② 을은 과학 기술의 활용에 대한 사회적 책임을 강조한다.
③ 갑은 을보다 과학 기술에 대한 윤리적 규제를 강조한다.
④ 을은 갑보다 과학 기술이 가치와 밀접하게 관련됨을 강조한다.
⑤ 갑, 을은 모두 과학 기술의 사회적 필요성을 부정한다.

03 그림은 서술형 평가 문제와 학생 답안이다. 학생 답안의 ㉠~㉤ 중 옳지 않은 것은?

서술형 평가

◎ **문제** 갑, 을의 입장을 비교하여 서술하시오.

> 갑: 과학 기술은 가치 중립적이므로 과학자의 연구의 자유는 보장되어야 한다. 과학 기술 연구에 특정한 가치가 개입되어서는 안 된다.
> 을: 과학 기술은 사회적 요인과 결합하여 발전하므로 가치 판단에서 자유로울 수 없다. 따라서 과학 기술에 대한 윤리적 검토가 필요하다.

◎ **학생 답안**

갑은 ㉠ 과학 기술에 대한 결과 예측이 어렵기 때문에 윤리적 평가는 할 수 없으며, ㉡ 과학자는 과학 기술 결과에 대한 책임으로부터 자유로워야 한다고 주장한다. 을은 ㉢ 과학 기술이 가치의 문제와 밀접한 관련이 있다고 보며, ㉣ 과학 기술을 연구하고 활용하는 전 과정에 도덕적 규제가 필요하다고 주장한다. 한편 갑, 을은 ㉤ 과학 기술이 선악의 문제와 무관한 영역이라고 본다.

① ㉠ ② ㉡ ③ ㉢ ④ ㉣ ⑤ ㉤

04 다음 서양 사상가가 긍정의 대답을 할 질문으로 가장 적절한 것은?

> 미래 세대가 생존할 수 있는 조건에 관해서는 현재의 우리에게 책임이 있다. 따라서 아직 존재하고 있지는 않지만 존재할 것으로 기대되는 미래 세대의 권리에 대하여 우리는 응답할 의무가 있다.

① 자연은 인간의 책임 범위를 벗어나는 대상인가?
② 윤리학은 악에 대한 공포로부터 도출되어야 하는가?
③ 인간의 책임 범위는 자신이 의도한 행위에 국한되는가?
④ 현세대와 미래 세대는 상호 간에 책임의 의무가 있는가?
⑤ 과학 기술로 인한 부작용은 새로운 기술로 해결할 수 있는가?

05 그림의 강연자가 지지할 입장으로 적절하지 않은 것은?

뛰어난 사고 능력과 우월한 사고로 인해 가능하였던 기술 문명의 힘으로 인간은 다른 모든 것을 위험에 빠뜨리게 되었다. 이러한 상황은 인간에게 책임을 동반한다. 이 책임은 종전의 범위를 넘어서서 생물계의 상태와 인간 종족의 미래의 생존까지 포괄하는 책임을 의미한다.

① 인간의 행위로 예견되는 결과를 책임에 포함해야 한다.
② 과학 기술로 인한 윤리적 공백을 책임으로 채워야 한다.
③ 과학 기술의 발전을 통해 현재의 문제를 해결해야 한다.
④ 미리 사유된 위험으로부터 확대된 책임을 도출해야 한다.
⑤ 인간은 과학 기술의 성과에 대해 윤리적으로 성찰해야 한다.

06 (가)의 입장에 비해 (나)의 입장이 갖는 상대적 특징을 그림의 ㉠~㉤ 중에서 고른 것은?

(가) 저작물에 대한 무단 표절과 복제를 막고 저작자의 노력에 정당한 대가를 지불해야 한다. 이를 통해 창작자의 생산 동기를 활성화할 수 있기 때문이다.
(나) 저작물은 축적된 문화유산을 바탕으로 만들어진 것이므로 인류 공동의 자산이다. 저작물은 저작자의 이익이 아니라 사회의 공동선을 위해 활용되어야 한다.

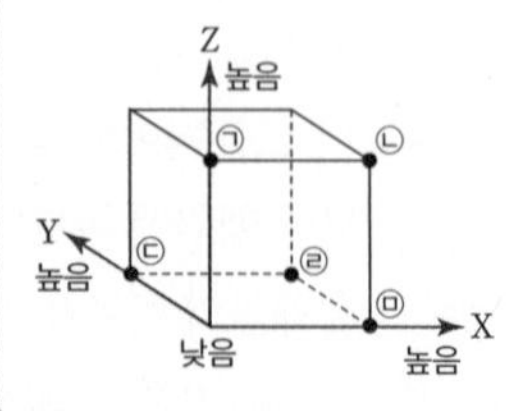

• X : 소유권 보장을 통한 정보 생산을 강조하는 정도
• Y : 저작권의 공유를 통한 사회 발전을 강조하는 정도
• Z : 저작권이 개인의 배타적 권리임을 강조하는 정도

① ㉠ ② ㉡ ③ ㉢ ④ ㉣ ⑤ ㉤

07 다음 토론의 핵심 쟁점으로 가장 적절한 것은?

갑: 모든 국민의 사생활은 반드시 보호되어야 합니다. 사생활 침해는 개인의 기본권인 자유권을 훼손하여 개인에게 심각한 피해를 초래합니다.
을: 국민의 사생활 보호는 필요하지만, 모든 사생활이 보호되어야 하는 것은 아닙니다. 국민은 사생활 보호라는 자유권은 물론 정치, 사회 등에 대한 정보를 얻을 수 있는 알 권리도 갖고 있기 때문입니다.
갑: 국민의 알 권리 보장을 위해서라 하더라도 개인의 사생활 침해가 정당화될 수는 없습니다. 개인의 자유권이 알 권리보다 우선됩니다.
을: 개인의 자유권이 알 권리보다 앞선다는 것을 부정하는 것은 아닙니다. 그러나 알 권리 보장을 위해 사생활 침해가 불가피한 경우도 있습니다.

① 모든 국민의 사생활은 보호될 필요가 있는가?
② 국민에게는 정치, 사회에 대해 알 권리가 있는가?
③ 개인의 자유권 보장이 알 권리의 보장보다 우선하는가?
④ 알 권리의 보장을 위해 개인의 사생활은 침해될 수 있는가?
⑤ 사생활 침해는 개인에게 심각한 피해를 초래할 수 있는가?

08 ㉠의 내용으로 가장 적절한 것은?

온라인 속의 인생을 지워 주고 새로운 삶을 찾아 주는 사람, 우리는 그를 디지털 장의사라 부른다. 디지털 장의사는 원래 죽은 사람들의 디지털 유산을 정리하는 활동으로 출발했지만, 최근에는 살아 있는 사람들의 원하지 않는 정보를 삭제해 줌으로써 더욱 활발하게 활동하고 있다. 그러나 디지털 장의사의 역할이 ㉠ 부정적 결과를 낳을 수 있기 때문에 법적 절차와 세심한 결정에 따라 이루어져야 한다.

① 개인이 가진 정보 자기 결정권이 훼손될 수 있다.
② 개인 정보가 타인에게 노출되거나 악용될 수 있다.
③ 알 권리 보장으로 인해 잊힐 권리가 훼손될 수 있다.
④ 사이버 공간상에서 사생활을 침해당할 가능성이 높아진다.
⑤ 공익 실현을 위한 국민의 알 권리를 보장하기 어려울 수 있다.

09 다음 글의 입장에서 〈문제 상황〉 속 A 학생에게 제시할 조언으로 적절하지 않은 것은?

> 정보를 생산, 소비하는 각 개인은 윤리 원칙을 준수해야 한다. 이러한 원칙은 정보 기술의 발전으로 새롭게 만들어진 미디어, 가상 공간 등과 관련하여 일정한 윤리적 규범을 준수할 것을 요구한다. 그러나 이는 현실에서 지켜야 할 바람직한 삶의 자세와 크게 구분되지 않는다.
>
> 〈문제 상황〉

정보 사회에 필요한 정보 윤리에 관한 발표를 맡았는데 어떤 내용을 발표하면 좋을까?
A 학생

① 타인의 지적 재산권을 존중해야 함을 강조하세요.
② 정보의 혜택을 공정하게 배분해야 함을 강조하세요.
③ 개인 정보에 대한 보호가 유지되어야 함을 강조하세요.
④ 타인의 정보 자기 결정권을 훼손하지 않아야 함을 강조하세요.
⑤ 정보 윤리는 자유, 평등 등 전통적 가치와 무관함을 강조하세요.

10 갑이 을에게 제기할 반론으로 가장 적절한 것은?

정보 생산자들은 있는 그대로의 사실을 전달하는 진실한 태도를 지녀야 해. 정보를 주관적으로 해석하거나 왜곡해서는 절대 안 되지.

정보 생산자들은 적절한 정보를 선별하는 합리적 판단을 해야 해. 선별 없이 전달되는 무분별한 정보는 사회에 부정적 영향을 끼치게 돼.

① 대중들은 정보 선별 능력이 부족함을 간과하고 있다.
② 공정한 보도를 위해 선별이 필요함을 간과하고 있다.
③ 자의적 정보 선별은 사실을 왜곡할 수 있음을 간과하고 있다.
④ 정보 생산자에게 정보를 선택할 권리가 있음을 간과하고 있다.
⑤ 사실 그대로의 전달이 부정적 결과를 낳을 수 있음을 간과하고 있다.

11 갑의 입장에서 〈문제 상황〉의 A에게 해 줄 수 있는 조언으로 가장 적절한 것은?

> 갑: 너 자신의 인격에서나 다른 모든 사람의 인격에서 인간을 단지 수단으로서만 대하지 말고 항상 동시에 목적으로 대하도록 그렇게 행위 하라.
>
> 〈문제 상황〉
>
> A는 사회적으로 큰 파장을 일으킨 사건에 대해 보도하게 되었다. A는 사건의 핵심 인물을 취재하기 위해 그의 차에 도청 장치를 설치하라는 지시를 받고 고민에 빠졌다.

① 사건에 관한 다양한 관점을 고려하고 있는지 고려하세요.
② 국민의 알 권리를 충족시킬 수 있는 보도인지 고려하세요.
③ 사건의 보도가 사회적 물의를 일으킬 수 있음을 고려하세요.
④ 취재 방법이 타인의 존엄성을 침해할 수 있음을 고려하세요.
⑤ 사건의 보도가 공공의 이익을 가져올 수 있는지 고려하세요.

12 (가)의 입장에서 볼 때, (나)의 ㉠에 대한 설명으로 가장 적절한 것은?

(가)	신의 섭리에 따라 자연은 인간이 사용하도록 운명 지어졌다. 야수를 죽이는 것이 죄라고 주장하는 사람은 오류를 범하고 있다.
(나)	㉠ 은/는 복잡하고 단순한 기관을 가졌으며, 이동하면서 스스로 먹이를 구하는 모든 생물 집단을 의미한다. 또한 스스로 움직일 수 있으며, 다른 생물로부터 양분을 얻어 살아간다.

① 인간의 발전과 풍요를 위해 사용할 수 있는 대상이다.
② 생명을 가진 존재이므로 내재적 가치를 가진 대상이다.
③ 생태 공동체의 구성원이므로 인간과 동등한 대상이다.
④ 삶의 주체로서 욕구, 지각, 미래 의식을 갖춘 대상이다.
⑤ 쾌고 감수 능력을 가졌으므로 이익 관심을 고려할 대상이다.

13 (가)를 주장한 사상가의 입장에서 (나)의 물음에 대해 제시할 답변으로 가장 적절한 것은?

(가)	동물은 비록 이성이 없을지라도 살아 있는 피조물임을 고려할 때, 동물을 폭력적으로 다루는 것은 인간 자신에 대한 의무를 심각하게 거스르는 것이다. 동물에 대한 폭력은 인간의 고통에 대한 공유된 감정을 무디게 할 수 있기 때문이다.
(나)	환경 윤리적 관점에서 인간이 동물에 대해 가져야 할 태도는 무엇인가?

① 동물이 가진 삶의 주체로서의 권리를 존중해야 한다.
② 동물의 이익 관심을 인간과 동등하게 고려해야 한다.
③ 동물과 인간이 같은 생명 공동체의 구성원임을 인식해야 한다.
④ 동물을 인간성 보존의 측면에서 고려해야 함을 인식해야 한다.
⑤ 동물이 인간 삶을 개선하는 데 필요한 정복의 대상임을 인식해야 한다.

14 갑, 을 사상가들의 입장으로 가장 적절한 것은?

> 갑: 이익 평등 고려의 원칙에 따를 때, 우리 자신의 작은 이익을 위해 동물의 중요한 이익을 희생시키는 것은 그릇된 일이다.
> 을: 삶의 주체라는 것은 단지 살아 있다는 것을 넘어 믿음, 욕구, 기억, 미래 의식 등 자신의 복지를 갖고 있다는 것이다.

① 갑: 도덕적 고려 대상을 모든 생명체로 확장해야 한다.
② 갑: 인간의 이익보다 동물의 이익을 우선하여 고려해야 한다.
③ 을: 공리주의 관점에서 동물에 대한 이익을 고려해야 한다.
④ 을: 쾌고 감수 능력은 도덕적 고려를 위한 필요조건일 뿐이다.
⑤ 갑, 을: 인간의 삶을 위해 동물에 대한 고려는 필요하다.

15 다음 서양 사상가가 부정의 대답을 할 질문으로 가장 적절한 것은?

> 인간은 이 생명 혹은 저 생명이 얼마나 가치 있는 것으로서 동정을 받는지에 대해 묻지 않으며, 그것이 느낄 수 있는 능력이 있는지 없는지도 묻지 않는다.

① 인간은 생명체에 대한 무한한 책임을 지녀야 있는가?
② 인간은 자연의 모든 생명체와 평등한 관계에 있는가?
③ 생명체에 대한 고려는 인간의 복지를 위해 필수적인가?
④ 인간과 동등하게 식물에게도 내재적 가치가 존재하는가?
⑤ 도덕적 고려 대상을 생명을 가진 존재로 제한해야 하는가?

16 (가)의 갑, 을, 병 사상가들의 입장을 (나) 그림으로 탐구할 때, A~D에 들어갈 질문으로 옳지 <u>않은</u> 것은?

(가)
갑: 자연에 대해 파괴를 일삼는 것은 인간의 자기 자신에 대한 의무에 반한다.
을: 인간과 인간이 아닌 삶의 주체는 존중받을 도덕적 권리를 갖는다.
병: 모든 생명체는 자기 보존과 자체적 좋음을 향하여 움직이는 목적 지향적 활동의 단일화된 체계라는 점에서 동등한 목적론적 삶의 중심이다.

(나)
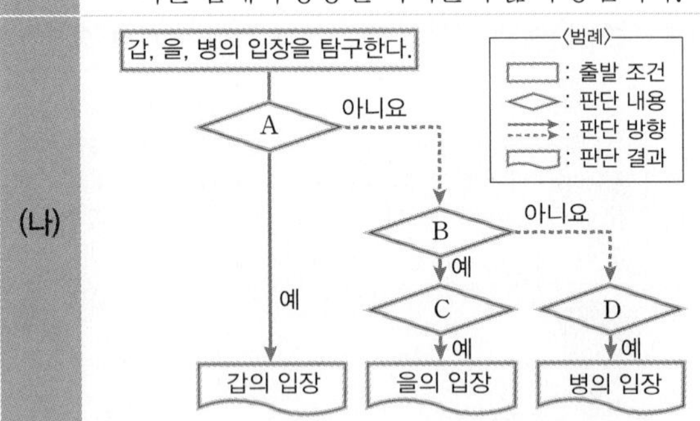

① A: 인간 중심적 관점에서 자연관을 도출해야 하는가?
② B: 삶에 대한 권리를 갖고 있는 동물에 대한 고려가 필요한가?
③ B: 삶의 주체는 욕구, 미래 의식 등을 갖춘 동물로 한정되는가?
④ C: 도덕적 고려 대상의 기준에 쾌고 감수 능력이 포함되는가?
⑤ D: 인간에게는 모든 생명체에 대한 도덕적 의무가 있는가?

17 다음 서양 사상가의 입장으로 가장 적절한 것은?

> 땅에 대한 생태학적 이해는 땅을 재산으로 보는 로크의 관점을 거부한다. 땅은 단순한 토양이 아니다. 그것은 토양, 식물, 동물의 회로를 거쳐 흐르는 에너지의 원천이다.

① 인간의 발전을 위해서 자연을 보호해야 한다.
② 도덕 공동체의 범위는 동식물까지로 한정된다.
③ 도덕적 능력을 가진 존재만이 도덕적 고려 대상이다.
④ 자연은 쾌고 감수 능력을 지니므로 도덕적 고려 대상이다.
⑤ 자연에 대한 전체론적 관점으로 환경 문제를 해결해야 한다.

18 (가)의 갑, 을, 병 사상가들의 입장을 (나) 그림으로 표현할 때, A~D에 해당하는 적절한 진술만을 〈보기〉에서 있는 대로 고른 것은?

(가)

갑: 모든 생명체는 각기 고유한 방식으로 자신의 생존, 성장, 발전, 번식이라는 목적을 지향하고 실현하고자 환경에 적응하려고 애쓰므로 목적론적 삶의 중심이다.
을: 쾌고 감수 능력은 어떤 존재가 이익 관심을 갖는다고 말하고자 할 때 만족되어야 할 조건이다.
병: 대지 윤리는 토양, 물, 식물, 동물, 집합적으로 대지를 포함하도록 공동체의 영역을 확대하고 있다.

(나)

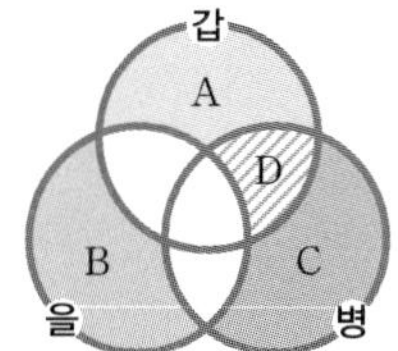

〈범례〉
A : 갑만의 입장
B : 을만의 입장
C : 병만의 입장
D : 갑과 병만의 공통 입장

보기

ㄱ. A: 생명이 있는 모든 존재만 도덕적으로 고려해야 한다.
ㄴ. B: 인간과 동물은 도덕적으로 동등하게 고려되어야 한다.
ㄷ. C: 무생물에 대한 고려는 다른 생명체의 생존을 방해한다.
ㄹ. D: 인간은 모든 생명체를 존중해야 할 도덕적 의무가 있다.

① ㄱ, ㄷ ② ㄱ, ㄹ ③ ㄴ, ㄹ
④ ㄱ, ㄴ, ㄷ ⑤ ㄴ, ㄷ, ㄹ

서답형 문제

19 다음 사상가가 제시하는 책임의 범위를 서술하시오.

> 우리가 실제로 무엇을 보호해야 하는가를 알아내기 위해 새로운 윤리학은 공포를 논의 대상으로 삼아야 한다. 인간 행위의 새로운 유형에 적합하고 새로운 행위 주체를 지향하는 명법은 다음과 같다. "너의 행위의 효과가 지상에서의 진정한 인간적 삶의 지속과 조화될 수 있도록 행위하라."

20 을이 갑에게 할 수 있는 비판을 서술하시오.

> 갑: 창작자의 노력에 대한 충분한 보상을 통해 창작 의욕을 높여 더 많은 지적 산물을 생산하도록 해야 한다. 이러한 노력을 통해 정보의 질적 수준이 향상될 수 있다.
> 을: 창작자의 지적 산물은 기존의 정보를 토대로 완성된 것이다. 따라서 지적 산물은 공공재이므로 공동체의 이익을 위해 사용되어야 한다.

21 갑, 을의 공통점과 차이점을 서술하시오.

> 갑: 만약 한 존재가 고통이나 즐거움을 겪을 수 없다면, 고려해야 할 것은 아무것도 없다. 쾌고 감수 능력은 어떤 존재가 이익 관심을 갖는 전제 조건이 된다.
> 을: 삶의 주체라는 것은 믿음, 욕구, 지각, 기억, 자신의 미래를 포함해 미래에 관한 의식, 쾌락과 고통 등의 감정을 느낄 수 있다는 것을 의미한다.

문화와 윤리

주제 01 예술과 윤리의 관계

구분	도덕주의	예술 지상주의(심미주의)
주장	도덕적 가치가 미적 가치보다 우위 ➡ 예술은 윤리의 인도를 받아야 함	도덕적 가치와 미적 가치는 독립적
예술의 목적	올바른 품성 함양 및 도덕적 교훈·모범 제공	미적 가치 구현
윤리적 규제	찬성	반대
강조점	예술의 사회성 ➡ 참여 예술론 지지	예술의 자율성 ➡ 순수 예술론 지지
한계	예술의 독립성 및 예술가의 표현의 자유 침해 가능성	예술의 사회적 영향력과 책임 간과

주제 02 예술의 상업화의 명암

긍정적 측면	• 예술에 대한 대중의 접근성 확대 • 경제적 이익 창출로 예술가의 안정적 창작 활동 기반 제공
부정적 측면	• 예술의 본질 왜곡 ➡ 예술 작품의 부 축적 수단화 • 예술의 질적 저하

주제 03 의식주 문화의 윤리적 쟁점

의복 문화	• 유행 추구 현상(동조 소비): 몰개성·획일화와 자원 낭비, 환경 오염, 노동 착취 등 • 명품 소비 현상(과시 소비): 과소비, 계층 간 분열 촉진 • 생태 윤리적 문제: 동물의 고통이 전제된 모피, 가죽옷의 착용
음식 문화	• 식품 안전성 문제: 유전자 조작 식품(GMO), 식품 첨가물 등의 유해성 논란, 오염된 식재료 사용 등 • 환경 문제: 대량 생산을 위한 무분별한 개발과 화학 비료·농약 사용, 식품의 원거리 이동에 따른 탄소 배출량 증가 등으로 지구 온난화에 영향, 대량 소비에 따른 음식물 쓰레기 증가로 환경 오염, 경제적 손실 초래 • 동물 복지 문제: 육류 소비 증가에 따른 공장식 축산업의 보편화로 동물 학대 발생 • 식량 불평등 문제: 식품 과다 지역은 비만이, 식량 절대 부족 지역은 기아가 문제가 됨
주거 문화	• 주거의 불안정성과 불평등 문제: 주거권 보장 문제와 연결 • 주거 형태의 획일화·규격화 문제: 정체성과 개성 상실, 공동 주택 주민 간 소통 단절 등

주제 04 합리적 소비와 윤리적 소비

합리적 소비	• 소득 범위 내에서 최소한의 비용으로 최대의 만족감을 얻기 위한 소비 • 한계: 의도하지 않은 인권 침해, 동물 학대, 환경 오염 등의 문제 유발
윤리적 소비	• 도덕적 가치 판단에 따른 소비 ➡ 가격뿐 아니라 노동자의 인권, 환경 문제, 원료의 재배·가공 생산·유통에 이르는 전 과정 고려 • 유형: 인권과 정의를 생각하는 소비, 공동체적 가치를 생각하는 소비, 동물 복지를 생각하는 소비, 환경 보존을 생각하는 소비

주제 05 다문화 정책

구분	의미	한계
차별적 배제	이주민을 특정 목적으로만 받아들이고, 내국인과 동등한 권리를 인정하지 않음	인간의 존엄성과 평등이라는 보편 윤리에 어긋남
동화주의 (용광로 모형)	이민자를 주류 사회의 언어나 문화에 동화시켜 이들에게 국민이라는 정체성을 부여함	문화의 역동성 파괴, 이주민들의 문화적 정체성 상실 등
다문화주의 (샐러드 그릇 모형, 모자이크 모형)	이민자들이 그들의 고유한 문화를 유지하도록 인정하면서 동화가 아닌 공존을 지향함	사회적 연대감이나 결속력 부족 ➡ 사회적 통합이 어려움
문화 다원주의 (국수 대접 모형)	문화의 다양성을 인정하지만 주류 사회의 문화를 바탕으로 문화적 다원성을 수용함	문화의 우열을 평가해 다른 문화를 평등하게 인정하지 않음

주제 06 종교와 윤리의 관계

차이점	• 종교: 초월적 세계, 궁극적 존재에 근거한 종교적 신념이나 교리 제시 • 윤리: 이성이나 양심, 도덕 감정 등에 근거한 실생활 규범 제시
공통점	도덕성 중시

주제 07 종교 갈등

발생 원인	• 타 종교에 대한 배타적인 태도 • 타 종교에 대한 무지와 편견
극복을 위한 자세	• 종교적 관용 • 종교 간 대화와 협력 노력

단원 평가 제 5 회

생활과 윤리

V. 문화와 윤리

성명 | 반 | 번호

01 갑이 을의 입장에 대해 제시할 수 있는 견해로 가장 적절한 것은?

> 갑: 리듬과 하모니는 영혼의 내부로 들어가 우아함을 심어 주고 영혼을 활기차게 만들어 준다. 음악은 올바르게 교육받은 사람의 영혼을 우아하게 만들지만 나쁘게 교육받은 사람의 영혼은 그렇게 할 수 없다.
> 을: 인간은 칠정(七情)이 있어 마음이 고르지 못한 까닭에 성인(聖人)은 사람들이 아침저녁으로 금(琴), 슬(瑟), 종(鐘), 고(鼓), 경(磬), 관(管) 등의 음악을 듣고 마음을 씻어 혈맥을 고동케 하고 화평한 뜻을 유발토록 하였다.

① 음악이 인성 함양에 기여할 수 있다는 사실을 알고 있다.
② 음악이 감정 순화에 기여할 수 있다는 사실을 모르고 있다.
③ 음악이 도덕적 교화의 수단이 될 수 없다는 사실을 알아야 한다.
④ 음악이 외재적 가치를 추구해서는 안 된다는 것을 모르고 있다.
⑤ 음악이 도덕적 평가의 대상이어서는 안 된다는 것을 알아야 한다.

02 다음 글의 관점에서 지지할 견해로 가장 적절한 것은?

> 예술 창작이 구체적 사물에 인간의 삶을 응축하여 표출하는 활동이라면, 예술 감상은 작품 속의 사물에 얽혀 있는 삶의 의미와 진실을 놓치지 않고 풀어내는 활동이다. 예술은 단지 미(美)를 창조하는 것도 아니고, 예술 작품의 감상이 미에 대한 단순한 그리움도 아니다. 예술은 창작과 감상에서 삶의 진정한 의미와 진실이 표출되고 간직되는 훌륭한 방식이다. 예술은 우리에게 삶의 모범이 무엇인지 숙고하게 만든다.

① 예술 작품에 대한 검열은 폐지되어야 한다.
② 미적 가치와 도덕적 가치는 상호 연관된다.
③ 예술은 윤리적 평가로부터 자유로워야 한다.
④ 예술은 아름다움의 추구만을 목표로 해야 한다.
⑤ 예술은 다른 것을 위한 수단이 되어서는 안 된다.

03 갑, 을, 병의 예술관에 대한 설명으로 가장 적절한 것은?

> 갑: 좋은 말과 좋은 곡조와 좋은 장단도 좋은 인품에 따르는 것인데, 좋은 인품은 어리석은 사람을 완곡하게 좋은 인품이라고 부르는 것이 아니라 그 성격과 마음이 진정으로 선량하고 훌륭함을 말하는 것이다.
> 을: 인간은 시(詩)를 통하여 순수한 감정을 일으키고, 예(禮)로써 자신의 주체를 확립하며, 음악[樂]을 통하여 자신의 인격을 완성한다.
> 병: 시(詩)가 도덕적이라든가 혹은 비도덕적이라고 말하는 것은, 정삼각형은 도덕적이고 이등변 삼각형은 비도덕적이라고 말하는 것과 마찬가지로 무의미하다.

① 갑은 예술이 사회적 산물임을 부정한다.
② 을은 미적 가치를 도덕적 가치보다 중시한다.
③ 갑과 을은 예술의 사회적 영향력을 중시한다.
④ 을과 병은 예술 그 자체가 목적이 되어야 한다고 본다.
⑤ 갑, 을, 병은 모두 예술에 대한 도덕적 평가를 강조한다.

04 (가)의 갑, 을의 입장을 (나) 그림으로 표현할 때, A~C에 들어갈 옳은 내용만을 <보기>에서 있는 대로 고른 것은?

(가)
> 갑: 리듬과 하모니는 영혼을 활기차게 만든다. 음악을 올바로 교육받으면 정신이 우아해지지만, 그렇지 못하면 그 반대가 된다.
> 을: 예술가가 다른 사람의 욕구를 만족시키려는 순간 그는 예술가이기를 포기한 것이며, 예술가의 윤리적 공감은 독창성을 잃게 하는 것이다.

(나)

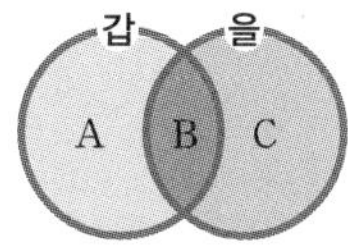

〈범례〉
A : 갑만의 입장
B : 갑, 을의 공통 입장
C : 을만의 입장

보기
ㄱ. A: 예술은 도덕적 교훈과 본보기를 제공해야 한다.
ㄴ. B: 예술은 예술 그 자체를 목적으로 추구해야 한다.
ㄷ. C: 예술은 다른 것을 위한 수단이 되어서는 안 된다.
ㄹ. C: 예술의 미적 가치는 도덕적 가치로부터 자유로워야 한다.

① ㄱ, ㄴ ② ㄴ, ㄷ ③ ㄷ, ㄹ
④ ㄱ, ㄴ, ㄹ ⑤ ㄱ, ㄷ, ㄹ

05 예술에 대한 (나)의 관점에 비해 (가)의 관점이 갖는 상대적 특징을 그림의 ㉠~㉤ 중에서 고른 것은?

(가) 어떠한 예술가도 무언가를 증명하길 원하지 않는다. 어떠한 예술가도 윤리적인 동정심을 갖지 않는다. 예술가에게 윤리적인 동정심은 양식에 대한 용서할 수 없는 매너리즘이다.

(나) 예술의 존재 이유는 선(善)을 권장하고 덕성을 장려하는 데 있다. 따라서 연극, 음악, 미술 같은 것들은 알맞게 규제되어야 한다.

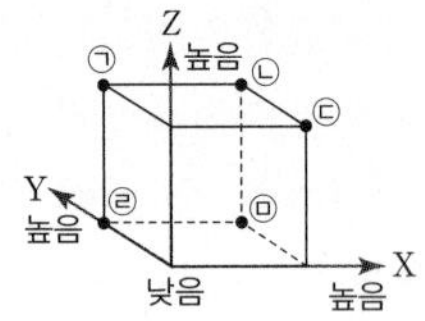

- X: 예술의 자율성을 추구하는 정도
- Y: 예술의 심미적 목적을 강조하는 정도
- Z: 예술의 도덕적 영향력을 강조하는 정도

① ㉠ ② ㉡ ③ ㉢ ④ ㉣ ⑤ ㉤

06 갑, 을, 병의 입장을 다음 그림으로 표현할 때, A~D에 해당하는 적절한 진술만을 〈보기〉에서 있는 대로 고른 것은?

갑: 예술가는 그 어떤 것이든 표현할 수 있다. 예술가에게 사유와 언어는 예술의 도구이다. 예술가에게 악덕과 미덕은 예술을 위한 소재이다.

을: 리듬과 하모니는 영혼의 내부로 아주 깊이 파고들어 가서 우아함을 심어 주고 영혼을 힘차고 확고하게 만들어 주는 것이다. 음악은 올바로 교육받은 사람의 정신을 더욱 우아하게 만든다.

병: 미는 도덕적으로 선한 것의 상징이다. 미의 판단 형식과 선의 판단 형식 간의 차이에도 불구하고 양자 간 형식은 유사하다.

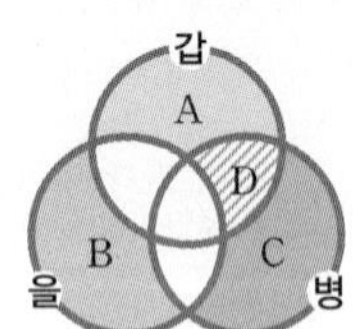

〈범례〉
A : 갑만의 입장
B : 을만의 입장
C : 병만의 입장
D : 을을 제외한 갑, 병의 공통 입장

보기

ㄱ. A: 예술은 도덕과 무관하다.
ㄴ. B: 예술 작품은 도덕적 교훈을 제공해야 한다.
ㄷ. C: 예술 그 자체를 위한 예술을 추구해야 한다.
ㄹ. D: 예술의 존재 이유는 덕성을 장려하는 것이다.

① ㄱ, ㄴ ② ㄴ, ㄹ ③ ㄷ, ㄹ
④ ㄱ, ㄴ, ㄷ ⑤ ㄱ, ㄷ, ㄹ

07 다음 상황이 윤리적으로 문제가 되는 이유만을 〈보기〉에서 있는 대로 고른 것은?

다이아몬드의 가격이 고가로 책정되는 이유는 무엇일까? 그렇게 해야 소비자의 허영심을 자극해 소비가 늘어나기 때문이다. 만약 가격이 하락하면 희소성도 낮아져 소비가 줄어들게 된다. 이처럼 고가일수록 수요가 증가하는 현상을 베블런 효과(Veblen effect)라고 한다.

보기

ㄱ. 자원의 고른 배분을 방해한다.
ㄴ. 자신을 드러내려는 욕망을 억제하게 만든다.
ㄷ. 물질을 중시하여 정신적 가치를 경시하게 된다.
ㄹ. 상위 계층과 하위 계층 간의 위화감을 조성한다.

① ㄱ, ㄴ ② ㄱ, ㄷ ③ ㄴ, ㄷ
④ ㄱ, ㄴ, ㄷ ⑤ ㄱ, ㄷ, ㄹ

08 (가), (나)에 나타난 삶의 태도로 적절하지 않은 것은?

(가) 밥은 곱게 찧어서 한 것을 즐겨 했고, 쉰밥과 맛이 간 생선, 그리고 상한 고기는 먹지 않았다. 색깔이 흉한 것과 냄새가 고약한 것도 먹지 않았다. 반듯하게 썬 것이 아니면 먹지 않았고, 음식에 어울리는 장(醬)을 사용해 먹었다. 고기는 먹더라도 밥보다 많이 먹지 않았고, 술은 정신없이 취할 지경에 이르지 않게 했다.

(나) 술과 고기를 먹지 마라. 마늘, 부추, 파, 달래, 흥거의 오신채(五辛菜)를 먹지 마라. 식사는 오전 중 한 번으로 끝내라. 발우의 음식은 수많은 연기(緣起)의 과정을 거친 것이다.

① (가): 음식을 먹는 행위에서 인간다운 품위를 추구하여야 한다.
② (가): 음식을 섭취하는 목적은 생존 유지에만 국한되어야 한다.
③ (나): 음식에 담긴 세상 모든 존재의 상호 의존성을 파악해야 한다.
④ (나): '무엇을', '어떻게' 먹느냐의 문제를 수행과 연계하여야 한다.
⑤ (가), (나): 음식을 섭취할 때는 적절한 조절과 절제가 필요하다.

09 (가)의 입장에 비해 (나)의 입장이 갖는 상대적인 특징을 그림의 ㉠~㉤ 중에서 고른 것은?

(가) 불필요한 지출을 줄이고, 현재뿐만 아니라 먼 장래까지 감안하여 만족을 극대화해야 한다. 소비를 할 때는 상품에 대한 정보를 충분히 알아본 뒤, 주어진 예산의 범위 내에서 가격과 품질을 따져 보고 소비에 따른 기회비용과 만족감을 고려해야 한다.

(나) 불필요한 지출을 줄이고, 다소 비용이 더 들더라도 경제적 약자와 환경, 공동체를 고려하는 소비를 해야 한다. 소비가 사회에 끼칠 수 있는 영향력을 인식하고, 평화, 인권, 사회 정의, 환경 등 인류의 보편 가치를 중시하여 이를 소비 생활에 실천해야 한다.

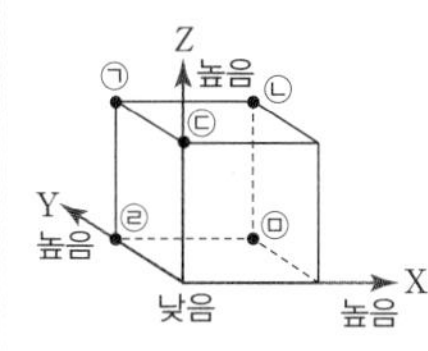

• X: 최소 비용으로 최대 만족 획득을 강조하는 정도
• Y: 소비 활동에서 생산자의 처우를 고려하는 정도
• Z: 지속 가능한 환경을 위한 소비 활동을 지지하는 정도

① ㉠ ② ㉡ ③ ㉢ ④ ㉣ ⑤ ㉤

10 ㉠에 들어갈 내용으로 가장 적절한 것은?

기본적 권리는 문화라는 특정한 맥락 안에서 실질적으로 행사될 수 있다. 따라서 집단 간 문화적 차이는 인정되어야 한다. 집단별로 차별화된 권리를 인정하는 다문화주의는 집단 간 관계의 형평성을 제고할 뿐 아니라, 소수 집단의 성원으로 하여금 국가에 대한 충성심을 갖게 한다. 그런데 어떤 학자는 "다문화주의는 문화 간 경계가 실제로 존재한다는 잘못된 전제에 근거하여 집단 간 문화의 장벽을 영속화할 뿐 아니라, 소수 집단에 별도의 권리를 부여하여 개인의 법 앞의 평등이라는 기본 원칙을 심각하게 손상한다."라고 주장한다. 나는 이 학자의 주장이 [㉠]고 생각한다.

① 문화보다 권리가 우선시되어야 함을 간과하고 있다
② 집단 간 문화의 경계가 명확히 구분되어야 함을 강조하고 있다
③ 다문화주의가 사회적 통합을 촉진하고 있음을 간과하고 있다
④ 차별화된 권리의 인정이 보편적 인권에 어긋남을 간과하고 있다
⑤ 다문화주의가 법 적용의 일반성을 따르고 있음을 강조하고 있다

11 다음 글의 입장과 일치하는 내용을 〈보기〉에서 고른 것은?

우리가 식인 풍습을 비난하는 이유는 그들이 죽음의 신성함을 무시하기 때문이다. 하지만 그들이 죽음의 신성함을 무시하는 정도는, 우리가 해부학 실습을 용인하고 있는 사실보다 더 크지도 더 작지도 않다. 즉, 우리가 동료 인간들을 잡아먹는 대신에 시신을 임의로 신체적으로 절단한다는 단순한 이유 때문에 우리들이 하나의 위대한 정신적 진전을 이루었다고 믿는 것은 비웃음을 살 일이다. 그러므로 우리는 우리가 다른 관습들을 전혀 모르거나 부분적으로만 알고 있을 경우에 우리 자신의 관습들이 정당하고 자연스럽다고 여겨서는 안 된다. 우리에게는 어느 편이 더 낫다고 말할 수 있는 어떠한 정당한 이유도 없다.

보기

ㄱ. 인류 문화의 가치를 향상시키기 위해서 문화 간의 차이를 인정하지 않아야 한다.
ㄴ. 다른 문화를 이해하기 위해서는 문화 상대주의적 관점에서 바라볼 수 있어야 한다.
ㄷ. 문화의 객관성을 확보하기 위해서 문화의 보편성을 기준으로 문화를 평가해야 한다.
ㄹ. 자신이 속한 사회의 시각으로 다른 사회의 문화를 일방적으로 평가하지 않아야 한다.

① ㄱ, ㄴ ② ㄱ, ㄷ ③ ㄴ, ㄷ
④ ㄴ, ㄹ ⑤ ㄷ, ㄹ

12 A~C는 다문화 사회를 보는 관점들이다. A와 B는 긍정, C는 부정의 대답을 할 질문으로 가장 적절한 것은?

A: 다양한 문화가 각각의 정체성을 동등하게 지키면서 전체적으로 조화를 이루어야 한다.
B: 주류 문화와 함께 비주류 문화가 공존해야 한다.
C: 타자는 나 자신과 같아져야 하며, 비주류 문화를 주류 문화에 편입시켜야 한다.

① 문화 각각의 정체성을 현실적으로 인정해야 하는가?
② 소수 문화를 다수 문화와 동질적인 것으로 만들어야 하는가?
③ 다수 문화의 우월성을 토대로 소수 문화를 보호해야 하는가?
④ 문화의 다양성을 지양하고 문화의 단일성을 추구해야 하는가?
⑤ 다양한 문화를 융합하여 새로운 정체성의 문화를 창조해야 하는가?

13 ㉠, ㉡에 들어갈 적절한 진술을 〈보기〉에서 골라 바르게 연결한 것은?

갑: 오늘날의 다문화 사회에는 각각의 채소와 과일이 고유한 맛과 색을 유지하면서도 전체적인 맛과 조화를 강조하는 샐러드 그릇 모형이 가장 적합해.
을: 나도 그렇게 생각해. 샐러드 그릇 모형 이론에 따르면 다양한 민족이 자신의 문화를 유지하면서도 다른 문화들과 조화를 이룰 수 있어.
갑: 맞아. 샐러드 그릇 모형 이론은 [㉠]는 장점을 지니고 있지.
을: 그렇지만 [㉡]는 한계도 간과해서는 안 돼.

보기
ㄱ. 소수자의 문화를 존중하고 문화 간의 갈등을 최소화한다
ㄴ. 문화 집단 간 경쟁이 심화될 경우 사회 통합 및 결속이 어렵다
ㄷ. 주류 문화의 우선성을 인정하여 비주류 문화가 종속될 수 있다
ㄹ. 비주류 문화를 주류 문화로 편입하여 하나의 사회로 통합시킨다

	㉠	㉡
①	ㄱ	ㄴ
②	ㄱ	ㄷ
③	ㄴ	ㄷ
④	ㄴ	ㄹ
⑤	ㄷ	ㄹ

14 (가), (나)의 관점에서 공통으로 전제하고 있는 내용으로 가장 적절한 것은?

(가) 타 문화권에서 온 이주민들은 우리의 음식, 언어, 예절 등을 빨리 익혀 우리의 문화에 동화되어야 합니다. 그들도 우리 사회에 속한 이상 우리와 같아져야만 진정한 통합이 이루어집니다.
(나) 국수는 갖가지 재료로 우려낸 국물에 밀가루로 만든 국수를 삶아 고명을 얹은 음식입니다. 우리 민족 문화는 국수와 국물처럼 주된 역할을 수행하고, 이주민 문화는 뒷받침하는 역할을 하여 서로 공존하는 문화를 만들어야 합니다.

① 주류 문화와 비주류 문화를 명확히 구분해야 한다.
② 다양한 문화가 하나로 용해된 상태를 추구해야 한다.
③ 우수한 외국 문화를 우리의 주류 문화로 채택해야 한다.
④ 세계화 시대에 부응하기 위해 민족 문화를 버려야 한다.
⑤ 각 문화를 보존하면서 조화를 이루는 사회를 추구해야 한다.

15 다문화주의와 관련해 (가)의 관점이 (나)의 관점보다 강조할 내용을 〈보기〉에서 고른 것은?

(가) 다문화 사회에서는 다양한 문화의 공존을 지향해야 한다. 그러므로 한 사회 내에서 이주민이 자신의 문화적 정체성을 유지할 수 있도록 도와야 한다. 서로 다른 문화적 배경을 가진 사람들 간의 상호 존중과 관용은 민주적 연대성을 높일 수 있다.
(나) 다문화 사회에서 이주민의 증가는 사회적 연대를 손상시키고 사회 불안을 초래할 수 있다. 또한 이주민의 문화를 지키도록 하는 것은 민족과 문화 공동체 사이에 장벽을 가로놓아 이주민이 다수 집단, 즉 이주 사회에 합류하는 것을 어렵게 할 가능성이 있다.

보기
ㄱ. 개인의 문화적 정체성을 선택할 권리를 보장할 수 있다.
ㄴ. 다양한 문화의 공존으로 문화의 역동성, 창조성 등을 높일 수 있다.
ㄷ. 정주민이 이주민의 민족, 인종 등을 기준으로 이주민을 서열화할 수 있다.
ㄹ. 이주민의 유입을 통해 노동을 새롭게 계층화하여 사회적 불평등을 은폐할 수 있다.

① ㄱ, ㄴ ② ㄱ, ㄷ ③ ㄴ, ㄷ
④ ㄴ, ㄹ ⑤ ㄷ, ㄹ

16 다음 글에서 강조하는 내용만을 〈보기〉에서 있는 대로 고른 것은?

종교들은 인간에게 최고의 양심 규범과 현대 사회를 위해 매우 중요한 정언적 명령을 제공할 수 있으며, 이 정언적 명령은 전혀 다른 깊이와 원칙 안에서 의무를 부과한다. 왜냐하면 모든 대종교들은 가정적이고 조건적인 규범뿐만 아니라 동시에 정언적이고 자명한 절대적 규범, 즉 황금률 같은 것을 요구하고 있기 때문이다.

보기
ㄱ. 종교는 보편적 윤리성을 함의하고 있어야 한다.
ㄴ. 종교인들은 자기 믿음을 버리고 윤리성을 추구해야 한다.
ㄷ. 종교인은 사랑, 평화 등에 대한 실천 의지를 지녀야 한다.
ㄹ. 종교를 통해 인류는 하나의 동일한 가치관을 지녀야 한다.

① ㄱ, ㄴ ② ㄱ, ㄷ ③ ㄷ, ㄹ
④ ㄱ, ㄴ, ㄹ ⑤ ㄴ, ㄷ, ㄹ

17 (가)의 관점에서 (나)의 상황에 대해 제시할 수 있는 해결 방안으로 가장 적절한 것은?

> (가) 종교 분쟁을 해결하려면 각 종교가 가진 근본적인 차이점을 이해하는 것이 중요하다. 수많은 신앙을 하나로 통일하려고 한다면 각각의 독특한 신앙이 가진 다양성과 풍요로움도 함께 잃어 버릴 것이다.
> (나) 현재 나이지리아의 타라바주는 이슬람 신자들과 그리스도교 신자들이 모여 사는 곳으로, 수년 동안 두 종교 간 충돌로 수천 명의 사람들이 목숨을 잃었다.

① 민족 종교를 체계화하여 세계 종교로 발전시켜야 한다.
② 자기 종교의 관점에서 다른 종교의 가치를 평가해야 한다.
③ 각 종교의 차이를 인정하고 종교적 다양성을 존중해야 한다.
④ 종교 간의 합리적 소통을 통해 종교의 단일화를 추구해야 한다.
⑤ 종교 간의 우열을 윤리적으로 평가하여 위계질서를 확보해야 한다.

18 다음 글의 ㉠에 들어갈 내용으로 가장 적절한 것은?

> 종교적인 편견과 분쟁을 해결하기 위해서는 모든 사람이 믿을 수 있는 완벽한 하나의 보편적인 세계 종교를 만드는 것이 가장 좋은 방법이라고 생각할 수도 있습니다. 그러나 나는 이 세상에는 서로 다른 종교가 있어야 한다고 생각합니다. 왜냐하면 인간이라는 존재는 매우 다양한 성향과 욕구, 생각을 갖고 있기 때문입니다. 한 종교가 그토록 다양한 사람의 성향과 욕구, 생각을 모두 만족시킬 수는 없습니다. 서로 다른 종교로 인하여 나타날 수 있는 갈등과 다툼을 해결하기 위해서는
> [㉠]

① 소수의 종교를 거부하고 다수가 믿는 종교를 신봉해야 합니다.
② 모두가 믿을 수 있는 하나의 세계적인 종교를 만들어야 합니다.
③ 타 종교에 대한 모든 간섭을 배제하고 독립성을 강조해야 합니다.
④ 다른 종교를 무시하고 배척하려는 세속적인 이기심을 극복해야 합니다.
⑤ 현세에서의 도덕적 실천과 내세에서의 영원한 행복을 동시에 추구해야 합니다.

서답형 문제

19 다음 글을 통해 알 수 있는 의복의 윤리적 의미를 서술하시오.

> TPO란 옷을 입을 때의 예절을 나타내는 말로, 시간(time), 장소(place), 상황(occasion)에 따라 옷을 입어야 함을 강조하는 것이다. 즉, 그 날 그 날 자신의 기분에 따라 아무렇게나 입는 것이 아니라 여러 조건을 고려하여 어떤 옷을 입을 것인지를 숙고할 필요가 있다는 의미이다.

20 다음에서 제시하는 다문화 정책 이론의 명칭을 쓰고, 그 특징을 서술하시오.

> 커다랗고 동그란 그릇 안에서 각기 다른 맛과 향, 색을 가진 다양한 채소가 섞여 각각 고유한 맛을 지키면서 하나의 샐러드가 되는 것처럼, 다양한 민족이 자신의 문화 정체성을 유지하면서 다른 문화들과 조화를 이루어야 한다.

21 (가)의 관점에서 (나)에 나타난 문제의 해결 방안을 서술하시오.

> (가) 종교적 교리가 적을수록 논쟁은 줄어들고 그만큼 참화를 겪을 일도 없어질 것이다. 종교는 우리 인간이 이 세상을 사는 동안, 그리고 죽은 후에도 행복해지기 위해 만들어졌다. 형이상학적 문제에서 모든 사람이 똑같이 생각하게 되기를 바라는 것은 터무니없는 욕심일 것이다.
> (나) 레바논 내부에는 수많은 종교와 종파가 존재하고 있어 종교 세력 간의 충돌로 유혈 사태가 일어나기도 한다. 이처럼 세계의 분쟁 지역 중에는 종교 갈등이 원인인 곳도 많다.

평화와 공존의 윤리

주제 01 사회 갈등의 유형

구분	발생 원인	심화 원인	사례
이념 갈등	한 사회나 집단이 지닌 특정한 가치관, 믿음, 견해 등의 차이	이분법적 사고	경제적 효율성과 구성원의 복지 중 무엇을 우선하느냐에 따른 갈등 등
지역 갈등	경제적 요인, 특정 지역에 대한 특권 의식이나 차별 의식	연고주의, 지역 이기주의, 지역감정	사회적 자원의 배분, 공공시설의 입지 선정을 둘러싼 갈등 등
세대 갈등	연령과 시대별 경험의 차이(보편적 현상)	급속한 사회 변화에의 적응 속도 차이	일자리, 노인 부양 문제를 둘러싼 갈등 등

주제 02 소통 및 담론 윤리와 한계

윤리적 자세	• 소통과 담론에 참여할 수 있는 사람들의 권리 인정 ➡ 하버마스 • 대화 상대방을 존중하는 태도 ➡ 아펠의 인격의 상호 인정 강조, 원효의 화쟁 사상 • 진실한 대화 ➡ 맹자 • 자신의 오류 가능성을 인정하는 겸허한 태도 ➡ 밀 • 공적 의사 결정 과정에 적극 참여 ➡ 아펠의 담론 윤리적 책임 & 하버마스의 합리적 의사소통 이론: 이상적 담화 조건(이해 가능성, 진리성, 정당성, 진실성) 제시
담론 윤리의 한계	• 도덕규범의 구체적 내용이나 삶의 방향성 미제시 • 합의된 내용에 대한 도덕적 옳고 그름 평가 곤란

주제 03 통일 비용, 분단 비용, 통일 편익

통일 비용	• 통일 이후 남북한 간 격차 해소 및 이질적 요소 통합 비용 • 생산적 투자 비용 • 통일 비용 부담은 통일 반대 논거 중 하나
분단 비용	• 분단으로 인해 남북한이 부담하는 유·무형의 모든 비용 • 소모성 지출 비용 • 분단 비용 해소는 통일 찬성 논거 중 하나
통일 편익	• 남북통일로 얻을 수 있는 경제적·비경제적 편의 • 남북한 주민의 고통과 불편 해소 + 민족의 번영 + 평화 실현 + 인권 신장 + 통일 한국의 국제적 위상 제고 … • 통일 논의 시 세 요소 모두에 대한 고려 필요

주제 04 현실주의와 이상주의

구분	현실주의	이상주의
국제 분쟁의 원인	자국의 이익만 추구	잘못된 제도, 무지, 오해
분쟁 해결의 원천	힘, 권력	이성
분쟁 해결 방법	세력 균형 유지	국제기구, 국제법 등 국제 규범을 통한 제도 개선(집단 안보 형성)
한계	군비 경쟁 유도, 다양한 주체의 존재와 협력 관계 설명 곤란	현실과 낙관적 전망 사이의 괴리

주제 05 국제 평화 이론

구분	사상가	내용
영구 평화론	칸트	• 국제법의 적용을 받는 평화 연맹 구성 필요 • 국제 연맹, 국제 연합 결성에 영향
적극적 평화론	갈퉁	• 직접적·물리적 폭력이 제거된 상태 ➡ 소극적 평화 • 빈곤, 정치적 억압, 종교적 차별 같은 구조적·문화적 폭력까지 제거된 상태 ➡ 적극적 평화

주제 06 세계화의 영향

긍정적	판매 시장 확대 및 소비 선택 기회 증가 + 자유 경쟁과 교류 확대로 효율성, 생산성 향상 + 다양한 문화 교류
부정적	자본·기술력 보유국과 비보유국 간 빈부 격차(남북문제) 심화 + 경제 의존도 심화로 경제 위기 공유 + 문화의 획일화

주제 07 해외 원조의 윤리적 근거

구분	사상가	내용
의무의 관점	싱어	• 가난하고 굶주리는 사람을 돕는 것은 윤리적 의무 • 공리주의적 입장 • 원조의 목적은 가난과 굶주림에 따른 고통 제거 • 원조의 주체는 개인
	롤스	• 빈곤국이 질서 정연한 사회로 이행하도록 돕는 것은 정의 실현 • 원조의 목적은 빈곤국의 자생력 증진 • 원조의 주체는 국가
자선의 관점	노직	• 원조나 기부는 선의를 베푸는 자선 행위 • 개인이 정당한 절차를 거쳐 취득한 재산은 배타적·절대적 소유권 발생

단원 평가 제 6 회

생활과 윤리

Ⅵ. 평화와 공존의 윤리

성명 | 반 | 번호

01 ㉠~㉤ 중 사회적 갈등 해결을 위한 각 주체의 노력으로 적절하지 않은 것은?

> 각종 사회 문제의 해결을 위해서는 ㉠ 개인은 자신과 타인의 서로 '다름'을 인정하는 자세를 지녀야 한다. 또한 ㉡ 각자의 정체성을 잃지 않으면서도 자신의 권리와 역할을 이해하고 타인과 조화를 이루려는 열린 자세가 필요하다. 또한 ㉢ 시민 사회는 국가와 시민의 중재자로서 국가와 집단 간의 갈등을 조정하는 역할을 맡아야 한다. 동시에 ㉣ 법과 제도를 제정하여 집단 이기주의로 흐르지 않도록 한다. 한편 ㉤ 정부(국가)는 사회적 분열이 심화되는 것을 막고, 국민의 의견을 수렴하여 합리적 소통이 가능한 민주적 절차를 마련해야 한다.

① ㉠ ② ㉡ ③ ㉢ ④ ㉣ ⑤ ㉤

02 (가)의 관점에서 (나) 문제에 대해 해 줄 수 있는 조언으로 타당한 것은?

(가)	민주적 공론장에서 이성적인 시민들이 모두가 합의할 수 있는 논증의 형태로 대화에 참가하고, 그 토론의 결과가 법체계에 반영된다면 현대 사회의 다양한 정치적·윤리적 문제를 해결할 수 있을 것이다.
(나)	최근 정부는 국민연금의 소득 대체율을 50%로 상향 조정한다고 발표하였다. 보험료 부담이 높아질 수밖에 없는 청년층은 이번 개정안에 반발하는 반면, 국민연금을 받고 있거나 수급을 코앞에 둔 장년층 이상은 개정안을 반기고 있다. * 소득 대체율: 본인의 평균 소득을 기준으로 해서 퇴직 후에 어느 정도의 연금을 받을 수 있는지 나타낸 비율

① 법률 개정 과정에서 다수결 방식을 강화해야 한다.
② 연금 제도의 한계를 정부의 강제력으로 보완해야 한다.
③ 사회 구성원 다수의 이익을 확대하는 방향으로 결정한다.
④ 각 세대의 이해관계를 합리적으로 조정하는 절차를 마련한다.
⑤ 기업의 자선과 기부가 필요함을 알리고 참여하도록 독려한다.

03 (가) 사상가의 관점에서 (나)의 설문 결과를 분석한 내용으로 적절한 것을 〈보기〉에서 고른 것은?

(가) 의사소통 공동체의 구성원들은 합의를 하기 위한 담론에 참여해야 할 책임과 의사소통 공동체를 유지해야 할 책임을 동시에 지닌다.

(나)

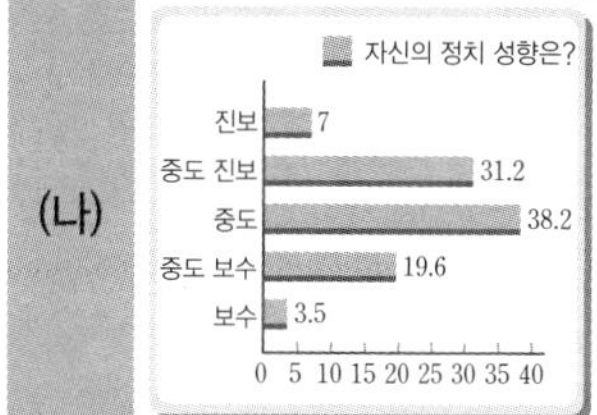

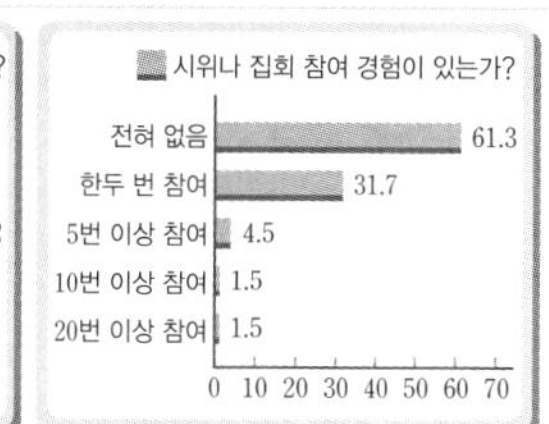

보기
ㄱ. 개개인의 역할 책임과 공동체적 책임은 동일하다.
ㄴ. 타인의 의견이 나와 다를 수 있음을 전제해야 한다.
ㄷ. 현 정치 체제와 사회 구조를 유지하는 것이 중요하다.
ㄹ. 공동체적 합의 도출을 위한 도덕적 절차가 필요하다.

① ㄱ, ㄴ ② ㄱ, ㄷ ③ ㄴ, ㄷ
④ ㄴ, ㄹ ⑤ ㄷ, ㄹ

04 갑, 을, 병이 서로에게 제기할 비판으로 가장 적절한 것은?

> 갑: 통일의 목적은 최종적으로 다수의 이익을 증진하는 것이다. 따라서 비용이 편익을 초과해서는 안 된다.
> 을: 통일 방법은 오직 인도적·국가적 차원에서 고려되어야 하므로 흡수 통일 방식도 기피할 이유는 없다.
> 병: 남북은 문화적 이질감을 줄이고 통합 단계를 공고히 하여 궁극적으로 정치 공동체를 지향해야 한다.

①	갑이 을에게	통일의 당위성은 민족적 차원에서 고려되어야 해.
②	갑이 병에게	분단 비용을 최소화하는 것이 최우선 과제임을 알아야 해.
③	을이 갑에게	통일 비용을 줄이는 것이 가장 중요한 사항이야.
④	을이 병에게	민족의 통합이 선행되어야 정치적 혼란을 막을 수 있어.
⑤	병이 을에게	남북 주민 간의 이질성과 경제적 격차를 줄이는 것이 우선되어야 해.

05 (가) 입장에서 (나) 입장에 제시할 수 있는 반론으로 적절한 것을 〈보기〉에서 고른 것은?

(가)	한 사회의 문화를 외부 사람들이 이해하기란 대단히 어렵다. 한 사회의 구성원들이 지닌 관습과 신념은 그 사회의 문화와 분리하여 이해될 수 없기 때문이다. 그렇다고 보편적 가치의 존재 자체를 부정해서는 안 된다. 우리는 다른 문화를 존중하면서도 사람이라면 누구나 따라야 할 윤리와 도덕을 지켜야 한다.
(나)	인권은 사회주의 제도하에서만 철저히 보장된다. 이러한 권리들은 그것을 실현할 수 있는 경제적 평등의 조건에 의하여 담보된다. 인민 정권은 자본주의 계급에 대해서는 철저한 독재를 하면서 인민 대중에게는 참다운 민주주의적 권리를 보장한다.

보기

ㄱ. 인권이란 사회적 조건을 초월해서 보장되는 것이다.
ㄴ. 차등 분배 구조에서는 인권이 보장될 수 없음을 간과한다.
ㄷ. 문화적 상대성 속에서 보편적 윤리성이 존재함을 간과한다.
ㄹ. 인권은 당사자 간 계약과 합의에 의해 만들어짐을 간과한다.

① ㄱ, ㄴ ② ㄱ, ㄷ ③ ㄴ, ㄷ
④ ㄴ, ㄹ ⑤ ㄷ, ㄹ

06 다음 글의 '그'가 지지할 진술을 〈보기〉에서 고른 것은?

그는 쪽빛과 남색이 하나이고 물과 얼음이 근본적으로 같듯이, 서로 달라 보이는 주장들도 모두 석가모니의 말씀을 해석한 것이기 때문에 틀리지 않다고 생각했다. 그는 이런 입장에서 '종요(宗要)'라는 말이 붙은 책을 17권이나 저술하였다. '종'은 여러 가지로 나누어지는 것을 말하며, '요'는 하나로 합쳐 들이는 것을 말한다. 그에게 있어서 나누어 보든 합쳐 보든 참모습은 달라질 것이 없었다.

보기

ㄱ. 갈등의 원인을 초월한 높은 차원의 화합이 가능하다.
ㄴ. 만물의 근원은 동일하므로 서로 독립적으로 존재한다.
ㄷ. 분쟁 중인 당사자들의 주장에도 보편적인 '옳음'이 있다.
ㄹ. 모든 이해관계를 수렴할 수 있는 정치적 기구가 필요하다.

① ㄱ, ㄴ ② ㄱ, ㄷ ③ ㄴ, ㄷ
④ ㄴ, ㄹ ⑤ ㄷ, ㄹ

07 다음 글에서 알 수 있는 통일 한국에 대한 설명으로 적절하지 않은 것은?

통일 한국은 사회 구성원들의 삶의 질 향상과 풍요를 지향해야 한다. 따라서 사회 구성원들의 삶의 질을 풍요롭게 만들 수 있는 방안을 모색해야 한다. 특히 통일 한국은 불공정한 부의 분배나 집단과 계층 간의 사회적 갈등을 해소하기 위해 노력해야 한다. 또한 통일 한국은 국민의 의사를 존중하고 그에 따라 국가의 정책을 결정하며, 국민을 위한 정치가 이루어지는 국가를 지향한다. 이를 위해서는 남북한은 통일 과정에서 비민주적인 사회 구조나 제도를 개선하려는 노력이 필요하다.

① 통일 한국은 소득 재분배를 통한 복지 국가를 지향한다.
② 통일 한국은 소극적 정부에 의해 계층 갈등을 해소한다.
③ 통일 한국은 자유주의에 기반한 민주주의를 지향한다.
④ 통일 한국은 사회 체제 개선을 위한 비용을 지출할 수 있다.
⑤ 통일 이후 나타날 갈등에 대하여 동화(同化)주의적 자세를 취하지 않는다.

08 ㉠~㉢을 통해 알 수 있는 국제 갈등의 해결 모습으로 적절한 것을 〈보기〉에서 고른 것은?

후쿠시마 원자력 발전소의 방사능 유출 문제를 처리하는 일본 정부의 태도에 대해 국제 사회의 우려가 가시지 않고 있다. 일본 정부는 후쿠시마 원전 사고 이후 오랫동안 ㉠ 국제 원자력 기구(IAEA)의 조사 및 주민 피난 권고를 무시해 왔으며, ㉡ 그린피스(Green Peace)의 해양 조사 행위도 방해해 왔다. 최근에 와서야 국제 사회의 요구가 수용되었으며, ㉢ 국제 연합(UN)에서는 국제 원자력 기구를 비롯한 여러 전문 기구를 통해 후쿠시마 원전 사고의 영향에 대한 광범위한 연구를 진행하여 그 문제점에 대한 보고서를 발표하였다.

보기

ㄱ. ㉠은 ㉡과 달리 지역적 분쟁에만 개입할 수 있다.
ㄴ. ㉠과 달리 ㉡의 활동은 강제력이 없다는 한계가 있다.
ㄷ. 개별 국가만의 이익을 초월한다는 것은 ㉠, ㉡, ㉢의 공통점이다.
ㄹ. 국제 분쟁 해결 과정에서 국제 비정부 기구의 활동이 위축되고 있다.

① ㄱ, ㄴ ② ㄱ, ㄷ ③ ㄴ, ㄷ
④ ㄴ, ㄹ ⑤ ㄷ, ㄹ

09 ㉠~㉢에 대한 설명으로 가장 적절한 것은?

통일에 대한 입장 차이는 통일 후 우리 민족이 남북한 간의 격차를 해소하고 이질적인 요소를 통합하는 데 부담해야 할 비용인 [㉠]에 대한 인식 차이에 근거한다. 그러나 통일이 되면 분단으로 인한 대결과 갈등 때문에 지출되는 비용인 [㉡]이 줄어든다. 또한 남북통일로 얻을 수 있는 편익인 [㉢]도 기대할 수 있다.

① ㉠은 소모성 지출 비용이다.
② ㉠에는 남북한 철도 연결 비용, 미사일 시험 발사 비용 등이 포함된다.
③ ㉡은 투자 성격의 생산적 비용이다.
④ ㉢은 경제적 비용과 경제 외적 비용으로 나눌 수 있다.
⑤ ㉢에는 남북한 주민의 인권 신장, 국제 사회에서의 통일 한국의 위상 제고 등이 포함된다.

10 (가), (나) 그림에 대한 분석으로 가장 적절한 것은?

(가)

(나)

보기
ㄱ. (가) 사례는 자원 민족주의로 확대될 우려가 있다.
ㄴ. (나)는 표면적으로 종교 분쟁이지만 실제로는 영토 분쟁이다.
ㄷ. (가), (나) 사례 모두 국제 형사 재판소를 통해 해결할 수 있다.
ㄹ. 자국의 이익만 앞세우는 태도가 국제 분쟁의 원인이다.

① ㄱ, ㄴ ② ㄱ, ㄹ ③ ㄴ, ㄷ
④ ㄴ, ㄹ ⑤ ㄷ, ㄹ

[11~12] 다음을 읽고 물음에 답하시오.

(가)	세계 평화는 받는 것이 아니라 성취해야 하는 것이다. 평화란 모든 전쟁의 종결을 의미하므로 그 앞에 '영원한'이라는 수식어를 붙이는 것은 용어의 중복일 따름이다. 평화는 도덕적 입법의 최고 자리에 위치한 이성이 명령하는 보편적 의무이다. 국가들은 서로를 하나의 인격체로 하고, 무력과 기만을 근절해 평화를 예비해야 한다. 공화국으로 전환한 계몽된 자유 국가들이 연방을 결성하고, 호혜적인 질서를 수립함으로써 평화를 확정해야 한다.
(나)	(가)가 주장하는 영구 평화의 방법은 전쟁, 테러 등이 일어나지 않는 소극적 평화를 달성하는 데 의미가 있지만, 소극적 평화만으로는 진정한 평화를 이루어 내기 어렵다. 왜냐하면 전쟁이 멈추어도 빈곤과 인권 침해 등의 문제는 여전히 존재할 수 있기 때문이다. 따라서 직접적인 폭력뿐만 아니라 구조적·문화적 폭력을 제거하여 적극적인 평화를 이루어야 한다.

11 (가) 입장에 대한 설명으로 가장 적절한 것은?

① 개별 국가의 주권을 수단이나 도구로 취급해서는 안 된다.
② 평화란 각 개별 국가의 이익이 극대화되어 공존하는 것이다.
③ 합리적 이성을 통해 자국의 이해관계를 적극적으로 추구한다.
④ 통일된 자유주의적 정치 체제를 통해 평화를 유지할 수 있다.
⑤ 국제 평화는 실현 불가능하지만 가능한 것으로 설정된 의제이다.

12 (나) 입장에서 (가) 입장에 대해 제기할 수 있는 비판으로 가장 적절한 것은?

① 인간의 도덕적 선의지만으로 직접적 폭력 상황을 제거할 수 있다.
② 불합리한 제도나 관습의 철폐는 영구적 평화 달성의 필요조건이다.
③ 전쟁, 테러뿐만 아니라 불평등한 차별적 제도 역시 직접적 폭력이다.
④ 빈곤과 정치적 억압은 제3자에 의해서만 해결될 수 있음을 간과하고 있다.
⑤ 전쟁 상태를 멈추고 국가 간 협약을 체결한다면 영구 평화가 달성될 수 있다.

13 다음은 국제 사회를 바라보는 각기 다른 관점과 그 사례이다. 이를 통해 추론할 수 있는 사실을 〈보기〉에서 고른 것은?

(가)	국가들은 '만인의 만인에 대한 투쟁' 상태라고 할 수 있는 국제 관계 구조에서 생존을 위해 언제나 권력과 국익을 추구한다.
(나)	국제 제도와 민주적 이론을 통한 국가 간 신뢰와 협력 확대가 국제 평화의 필수 조건이다.

보기

ㄱ. (가)는 국제 사회의 본질을 무정부성과 가깝다고 인식한다.
ㄴ. (가)는 국가 간 상호 작용 방식이 국제 관계를 결정한다고 본다.
ㄷ. (가)와 (나)는 전쟁의 방지와 평화 공존이 가능하다고 본다.
ㄹ. (가)는 (나)와 달리 국가 간 상호 이익의 조화가 가능하다고 본다.

① ㄱ, ㄴ ② ㄱ, ㄷ ③ ㄴ, ㄷ
④ ㄴ, ㄹ ⑤ ㄷ, ㄹ

14 밑줄 친 '이 관점'의 국제 사회에 대한 입장으로 가장 적절한 것은?

<u>이 관점</u>에서 볼 때 지식은 절대적인 것이 아니라 상대적인 것이다. <u>이 관점</u>에 따르면 지식은 시대에 따라 그 사회에 따라 다르다. 그래서 지식을 있는 그대로 받아들이기보다는 그 지식을 자신의 입장 또는 자신이 속해 있는 집단의 입장에서 어떻게 나름대로 구성하느냐에 초점을 둔다.

① 개별 국가의 국제법 실천 의지에 대해 회의적이다.
② 국가의 본질을 홉스의 관점과 유사한 입장에서 정의한다.
③ 국제법과 국제기구를 통한 갈등 해결을 비현실적으로 본다.
④ 개별 민주 공화 정체의 국가들이 연방체를 이룰 것을 강조한다.
⑤ 국가 간 상호 교류 방법과 인식에 따라 국제 관계는 개별적 특성을 보인다고 여긴다.

15 (가) 입장에서 (나) 입장에 제시할 수 있는 비판으로 가장 적절한 것은?

(가) 재화의 분배는 개인의 자유에 위임해야 한다. 소득 재분배는 개인의 권리를 침해하는 심각한 문제이다. 근로 소득에 대한 과세는 강제 노동과 같다.
(나) 어려운 처지의 국가를 돕는 행위는 사람을 목적으로 대우하는, 보편성을 지닐 수 있는 도덕 법칙이다. 따라서 이는 윤리적 의무이다.

① 꼭 필요하지 않은 지출을 기부해야 한다는 점을 간과하고 있다.
② 도덕 법칙이 정언 명령의 형식이어야 한다는 점을 간과하고 있다.
③ 차등의 원칙을 국제 사회에 적용해서는 안 된다는 점을 강조하고 있다.
④ 재산은 누구도 침해할 수 없는 배타적 소유권이라는 점을 경시하고 있다.
⑤ 빈곤국의 문제는 자발적 개선 능력의 결여에 기인한다는 점을 간과하고 있다.

16 다음 주장을 토대로 한 판단으로 적절하지 <u>않은</u> 것은?

직접적 폭력은 언어적 폭력과 신체적 폭력으로 나눌 수 있다. 이러한 폭력은 시간이 지나도 재현되므로 마음의 상처를 남긴다. 구조적 폭력은 정치적·억압적·경제적·착취적 폭력으로 구분된다. 이러한 폭력들은 분열, 붕괴 및 사회적인 소외 등에 의해 조장된다. 문화적 폭력은 종교와 사상, 언어와 예술, 법과 과학, 대중 매체와 교육 전반에 영향을 미쳐서 구조적 폭력과 직접적 폭력을 정당화한다. 따라서 폭력은 주로 문화적 폭력으로부터 구조적 폭력을 거쳐 직접적 폭력으로 번진다.

① 직위를 이용한 강압적 요구 역시 폭력일 수 있다.
② 폭력은 다른 형태의 폭력으로 전이되는 속성을 지닌다.
③ 최저 시급 거부, 근로 시간 미준수는 직접적 폭력에 해당한다.
④ 특정 계층에 대한 혐오 발언과 희화화는 간접적 폭력에 속한다.
⑤ 사회적 불평등을 방조하는 법 규정은 부정의를 방조하는 것이다.

[17~18] 다음을 읽고 물음에 답하시오.

> 갑: 풍요한 사회의 시민들만 풍요로움을 누리는 것은 부당하다. 인류 전체의 이익 증진을 위해 절대 빈곤으로 고통받는 사회의 사람들을 원조해야 한다.
> 을: 자원이 부족하다고 해서 질서 정연한 사회가 될 수 없는 경우는 거의 없다. 어떤 사회가 질서 정연한 사회가 되는 결정적 요인은 자원의 수준보다는 정치 문화이다. 불리한 여건으로 고통받는 사회가 정치 문화를 바꾸도록 원조해야 한다.

17 사상가 갑, 을의 입장으로 가장 적절한 것은?

① 갑은 세계 시민주의적 관점에서 원조를 의무로 본다.
② 갑은 자유 민주적 정치 체제가 성립되면 원조를 중단해야 한다고 본다.
③ 을은 공리주의적 관점에서 원조의 확대를 주장한다.
④ 을은 해외 원조를 통해 부유한 국가 국민의 잉여 소득이 이전되어야 함을 강조한다.
⑤ 갑, 을 모두 빈곤의 원인을 자원 배분의 불평등으로 본다.

18 다음 사례를 사상가 갑의 관점에서 비판한 내용으로 적절한 것을 〈보기〉에서 고른 것은?

> 빈곤국인 A국에 환자가 33명뿐인 희귀병 뮤코 다당증은 인체에 필수적인 분해 효소가 부족하여 생기는 병이다. 이 병에 걸린 사람이 치료를 받지 않으면 골격과 관절에 변형이 생기고, 대부분 15세를 전후해 사망한다. 이 병의 치료제를 개발한 미국의 S사는 병당 330만 원, 1년 투약분에 4억 5,000만 원의 약값을 제시하였다. 이에 A국 정부가 "너무 비싸다."라고 문제를 제기하면서 국내 공급이 늦어졌다. 결국 병당 279만 원으로 가격을 조정했지만, 제약 회사 측은 "가격이 너무 낮아 충분한 물량을 공급할 수 없다."라며 8명분의 약만 A국에 공급하였다.

보기
ㄱ. 해외 원조는 개인의 자유에 속하므로 강요할 수 없다.
ㄴ. 국제적 이익의 증대는 개인의 경제적 자유에 우선한다.
ㄷ. 해외 원조의 대상은 반드시 빈곤 국가에 한정되는 것은 아니다.
ㄹ. 전 인류적 차원에서 고통의 감소가 가져다줄 편익을 고려해야 한다.

① ㄱ, ㄴ　② ㄱ, ㄹ　③ ㄴ, ㄷ
④ ㄴ, ㄹ　⑤ ㄷ, ㄹ

서답형 문제

19 다음은 칸트의 영구 평화론을 요약한 것이다. ㉠~㉣에 들어갈 알맞은 말을 쓰시오.

> 1. 예비 조항 – [㉠] 폐지와 주권에 대한 간섭 배제
> 2. 확정 조항
> • 제1항 – 국내법의 관점에서 각국 헌법은 [㉡]일 것
> • 제2항 – 국제법의 관점에서 모든 국가가 자유롭고 평등한 주권을 전제로 [㉢]를 구성할 것
> • 제3항 – [㉣]의 입장에서 제 국민 상호 간 방문권의 확립 요청(보편적이고 우호적인 조건으로 제한될 것)

20 다음 글의 ㉠, ㉡에 대해 서술하시오.

> 인도적 차원의 해외 원조는 반드시 부유국이 빈곤국에만 제공하는 것이 아니라 경제적 수준이 비슷한 나라끼리도 이루어질 수 있다. 가령 전쟁 상태나 자연재해로 인해 곤란을 겪는 국가에 대해서는 물론 교전 중인 국가 간에도 해외 원조는 가능하다. 이러한 인도적 차원의 해외 원조는 원조국 입장에서도 ㉠ 장점이 있고, 수혜국 입장에서는 ㉡ 단점이 존재할 수도 있다.

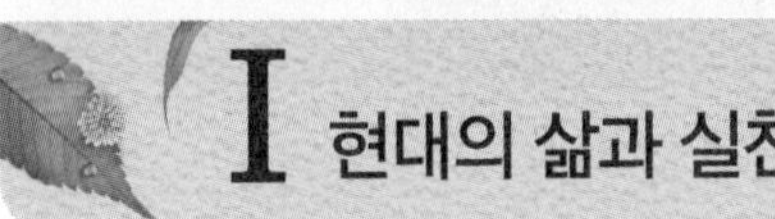

정답 및 해설

I 현대의 삶과 실천 윤리

단원평가 제1회 p. 3 ~ p. 7

01 ④	02 ④	03 ⑤	04 ②	05 ②	06 ③
07 ⑤	08 ⑤	09 ⑤	10 ①	11 ⑤	12 ④
13 ②	14 ④	15 ②	16 ②	17 ④	18 ①
19 해설 참조		20 해설 참조			

01 기술 윤리학과 규범 윤리학 답 ④

㉠은 규범 윤리학을, ㉡은 기술 윤리학을 강조한다. 기술 윤리학은 사회 구성원들의 인식을 초월한 보편적 도덕규범보다는 특정 시대나 사회 구성원들의 관행이나 사고방식, 습관, 윤리적 관념 등에 대한 묘사나 객관적인 서술을 중시한다.

02 메타 윤리학과 실천 윤리학 답 ④

(가)에는 메타 윤리학의 특징이, (나)에는 실천 윤리학의 특징이 들어갈 수 있다. 메타 윤리학은 도덕 언어의 의미 분석과 윤리학의 학문적 성립 가능성을 구체화하는 데 관심을 가지고, 실천 윤리학은 현실의 도덕 문제에 대한 해결책을 찾기 위해 이와 관련된 인접 학문과의 연계를 강조한다.

정답을 찾아가는 셀파 - Tip

ㄱ. 도덕적 개념의 이론적 기준을 정립하는 것
→ 이론 윤리학의 주요 관심사이다.

ㄷ. 도덕 이론을 배제하고 구체적인 해결책을 찾는 것
→ 실천 윤리학은 도덕 이론을 바탕으로 윤리 문제의 해결책을 찾는다.

03 실천 윤리학의 특성 답 ⑤

갑은 실천 윤리학의 관점을 취하고 있다. 따라서 갑은 윤리학이 학문적 지식을 바탕으로 새롭게 등장한 현실의 윤리 문제에 대한 구체적인 해결 방안을 마련하고, 사실 판단과 가치 판단을 고려한 당위적 규범을 제시해야 한다고 주장할 수 있다.

정답을 찾아가는 셀파 - Tip

ㄱ. 윤리학의 학문적 성립 가능성에 대한 탐구
→ 메타 윤리학의 특성에 대한 설명이다.

ㄴ. 과학 기술 발달을 바탕으로 한 이상 사회 제시
→ 실천 윤리학이 이상 사회를 제시하지는 않는다.

내 것으로 만드는 셀파 - Tip

▶ **다양한 실천 윤리학의 분야에서 다루는 문제들**

- **평화 윤리:** 국제 분쟁과 해외 원조, 난민 문제 등
- **문화 윤리:** 예술, 종교, 다문화 사회에 따른 윤리적 문제 등
- **환경 윤리:** 환경의 회복과 생태계 보존, 국제적 공조 요구 등
- **정보 윤리:** 사이버 불링과 범죄 확산, 개인 정보 침해의 문제 등
- **생명 윤리:** 인간 복제 문제와 인공 지능 문제, 장기 이식 문제 등
- **사회 윤리:** 개인과 공동체의 공존, 사회 제도와 구조에 따른 개인의 삶의 질 문제 등

04 요나스의 힘의 변증법 답 ②

제시문은 요나스의 『힘의 변증법』의 일부이다. 요나스는 인간이 이성의 힘으로 발전시킨 과학 기술 문명에 종속되었다고 보고, 이 문제는 또 다시 이성의 힘으로 극복할 수 있다고 주장한다. 또한 과학 기술에 대한 윤리적 성찰이 결여될 때 윤리적 공백이 발생한다고 주장하면서, 새로운 윤리는 과학 기술에 대한 윤리적 판단과 성찰의 태도를 지녀야 한다고 강조한다.

05 유교 윤리의 특징 답 ②

제시문은 유교의 사단에 대한 내용이다. 유교에서는 사단을 실천하여 사덕을 확충하고 실천할 것을 강조하는데, 이를 위해 경(敬)과 성(誠)을 통한 예(禮)의 회복을 주장한다. 따라서 갑에게 사사로운 욕심을 버리고 진정한 예를 회복하도록 하라고 조언할 수 있다.

정답을 찾아가는 셀파 - Tip

① 나와 남이 다르지 않고 이어져 있음을 명심하게. (×)
→ 불교의 연기설과 관련된다.

② 사사로운 욕심을 버리고 진정한 예(禮)를 회복하도록 하게.(○)

③ 소요(逍遙)의 경지에 도달하기 위해 마음을 비우도록 하게. (×)
→ 도교와 관련된다.

④ 도덕적 실천을 통해 인간의 이기적 본성을 바로잡도록 하게. (×)
→ 유교에서는 인간의 본성을 선하다고 본다.

⑤ 정의로운 마음은 ~~실천을 통해 형성되는~~ 선천적인 것임을 깨닫도록 하게. (×)

06 불교 윤리의 특징 답 ③

제시문은 불교에 관한 내용이다. 불교에서는 고통의 원인인 집착과 욕망에서 벗어나 연기성과 진리를 깨달으면 해탈과 열반에 이를 수 있다고 보고, 이를 위해 중생 구제와 자비 실천에 힘쓸 것을 강조한다.

정답을 찾아가는 셀파 - Tip

ㄱ. 신독(愼獨)의 자세를 통해 사물의 이치를 궁구한다.
→ 유교에서 강조하는 수양 방법이다.

ㄹ. 좌망(坐忘)과 심재(心齋)를 통해 대자연의 원리와 하나가 된다.
→ 도교에서 강조하는 수양 방법이다.

07 도교 윤리의 특징 답 ⑤

제시문은 도교에서 강조하는 상선약수(上善若水)에 대한 내용이다. 도교에서는 물은 다른 존재와 다투지 않아 겸허와 부쟁의 원리를 가장 충실하게 따르고 있다고 보고, 물을 선(善)의 표본으로 본다. 이처럼 도교는 인위적 강제가 없는 소박하고 무지한 삶을 강조한다.

정답을 찾아가는 셀파 - Tip

① 신독과 거경의 자세를 잃지 않는다. (×)
→ 유교와 관련된 내용이다.

② 무욕과 중도의 삶을 살아가기 위해 집착을 버린다. (×)
→ 불교와 관련된 내용이다.

③ 언제 어디서나 보편타당한 도덕적 원리를 실천한다. (×)
→ 칸트의 의무론적 윤리와 관련된 내용이다.

④ 선천적 본성을 회복하고 예(禮)에 따르는 삶을 추구한다. (×)
→ 유교와 관련된 내용이다.

⑤ 인위적인 강제가 없는 소박하고 무지한 삶의 자세를 지닌다. (○)

08 동양 윤리의 수양 방법 답 ⑤

갑은 도교, 을은 유교의 입장에 해당한다. 자연의 질서를 그대로 따를 것을 강조하는 도교와 달리 유교에서는 인(仁)과 예(禮)의 규범을 통해 사회를 바로잡아야 한다고 본다.

정답을 찾아가는 셀파 - Tip

① 인간은 자연의 일부에 불과한 존재인가? (×)
→ 동양 윤리 사상은 공통적으로 인간이 자연의 일부라고 인식한다.
② 수양을 통해 성인(聖人)이 될 수 있는가? (×)
→ 동양 윤리 사상에서는 공통적으로 수양을 통해 성인, 즉 이상적 인간이 될 수 있다고 본다.
③ 연기성과 중도를 깨닫는 수양이 필요한가? (×)
→ 불교와 관련된 내용이다.
④ 물과 같은 겸허와 부쟁의 삶을 지향해야 하는가? (×)
→ 도교에 해당하는 내용이다.
⑤ 인(仁)과 예(禮)의 규범을 통해 사회를 바로잡아야 하는가? (○)

09 자연법 윤리 답 ⑤

제시문은 아퀴나스의 자연법 윤리와 관련된 내용이다. 자연법 윤리는 칸트를 비롯한 의무론적 윤리설의 바탕이 되었으며, 언제 어디서든 지켜야 할 보편적 의무와 규범이 있다는 것을 전제하고 있다. 도덕적 행위의 원리보다 행위자의 도덕적 습관을 강조하는 것은 덕 윤리의 관점이다.

10 공리주의와 의무론의 비교 답 ①

갑은 벤담, 을은 칸트이다. 벤담은 행위 결과의 유용성을 도덕적 판단의 기준으로 삼는다. 그리고 벤담과 칸트 모두 도덕 판단의 이론적 근거를 제시하고자 한다.

정답을 찾아가는 셀파 - Tip

ㄷ. B: 감각적 쾌락과 정신적 쾌락은 질적으로 다르다.
→ 질적 공리주의자 밀의 주장이다.
ㄹ. C: 공동체적 관습을 고려한 도덕적 의무의 이행을 강조한다.
→ 덕 윤리에 대한 설명이다.

11 공리주의의 분류 답 ⑤

갑은 규칙 공리주의, 을은 행위 공리주의의 입장이다. 규칙 공리주의는 더 많은 유용성을 가져오는 행위 규칙에 따라 도덕 판단을 내린다. 행위 공리주의와 규칙 공리주의 모두 유용성(공리)의 원리를 도덕 판단과 법률 제정의 근거로 삼는다.

정답을 찾아가는 셀파 - Tip

ㄱ. A: 최대 다수의 최대 행복을 추구하는가?
→ 행위 공리주의도 최대 다수의 최대 행복을 추구한다.
ㄴ. B: 다수의 이익을 위해 개인의 쾌락을 배제하는가?
→ 공리주의는 개인의 쾌락이 모여 사회적 쾌락이 된다고 주장한다. 따라서 다수의 이익을 위해 개인의 쾌락을 배제하지는 않는다.

12 홉스와 롤스 답 ④

갑은 홉스, 을은 롤스이다. 홉스와 롤스는 개인을 이기적이면서 합리적인 존재로 가정하고, 자연 상태와 원초적 상태라는 가상적 상황에서 개인들이 동의와 계약을 통해 사회 공동체가 구성되었다고 본다.

13 의무론과 덕 윤리 답 ②

갑은 칸트의 의무론, 을은 덕 윤리의 입장에 해당한다. 매킨타이어가 주장한 덕 윤리는 선한 행위의 실천을 위해서는 도덕적 행위의 원칙보다 행위자의 도덕적 성품에 초점을 맞추어야 한다고 보고 있으며, 공동체적 특성을 고려할 것을 강조한다.

정답을 찾아가는 셀파 - Tip

① 갑은 행위의 동기는 도덕 판단의 근거가 될 수 없다고 본다. (×)
→ 칸트는 행위의 동기를 도덕 판단의 근거로 삼는다.
② 을은 도덕적 행위의 원리보다 행위자의 도덕적 성품을 강조한다. (○)
③ 을은 옳고 그름을 판단하는 단일한 도덕 원칙이 ~~존재한다고~~ 본다. (×)
존재하지 않는다고
④ 갑은 을과 달리 도덕적 실천에서 이성보다 감정을 더 중시한다. (×)
→ 의무론과 덕 윤리 모두 이성적 판단을 중시한다.
⑤ 을은 갑과 달리 행위의 동기보다 결과적 유용성을 더 강조한다. (×)
→ 행위 결과의 유용성을 강조하는 것은 공리주의의 입장이다.

14 의무론과 덕 윤리 답 ④

갑은 의무론, 을은 덕 윤리이다. 덕 윤리는 근대 철학의 의무론이 공동체적 관점의 선의지와 맥락을 간과하였다는 비판에서 등장하였다. 따라서 덕 윤리는 어떤 행위를 하느냐보다 어떤 행위자가 되느냐가 더 중요하다고 보고 중용에 따른 윤리적 행위의 반복적 실천을 강조한다.

15 의무론과 책임 윤리 답 ②

갑은 의무론을 주장한 칸트, 을은 책임 윤리를 주장한 요나스이다. 칸트와 요나스는 모두 인간의 존엄성을 변할 수 없는 보편적 가치로 간주하고, 인간은 이성적 능력을 바탕으로 선한 행위를 판단할 수 있는 존재로 본다.

정답을 찾아가는 셀파 - Tip

ㄴ. 현세대와 미래 세대의 도덕적인 책임은 상호 보완적이다.
→ 칸트의 입장과 무관하다.
ㄷ. 예견할 수 있는 결과에 대해서는 책임의 범위가 넓어진다.
→ 요나스의 입장에만 해당한다.

16 배려 윤리의 특징 답 ②

제시문은 길리건의 주장이다. 길리건은 공정성, 정의, 객관성을 강조한 기존의 근대 윤리만으로는 현대의 윤리적 문제를 해결하기 어렵다고 비판하면서, 배려와 소통, 공감 등을 강조한 여성적 배려 윤리로 이를 보완해야 한다고 주장한다.

내 것으로 만드는 셀파 - Tip

▶ **길리건과 나딩스의 배려 윤리**

길리건	• 여성의 도덕과 남성의 도덕은 질적으로 다름 → 여성은 배려 윤리, 남성은 정의 윤리를 강조하는 경향이 있음 • 공감, 배려, 동정심, 관계성, 구체적 상황, 맥락 등 배려 윤리의 여성성 강조
나딩스	• 배려는 상호적인 것 → 어머니와 자녀의 관계를 배려의 원형으로 간주함 • 배려는 낯선 타인, 동식물과 지구 환경 등에까지 확대되어야 한다고 주장함

17 담론 윤리 답 ④

제시문은 하버마스의 주장이다. 하버마스는 공론장에서의 담론 과정에서 의사소통의 합리성이 실현될 때, 개인의 주관적 이익과 판단을 초월한 공적인 해결 방안을 도출해 낼 수 있다고 주장한다.

내 것으로 만드는 **셀파 - Tip**

▶ **하버마스의 이상적 소통**
- 서로 다른 의견, 갈등을 극복하기 위해 개방적인 논의와 담론을 서로 존중할 수 있는 '의사소통의 합리성' 함양 강조
- 돈이나 권력에 의한 왜곡 및 억압 없이 의사소통 규범이 준수되는 자유로운 의사소통 상황 중시 → 보편적 원칙 및 이상 사회를 만들 수 있는 토대가 됨

18 윤리적 갈등 상황의 해결 절차 답 ①

(가) 과정에 따라 (나)의 문제를 해결하는 과정은 '인공 지능 기술에 대한 찬반 주장 검토 → 인공 지능 기술과 관련된 자료 수집 및 검토 → 최초의 자신의 입장 또는 잠재적 대안 설정 → 최종적 입장 또는 대안 확정'으로 정리할 수 있다.

정답을 찾아가는 **셀파 - Tip**

ㄷ. ㉢에서는 가치 판단을 토대로 사실 판단을 도출한다.
→ 사실 판단을 토대로 가치 판단을 도출한다.

ㄹ. ㉣에서는 주장의 객관성 유지를 위해 토론의 과정을 배제한다.
→ 토론의 과정을 거쳐 주장의 객관성을 확보할 수 있다.

서답형 문제

19 도교의 성찰 방법

모범 답안 | 제시문에 나타난 동양 사상은 도교이다. 도교에서는 소박한 삶을 위한 수양 방법으로 좌망과 심재를 강조하고 있는데, 좌망은 조용히 앉아서 시비 분별을 잊는 것을 의미하고, 심재는 마음을 가지런히 하는 것을 의미한다.

주요 단어 | 도교, 좌망, 심재

채점 기준	배점
도교의 수양 방법인 좌망과 심재에 대한 설명을 모두 구체적으로 서술한 경우	상
좌망과 심재 가운데 한 가지에 대한 설명만 서술한 경우	중
좌망과 심재만 제시하고 그에 대한 설명은 서술하지 않은 경우	하

20 토론의 필요성

모범 답안 | 인간은 불완전한 존재이므로 판단의 과정에서 오류를 범할 수 있는데, 토론은 이러한 인식과 판단에서의 오류 가능성을 줄여 준다. 또한 토론을 통해 당면한 윤리 문제에 대해 바람직한 해결 방안을 찾아 갈등을 원만하게 해결할 수 있다. 그리고 개인의 주관적인 선호나 의견들이 토론을 통해 보편적인 앎의 형태로 나아갈 수도 있다.

주요 단어 | 인간, 불완전, 오류 가능성, 토론, 해결 방안, 갈등 해결

채점 기준	배점
토론의 필요성을 세 가지 모두 구체적으로 서술한 경우	상
토론의 필요성을 두 가지만 서술한 경우	중
토론의 필요성을 한 가지만 서술한 경우	하

Ⅱ 생명과 윤리

단원평가 제2회 p. 9 ~ p. 13

01 ①	02 ③	03 ③	04 ①	05 ①	06 ①
07 ④	08 ④	09 ③	10 ⑤	11 ⑤	12 ③
13 ④	14 ③	15 ⑤	16 ④	17 ②	18 ②
19 해설 참조		20 해설 참조			

01 죽음에 대한 다양한 입장 답 ①

갑은 에피쿠로스, 을은 공자이다. 에피쿠로스는 산 사람에게는 죽음이 아직 오지 않았고 죽은 사람은 이미 존재하지 않기 때문에 죽음은 산 사람과 죽은 사람 모두에게 무관한 것이라고 본다. 또한 공자와 에피쿠로스 모두 죽음보다 현재의 삶이 더 중요하다고 여긴다.

정답을 찾아가는 **셀파 - Tip**

ㄴ. A: 죽음은 영원하고 참된 쾌락에 도달하는 것이다.
→ 에피쿠로스는 죽은 상태에서는 쾌락이나 고통을 느낄 수 없다고 본다.

ㄹ. C: 현세에서의 업보가 죽음 이후의 삶을 결정한다.
→ 불교의 관점이다.

02 불교와 에피쿠로스의 죽음관 답 ③

갑은 불교, 을은 에피쿠로스이다. 불교는 현세에서 자신이 지은 업에 따라 죽음 이후의 삶이 결정된다고 본다. 에피쿠로스는 죽음 이후의 삶을 인정하지 않고, 죽음은 감각적으로 경험할 수 없는 상태로 본다.

정답을 찾아가는 **셀파 - Tip**

ㄱ. A: 죽음은 영혼이 이데아로 돌아가는 것인가?
→ 플라톤의 관점에 해당한다.

ㄴ. B: 죽음을 윤회하는 과정이 단절된 상태로 보는가?
→ 불교는 죽음을 윤회의 과정으로 본다.

03 낙태 찬반론 답 ③

갑은 태아는 인간으로 볼 수 없으므로 낙태를 허용해야 한다는 입장이고, 을은 인간으로 성장할 가능성을 지닌 태아는 인간으로 보아야 한다는 잠재성 논거를 바탕으로 낙태에 반대하는 입장이다.

04 뇌사와 심폐사 답 ①

갑은 심폐사를 죽음으로 간주해야 한다고 주장하고, 을은 뇌사를 죽음으로 간주해야 한다고 주장한다. 뇌사 문제에 관해 반대론의 입장에서는 뇌사 판정의 오류 가능성을 지적하고, 찬성론의 입장에서는 뇌사자의 장기로 다른 생명을 살릴 수 있다고 주장한다.

정답을 찾아가는 **셀파 - Tip**

ㄴ. 갑: 진정한 인간다움은 심장이 아닌 뇌에서 비롯된다.
→ 뇌사 찬성론의 입장을 지지하는 논거이다.

ㄹ. 을: 인간의 생명은 실용적 가치로 따질 수 없는 것이다.
→ 뇌사 반대론의 입장을 지지하는 논거이다.

05 안락사의 쟁점 답 ①

제시문은 환자에게 고통에서 벗어나 더 나은 세계로 갈 수 있다고 말하고 있으므로, 자발적 안락사에 찬성하는 입장으로 볼 수 있다.

06 자살에 대한 관점 답 ①

자유 의지를 강조하는 사람들은 자살이 자유 의지에서 비롯된다는 점에서 도덕적으로 문제가 없다고 주장하는 반면, 생명의 존엄성을 강조하는 사람들은 자살도 살인에 해당하는 비도덕적 행위라고 주장한다. 제시문은 자살하는 사람은 어떠한 삶도 살아갈 수 없다고 하였으므로, 밑줄 친 부분에는 자살을 선택하는 것은 진정한 자유 의지의 행사로 볼 수 없다는 말이 들어갈 수 있다.

정답을 찾아가는 셀파 - Tip

① 자살을 선택하는 것은 진정한 자유 의지의 행사라고 보기 어렵다. (○)
② 자살은 모든 인간에게 죽을 권리가 부여되어 있음을 확인시켜 준다. (×)
→ 자살에 반대하는 입장에서는 인간에게는 죽을 권리가 부여되지 않았다고 본다.
③ 자살은 개인의 자유 의지보다 생명의 존엄성을 숭시하는 행위라고 할 수 있다. (×)
→ 자살은 생명의 존엄성을 해치는 행위이다.
④ 고통스런 삶에서 벗어나기 위해 선택한 자살은 도덕적으로 아무런 문제가 없다. (×)
→ 고통에서 벗어나기 위한 자살은 인간을 수단으로 대한 것이기 때문에 도덕적으로 문제가 있다.
⑤ 자살은 자신을 포함한 모든 인간을 수단이 아닌 목적으로 대우한 것이라고 할 수 있다. (×)
→ 자살은 인간을 수단으로 대우한 것이다.

07 뉘른베르크 강령 답 ④

제시문은 뉘른베르크 강령의 일부이다. 이 강령에 따르면 인간을 대상으로 하는 실험을 할 때에는 피험자의 자발적인 동의를 얻어야 하며, 실험자는 실험에 대한 정보를 충분히 제공해야 한다.

08 인체 실험의 쟁점 답 ④

제시문은 헬싱키 선언의 일부이다. 헬싱키 선언은 인체 실험 과정에서 피험자의 인권을 보장하고, 실험의 부작용이나 문제점을 최소화하며, 인체 실험으로 인한 부당한 권리 침해를 방지하기 위해 제정한 것으로, 뉘른베르크 강령과 더불어 피험자의 권익과 안전에 특별히 신경 쓸 것을 강조한다.

내 것으로 만드는 셀파 - Tip

▶ 헬싱키 선언

1964년 핀란드 헬싱키에서 열린 세계 의사 협회 총회에서 채택된 의료 윤리 선언이다.

정식 명칭은 '사람을 대상으로 한 의학 연구에 대한 윤리적 원칙'으로, 1947년에 채택한 '뉘른베르크 강령'을 수정·보완하여 만들었다.

헬싱키 선언은 제2차 세계 대전 동안 나치가 저지른 생체 실험에 대한 반성과 그에 대한 재판을 위해 법률가들이 만든 '뉘른베르크 강령'에서 한 발 더 나아가, 의사의 문제는 의사가 해결한다는 차원에서 의사들이 스스로 인체 실험의 윤리적 조건에 대해 논의한 것이라는 의의가 있다.

09 배아의 도덕적 지위 답 ③

갑은 인간 배아는 인간이 될 잠재성을 지니고 있으므로 완전한 인간의 지위를 갖는다고 보고, 을은 인간 배아는 어떠한 도덕적 지위도 갖지 않으므로 인간 배아의 사용은 윤리적으로 허용될 수 있다고 본다.

10 유전자 조작 기술에 대한 쟁점 답 ⑤

갑은 유전자 조작 기술에 대해 긍정적으로 보고, 을은 유전자 조작 기술 연구에 대해 부정적으로 보고 있다. 따라서 유전자 조작 기술이 생물의 유전적 다양성을 증가시킨다는 주장은 을의 입장과 맞지 않다.

11 동물의 권리와 동물 실험 논쟁 답 ⑤

(가) 사상가는 레건이다. 레건은 일부 동물은 삶의 주체로서 존중받아야 할 도덕적 권리를 보유하고 있다고 본다. 따라서 동물 실험에 찬성하는 (나)의 주장에 대해 동물도 삶의 주체가 될 수 있으므로 기본적인 권리를 갖는다는 반론을 제기할 수 있다.

내 것으로 만드는 셀파 - Tip

▶ 동물의 권리에 관한 논쟁

데카르트	동물은 고통과 쾌락을 경험할 수 없으며, 도덕적으로 고려받을 권리를 가지지 않음
아퀴나스, 칸트	동물은 도덕적으로 고려받을 권리를 가지지 않지만, 동물을 대하는 감정과 행동은 인간을 대하는 데에도 영향을 미침 → 동물을 함부로 다루어서는 안 됨
벤담, 싱어	• 벤담: 동물을 대하는 데 '고통을 느낄 수 있는가'를 고려해야 함 • 싱어: 쾌고 감수 능력을 지닌 동물을 인간과 차별하는 것은 종 차별주의·종 이기주의에 해당함 → 동물의 이익도 동등하게 고려해야 함
레건	한 살 정도의 포유류라면 삶의 주체가 될 수 있음 → 이런 동물은 그 자체로 목적으로 대우해야 함

12 사랑에 대한 이해 답 ③

제시문의 사상가는 프롬이다. 프롬의 주장에 따르면 사랑은 사랑하는 사람의 성장에 관심을 갖는 것이고, 상대방이 지니고 있는 고유한 개성을 존중하는 것이다.

정답을 찾아가는 셀파 - Tip

ㄱ. 사랑은 자신의 의지대로 상대를 변화시키는 것이다.
→ 프롬은 사랑이란 상대를 있는 그대로 인정하는 것이라고 본다.
ㄹ. 사랑은 언제나 상대에 대한 의존성을 필요로 하는 것이다.
→ 프롬은 사랑이란 상대방과 상호 보완적인 자세를 지니는 것이라고 본다.

13 사랑에 대한 이해 답 ④

제시문은 프롬의 주장이다. 프롬은 참다운 사랑의 요소는 적극적 관심이며, 이것은 상대방에게 응답할 준비를 갖추는 것이라고 주장한다. 또한 프롬은 상대방을 있는 그대로 인정하고 이해하며 존중할 것을 강조하고, 생산적인 성격의 사람은 사랑을 주는 것을 잠재적인 능력의 최고 표현이자 생산적인 활동으로 여긴다고 말한다.

정답을 찾아가는 셀파 - Tip

ㄴ. 사랑은 상대방을 있는 그대로 보고 ~~소유하는~~ 것이다.
이해하며 보호하는

14 보수주의와 급진적 자유주의 ⓐ ③

갑은 급진적 자유주의의 관점, 을은 보수주의의 관점에 해당한다. 보수주의에서는 결혼과 출산에 의한 종족 번식이 성적 활동의 목적이라고 간주한다. 따라서 결혼과 출산을 전제하지 않는 성은 금기의 대상이라고 보고, 종족 보존이라는 생물학적 가치를 중심으로 성의 허용 범위를 규정한다.

정답을 찾아가는 셀파 - Tip

① 갑: 쾌락을 주는 성적 활동은 모두 도덕적으로 허용된다. (×)
→ 타인에게 피해를 주는 성적 활동은 허용되지 않는다고 본다.

② 갑: 부부 사이에서 이루어지는 성만이 도덕적으로 정당하다. (×)
→ 보수주의에 해당한다.

③ 을: 성적 활동의 목적은 결혼과 출산에 따른 종족 번식이다. (○)

④ 을: 성을 통해 얻을 수 있는 쾌락에서 성적 활동의 가치를 찾아야 한다. (×)
→ 보수주의는 결혼과 출산에 따른 종족 번식에 성적 활동의 가치를 둔다.

⑤ 갑, 을: 성적 활동의 가치는 인격적 결실에서 찾아야 한다. (×)
→ 온건한 자유주의에 해당한다.

15 성 상품화의 쟁점 ⓐ ⑤

성 상품화에 대해 갑은 찬성하는 입장이고, 을은 반대하는 입장이다. 성 상품화에 반대하는 입장에서는 자본주의의 이윤 추구 논리에 따라 성을 상품화하는 것은 성적 자기 결정권을 남용하고 인간을 수단으로 여기는 행위이며, 인간의 성이 지닌 본래의 가치와 의미를 훼손할 수 있다고 지적할 수 있다.

16 유교의 가족 윤리 ⓐ ④

㉠은 부부, ㉡은 형제자매이다. 형제자매는 부모의 기운을 똑같이 받고 태어났다는 의미에서 동기간이라고도 한다. 부부는 가족 내에서 가장 먼저 형성되는 인간관계로, 상하의 구별이 있는 수직적인 형제자매 관계와 달리 상호 대등하고 수평적인 관계이다.

17 맹자의 효 ⓐ ②

(가) 사상가는 맹자이고, (나)는 『효경』에서 효에 대해 언급한 내용이다. 맹자는 효의 윤리가 가정에서만 머무르게 하지 않고 이것을 이웃과의 관계에도 적용시켜 사회의 근본 원리로 확장시켜 나가야 한다고 강조한다.

정답을 찾아가는 셀파 - Tip

① 형제자매 간의 우애를 바탕으로 형성된다. (×)
→ 『효경』에서는 덕의 근본이 효라고 하며, 형제자매 간의 우애보다 효가 먼저 형성된다고 본다.

② 이웃 어른에 대한 공경으로 나아가게 하는 필수 덕목이다. (○)

③ 나의 부모와 남의 부모를 차별 없이 사랑하게 하는 덕목이다. (×)
→ 맹자는 나의 부모와 남의 부모를 차별 없이 사랑할 것을 강조하지 않았다.

④ 나와 다른 사람을 분별하는 의식에서 벗어나게 하는 근본 원리이다. (×)
→ 효를 강조하는 것이지, 나와 남을 분별하는 것을 말한 것은 아니다.

⑤ 음양론에 입각해서 나와 다른 사람을 수평적으로 연결시켜 주는 원리이다. (×)
→ 음양론은 유교에서 강조하는 부부 사이의 윤리이다.

자료를 분석하는 셀파 - Tip

(가) 자신의 어른을 공경함으로써 남의 노인에게 미치고, 자신의 어린아이를 사랑함으로써 남의 아이에게 미친다면 천하를 자기 손바닥 안에서 다스릴 수 있다.
└ 나의 부모에 대한 효가 먼저임을 의미한다.

(나) 우리의 몸은 부모로부터 물려받은 것이다. 감히 상하게 하거나 훼손하지 않는 것이 [㉠]의 시작이다. 몸을 세워서 도리를 행하고 이름을 후세에 떨쳐 부모를 빛나게 하는 것이 [㉠]의 끝이다.
└ 불감훼상(不敢毁傷)을 뜻한다.
└ 입신양명(立身揚名)을 뜻한다.
└ 효에도 단계가 있음을 의미한다.

18 유학의 효 사상 ⓐ ②

제시문에서는 형제 관계에서의 도리를 익히는 과정에서 장유 관계의 기본 도리를 배울 수 있다고 강조하고 있다.

정답을 찾아가는 셀파 - Tip

① 형제 관계에서는 장유의 구별이 필요하지 않다. (×)
→ 형제 관계는 형과 아우의 순서가 있는 상하 관계이므로 장유의 구별이 필요하다.

② 형제 관계에서 장유의 기본 도리를 찾을 수 있다. (○)

③ 장유 관계와 형제 관계에는 공통점이 존재하지 않는다. (×)
→ 형제 관계와 장유 관계는 상하의 구별이라는 공통점이 있다.

④ 형제 관계는 상호 간 이익을 전제로 맺어진 계약 관계이다. (×)
→ 형제 관계는 상호 이익을 전제로 맺어진 계약 관계가 아니다.

⑤ 자식에 대한 부모의 사랑은 형제 간 우애의 전제 조건이다. (×)
→ 제시문에 나타나 있지 않은 내용이다.

서답형 문제

19 에피쿠로스의 죽음관

(1) 에피쿠로스

(2) **모범 답안** | 에피쿠로스에 따르면, 인간은 살아서는 죽음을 경험할 수 없고 죽어서는 아무것도 감각할 수 없다. 그러므로 죽음을 의식하거나 죽음에 대해 두려워할 필요가 없다.

주요 단어 | 에피쿠로스, 죽음, 경험, 감각, 의식, 두려움, 필요 없음

채점 기준	배점
살아서는 죽음을 경험할 수 없고 죽어서는 감각할 수 없으므로, 죽음을 의식하거나 두려워할 필요가 없다는 내용을 명확하게 서술한 경우	상
죽음을 의식하거나 두려워할 필요가 없다는 내용을 서술한 경우	중
에피쿠로스의 죽음관이 아닌 다른 철학자의 죽음관을 서술한 경우	하

20 뇌사 찬반 논쟁

모범 답안 | 뇌사를 죽음으로 인정하면 뇌사자의 존엄하게 죽을 권리를 존중해 줄 수 있다. 뇌 기능의 정지는 현대 의학으로 충분히 판정할 수 있고, 뇌사 상태에서 생명을 연장하는 것은 무의미하다. 뇌사를 인정하면 의료 자원을 효율적으로 사용할 수 있다.

주요 단어 | 죽을 권리, 뇌 기능, 정지, 판정, 의료 자원, 효율적, 사용

채점 기준	배점
뇌사를 죽음으로 인정하는 입장의 주장을 세 가지 모두 서술한 경우	상
뇌사를 죽음으로 인정하는 입장의 주장을 두 가지만 서술한 경우	중
뇌사를 죽음으로 인정하는 입장의 주장을 한 가지만 서술한 경우	하

III 사회와 윤리

단원평가 제3회 p. 15 ~ p. 21

01 ④	02 ①	03 ④	04 ①	05 ③	06 ③
07 ⑤	08 ④	09 ③	10 ⑤	11 ①	12 ②
13 ③	14 ③	15 ②	16 ④	17 ②	18 ②
19 ④	20 ⑤	21 ②	22 ④	23 ③	24 ②
25 ⑤	26 ⑤	27 해설 참조		28 해설 참조	
29 해설 참조					

01 맹자의 직업관 답 ④

제시문은 노심자과 노력자의 구분을 강조한 맹자이다. 그는 모든 것을 손수 만들어 사용해야 한다면, 그것은 천하의 사람들을 바쁘게 만드는 것이라고 하며 정신노동을 하는 노심자와 육체노동을 하는 노력자의 사회적 역할이 각각 달라야 한다고 주장한다.

02 순자와 맹자의 직업관 답 ①

갑은 순자, 을은 맹자이다. 순자는 예(禮)에 근거한 물질적 욕망의 충족을 강조하고, 맹자는 노심자의 노력자에 대한 배려를 주장한다. 맹자는 마음을 수고롭게 하는 자는 남을 다스리고 힘을 수고롭게 하는 자는 남에게 다스려진다고 본다. 두 사상가 모두 경제적 부가 인간의 도덕적 삶을 위협하지 않게 해야 한다고 본다.

03 마르크스와 칼뱅의 노동관 답 ④

갑은 자본주의에서의 분업 노동을 노동 소외의 등장 배경으로 보는 마르크스이고, 을은 직업 소명설을 주장하는 칼뱅이다. 칼뱅은 직업이 신이 부여한 소명이고 근면하고 성실한 노동을 통한 직업적 성공이 구원의 징표라고 보므로 부의 축적을 정당화한다.

정답을 찾아가는 셀파 - Tip

① 직업 노동은 금욕적 삶을 위한 최고의 수단인가? (×)
→ 마르크스는 부정의 대답을 할 질문이다.

② 인간은 신의 은총에 의해 주어진 재화의 관리인일 뿐인가? (×)
→ 마르크스는 부정의 대답을 할 질문이다.

③ 신의 섭리는 직업에 의한 합리적 이윤 추구를 허용하는가? (×)
→ 마르크스는 부정의 대답을, 칼뱅은 긍정의 대답을 할 질문이다.

④ 자본주의의 사적 이윤 추구 동기는 인간 소외의 원인인가? (○)

⑤ 신의 영광을 더하기 위해 체계적인 분업 노동으로 부자가 되는 것은 정당한가? (×)
→ 마르크스는 분업 노동에 반대한다.

04 기업의 본질에 대한 프리드먼의 입장 답 ①

제시문의 사상가는 기업에 대해 이윤 추구 이외의 사회적 책임을 요구하는 것은 자유 시장 경제의 기본 원리를 깨뜨리는 것이라고 주장하는 프리드먼이다. 그는 기업에 미래 세대, 자연환경, 사회 구성원의 삶의 질 향상 등의 책임을 지우는 데 반대한다.

05 사회적 자본과 부패 답 ③

제시문은 사회적 자본의 중요성을 주장한다. 제시문에 따르면, 사회적 자본은 신뢰와 같은 도덕적 자원으로 구성되고, 사회적 자본의 축적은 결국 호혜성과 생산성을 증가시킨다. 또한 사회적 자본의 축적을 통해 시민 단체 간 갈등이나 대립이 승화되면 부패가 감소할 수 있다. 그리고 이는 사회적, 경제적 효율성의 증진으로 이어지게 된다.

06 니부어의 사회 윤리적 관점 답 ③

제시문의 사상가는 니부어이며, 그는 개인의 도덕적 이상이 이타성과 선의지라면, 사회의 이상은 정의의 실현이라고 주장한다. 이 때문에 개인 윤리와 사회 윤리는 구분될 필요가 있으며, 개인의 도덕성만으로는 사회의 도덕성을 실현하는 데 한계가 있다고 지적한다. 니부어는 개인의 도덕성 함양도 사회 문제 해결에 도움이 된다고 본다. 따라서 개인 윤리적 해법과 사회 윤리적 해법이 상호 보완적 관계라는 데 동의할 것이다. 아울러 사회 정의를 실현하려면 외적인 강제력의 사용도 필요하다고 보고, 물리력의 사용과 같이 도덕적 승인을 받기 어려운 방법을 사용할 때에는 선의지의 통제가 필요하다고 여긴다.

07 분배적 정의에 대한 다양한 입장 답 ⑤

제시문의 '나'는 분배적 정의의 기준으로 업적이 올바르다고 주장하며, '어떤 사람들'은 분배적 정의의 기준으로 필요가 바람직하다고 여긴다. 따라서 '나'는 '어떤 사람들'에 대해 필요에 따른 분배가 개인이 성취한 결과에 대한 적절한 보상을 못하므로 문제가 있다고 비판할 수 있다.

정답을 찾아가는 셀파 - Tip

① 노동 의욕과 경쟁을 지나치게 강조하기 때문이다. (×)
→ 업적에 의한 분배에 대한 비판으로 적절하다.

② 사회적 약자에 대한 배려를 결여하고 있기 때문이다. (×)
→ 필요에 따른 분배는 사회적 약자를 배려하는 것이다.

③ 개인의 능력과 역량만을 지나치게 강조하기 때문이다. (×)
→ 능력에 의한 분배에 대한 비판으로 적절하다.

④ 각자가 지닌 자연적 재능만을 기준으로 하기 때문이다. (×)
→ 능력에 의한 분배와 관련된 비판으로 적절하다.

⑤ 개인의 성취에 대한 실질적 보상을 부정하기 때문이다. (○)

08 롤스의 정의론 답 ④

제시문의 사상가는 롤스이다. 그는 가상적 상황에서 도출되는 정의의 원칙을 제시하며 사회적·경제적 불평등은 최소 수혜자에게 최대 이익을 보장해야 한다고 주장한다. 또한 정의의 원칙에서 우선성의 원리를 주장하며 모든 사람이 기본적 자유에서 평등한 권리를 지닌다는 제1원칙이 제2원칙에 우선하고, 제2원칙 가운데 공정한 기회균등의 원칙이 차등의 원칙에 우선한다고 본다.

정답을 찾아가는 셀파 - Tip

ㄴ. 사회·경제적 불평등은 공정한 절차를 준수하게 되면 발생하지 않는다.
→ 롤스는 최소 수혜자에게 최대 이익을 보장하는 한에서 사회적·경제적 불평등을 인정한다.

09 노직의 소유 권리론 답 ③

제시문의 사상가는 자유 지상주의자이면서 소유 권리론을 주장하는 노직이다. 그는 최소 국가만이 정당하다고 주장하며 최소한의 국가 역할을 강조한다. 따라서 그는 복지를 위한 세금 부과가 개인의 정당한 소유권을 침해한다고 여긴다.

정답을 찾아가는 셀파 - Tip

ㄱ. 차등의 원칙은 구성원 모두에게 이익이 되는가?
→ 차등의 원칙이 구성원 모두에게 이익이 된다는 주장은 롤스에게서 나타난다.

ㄴ. 부의 불평등 해소에 기여하는 재분배만이 정당화될 수 있는가?
→ 노직이 주장한 소유 권리론에 따르면 정의로운 상태에서도 부의 불평등은 존재할 수 있으므로 정의롭지 못한 상황을 교정하는 재분배만이 정당화될 수 있다.

10 노직의 소유 권리론 답 ⑤

제시문의 사상가는 소유 권리로서의 정의를 주장하는 노직이다. 그는 취득의 원칙, 양도의 원칙, 교정의 원칙을 제시하며 소유 권리론을 확립한다.

⑤ 국가는 교정의 원칙에 따라 S_1, S_2가 아닌 S_3, S_4의 부정의한 상황을 교정할 권한을 갖는다.

11 노직과 롤스의 정의관 답 ①

갑은 소유 권리론을 주장하는 노직이고, 을은 차등의 원칙을 주장하는 롤스이다. 노직은 자연적 우연성에 의한 개인의 재능은 공유 자산이 아닌 자신의 것이라 주장한다. 두 사상가 모두 절차적 정의를 강조한다.

정답을 찾아가는 셀파 - Tip

ㄷ. C: 각 개인은 자유롭고 평등한 하나의 인격체이다.
→ 노직과 롤스의 공통적인 입장이다.

ㄹ. C: 재화의 공정한 분배는 개인의 자발적 선택에 의해 이루어져야 한다.
→ 롤스는 재화의 공정한 분배는 정의의 원칙을 따라야 한다고 본다.

12 마르크스, 노직, 롤스의 정의관 답 ②

갑은 마르크스, 을은 노직, 병은 롤스이다. 노직은 최소 국가만을 최선의 가장 포괄적 국가로 본다.

정답을 찾아가는 셀파 - Tip

① 갑: 분배적 정의는 가치와 공적에 따라 이루어져야 한다. (×)
→ 마르크스는 필요에 따른 분배를 주장한다.

② 을: 최소 국가만이 최선의 가장 포괄적인 국가이다. (○)

③ 병: 천부적 재능의 우연한 분포는 개인의 소유물로 간주해야 한다. (×)
→ 롤스는 천부적 재능의 우연한 분포를 사회적 자산으로 간주한다.

④ 갑, 병: 사회 전체의 이익을 명분으로 개인의 소유권을 침해해서는 안 된다. (×)
→ 마르크스는 사유 재산의 폐지를 주장한다.

⑤ 을, 병: 자연적 우연성에 의한 개인의 재능은 사회 공동의 것으로 보아야 한다. (×)
→ 롤스는 인정하고, 노직은 부정할 진술이다.

13 소수자 우대 정책에 대한 찬반 입장 답 ③

갑은 소수자 우대 정책을 다양성과 정의 실현을 논거로 하여 지지한다. 반면 을은 책임 없는 후손에게 책임을 전가하여 새로운 부정의를 초래한다는 논거에 근거해 소수자 우대 정책을 반대한다. 후손에게 불이익을 준다는 을의 표현으로부터 새로운 역차별의 근거를 발견할 수 있다.

14 소수자 우대 정책에 대한 드워킨의 입장 답 ③

(가)의 사상가는 대학의 소수자 우대 전형 정책이 다원적 민주주의의 가치를 고양하고 좋은 시민을 길러 낼 수 있는 방안이라고 주장하는 드워킨이다.

자료를 분석하는 셀파 - Tip

- 학교가 인종, 계급, 직업, 지위에 의해 한 국가를 분리하는 것은 정의와 조화라는 가치에 반하는 것이다. 학교는 다양한 학생으로 구성된 모습을 지향해야 한다.
  └ 사회 분리 시도에 대한 반대, 다원적 가치와 인종적 다양성 추구가 드러나 있다.
- 어떤 학생도 과거의 성취나 능력, 타고난 덕으로 인해 대학 입학 자격을 받아서는 안 된다. 학생들은 학교가 추구하는 다양한 목표에 기여할 가능성으로 판단되어야 한다.
  └ 설립 목적에 부합하는 선발을 해야 한다는 점을 유추할 수 있다.

15 형벌에 대한 응보주의와 공리주의 입장 답 ②

갑은 형벌에 대한 응보주의적 입장을, 을은 형벌의 예방과 교화 기능을 강조하는 공리주의적 입장을 대변하고 있다.

정답을 찾아가는 셀파 - Tip

ㄴ. 갑이 을에게: 형벌이 계약의 공정한 이행이어야 함을 무시하고 있습니다.
→ 응보주의적 입장은 형벌을 계약의 이행으로 보지 않는다.

ㄹ. 을이 갑에게: 형벌이 동등성의 원리를 따라야 함을 간과하고 있습니다.
→ 응보주의는 형벌에 대해 동등성(등가성)의 원리를 강조한다.

16 벤담과 베카리아의 형벌관 답 ④

갑은 벤담, 을은 베카리아이다. 둘은 공리주의적 관점에서 형벌의 필요성을 주장하기 때문에 형벌을 공동체의 선을 실현하기 위한 수단으로 보며, 지속적 효과를 통한 형벌의 본보기 역할을 강조한다.

정답을 찾아가는 셀파 - Tip

① A: 형벌은 본보기를 통해 지속적 효과를 지녀야 하는가? (×)
→ 벤담과 베카리아 둘 다 긍정의 대답을 할 질문이다.

② B: 형벌은 범죄를 원래 상태로 되돌리는 것이 목적인가? (×)
→ 응보주의적 관점에서 긍정의 대답을 할 질문이다.

③ B: 형벌에 의한 범죄자의 고통은 응보적 의미를 갖는가? (×)
→ 응보주의적 관점에서 긍정의 대답을 할 질문이다.

④ C: 형벌은 공동체의 선을 실현하는 수단이어야 하는가? (○)

⑤ C: 형벌은 정언 명령으로서 공적 정의 실현이라는 의미를 지니는가? (×)
→ 형벌을 정언 명령으로서 공적 정의 실현이라고 주장하는 사상가는 칸트이다.

17 **벤담과 베카리아의 형벌관** 답 ②

갑은 벤담, 을은 베카리아이다. 두 사상가 모두 공리주의적 입장에서 형벌을 주장한다. 따라서 사회적 효용과 유용성을 실현하는 형벌만이 정당한 형벌로서 인정받을 수 있다.

정답을 찾아가는 셀파 - Tip

① 사형은 살인범에게 국가가 내릴 수 있는 최선의 형벌인가? (×)
→ 베카리아는 사형보다 지속적인 본보기가 될 수 있는 종신형을 더 효율적인 형벌로 본다.

② 형벌은 사회적 유용성의 가치에 기여할 때 정당성을 갖는가? (○)

③ 사형은 자율적 행위자인 살인범의 인격을 존중하는 것인가? (×)
→ 칸트의 응보주의적 형벌관에 해당한다.

④ 사형은 일반 의지가 규정한 계약의 위반에 대한 응분의 보복인가? (×)
→ 루소는 사형을 일반 의지가 규정한 사회 계약의 위반에 따른 형벌로 본다.

⑤ 형벌은 예방과 교화보다 국민의 법 감정에 충실할 때 정당성을 갖는가? (×)
→ 공리주의적 형벌관은 범죄 예방을 형벌의 목적으로 본다.

18 **루소와 칸트의 사형 제도에 대한 입장** 답 ②

갑은 루소, 을은 칸트이다. 루소는 사형의 근거를 일반 의지와 계약으로부터, 칸트는 범죄 행위에 대한 동등성의 원리로부터 찾는다. 두 사상가 모두 살인자에 대한 사형을 공적 정의의 실현으로 본다.

정답을 찾아가는 셀파 - Tip

ㄴ. 을은 사형을 시민 사회의 선(善)을 실현하기 위해 필요하다고 본다.
→ 칸트는 형벌은 어떤 선(善)이나 사회적 목적을 실현하기 위한 수단이 되어서는 안 된다고 주장한다.

ㄷ. 을은 갑과 달리 범죄 예방을 위해 종신형보다 사형이 효과적이라고 본다.
→ 칸트는 범죄 예방을 형벌의 목적으로 보지 않으며 사형이 살인에 대한 응분의 처벌이라고 여긴다.

19 **칸트와 베카리아의 형벌관** 답 ④

갑은 칸트, 을은 베카리아이다. 형벌과 관련해 칸트는 보복적 응보주의를 주장하고, 베카리아는 범죄의 예방과 공동선의 실현을 중시한다. 칸트는 범죄 그 자체에만 근거한 형벌, 즉 응보주의적 형벌을 주장하는 반면, 베카리아는 사회적 효용과 사회 전체의 이익을 실현할 수단으로서 형벌을 주장한다.

20 **정치적 의무에 대한 흄과 로크의 입장** 답 ⑤

갑은 흄, 을은 로크이다. 흄은 국가가 제공하는 공공재 같은 관행적 혜택에 의해, 로크는 자발적 동의에 의해 정치적 의무가 발생한다고 본다. 두 사상가 모두 국가가 제공하는 혜택이 정치적 의무와 관련이 있다고 본다.

정답을 찾아가는 셀파 - Tip

ㄱ. A: 정치적 의무의 발생은 인간의 자연적 본성 때문인가?
→ 아리스토텔레스의 입장이다.

21 **국가의 권위에 대한 로크와 아리스토텔레스의 입장** 답 ②

갑은 로크, 을은 아리스토텔레스이다. 로크는 계약과 동의에 기초해 국가 권위를 주장하고, 아리스토텔레스는 인간의 본성으로부터 국가 권위의 근거를 찾고자 한다.

정답을 찾아가는 셀파 - Tip

ㄴ. B: 국가는 완전하고 자족적인 정치 공동체인가?
→ 아리스토텔레스의 입장이다.

ㄷ. B: 정치적 권위에 대한 복종은 명시적 동의에 의해서만 성립하는가?
→ 로크는 묵시적 동의에 의해서도 복종해야 할 의무가 성립한다고 본다.

22 **정치적 의무에 대한 롤스의 입장** 답 ④

제시문은 자연적 의무가 자발적 동의와 상관없이 우리에게 적용된다고 주장하는 롤스이다. 그에게 자연적 의무는 동등한 인격인 모든 사람에게 성립하는 것이다.

23 **롤스의 시민 불복종** 답 ③

제시문은 시민 불복종은 거의 정의로운 사회에서 일어난다고 주장하는 롤스이다. 그는 평등한 자유의 원칙과 공정한 기회균등의 원칙에 대한 심각하고 지속적인 위반은 시민 불복종의 사유가 된다고 주장한다.

정답을 찾아가는 셀파 - Tip

① 거의 정의로운 사회에서 발생하는 시민 불복종은 정당화되지 않는다. (×)
→ 롤스에 따르면 시민 불복종은 거의 정의로운 사회에서 일어날 수 있는 것이다.

② 종교적 교리나 개인적 가치관에 근거한 시민 불복종은 항상 정당하다. (×)
→ 롤스에 따르면 시민 불복종은 공동선을 추구해야 한다.

③ 공정한 기회균등의 원칙에 대한 심각한 위반은 시민 불복종의 이유가 된다. (○)

④ 최소 수혜자의 원리에 대한 입장 차이는 시민 불복종의 정당한 이유가 된다. (×)
→ 롤스에 따르면 시민 불복종의 사유가 아니다.

⑤ 평등한 자유의 원칙에 대한 심각한 위반만이 시민 불복종의 정당한 이유이다. (×)
→ 공정한 기회균등의 원칙에 대한 심각한 위반도 시민 불복종의 이유이다.

24 **시민 불복종에 대한 소로와 롤스의 입장 비교** 답 ②

갑은 소로이고, 을은 롤스이다. 시민 불복종은 정의롭지 못한 법을 바로잡으려는 자발적인 위법한 행위이다.

정답을 찾아가는 셀파 - Tip

ㄴ. B: 시민 불복종은 개인의 양심보다 다수결의 원리에 근거해야 하는가?
→ 소로는 시민 불복종의 근거로 양심을 든다.

ㄷ. B: 시민 불복종을 하기 전에 법에 따른 처벌 유무를 우선 고려해야 하는가?
→ 시민 불복종은 법에 따른 처벌을 감수하는 위법 행위이다.

25 소로와 싱어의 시민 불복종 답 ⑤

갑은 소로, 을은 싱어이다. 차등의 원칙만을 현저하게 위배한 행위를 시민 불복종의 대상으로 보지 않는 것은 롤스의 입장이다.

26 롤스의 정의관 답 ⑤

제시문 (가)는 롤스이고, (나)는 드워킨의 주장으로서 ㉠에 들어갈 말은 '정의'이다. 드워킨은 양심, 정책, 그리고 정의에 기반한 시민 불복종의 유형이 있다고 주장한다. 롤스는 평등한 기본적 자유의 보장이 차등의 원칙에 우선한다고 본다.

서답형 문제

27 사형제에 대한 베카리아와 칸트의 입장

모범 답안 | 갑은 베카리아이다. 그는 사형이 공익에 대한 기여가 적고 비효율적이라고 보고 종신 노역형으로 대체할 것을 주장한다. 또한 생명 위임은 사회 계약의 내용이 아니므로 사형제가 부당하다고 본다. 을은 칸트이다. 그는 형벌은 일종의 정언 명령이고 사형은 동등성과 응보적 성격을 가지며 살인자의 행위에 대한 응분의 책임을 지우는 것이라고 본다.

주요 단어 | 베카리아, 공익, 칸트, 정언 명령, 동등성

채점 기준	배점
두 사상가의 입장을 모두 구체적으로 바르게 서술한 경우	상
두 사상가의 입장을 간략하게 서술한 경우	중
두 사상가의 입장 중 한 사상가의 입장만을 서술한 경우	하

28 정치적 의무에 대한 동의론과 자연적 의무론

모범 답안 | 동의론은 시민이 명시적이든 묵시적이든 국가에 복종하기로 동의하였으므로 국가에 복종해야 한다는 주장이다. 자연적 의무론은 국가는 도덕적 선 실현에 이바지하므로 시민이 국가에 복종하는 것은 인간이 마땅히 지켜야 할 자연적 의무라는 주장이다.

주요 단어 | 명시적, 묵시적, 동의, 도덕적 선 실현, 자연적 의무

채점 기준	배점
두 가지 입장을 구체적으로 바르게 서술한 경우	상
두 가지 입장을 간략하게 서술한 경우	중
두 가지 입장 중 한 가지만을 바르게 서술한 경우	하

29 시민 불복종에 대한 소로, 롤스, 드워킨의 입장

모범 답안 | 소로는 시민 불복종에서 인간으로서의 양심을 근거로 삼는다. 롤스는 다수의 공유된 정의관을 중시하며, 평등한 자유의 원칙과 공정한 기회균등의 원칙의 심각한 훼손을 조건으로 제시한다. 드워킨은 헌법 정신에 어긋나는 법률에 대해 불복종할 수 있다고 본다.

주요 단어 | 양심, 다수의 공유된 정의관, 헌법 정신

채점 기준	배점
세 가지 입장을 구체적으로 바르게 서술한 경우	상
세 가지 입장 중 두 가지의 특성만을 바르게 서술한 경우	중
세 가지 입장 중 한 가지의 상대적 특성만을 바르게 서술한 경우	하

Ⅳ 과학과 윤리

단원평가 제4회 p. 23 ~ p. 27

01 ⑤	02 ③	03 ⑤	04 ②	05 ③	06 ③
07 ④	08 ⑤	09 ⑤	10 ③	11 ④	12 ①
13 ④	14 ④	15 ③	16 ②	17 ⑤	18 ②
19 해설 참조		20 해설 참조		21 해설 참조	

01 과학 기술 지상주의와 과학 기술 혐오주의 답 ⑤

갑은 과학 기술이 모든 문제를 해결하여 인류에게 무한한 행복과 풍요를 가져다줄 수 있다고 믿는 과학 기술 지상주의 입장, 을은 과학 기술이 비인간화를 초래하고 인간성 자체를 위협한다고 믿는 과학 기술 혐오주의 입장이다. 갑과 달리 을은 과학 기술에 대한 비판적 사고 능력이 필요하다고 본다.

02 과학 기술의 가치 중립성에 관한 논의 답 ③

갑은 과학 기술의 가치 중립성을 부정하는 하이데거, 을은 과학 기술의 가치 중립성을 강조하는 야스퍼스이다. 하이데거는 윤리적 성찰을 통하여 과학 기술에 대한 비판적 검토가 이루어져야 한다고 보고, 야스퍼스는 과학 기술 자체는 선악과 무관한 영역이므로 윤리적 규제는 필요하지 않다고 본다. 과학 기술의 활용에 대한 사회적 책임과 과학 기술이 가치와 밀접하게 관련됨을 강조하는 사람은 하이데거이다.

03 과학 기술의 가치 중립성에 관한 논의 답 ⑤

갑은 과학 기술을 가치 중립적으로 인식하고 과학 연구의 자율성을 강조하는 입장, 을은 과학 기술이 사회적 요인과 밀접한 관련을 맺고 있으므로 과학 기술에 대한 윤리적 검토가 필요함을 강조하는 입장이다. 과학 기술이 선악의 문제와 무관한 영역이라고 보는 것은 갑에게만 해당된다.

04 요나스의 책임 윤리 답 ②

제시문의 서양 사상가는 과학 기술의 발달에 따라 책임 윤리의 필요성을 강조한 요나스이다. 요나스는 자연과 미래 세대의 생존 조건에 대한 책임이 현세대에게 있다고 주장하며, 공포의 발견술을 통해 결과에 대해 예견할 것을 강조한다.

정답을 찾아가는 셀파 - Tip

① 자연은 인간의 책임 범위를 벗어나는 대상인가? (×)
→ 인간의 책임 범위에는 자연과 미래 세대까지 포함된다.
② 윤리학은 악에 대한 공포로부터 도출되어야 하는가? (○)
③ 인간의 책임 범위는 자신이 의도한 행위에 국한되는가? (×)
→ 인간의 책임 범위는 의도하지 않은 결과까지 포함한다.
④ 현세대와 미래 세대는 상호 간에 책임의 의무가 있는가? (×)
→ 현세대만이 자연과 미래 세대에 대한 책임의 의무가 있다.
⑤ 과학 기술로 인한 부작용은 새로운 기술로 해결할 수 있는가? (×)
→ 과학 기술 시대의 부작용을 해결하기 위해서는 성찰과 책임이 필요하다.

05 요나스의 책임 윤리 답 ③

그림의 강연자는 자연과 미래 세대에 대한 예견적인 책임을 강조하는 요나스이다. 요나스는 윤리적 성찰이 빠진 과학 기술 발전의 위험성을 경고하고, 윤리적인 공백을 책임으로 채울 것을 주장한다. 또한 과학 기술이 초래한 다양한 문제들은 과학 기술 자체로 해결할 수 없으며 책임 의식을 통해 해결할 수 있음을 강조한다.

06 저작권 문제 답 ③

(가)는 저작물에 대한 정당한 대가를 보장함으로써 창작 동기를 활성화해야 한다는 입장이고, (나)는 인류의 문화유산을 바탕으로 만든 공동의 자산이므로 저작물이 공동선을 위해 활용되어야 한다는 입장이다. (가)에 비해 (나)는 소유권 보장을 통한 정보 생산을 강조하는 정도(X)가 낮지만, 저작권의 공유를 통한 사회 발전을 강조하는 정도(Y)는 높다. 또한 저작권이 개인의 배타적 권리임을 강조하는 정도(Z)는 낮으므로 ㉢에 해당된다.

07 개인의 사생활 보호와 국민의 알 권리 보장 답 ④

갑은 사생활 보호라는 개인의 기본권이 어떤 이유에서도 훼손되어서는 안 된다는 입장이고, 을은 국민의 알 권리 실현을 위해 국민의 사생활 침해가 불가피한 경우도 있다는 입장이다.

정답을 찾아가는 셀파 - Tip

① 모든 국민의 사생활은 보호될 필요가 있는가? (×)
→ 갑뿐만 아니라 을도 국민의 사생활 보호가 필요하다고 본다.

② 국민에게는 정치, 사회에 대해 알 권리가 있는가? (×)
→ 갑, 을 모두 인정하는 내용이다.

③ 개인의 자유권 보장이 알 권리의 보장보다 우선하는가? (×)
→ 갑은 강조하고 을도 부정하지는 않는다.

④ 알 권리의 보장을 위해 개인의 사생활은 침해될 수 있는가? (○)

⑤ 사생활 침해는 개인에게 심각한 피해를 초래할 수 있는가? (×)
→ 사생활 보호가 필요한 이유이다.

08 잊힐 권리와 알 권리 답 ⑤

디지털 장의사는 원하지 않는 정보를 삭제해 줌으로써 개개인의 잊힐 권리를 보장할 수 있지만, 이로 인해 공익 실현을 위해 반드시 보장되어야 할 알 권리를 훼손하는 부정적 결과를 낳을 수 있다.

정답을 찾아가는 셀파 - Tip

① 개인이 가진 정보 자기 결정권이 훼손될 수 있다. (×)
→ 디지털 장의사는 개인의 의사에 따라 정보를 삭제해 주는 것이므로 정보 자기 결정권을 실현하는 데 기여한다.

② 개인 정보가 타인에게 노출되거나 악용될 수 있다. (×)
→ 디지털 장의사는 개인 정보를 삭제해 주므로 개인 정보가 타인에게 노출되거나 악용되는 것을 방지하는 데 기여한다.

③ 알 권리 보장으로 인해 잊힐 권리가 훼손될 수 있다. (×)
→ 디지털 장의사에 의한 개인 정보 삭제는 개인의 잊힐 권리를 보장하는 것이지만 국민의 알 권리 실현을 막을 수 있다.

④ 사이버 공간상에서 사생활을 침해당할 가능성이 높아진다. (×)
→ 디지털 장의사는 개인 정보를 삭제하는 역할을 맡으므로 개인은 사생활을 침해받을 우려가 줄어들게 된다.

⑤ 공익 실현을 위한 국민의 알 권리를 보장하기 어려울 수 있다. (○)

09 정보화 사회의 윤리적 원칙 답 ⑤

제시문은 정보화 사회의 구성원이 준수해야 할 윤리적 원칙에 대해 설명하고 있다. 정보화 사회의 개개인은 인간성 존중, 자유, 평등 등과 같은 전통적 가치와 긴밀하게 연결된 기본 원칙을 준수해야 한다. 정보화 사회의 윤리적 원칙은 현실 윤리와 크게 다르지 않기 때문이다.

내 것으로 만드는 셀파 - Tip

▶ **정보 윤리의 기본 원칙**

- **자율성의 원칙**: 스스로 도덕 원칙을 수립하여 행동하고 타인의 자기 결정 능력을 존중해야 한다.
- **해악 금지의 원칙**: 남에게 해악을 끼치거나 상해를 입히는 일을 피해야 한다.
- **선행의 원칙**: 타인의 복지를 증진하는 방향으로 행동해야 한다.
- **정의의 원칙**: 공정한 기준에 따라 혜택이나 부담을 공정하게 배분해야 한다.

10 정보화 사회의 매체 윤리 답 ③

갑은 객관성을 지니고 있는 사실 그대로의 전달이 정보 생산자의 중요한 역할이라 보고, 을은 합리적 판단을 통해 적절히 선별된 정보 전달이 정보 생산자의 중요한 역할이라 본다. 갑은 을에게 자의적 정보 선별 과정에서 사실이 왜곡될 수 있다고 비판할 수 있다.

11 정보화 시대의 매체 윤리 답 ④

갑은 칸트이다. 칸트는 인간의 존엄성 보장을 정언 명령으로 삼는다. 도청 장치 설치는 개인의 자유를 침해하게 될 수 있으므로 칸트는 A에게 취재 방법이 타인의 존엄성을 침해할 수 있음을 고려하라고 조언할 수 있다.

12 인간 중심주의적 환경 윤리 답 ①

(가)는 인간 중심주의적 입장이며, (나)의 ㉠은 동물이다. 인간 중심주의는 동물을 인간의 발전과 풍요를 위해 사용할 수 있다고 본다.

13 인간 중심주의적 환경 윤리 답 ④

(가)는 동물에 대한 폭력성이 인간성 자체를 훼손할 수 있다는 이유로 동물에 대한 고려를 주장하는 칸트의 입장이다. 칸트는 인간성 보존의 관점에서 동물을 고려해야 한다고 주장한다.

정답을 찾아가는 셀파 - Tip

① 동물이 가진 삶의 주체로서의 권리를 존중해야 한다. (×)
→ 동물 중심주의적 입장을 가진 레건의 주장이다.

② 동물의 이익 관심을 인간과 동등하게 고려해야 한다. (×)
→ 동물 중심주의적 입장을 가진 싱어의 주장이다.

③ 동물과 인간이 같은 생명 공동체의 구성원임을 인식해야 한다. (×)
→ 생명 중심주의적 입장이다.

④ 동물을 인간성 보존의 측면에서 고려해야 함을 인식해야 한다. (○)

⑤ 동물이 인간 삶을 개선하는 데 필요한 정복의 대상임을 인식해야 한다. (×)
→ 베이컨과 같은 인간 중심주의적 입장이다.

14 동물 중심주의적 입장의 환경 윤리 답 ④

갑은 쾌고 감수 능력을 가진 동물의 이익 관심을 인간과 평등하게 고려해야 함을 주장하는 싱어, 을은 쾌고 감수 능력 외에도 믿음·욕구·기억 등 자신의 복지를 갖고 있는 삶의 주체인 동물의 권리를 보호해야 함을 주장하는 레건이다. 레건에 따르면, 쾌고 감수 능력은 삶의 주체가 되기 위한 필요조건이다.

정답을 찾아가는 셀파 - Tip

① 갑: 도덕적 고려 대상을 모든 생명체로 확장해야 한다. (×)
→ 도덕적 고려 대상은 쾌고 감수 능력을 지닌 동물로 한정된다.

② 갑: 인간의 이익보다 동물의 이익을 우선하여 고려해야 한다. (×)
→ 인간과 동물의 이익을 평등하게 고려해야 한다.

③ 을: 공리주의 관점에서 동물에 대한 이익을 고려해야 한다. (×)
→ 의무론적 관점에서 동물에 대한 권리를 보장해야 한다.

④ 을: 쾌고 감수 능력은 도덕적 고려를 위한 필요조건일 뿐이다. (○)

⑤ 갑, 을: 인간의 삶을 위해 동물에 대한 고려는 필요하다. (×)
→ 동물에 대한 고려가 인간의 삶을 위해 필요하다고 보는 것은 인간 중심주의적 입장이다.

15 생명 중심주의적 입장의 환경 윤리 답 ③

제시문의 사상가는 모든 생명에 대한 존중과 생명에 대한 무한한 책임을 강조하는 슈바이처이다. 슈바이처는 인간의 이익과 상관없이 생명체에 대한 고려는 인간의 도덕적 의무라 인식한다. 따라서 인간의 복지와 도덕적 고려는 무관하다.

16 환경 윤리의 다양한 관점 답 ②

갑은 인간의 도덕성 촉진을 위해 자연에 대한 고려를 주장하는 칸트, 을은 삶의 주체로서의 동물의 권리를 존중해야 한다는 레건, 병은 목적론적 삶의 중심인 모든 생명체에 대해 고려해야 한다는 테일러이다. '삶에 대한 권리를 갖고 있는 동물에 대한 고려가 필요한가?'라는 질문에는 레건뿐만 아니라 테일러도 동의하므로 B에 들어갈 질문으로 적절하지 않다.

17 생태 중심주의적 입장의 환경 윤리 답 ⑤

제시문의 서양 사상가는 도덕적 고려 대상의 범위를 토지, 물 등 대지까지 확장해야 함을 주장하는 레오폴드이다. 레오폴드는 자연에 대한 전체론적인 관점을 기초로 환경 문제를 해결해야 한다고 본다. 이처럼 전체론적 성격을 지니므로 생태계 전체를 위해 개별 생명체를 희생시킬 수 있다는 점에서 생태 중심주의는 생태 파시즘이라고 비판받는다.

정답을 찾아가는 셀파 - Tip

① 인간의 발전을 위해서 자연을 보호해야 한다. (×)
→ 자연의 모든 구성원은 인간의 이익과 관계없이 인간과 동등한 가치를 지닌다.

② 도덕 공동체의 범위는 동식물까지로 한정된다. (×)
→ 도덕 공동체의 범위는 토지, 물 등 무생물을 포함한 자연의 모든 존재이다.

③ 도덕적 능력을 가진 존재만이 도덕적 고려 대상이다. (×)
→ 도덕적 능력 여부와 관계없이 자연의 모든 존재를 도덕적으로 고려해야 한다.

④ 자연은 쾌고 감수 능력을 지니므로 도덕적 고려 대상이다. (×)
→ 쾌고 감수 능력을 갖추지 못한 존재일지라도 도덕적 고려 대상이다.

⑤ 자연에 대한 전체론적 관점으로 환경 문제를 해결해야 한다. (○)

18 환경 윤리의 다양한 관점 답 ②

갑은 고유의 선과 내재적 가치를 가지고 있는 생명체를 고려해야 한다는 테일러, 을은 쾌고 감수 능력을 가진 동물의 이익 관심을 인간과 동등하게 고려해야 한다는 싱어, 병은 생명 공동체의 영역을 대지까지 확대해야 한다는 레오폴드이다.

정답을 찾아가는 셀파 - Tip

ㄴ. B: 인간과 동물은 도덕적으로 동등하게 고려되어야 한다.
→ 테일러, 싱어, 레오폴드 모두의 공통 입장이다.

ㄷ. C: 무생물에 대한 고려는 다른 생명체의 생존을 방해한다.
→ 레오폴드는 도덕적 고려 범위를 생명 공동체의 구성원인 무생물까지 확대해야 한다고 본다.

서답형 문제

19 요나스의 책임 윤리

모범 답안 | 인간뿐만 아니라 자연과 미래 세대에 대한 책임 의식을 가져야 한다.

주요 단어 | 자연, 미래 세대

채점 기준	배점
자연과 미래 세대를 모두 포함하여 서술한 경우	상
자연이나 미래 세대 중 하나만 포함하여 서술한 경우	중
책임의 범위를 확장해야 한다고만 서술한 경우	하

20 저작권 문제

모범 답안 | 지적 산물에 대한 배타적 소유권을 인정하면 정보 생산 의욕이 저하될 수 있다. 또한 정보의 자유로운 교류를 방해하여 정보 격차가 발생할 수 있다.

주요 단어 | 지적 산물, 배타적 소유권, 정보 생산 의욕, 정보의 자유로운 교류, 정보 격차

채점 기준	배점
정보 생산 의욕이 저하된다는 점과 정보 격차가 발생할 수 있다는 점 모두를 포함하여 서술한 경우	상
정보 생산 의욕이 저하된다는 점과 정보 격차가 발생할 수 있다는 점 중 한 가지만 서술한 경우	중
제시문에 나온 을의 입장을 약간 변형하여 정보에 대한 소유권을 부정하는 방향으로 서술한 경우	하

21 동물 중심주의적 입장의 환경 윤리

모범 답안 | 갑, 을 모두 쾌고 감수 능력을 동물에 대한 도덕적 고려를 위한 전제 조건으로 삼지만, 갑은 쾌고 감수 능력을 도덕적 고려의 필요충분조건으로, 을은 필요조건으로 본다는 점에서 다르다.

주요 단어 | 쾌고 감수 능력, 필요충분조건, 필요조건

채점 기준	배점
갑, 을이 동물을 도덕적으로 고려한다는 공통점이 있고 쾌고 감수 능력을 보는 시각에서 차이가 난다는 점을 모두 서술한 경우	상
갑, 을이 동물을 도덕적으로 고려한다는 공통점이 있다는 정도로만 서술한 경우	중
갑, 을의 공통점과 차이점을 모두 파악하지 못한 경우	하

V 문화와 윤리

단원평가 제5회 p. 29 ~ p. 33

01 ①	02 ②	03 ③	04 ⑤	05 ⑤	06 ①
07 ⑤	08 ②	09 ①	10 ③	11 ④	12 ①
13 ①	14 ①	15 ①	16 ②	17 ③	18 ④
19 해설 참조		20 해설 참조		21 해설 참조	

01 예술과 윤리의 관계를 보는 도덕주의적 관점 이해 답 ①

갑은 플라톤, 을은 정약용이다. 이들은 모두 순수 예술이 아니라 인격 도야에 기여할 수 있는 예술의 도덕적 측면을 강조한 사상가들이다. 즉, 갑과 을은 모두 음악이 인성 함양에 이바지할 수 있음을 말하고 있다.

②는 도덕주의자가 심미주의자에게 제시할 수 있는 견해이고, ③~⑤는 심미주의자가 도덕주의자에게 제시할 수 있는 견해이다.

내 것으로 만드는 셀파 - Tip

▶**예술과 윤리의 관계를 보는 도덕주의적 관점**
- **주장**: "도덕적 가치가 미적 가치보다 우위에 있기 때문에 예술은 윤리의 인도를 받아야 한다." → 예술에 대한 윤리적 규제 찬성
- **예술의 목적**: 올바른 품성을 기르고 도덕적 교훈이나 모범을 제공하는 것
- **강조점**: 예술의 사회성 → 참여 예술론 지지
- **한계**: 예술의 독립성 및 예술가의 표현의 자유 침해 우려

02 예술을 보는 도덕주의적 관점 답 ②

제시문은 예술에 대한 도덕주의적 관점을 담고 있다. 도덕주의에 따르면, 모든 예술 작품은 고결한 품성과 올바른 행위를 포함하여 도덕적 교훈이나 본보기를 제공해야 한다.

① 도덕주의는 예술이 도덕적 선을 지향하도록 예술에 대한 윤리적 규제가 필요하다는 입장이므로 예술 작품에 대한 검열에 찬성할 가능성이 높다. ③~⑤는 모두 예술 지상주의, 즉 예술에 대한 심미주의적 관점에 해당한다. 심미주의에 따르면, 예술은 도덕이나 정치 등 다른 어떤 것을 위한 수단으로 취급되어서는 안 되며 오직 아름다움 그 자체만을 추구해야 한다.

03 동서양 사상가의 예술에 대한 관점 이해 답 ③

갑은 플라톤, 을은 공자, 병은 스핑건이다. 플라톤과 공자는 도덕주의자로, 모든 예술 작품이 고결한 품성과 올바른 행위를 포함하여 도덕적 교훈이나 본보기를 제공해야 한다는 입장에서 예술을 설명한다. 그에 반해 스핑건은 심미주의자로, 예술은 예술 그 자체나 아름다움의 추구만을 목표로 해야 한다는 입장에서 예술을 설명한다.

③ 도덕주의는 예술도 사회적 산물이므로 그 자체로 자율성을 지닐 수 없다고 본다. 따라서 도덕주의자인 플라톤(갑)과 공자(을)는 예술의 사회적 영향력을 중시한다고 볼 수 있다.

정답을 찾아가는 셀파 - Tip

① 갑은 예술이 사회적 산물임을 부정한다. (×)
→ 도덕주의자인 플라톤은 예술이 사회적 산물이라고 본다.

② 을은 미적 가치를 도덕적 가치보다 중시한다. (×)
→ 도덕주의자인 공자는 도덕적 가치를 미적 가치보다 중시한다.

③ 갑과 을은 예술의 사회적 영향력을 중시한다. (○)

④ 을과 병은 예술 그 자체가 목적이 되어야 한다고 본다. (×)
→ 심미주의자인 스핑건에게만 해당하는 설명이다. 공자를 비롯한 도덕주의자는 예술 작품이 고결한 품성과 올바른 행위를 포함하여 도덕적 교훈이나 본보기를 제공해야 한다고 본다.

⑤ 갑, 을, 병은 모두 예술에 대한 도덕적 평가를 강조한다. (×)
→ 도덕주의자인 플라톤과 공자에게만 해당하는 설명이다. 스핑건은 예술이 도덕적 평가로부터 자유로워야 한다고 주장한다.

04 도덕주의와 심미주의 비교 답 ⑤

갑은 음악이 영혼과 정신을 올바르고 우아하게 만드는 기능을 수행해야 한다고 본 도덕주의자 플라톤이며, 을은 예술가는 다른 사람의 욕구를 만족시키기 위한 예술이 아니라 예술 그 자체를 목적으로 추구해야 한다고 강조한 심미주의자 와일드이다.

ㄱ은 예술이 도덕을 위한 도구적 성격을 지닌다는 것이므로 도덕주의의 입장이다. ㄷ, ㄹ은 심미주의의 입장이다.

ㄴ 역시 심미주의의 입장으로, C에 들어갈 내용이다.

05 심미주의적 관점의 특징 답 ⑤

(가)는 심미주의적 관점, (나)는 도덕주의적 관점이다. (나)에 비해 (가)는 예술의 자율성을 추구하는 정도가 높으며(X축 높음), 예술의 심미적 목적을 강조하는 정도도 높다(Y축 높음). 그에 반해 예술의 도덕적 영향력을 강조하는 정도는 낮다(Z축 낮음). 따라서 (가)의 상대적 특징에 부합하는 것은 ㉤이다.

내 것으로 만드는 셀파 - Tip

▶**예술과 윤리의 관계를 보는 심미주의적 관점(= 예술 지상주의)**
- **주장**: "미적 가치는 도덕적 가치와 관련성이 낮다." → 예술에 대한 윤리적 규제 반대
- **예술의 목적**: 미적 가치의 구현
- **강조점**: 예술의 자율성 → 순수 예술론 지지
- **한계**: 예술의 사회적 영향력과 책임 간과

06 예술에 대한 다양한 관점 답 ①

갑은 심미주의를 강조한 와일드, 을은 도덕주의를 강조한 플라톤, 병은 예술과 윤리의 상호 연관성을 강조한 칸트이다. 와일드는 플라톤, 칸트와 달리 예술이 도덕과 무관한 것으로 보았다. 플라톤은 와일드와 달리 예술 작품이 도덕적 교훈을 제공해야 한다고 보았다.

정답을 찾아가는 셀파 - Tip

ㄷ. C : 예술 그 자체를 위한 예술을 추구해야 한다.
→ 심미주의적 관점으로, A에 해당하는 진술이다.

ㄹ. D : 예술의 존재 이유는 덕성을 장려하는 것이다.
→ 도덕주의적 관점으로, B에 해당하는 진술이다.

07 소비 윤리의 이해 답 ⑤

제시문은 베블런 효과에 대한 설명이다. 베블런 효과는 어떤 상품이 고가로 책정되어야만 수요가 증가하는 현상을 말하는데, 이는 과소비의 한 형태인 과시적 소비에 해당한다.

ㄱ. 과소비는 자원의 고른 배분을 방해하고 환경 오염 등의 문제를 초래한다. ㄷ. 과소비는 물질의 소유를 행복으로 여기는 물질주의 풍토를 조성하여 정신적 가치를 경시하게 만든다. ㄹ. 과소비는 경제력 차이에 따른 계층 간의 위화감을 조성하여 근로 의욕을 저하시킬 수 있다.

ㄴ. 과시적 소비는 자기 과시욕이 지나쳐서 나타나는 것이다.

08 음식 윤리의 이해 답 ②

(가)는 음식에 관한 공자의 태도이고, (나)는 불교의 식생활 윤리이다.

① 공자는 반듯한 것만을 먹고 좋아하는 음식도 절제하였으므로 음식 섭취 과정에서도 인간다운 품위를 추구한 것으로 볼 수 있다. ③ 연기(緣起)란 모든 현상은 원인과 조건에 의해 일어난다는 것이므로 불교에서는 음식을 먹기까지 많은 사람들과 자연의 도움이 있었음을 깨달아야 한다고 강조한다. ④ 불교에서는 오신채가 화와 음욕(淫慾)을 불러오기 때문에 수행에 방해가 되며, 깨달음을 얻기 위해서는 음식을 절제하면서 먹어야 한다고 강조한다. ⑤ 공자는 술을 취할 정도로 마시지 않았고, 불교에서는 오전 중 한 번의 식사로 만족해야 한다고 하였다. 이를 통해 두 입장 모두 절제를 강조하였음을 알 수 있다.

② 공자는 음식의 섭취가 생존 유지에 국한된 것만이 아니라며 예의와 법도를 준수하고 절제해야 한다고 강조한다.

09 윤리적 소비의 특징 답 ①

(가)는 상품이나 서비스가 주는 효용과 만족감을 극대화해야 한다는 합리적 소비를, (나)는 경제적 약자와 환경, 공동체를 고려하고 존중해야 한다는 윤리적 소비를 강조한다. 합리적 소비는 최소 비용으로 최대 만족 획득을 강조하지만 윤리적 소비는 도덕적 가치를 충족하는지가 상품 선택의 기준이 된다. 따라서 윤리적 소비는 소비 활동에서 생산자의 처우를 고려하는 정도가 높고(Y축 높음), 지속 가능한 환경을 위한 소비 활동을 지지하는 정도가 높다(Z축 높음). 그에 반해 최소 비용으로 최대 만족 획득을 강조하는 정도는 낮다(X축 낮음). 따라서 (나)의 상대적 특징에 부합하는 것은 ㉠이다.

10 다문화주의를 둘러싼 쟁점 답 ③

'나'는 테일러이고, '어떤 학자'는 배리이다. 테일러는 소수 집단에 대한 권리 인정이 집단 간 관계의 형평성을 제고하고, 소수 집단의 구성원들에게 국가에 대한 충성심을 갖게 한다며 다문화주의를 옹호한다. 반면 배리는 문화 간 경계를 가정하는 것이 오히려 문화 간 장벽을 만드는 것이고, 소수 집단의 권리 인정이 법 앞의 평등이라는 가치를 해친다며 다문화주의를 비판한다. 테일러는 다원주의와 공동체주의를 바탕으로 하여 인정의 정치를 주장하면서 개인과 집단의 정체성과 관련하여 차이를 인정해야 한다고 강조하는 반면, 배리는 평등주의적 자유주의의 관점에서 개인의 권리가 문화보다 우선해야 한다고 주장한다.

③ 테일러는 국가가 소수 민족의 문화적 권리를 인정하는 것이 사회 통합에 이바지한다고 보지만 배리는 그렇지 않다고 주장한다.

정답을 찾아가는 셀파 - Tip

① 문화보다 권리가 우선시되어야 함을 간과하고 있다 (×)
→ 테일러는 문화가 우선시되어야 한다고 보고, 배리는 권리가 우선시되어야 한다고 본다.

② 집단 간 문화의 경계가 명확히 구분되어야 함을 강조하고 있다 (×)
→ 배리는 문화의 뚜렷한 경계가 실제로는 존재하지 않는다고 본다.

③ 다문화주의가 사회적 통합을 촉진하고 있음을 간과하고 있다 (○)

④ 차별화된 권리의 인정이 보편적 인권에 어긋남을 간과하고 있다 (×)
→ 배리는 차별화된 권리의 인정이 보편적 인권에 어긋난다고 보지만, 테일러는 양립할 수 있다고 주장한다.

⑤ 다문화주의가 법 적용의 일반성을 따르고 있음을 강조하고 있다 (×)
→ 배리는 다문화주의가 추구하는 사회적 통합을 법치로 접근한다. 그는 특정한 집단에 대해 예외를 두는 규칙으로 소수 집단에 권리를 부여하는 것은 법 앞의 평등이라는 기본 원칙을 손상한다고 주장한다.

11 문화 상대주의 이해 답 ④

제시문은 레비스트로스의 『슬픈 열대』의 일부이다. 그는 서양인들이 식인 풍습을 가진 원주민들을 야만족이라고 비하하면서도 정작 자신들이 하는 해부학 실습의 야만성에 대해서는 비판하지 않는데 이는 잘못이라고 지적한다.

ㄴ. 그는 한 사회의 관습이나 관념을 포함하는 문화는 그 사회의 맥락에서 이해하고 평가해야 한다는 문화 상대주의적 태도를 보인다. ㄹ. 그는 자신이 속한 사회의 시각으로 다른 사회의 문화를 평가하는 것은 오류를 범할 수 있다고 본다.

정답을 찾아가는 셀파 - Tip

ㄱ. 인류 문화의 가치를 향상시키기 위해서 문화 간의 차이를 인정하지 않아야 한다.
→ 문화 상대주의는 인류의 보편적 가치를 해치지 않는 문화라면 있는 그대로 인정해야 한다고 본다.

ㄷ. 문화의 객관성을 확보하기 위해서 문화의 보편성을 기준으로 문화를 평가해야 한다.
→ 문화 상대주의는 각각의 문화는 그 사회의 맥락에서 평가되어야 한다고 주장한다.

12 다문화 사회를 보는 다양한 관점 답 ①

A는 각각의 문화가 고유성을 유지하면서 공존하는 다문화주의, B는 주류 사회의 문화를 바탕으로 문화적 다원성을 수용하는 문화 다원주의, C는 비주류 문화가 주류 사회의 문화에 흡수되는 동화주의의 관점에서 다문화 사회를 이해하고 있다.

②, ④는 C만 긍정, ③은 B만 긍정의 대답을 할 질문이다. ⑤는 용광로 모형을 주장하는 사람이 긍정의 대답을 할 질문이다.

13 샐러드 그릇 모형 이해 답 ①

제시문은 다문화 정책 중 샐러드 그릇 모형의 장단점에 관한 대화이다. 샐러드 그릇 모형은 소수자의 문화를 있는 그대로 존중한다는 장점이 있지만, 사회 통합을 약화시킬 수 있다는 문제점을 지닌다.

샐러드 그릇 모형은 ㄷ. 주류 문화 자체를 인정하지 않으며, ㄹ. 주류·비주류 문화의 구분 없이 각각의 고유성을 유지하면서 공존한다.

14 동화주의와 문화 다원주의의 공통점 답 ①

(가)는 소수의 비주류 문화가 주류 문화에 편입되어야 한다고 보는 동화주의 이론이고, (나)는 국수와 국물이라는 주류 문화와 함께 고명이라는 비주류 문화가 공존하는 상태를 설명하는 국수 대접 모형으로서 문화 다원주의 이론이다. 두 이론은 모두 주류 문화와 비주류 문화를 명확히 구분해야 한다고 전제한다.

②는 용광로 모형에 해당하는 설명이다. ③, ④ (가), (나) 모두 민족 문화를 주류 문화로 유지해야 한다는 입장이다. ⑤ 흔히 샐러드 그릇 모형으로 설명되는 다문화주의에 해당한다.

15 다문화주의에 관한 쟁점 답 ①

(가)는 다문화주의를 찬성하는 입장이고, (나)는 다문화주의의 한계 또는 위험성을 강조하는 입장이다.

ㄷ과 ㄹ은 (나)의 관점에서 강조할 내용이다. 다문화주의를 반대하거나 다문화주의의 위험성을 강조하는 입장에서는 정주민들이 이주민을 출신 국가의 경제력이나 인종과 민족 등 피부색을 기준으로 서열화·계층화할 가능성이 있고, 사회적·경제적 불평등이 은폐될 수 있다고 주장한다. 이는 곧 이주민이 속한 인종, 민족 등이 일종의 계급으로 고착화될 수 있다는 것이다.

16 종교의 규범적 특성 답 ②

제시문은 종교가 보편적인 윤리 규범을 제공할 수 있다는 내용이다.

ㄴ, ㄹ은 제시문의 내용과 거리가 멀다. 또한 종교 윤리에 대한 바람직한 서술도 아니다.

17 종교 갈등의 극복 방안 답 ③

(가)는 각 종교의 근본적 차이를 인식하고 종교적 다양성과 풍요로움을 중시할 것을 주장하고 있다.

정답을 찾아가는 셀파 - Tip

① 민족 종교를 체계화하여 세계 종교로 발전시켜야 한다. (×)
→ 종교 분쟁에 대해 제기할 수 있는 적절한 해결 방안이 아니며, 이슬람교와 그리스도교는 이미 세계 종교로 볼 수 있다.

② 자기 종교의 관점에서 다른 종교의 가치를 평가해야 한다. (×)
→ 자기 종교의 관점에서 다른 종교의 가치를 평가하면 오히려 갈등의 원인이 될 수 있으므로 다른 종교를 이해하고 존중하는 자세가 필요하다.

③ 각 종교의 차이를 인정하고 종교적 다양성을 존중해야 한다. (○)

④ 종교 간의 합리적 소통을 통해 종교의 단일화를 추구해야 한다. (×)
→ 종교의 단일화는 종교의 다양성과 풍요로움을 잃게 하므로 각 종교의 차이점과 다양성을 존중해야 한다.

⑤ 종교 간의 우열을 윤리적으로 평가하여 위계질서를 확보해야 한다. (×)
→ 종교 간의 우열을 가리거나 위계질서를 확립하는 것은 종교 간의 상호 충돌을 야기할 수 있다. 따라서 이러한 수직적 관계보다는 수평적 관계로 종교 간의 관계를 바라보아야 한다.

18 종교의 다양성 존중 답 ④

제시문은 다양한 종교의 필요성을 역설한 달라이 라마의 글이다. 그는 종교의 단일화를 추구할 것이 아니라 각 종교의 특징과 차이점을 이해하고 다양성을 존중할 것을 강조하였다. 또한 그는 수많은 사람들의 다양한 욕구를 충족시키기 위해서라도 하나의 종교보다는 다양한 종교가 공존해야 한다고 역설하였다.

서답형 문제

19 의복의 윤리적 의미

모범 답안 | 의복은 예의에 관한 사회적 기준을 반영한다.

주요 단어 | 예의, 사회적 기준

채점 기준	배점
주요 단어 두 개를 모두 포함하여 서술한 경우	상
주요 단어 한 개만 포함하여 서술한 경우	중
주요 단어를 한 개도 포함하지 않고 서술한 경우	하

20 다문화주의(샐러드 그릇 모형)

모범 답안 | 샐러드 그릇 모형(다문화주의), 샐러드 그릇 모형은 주류·비주류 문화의 구분 없이 다양한 문화가 각각의 고유성을 유지하면서 공존함을 강조한다.

주요 단어 | 다양성, 고유성, 공존

채점 기준	배점
정책 명칭을 쓰고, 주요 단어를 모두 포함해 특징을 서술한 경우	상
정책 명칭을 쓰고, 주요 단어 한 개 이상을 포함해 특징을 서술한 경우	중
정책 명칭만 쓴 경우	하

21 종교 갈등을 극복하기 위한 바람직한 자세

모범 답안 | 종교의 자유와 각 종교의 자율성을 인정하는 태도(또는 종교적 관용의 자세)를 갖추고 종교 간에 대화하고 협력하려는 노력을 기울여야 한다.

주요 단어 | 종교의 자유, 자율성, 종교적 관용, 대화, 협력

채점 기준	배점
주요 단어들을 적절히 활용하여 모범 답안의 취지에 부합하는 내용을 논리적으로 서술한 경우	상
주요 단어 중 두 개만 활용하여 모범 답안의 취지에 부합하는 내용을 논리적으로 서술한 경우	중
단순히 종교 갈등을 극복하기 위해 노력해야 한다고만 서술한 경우	하

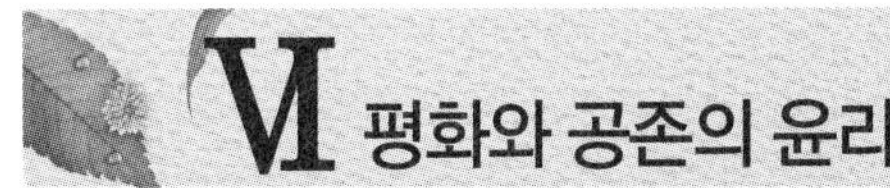

Ⅵ 평화와 공존의 윤리

단원평가 제6회 p. 35 ~ p. 39

01 ④	02 ④	03 ④	04 ⑤	05 ②	06 ②
07 ②	08 ③	09 ⑤	10 ②	11 ①	12 ②
13 ②	14 ⑤	15 ④	16 ③	17 ①	18 ④

19 ㉠ 상비군, ㉡ 공화 체제, ㉢ 연방 체제, ㉣ 세계 시민법

20 해설 참조

01 사회적 갈등 해결의 주체별 역할 답 ④

사회적 갈등 해결을 위해 필요한 역할은 개인적 차원, 시민 사회적 차원, 국가적 차원으로 나누어 볼 수 있다.

ㄹ 법과 제도의 제정은 정부의 역할에 해당한다.

내 것으로 만드는 셀파 - Tip

▶ 사회적 갈등 해결을 위한 주체별 역할

개인	자신의 정체성, 자율성 등을 희생하지 않을 것을 전제로 자유롭고 평등하게 의견을 제시할 권리가 있음
시민 사회	정부와 시민들 간의 중재자 역할을 할 수 있고, 정부나 기업의 행동을 감시하고 견제하는 역할을 할 수 있음
국가	국민의 의견을 수렴하여 정책을 수립하고, 제도를 운영하며 법을 집행함

02 담론 윤리 답 ④

(가)는 하버마스의 주장으로, 그의 관점에 의하면 (나) 문제를 해결하기 위해서는 개인의 자율적 담론 참여와 노력이 전제되어야 한다.

정답을 찾아가는 셀파 - Tip

① 법률 개정 과정에서 다수결 방식을 강화해야 한다. (×)
→ 다수결은 다수의 견해가 일방적으로 결정되는 방식이므로 담론에 참여하고 해결책을 도출하는 담론 윤리의 방식에 비해 단순하고 기계적이다.

② 연금 제도의 한계를 정부의 강제력으로 보완해야 한다. (×)
→ 정부의 강제력보다 개개인의 자율성을 강조한다.

③ 사회 구성원 다수의 이익을 확대하는 방향으로 결정한다. (×)
→ 공리주의적 방식으로, 담론 윤리가 합리적 의사 결정 과정을 강조하는 데 비해 공리주의는 결과의 유용성만을 강조할 수 있으므로 적합하지 않다.

④ 각 세대의 이해관계를 합리적으로 조정하는 절차를 마련한다. (○)

⑤ 기업의 자선과 기부가 필요함을 알리고 참여하도록 독려한다. (×)
→ 자유주의적 관점에 해당하는 설명으로, 하버마스의 관점에는 부합하지 않는다.

03 연대적 책임 답 ④

(가)의 사상가는 연대적 책임을 강조하고 있다. 설문 내용은 정치적 성향의 분포가 중도 부분에 집중되어 있고 시위나 집회에의 참여 경험이 없는 비율이 과반수 이상이다. 이를 토대로 갑의 입장을 추론할 때, 서로 다른 견해를 존중할 것을 조건으로 공동체의 이익에 부합하는 대안을 도출할 것을 강조할 것이다.

ㄴ. 다양한 개인의 견해가 보장되어야 하므로 타당하다. ㄹ. 절차적 정의를 강조하는 갑의 관점에서 타당하다.

정답을 찾아가는 셀파 - Tip

ㄱ. 개개인의 역할 책임과 공동체적 책임은 동일하다.
→ 개인적 차원의 책임과 의무, 이익의 유형은 반드시 공동체적 차원의 그것과는 차이가 있다.

ㄷ. 현 정치 체제와 사회 구조를 유지하는 것이 중요하다.
→ 갑의 입장에 부합하지 않는 주장이다.

04 통일의 방법과 과정 답 ⑤

갑은 경제적 관점에서, 을은 인도적·국가적 차원에서 통일에 관해 이야기하고 있고, 병은 단계적 통일 방안을 주장하고 있다.

① 갑은 경제적 비용과 편익 측면에서 통일의 당위성을 강조하고 있다. 민족적 차원의 필요성은 확인할 수 없다. ② 갑은 분단 비용이 아니라 통일 비용을 줄일 것을 강조하고 있다. ③은 갑의 관점에 부합하는 주장이다. ④는 병이 다른 참여자들에게 할 수 있는 주장이다.

내 것으로 만드는 셀파 - Tip

▶ 분단 비용, 평화 비용, 통일 비용

분단 비용	• 분단 상태가 지속됨으로써 들어가는 비용 → 소모적 성격이 강함 • 예 군사비, 분단으로 인해 발생하는 국론의 분열 등으로 인해 발생하는 비용 등
평화 비용	• 분단으로 인한 불안 상태를 해소하고 평화 상태를 유지하기 위한 비용 • 예 북한에 대한 지원 비용, 경제 협력에 투자되는 비용 등
통일 비용	• 통일 이후 북한에 투자되는 비용 → 들어간 만큼 회수되는 투자적 성격이 강함 • 예 북한 지역에 대한 개발 및 투자 비용, 북한 주민에 대한 복지 비용 등

05 북한의 인권 개념 답 ②

(가) 입장은 각 사회의 문화적 특성을 고려하고 이해할 필요성이 있지만 보편적 윤리성은 존재한다고 강조한다. (나)는 북한의 인권 개념에 대한 설명으로, 사회주의 체제 수립을 전제로 인권이 보장되어야 함을 강조한다.

정답을 찾아가는 셀파 - Tip

ㄴ. 차등 분배 구조에서는 인권이 보장될 수 없음을 간과한다.
→ 차등 분배는 경제적 분배의 문제이므로 인권 보장이 더 상위의 개념이다. 따라서 분배 구조와 무관하게 인권의 보편성은 지켜져야 한다.

ㄹ. 인권은 당사자 간 계약과 합의에 의해 만들어짐을 간과한다.
→ 인권은 천부적·자연권적 성격을 지니므로 계약에 따라 인위적으로 형성되는 것이 아니다.

06 원효의 화쟁 사상 답 ②

제시문의 '그'는 원효이다. 여러 종파 간 갈등을 넘어 합쳐질 수 있다는 부분에서 화쟁 사상을 추론할 수 있다.

ㄱ. 화쟁 사상에 부합하는 주장이므로 타당하다. ㄷ. 논쟁하는 당사자의 모든 주장에 각각 '옳음'이 존재하므로 보다 높은 차원에서 화합할 수 있다고 본 원효의 화쟁 사상에 부합한다.

정답을 찾아가는 셀파 - Tip

ㄴ. 만물의 근원은 동일하므로 서로 독립적으로 존재한다.
→ 불교 사상에 따르면 만물은 상호 의존적이므로 독립적으로 존재할 수 없다.

ㄹ. 모든 이해관계를 수렴할 수 있는 정치적 기구가 필요하다.
→ 강제적이 아닌 자발적 화합이 필요하다고 볼 것이다.

07 통일 한국의 지향점 답 ②

제시문은 통일 한국이 복지 국가, 자유 민주주의 국가를 지향해야 한다고 강조하고 있다.

② 복지 국가 실현을 위해서는 정부의 적극적 역할이 요구된다.

08 국제 갈등의 해결 노력 답 ③

ㄴ. ㉡은 국제 비정부 기구에 해당하므로 강제성이 없다. 그에 반해 ㉠과 ㉢은 정부 간 국제기구로서 구속력, 강제력 있는 조치를 취할 수 있다는 점에서 차이가 있다. ㄷ. 세 기구 모두 '초국가적 행위체'로 분

류되며, 개별 국가만의 이익을 초월한 보편적 정의를 추구한다는 점에서 공통적이다.

정답을 찾아가는 셀파 - Tip

ㄱ. ㉠은 ㉡과 달리 지역적 분쟁에만 개입할 수 있다.
→ 양자 모두 지역적 분쟁에만 국한되는 것이 아니라 전 지구적 범위에서 활동을 전개한다.

ㄹ. 국제 분쟁 해결 과정에서 국제 비정부 기구의 활동이 위축되고 있다.
→ 국제 분쟁의 원인과 양상이 복잡해짐에 따라 국가보다는 국제 비정부 기구나 정부 간 국제기구 등의 활동이 확대되고 있다.

09 분단 비용, 통일 비용, 통일 편익 답 ⑤

㉠은 통일 비용, ㉡은 분단 비용, ㉢은 통일 편익이다.

⑤ 남북한 주민의 인권 신장, 국제 사회에서의 통일 한국의 위상 제고 등은 비경제적인 통일 편익에 해당한다.

정답을 찾아가는 셀파 - Tip

① ㉠은 소모성 지출 비용이다. (×)
→ 통일 비용은 투자 성격의 생산적 비용이다.

② ㉠에는 남북한 철도 연결 비용, 미사일 시험 발사 비용 등이 포함된다. (×)
→ 남북한 철도 연결 비용은 통일 비용이 맞지만, 미사일 시험 발사 비용은 분단 비용에 포함된다.

③ ㉡은 투자 성격의 생산적 비용이다. (×)
→ 분단 비용은 소모성 지출 비용이다.

④ ㉢은 경제적 비용과 경제 외적 비용으로 나눌 수 있다. (×)
→ 통일 편익은 경제적 편익과 비경제적 편익으로 나눌 수 있다.

⑤ ㉢에는 남북한 주민의 인권 신장, 국제 사회에서의 통일 한국의 위상 제고 등이 포함된다. (○)

10 다양한 국제 갈등 답 ②

(가)는 영토 분쟁과 자원 분쟁의 성격이 혼재되어 있다. (나) 역시 영토 분쟁이면서 동시에 종교적·민족적·안보적 성격까지 혼재되어 있다.

정답을 찾아가는 셀파 - Tip

ㄴ. (나)는 표면적으로 종교 분쟁이지만 실제로는 영토 분쟁이다.
→ 여러 가지 요소가 복합적으로 섞여 있다.

ㄷ. (가), (나) 사례 모두 국제 형사 재판소를 통해 해결할 수 있다.
→ 인종 학살이나 테러, 전쟁과 같은 반인도적 범죄가 아니라 국가 간 분쟁이므로 국제 형사 재판소의 심판 대상이 아니다.

11 칸트의 영구 평화론 답 ①

(가)는 칸트의 영구 평화론이다. 칸트는 국가 간 영구 평화를 위해서는 "어떠한 독립된 국가도 상속, 교환, 매수, 증여로써 다른 국가의 소유가 될 수 없다."라고 하였다.

② 영구 평화론은 각국의 이익 극대화가 아닌 선의지를 가진 공동체를 추구한다. ③ 자국의 이익을 추구하는 것은 현실주의적 관점이다. 국제기구가 세계 평화 유지에 도움이 된다고 본 칸트의 사상은 이상주의적 관점과 일치한다. ④ 칸트는 통일된 자유주의적 정치 체제가 아니라 개별 국가의 주권이 보장된 상태에서 연방 연합체를 구성해야 한다고 강조한다. ⑤ 칸트의 영구 평화론은 국제 평화가 실현 가능한 것으로 설정된 의제이다.

12 갈퉁의 적극적 평화론 답 ②

(나)는 갈퉁의 적극적 평화론이다.

②는 갈퉁이 강조하는 적극적 평화론에 해당하는 것으로 타당하다.

정답을 찾아가는 셀파 - Tip

① 인간의 도덕적 선의지만으로 직접적 폭력 상황을 제거할 수 있다. (×)
→ 갈퉁은 도덕적 선의지만으로는 평화의 달성이 불가능하다고 본다.

② 불합리한 제도나 관습의 철폐는 영구적 평화 달성의 필요조건이다. (○)

③ 전쟁, 테러뿐만 아니라 불평등한 차별적 제도 역시 직접적 폭력이다. (×)
→ 불평등한 차별은 간접적 폭력에 해당한다.

④ 빈곤과 정치적 억압은 제3자에 의해서만 해결될 수 있음을 간과하고 있다. (×)
→ 제3자에 의해서만이 아니라 폭력 피해자들의 능동적 참여와 의지로 평화를 달성할 수 있다고 여긴다.

⑤ 전쟁 상태를 멈추고 국가 간 협약을 체결한다면 영구 평화가 달성될 수 있다. (×)
→ 국가 간 협약은 칸트의 이론을 바탕으로 한 이상주의에 해당한다.

13 국제 사회를 바라보는 관점 답 ②

(가)는 현실주의, (나)는 이상주의이다.

ㄱ. 홉스의 성악설적 관점에 부합하므로 타당한 진술이다. ㄷ. 현실주의는 세력 균형을 통해, 이상주의는 국제법과 국제기구를 통해 전쟁 방지와 평화 달성이 가능하다고 본다.

ㄴ은 구성주의이고, ㄹ. 이상주의가 국가 간 이익이 상호 공존할 수 있다고 본다.

14 구성주의적 관점의 특징 답 ⑤

'이 관점'은 구성주의이다. 구성주의는 상대국과의 관계 정립 및 상호 작용이 국익을 좌우한다는 입장이다.

①, ②, ③은 현실주의의 입장이고, ④는 칸트의 영구 평화론으로 이상주의의 입장에 가깝다.

내 것으로 만드는 셀파 - Tip

▶국제 사회를 보는 구성주의적 관점

- 국가의 정체성이나 국제 관계의 구조를 가변적인 것으로 파악 → 협력과 갈등이 동시에 존재함
- 국가의 정체성은 그 나라의 문화, 역사 등 관념적인 요소가 결정함
- 국제 분쟁를 해결하기 위해서는 국가 간의 문화적 공통점을 찾고 이질성을 줄이는 것이 중요

15 해외 원조론 답 ④

(가)는 해외 원조에 대한 노직의 관점이고, (나)는 의무론의 입장이다.

① 꼭 필요하지 않은 지출을 기부하는 방식을 제안한 것은 싱어이고, ② 도덕 법칙이 정언 명령의 형식이어야 한다는 점을 강조한 것은 칸트이다. ③, ⑤ 차등의 원칙을 국제 사회에 적용하는 데 반대하고, 빈곤국의 문제가 문제 상황을 자발적으로 개선할 능력이 결여되었기 때문이라고 보는 것은 롤스이다.

16 폭력의 유형과 특성 답 ③

제시문의 주장에 의하면 최저 시급 미지급이나 근로 시간 미준수는 억압과 착취를 조장하는 간접적 폭력이면서 구조적 폭력으로 볼 수 있다.

17 해외 원조 이론 답 ①

갑은 싱어, 을은 롤스이다. 싱어는 세계 시민주의의 관점에서 원조에서도 내국인과 외국인의 차별을 인정하지 않는다.

②는 롤스의 견해이다. ③, ④, ⑤는 싱어의 견해이다.

18 해외 원조와 자유주의 답 ④

제시문은 빈곤국에 대한 약품의 원조가 자본주의적 이해관계에 따라 충분히 이루어지지 않아 나타나는 문제점을 서술하고 있다. 이를 통해 자유주의에 따라 해외 원조를 전개했을 때의 문제점을 추론할 수 있다.

정답을 찾아가는 셀파 - Tip

ㄱ. 해외 원조는 개인의 자유에 속하므로 강요할 수 없다.
→ 노직의 견해로, 문제가 요구하는 비판적 논거가 될 수 없다.

ㄷ. 해외 원조의 대상은 반드시 빈곤 국가에 한정되는 것은 아니다.
→ 싱어는 해외 원조를 절대적 빈곤으로 고통받는 사람들을 돕는 것이라고 본다. 즉, 해외 원조의 대상을 절대 빈곤국으로 한정한 것이다.

서답형 문제

19 칸트의 영구 평화론

답 ㉠ 상비군, ㉡ 공화 정체, ㉢ 연방 체제, ㉣ 세계 시민법

칸트는 영구 평화론을 통해 국제법의 적용을 받는 평화 연맹의 구성을 요구하였고, 그러한 그의 요구는 국제 연맹, 국제 연합의 결성에 영향을 미쳤다.

20 해외 원조의 효과와 한계

모범 답안 | ㉠ 국가의 이미지를 제고할 수 있고 인간의 존엄성 실현 및 세계 평화에 이바지할 수 있다. ㉡ 무분별한 원조는 수혜국의 주인 의식이나 자립 능력을 약화시켜 해외 원조에 계속해서 의존하게 만들 수도 있다.

주요 단어 | 국가 이미지, 인간의 존엄성, 세계 평화, 주인 의식, 자립 능력, 의존

채점 기준	배점
주요 단어를 적절히 활용하여 장단점을 모두 바르게 서술한 경우	상
주요 단어를 적절히 활용하여 장점만 바르게 서술한 경우	중
주요 단어를 적절히 활용하여 단점만 바르게 서술한 경우	하